ESTADOS UNIDOS

UNIDOS

UN DESCUBRIMIENTO CULINARIO

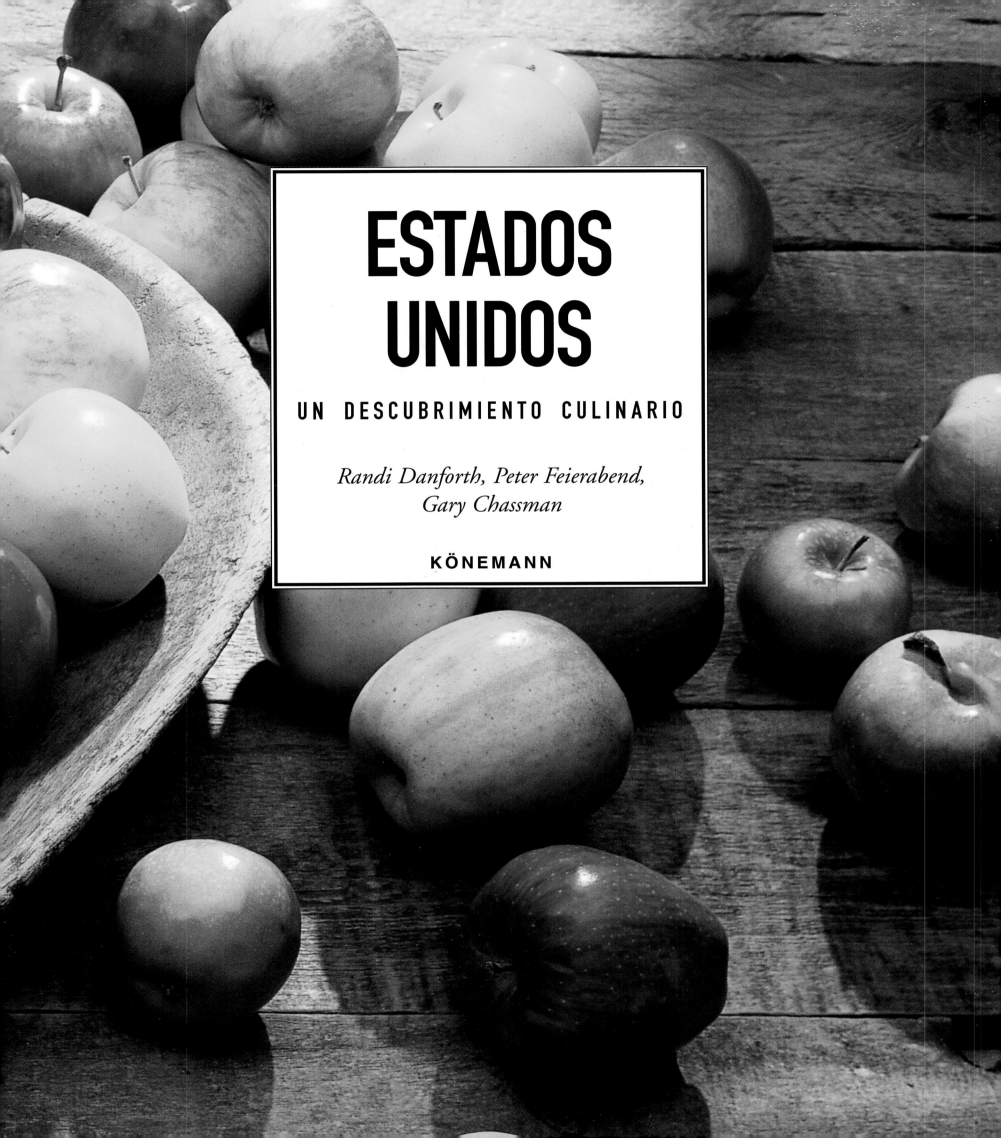

ESTADOS UNIDOS

UN DESCUBRIMIENTO CULINARIO

Randi Danforth, Peter Feierabend,
Gary Chassman

KÖNEMANN

LOS ESTADOS UNIDOS DE AMÉRICA

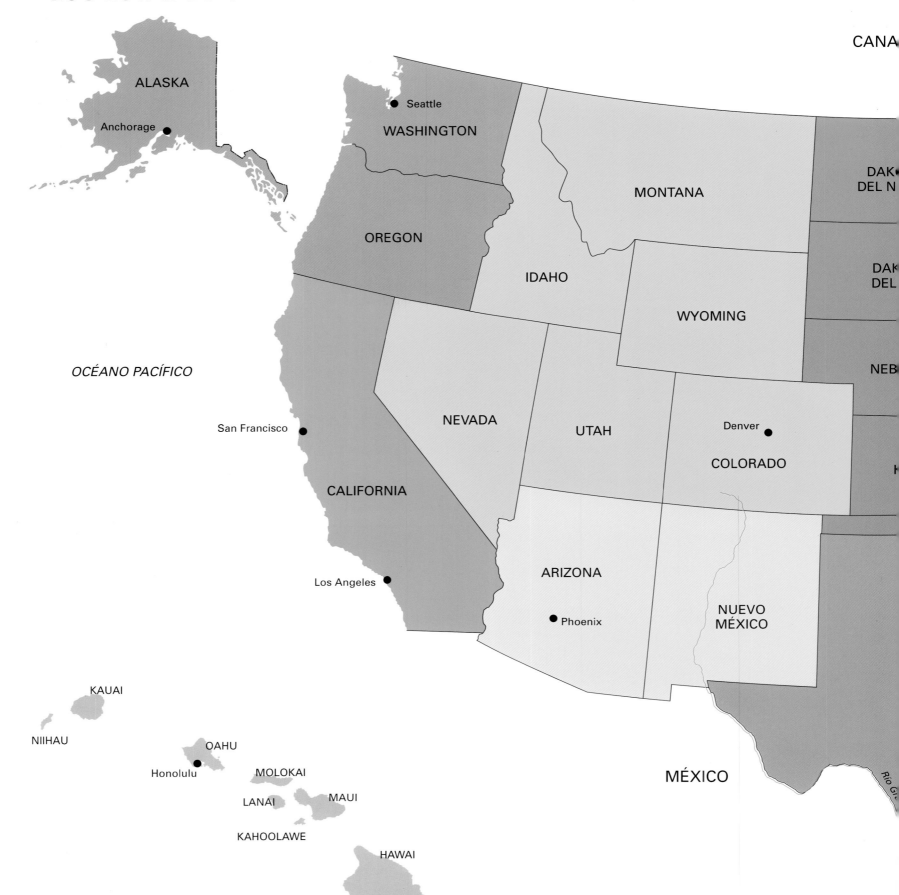

CANA

ALASKA

Anchorage

Seattle

WASHINGTON

MONTANA

DAK
DEL N

OREGON

IDAHO

DAK
DEL

WYOMING

OCÉANO PACÍFICO

NEB

San Francisco

NEVADA

UTAH

Denver

COLORADO

H

CALIFORNIA

Los Angeles

ARIZONA

Phoenix

NUEVO
MÉXICO

KAUAI

NIIHAU

OAHU

MOLOKAI

Honolulu

LANAI

MAUI

MÉXICO

Río Gr

KAHOOLAWE

HAWAI

MINNESOTA

WISCONSIN

MICHIGAN

VERMONT

MAINE

NUEVA HAMPSHIRE

MASSACHUSETTS

Boston

RHODE ISLAND

CONNECTICUT

CIUDAD DE NUEVA YORK

NUEVA JERSEY

NUEVA YORK

PENSILVANIA

DELAWARE

MARYLAND

WASHINGTON D.C.

Chicago

IOWA

ILLINOIS

INDIANA

OHIO

A

Kansas City

MISURI

VIRGINIA OCCIDEN- TAL

VIRGINIA

Río Misisipí

AS

KENTUCKY

CAROLINA DEL NORTE

OKLAHOMA

ARKANSAS

TENNESSEE

CAROLINA DEL SUR

OCÉANO ATLÁNTICO

Atlanta

JAS

Dallas

MISISIPÍ

ALABAMA

GEORGIA

LUISIANA

Nueva Orleans

Grande

FLORIDA

Miami

GOLFO DE MÉXICO

Nueva Inglaterra

La ciudad de Nueva York

Atlántico central

El Medio Oeste

Las Grandes Llanuras

El Sur

Nueva Orleans y Luisiana

Tejas

El Sudoeste

Las Montañas

California

El Noroeste del Pacífico y Alaska

Hawai

Notas sobre las abreviaturas y las cantidades

1 g	= 1 gramo = $^1/_{1000}$ quilogramo
1 kg	= 1 quilogramo = 1000 gramos
1 l	= 1 litro = 1000 mililitro
1 ml	= 1 mililitro = $^1/_{1000}$ litros
$^1/_8$ l	= 125 mililitros = 8 cucharadas soperas
1 cucharada	= 1 cucharada sopera rasa
	= 15–20 gramos de ingredientes secos (en función del peso)
	= 15 mililitros en ingredientes líquidos
1 cucharadita	= 1 cucharada de té rasa
	= 3–5 gramos de ingredientes secos (en función del peso)
	= 5 mililitros de ingredientes líquidos

Créditos

© 1998 Könemann Verlagsgesellschaft mbH
Bonner Str. 126, D-50968 Köln

Editor:	Randi Danforth
Dirección artística:	Peter Feierabend
Fotografías:	George Wieser, Zeva Oelbaum, Helmut Claus, Peter Medilek
Diseño:	Griffin Graphics: David Griffin, Peter Perez
Coordinación del proyecto:	Franzisca Sörgel y Ute Hammer
Ayudantes:	ClaudiaSchmidt-Packmohr, Aicha Becker, Iris Heinen
Mapas:	Astrid Fischer-Leitl
Reproducciones:	CDN Pressing, Verona

Título original: *Culinaria USA - A Culinary Discovery*

Copyright © 1999
de la edición española: Könemann Verlagsgesellschaft mbH

Traducción del inglés:	Verónica Puigdengolas Legler para LocTeam, S.L., Barcelona
Redacción y maquetación:	LocTeam, S.L., Barcelona
Coordinación del proyecto:	Laura Duarte Patiño
Producción:	Ursula Schümer, Mark Voges
Impresión y encuadernación:	Neue Stalling, Oldenburg

Printed in Germany
ISBN 3-8290-3966-2

10 9 8 7 6 5 4 3 2 1

CONTENIDO

PREFACIO

La cocina norteamericana existe. Oculta tras la popularidad de la hamburguesa, el perrito caliente y el resto de productos de exportación, es posible encontrar una cocina viva y en constante desarrollo. Los clásicos de la comida rápida, que han uniformizado el apetito estadounidense en el estadio de béisbol, la carretera y entre reuniones de trabajo, han difundido la imagen de un país sin cultura gastronómica. Sin embargo, la riqueza de aromas que emana de cualquier cocina norteamericana demuestra todo lo contrario. Una riqueza que hay que agradecer, en primer lugar, a cada uno de los pueblos que emigró a Estados Unidos y llenó la mesa con sus platos predilectos. Desde entonces, el pan de cada día incluye de tacos mexicanos a sashimi japonés, pasando por asados alemanes, salchichas polacas o paella. Muchas de estas especialidades, a primera vista conocidas, sorprenden por las variaciones que han experimentado fuera de su lugar de origen: algunos ingredientes han desaparecido, otros son nuevos.

Por otro lado, las preferencias culinarias son tan diversas como la población de tan extenso territorio. Así, por ejemplo, en una granja encontraremos platos cuya consistencia permite afrontar sin problemas una larga jornada de trabajo; en la costa prevalecen los platos ligeros; en el mundo de los negocios se cotizan las especialidades internacionales, mientras que en California, donde comer es poco menos que un arte, la cocina supone un continuo desafío a la creatividad.

La tierra de las oportunidades nos ofrece el más amplio abanico de posibilidades entre comer y disfrutar, entre la comida rápida y la alta cocina. El viaje a través de este rico y vasto territorio nos ha premiado con sus auténticos tesoros culinarios, aquéllos que no se exportan en lata ni salen en las películas.

DESAYUNO NORTEAMERICANO

Sémola de maíz, granola y un vaso de zumo de naranja

El desayuno norteamericano es único en el mundo; les gustan las tostadas calientes y los cereales fríos. Si bien los cereales calientes como las gachas de avena y los Cream of Wheat a veces forman parte de la mesa del desayuno, los cereales fríos con leche son mucho más comunes. El clásico desayuno caliente norteamericano se compone de huevos (ya sea revueltos o fritos "por un solo lado") con beicon acompañados de patatas fritas caseras o de tostadas con mantequilla, un vaso de zumo de naranja y café. Antaño, las familias colonizadoras o granjeras del Medio Oeste tomaban nutritivos desayunos como éstos cuando una dura jornada de trabajo requería ingerir muchas calorías por la mañana. En los siglos XVIII y XIX, las familias que vivían en las plantaciones del Sur solían tomar copiosos desayunos, parecidos a los tradicionales desayunos de las casas de campo inglesas: platos de carnes y aves, panes, condimentos, frutas y conservas, café, té, chocolate, huevos escalfados e, incluso, bufés llenos de cangrejos y gambas en las casas señoriales. Los hombres solían tomar un julepe de ron a primera hora de la mañana, supuestamente para evitar la malaria.

Hoy en día ya no se suele comer tanto. (De hecho, más de la mitad de la población no toma nada para desayunar.) Los copiosos desayunos campestres de los antepasados han sido sustituidos por desayunos rápidos tomados en la cocina o en el coche de camino al trabajo o a la escuela. Los restaurantes de comida rápida sirven desayunos desde hace tiempo, ofreciendo *burritos* listos para llevar, sándwiches de *croissant,* el Huevo McMuffin de MacDonald's (un huevo cocido en un bollo inglés) e incluso pequeñas pizzas para los norteamericanos ajetreados. En casa, la comida preparada como las tortitas congeladas (hoy en día, integrales) o las *Pop-Tarts* (pastas que se calientan en el tostador) componen un desayuno rápido junto con un puñado de píldoras de vitaminas. Existe incluso una bebida instantánea de naranja llamada Tang que fue inventada hace varias décadas para los astronautas en el espacio, aunque el zumo de naranja preparado se puede encontrar extensamente en los supermercados y es más práctico. Algunos norteamericanos prefieren las bebidas en polvo que supuestamente contienen todas las vitaminas y minerales de un desayuno consistente.

El desayuno rápido más popular en el hogar son los cereales con leche fría. En Norteamérica se producen miles de cereales para el desayuno, gracias a las colosales empresas de los estados centrales que hicieron fortuna a principios de siglo transformando los campos de cereales de color ámbar de la

El clásico desayuno norteamericano se compone de donuts (fondo), huevos fritos por un solo lado, beicon, patatas fritas, zumo de naranja y café.

región en cereales en copos, inflados, tostados y en tiras para el desayuno. La publicidad ha desempeñado un papel significativo en la promoción de los beneficios nutritivos de los cereales envasados por medio de la televisión, dirigiendo los anuncios especialmente a los niños.

Los fines de semana, los norteamericanos se pueden permitir las comidas copiosas y tranquilas, más parecidas a los desayunos que las familias colonizadoras y granjeras tomaban cada mañana. Las tortitas y los gofres, las *tortillas,* los *bagels* y el salmón ahumado, el zumo de naranja recién exprimido y los deliciosos panes dulces, como los bizcochos con fruta seca y los pegajosos bollos, representan lo mejor del desayuno norteamericano. A veces, la gente sale a tomar un *brunch,* el equivalente más sofisticado del desayuno que se toma a media mañana e incluye platos más elaborados, tales como huevos Benedict o huevos mimosa (servidos con champán y zumo de naranja).

El café es la parte más importante del desayuno para aquellos que necesitan despertarse con una dosis de cafeína. En Estados Unidos, la preparación del café se solía limitar a la cafetera de filtro eléctrica o a

Una taza de café de una cafetería: de porcelana pesada con rayas finas

la cafetera gota a gota; ambos métodos producían un café mucho más suave que una cafetera a presión italiana o un filtro de café francés. Actualmente, todo vale. La cafetera de filtro se ha quedado obsoleta y está siendo sustituida por la cafetera automática gota a gota, el filtro y la cafetera a presión. También se

La antítesis del desayuno de la foto de la izquierda es el bol de *granola* y fruta fresca con leche desnatada (arriba). Esta versión del desayuno norteamericano se ha hecho más popular a medida que la gente ha optado por reducir la cantidad de grasas y azúcar en sus dietas.

mente podrá identificar de dónde procede. Los bollos de arándanos negros y los donuts, los *bagels,* las galletas, los buñuelos y las *tortillas* son la elección de los habitantes de Nueva Inglaterra, la ciudad de Nueva York, el Sur, Nueva Orleans y Arizona, en este orden. Si bien es cierto que estos productos se han hecho populares en todo el país, todavía están profundamente asociados con su región de origen.

Las tortitas también son un alimento clásico norteamericano. Arriba, tortitas al estilo sueco elaboradas con una masa fina y servidas con jarabe de arándanos encarnados.

puede optar por utilizar cristales de café instantáneo liofilizado para preparar la taza matinal de café. En Estados Unidos se consume mucho más café descafeinado que en otros países, sobre todo por parte de aquellos que se preocupan por su salud.

Algunos platos tienen fuertes rasgos regionales. A diferencia de los japoneses, que comen pescado y encurtidos para desayunar, la mayoría de los norteamericanos evita los sabores fuertes a primera hora de la mañana, excepto los habitantes del Sudoeste, que toman huevos revueltos con salsa y chiles picantes. El típico desayuno sureño se compone de jamón y huevos campestres con *grits* (un tipo de gachas de harina de maíz), jugo de carne y galletas. Conforme a su naturaleza ahorrativa, a los yanquis les gusta tomar pasteles a base de sobras para desayunar. El *scrapple* (pasta frita de carne picada de cerdo en forma de pastel plano) con jarabe es un plato típico de Pensilvania. Los habitantes del sur de California, que se preocupan por la salud, toman un bol de *granola* (una mezcla de cereales enteros, frutas y frutos secos) con leche desnatada y fruta fresca. Si bien algunos neoyorquinos comen huevos rancheros al

En Hawai, los desayunos suelen componerse de *linguiça* (salchicha portuguesa picante), huevos fritos y arroz.

amanecer, la mayoría prefiere tomarse un *bagel* tostado untado con queso cremoso.

En realidad, los panes del desayuno son los que describen mejor el origen regional. Pregúntele a un norteamericano qué tipo de pan come y probable-

La predilección de los norteamericanos por los pastelitos dulces para desayunar (como los donuts), los gofres y las tortitas proviene de los inmigrantes alemanes y holandeses que introdujeron estos alimentos en su nuevo hogar americano. El donut *(doughnut),* una rosquilla frita en abundante aceite, está tan estrechamente asociado con Estados Unidos que a los soldados norteamericanos que luchaban en Europa durante la Segunda Guerra Mundial se les llamaba *doughboys,* debido a su predilección por los donuts. Según cabe suponer, el primer donut fue elaborado con un agujero en medio por un cocinero de Maine en 1847. Fue una innovación creada para evitar que la masa del centro quedara blanda. Hoy en día, los donuts se consumen tanto como tentempié como para desayunar, acompañados mayoritariamente de una taza de café en el cual "se mojan". Para prepararlos, se deja fermentar la masa de levadura o se fríen en abundante aceite y, a continuación, se glasean con azúcar o chocolate, o se espolvorean con azúcar con canela o azúcar blanco. Incluso se venden sin el típico agujero. Los donuts enteros se rellenan con jalea y se espolvorean con azúcar.

Los bizcochos de fruta seca también son originarios de Alemania; se trata de pasteles dulces de levadura rellenos con frutos secos y mermeladas de fruta, que se bañan en un glaseado blanco y se sirven calientes. Los gofres se elaboran con una masa que se vierte en un molde de hierro caliente que les da la forma de una tortita redonda con cuadraditos. Éstos recogen la mantequilla fundida y el jarabe con que se rocían los gofres en el momento de servirlos. Las tortitas, a cuya masa se puede añadir arándanos negros o suero de leche, también se sirven con mantequilla y jarabe.

Nueva Inglaterra

por Elizabeth Riely

Connecticut
Maine
Massachusetts
Nueva Hampshire
Rhode Island
Vermont

Cuando los peregrinos llegaron a Plymouth Rock en 1620, descubrieron que la región que ellos habían bautizado como Nueva Inglaterra, en honor a su país de origen al otro lado del Atlántico, ofrecía un terreno variado. El interior, desde la costa rocosa, irregular y azotada por el viento, estaba formado por densos bosques, montañas escarpadas, fértiles valles, lagos de agua fría, grandes ríos y corrientes rápidas. El clima era riguroso, con inviernos largos y muy fríos y una época de cultivos corta.

La primera preocupación de los colonos fue la supervivencia. Con la ayuda de los indios aborígenes, descubrieron que la diversidad geográfica favorecía el desarrollo de una abundante vida animal y vegetal. Los animales de caza con plumas o piel (aves, venado y otros animales) y el pescado se podían conseguir durante todo el año. Gracias a los indios, que enseñaron a los recién llegados cómo cultivar judías, calabaza y maíz y cómo alimentarse buscando raíces, hortalizas y frutas, los europeos resistieron los primeros arduos años. Con una cuidada economía doméstica y métodos tales como el secado, la curación y el ahumado, a veces, aprendidos de los indios, conseguían que las provisiones duraran todo el invierno.

El reto de encontrar alimentos y la austeridad religiosa de los colonos peregrinos (también llamados puritanos por su estricta interpretación de la Biblia) hacían que su comida fuera sencilla y saludable. Más adelante, a medida que las colonias prosperaron, disfrutaron de la generosidad de la tierra y el mar. Los platos se solían cocer en una gran olla o asar juntos en el horno por razones prácticas. La sopa de pescado, el estofado, el *succotash,* el picadillo y las judías en salsa de tomate son ejemplos típicos, muchos de los cuales proceden de los indios. El pescado asado o hervido y los platos de carne se tomaban con poco aderezo. Para postre, los puddings, las natillas, las tartas, los *cobblers* (pasteles de fruta) y las compotas de fruta seguían la tradición inglesa, incluso cuando se preparaban con ingredientes del Nuevo Mundo y se endulzaban con jarabe de arce o melaza.

Los inmigrantes posteriores, especialmente los portugueses, los italianos y los irlandeses, trajeron consigo sus costumbres culinarias a Nueva Inglaterra. Añadieron especias a la comida yanqui tradicional. A medida que aumentaba el número de recién llegados, la mezcla culinaria resultaba cada vez más rica. Hoy en día, la cocina de Nueva Inglaterra incluye las influencias de los nuevos inmigrantes de América Latina y de Oriente Próximo y Extremo Oriente. Al mismo tiempo que Nueva Inglaterra abarca estas nuevas tradiciones, la cena del Día de Acción de Gracias, cuyos orígenes son yanquis, sigue siendo la principal fiesta de la región. Fue un regalo de Massachusets a América y, con ligeras variaciones regionales, esta festividad perdura en todo el país como la celebración más tradicional y más norteamericana.

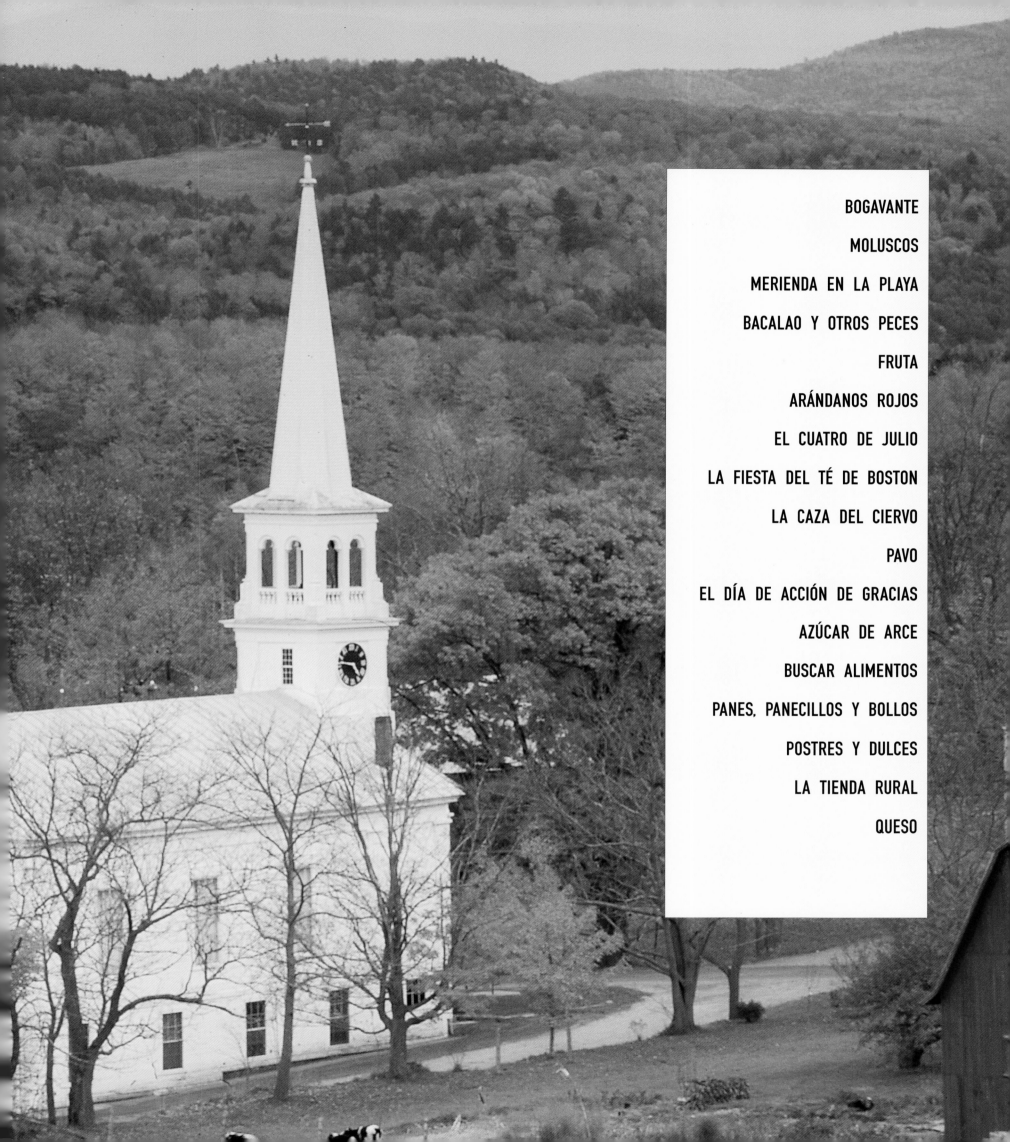

BOGAVANTE

La pesca

"Los bogavantes son un excelente producto comercial y lo bastante hermosos para mirarlos, una vez hervidos" dijo Thomas Fairfax, capitán de una barca de bogavantes de Connecticut, en 1881. "Pero para comer, antes prefiero unos zapatos de goma."

Millones de habitantes de Nueva Inglaterra indudablemente no están de acuerdo con este cascarrabias del siglo XIX. No sólo están orgullosos del bogavante, *Homaris americanus,* sino que han hecho de este rey del Atlántico norte el plato principal de las suntuòsas fiestas que se celebran en ocasiones especiales. Su gran tamaño y su sabor refinado y delicioso lo convierten en un excelente manjar. Su pariente europeo, *Homarus gammarus,* es algo más pequeño, y el "bogavante espinoso" o "de roca", sin ninguna pinza, es en realidad una langosta. El bogavante de Maine es el icono de Nueva Inglaterra conocido en el mundo entero.

En inglés antiguo, el término *lobster* (bogavante) significa "criatura semejante a una araña", una descripción apropiada para este animal patilargo con dos pinzas desiguales, una para desgarrar y otra para triturar. Cuatro pares más de patas articuladas le permiten correr marcha atrás por el fondo del océano hacia su presa, cuyos movimientos y olor percibe gracias a dos potentes pares de antenas. Aparte del hombre, el bogavante casi no tiene predadores; excepto en la época de la muda, cuando cambia su caparazón y se esconde en refugios rocosos hasta que una armadura nueva y más grande se fortalece en el espacio de 12 días. Con cada muda incrementa su peso un 50% aproximadamente.

Cuando los peregrinos llegaron por primera vez a las costas de Nueva Inglaterra, abundaban los bogavantes de unos 120 cm de largo. Puesto que un bogavante tarda cinco años como mínimo en ganar unos 500 g de peso (de 20 a 25 mudas), dichos ejemplares podían tener unos cien años. Se tiene constancia de viejos ejemplares de más de 20 kg de peso. En los años 1930, se pescó un bogavante de unos 22 kg de peso y más de 90 cm de largo frente a las costas de Virginia.

Hoy en día se encuentran pocos ejemplares de tales dimensiones. La afición de los norteamericanos por su carne casi ha vaciado las aguas de Nueva Inglaterra. El siglo XIX aceleró su desaparición con la invención de las latas de conserva, así como del ferrocarril y del barco de vapor, que permitieron a los "marineros de agua dulce" del interior saborear este fruto del mar. En 1880 había 23 fábricas de conservas en Maine, cuando el número y el tamaño de los bogavantes pescados frente a la costa empezó a disminuir rápidamente. Simultáneamente, se estableció una regulación de la industria del bogavante, pero las limitaciones de pesca varían de un estado a otro. El futuro de la industria del bogavante dependerá del cultivo acuático de crustáceos.

En Maine, la profesión de pescador de bogavantes abarca varias generaciones en algunas familias. Las barcas utilizadas son esquifes con la parte final de la popa abierta para poder lanzar fácilmente al agua las trampas hechas con listones de madera y luego arrastrarlas.

Las trampas, también llamadas nasas, se cargan con cebo y se lanzan al agua a intervalos, donde se hunden bajo la superficie para atraer a los bogavantes. Una vez que los crustáceos nadan en la trampa, ya no pueden salir. A continuación, se marcan las trampas con boyas de madera pintadas con los colores de cada pescador.

El pescador comprueba las trampas cada día o cada dos días, extrae los bogavantes y vuelve a poner cebo en las trampas.

Reparando una red en el muelle de Stonington, en la isla Deer (Maine).

Los bogavantes se miden a medida que se sacan de la trampa. Las hembras con huevas se lanzan de nuevo al mar, al igual que los ejemplares pequeños, es decir aquellos cuyo cuerpo mide menos del largo mínimo dispuesto por la ley (8,125 cm). El largo máximo permitido es de unos 12,5 cm.

Los bogavantes de tamaño legal llevan las pinzas atadas con gomas elásticas resistentes y se colocan en cajones de embalaje.

En tierra, se preparan los bogavantes para su comercialización. Se empaquetan con hielo y se envían a los restaurantes, los mayoristas y las empresas de venta por correo que venden directamente al público.

BOGAVANTE

Cocción y consumo

La carne de los bogavantes grandes no es necesariamente más dura que la de los ejemplares pequeños;
no es el tamaño sino una cocción en exceso lo que
hace que su textura sea gomosa.

La carne de bogavante no tiene un contenido muy
alto en colesterol. Los nutricionistas calculan que el nivel de colesterol en 100 g de carne de bogavante cocido es de 72 mg, una tasa inferior a la contenida en la
misma cantidad de pechuga de pavo o pollo sin piel y
cocida. La cantidad de grasas saturadas es de 1 g.

Los bogavantes perciben el dolor de manera diferente a los humanos. Sus movimientos bruscos en una
olla de agua hirviendo no son un intento desesperado
de escapar, sino un reflejo natural. Los supuestos "chi-
llidos" en la olla son en realidad el sonido del vapor que
se escapa del caparazón. Algunos entendidos sugieren
que la manera más humana de matar a un bogavante
es ponerlo en el congelador de 10 a 15 minutos para
embotar sus sentidos y luego verterlo en la olla.

Cómo elegir un bogavante vivo en el mercado

Seleccione el bogavante vivo en el tanque. Pídale al
pescadero que lo saque del agua para ver si mueve
las patas y agita la cola.

Si le gusta el coral, pida una hembra, que se distingue por una cola más ancha y el primer par de
pleópodos blandos y plumosos. En el macho, éstos
son duros y acanalados.

El bogavante de caparazón duro, a pesar de ser más
caro que el de caparazón blando, puede resultar una
mejor compra; la carne es más firme que la de un bogavante cuya muda ha sido reciente, y es más abundante
ya que llena el caparazón.

Términos para los tamaños de bogavante

Bogavante joven	500 g (el límite legal)
Joven pesado	de 500 a 562,5 g
Un cuarto	de 562,5 a 625 g
Selecto	de 625 a 875 g
Excepcional o de 1 kg	de 875 g a 1 kg
Selecto pesado	de 1 a 1,125 kg
Jumbo pequeño	de 1,125 a 1,250 kg
Jumbo	más de 1,250 kg

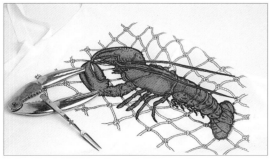

Los restaurantes suelen proporcionar baberos de plástico para
comer bogavantes, para que los comensales no se manchen la ropa,
y pinzas y pinchos de marisco metálicos, para extraer la carne cocida del caparazón.

Para cocer muchos bogavantes a la vez se utilizan enormes cubas de agua hirviendo.

Terminología relativa al bogavante

Ovas: las huevas de un ejemplar hembra.

Coral: las ovas del interior del cuerpo, que se vuelven de color negro a naranja una vez cocidas.

Paquette: bogavante hembra con huevas negras fecundadas ("bayas", unas 10.000) bajo la cola, unidas a sus pleópodos (apéndices bajo el abdomen) durante unos 9 a 12 meses, hasta que salen del cascarón.

Hígado de bogavante: hígado que se vuelve de color verde al cocerlo; es comestible y delicioso, pero puede acumular toxinas del agua contaminada.

Cull: bogavante con una sola pinza.

"En bruto": bogavante entero cocido y servido en el caparazón, normalmente al aire libre en mesas de picnic al estilo campestre con el servicio mínimo.

Bogavante hervido

Llene una olla grande con agua de mar hasta ¾ de su capacidad. O bien utilice agua dulce con una cucharada de sal por ¼ de agua. A ser posible, añada unas cuantas algas marinas frescas. Tape la olla, lleve el agua a ebullición y vierta entonces los bogavantes de uno en uno, introduciendo primero la cabeza. Cuente el tiempo de cocción desde el momento en que el agua hierva de nuevo: unos 8 minutos para los primeros 500 g, más 3 ó 4 minutos por cada 500 g adicionales.

Cuando los bogavantes estén cocidos (se vuelven de color negro verdoso a naranja subido), retírelos con unas pinzas grandes y déjelos reposar durante unos minutos. Haga un agujero detrás de la cabeza o en la parte superior del cuerpo para que se escurra el agua. Parta las pinzas con un cascanueces o unas tenacillas y corte el cuerpo por la mitad con unas tijeras grandes o un cuchillo pesado. Sirva el bogavante caliente con caldo de almejas para mojar la carne de bogavante, salsa de mantequilla derretida y gajos de limón.

Para cocer los bogavantes al vapor, vierta 5 cm de agua en una olla. Introduzca una rejilla sobre el agua. Tape la olla, lleve el agua a ebullición y coloque los bogavantes sobre la rejilla. Cuente 10 minutos de cocción para los primeros 500 g, más 4 minutos por cada 500 g adicionales.

Equipo necesario para hervir y comer un "bogavante en bruto"

- Olla muy grande con tapadera
- Pinzas grandes
- Pinzas para marisco, cascanueces o tenacillas
- Tijeras grandes o un cuchillo pesado
- Pincho de bogavante
- Babero

Lobster Salad
Ensalada de bogavante

½ taza de mayonesa (o una mezcla de mayonesa y nata agria)
⅓ taza de apio troceado
1 cucharada de zumo de limón, o al gusto, y rodajas de limón para adornar
1 cucharadita de mostaza preparada, o al gusto
3 tazas de carne de bogavante cocido, bien escurrida
sal y pimienta, al gusto

Mezcle la mayonesa, el apio, el zumo de limón y la mostaza en un cuenco. Pruébelo y rectifique de sal y pimienta si es necesario.

Parta el bogavante en trozos grandes, retirando cualquier resto de caparazón y cartílagos, y mézclelos con la mayonesa. Cubra y refrigere durante ½ hora o

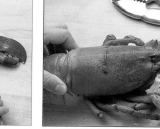

Para comer un "bogavante en bruto" sólo se requiere un babero, unas pinzas y un bogavante cocido. La salsa de mantequilla derretida y las servilletas son opcionales.

más. Antes de servir, disponga un lecho de lechuga en los platos. Forme un montoncito de ensalada de bogavante en el centro y coloque los tomates y las rodajas de limón alrededor. Puede utilizar las pinzas de bogavante para adornar el plato. Para 4–6 personas.

Para preparar un bocadillo de bogavante, típico de Maine, disponga la ensalada en panecillos para perritos calientes, omitiendo los tomates y las rodajas de limón.

Cómo partir un bogavante cocido

1. Bogavante entero cocido.

2. Separe las pinzas del cuerpo del bogavante.

3. La articulación que une las pinzas al cuerpo contiene un trozo de carne.

4. Parta las pinzas con unas pinzas de marisco o un cascanueces.

5. Extraiga la carne de una sola pieza. Parta las patas y retire la carne.

6. Gire la parte de la cola.

7. Separe la cola del cuerpo.

8. Con un cuchillo pesado y afilado, corte la cola a través del caparazón.

9. Arquee el caparazón y retire la carne del cuerpo.

MOLUSCOS

Las almejas son el alimento preferido de los yanquis. Ya sean servidas crudas en media concha y rociadas con limón, cocidas al vapor y servidas con salsa de mantequilla derretida, cocidas a fuego lento en un *chowder* (sopa espesa) o como ingrediente de una merienda en la playa, las almejas son un manjar exquisito cultivado en Nueva Inglaterra, tan corriente como delicioso. Existen dos tipos de almejas, las de concha dura y las de concha blanda. Y existen tres tamaños de almejas de concha dura: las *quahog* o chirlas (grandes), las *cherrystone* (medianas) y las *little neck* o almejas jóvenes (las más pequeñas). Estas almejas firmes y carnosas se suelen tomar crudas, ligeramente cocidas al vapor o cocidas en un *chowder*. Las almejas fritas en abundante aceite también son muy populares y se pueden encontrar en bares y restaurantes a lo largo de toda la costa de Nueva Inglaterra.

La parte púrpura de la concha de las chirlas fue utilizada como moneda, *wampum*, por los indios norteamericanos, que la canjearon tierra adentro desde el mar.

Las almejas de concha blanda se suelen utilizar más para cocer al vapor o freír. Su largo sifón parecido a un cuello *(neck),* que impide que la concha se cierre del todo, permite reconocerla fácilmente. El sifón también es conocido por sus diversos apodos, tales como pitillo, chorro u orinal. Puesto que las almejas de concha blanda no horadan muy hondo, son fáciles de desenterrar, pero suelen ser arenosas. Más económicas que las almejas de concha dura, las almejas de concha blanda tienen mucha demanda.

Las almejas de banco de arena que viven en aguas más profundas costa afuera se suelen picar para elaborar un *chowder*. Las navajas no se pueden rellenar debido a su forma alargada y estrecha, pero se pueden cocinar de otras maneras. Aunque son deliciosas, las navajas no se venden en Estados Unidos, sino que se exportan a Japón para elaborar Sashimi.

El tradicional *chowder* de Nueva Inglaterra (del término francés *chaudière*, la caldera de hierro que se calienta sobre el fuego) está íntimamente unido al mar. En las travesías por mar de mediados del siglo XIX, este sabroso guiso se elaboraba con bacalao seco, que se trituraba con galletas secas, agua y patatas para espesarlo; en tierra, también incluía almejas frescas y leche.

En Nueva Inglaterra, los tomates, el apio y las zanahorias no forman parte de los ingredientes del *chowder*, como ocurre más al sur, en el *Chowder* de almejas de Manhattan. A veces se sustituye el pescado por maíz. No es hasta el siglo XX que se incluye pescado salado o ahumado en las recetas originales.

El mejillón de concha azul negra brillante, que abunda frente a las costas de Nueva Inglaterra, pertenece a la misma especie que habita en el Mediterráneo. Su carne puede ser de color canela, coral o rosado, en función de la dieta del molusco. Antes de cocer los mejillones, se ha de retirar la "barba", la materia fibrosa unida a la concha.

Los yanquis de descendencia inglesa no apreciaban los mejillones; fueron los colonizadores italianos y portugueses quienes contribuyeron a crear la popularidad de la cual gozan actualmente los mejillones entre los norteamericanos.

La parte comestible de las vieiras es el músculo aductor redondo de este bivalvo acanalado del Atlántico Norte. Suele ser de color blanco, pero a veces es rosado en función de la dieta y el hábitat de las vieiras. En Europa, las huevas naranjas también se comen, pero al ser un artículo perecedero no tienen demanda en el mercado norteamericano. Casi todas las vieiras son hermafroditas, aunque las huevas brillantes son más evidentes que el teste pálido.

Las grandes vieiras de mar habitan en aguas más profundas y resultan excelentes cocidas rápidamente: a la parrilla, en brochetas o a la barbacoa, salteadas, o mezcladas en salteados o guisos de marisco. Las vieiras de bahía de las aguas frente a Cabo Cod, más pequeñas, se consideran de calidad superior por su incomparable sabor delicioso y delicado; si son muy frescas, es preferible comerlas crudas. Las vieiras de bahía de la isla Nantucket (Massachusetts), donde el agua es pura, son célebres. Estas vieiras de bahía "predilectas" viven en zosteras marinas poco profundas, donde los pescadores de invierno pueden recogerlas en otoño y a principios de invierno.

Se pueden encontrar ostras norteamericanas a lo largo de toda la costa este del país. Algunas clases deben su nombre al lugar de donde proceden, como las Wellfleets de Cabo Cod y las Cotuits. Los primeros ingleses que llegaron a Nueva Inglaterra encontraron bancos naturales de ostras a lo largo de toda la costa. Tanto los ricos como los pobres comían ostras opíparamente, de modo que a principios del siglo XIX los bancos de ostras de las costas de Nueva Hampshire y del norte de Massachusetts ya estaban agotados. Hoy en día, gracias a la repoblación de los lechos, las ostras de Cabo Cod y de Maine vuelven a ser el manjar preferido.

Almejas jóvenes *(Mercenaria mercenaria)*

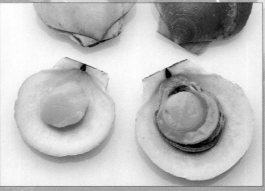

Vieiras de mar *(Placopecten magellanicus)*

Mejillones de concha azul *(Mytilus edulis)*

Chowder de almejas
de Nueva Inglaterra

cocidas; asegúrese de picar bien las partes duras. En la olla, derrita lentamente el cerdo salado a fuego lento hasta que esté crujiente; resérvelo. Cueza la cebolla en la grasa de la olla hasta que se reblandezca. Añada las patatas y el caldo colado y deje cocer hasta que las patatas estén tiernas, aproximadamente unos 12 minutos. Devuelva las almejas y los chicharrones a la olla y agregue la leche caliente. Cueza la sopa a fuego muy lento (la sopa no debe hervir) durante unos 5 minutos. Sazónela con sal y pimienta. Justo antes de servir, derrita la mantequilla en la sopa y sirva ésta en cuencos precalentados. Para 4 personas.

Sautéed Scallops
Vieiras salteadas

500 g de vieiras
harina para espolvorear
3–4 cucharadas de mantequilla
sal y pimienta, al gusto
perejil o cebollino picado
gajos de limón

Esta receta debe prepararse con vieiras de primera calidad. Si son muy frescas, son deliciosas crudas, de modo que si las cuece, hágalo rápidamente a fuego fuerte y por tandas; de lo contrario se volverán duras. Las vieiras de menor calidad que han sido remojadas en agua anegarían la sartén con sus jugos, echando a perder este plato.

Retire la pequeña parte blanca y dura situada a un lado de cada vieira. Si son de diferente grosor, corte las más gruesas por la mitad para que todas sean del mismo tamaño. Justo antes de cocinar las vieiras, espolvoréelas con un poco de harina.

Caliente una sartén grande a fuego fuerte y añada la mantequilla. Cuando esté bien caliente y humee, agregue las vieiras sin llenar del todo la sartén; si es necesario, saltéelas por tandas. Deje cocer las vieiras, sin remover, hasta que se doren ligeramente por un lado. Déles la vuelta y remueva hasta que estén ligeramente doradas por ambos lados, unos 3 minutos en total. Sazónelas con un poco de sal y pimienta. Espolvoréelas con perejil o cebollino picado. Sírvalas de inmediato con gajos de limón. Para 6 personas.

Portuguese Mussel Stew
Guiso de mejillones a la portuguesa

3 cucharadas de aceite de oliva
125 g de chorizo o *linguiça* (salchicha portuguesa picante)
1 cebolla troceada
2 dientes de ajo picados
½ pimiento dulce verde, cortado en tiras
2 tomates troceados
1 taza de vino blanco o de agua
2 kg de mejillones bien limpios y sin los filamentos
⅓ taza de perejil fresco picado

En una olla grande a fuego medio-bajo, caliente el aceite de oliva y cueza el chorizo, removiendo, hasta que se dore ligeramente. Añada la cebolla y el ajo, y cuézalos hasta que se reblandezcan, removiendo, durante unos 5 minutos. Agregue el pimiento y cueza unos minutos más. Incorpore los tomates y deje cocer hasta que estén blandos. Vierta el vino blanco y los mejillones. Tape bien la olla, suba el fuego y deje cocer hasta que los mejillones se abran del todo en el vapor, unos 10 minutos.

Añada el perejil. Vierta los mejillones en cuencos anchos con un poco de caldo y las verduras. Sirva el plato acompañado de vino blanco y abundante pan. Para 4 personas.

New England Clam Chowder
Chowder de almejas de Nueva Inglaterra

2 kg de almejas bien limpias
125 g de cerdo salado cortado en daditos
1 cebolla grande troceada
2 tazas del caldo de cocción de las almejas
2 patatas medianas para hervir peladas y cortadas en dados
4 tazas de leche entera caliente, sin llegar al punto de ebullición
sal y pimienta, al gusto
1 cucharada de mantequilla

Vierta las almejas en una olla y cúbralas con agua. Con una tapadera bien ajustada, cuézalas al vapor a fuego medio hasta que las conchas se abran por completo. Reserve 2 tazas del caldo y cuélelo a través de un tamiz forrado con una doble capa de estopilla humedecida y escurrida. Trocee las almejas

Ostras *(Crassostrea virginica)*

Almejas de concha blanda *(Mya arenaria)*

Navajas *(Ensis directus)*

Merienda
en la playa

La merienda en la playa es una tradición que se ha convertido en un ritual. Los yanquis creen que se remonta a los indios, cuyas pilas de estiércol demuestran que gustaban del marisco tanto como los colonos europeos. Así que los indios dejaron de ser una amenaza, los colonizadores imitaron sus meriendas como una variante yanqui de la barbacoa sureña. Como las fiestas de *chowders* y las cenas en la costa, estas meriendas proporcionan una coyuntura social para que toda una familia o una comunidad disfrute reunida.

Una vez cavado el hoyo en la arena, rodeado de grandes piedras y calentado con troncos, se dispone un lecho de algas marinas para formar la capa inferior. Encima, se colocan bogavantes, almejas y maíz, y quizás patatas blancas o boniatos y otras hortalizas, así como cangrejos, mejillones, pescado, pollo y salchichas. Después se esparce más fuco (algas marinas) sobre la comida y se cubre con paños encerados (tela de cáñamo impermeabilizada con brea o pintura), proporcionando así vapor para cocerlo todo. Como postre, se toma sandía o pasteles caseros.

La técnica para preparar una merienda en la playa apenas ha cambiado desde que los primeros habitantes de Nueva Inglaterra adoptaron la costumbre.

Clambake
Merienda en la playa

patatas de Maine pequeñas o boniatos
almejas (unas 10 pequeñas por persona)
pollo (¼ pollo por persona)
cebollas amarillas o blancas de tamaño mediano
maíz (2 mazorcas por persona, sin la pelusilla pero con la farfolla)
salchichas
bogavantes y cangrejos vivos (1 por persona)

Material:
piedras grandes y planas, 4 fanegas de fuco, madera dura y madera de deriva, hiniesta o hurgón, tela encerada o de cáñamo y cestas de red.

Cómo preparar una merienda en la playa

Las meriendas en la playa requieren mucha mano de obra para construir el hoyo de cocción y funcionan mejor con grandes cantidades de comida. Por lo tanto, es preferible reunir a un grupo para la ocasión. Para seis u ocho personas, se puede cocer la comida en el hornillo o en una hoguera, en una olla grande forrada con algas marinas para obtener un resultado similar.

1. El día anterior o a primera hora del día de la merienda, cave un hoyo en la playa de 90–120 cm de ancho, 185 cm de largo y 120 cm de hondo. Reúna suficientes piedras grandes y planas para forrar el hoyo, abundante madera dura y madera de deriva para el fuego, y 4 fanegas como mínimo de algas marinas (el fuco tiene pequeñas burbujas que estallan con el calor, creando vapor).

2. Las piedras deben cubrir completamente el hoyo, creando un lecho de piedras que retendrá el calor necesario para cocer la comida.

3. El día de la merienda, al menos 5 horas antes de la hora de comer, encienda el fuego y déjelo quemar unas 2 horas para que produzca un calor ardiente. Deje que la madera se consuma y que las piedras se pongan candentes, otras 2 horas. Limpie las piedras de brasas.
Tenga a mano un cubo de agua de mar por seguridad en caso de no poder controlar las llamas.

4. Cuando el fuego esté listo, cubra rápidamente las piedras calientes con una capa de 20–25 cm de algas marinas bien empapadas. Envuelva y ate toda la comida en cestas de red, excepto los bogavantes y los cangrejos. Enjuague la comida con agua de mar si es necesario.

5. Disponga los alimentos, empezando por los que tardan más en cocerse (como las patatas y el pollo) e intercalándolos con capas delgadas de algas. Los bogavantes se colocan en el hoyo con las colas hacia el centro para que no se escapen del fuego. Cubra la superficie con más algas húmedas, coloque encima un paño encerado o un trozo de tela de cáñamo y sujételo poniendo piedras en los extremos. Puede que el paño se hinche con el vapor durante la cocción.

6. Al cabo de una hora, levante una esquina de la tela y aparte las algas para comprobar el punto de cocción. Si los bogavantes están cocidos y las almejas abiertas, la comida estará lista.

El servicio necesario para una merienda en la playa es sencillo: disponga la comida sobre un mantel de picnic y proporcione platos de cartón y abundantes servilletas. 1. Cebollas 2. Maíz 3. Almejas 4. Salchichas 5. Caldo de almejas (para enjuagar el marisco) 6. Gajos de limón 7. Pan 8. Bogavantes

BACALAO Y OTROS PECES

El "bacalao sagrado", el reluciente emblema de la prosperidad de Massachusetts, está colgado en el edificio de la cámara legislativa del estado como una muestra de la importancia de este pescado para la economía del estado. Ya en 1623 se inició la pesca comercial del bacalao en Gloucester, en Cabo Ann hasta el norte de Boston, y el nombre del pez *(cod,* en inglés) se confirió al cabo más grande de la región, Cabo Cod, al sur. El bacalao se convirtió en una parte fundamental del comercio del triángulo, en el cual los barcos de Nueva Inglaterra exportaban bacalao salado a África, transportaban esclavos al Caribe e importaban azúcar desde las plantaciones caribeñas de vuelta a Nueva Inglaterra.

El bacalao es un predador barbudo del fondo. Su tamaño comercial varía de 1,250 kg a 5 kg. Come vorazmente y sin criterio. En 1626, un pescador inglés sacó uno con un tratado de tres tomos en su estómago. El bacalao, con los libros, fue presentado al rector de la Universidad de Cambridge.

El *"scrod"* es una cría de bacalao, o a veces otro miembro de la familia del bacalao, que pesa menos de 1 kg. El venerado restaurante Parker House de Boston creó supuestamente el término para designar el bacalao joven más fresco de que disponía para preparar su tradicional plato de bacalao a la parrilla. El bacalao salado se conservaba secándolo y salándolo y era el alimento básico en las largas travesías en barco.

Faro en la isla Nantucket (Massachusetts)

Salt Cod Cakes
Tortitas de bacalao salado

500 g de bacalao salado
6 patatas medianas para hervir peladas
2 huevos
⅓ taza aprox. de leche entera o nata
pimienta al gusto
harina para espolvorear
grasa de tocino o una mezcla de mantequilla y aceite para freír

Cubra el bacalao salado con agua fría y déjelo en remojo, cambiando el agua dos o tres veces, entre 6 y 24 horas. Escurra el bacalao, póngalo en una cacerola cubierto con agua y cuézalo unos 15 minutos a fuego lento, hasta que esté tierno. Escúrralo bien; una vez frío, desmíguelo, desechando cualquier espina o trozo de piel.

Hierva las patatas hasta que estén tiernas. Escúrralas y séquelas bien; hágalas puré mientras todavía estén calientes. Mezcle las patatas con el bacalao desmigado (no utilice un robot de cocina o la preparación se volverá pastosa); debe haber más o menos la misma cantidad de patatas que de bacalao, o un poco más de patatas. Agregue los huevos y la leche o la nata; sazone con pimienta. Cubra la mezcla y refrigérela. Forme bolas de unos 7,5 cm con la mezcla de bacalao, espolvoréelas con harina y aplánelas en forma de tortitas de unos 7,5 cm de diámetro. Caliente la grasa en una sartén grande y cueza las tortitas durante unos minutos por cada lado, dándoles la vuelta una vez, hasta que se doren. Para 16 tortitas.

Pomátomo: esta especie, *Pomatomus saltatrix,* abunda en verano, especialmente frente a las costas de Cabo Cod y de la isla Nantucket. Es un pescado idóneo para la pesca deportiva debido a su naturaleza luchadora. Su carne es oscura y aceitosa, por lo que resulta ideal para ahumar. El pomátomo debe cocerse poco después de pescarlo, para evitar que su sabor y su textura se deterioren.

Broiled Scrod
Cría de bacalao a la parrilla

unas 3 cucharadas de aceite vegetal ligero
1½ tazas aprox. de pan recién rallado
4 filetes de cría de bacalao (de unos 250 g cada uno), sin espinas ni escamas, pero con la piel
sal y pimienta, al gusto
4 cucharadas de mantequilla derretida
2 cucharadas de perejil fresco picado
1 limón

Precaliente la parrilla.

Vierta aceite en una fuente de horno lo bastante ancha para contener el bacalao en una sola capa. Esparza el pan rallado en un plato. Salpimiente los filetes de pescado, páselos por el aceite para empaparlos por ambos lados y rebócelos con el pan rallado. Disponga el pescado en la fuente con la piel hacia arriba. Cuézalo a la parrilla durante 5 minutos, vigilando que el pan rallado no se queme. Déle la vuelta a los filetes con cuidado, espolvoréelos con más pan rallado y rocíelos con la mitad de la mantequilla. Devuelva el bacalao a la parrilla y cuézalo de 4 a 5 minutos más, hasta que esté cocido y ligeramente dorado. Vigílelo y baje el fuego si es necesario. Mientras tanto, exprima la mitad del limón en la mantequilla restante y añada el perejil. Corte la otra mitad del limón en 4 rodajas. Adorne el pescado cocido con el limón y rocíelo con la preparación de mantequilla. Para 4 personas.

Bacalao del Atlántico
(*Gadus morhua*)

Pesca sobre hielo

La pesca sobre hielo es un pasatiempo social de invierno en los lagos del norte de Nueva Inglaterra, del cual disfrutan especialmente los hombres, aunque

las mujeres también pescan en el hielo para romper la monotonía de los hogareños días de invierno. Los pescadores de caña alquilan cabañas en el sólido lago helado, hacen hoyos con un taladro y, sentados sobre cubos de 24 litros, pescan con sedal salmones, truchas, lubinas, lucios, percas (superior derecha), sollos norteamericanos, peces de ojos saltones, pomosios y eperlanos, entre muchas otras especies de agua dulce.

Conocido como "pesca de agua cruda", este deporte está reservado a los pescadores realmente fanáticos. El clima es muy frío y ventoso en el centro de un lago helado; si se percibe cualquier indicio de un deshielo de primavera, habrá que recelar del grosor y de la seguridad del hielo. Pero no cabe duda de que la pesca sobre hielo es un acontecimiento social. Los pescadores van de visita de un lado a otro, compartiendo a veces una botella de licor. Se celebran concursos para premiar el ejemplar más grande, pero la pesca es secundaria para aquellos que simplemente disfrutan del pasatiempo.

Sábalo: el sábalo, un pescado notorio por sus numerosas espinas, había sido supuestamente un puerco espín en una leyenda de un indio Micmac. Cuando éste suplicó al Gran Espíritu que transformara el puerco espín en otro animal, el espíritu apresó la criatura llena de pinchos, le dio la vuelta hacia fuera y lo echó al río para que empezara una nueva vida como sábalo.

A pesar de sus espinas, este pescado es considerado como un sabroso manjar por los habitantes de Nueva Inglaterra que cada primavera esperan impacientes la "migración del sábalo".

Sábalo (*Alosa sapidissima*)

El nombre latino del sábalo es *Alosa sapidissima*, que significa "el arenque más delicioso". Por lo visto, la tribu algonquina de la Costa Este (a la cual pertenecen los Micmac) lo encontraba muy sabroso. Cada primavera pescaban grandes cantidades de sábalos cuando este pez anadromo regresaba del mar para desovar en el agua dulce de los ríos costeros. Los ejemplares hembras se consideran superiores a los machos no sólo por las grandes huevas que producen un poco antes de desovar, sino también por la gran calidad de su carne. Al igual que toda la familia del arenque, los sábalos son carnosos y grasientos, si bien su sabor es notablemente exquisito. Las huevas altamente apreciadas de sabor a nueces siguen siendo uno de los pocos auténticos placeres que se esperan cada primavera.

FRUTA

Cuando los peregrinos llegaron a Plymouth Rock en diciembre de 1620, se encontraron con un litoral escarpado, con ciénagas pantanosas y playas de arena. En primavera y en verano se dieron cuenta de que el terreno era ideal para cultivar arándanos, tanto rojos como azulados, y ciruelas que medran en suelos ácidos y áridos en los cuales no se puede cultivar muchas más cosas. Distinguieron estas frutas de las variedades que crecían en Inglaterra y las utilizaron para elaborar salsas, puddings, pasteles y conservas siguiendo métodos familiares.

Más hacia el interior, las frambuesas y las moras crecían silvestres, al igual que en el resto de las regiones septentrionales del planeta. Los caquis *(persimmon,* en inglés), del término algonquino *pasimenan,* crecían más al sur y al oeste. Los indios enseñaron a los colonos a dejar estas frutas anaranjadas en el árbol casi hasta principios de otoño, hasta que todo el tanino se hubiese convertido en azúcar, y a secarlas para las conservas de invierno.

Las vides producían gran abundancia de uvas, pero no las variedades europeas que conocían los colonos, sino las *labruscas* endémicas que soportaban los húmedos veranos y los rigurosos inviernos del clima de Nueva Inglaterra. Este tipo de uvas, excelentes

Uvas Concord *(Vitis labrusca)*

para comer, llevan nombres indios tales como "Niagara" o "Catawba". Las uvas Concord, un híbrido de variedades autóctonas y europeas, son resistentes y fértiles, con bayas grandes y jugosas de color púrpura intenso. La piel se quita rápidamente con una ligera presión. Su fragancia intensa y su sabor, descrito normalmente como "agrio", la convierten en una excelente uva de mesa.

Posteriormente las uvas se cultivaron en todo el estado de Nueva York, pero su fragilidad a la hora de transportarlas hizo que la mayor parte de la cosecha se destinara a la producción comercial. Allí se convirtieron en la base del zumo de uva *Welch's,* de la jalea de uvas norteamericana y de los vinos dulces *kasher* utilizada por fabricantes tales como Mogen David y Manischewitz. Todos los niños norteamericanos conocen el sabor de las uvas Concord gracias a alimentos típicos como el bocadillo de manteca de cacahuete y jalea ("PB & J") y el zumo de uva que deja un reborde púrpura delator alrededor de la boca.

Arándanos *(Vaccinium angustifolium)*

Siembra de pepitas y primera reproducción

John Chapman, nacido en Massachusetts en 1774, se convirtió en el Johnny Appleseed de la leyenda. Dio pepitas de manzana y manzanos jóvenes a los colonos que emigraban hacia el oeste desde Pensilvania, a los actuales estados de Ohio e Indiana. Empezando alrededor del año 1800 y durante los siguientes 40 años, recorrió mucho camino, sembrando pepitas y ofreciendo su amistad a los colonos a lo largo del camino para ayudarles a establecerse en este nuevo territorio. Comportándose y vistiéndose como un auténtico excéntrico, su siembra de manzanos y su poda de manzanares fue una especie de vocación religiosa. Chapman murió en Indiana en 1845.

Luther Burbank, nacido en Lancaster (Massachusetts) en 1849, experimentó sobre la reproducción de las plantas hasta que murió en California en 1926. Sus esfuerzos y sus métodos en favor de la horticultura, los cuales describió en numerosos libros, resultaron en un gran número de variedades nuevas y mejoradas de hortalizas y frutas, como por ejemplo frambuesas, moras, manzanas, ciruelas y melocotones. Sus creaciones más conocidas son las margaritas Shasta y las patatas Burbank.

Ephraim Wales Bull (1806–1895) difundió las uvas Concord, que llevan el nombre del pequeño pueblo de Massachusetts donde vivía. Durante muchos años trabajó para desarrollar esta variedad, cosechando el primer fruto en 1849. Era un cruce entre la *labrusca* endémica, la uva ácida del norte, y una variedad europea. Bull nunca sacó provecho comercial de su descubrimiento. El epitafio de su lápida reza, con cierta añoranza: "Él sembró, pero otros cosecharon".

El horticultor Ezekial Goodband cultiva variedades antiguas de manzana en Nueva Hampshire, en el Alyson's Apple Orchard.

Manzanas

En 1625 en Beacon Hill, en Boston, el reverendo William Blaxton plantó las pepitas que dieron lugar al primer manzanar exitoso de Norteamérica. En Nueva Inglaterra crecían las manzanas silvestres autóctonas, pero los peregrinos no encontraron ninguna de las manzanas cultivadas más refinadas que conocían en Europa. Aunque en su travesía trajeron consigo semillas en vez de injertos, que no hubiesen resistido el viaje, estas variedades no crecían naturalmente de las semillas, como es el caso de todas las frutas fecundadas por polinización cruzada. Con el tiempo, a medida que esta fruta era cruzada con las manzanas silvestres autóctonas, otras clases nuevas y desconocidas la diferenciaban todavía más de las variedades europeas predilectas. Por esta razón, la mayoría de las docenas de manzanas norteamericanas que se desarrollaban se distinguía de las variedades europeas.

A medida que los colonos se establecían en el territorio, cada granja tenía un manzano como mínimo, si no un manzanar. La fruta se convirtió en un alimento básico no sólo para comer, ya que se conservaba bien en invierno, sino también para beber. La sidra (es decir, la sidra fermentada de alto contenido alcohólico) fue la bebida común tanto para los adultos como para los niños, hasta el movimiento de abstinencia del siglo XIX, que hacía campaña contra el consumo de alcohol. Mientras que el agua podía no ser de confianza o estar contaminada, la cerveza o la sidra embotelladas eran más seguras. Con el tiempo y a medida que los colonos se desplazaron hacia el oeste, los viejos y retorcidos manzanos eran un claro indicio de una granja abandonada.

Variedades antiguas de manzana

Los conservacionistas han contribuido a la preservación de las variedades antiguas de plantas. Esto significa que las manzanas "antiguas" no sólo se conservan en bancos de semillas sino que también se plantan en manzanares. Se injertan púas en rizomas aclimatados de variedades enanas resistentes. Normalmente estas cepas más viejas no son comercialmente viables, pero tienen rasgos interesantes cuyos genes merece la pena conservar.

Baldwin: hacia 1740, de Wilmington (Massachusetts). Verdosa, moteada de color rojo intenso; fruto grande, tierno y jugoso; la mejor para cocinar o como postre; bianual; árbol resistente a las enfermedades.

Lady: hacia 1628, de Francia. Fruto pequeño rojo y amarillo con una pulpa blanca, firme, crujiente, dulce y muy sabrosa; buena como postre y para adornar; muy utilizada en guirnaldas de fruta en la época colonial; árbol apto para aparrar.

Mother: hacia 1844, de Bolton (Massachusetts). Dorada con tonalidades rojo intenso, de forma redonda u ovalada; pulpa cremosa, aroma refinado y sabor dulce, jugoso y suculento; se conserva bastante bien.

Pomme Grise: hacia 1650, de Montreal y el valle de St. Lawrence (Canadá). Fruto pequeño de color gris a rojizo, con una pulpa amarillenta, crujiente, firme y jugosa; árbol resistente, pero debe entresacarse.

Porter: hacia 1800, de Sherborn (Massachusetts). Debe su nombre al reverendo Samuel Porter; fruto amarillo con marcas rojas, de tamaño variable; pulpa amarilla, jugosa, crujiente y muy sabrosa; apta para cocinar y enlatar, pues conserva su forma; los árboles dan frutos cada dos años y éstos maduran de forma irregular.

Roxbury Russet: hacia 1630 (la variedad más vieja registrada en Norteamérica), de Roxbury (Massachusetts). De color verde a amarillo, fruto mediograndr, sabor delicioso, textura áspera y excelentes cualidades de conservación.

Wright: hacia 1875, de Hubbardton (Vermont). Color limón con tonos rojos rosados; pulpa blanca y tierna; sabor mohoso; aromática y vinosa; árboles altos y muy ornamentales.

Otros nombres peculiares de variedades antiguas de manzana son *Sops of Wine* (sopa de vino), *Peck's Pleasant* (agradable de mordisquear), *Titus Pippin* (pepita de Tito), *Westfield-Seek-No-Further* y Duquesa de Oldenburg.

Arándanos rojos

Los arándanos rojos agrios, *Vaccinium macrocarpon,* se cultivan comercialmente en Cabo Cod, en Massachusetts, desde principios del siglo XIX cuando un hombre de negocios llamado Capitán Henry Hall descubrió que el hecho de cubrir las parras de arándanos silvestres con arena favorecía su crecimiento. Sus experimentos dieron paso a un próspero negocio cultivando las bayas frescas en temporada. Hoy en día, Cabo Cod y la cercana isla Nantucket siguen siendo conocidos como el lugar de origen del arándano rojo, que está presente en la comida de Acción de Gracias de todos los norteamericanos en forma de salsa para acompañar el pavo asado.

La parra trepadora siempre verde del arándano rojo crece en ciénagas poco profundas. Es una planta melindrosa que requiere un suelo de turbas ácidas, arena y agua dulce. Una vez aclimatadas, las nuevas plantaciones tardan cinco años en dar frutos. Las últimas nevadas de primavera pueden estropear sus preciosos capullos rosas, las malas hierbas pueden asfixiar las parras en verano y éstas deben podarse en otoño.

Las ciénagas de arándanos rojos cultivados tienen acequias alrededor y en el centro. Éstas sirven de canales para un cuidadoso sistema de riego regulado que permite cambiar el nivel del agua o desbordar las ciénagas y así evitar las heladas. En la época de la cosecha, se sube el nivel para que las bayas, que contienen pequeñas bolsas de aire, floten en la superficie. De esta manera se pueden recolectar mediante un gran barrido circular. En un claro día de otoño durante la cosecha de los arándanos rojos, la extensión del brillante cielo azul intensifica el mar de bayas carmesí de debajo, en un paisaje monocromático y uniforme.

Los recolectores han de ir vadeando en abundante agua para recoger la cosecha.

Cosechando arándanos rojos en Carver (Massachusetts).

EL CUATRO DE JULIO

Desde que, en 1775, empezó la Guerra de Independencia en Lexington (Massachusetts), con "el escopetazo que se oyó en todo el mundo", Nueva Inglaterra se ha tomado en serio la fiesta nacional que celebra la firma de la Declaración de Independencia. Conocido también como "Día de la Independencia" o como "el Cuatro de Julio", este día festivo siempre se ha guardado en las grandes y pequeñas ciudades. El carácter militar de la fiesta, sobre todo en época de guerra, daba a entender que el tradicional acompañamiento sería muy ruidoso. Las campanas, los silbatos y las descargas de cañón eran corrientes en las celebraciones del siglo XIX. Hoy en día, los petardos y las profusas exhibiciones de fuegos artificiales marcan cada vez más las festividades. Los conjuntos de tambores y bugles y las bandas militares siguen siendo una parte fundamental de los desfiles del Cuatro de Julio, seguidos de discursos ceremoniales públicos e himnos patrióticos.

Una comida marca el fin de estas ceremonias públicas; es compartida por todo el mundo, por grupos más reducidos o en reuniones de familias y amigos. Para aprovechar el clima veraniego, la comida del Cuatro de Julio se suele disfrutar al aire libre en forma de picnic, comida campestre o merienda en la playa, ya sea en un lugar pintoresco o en el jardín. Es una comida informal, con platos caseros, de temporada y tan sencillos como los autóctonos.

En Nueva Inglaterra, el Día de la Independencia las comunidades costeras sirven tradicionalmente salmón napado con mayonesa al eneldo aromatizada con zumo de limón y mostaza. Se acompaña de guisantes frescos (los últimos de la cosecha de primavera) y patatas nuevas (las primeras de la temporada). Las mazorcas de maíz son prácticamente indispensables. También se pueden incluir tomates, aunque rara vez el sol veraniego aparece lo suficientemente pronto como para que los tomates locales tengan tiempo de madurar. En el interior, el cordero solía ser una tradición del Cuatro de Julio en el siglo XIX, pero desde la Segunda Guerra Mundial, se ha sustituido por pollo a la barbacoa, bistecs, hamburguesas o perritos calientes. El postre se elabora casi siempre con fruta de verano: pasteles de arándanos o ruibarbo, pastelitos con fresas o simplemente rodajas de sandía.

Barbacoa en el jardín posterior

Para muchos norteamericanos, la celebración del Cuatro de Julio requiere una barbacoa tanto como un desfile o unos fuegos artificiales. En Nueva Inglaterra, la barbacoa ritual es realmente una comida campestre hecha en la hoguera. Mientras que para los habitantes del sur la barbacoa significa asar lentamente carne de cerdo a fuego bajo y humeante, para los del norte implica asar rápidamente sobre el fuego. El fuego puede prepararse con carbón de leña (el combustible más utilizado), con troncos de madera seca, o bien en una barbacoa de gas. A ciertas personas les gusta aromatizar el fuego con astillas de madera (tal como mezquite, madera de árbol frutal o esquejes de vid), pero éstas tienden a perfumar el aire circundante en vez de aromatizar la comida.

Whole poached Salmon
Salmón entero escalfado

1 salmón entero (de unos 3 kg) limpio y sin escamas, pero con la cabeza y la cola

Caldo corto

1 puerro sin las puntas, limpio y cortado en rodajas
1 zanahoria grande cortada en rodajas
3 ramitas de perejil
1 hoja de laurel
2 ramitas de tomillo
2 cucharaditas de sal
8 granos de pimienta
el zumo de 1 limón
2 l o más de agua

Use una besuguera o una fuente para asar con tapa; debe ser grande para poder contener el salmón entero. Si el pescado es demasiado largo, corte la cabeza.

Antes de cocer el pescado, ponga una rejilla perforada dentro de la cacerola o coloque una estopilla debajo del pescado y ate los extremos de la misma al borde de la cacerola. Así podrá sacar fácilmente el pescado cocido. Para preparar el caldo corto, ponga las hortalizas y los condimentos en la cacerola con 2 litros o más de agua. Lleve a ebullición y deje cocer a fuego lento de 20 a 30 minutos.

Coloque el pescado sobre la rejilla o colgado con la estopilla en el caldo. Si el líquido no lo cubre, añada más agua. Lleve ésta a ebullición, baje el fuego y cueza el pescado 30 minutos (10 minutos por cada 2,5 cm de grosor, desde que rompa el hervor) a fuego lento. Apague el fuego y deje el pescado en el caldo durante 15 minutos o más. Para servir, saque el pescado del caldo con cuidado y páselo a una fuente grande. Adórnelo con rodajas de limón y hierbas aromáticas frescas. Para cortar el pescado en raciones individuales, empiece con las porciones situadas arriba y abajo de la espina central. Luego, retire con cuidado toda la espina central y corte el salmón en porciones. Sirva el pescado napado con salsa holandesa caliente.

También puede servirlo frío. Cueza el pescado un día antes y déjelo enfriar en el caldo corto. Páselo a una fuente y retire la piel hasta la cabeza y la cola. Rasque el tejido grisáceo de la superficie para exponer la carne color coral. Retire las espinas de las aletas. Córtelo en raciones individuales y nápelas con una salsa fría: mayonesa con eneldo fresco picado, zumo de limón y mostaza preparada. Para 10–12 personas.

El desfile del Cuatro de Julio en Bristol.
Salmón con salsa al eneldo, guisantes y patatas

LA FIESTA DEL TÉ DE BOSTON

La famosa tetera de cobre, en el Centro Estatal de Boston, deja constancia de la importancia de la ciudad en la historia del té.

A los colonos norteamericanos les gustaba beber té tanto como a los ingleses, de modo que cuando los Decretos de Townshend de 1767 gravaron el té con un fuerte impuesto (tres peniques por cada 500 g), se enfurecieron. En 1773, el parlamento británico creó el Decreto del Té, insistiendo en su derecho a imponer tales gravámenes en las colonias. El Decreto del Té supuso para la económicamente próspera Compañía Británica de las Indias Orientales un implícito monopolio del té vendido a las colonias. Se malbarataron deliberadamente los precios, incluido el del té de contrabando.

Los colonos, ya exacerbados por los Decretos de los Sellos, protestaron. Cuando se enteraban de que un gran cargamento de té debía ser distribuido en Boston, respondían negándose a descargar el té de los barcos surtos en el muelle. Igualmente inflexible, el gobernador Hutchinson no permitía que los barcos partiesen sin antes haber pagado los aranceles del té. Las tensiones crecieron a medida que los retraimientos continuaron. La noche del 16 de diciembre de 1773 un grupo de patriotas, encabezados por Sam Adams y Paul Revere entre otros, se disfrazaron y se pintaron de indios, abordaron tres barcos y arrojaron el té (342 cajas) en el puerto de Boston. Este acto desafiante pasó a llamarse la Fiesta del Té de Boston.

Durante toda la Revolución, los norteamericanos hicieron un completo boicot al té inglés, bebiendo sustitutos a los cuales llamaban "té de la libertad" o pasándose al café u otras bebidas. Después de la guerra, los norteamericanos establecieron su propio comercio con China, si bien las compañías británicas seguían dominando el mercado. A mediados del siglo XIX dos norteamericanos, George Huntington Hartford y George Gilman, consiguieron comprar y vender té directamente, eliminando así los intermediarios y reduciendo notablemente el precio a sus clientes. Su empresa llegó a ser con los años la Gran Compañía del Té del Pacífico y el Atlántico, que más tarde se convirtió en la gran cadena de supermercados familiarmente conocida como A&P, que todavía existe actualmente.

Quizás debido a su antigua asociación con el Imperio británico, la costumbre de tomar el té de la tarde nunca ha arraigado en EE.UU., pero el té se considera una bebida social tanto si se toma caliente como frío. El té helado, servido en un vaso alto con mucho hielo, y azúcar, limón y menta fresca, es muy popular, especialmente en pleno verano. En el Sur, el té es ubicuo; se sirve a todas horas y casi siempre con las comidas. A principios del siglo XX, los bailes del té eran una manera aceptable para que los hombres y las mujeres jóvenes lograran conocerse en sociedad. Una vez casadas, estas elegantes jovencitas se convertían en damas que se socializaban en las fiestas de té. Más recientemente, en

Estados Unidos las infusiones de hierbas se han convertido en la alternativa favorita para la gente que evita la cafeína, y las infusiones de menta, de naranja y de manzanilla se consumen tanto como el Earl Grey y el Darjeeling.

La bolsita de té

La bolsita de té es un invento norteamericano, introducido en 1908 por John Sullivan, un comerciante que empezó a ofrecer muestras de sus tés en bolsitas de tela cosidas a mano. Sus clientes comprobaron que podían poner estas bolsitas en infusión directamente en la tetera y apreciaron la comodidad de poder retirar fácilmente las hojas de té al final. Y las bolsitas de té ya pesadas ganaron popularidad.

Si bien Sullivan utilizaba té de hojas grandes y de buena calidad, los imitadores fueron más transigentes. Los restaurantes empezaron a utilizar la bolsita de té individual. Inevitablemente, se acompañaba de agua hirviendo que, hasta que llegaba al cliente, se había enfriado por debajo del punto de ebullición necesario para preparar una buena taza de té. Como compensación, se partieron las hojas de la bolsita en trozos más pequeños llamados *"fannings"* o *"dust"* (polvo) en el mercado, que daban una infusión más aguada con la temperatura inferior del agua. Con la creciente demanda de bolsitas de té, los comerciantes vendían un té de calidad inferior.

Hoy en día, los bebedores de té norteamericanos siguen prefiriendo mayoritariamente las bolsitas de té. Los entendidos no dan su aprobación pero el inventor que introdujo la cómoda aunque comprometedora bolsita de té en el mundo, se dio cuenta de la carencia y proporcionó la mercancía con un verdadero sentido de "inventiva yanqui".

La noche del 16 de diciembre de 1773, colonos disfrazados de indios arrojaron cajas de té británico en el puerto de Boston.

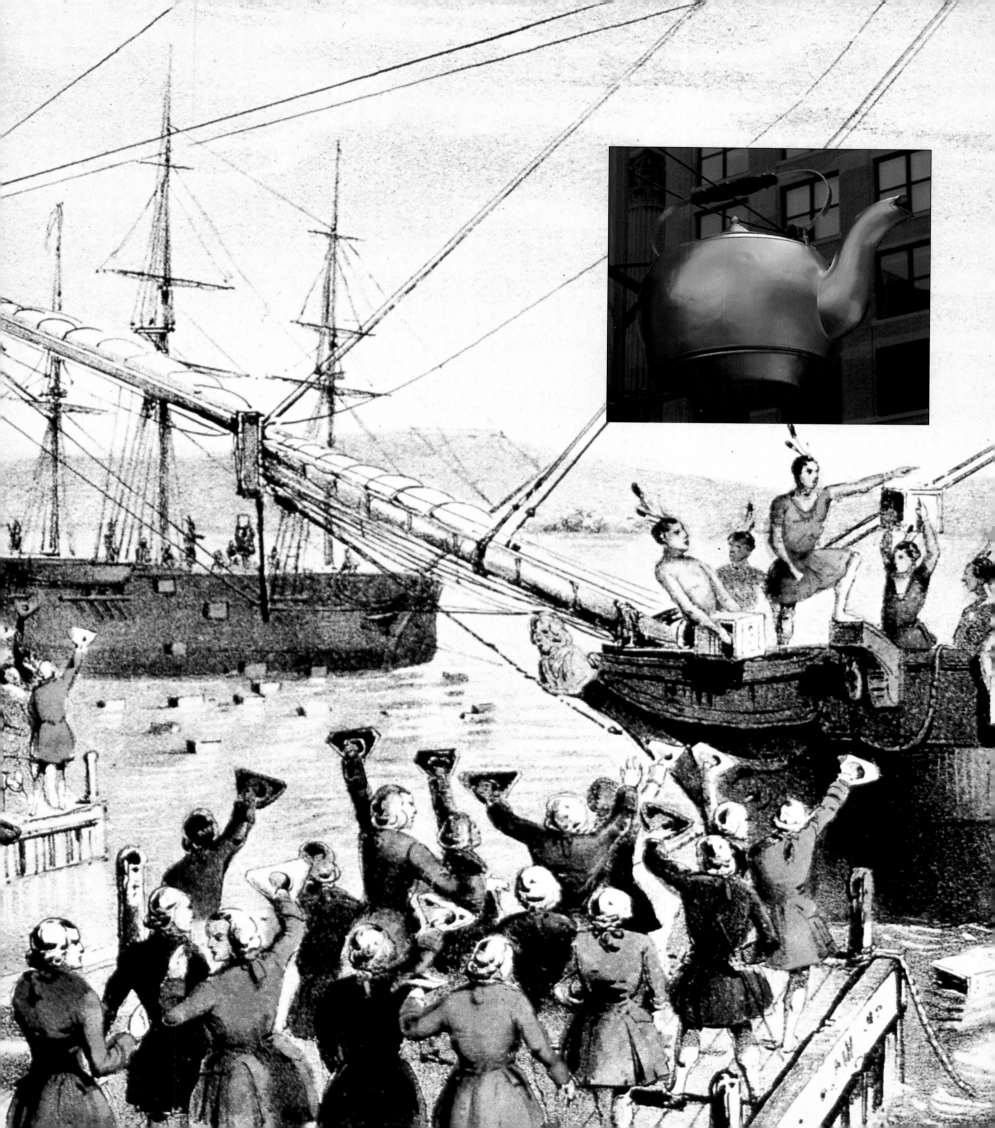

LA CAZA
DEL CIERVO

Ir a la "acampada del ciervo" es todo un ritual para algunos habitantes de Nueva Inglaterra, sobre todo en la región del norte. Durante un par de semanas del mes de noviembre, durante la temporada del ciervo, los hombres se reúnen en cabañas o tiendas de campaña en pleno bosque para cazar ciervos. Estos campamentos suelen ser simplemente cabañas de papel alquitranado o autobuses escolares adaptados, sin electricidad ni cañerías; a veces pueden ser cómodas segundas residencias. Las mujeres no están necesariamente excluidas, pero estas reuniones están formadas básicamente por hombres, sobre todo padres e hijos. La tradición está tan fuertemente arraigada en algunas familias que abarca varias generaciones.

Para los cazadores de ciervos, el conocimiento de los bosques es una parte importante de la experiencia. Saber dónde suelen estar los ciervos y cómo seguirlos una vez que se han encontrado sus pistas requiere destreza, práctica e intuición. Hay rivalidad no sólo entre los cazadores y los ciervos, sino también entre los mismos cazadores. Pueden patearse campos y bosques durante días sin tener suerte. Según los cazadores expertos, el hecho de apuntar, sobre todo a un ejemplar macho de ciervo montés con grandes cuernos, aporta un aflujo de adrenalina e intensifica la emoción de la cacería. Para los novatos, matar el primer ciervo es un rito de aprobación y una muestra de virilidad en el elemental mundo de los bosques.

Algunos cazadores sustituyen el rifle por el arco y la flecha, prefiriendo cazar su presa en igualdad con el animal. El cazador con arco debe ser muy hábil para acechar la presa y debe ser un tirador experto. Practica un antiguo arte con medios similares a los que el hombre ha utilizado durante miles de años.

Una vez destripada la carcasa y arrastrada hasta el campamento (una tarea que requiere destreza y fuerza), se cuelga el ciervo para madurarlo bien y, posteriormente, se trincha. La cabeza con los cuernos es el trofeo; un gran macho con muchas "puntas" es un trofeo que se exhibe con orgullo. En cuanto a la carne, el objetivo original de la caza, una parte de ella se come en el campamento mientras que el resto se lleva de vuelta a casa y se congela. ¿Qué mejor manera de rememorar los placeres de la acampada del ciervo que con una deliciosa cena a base de venado?

Un club de caza en el sur de Massachusetts

Venison Chops in Red Wine Sauce
Chuletas de ciervo en salsa de vino tinto

⅜ taza de vino tinto
4 cucharadas de aceite vegetal o de oliva
3 bayas de enebro machacadas
1 escalonia troceada
¼ hoja de laurel
1 ramita de tomillo
½ cucharadita de corteza de naranja recién rallada
4 chuletas de ciervo (de un animal joven) de 2,5 cm o más de grosor
1 cucharada de jalea de frambuesa o grosella
1 cucharadita de zumo de naranja, o al gusto
sal y pimienta recién molida, al gusto

En una sartén plana, mezcle el vino, la mitad del aceite, las bayas de enebro, la escalonia, el laurel, el tomillo y la ralladura de naranja. Deje marinar las chuletas de ciervo en esta mezcla de 1 a 2 horas. Escurra las chuletas, reservando la marinada, y séquelas bien con papel de cocina. Caliente el aceite restante en una sartén grande y fría las chuletas de 4 a 5 minutos por cada lado, dejando la carne de color rosa en el centro. Pase las chuletas a platos precalentados. Vierta la marinada reservada en la sartén con la jalea y el zumo de naranja. Lleve el líquido a ebullición y déjelo reducir a fuego fuerte hasta que se espese y forme una salsa. Deseche la hoja de laurel y el tomillo. Pruebe la salsa para equilibrar los sabores y sazone con sal y pimienta. Sirva las chuletas de ciervo rociadas con la salsa y acompañadas de patatas hervidas o tallarines. Para 4 personas.

PAVO

Benjamin Franklin, el gobernante estadounidense del siglo XVIII, se refirió al pavo como a un "auténtico nativo de Norteamérica", que debería ser el ave nacional del país. Sugirió incluso, jocosamente, que se incluyera el pavo en la bandera norteamericana. Como bien saben todos los escolares de Estados Unidos, el pavo fue derrotado por el águila y por las barras y estrellas, pero todavía se puede apreciar al pavo por su pedigrí norteamericano.

Esta enorme ave es en realidad un animal del Nuevo Mundo. Los arqueólogos han encontrado fósiles del animal que se remontan a 40 millones de años atrás, a la era geológica del Oligoceno. Los mexicanos fueron los primeros que domesticaron el pavo. En el siglo XVI, los conquistadores lo introdujeron en Europa, de dónde se abrió camino a otras zonas templadas del mundo. El pavo domesticado que conocemos desciende de éste.

Antes de que los peregrinos se establecieran en Nueva Inglaterra, los pavos salvajes orientales abundaban en los bosques y hoy aún crecen en los estados del norte de Nueva Inglaterra. Sólo en Vermont, se calcula que hay unos 20.000 pavos salvajes y que se facilitan unas 8.000 licencias para cazar pavos al año, a residentes y no residentes. El pavo no emigra, pero vuela bien y tiene un agudo sentido de la vista. El macho polígamo es sociable, salvo en época de apareamiento. Entonces come poco, en función del apéndice seboso, la barba, que le cuelga del cuello para alimentarse. La hembra construye ella misma el nido, en el cual deposita e incuba su nidada de 8 a 15 huevos.

El pavo domesticado que se consume en la cena de Acción de Gracias se cría por su gran pechuga de carne blanca, de modo que a un peregrino de aquel primer Día de Acción de Gracias le hubiese costado reconocerlo.

Inferior: un pavo salvaje oriental *(Meleagris gallipavo)*
Derecha: un pavo salvaje macho pavoneándose.

En la Colonia Plimoth (Massachusetts), una actriz vestida al estilo de los peregrinos del siglo XVII.

Turkey Gravy
Salsa de jugo de pavo

menudillos e hígado de pavo
3 tazas de caldo de pollo o pavo bajo en sodio
1 cebolla troceada
1 zanahoria troceada
1 rama u hojas de apio, troceadas
½ hoja de laurel
¼ cucharadita de tomillo seco
2 ramitas de perejil
1 cucharada de mantequilla
sal y pimienta

Reservando el hígado, ponga los menudillos de pavo en una olla con el caldo, 3 tazas de agua, las hortalizas y las hierbas aromáticas. Si dispone del cuello y de las extremidades de las alas, añádalos también. Tape la olla y deje cocer a fuego lento durante 1½ horas o más. Cuélelo todo a través de un tamiz, guardando el caldo y los menudillos. Debe obtener 3 tazas de caldo como mínimo.

Una vez sacado el pavo del horno (o el cuello y la carcasa, si lo prepara con antelación), páselo a una fuente y déjelo reposar; manténgalo caliente. Vierta la grasa y los jugos de la fuente en un recipiente. Con un separador de caldo o una cuchara grande, deseche la grasa dejando sólo 4 cucharadas y guardando los jugos. Pase la grasa reservada a un cazo grande. Agregue 4 cucharadas de harina y deshaga los posibles grumos. Cueza 3 minutos a fuego medio-bajo, sin dejar de remover, hasta que la harina adquiera un color marrón caramelo. Vierta poco a poco las 3 tazas de caldo de pavo reservado y remueva. Lleve a ebullición y deje hervir a fuego lento, removiendo de vez en cuando, hasta que la salsa se espese. Añada los jugos de cocción reservados de la fuente para asar.

Mientras la salsa hierve, desglase la fuente para asar. Vierta 1 taza de agua en la fuente, raspando el fondo para disolver el sedimento costroso y oscuro. Lleve a ebullición fuerte y, a continuación, cuele el contenido de la fuente a través de un tamiz en el cazo con la salsa. Exprima los sólidos con el dorso de una cuchara para extraer los jugos; deseche los sólidos.

Para el jugo de menudillos, corte el hígado de pavo reservado en trozos pequeños y recorte y pique la carne de los menudillos. Fría el hígado en 1 cucharada de mantequilla, removiendo, durante unos 3 minutos. Añada el hígado y los menudillos a la salsa del cazo. Cueza la salsa a fuego lento durante 10 minutos para desarrollar los sabores. Retire la espuma o la grasa de la superficie. Si la salsa parece clara, hiérvala para que se reduzca; si es demasiado espesa, añada agua o caldo. Sazone al gusto con sal y pimienta. Sirva la salsa caliente en una salsera precalentada. Para 3–4 tazas.

Roast Turkey
Pavo asado

1 pavo de 6–7 kg, preferiblemente fresco
1 cebolla, 1 tallo de apio y 1 zanahoria
125 g de mantequilla
sal y pimienta

Precaliente el horno a 160°C. Enjuague el pavo por dentro y por fuera y séquelo bien. Corte la cebolla, el apio y la zanahoria en rodajas grandes y póngalas en la fuente para aromatizar los jugos, o en la cavidad y el buche del pavo. Si rellena el pavo, introduzca el relleno en la cavidad y el buche, dejando espacio suficiente para que se hinche a medida que absorba la humedad. Espete el pavo con hilo de cocina y colóquelo, con el lado de la pechuga hacia arriba, sobre una rejilla en una fuente para asar. Unte la mitad de la mantequilla derretida por toda la parte expuesta de la pechuga, las patas y las alas. Espolvoree la piel con sal y pimienta. Introduzca el pavo en el horno precalentado. Mientras se asa, derrita la mantequilla restante, añada la misma cantidad de agua o caldo y unte el pavo cada 20 a 30 minutos aproximadamente, agregando los jugos del fondo de la fuente a medida que se acumulen. Ase de 3¾ a 4 horas.

El pavo estará cocido cuando, al insertar un termómetro de lectura instantánea en la parte gruesa de los muslos, éste indique unos 92°C. Deje el pavo a temperatura ambiente, manteniéndolo caliente, de 15 a 20 minutos antes de trincharlo.

Cómo rellenar y asar un pavo

 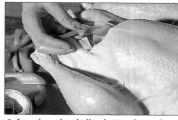 

1. Utilice un bramante de grosor mediano para espetar las patas del pavo mediante nudos ajustados.

2. Introduzca la cebolla, el apio y la zanahoria en la cavidad del ave.

3. Empuje las hortalizas hasta el fondo del ave.

4. Tome un trozo de bramante y dóblelo alrededor de los extremos de las patas, juntándolos bien.

5. Ate las patas firmemente y anude el bramante.

6. Unte el ave con mantequilla reblandecida.

7. Rellene también el buche (la cavidad delantera del ave) con hortalizas.

8. Espolvoree con sal y pimienta.

9. Ase el pavo, untándolo con mantequilla y rociándolo con caldo cada 20-30 minutos.

El Día de Acción de Gracias

Tanto si los peregrinos realmente comieron o no pavo en su primer Día de Acción de Gracias, este ave está estrechamente vinculada a dicha fiesta. Según la tradición, en 1621 William Bradford, el gobernador de Massachusetts, proclamó esta incipiente costumbre como una fiesta que debía ser compartida por los colonos y los indios vecinos que les ayudaron a sobrevivir durante el primer invierno, mientras que algunos eruditos sugieren que la festividad conmemoraba una victoria militar sobre la tribu india vecina. Tras la Guerra de la Independencia, George Washington declaró la primera fiesta nacional de Acción de Gracias en 1789. Abra-

ham Lincoln restableció la celebración en 1863, proclamando el último jueves del mes de noviembre como una fiesta anual. Durante la presidencia de Franklin Delano Roosevelt en la década de los cuarenta, se fijó el cuarto jueves del mes como fecha de dicha celebración.

Hoy en día, los norteamericanos celebran el Día de Acción de Gracias estén donde estén. Mientras que los ritos religiosos tienen menos importancia que antaño, las reuniones familiares son el acto principal del ritual. Los familiares y los invitados

pueden traer comida a la celebración comunal, pero nunca regalos. La salsa de arándanos rojos y la tarta de calabaza siempre forman parte de la comida. La calabaza *(Cucurbita pepo),* una hortaliza resistente, ayudó a los peregrinos a sobrevivir al primer invierno riguroso en Massachusetts y, hoy en día, resulta casi tan importante como el pavo en el menú de Acción de Gracias. El hecho de compartir la cena de Acción de Gracias, con el pavo como centro del banquete, simboliza la manera de ser de los norteamericanos.

La fiesta original de Acción de Gracias representada por participantes disfrazados de indígenas y colonos europeos en la Colonia Plimoth.

El clásico menú de Acción de Gracias: pavo asado con relleno de pan, salsa de arándanos rojos y tarta de calabaza

Jellied Cranberry Sauce
Salsa de arándanos rojos en jalea

375 g de arándanos rojos frescos
especias enteras, tales como clavos, canela en rama o rodajas de jengibre
1 taza de azúcar

Ponga los arándanos rojos en una cacerola con 1½ tazas de agua y las especias enteras. Tape, lleve a ebullición y deje hervir suavemente durante 20 minutos. Retire la cacerola del fuego y cuele las pieles y las semillas de los arándanos y las especias enteras, si las ha añadido, a través de un tamiz fino colocado sobre un cuenco, presionando las pieles con el dorso de una cuchara para extraer el jugo. Deseche los sólidos. Devuelva el puré a la cacerola, agregue el azúcar, remueva y cueza unos minutos más para disolver el azúcar. Retire la espuma y vierta el puré en un molde de 3 tazas de capacidad humedecido. Déjelo enfriar, tápelo y refrigérelo hasta que cuaje. Para servir, bañe el molde en agua caliente, vuélquelo y desmolde la jalea en un plato de servir. También puede servir la salsa sin utilizar un molde. Para unas 2½ tazas.

Pumpkin Pie
Tarta de calabaza

1 fondo de tarta de 22,5 cm sin cocer
3 huevos grandes
1½ tazas de puré de calabaza
½ taza de jarabe de arce
1 taza de nata líquida
2 cucharadas de ron dorado (opcional)
¾ cucharadita de canela en polvo
½ cucharadita de jengibre en polvo
½ cucharadita de nuez moscada rallada
una pizca de sal

Precaliente el horno a 220°C. Pinche el fondo de tarta con un tenedor y refrigérelo bien. Fórrelo con papel de aluminio, llénelo con judías secas o arroz y hornéelo durante 10 minutos. Retire el papel y las judías o el arroz y hornéelo 6 ó 7 minutos más. Saque el fondo de tarta del horno y déjelo enfriar. Reduzca la temperatura del horno a 180°C.

Mientras se cuece el fondo de tarta, bata los huevos con el puré de calabaza. Añada el resto de los ingredientes y remueva hasta mezclarlo todo bien. Coloque el fondo de tarta sobre una bandeja en una repisa cerca del horno. Vierta la crema de calabaza en el fondo de tarta semicocido e introdúzcalo de nuevo en el horno, con cuidado de no verter el relleno. Hornee la tarta hasta que cuaje por los bordes pero esté algo líquida en el centro, unos 35 minutos. Deje enfriar la tarta sobre una rejilla; a medida que se enfríe, el centro de la tarta se solidificará gracias al calor retenido. Para unas 6 personas.

Apple and Chestnut Bread Stuffing
Relleno de pan con castañas y manzanas

8 tazas de dados de pan (pan blanco, pan de harina integral, o una mezcla de diferentes panes)
4 cucharadas de mantequilla
1 cebolla grande troceada
2 tallos de apio troceados
1 manzana para cocinar grande, pelada, descorazonada y cortada en dados
1 taza de castañas peladas y cocidas, partidas en trozos (o nueces algo tostadas)
1½ cucharaditas de salvia seca desmigada
1 cucharadita de tomillo seco
1 cucharadita de sal, o al gusto
½ cucharadita de pimienta negra, o al gusto
1 taza o más de sidra sin fermentar dulce (o caldo de pollo o de pavo)

Esparza los dados de pan en una bandeja de horno. Séquelos a horno muy bajo (120°C), dándoles la vuelta una o dos veces, hasta que estén secos pero no tostados. Derrita la mantequilla en una cacerola grande a fuego lento y cueza la cebolla hasta que esté blanda, removiendo de vez en cuando. Añada el apio y cueza unos 5 minutos más sin dejar que se dore. Agregue la manzana y cueza otros 5 minutos, removiendo. Incorpore las castañas, las hierbas, la sal y la pimienta. Pruebe la condimentación; un buen relleno depende básicamente del equilibrio de sabores, texturas y condimentos. Deje enfriar la mezcla.

Justo antes de rellenar el pavo, añada ½ taza de sidra al relleno. Para evitar el desarrollo de bacterias dentro del pavo, no lo rellene hasta justo antes de asarlo. No apriete el relleno: necesita espacio para hincharse. También puede cocer el relleno por separado en una fuente de horno de 3 litros de capacidad untada con mantequilla; esparza un poco más de mantequilla por encima del relleno y rocíelo con ½ taza más de sidra. Tápelo y cuézalo en el horno a 160°C durante 30 minutos. A media cocción, destápelo para obtener una superficie crujiente. Para unas 12 personas.

Incluso los niños participan en la celebración.

AZÚCAR DE ARCE

Antes de que los europeos trajeran las abejas melíferas al Nuevo Mundo, los indios no tenían más dulcificante que el azúcar de arce. Enseñaron a los colonos la técnica para hacer sangrar los arces y extraer la savia dulce, y la utilización del jarabe y del azúcar de arce se extendió por toda Nueva Inglaterra. La melaza, un producto secundario de la industria azucarera importado de las Antillas, también llegó con el tiempo al mercado de Nueva Inglaterra, pero los yanquis preferían el jarabe de arce no sólo porque era más barato sino también por razones éticas: no requería el trabajo de esclavos. A los norteamericanos les sigue gustando el jarabe de arce y, hoy en día, este producto dorado producido únicamente por arces de azúcar de Norteamérica es conocido en el mundo entero.

El artista John James Audubon (1785-1851), célebre por sus pinturas de las aves de Norteamérica, fue un gran observador de la Naturaleza en todas sus formas. Su descripción del proceso de conversión de la savia de arce en azúcar en sus diarios es extraordinariamente precisa:

"Los árboles que producen *Acer saccharum* (azúcar de arce norteamericano) son más o menos abundantes en todas las regiones de los Estados Unidos, desde Luisiana hasta Maine, y crecen en suelos ricos y elevados. Se practica una incisión en el tronco, a una altura de unos 60–180 cm; se introduce un tubo de caña o de cualquier otro material en la apertura; se coloca una artesa debajo para recoger el jugo, que sale gota a gota y es tan límpido como el manantial más puro. Una vez que se han hecho sangrar todos los árboles de un espacio determinado y que todas las artesas están llenas, la gente recoge el jugo y lo vierte en grandes recipientes. Ya han montado un campamento en medio de una arboleda, se han fijado varios calderos de hierro en soportes de ladrillos o de piedra, y la tarea prosigue con fuerza. A veces varias familias vecinas se unen al grupo y disfrutan del trabajo como si fuese un pasatiempo, permaneciendo fuera de casa día y noche durante varias semanas, puesto que se han de vigilar las artesas y las calderas desde el momento en que se ponen en uso por primera vez hasta que se obtiene el azúcar. Los hombres y los niños realizan la parte más laboriosa del trabajo, pero las mujeres y las niñas también están muy ocupadas. Se necesitan 39 litros de savia para producir 500 g de azúcar granulado fino, si bien se obtiene en mayor cantidad una clase inferior de azúcar en terrones, llamada azúcar de repostería. Cuando la primavera está a punto de terminar, el jugo ya no se vuelve granulado por ebullición, y sólo produce un jarabe."

La técnica para convertir la savia de arce en azúcar ha cambiado desde que los colonos la aprendieron de los indios y desde que Audubon la describiera. Taladros, canillas y cubos metálicos, tuberías de plástico, termómetros e indicadores de densidad son las innovaciones tecnológicas utilizadas para crear algunas arboledas de arces de azúcar. Los cubos para la savia de metal galvanizado todavía se siguen recogiendo con trineos de carga tirados por caballos, pero hoy en día resulta más eficaz utilizar un tractor y tuberías de plástico en vez de cubos metálicos o de madera.

Los científicos siguen sin entender demasiado cómo, y por qué, fluye la savia de primavera. Saben que el clima es crucial, y que el de Nueva Inglaterra es ideal. Para obtener el mejor jarabe se requieren árboles con las ramas llenas de hojas, un tiempo soleado en verano y otoño, y una helada a finales de otoño. Para que la savia brote también son importantes otros factores: un invierno riguroso, una capa de nieve sobre las raíces de los árboles, frías noches de primavera y días cálidos, y un lugar soleado. La savia se recoge desde el primer gran deshielo de primavera antes de que las yemas de las hojas se abran (normalmente desde finales de febrero hasta principios de abril), momento en el cual se segrega otra sustancia en la savia que echa a perder el sabor del jarabe.

Tal y como la describió Audubon, la conversión de la savia en azúcar es una iniciativa social, que tiene lugar en una época del año en la cual todo lo demás permanece latente. Aunque el número de cultivadores ha disminuido en los últimos años, a los que realizan este duro trabajo por un insignificante provecho les gusta sentirse unidos a su tierra, su prójimo y sus tradiciones. Representa un gran negocio, sobre todo en los estados de Vermont y Nueva Hampshire, y cada primavera los productores de azúcar de arce, cuya subsistencia depende, al menos en parte, del caprichoso clima de Nueva Inglaterra, observan ansiosamente las temperaturas y las condiciones climáticas.

El jarabe dorado de arce es uno de los productos más famosos de Nueva Inglaterra. El azúcar de arce se moldea en formas tales como esta hoja de arce (superior izquierda).

Los cubos de metal galvanizado para recoger la savia se atan al arce y se introducen tubos en la madera. Los cubos tienen una tapa para evitar que caigan desperdicios dentro de la savia.

Maple Sugar on Snow
Jarabe de arce sobre nieve

Este manjar de invierno muy apreciado por los niños se prepara vertiendo un chorro de jarabe de arce caliente sobre nieve recién caída, de modo que el jarabe se solidifica en forma de caramelo. Primero, se lleva el jarabe de arce a ebullición en un cazo de fondo pesado y se cuece hasta que alcanza la fase de bola blanda (115°C en un termómetro de azúcar, o cuando, al verter unas gotas de jarabe caliente en agua fría, se forma una bola). A continuación, se recoge nieve en una fuente y se lleva al interior, o bien, se lleva el cazo con el jarabe caliente al exterior a una zona con nieve recién caída. Se vierte entonces el jarabe sobre la nieve, donde se solidifica en forma de caramelo gomoso y ambarino.

Es fundamental utilizar nieve recién caída para elaborar este delicioso dulce de arce, ya que la nieve vieja y helada puede estar sucia y el jarabe caliente necesita una superficie blanda y mullida para endurecerse correctamente.

Blueberry Pancakes with Maple Syrup
Tortitas de arándanos con jarabe de arce

2 tazas de harina
2 cucharadas de azúcar
4 cucharaditas de levadura en polvo
½ cucharadita de sal
2 huevos grandes a temperatura ambiente ligeramente batidos
2 tazas de leche a temperatura ambiente
2 cucharadas de mantequilla derretida y fría
¾ taza de arándanos, preferiblemente silvestres (si son congelados, descongélelos previamente)

En primer lugar, tamice la harina, el azúcar, la levadura en polvo y la sal en un cuenco grande. Bata los huevos con la leche. Forme un hueco en el centro de los ingredientes secos y vierta la mezcla de leche y huevos, removiendo hasta obtener una masa fina. Añada la mantequilla y, a continuación, los arándanos.

Caliente una plancha a fuego medio-alto y engrásela ligeramente. Con un cucharón, vierta la masa en la plancha formando discos de unos 10 cm de diámetro y cuézalos durante unos minutos, dándoles la vuelta una vez, hasta que se doren pálidamente. Prosiga con la masa restante, manteniendo calientes las tortitas cocidas a horno bajo. Sirva las tortitas con mantequilla fresca y jarabe de arce caliente.

Estas tortitas son como las de antaño, y no como las tortitas gruesas y excesivamente dulces que se suelen encontrar hoy en día. Para unas 15 tortitas de 10 cm de diámetro.

El jarabe de arce sobre nieve es una delicia muy apreciada por los niños.

Datos relativos al arce

• Se necesitan entre 115 y 155 litros de savia para obtener 4 litros de jarabe de primera calidad.

• Un arce produce unos 45 litros de savia por temporada.

• El diámetro del tronco de un arce de azúcar ha de crecer de 25 a 30 cm (unos 35 a 60 años de edad) para tener el tamaño adecuado y poder sangrarlo.

• Se tiene constancia de que un magnífico arce de azúcar con diez cubos colgados llegó a producir 25 kg de azúcar en una temporada.

• La savia de arce contiene un 3% de sacarosa, mientras que el jarabe de arce un 62%.

• El azúcar de arce es más dulce que el azúcar refinado; si lo sustituye en las recetas, tenga en cuenta su mayor dulzor pero reduzca también las cantidades de los otros líquidos.

• Otros miembros de la familia del arce pueden producir azúcar de arce, pero ninguno tan bien como el arce de azúcar, o arce duro.

• El jarabe de arce artificial se aromatiza con alholva. No se deje tentar por su bajo precio.

• Cuanto más tiempo y a mayor temperatura se hierve la savia, más fuerte de sabor y más oscuro será el jarabe. Las mejores clases (Fancy AA y A) tienen un color más claro y un sabor más suave y contienen menos azúcar. Sin embargo, algunos prefieren el jarabe ambarino u oscuro (clases B o C), en los cuales el sabor del arce es pronunciado, para cocinar.

• En el azúcar de arce, la sacarosa se cristaliza a medida que se enfría. Para elaborar crema de arce, se dejan enfriar rápidamente los finos cristales con un poco de jarabe y luego se bate la mezcla para obtener una textura homogénea.

BUSCAR ALIMENTOS

Derecha: las frondas firmemente enrolladas de los helechos de voluta se recolectan en primavera cuando aún están tiernas.

Las excursiones para buscar alimentos son una excelente manera de disfrutar del aire libre, tanto si uno va andando por un camino rural, a través de un bosque o por un prado. Además de la caminata y de la exploración del camino, existe la posibilidad de disfrutar de una deliciosa comida al final. Buscando setas, verduras, bayas o frutos secos, uno observa otras plantas, animales, formaciones rocosas o condiciones climáticas que amplían e intensifican el propio goce de la naturaleza. Los habitantes de Nueva Inglaterra tienen muchas oportunidades de encontrar tesoros comestibles en estado natural.

Erizo de mar

Los erizos de mar *(Strongylocentrotus drobachiensis)* no son tan apreciados en Estados Unidos como en Japón, donde se degustan como un bocado exquisito de *sushi*. Muchos de los erizos de mar que se consumen en Japón se recogen frente a las costas de Nueva Inglaterra y se exportan. A simple vista, este animal con púas no parece comestible en lo más mínimo, pero como la mayoría de los crustáceos, el erizo esconde un delicioso secreto bajo su armadura llena de púas. Las huevas naranjas del interior son la parte comestible del erizo y tienen un untuoso sabor a nueces que mucha gente encuentra demasiado

El erizo de mar lleno de púas y sus huevas

fuerte. Los erizos, que se adhieren a las rocas en charcas de marea, se deben arrancar (es aconsejable llevar guantes para protegerse las manos) y partir por la mitad longitudinalmente. Se pueden extraer entonces las huevas con una cuchara pequeña y comerlas con pan con corteza y unas gotas de zumo natural de limón.

Braised Spring Vegetables
Hortalizas tiernas braseadas

6 tallos finos de helecho de voluta con las puntas cortadas a 1,25 cm
2–3 cucharadas de mantequilla
3 escalonias cortadas en rodajas
1 diente de ajo pequeño, picado
90 g de setas silvestres (o champiñones cultivados), sin los pies y cortadas en láminas
180 g de espárragos finos, cortados en diagonal en trozos de 5 cm
500 g de guisantes tiernos sin la vaina (utilice sólo guisantes tiernos frescos)
sal y pimienta, al gusto

Vierta los helechos en una olla con agua hirviendo y lleve ésta de nuevo a ebullición. Escurra los helechos, páselos por agua fría y vuelva a escurrirlos bien. Retire la mayor cantidad posible de tejido marrón.

En una cacerola ancha a fuego medio, derrita 2 cucharadas de mantequilla y cueza las escalonias y el ajo hasta que se ablanden, removiendo. Añada las setas y cuézalas, removiendo de vez en cuando y agregando más mantequilla si la cacerola se reseca. Deje que las setas suelten su agua y se doren un poco, unos 5 minutos. Baje el fuego, incorpore los espárragos, los guisantes y los helechos blanqueados junto con ¼ taza de agua y remueva una vez. Tape bien la cacerola para que las hortalizas se cuezan al vapor durante 5 minutos sin destaparlas. Retire la tapadera para que la mayor parte del líquido se evapore y se reduzca hasta formar casi una salsa. Las hortalizas deben quedar tiernas y crujientes. Sazónelas con sal y pimienta. Es preferible servir este plato al natural para poder apreciar mejor su sabor. Para 2–4 personas.

Helecho de voluta (helecho común)

Los helechos de voluta *(Matteuccia struthiopteris)* son las frondas jóvenes firmemente enrolladas de los helechos que brotan en primavera. Su nombre se debe a su parecido con la voluta de un violín. Se encuentran a lo largo de las orillas pantanosas de ríos y arroyos y en bosques y matorrales apartados. Los habitantes de Nueva Inglaterra los aprecian por su forma elegante, su color verde y su crujiente pero plumosa textura. Su sabor, parecido al de los espárragos con un olor a hierba recién segada, es demasiado fuerte para algunas personas, pero a los yanquis les entusiasma aunque sólo sea porque los brotes de helecho son un anuncio de la primavera.

Sólo se deben coger los helechos avestruz, ya que muchas otras variedades son cancerígenas. La envoltura marrón parecida al papel debe retirarse en su mayor parte después de blanquear los helechos, ya que está llena de tanino. Recorte los helechos, dejando un pequeño tallo si lo desea, para adaptarlos al plato. La temporada de los helechos de voluta, que depende totalmente del tiempo, dura unas semanas desde finales de abril hasta principios de mayo, y continúa a medida que los brotes se abren en otras regiones más al norte.

Bígaros

Bígaro

El bígaro *(Littorina litorea),* también llamado litorina o caracol de mar, es un molusco con una concha en espiral de 1,25 a 2,5 cm de diámetro. Vive en el mar o en agua dulce y se adhiere a las rocas, los muelles y los pilotajes. Estos pequeños gasterópodos, que se encuentran a lo largo de todo el litoral de Nueva Inglaterra, se pueden recoger de las rocas a las cuales suben cuando ha bajado la marea. Para comer bígaros, hiérvalos en agua ligeramente salada, retire el opérculo (que cubre el orificio de la concha cuando el bígaro está en el interior) y retire la carne con un palillo o un pincho.

Salicor

Salicor (hinojo de marisma)

El salicor *(Salicornia europaea)* es una planta carnosa nudosa y delgada que crece cerca de las playas de arena y en las marismas saladas. En Francia, donde también crece, está considerado un manjar exquisito. Los tallos verdes translúcidos alcanzan hasta 25 cm de alto y se pueden recoger desde el mes de mayo hasta el otoño. Los tallos crujientes y algo salados se comen crudos como ensalada.

Alimentos silvestres comestibles que se encuentran en Nueva Inglaterra:

Algunas setas

Helechos de voluta

Puerros silvestres

Berros

Hojas de margarita mayor

Ginseng

Raíces de azucena amarilla

Menta verde

Raíz de jengibre

Espadañas

Angélica

Ortigas

Aguaturmas

Raíz de bardana

Hojas de diente de león

Salicor (hinojo de marisma)

Frutos secos

Bayas

Bígaros

Erizos de mar

PANES, PANECILLOS Y BOLLOS

Los panes de Nueva Inglaterra hablan por sí solos de los diversos grupos de colonos inmigrantes, no sólo ingleses sino también de Portugal y Oriente Próximo. Diferentes harinas (de maíz, blanca o de trigo entero, de centeno), varios fermentos (levadura en polvo y bicarbonato de sosa, levadura fresca), distintos condimentos y diversas formas hacen del cesto para el pan de la región un fascinante retrato de estos pueblos y sus tradiciones. He aquí algunos de los panes más conocidos:

Anadama: este pan de levadura contiene harina de maíz y melaza. A pesar de las supuestas historias para explicar el significado de su nombre (por ejemplo, la frase de un pescador enfadado a su esposa: *"Anna, damn her!"* [¡Ana, maldita sea!]), se desconoce su origen.

Bollo de arándanos: este pan rápido es un bollo tierno, desmigado y algo dulce relleno de arándanos silvestres agrios. Los bollos de arándanos, un desayuno típico, están especialmente relacionados con el estado de Maine, famoso por sus arándanos silvestres.

Pan moreno de Boston: este pan se elabora con harina de maíz, melaza, harina de trigo entero y harina de centeno, y se cuece al vapor en una lata o molde grande. Es un pan colonial que tradicionalmente se servía los sábados por la noche con judías en salsa de tomate al estilo de Boston. Hoy en día se pueden encontrar latas de pan moreno de Boston en los supermercados de Nueva Inglaterra, generalmente al lado de dichas judías en lata.

Pan Graham: Sylvester Graham (1794-1851), el reformador sanitario del siglo XIX que pasó la mayor parte de su vida en Massachusetts, abogó por el consumo de este pan. Se elaboraba con harina de trigo entero no cernida con el grano, mezclada únicamente con agua y levadura, y lo horneaba en casa la madre de familia. Las *graham crackers* (galletas de trigo entero) que se comercializan hoy en día, si bien deben su nombre a Sylvester Graham, son un derivado que dista mucho del pan original.

Panecillo Parker House: este panecillo de harina blanca y levadura tiene una hendidura en el centro y a veces se le llama "panecillo de bolsillo". La receta fue inventada en el restaurante del hotel Parker House de Boston a mediados del siglo XIX por un panadero alemán llamado Ward.

Popover (Panecillo de huevo): el *popover* es una variante norteamericana del *Yorkshire pudding*. El original inglés se horneaba en una fuente para asar, debajo de un gran trozo de carne de buey para que la pasta absorbiera el jugo y la grasa, y se servía cortado en cuadrados. Los colonos de Portland (Maine) adaptaron este método de cocción a raciones individuales y les dieron el nombre de "Portland

Una serie de panes recién horneados en la cocina de pruebas de la fábrica King Arthur Flour. La King Arthur Flour, fundada en 1790, es el fabricante de harina más antiguo del país. Actualmente está en Vermont, pero originariamente estaba en Boston. 1. *Tabatière* francesa 2. Pan de harina de avena con miel 3. Trenza de cuatro tiras 4. Panecillo austríaco 5. Pan *pumpernickel* 6. *Baguette* 7. Corona trenzada 8. Barra italiana 9. Barra francesa 10. Panecillos.

Popover Pudding". El *popover,* llamado así porque se hincha mucho y su interior es hueco, se suele servir en el desayuno o la comida, no necesariamente con carne asada.

Pan dulce portugués: este consistente pan de masa fermentada, que se elabora con azúcar, huevos y mantequilla y se hornea en barras largas, fue introducido en las poblaciones costeras por los pescadores portugueses.

Johnny Cake (torta de maíz) de Rhode Island: esta torta de harina de maíz no contiene ni levadura, ni huevos, ni mantequilla y, normalmente, ningún dulcificante. Existen muchas explicaciones sobre el origen del nombre, pero ninguna a ciencia cierta. Algunos creen que el término *"johnny cake"* es una variante de la pronunciación de *"journey cake",* o *"Shawnee cake",* pero la palabra podría venir del *"joniken cake"* del norte de Inglaterra.

En Nueva Inglaterra hay muchas panaderías pequeñas que producen panes de primera calidad.

Rhode Island Johnny Cakes
Tortas de maíz de Rhode Island

1 taza de harina de maíz blanca, preferiblemente molida a la piedra
½ cucharadita de sal
1 taza de agua hirviendo
¾ taza aprox. de leche entera

Mezcle la harina de maíz y la sal en un cuenco. Añada el agua hirviendo y remueva para disolver los grumos. Deje reposar durante 5 minutos o más. Vierta la leche gradualmente, removiendo para elaborar una masa homogénea.

Caliente una plancha a fuego medio-alto. Engrásela con un poco de aceite vegetal. Vierta pequeñas cucharadas de masa bien separadas unas de otras para que puedan extenderse formando unas tortitas de unos 7 cm. Aparecerán pequeños agujeros en la masa. Déle la vuelta a las tortitas para cocerlas por el otro lado hasta que estén bien doradas. Estas tortitas tardan más en cocerse que las convencionales. Sírvalas con mantequilla, jarabe de arce y beicon o salchichas. Para unas 2 docenas de tortitas de 10 cm de diámetro.

Boston Brown Bread
Pan moreno de Boston

½ taza de harina de centeno
½ taza de harina de trigo entero
½ taza de harina de maíz
1 cucharadita de bicarbonato de sosa
½ cucharadita de sal
⅓ taza de melaza (no sulfurada)
1 taza de suero de leche
½ taza de uvas pasas (u otras bayas secas), opcional

Unte con mantequilla un molde de 500 g de capacidad. Mezcle los tres tipos de harina, el bicarbonato de soda y la sal. Bata la melaza y el suero de leche, removiendo hasta obtener una pasta homogénea. Si lo desea, puede añadir un puñado de uvas pasas u otras bayas secas a la masa. Vierta la masa en el molde preparado; debe llenar ⅔ de su capacidad. Tape la parte superior con un trozo de papel de aluminio, untado con mantequilla por un lado y bien atado con hilo de cocina.

Coloque el molde sobre una rejilla en una olla honda. Llene la olla con agua hirviendo, cubriendo hasta la mitad de las paredes del molde. Tape bien la olla, lleve de nuevo el agua a ebullición y baje el fuego de modo que el agua hierva lentamente. Cueza el pan al vapor durante 1¾ a 2 horas, añadiendo más agua caliente si es necesario. El pan estará cocido cuando, al insertar una brocheta en el centro, ésta salga seca. Corte el pan en rebanadas y sírvalo caliente o tostado. Para 1 barra.

Popovers
Panecillos de huevo

1 taza de leche, a temperatura ambiente
1 cucharada de mantequilla, derretida y fría, y mantequilla adicional para los moldes
1 taza de harina
¼ cucharadita de sal
2 huevos a temperatura ambiente

Precaliente el horno a 230°C. Unte con mantequilla 9 moldes grandes de magdalena y resérvelos. Un poco antes de llenarlos, caliéntelos para permitir que la masa suba.

Mezcle la harina y la sal en un cuenco; añada gradualmente la leche y la mantequilla para elaborar una masa homogénea. Agregue los huevos, de uno en uno, y bata con un batidor giratorio o una

Bollos de arándanos

espumadera hasta que la masa sea fina. Vierta la masa en los moldes calientes, llenándolos hasta la mitad. Cuézalos 15 minutos en el horno caliente.

No abra el horno, ya que los panecillos se deshincharían. La masa se inflará de manera espectacular. Baje la temperatura del horno a 180°C y cueza los panecillos de 15 a 20 minutos más. Estarán cocidos cuando estén crujientes por fuera y tiernos por dentro. Para unos 9 panecillos.

Blueberry Cake Muffins
Bollos de arándanos

2 tazas de harina blanca tamizada
1½ cucharaditas de levadura en polvo
¼ cucharadita de sal
½ taza de mantequilla reblandecida
1 taza de azúcar granulado
2 huevos grandes
1 cucharadita de extracto puro de vainilla
½ taza de leche entera
1½ tazas de arándanos frescos

Caliente el horno a 190°C. Forre 12 moldes de magdalena con moldecitos de papel. Mezcle la harina, la levadura y la sal; reserve.

Bata el azúcar y la mantequilla en una batidora eléctrica a velocidad rápida hasta obtener una mezcla ligera, unos 2 minutos.

Añada los huevos, de uno en uno, batiendo bien después de cada adición. Agregue la vainilla y la leche. Pare la batidora. Vierta los ingredientes secos y los arándanos. Mezcle suavemente, justo hasta incorporar la harina.

Vierta la masa en los moldes, llenándolos unos ⅔. Hornee los bollos hasta que cuajen, de 18 a 20 minutos. Sírvalos calientes o a temperatura ambiente. Para 12 bollos.

Postres y dulces

En Nueva Inglaterra, los tradicionales pasteles ingleses *(pies)* siempre han sido muy populares y, antaño, las mujeres las preparaban en grandes cantidades con toda clase de fruta fresca o seca, así como con rellenos salados o de crema. La fruta se horneaba en fondos de tarta o se cubría con una segunda capa de pasta, o tal vez con una celosía (tiras de pasta entrecruzadas). En los meses de invierno, los pasteles que no se consumían inmediatamente se conservaban en una despensa en el desván, donde el frío los mantendría algo frescos. A falta de las comodidades de hoy en día, el cocinero bajaba un trozo de pastel a la cocina para calentarlo para la cena y guardaba el resto para el desayuno del día siguiente. Los pasteles para desayunar constituyen una vieja tradición yanqui. En los restaurantes populares o de carretera, suelen servir estos pasteles de otras dos maneras típicas de Nueva Inglaterra: una porción caliente de pastel de manzana cubierta con una rodaja de queso cheddar de Vermont o bien con una bola de helado de vainilla.

Aparte de los pasteles, toda clase de puddings de pasta o de fruta son postres populares en Nueva Inglaterra. Algunos de ellos tienen nombres curiosos: tanto el *crisp,* el *crumble,* el *cobbler,* el *brown betty* como el *pandowdy* llevan algún tipo de cobertura de pasta sobre la fruta. Al igual que los términos *slump* (depresión) y *grunt* (gruñido; soldado raso en Vietnam), estos nombres revelan el seco sentido del humor yanqui. Los brazos de gitano se preparan con diversos rellenos de fruta. El *duff* (bollo de harina cocido al vapor), poco frecuente hoy en día, es una variante antigua del pudding de ciruelas, a base de galletas y fruta seca, que se solía servir en el mar.

En Nueva Inglaterra se toman toda clase de pasteles como, por ejemplo, el pan de jengibre, el pastel invertido y el *Boston cream pie* (un pastel de vainilla relleno de crema y cubierto de chocolate). Antiguamente, se leudaba la pasta con carbonato de potasio, una forma refinada de potasio y el precursor de la moderna levadura en polvo. Esta innovación norteamericana proporcionó un nuevo fermento químico que actuaba mucho más rápido que la levadura. Entre los puddings cremosos, gustaban los puddings de tapioca, de pan, de arroz y los indios (de maíz), así como el *snow pudding* (de claras de huevo y dulce de limón), el *fool* (de fruta cocida y crema batida) y el *flummery* (especie de flan). Éstos también solían proceder de la cocina tradicional inglesa, incluso cuando estaban hechos de maíz, un ingrediente del Nuevo Mundo. La palabra "indio" en el nombre de las recetas, como en el pudding indio, no significaba que fuese un auténtico plato indio, sino que el maíz era uno de los ingredientes.

El pastel de manzana cubierto con una loncha de queso cheddar es una de las maneras preferidas de los yanquis para tomarlo, incluso para desayunar.

Apple Pie with Cheddar Cheese
Pastel de manzana con queso cheddar

pasta para un pastel doble de 22,5 cm
1,25–1,5 kg de manzanas ácidas firmes
la ralladura y el zumo de 1 limón
⅜ taza aprox. de azúcar blanco o moreno, según la acidez de las manzanas
½ cucharadita de canela en polvo
½ cucharadita de nuez moscada en polvo
1 cucharada de mantequilla cortada en trocitos

Precaliente el horno a 200°C. Extienda la mitad de la pasta sobre una superficie enharinada y forre con ella un molde de pastel de 22,5 cm de diámetro. Recorte el borde, dejando que sobresalgan unos 2,5 cm, y refrigere. Pele las manzanas, pártalas en cuartos, descorazónelas y córtelas en láminas. Mézclelas en un cuenco grande con la ralladura y el zumo de limón, el azúcar y las especias, y remueva bien. Disponga las láminas de manzana sobre la pasta, esparza la mantequilla por encima y humedezca el borde de la pasta con agua. Extienda la otra mitad de pasta, colóquela sobre las manzanas y recorte el borde, dejando que sobresalgan 2,5 cm. Pliegue la pasta sobrante por debajo del borde inferior y dóblela hacia adentro para sellar los bordes. Forme orificios en la corteza superior para permitir que salga el vapor.

Cueza el pastel durante 20 minutos en el horno precalentado, reduzca la temperatura a 180°C y prosiga la cocción hasta que la corteza esté bien dorada, de 20 a 30 minutos más. Si los bordes se doran en exceso, cubra el pastel con papel de aluminio. Deje enfriar un rato el pastel sobre una rejilla antes de servirlo. Sírvalo caliente o a temperatura ambiente, cortado en porciones con una loncha de queso cheddar sobre cada una, al estilo de Nueva Inglaterra.

Para servir el pastel con helado, sustituya el queso por una bola de helado de vainilla servida a un lado o sobre el pastel. En este caso, el pastel debe estar caliente para que el helado se funda un poco. Para 6–8 personas.

La galleta Toll House

Toll House Cookie
(la galleta Toll House)

La galleta Toll House, posiblemente la favorita de los norteamericanos, fue fabricada por primera vez en 1930 por la Sra. Ruth Wakefield. Ella y su marido regentaban la fonda Toll House Inn en Whitman (Massachusetts). Un día probó picar una tableta de chocolate y verter los trocitos en una masa de galletas de azúcar moreno. La galleta resultó tan popular entre los clientes que la compañía Nestlé le pidió permiso para imprimir su receta en el envoltorio de sus tabletas de chocolate semiamargo. Nueve años más tarde, la demanda le llevó a fabricar las perlas de chocolate en sí. Nestlé calcula que la mitad de las galletas que se hornean en los hogares norteamericanos contiene perlas de chocolate. La receta de la Sra. Whitman se sigue imprimiendo en los paquetes y la galleta es el dulce oficial del estado de Massachusetts.

Las obleas Necco se elaboran en la fábrica de caramelos más antigua de Nueva Inglaterra aún en funcionamiento.

Obleas Necco

En 1849, Oliver Chase patentó una máquina cortadora de pastillas parecida a una antigua máquina de escurrir ropa. Su ingenioso "artefacto yanqui" fue la primera máquina de caramelos de Estados Unidos, y su oblea fue todo un éxito comercial. La empresa de Cambridge se convirtió en la NECCO (New England Confectionery Company). Actualmente la NECCO permanece en Cambridge (antaño la capital confitera del país) y es prácticamente la única gran empresa de caramelos de Boston. Fabrica 4.000 millones de obleas Necco de color pastel al año. Para celebrar el 150 aniversario, la empresa pintó recientemente su torre de agua para que pareciera un rollo gigante de los caramelos.

Galleta Newton de higos

La galleta Newton de higos

En el año 1892, James Mitchell ideó una máquina nueva para elaborar una masa de galletas hueca y llenarla simultáneamente con mermelada de higos. La empresa, que se convirtió en la Nabisco Brands, produjo la galleta en Cambridgeport (Massachusetts) y le puso el nombre de la cercana población de Newton. La continua popularidad de la galleta Newton de higos es tal, que la mayor parte de la cosecha de higos de Estados Unidos se utiliza para elaborar más de mil millones de unidades de galletas al año.

Hasty Pudding
(gachas de avena de maíz)

En el año 1795, los estudiantes de la Universidad de Harvard crearon una asociación secreta llamada Hasty Pudding Club para fomentar "la amistad y el patriotismo". Su constitución estipulaba que "los miembros, en orden alfabético, deberían traer un pote de *hasty pudding* (otro nombre del pudding de maíz, elaborado con harina de maíz, leche y melaza) a cada reunión". El club empezó a interpretar obras de teatro, que con el tiempo se convirtieron en las célebres funciones teatrales *Hasty Pudding* que aún existen hoy en día. La tradición de estos jóvenes haciendo todo tipo de papeles masculinos y femeninos, cantando, bailando y bromeando injuriosamente sigue en pleno vigor.

Hoy en día el Hasty Pudding, donde han comido generaciones de estudiantes de Harvard durante siglos, tiene un restaurante público en el local situado sobre el teatro. Se llama Up Stairs at the Pudding y sirve esta versión de pudding de maíz.

Up Stairs at the Pudding's Hasty Pudding
Gachas de harina de maíz del
Up Stairs at the Pudding

5 tazas de nata ligera (+ 1 taza, si desea un centro blando)
1 taza de harina de maíz amarilla
1 taza de melaza negra
125 g de mantequilla y un poco para la fuente de horno
2 cucharaditas de sal
2 cucharaditas de jengibre en polvo
2 cucharaditas de canela en polvo
1 taza de azúcar moreno
3 yemas de huevo ligeramente batidas
1 taza de uvas pasas

Precaliente el horno a 160°C. Unte con mantequilla una fuente grande de horno (tal como una fuente rectangular de pyrex) de 30 × 45 cm y 3,5 cm de profundidad.

En la parte superior de una cacerola para baño María, escalde 5 tazas de nata, directamente sobre el fuego. Añada la harina de maíz, batiendo hasta que la mezcla sea homogénea, y coloque el cazo sobre agua hirviendo en la parte inferior de la cacerola. Cueza la mezcla unos 15 minutos. Agregue la melaza y cueza durante 5 minutos más; debe obtener una mezcla espesa. Retire el cazo superior del fuego e incorpore la mantequilla, las especias, el azúcar moreno, las yemas de huevo y las uvas pasas. Vierta la pasta en la fuente preparada. Si desea un centro blando, vierta una taza más de nata por encima. Cueza la preparación de 1½ a 2 horas en el horno precalentado. Corte el postre en cuadrados y sírvalo caliente acompañado de bolas de helado de vainilla. Para unas 8–10 personas.

La tienda rural

"No vinimos aquí por la vida social", escribe Donald Hall en su libro *Aquí en Eagle Pond* sobre su mudanza al estado rural de Nueva Hampshire, "aunque encontramos mucha. No hacía mucho que estábamos aquí cuando Jane oyó hablar de la Thornley's, la tienda de artículos diversos escondida justo en el recodo: Thornley's es una fiesta continua. A cualquier hora del día hay alguien explicando una historia. En Thornley's uno descubre que empezó a hacer tanto frío la semana pasada que Ansel vio dos perros de caza ayudando a una liebre a ponerse en marcha con dos pinzas de batería. En Thornley's uno se entera de quién se ha divorciado, e incluso por qué; se habla de política, del tiempo, del pasado, y de lo que se cena hasta en la hacienda del pueblo."

La tienda rural tiene cosas para todos. Dispone de gasolina y direcciones para el viajero, de una oficina de correos para los vecinos y del periódico del domingo de la ciudad para los excursionistas de fin de semana. Un granjero puede encontrar productos para proteger la madera en la sección de ferretería para la tabla nueva que ha colocado en el alero del granero. Su mujer puede encontrar ese tipo especial de tachuela para sujetar el hule y, entre los alimentos básicos en grandes sacos, harina panificable de trigo duro para amasarla en el mostrador cubierto por dicho hule.

Inmensos tarros y barriles contienen encurtidos para comer con pan con mantequilla que se extraen para el cliente. Hileras de mermeladas y conservas caseras llenan una alacena cerca de la melaza. En el interior de la tienda se corta carne, buena carne, por encargo. Uno también puede encontrar una gran rueda de queso cheddar, "queso para ratas", curado, fuerte y envuelto con estopilla como para contener su olor penetrante. Cuando el tendero corta un trozo, pone todo su peso sobre el cuchillo como si fuese a atravesar el mostrador de arce. Al lado del queso suele haber un barril de galletas saladas; hoy en día estas galletas se envasan atractivamente, pero se elaboran según la misma receta y con las mismas viejas máquinas que se utilizaron por primera vez en 1828.

Actualmente la tienda rural ofrece vídeos para alquilar, una selección de cerveza embotellada y algunos vinos, inclusive champán, para esa celebración especial de última hora. Los artículos de primeros auxilios están en la esquina de la sección de belleza. Junto a la nata fría se hallan las jarras de jarabe de arce de producción local y quizás algunas muñecas de trapo hechas a mano o cojines bordados a mano. La lechuga puede parecer un poco trillada, pero hay queso de cabra o beicon ahumado al arce de una granja de las

afueras del pueblo. Según la temporada, uno puede conseguir una licencia de pesca o de caza o bien pesar la caza recién capturada.

Para los niños, hay caramelos de un centavo, si bien hoy en día cuestan más de un centavo. Según la edad y las preferencias de cada niño, la bolsa de papel llena de caramelos puede contener las tradicionales barritas de marrubio, tiras de regaliz, bolas ácidas y de pólvora o cigarrillos dulces que despiden una bocanada de humo de azúcar glas. El crocante de cacahuete y la melcocha deben compartirse, o esconderse, a todas las edades. Los peces de gominola de colores intensos, los gusanitos y los ositos de goma que se quedan

En Weston (Vermont) se halla la tienda The Vermont Country Store, que ofrece una gran variedad de comida, regalos y artículos.

Los tradicionales confites de un centavo ya no cuestan un centavo, pero siguen siendo igual de populares.

pegados a los correctores dentales de los niños son irresistibles.

La principal comodidad que ofrece la tienda rural es la cordialidad. Uno sabe que puede encontrar ayuda cuando la necesita y casi siempre una agradable charla entre amigos y vecinos. No todos los pueblos de Nueva Inglaterra tienen una tienda rural; la práctica tienda que permanece abierta durante las 24 horas del día ha sustituido a la mayoría de tiendas rurales. Pero aún existen algunas, y merece la pena hacer una excursión especial para encontrar una de ellas y descubrir un museo viviente de la anticuada vida cotidiana puesta al día.

Las antiguas balanzas todavía se utilizan para pesar los productos.

Los resabios coloniales del interior y el exterior del Vermont Country Store: un deleite para la vista

QUESO

Todas las granjas de Nueva Inglaterra solían tener vacas para proveer de leche y mantequilla frescas a la familia del granjero. El queso era la manera ideal de conservar la leche de una forma menos perecedera y también de ganar un poco de dinero extra vendiendo el excedente a la tienda rural del pueblo. El queso cheddar, de tradición inglesa, era la clase más común y se solía elaborar en ruedas de unos 45 cm de diámetro, protegidas por cera, estopilla y un aro seco. La pasta interior del queso era de color amarillo pálido y de sabor fuerte y picante, con una textura fina que podía volverse desmigada con el tiempo.

Desde la decadencia de la industria lechera, estos excelentes quesos cheddar, que antaño no se apreciaban como es debido, resultan difíciles de encontrar. El cheddar producido en serie del supermercado, envuelto en film transparente, no puede desarrollar las mismas características que el queso curado en ruedas. Pequeñas empresas de Vermont, tales como la Grafton Village Cheese Company (en Grafton), Shelburne Farms (en Shelburne) y la Crowley Cheese (en Healdville), elaboran artesanalmente sus quesos cheddar curados. Las más grandes, como la cooperativa Cabot Creamery (en Cabot, Vermont), producen un surtido de quesos, incluidos el cheddar y el jack, así como mantequilla, queso fresco y quesos para untar condimentados.

En los últimos años ha surgido un nuevo interés por la elaboración de quesos con leche de cabra. Algunas de estas empresas a pequeña escala, tales como la Westfield Farm de Massachusetts o la York Hill Farm de Maine, han experimentado un éxito notable. Han crecido gracias a la elaboración no sólo de quesos de cabra blandos y suaves al estilo de Montrachet, sino también de quesos azules y quesos para rallar curados.

Una vaca Brown Swiss pastando en Shelburne Farms.

Elaboración del queso en Shelburne Farms

1. Una vez añadido el cultivo bacteriano a la leche para la fermentación y agregado el cuajo para coagular la leche, se remueve la cuajada y se cuece en el suero a 45°C para que se solidifique.

2. Se recoge la cuajada en un bloque con el rastrillo.

3. Una vez escurrido el suero, el quesero forma el "bloque". Se separa el suero de la cuajada.

4. Se iguala la cuajada de la superficie del bloque.

5. Se corta el bloque en rebanadas gruesas.

6. Empezando a procesar el cheddar, el quesero corta los bloques y los apila.

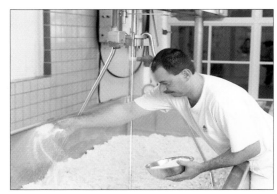

7. Se añade sal para detener el desarrollo bacteriano. Un cheddar perfectamente equilibrado contiene de 1,5 a 1,7 % de sal. A continuación, se cura el queso, se corta en barras y se encera con parafina para conservarlo.

La Grafton Village Cheese Company, en Vermont.

Las galletas saladas tienen una textura hojaldrada y crujiente, y son ideales para acompañar el queso.

Vermont Common Crackers
Galletas saladas de Vermont

Esta galleta redonda y quebradiza es la preferida de los habitantes de Nueva Inglaterra, a quienes les gusta desmigarla en el *Chowder* de almejas o servir unas cuantas con unas rodajas de cheddar de Vermont extra-fuerte curado. Estas galletas que, al parecer, fueron elaboradas por primera vez en Montpelier (Vermont) por Charles Cross en 1828, se moldeaban a mano. Cross distribuía él mismo las galletas en un carro tirado por un caballo, recorriendo la campiña y parándose en todos los pueblos que encontraba. En la tienda rural, un inmenso barril de galletas saladas situado junto a los quesos contendría docenas y docenas de galletas, que se regalarían a los clientes que comprasen queso. El tendero las repartiría por cada transacción o, si fuese generoso, permitiría que los clientes las escogiesen.

Hoy en día, en Vermont las galletas saladas aún se elaboran con una máquina de la época que amasa y da forma a la pasta. Se pueden adquirir bolsas de estos crujientes discos en tiendas rurales y pequeños supermercados de la región.

PIZZA, PIZZA

La torta favorita de los norteamericanos

Cada segundo, se consumen 350 porciones de pizza en Estados Unidos. A los norteamericanos les gusta la comida sencilla, rápida y preparada, y la pizza cumple los requisitos. El hecho de poder encontrar pizza en todas partes, desde en la esquina de la calle hasta en la sección de congelados de los supermercados, también permite que sea uno de los platos bandera de Norteamérica. Sin embargo, el origen de la pizza se sitúa en Nápoles (Italia) unos siglos atrás. Tradicionalmente era una comida de pobres, que requería pocos ingredientes y ningún plato ni utensilio. La pizza, una porción fina y plana de pan cubierta con cualquier tipo de carne o verduras que se tuviera a mano, era un plato popular y barato que se tomaba varias veces a la semana.

Cuando, a finales del siglo XIX, los inmigrantes italianos empezaron a abrir panaderías y restaurantes en las ciudades norteamericanas en crecimiento, la pizza figuraba naturalmente entre los platos típicos. Cuando otros norteamericanos osaron penetrar en los barrios conocidos como "Little Italy" de Nueva York, Chicago y otras ciudades, descubrieron la pizza por sí mismos.

El plato siguió siendo bastante exótico hasta justo después de la Segunda Guerra Mundial, cuando los soldados norteamericanos destinados en Europa volvieron a casa adorando la pizza. Se puso de moda cuando se abrió la primera cadena de pizzas rápidas, Pizza Hut, en Kansas en 1958. Ya en los años sesenta, se habían inaugurado varias cadenas por todo el país. Los supermercados empezaron a vender "lotes de pizza" para preparar en casa: una lata de salsa de tomate, un paquete de queso y una base de pasta preparada. Se podía encontrar pizza en todas partes y de todas las maneras: congelada, recién hecha, gruesa, delgada, entera o en porciones. La disposición norteamericana de "cuanto más, mejor" prevaleció también sobre la pizza, desde su disponibilidad hasta su tamaño y sus porciones más grandes.

Puesto que la pizza no requiere utensilios y se puede adaptar fácilmente a casi todos los gustos, se suele servir en las fiestas de cumpleaños infantiles, al igual que hacen los padres o los canguros que necesitan dar una comida sencilla y rápida. El rico olor de la salsa de tomate cubierta con rodajas de *pepperoni* y champiñones sobre una base crujiente es seguro que atrae a una multitud rápidamente, tanto si se entrega en un dormitorio universitario en plena noche, una atareada madre trabajadora la pone en la mesa o se sirve como plato principal en una fiesta.

Otra razón por la cual los norteamericanos adoran la pizza es su gran facilidad de adaptación. Diversas regiones de Estados Unidos preparan la pizza a su manera, alejándose de la tradicional definición de la torta napolitana. En el noroeste, y especialmente en New Haven, Connecticut y Nueva

York, la pizza es la más parecida a la primera que se elaboró en Nápoles, con una corteza delgada a base de harina, agua, sal y levadura, y una cobertura sencilla. Antes de añadir las verduras y la carne, se esparce una capa fina de salsa de tomate y se espolvorea un poco de queso. El "pan plano norteamericano" es una variante que se caracteriza por el uso de ingredientes frescos cultivados orgánicamente y se cuece en un horno de leña. Esta pizza de corteza fina y crujiente la sirven únicamente en Flatbread Kitchen, en Waitsfield (Vermont). Un cocinero de New Haven creó la pizza blanca, cuya cobertura contiene almejas, pero no incluye salsa de tomate ni queso. La Pizzeria Uno, en Chicago, ideó el "plato-hondo", una pizza con una corteza hojaldrada que crece 2,5 cm o más por encima del plato y rodea una pila honda de ingredientes. La pizza Tex-Mex se puede encontrar

en el sudoeste, con una cobertura a base de salsa condimentada y pollo, en vez de *pepperoni*. La pizza de California es quizás la que más se diferencia de la pizza napolitana original. La "pizza de diseño" creada por los cocineros en el estado de moda del oeste puede llevar cualquier tipo de cobertura, desde aguacate a caviar, y puede incluir o no salsa y queso. La disposición ingeniosa de ingredientes insólitos y llenos de color está tan de moda como los platos de la *nouvelle cuisine*. Por todo el país, las cadenas como Pizza Hut, Little Caesar's o Domino's crean sus propias variantes del plato. Un restaurante anuncia una pizza rectangular de más de 60 cm de largo, otro rellena la corteza con queso y un tercero hace alarde de su pizza vegetariana con hortalizas (el queso es opcional) sobre una corteza de trigo integral. La única cosa que no ha variado con todos estos cambios

1. Se corta un trozo de masa.

2. Se extiende la masa hasta formar una torta fina.

3. Se estira el disco de masa con los dedos.

4. Se coloca la torta sobre una pala de madera y se vierte la salsa de tomate.

5. Se unta ingeniosamente la salsa sobre la masa.

6. Se disponen los ingredientes de la cobertura sobre la salsa.

7. Se introduce la torta con cuidado en el horno de leña.

8. La pizza de pan ya cocida resulta crujiente y sabrosa.

Diferentes tipos de pizza, en sentido de las agujas del reloj desde la izquierda: una pizza al estilo de California aderezada con corazones de alcachofa y queso de cabra, una pizza casera sobre una corteza preparada y sazonada, una porción cuadrada de pizza horneada sobre una plancha y una porción de pizza de corteza fina al estilo de Nueva York.

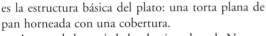

es la estructura básica del plato: una torta plana de pan horneada con una cobertura.

A pesar de las variedades de pizza de toda Norteamérica, las pizzerías en sí apenas han cambiado durante décadas. Lombardi's, situada en Spring Street, Nueva York, afirma ser la primera pizzería auténtica, fundada en 1905. Después de vender pizza detrás del mostrador durante unos años, los propietarios decidieron instalar mesas y sillas en el interior de la tienda, y así nació el bar de pizzas. Aunque el término "bar de pizzas" no se utiliza tanto hoy en día, la idea sigue siendo la misma: un lugar donde los amigos y las familias pueden reunirse para tomar una comida informal y económica. Las pizzerías suelen ser ruidosas y estar poco iluminadas y decoradas con letreros de neón anunciando cerveza. Si hay camareros, suelen ir vestidos de manera informal con camisetas y pantalones vaqueros. El olor del queso burbujeante mezclado con el de la carne y las hortalizas cocidas inunda la sala. En todo el restaurante suena música a todo volumen por los altavoces y, a veces, hay un tocadiscos automático en la esquina de la sala.

La pizza satisface necesidades tanto emocionales como culturales en la sociedad norteamericana. La pizza individual es un invento reciente; las pizzas se solían compartir en grupo. Es una comida de celebraciones; los estudiantes van a las pizzerías después de un evento deportivo, o se entregan cajas de pizzas en una casa durante la retransmisión de un gran partido por televisión. De hecho, uno de los días más ajetreados del año para una pizzería es el día del partido de fútbol americano de la Superbowl, en enero.

El aumento de la popularidad de las pizzas ha contribuido a la disminución de la calidad. La pizza es un gran negocio, pero su comercialización ha hecho perder gran parte de su calidad. En algunos locales, un microondas sustituye al horno de ladrillos y el sabor de la salsa es extraordinariamente parecido al de los espaguetis de la noche anterior. Las generaciones de italianos ya no se transmiten las recetas secretas para elaborar la mejor corteza, ni se pasan todo el día buscando los ingredientes más frescos y sabrosos. Por supuesto, hay algunas excepciones en pequeños negocios familiares que siguen cuidando más la calidad que las ganancias, preparando incluso su propia salsa de tomate y elaborando la tradicional corteza fina. El arte de elaborar pizzas tal vez se conserve gracias a una nueva generación de cocineros caseros que consideran la pizza como el plato perfecto con el cual se puede ejercitar la creatividad utilizando la fórmula básica y los ingredientes favoritos.

La ciudad de Nueva York

por Kelly Kochendorfer

Distritos de:
El Bronx
Brooklyn
Manhattan
Queens
Staten Island

La ciudad de Nueva York es la "ciudad imperio" del *Empire State* (estado de Nueva York); su inmensidad y su extraordinaria diversidad la hacen única. Y sus particulares características culinarias exigen un análisis especial. Aunque es en realidad un retrato del "crisol de razas" culinario, muchas de sus tradiciones gastronómicas étnicas se mantienen arraigadas y diferenciadas. Desde sus comienzos, Nueva York ha atraído a inmigrantes de todo el mundo. Por consiguiente, es la capital culinaria de Estados Unidos, con una variedad de cocinas diferentes única en el mundo.

Hacia finales del siglo XIX, los cocineros de los restaurantes más opulentos de Nueva York y los cocineros privados de las familias adineradas de la ciudad introdujeron las tradiciones sofisticadas de los grandes gastrónomos europeos, creando platos como el Bogavante Newburg, los Huevos Benedict y la *Vichyssoise*. Al mismo tiempo, los inmigrantes italianos, judíos, irlandeses, griegos y rusos se establecieron en la ciudad, trayendo consigo una cocina mucho más modesta. Los antiguos esclavos afroamericanos emigraron a la ciudad de Nueva York después de la Guerra de Secesión. Más tarde, se establecieron los chinos y los coreanos, trayendo los sabores de Asia a la metrópoli. Los inmigrantes puertorriqueños llegaron en los años cincuenta y, actualmente, entre los residentes más recientes figuran inmigrantes de Latinoamérica y Oriente Próximo.

Además de un gran número de sencillas y viejas *luncheonettes* norteamericanas, tiendas de caramelos, restaurantes especializados en carne, bares, grills y cafeterías que sirven comida tradicional con un dejo de sabor étnico, cada uno de los cinco distritos de la ciudad de Nueva York tiene una sorprendente variedad de restaurantes y mercados étnicos. Hoy en día, Little Italy y Chinatown son enclaves fuertemente étnicos en el sur de Manhattan, mientras que Astoria, en Queens, tiene supuestamente la segunda población griega más grande del mundo, después de Atenas. Los judíos rusos, polacos, alemanes y ucranianos reivindican el Lower East Side de Manhattan y el barrio de Brighton Beach de Brooklyn como su área cultural y culinaria. En el norte de la ciudad, Harlem acoge a muchos afroamericanos, así como a norteamericanos de descendencia caribeña y puertorriqueña. Los alemanes formaron una concentración de tiendas, restaurantes y panaderías en el Upper East Side, en el barrio de Yorkville. Un viaje culinario por las innumerables sendas de la ciudad de Nueva York permite ver mundo; es un viaje que ofrece al turista gastronómico una muestra de muchas culturas sin aventurarse más allá de los cinco distritos.

L A   C I U D A D   D E   N U E V A   Y O R Kegment>

MERCADOS DE PRODUCTOS FRESCOS

Página siguiente, derecha: la Union Square era el centro de venta al detalle de Nueva York a finales de siglo, cuando los principales centros comerciales estaban ubicados aquí, en la parte baja de la Quinta Avenida y en la plaza entre las calles East 14th y 17th. Hoy en día los clientes compran productos frescos en vez de tejidos.
Página siguiente, izquierda: la arquitectura histórica que rodea los puestos en la Union Square da un aire claramente urbano al mercado.egment>

Nueva York dispone de una increíble variedad de mercados de alimentación, que sirven a la clientela más diversa del mundo. Hace unas décadas, los propietarios de las tiendas seleccionaban personalmente todas sus frutas, hortalizas, carnes y pescados, pero con el tiempo resultó más fácil y más eficaz comprar a granel. Este cambio eliminó por fases la tarea de los propietarios de comprar para la tienda y creó al intermediario o agente comprador. Los grandes supermercados solían comprar directamente a los mataderos y a las granjas. Actualmente, lo hacen en los mercados de productos frescos al por mayor de Nueva York. La visita a algunos de ellos ofrece una interesante imagen de la vida de la ciudad por la noche, cuando las mercancías cambian de dueño al amanecer.

El Fulton Fish Market está ubicado bajo el East River Drive, cerca del extremo sur de la isla de Manhattan. En esta lonja de pescado de 162 años de antigüedad, la subasta empieza hacia la 1.00h y termina a las 4.00h, cuando el mejor pescado ya se ha vendido desde hace rato, reservado para los cocineros de los restaurantes y los minoristas que son clientes asiduos. A este mercado llega cualquier clase imaginable de pescado y marisco de todas partes del mundo; se venden casi 500 variedades diferentes. Los clientes pueden encontrar *branzino* de Italia, lenguado de Dover de Inglaterra, merluza de Canadá, salmón de Noruega, cangrejos enanos de Japón, salmonetes de Francia, cangrejos de río y ancas de rana de Luisiana, langostinos gigantes de Ecuador y bogavantes de Maine.

En el mercado de carne de la calle 14, entre las avenidas West 9th y 10th, cuelgan costillares de cordero e ijadas de buey y de cerdo en gigantescos almacenes. Aquí los proveedores empiezan a vender hacia las 2.00h, cuando los carniceros adquieren sus pedidos diarios que convertirán en varios bistecs, costillas y lomos para posteriormente venderlos al detalle el mismo día.

El Hunt's Point Terminal, un mercado de 457.311m² abierto en 1907 y situado en el sur del Bronx, es el mercado de productos agrícolas más grande del mundo. En él trabajan 7.000 personas que proveen a los 2.000 clientes que compran a media noche para seleccionar los productos para sus tiendas. Construido como una terminal de aeropuerto, tiene gigantescos cercados de alambrado y está completamente aislado del mundo exterior. Los camiones llegan a la terminal cargados de productos de todo el mundo.

Es asombroso que uno pueda elegir entre 55 variedades de uva, 18 tipos de mangos y 14 clases de arándanos en el Hunt's Point Terminal. Las

Un vendedor de frutas, en el mercado de la Union Square, ofrece docenas de manzanas locales de temporada, incluidas las variedades Empire, Granny Smith y Macintosh. Los agricultores acuden al mercado desde las zonas rurales del estado de Nueva York y de Nueva Jersey varias veces a la semana.

granadas del Norte de África están apiladas junto a los dátiles y los higos turcos y las lechugas francesas. Las naranjas de Florida forman pirámides junto a canastas de cerezas chilenas. Puede que el lugar en sí no sea atractivo, pero los productos son espléndidos.

La minúscula Bronx Terminal bajo la Major Deegan Expressway es un mercado anticuado que suministra a muchas de las "bodegas" (pequeños mercados o tiendas de comestibles preparados) hispanas de la ciudad, vendiendo productos tales como bananos, cocos, yuca (una hortaliza feculenta), hierbas aromáticas y otros alimentos básicos para la cocina casera hispana.

No todos los mercados venden al por mayor. Los neoyorquinos pueden comprar en los mercados de hortalizas o los mercados de los agricultores para probar productos del campo. Unas cinco veces a la

semana, en varios puntos de la ciudad, los agricultores locales traen fruta fresca del tiempo, hortalizas, miel, sidra, quesos y panes artesanos. Estos mercados abren a primera hora de la mañana y suelen cerrar antes de las 14.00h. El mercado de hortalizas de la Union Square es uno de los más grandes y populares entre los compradores.

La Marqueta se halla en el Harlem hispano, en la Upper East Side de Manhattan. El mercado de cinco manzanas de largo suele albergar unos cien vendedores. En él se pueden encontrar algunos de los ingredientes más insólitos que requiere la cocina de África occidental y del Caribe, tales como chayotes (un tipo de calabaza), cocos y chiles (secos y frescos).

54   E S T A D O S   U N I D O Segment>

TIENDAS DE COMESTIBLES Y ESPECIALIDADES GASTRONÓMICAS

Una de las mejores cosas de Nueva York es la permanente disponibilidad de una gran variedad de alimentos. Las tiendas raramente cierran más de ocho horas, y algunas no cierran. Los mercados regentados por las familias coreanas se empezaron a abrir en Manhattan a principios de los años setenta, sustituyendo muchos pequeños mercados y *delis* griegos e italianos locales. Actualmente hay por todas partes. Parece que vendan de todo, desde ginseng hasta litros de leche y pasta de dientes, y están abiertos las 24 horas del día. Algunas de las tiendas no tienen ni siquiera una puerta de entrada para cerrar con llave. Las frutas y las flores frescas se exponen delante, para tentar a la atareada ejecutiva de camino a casa a pararse y comprar todo lo que necesita para la cena, desde galletas saladas y queso hasta helado para el postre y flores para la mesa.

Las tiendas coreanas de las esquinas están bien surtidas y permanecen abiertas las 24 horas del día.

La tienda Dean & Deluca del SoHo es un emporio de delicias visuales y sensitivas.

En las numerosas panaderías del barrio venden pan recién horneado. En el Upper East Side, cerca de la zona de Yorkville, se halla Orwasher's, la famosa panadería al estilo alemano-húngaro. Elabora pan *pumpernickel* y pan de centeno ligero frescos. En Madison Avenue, E.A.T. elabora *ficelles* francesas de masa fermentada. En el SoHo, el diminuto Vesuvio hornea desde hace décadas los bollos duros y los tradicionales panes de sésamo del sur de Italia. En A. Zito & Son's Bakery producen panes crujientes a diario.

A lo largo de la Novena Avenida, en el West Side desde las calles 36 a 40, hay diversos mercados de alimentación étnicos que se crearon a finales del siglo XIX. Los inmigrantes griegos, italianos y, más tarde, los del norte y el oeste de África, abrieron tiendas en esta zona. Mangarano's vende alimentos básicos italianos: pasta importada, tarros de pimientos, latas de atún y grandes latas y botellas de aceite de oliva virgen extra. La Ninth Avenue Cheese vende más de 250 tipos diferentes de quesos, frutas secas, numerosas aceitunas y comestibles griegos y turcos. La Central Fish Company complace a sus clientes italianos y griegos, vendiendo un surtido de anchoas frescas, sardinas y bacalao salado seco. La West African Grocery vende un gran surtido de especias, cereales y panes poco comunes. El International Groceries and Meat Market es otro emporio gastronómico, con arcones de judías secas, especias, aceitunas, quesos frescos y carnes ahumadas, curadas y frescas.

La Arthur Avenue, en el barrio de Belmont del Bronx, se podría considerar como la segunda Little Italy de Nueva York. Es una meca de la comida tradicional italiana. Aquí no se compra en una sola tienda; al más puro estilo italiano, el cliente va de una tienda de especialidades a otra para comprar los alimentos para la cena. La Biorgatti's Ravioli and Noodle Com-

Superior izquierda: aceitunas curadas sazonadas con pimienta machacada y zumo de limón. Superior derecha: aceitunas sazonadas con guindilla seca picada

pany vende pasta, la Calabria Pork Store ofrece grasientas salchichas caseras, la Calandra Cheese Shop vende un surtido de quesos italianos importados y la panadería Madonia tiene dulces y panes.

Salchichas alemanas en una charcutería de Yorkville

Inferior: las tiendas como la Oriental Pastry and Grocery Company, en Brooklyn, ofrecen una gran selección de comida de Oriente Próximo.

En la Atlantic Avenue de Brooklyn se hallan las mejores tiendas de Oriente Próximo de la ciudad. La Oriental Pastry and Grocery Company dispone de un gran surtido de comida egipcia. La Sahadi Importing Company es una gran tienda con una enorme selección de frutas secas, cereales, aceitunas y panes frescos. La Damascus Bakery tiene magníficos productos horneados, en especial el pan diario de Oriente Próximo, la *pita* casera (pan redondo y delgado que se parte y se rellena como un bocadillo).

En el Upper West Side de Manhattan, Zabar's vende de todo, desde carne y pescado ahumados hasta panes surtidos, café, comida preparada, dulces y utensilios domésticos. En el sur de la ciudad, Balducci's (en Greenwich Village) empezó como un pequeño puesto de productos abierto las 24 horas y se ha convertido en una gran tienda de comestibles para gastrónomos con pescado fresco, carnes, aves y productos varios, así como alimentos envasados importados que llenan las despensas de muchos neoyorquinos. Dean & Deluca, una de las tiendas más bonitas de la ciudad, es prácticamente un museo gastronómico. Sus alimentos frescos y envasados perfectamente expuestos disputan la atención al arte de las cercanas galerías del SoHo. Bombones recién recubiertos, frutas exóticas y exquisiteces de marisco fresco tientan a los clientes que también pueden comprar pasteles y bollería, utensilios de cocina y una taza de café exprés en la parte delantera de la tienda.

LOS DELICATESSEN

El *deli* (tienda de comestibles preparados) judío es claramente un invento norteamericano. A finales del siglo XIX, una inmensa comunidad de judíos de Europa Oriental se estableció en el Lower East Side de Manhattan. Trajeron consigo sus ricas tradiciones culinarias, así como la profesión de tendero. En la parte delantera de las tiendas se exponían barriles rebosantes de pepinillos en vinagre, estanterías de nutritivos panes y carnes colgando en las vitrinas.

La Essex Street Pickles en el Lower East Side

Estas tiendas se conocían como *"delicatessen"* y casi siempre estaban regentadas por los nuevos inmigrantes judíos, muchos de los cuales era alemanes. Vendían comida alemana como, por ejemplo, morcillas, jamones y *speck* (carne de buey secada al aire libre), así como alimentos típicos judíos como el *pastrami* (carne de buey condimentada, ahumada y curada), el *corned beef* (carne de buey salada) y el pescado relleno escalfado (albóndigas de lucio triturado). Las salchichas de Frankfurt y el salami tradicionales se transformaron sustituyendo la carne de cerdo por carne de buey (para que fuesen *kasher*) y añadiendo nuevas especias. El menú del *deli* también incluía *pastrami* de buey al estilo *kasher*, *corned beef* y lengua encurtida. Para complacer los gustos

Cortando *pastrami* para un clásico neoyorquino, el bocadillo caliente de *pastrami*.

Pesando salchichas de Frankfurt *kasher* en el *delicatessen* Katz's, en el Lower East Side.

norteamericanos, se añadió pavo, carne de buey asada, salsa rusa y *coleslaw* (ensalada de col).

El plato base de los *deli* se compone de un bocadillo de *pastrami* con pepinillos encurtidos al eneldo. El arte de encurtir hortalizas tales como pepinos, tomates, col y guindillas en salmuera fue perfeccionado por los cocineros de los *deli*. Hoy en día, uno puede probar variedades de pepino encurtido, cuyo sabor varía desde la muy agria y salada hasta la clásica variedad suave *kasher* al eneldo. Para preparar un bocadillo de pastrami, se ha de cortar el pan en rebanadas finas y se ha de calentar el *pastrami* o *corned beef* (para que la grasa no cuaje). Éste se ha de apilar hasta alcanzar unos 5 cm de alto (algunos miden hasta 12,5 cm) y cubrir con un *schmear* (un poquito) de mostaza fuerte, a veces diluida con un poco de salmuera.

El *Reuben*, otro bocadillo de los *deli*, se prepara con *corned beef* y col fermentada.

Kasher

La palabra *kasher* significa "autorizado" o "correcto según el ritual". Las *kashruth* (las leyes dietéticas judías) prohiben comer carne y productos lácteos a la vez, aludiendo al pasaje del Antiguo Testamento que reza, "el ternero no debe cocerse en la leche de su madre". Las carnes deben sacrificarse de una manera determinada y se prohibe el consumo de marisco y carne de cerdo. Los restaurantes *kasher* están sometidos a una estricta supervisión rabínica.

Los *delis* introdujeron la noción de comer fuera en las familias judías que, hasta entonces, sólo habían cocinado y comido en casa. La carne y los productos lácteos siempre se mantenían separados. El resultado fue la invención de la granja, normalmente unida a la panadería, que servía sopas sin carne, empanadas rellenas de queso, pasteles, pastas saladas y panes. En 1905, se inauguró una de las primeras granjas, Ratner's, en Pitt Street, donde sigue abierta actualmente. A principios del siglo XX, resultaba más fácil determinar alimentos *kasher,* pero con los nuevos aditivos y sucedáneos, es más difícil asegurarse de que un alimento es *kasher* con sólo leer la etiqueta.

Cortando salmón en el *deli* Russ and Daughter's.

Inferior: pepinillos curados en salmuera con aromáticas semillas de mostaza

La sección "apetitosa" de los deli

Al entrar en un *deli*, el olor de las carnes sazonadas y curadas inunda los sentidos. El *deli* tradicional suele ser *kasher* y tiene salchichas de Frankfurt y salami de carne de buey colgados del techo, sobre el mostrador de cristal. En el interior, uno puede encontrar *pastrami* condimentado (cortado normalmente en rodajas rectangulares y finas), cuadrados de *corned beef* magro, lengua de buey entera, pavos asados, buey estofado y *knishes* de patata (pastas rellenas de patata y cebolla), todo rodeado de un surtido de encurtidos, panes, mostaza, ensalada de patata y *coleslaw*. En la cocina o detrás del mostrador, hay ollas llenas de sopa con bolas de *matsa* y sopa de cebada y champiñones, muy calientes, y bandejas de hígado de pollo picado y pescado relleno. La palabra "apetitosa" es un término familiar que se utiliza para describir la selección de comida preparada y carnes en lonchas que se vende para llevar.

Glosario de los deli

Schmear: de la palabra judía *shmirn* (untar), utilizada en los *deli* para describir una pizca de algo, normalmente un condimento para untar sobre un bagel o un trozo de pan. Actualmente, las combinaciones de queso cremoso sazonado con cebolla, pimiento dulce y ajo se comercializan bajo el nombre de *"schmears"*.

Schmaltz: grasa de pollo derretida (que a veces se aromatiza con manzana, cebolla y condimentos), utilizada como la mantequilla para cocinar o para untar.

En la sección "apetitosa" de los *deli* se vende caviar junto a corégonos ahumados de piel dorada.

Cachos (pequeños corégonos ahumados)

Pescado ahumado

La cantidad de pescado ahumado que se vende anualmente en Nueva York sobrepasa probablemente la que consume el resto del país. Para muchos neoyorquinos, el *brunch* del fin de semana implica normalmente acudir a una tienda de exquisiteces local para comprar un poco de pescado ahumado que acompañará un *bagel* untado con una capa gruesa de queso cremoso. Hacer cola tras el mostrador de un *deli* para comprar 500 g de salmón ahumado cortado en rodajas finas es un ritual de los sábados por la mañana en el Upper West Side de Manhattan.

Nadie sabe a ciencia cierta cómo la combinación de salmón ahumado y queso cremoso se convirtió en un clásico de la escena gastronómica de Nueva York. El término *"lox"* (salmón ahumado, en inglés) proviene de la palabra alemana para salmón, *lachs*, o de la palabra sueca, *lax*. Alguien descubrió que el queso cremoso reducía la salobridad del pescado y era la base perfecta para tal manjar cuando se untaba sobre un *bagel* gomoso. El *lox* de Nueva Escocia es un salmón ahumado ligeramente curado (más exquisito y más caro que el *lox*) del Atlántico Norte. Tanto el salmón del Atlántico como el del Pacífico se curan al estilo de Nueva Escocia. Este salmón ahumado se puede tomar de muchas maneras: sobre pan untado con mantequilla, sobre un *blini* con cebolla picada o preparado en *rilletes* de salmón (una sabrosa crema de salmón). El corégono ahumado es una buena alternativa, con su piel dorada y brillante y su sabor suave. Se toma como ensalada (triturado y sazonado con cebolla roja picada) o servido simplemente en trozos grandes con tiras de cebolla encurtida. El abadejo, la carpa de invierno y el esturión ahumados se cortan en lonchas finas y se toman con rodajas de cebolla, aceitunas negras saladas y mantequilla sobre pan. Los cachos (pequeños corégonos enteros) fritos y los arenques encurtidos (algunos en salsa de nata agria) son otras exquisiteces que se pueden encontrar en la sección de pescado ahumado de un *deli*.

COMIDAS PREPARADAS EN LA SECCIÓN "APETITOSA"

Matzoh Ball Soup
Sopa con bolas de matsa

Para la sopa:

1 pollo de 2 kg
2 cebollas medianas peladas y cortadas en cuartos
3 zanahorias medianas peladas y partidas por la mitad
3 tallos de apio partidos por la mitad
1 chirivía pelada y partida por la mitad
8 dientes de ajo
8 ramitas de perejil fresco
4 ramitas de eneldo fresco
sal

Para las bolas de matsa:

4 huevos
½ taza de margarina, o ½ taza de grasa de pollo derretida y fría
1¼ tazas de harina de *matsa*
sal y pimienta negra recién molida
ramitas de eneldo fresco para adornar

Para elaborar el caldo: mezcle el pollo, las cebollas, las zanahorias, el apio, la chirivía, el ajo, el perejil y el eneldo en una olla grande y cubra los ingredientes con agua hasta unos 5 cm por encima de los mismos. Lleve el agua a ebullición a fuego medio-alto y espume la superficie. Pase a fuego medio-bajo y deje cocer lentamente unas 2 horas. Cuele el caldo, déjelo enfriar, sazónelo con sal y refrigérelo 1 hora aproximadamente. Retire la grasa de la superficie.

Para elaborar las bolas de matsa: mezcle los huevos, la margarina, la harina de *matsa,* la sal y la pimienta. Añada ¼ taza de agua o caldo y deje reposar durante 30 minutos como mínimo.

Humedézcase las manos y moldee la masa en 24 bolas de 5 cm de diámetro (se hincharán durante la cocción). Mientras tanto, llene una olla grande de agua con sal y lleve ésta a ebullición. Vierta las bolas de *matsa* en el agua de una en una, baje el fuego al mínimo, tape la olla y deje cocer de 30 a 40 minutos. Escurra las bolas, añádalas al caldo precalentado y sazone con sal y pimienta. Sirva 1 ó 2 bolas en cuencos con caldo y adorne con eneldo. Para 8-10 personas.

Chopped Chicken Liver
Hígado de pollo picado

2 cucharadas de grasa de pollo
1 cebolla pequeña, pelada y picada
500 g de hígados de pollo enjuagados
6 huevos duros pelados y picados
sal y pimienta negra recién molida

Caliente la grasa de pollo en una sartén. Añada la cebolla y fríala unos 5 minutos a fuego fuerte hasta que esté crujiente. Agregue los hígados y saltee a fuego medio unos 10 minutos más hasta que estén firmes y cocidos. Retire la mezcla del fuego y píquela hasta obtener una pasta fina. Pásela a un cuenco, incorpore el huevo y salpimiente. Sirva con galletas de soda o cuadraditos de pan de centeno. Para 3½ tazas.

Latkes de patata

Potato Latkes
Tortitas de patata

1 kg de patatas para asar, peladas y ralladas
1 cebolla pelada y rallada
2 huevos
¼ taza de harina
4 cucharadas de perejil fresco picado
sal
1 cucharada de aceite vegetal

Retire el exceso de agua de las patatas y páselas a un cuenco. Añada la cebolla, los huevos, la harina, el perejil y la sal, y mezcle bien. Caliente el aceite en una plancha de fondo pesado a fuego medio-alto y vierta ¼ taza de la mezcla de patata, aplanándola con una espátula para formar un disco de 10 cm de diámetro. Pase a fuego medio y cueza la tortita hasta que esté bien dorada, de 3 a 5 minutos por cada lado. Dispóngala sobre papel de cocina. Puede servir las tortitas con nata agria o salsa de manzana. Para 12 tortitas.

Inferior: un surtido de especialidades de pescado ahumado: 1. Abadejo ahumado con cebolla roja picada y nata agria. 2. Esturión con alcaparras, nata agria y pan moreno. 3. Corégono y ensalada de corégono.

EL BAGEL

Los nutritivos y sabrosos panes constituían la base de la comida deliciosa y "autorizada" de los *delicatessen* judíos. Los platos clásicos (bocadillos de *pastrami* con aromático pan de centeno y salmón ahumado salado sobre un *bagel* con queso cremoso) se crearon a partir de los panes de los *deli*. Los mostradores llenos de *bagels, bialys,* pan judío de centeno, nutritivo pan *pumpernickel* negro y *challah* recién hechos suelen ser la primera parada de los que van a comprar el sábado por la mañana, cuando se adquiere también el pan de la semana.

De todos estos panes, el *bagel* es el símbolo universal de la comida judía y una de las contribuciones más populares de los inmigrantes de Europa Oriental a la escena gastronómica norteamericana. Los auténticos neoyorquinos buscan los *bagels* gomosos y recién horneados que todavía se elaboran en algunas de las panaderías de la ciudad, desestimando los *bagels* blandos e insípidos, envasados, que venden en los supermercados.

La historia del *bagel,* o *beigel,* tal como se escribe a veces, es incierta puesto que existen diferentes versiones de su origen. Según una de ellas, fue creado en Viena alrededor de 1683, cuando esta ciudad fue capturada por los turcos y la caballería polaca acudió en su ayuda. Tras la batalla, algunos de los soldados se quedaron y abrieron un café en el cual se vendía una pasta en forma de estribo, que simbolizaba los estribos del valiente ejército polaco. El término *buegel,* "estribo" en alemán, es posiblemente la palabra de la cual deriva *"bagel".*

Los inmigrantes introdujeron este pan en Norteamérica y, en el Lower East Side de Manhattan, donde prosperaban los enclaves judíos, los *bagels* se moldeaban a mano, se hervían, se cocían en hornos de carbón y se vendían en la calle.

Hoy en día, los clásicos *delis* de Nueva York venden los *bagels* tradicionales; se elaboran con harina blanca, de centeno o de trigo entero, se sazonan con cebolla, semillas de alcaravea, uvas pasas o ajo y se espolvorean con semillas de amapola o de sésamo o con sal gema. Pero el *bagel* también se ha convertido en un alimento nacional. Al añadirle condimentos tales como arándanos y chocolate, el *bagel* ha pasado a venderse en las panaderías de toda Norteamérica. En los *brunchs* elegantes se sirven mini *bagels,* y los *bagels* duros se rebanan, se sazonan y se transforman en chips de *bagel,* un popular aperitivo. En la mayoría de los casos, la producción a gran escala ha eliminado el factor humano del antiguo proceso de elaboración de los *bagels;* ahora se suelen hornear sin hervirlos, y la masa se mezcla y se moldea en máquinas.

Vertiendo los *bagels* en la caldera con agua y jarabe de arce hirviendo.

Elaboración de los bagels

1. Se retiran los *bagels* del agua hirviendo.

2. Se disponen los *bagels* sobre la plancha metálica, antes de añadir los condimentos.

3. Se retiran los *bagels* cocidos del horno.

4. De izquierda a derecha: *bagels* jaspeados, mixtos y al ajo.

Bagels (Roscas de pan)

1 paquete de levadura seca
3 cucharaditas de azúcar moreno
1½ tazas de agua caliente (50°C)
1 cucharada de sal
4 tazas de harina blanca
harina de maíz
2 cucharadas de jarabe de malta o melaza
semillas de amapola o de sésamo, cebollas picadas, sal gruesa

Mezcle la levadura con 1 cucharadita de azúcar y agua caliente. Deje reposar la mezcla hasta que se formen burbujas, unos 10 minutos.

En otro cuenco, mezcle 2 cucharaditas de azúcar, la mitad de la harina y la sal. Añada la mezcla de levadura y el resto de harina. Amase la pasta sobre una superficie ligeramente enharinada durante unos 5 minutos hasta que esté algo lisa y elástica.

Déjela reposar durante 1 hora para que suba. A continuación, divídala en porciones de 5 cm.

Extienda cada porción en forma de cilindro de unos 15 cm de largo y 2,5 cm de diámetro.

Para formar un *bagel,* tome un trozo de pasta y junte los extremos pellizcándolos bien para formar un aro. Repita la operación con la pasta restante. Deje que los aros reposen y se hinchen un poco.

Llene una olla con agua y lleve ésta a ebullición fuerte. Añada el jarabe de malta o la melaza. Precaliente el horno a 260°C. Vierta los *bagels* en el agua y escálfelos unos 30 segundos (de este modo se forma una corteza lisa y dura). Déles la vuelta y cuézalos por el otro lado hasta que la pasta se hinche y tome forma. Espolvoree una bandeja de horno con harina de maíz.

Retire los *bagels,* escúrralos y dispóngalos en la bandeja de horno. Espolvoréelos con semillas, cebolla, ajo o sal gruesa.

Cueza los *bagels* a horno muy fuerte (260°C) de 10 a 15 minutos hasta que se doren. Para 1 docena de *bagels.*

Bagels para desayunar

Con queso cremoso y salmón ahumado, el *bagel* representa el típico desayuno o *brunch* neoyorquino. Parta el *bagel* en dos mitades iguales, y tuéstelas si lo desea. Extienda en cada mitad un *schmear* de queso cremoso; cubra con salmón ahumado y añada un tomate o una cebolla en rodajas. Los *bagels* también se suelen rellenar con otros tipos de pescado ahumado, tales como corégono, esturión, abadejo o arenque, ya sea en conserva o en salsa de nata agria.

Scallion Cream Cheese Spread

Queso cremoso con escalonia para untar

500 g de queso cremoso a temperatura ambiente
½ taza de nata agria
sal
una pizca de ajo en polvo
½ taza de escalonias picadas

Mezcle el queso cremoso, la nata agria, la sal, el ajo en polvo y las escalonias en un cuenco mediano. Sirva sobre *bagels* tostados.

Glosario de bagels

Chips de bagel: *bagels* duros cortados en rebanadas finas y sazonados con ajo, sal, hierbas y queso.

Beygl: término judío que designa un pan redondo, uno de los posibles orígenes de la palabra "bagel".

Buegel: palabra alemana que significa "estribo", otro posible origen de la palabra "'bagel".

Egg Bagel *(Bagel de huevo):* bagels elaborados con huevos, los cuales aportan ligereza a la masa.

Everything Bagel *(Bagel mixto):* bagels espolvoreados con semillas de sésamo y de amapola, sal gema, ajo y cebolla.

Marbled Bagel *(Bagel jaspeado):* masa de *bagel* y masa de *pumpernickel* que se mezclan formando un remolino.

Water Bagel *(Bagel de agua):* la forma tradicional más gomosa de los *bagels.*

OTROS PANES DE LOS DELI

La panadería Orwasher's en el Upper East Side

Bialys

El *bialy* es otra especialidad de Nueva York, que debe su nombre a la ciudad polaca de Bialystock y es casi idéntico al pan conocido en Gran Bretaña como *platzel* o en Estados Unidos como *"the onion board"*. Este pan pastoso, redondeado y gomoso se elabora con harina blanca, sal, levadura y agua. Después de hacer una hendidura en medio del pan, se espolvorea con cebolla picada o semillas de amapola y se cuece en un horno caliente hasta que esté crujiente y dorado.

Pan de centeno

El pan de centeno judío se elabora con una mezcla de harina de trigo y granos de centeno molidos. Es una mezcla diferente de la del pan de centeno alemán tradicional, que se prepara únicamente con harina de centeno. La corteza del pan se suele espolvorear con semillas de cardamomo antes de hornear. El pan de centeno judío se suele leudar con una masa madre fermentada natural, que le aporta un sabor característico ligeramente agrio al cocerlo.

Pan pumpernickel

El pan *pumpernickel* es muy parecido al pan de centeno, pero la adición de melaza o caramelo le da un color marrón oscuro. También se leuda con una masa madre fermentada natural a base de harina de centeno no cernida.

Challah

El *challah* es un pan blanco fermentado tradicional en forma de trenza, enriquecido con huevos y espolvoreado con semillas de amapola negra. Por lo general, se reserva para el sábado y para las fiestas judías. Este pan fue probablemente introducido en Estados Unidos por los judíos de Europa Oriental que emigraron al país a finales del siglo XIX. Originalmente, no se añadía azúcar al pan; sin embargo, a medida que los inmigrantes se volvieron más prósperos, se pudieron permitir comprar azúcar y, a principios del siglo XX, todos los *challahs* se endulzaban. El término *"challah"* también se refiere a la porción de masa reservada para los servicios religiosos en el Templo de Jerusalén. Durante el *Rosh Hashanah,* la festividad que celebra el Año Nuevo judío, se come un *challah* redondo como símbolo de larga vida. La mayoría de las panaderías judías de Nueva York elabora el tradicional *challah* ruso en forma de trenza de seis tiras, que se vende durante las fiestas.

Raisin Pumpernickel Bread
Pan pumpernickel con uvas pasas

Para la masa madre:

2 tazas de agua caliente

4 tazas de harina de centeno

1½ cucharaditas de jarabe de malta o azúcar moreno

1 cucharadita de levadura seca activa

Para el pan:

½ taza de harina de maíz molida gruesa

¾ taza de melaza negra

1 cucharada de mantequilla

1 cucharada de sal

2 cucharaditas de azúcar moreno

250 g de chocolate para cocinar no endulzado picado fino

2 patatas peladas, hervidas, chafadas y frías

3½ tazas de harina de centeno

½ taza de harina de trigo entero

1 taza de uvas pasas

Masa madre:

Empiece el proceso 3 días antes de hornear el pan. Mezcle el agua, la harina de centeno, el jarabe de malta y la levadura en un cuenco. Cubra la mezcla y déjela reposar a temperatura ambiente durante 1 día. A continuación, refrigérela durante 2 días. A medida que la masa madre fermente, doblará su volumen y se formará una capa espesa de burbujas en la superficie. Póngala de nuevo a temperatura ambiente antes de preparar el pan.

Pan:

Mezcle la harina de maíz con 1½ tazas de agua en un cazo a fuego medio, y cueza hasta que se espese, sin dejar de remover, unos 5 minutos. Retire el cazo del fuego y añada la melaza, la mantequilla, el azúcar moreno y el chocolate. Deje enfriar.

En un cuenco grande, mezcle la masa madre con la mezcla de harina de maíz fría. Agregue el puré de patatas y seguidamente la harina de centeno y la harina de trigo entero. Espolvoree una tabla con harina de maíz y harina de trigo entero. Vuelque la masa y trabájela hasta que esté consistente y se despegue de la tabla, unos 10 minutos. Incorpore las uvas pasas y amase durante 10 minutos más. Pase la masa a un cuenco, cúbrala holgadamente y déjela reposar en un lugar cálido para que doble su volumen. Precaliente el horno a 200°C.

Unte 2 bandejas de horno con mantequilla y espolvoréelas con harina de maíz. Golpee la masa, amásela durante 1 minuto y divídala en dos. Forme un pan redondo con cada mitad y dispóngalos en las bandejas preparadas. Déjelos reposar durante 30 minutos y hornéelos de 45 a 55 minutos. Déjelos enfriar sobre una rejilla metálica. Para 2 panes.

Elaboración del challah

1. Se trabaja la masa sobre una superficie enharinada.

2. Se dobla la masa en tres durante el amasado.

3. Se extienden los trozos de masa en forma de tiras.

4. Se empiezan a entrelazar las tiras de la trenza.

5. Se termina la trenza.

Challah

4½ cucharaditas de levadura seca activa (2 paquetes)

½ taza de azúcar

1¼ tazas de agua caliente

5½ tazas de harina panificable

2 cucharaditas de sal

3 huevos

¼ taza de grasa vegetal

semillas de sésamo o amapola

harina de maíz para espolvorear

Disuelva la levadura y una pizca de azúcar en 1 taza de agua caliente (52–58°C) y deje reposar durante 10 minutos.

Ponga la harina en un cuenco grande. Añada la levadura disuelta y mezcle bien. Agregue el azúcar restante, la sal, 2 huevos y la grasa vegetal. Bátalo todo durante 1 minuto con una cuchara y luego mézclelo con las manos. Cuando la masa se despegue de las paredes del cuenco, vuélquela sobre una superficie ligeramente enharinada y amásela unos 15 minutos o hasta que se vuelva blanda y elástica; añada más harina o agua si es necesario.

Pase la masa a un cuenco ligeramente engrasado, dándole vueltas para untar toda la superficie con aceite; cubra el cuenco con un paño. Deje leudar la masa en un lugar cálido (20–25°C) durante 1 hora o hasta que doble su volumen.

Golpee la masa y divídala en 2 bolas.

Divida cada bola en 6 trozos y extienda cada uno en forma de tira de unos 30 cm de largo. Disponga las 6 tiras sobre una tabla, una al lado de otra, y junte los extremos de la parte superior. Forme 2 grupos de 3 tiras y entrelácelas.

Precaliente el horno a 190°C. Doble los extremos y repita la operación con las tres tiras restantes. Páselas a una bandeja de horno espolvoreada con harina de maíz, píntelas con el huevo restante mezclado con 1 ó 2 cucharaditas de agua y espolvoree las semillas de sésamo o de amapola por encima. Deje que se hinchen durante 30 minutos en un lugar cálido y hornéelas unos 30 minutos hasta que estén bien doradas.

CHINATOWN

Los primeros inmigrantes chinos llegaron al norte de California durante la Fiebre del oro de 1850, soñando con encontrar oro y volver victoriosos y ricos a sus aldeas. Estos sueños se desvanecieron rápidamente ya que surgió una discriminación general contra ellos, que les impidió buscar su propia fortuna y les obligó a buscar trabajo como jornaleros o lavanderos. A partir de 1860, muchos chinos trabajaron en los enormes equipos de obreros que construían el ferrocarril transcontinental, que iba formando lentamente pero sin parar una red ferroviaria a través de Norteamérica. Los asiáticos estuvieron tan aislados por su lengua y sus condiciones

Un cocinero cortando carne de cerdo para raviolis en un restaurante de Chinatown.

de vida que consiguieron preservar sus tradiciones culinarias. Los patronos proporcionaban la comida como parte del jornal de los obreros y, a modo de incentivo, algunas empresas empezaron incluso a importar pescado seco y otros alimentos básicos de China, permitiendo así que los trabajadores chinos se preparasen su propia comida con ingredientes que les eran familiares.

El primer barrio chino fue creado en San Francisco por los primeros inmigrantes asiáticos que abandonaron la China continental en busca de oro, y la comunidad china de Nueva York empezó a formarse más o menos en la misma época, fundada por los chinos que se dirigieron hacia el este. Al principio, los pequeños restaurantes del Chinatown neoyorquino servían únicamente a los chinos y a algunos norteamericanos curiosos. Sin embargo, a partir de 1890, se descubrió un nuevo potencial comercial ya que los empresarios empezaron a abrir restaurantes y tiendas de regalos chinas para fomentar el turismo a medida que la zona del sur de Manhattan se convirtió en un destino turístico. Chinatown empezó como un pequeño barrio de tres calles en el Bajo Manhattan: Pell Street, Doyer Street y la parte sur de Mott Street. Actualmente, el barrio ocupa más de 35 manzanas de la ciudad.

Patos laqueados colgando en la vitrina de un restaurante de Chinatown.

La cocina cantonesa fue la primera cocina regional china que conocieron los neoyorquinos. Los platos como el *Chop suey*, el *Chow mein* y el *Foo yung* de huevo eran en realidad más chino-americanos que puramente chinos; cuando estos platos aparecieron en los menús de los restaurantes, apenas se parecían a los platos cantoneses originales y, en realidad, el *Chop suey* se inventó en Estados Unidos con ingredientes principalmente norteamericanos. Después de la Segunda Guerra Mundial y del establecimiento de la República Popular China, muchos más chinos se instalaron en Nueva York y abrieron restaurantes especializados en la cocina de sus regiones de origen. Los neoyorquinos aprendieron a distinguir entre la comida de Pekín (actual Beijing), de Mongolia, de Shanghai, de Hunan, de Sichuán y de Cantón. Hoy en día, el barrio chino de Nueva York es el más grande de Estados Unidos, con más 70.000 habitantes; una gran atracción turística con sus numerosos restaurantes y mercados rebosantes de productos frescos y comida exótica.

Un bol y una cuchara de sopa de porcelana china

Mongolia

Mongolia forma la frontera norte de China. Durante el reinado de la dinastía mongola en el siglo XIII, muchos chinos adaptaron sus platos a los gustos de los soberanos, que eran muy aficionados a la carne de cordero y de carnero. Las carnes (normalmente de cordero o de buey) cocidas en la parrilla y la olla mongolas pasaron a formar parte de la variada cocina china. Los restaurantes especializados en cocina mongola todavía sirven este tipo de platos. La parrilla mongola es una barbacoa interior que se coloca sobre la mesa. Los comensales cuecen tiras largas de carne de cordero sobre las brasas candentes y mojan la carne cocida en una salsa picante. La olla mongola se usa de modo parecido para cocer trozos de carne y de hortalizas en la mesa. Se trata de una olla metálica con una chimenea alta en el centro, en la cual se queman comprimidos de carbón para calentar el caldo sazonado.

Shanghai

En las regiones costeras del norte, cerca de la ciudad de Shanghai, el arroz es el alimento básico y los platos con jugo son una especialidad. También son típicos de la región la sopa de nido de pájaro (que en realidad se adereza con el nido de un tipo determinado de pájaro) y un gran surtido de platos de marisco y de carne ligeramente especiados y con muchas hortalizas.

Hunan

Esta provincia, al sur de Beijing, es célebre por sus recetas de pescado agridulce hechas con carpa. Se fríe el pescado en abundante aceite y se prepara una salsa a base de vino, ajo, azúcar y aceite, la cual aporta al pescado su sabor picante y dulce. Los otros platos de Hunan son bastantes picantes e incluyen el buey con berenjenas al estilo de Hunan.

Sichuán

Esta región del oeste de China es conocida por sus granos de pimienta muy picantes, que difieren bastante de la pimienta utilizada en Occidente. Este picante condimento es básico en los platos de la provincia y se utiliza en abundancia para sazonar recetas a base de jamón, setas oreja de nube secas, carne de cerdo y pollo con nueces.

Cantón

La cocina china más conocida por los norteamericanos, así como por los europeos y los habitantes del Sudeste asiático, es la cocina de Cantón. Este estilo culinario es más ligero que el de otras regiones; los salteados se suelen preparar con caldos de carne concentrados en vez de con aceite. Los cantoneses afirman que hacen la mejor sopa de aleta de tiburón. Esta cocina apenas utiliza especias picantes, por eso es más apreciada por los occidentales que prefieren platos más suaves.

El sabor de las provincias en la ciudad de Nueva York:

Comida regional china de Pekín/Beijing

Beijing (que significa "capital del norte") es el centro del nuevo gobierno chino y el origen de una de las recetas más conocidas de la cocina china, el célebre pato laqueado. En la época de los emperadores dinásticos, los cocineros de la Ciudad Imperial eran cuidadosamente seleccionados por el soberano y animados a elaborar platos curiosos e innovadores. El pato laqueado es una de estas apreciadas creaciones.

El pato laqueado es una especialidad que preparan ciertos restaurantes chinos de Nueva York, siempre que se encargue con un día de antelación ya que el proceso de cocción del plato requiere colgar y secar el pato durante 12 horas como mínimo. Posteriormente, se asa. En la mesa, cada comensal prepara los deliciosos paquetitos rellenando tortitas de harina con lonchas de pato, escalonias y salsa *hoisin*.

La comida del norte de China es más ligera que la de las otras provincias e incluye platos agridulces picantes. En esta zona el alimento básico no es el arroz, sino la harina de trigo, con la cual se elaboran panes y raviolis cocidos al vapor y muchos tallarines.

DIM SUM

Una de las contribuciones más importantes de Cantón a la comida china son los *dim sum:* una especie de raviolis con rellenos salados o dulces. El origen de los *dim sum* se remonta a la dinastía Sung china, cuando los viajeros del siglo X se detenían en salones de té a lo largo del camino real, para descansar y tomar comidas ligeras a base de un surtido de pequeños platos. Aunque el término *"dim sum"* se traduce literalmente por "un lugar en el corazón", el significado exacto es más esquivo. Estos pequeños raviolis, que se toman como desayuno o como aperitivo, son como unos sabrosos paquetes sorpresa que deleitan a los aficionados a los *dim sum.*

Uno de los pasatiempos favoritos de muchos neoyorquinos es ir a comer *dim sum* a Chinatown un domingo por la mañana. En los grandes y ruidosos restaurantes, los camareros se pasean por la sala empujando grandes carretones con pilas de vaporeras redondas de metal llenas de raviolis, parándose brevemente en cada mesa para ofrecer a los clientes un surtido de *dim sum* de cerdo asado, carne de cangrejo, gambas y pasta dulce de soja o de dátiles. Los comensales deben elegir rápidamente; los camareros de Chinatown pueden ser bruscos y se van a la mesa de al lado si alguien se muestra indeciso al elegir los raviolis. Al final de la comida, los camareros cuentan el número de platos y de vaporeras que hay en la mesa para determinar la cuenta.

Tres tipos de *dim sum:* 1. de ajos tiernos y verduras 2. de vieiras 3. de marisco y algas marinas.

Una vista de Mott Street, con el Empire State Building al fondo

Dim sum en vaporeras de metal. 1. Bolas de gambas 2. *Shao-mai* de cerdo 3. Raviolis de ajos tiernos y verduras 4. Mostaza y salsa picante 5. Raviolis de marisco 6. Raviolis de marisco en forma de monedero 7. Bollos dulces de cerdo 8. Raviolis de gambas y verduras, al vapor 9. Pollo al vapor envuelto en tallarines de arroz 10. Raviolis de cerdo fritos 11. Taza de té negro.

Shao-Mai
Raviolis de cerdo al vapor, al estilo cantonés

250 g de tortas (unas 48) para *wonton* (cuadrados
de masa china a base de huevo, harina y agua)

Relleno:

2 tallos de apio, picados finos y escurridos

500 g de espaldilla de cerdo picada

2 cucharaditas de sal

1 cucharadita de azúcar

¼ taza de brotes de bambú en lata picados finos

1 cucharada de fécula de maíz

1 cucharada de vino de arroz

1 cucharada de salsa de soja

En un cuenco, mezcle el apio, la carne, la sal, el azúcar y los brotes de bambú. En un cuenco pequeño, bata la fécula, el vino y la salsa de soja. Añada esta mezcla al cuenco con la carne y remueva bien.

Para rellenar cada ravioli, disponga una torta de *wonton* en la palma de su mano y ahuéquela. Ponga 1 cucharada de relleno en cada torta y junte los bordes sobre el relleno, dejando que la torta se pliegue de forma natural.

Presione el centro suavemente, asegurándose de que la torta se adhiere bien al relleno. Golpee ligeramente la parte inferior para que el ravioli se mantenga derecho. Pellizque los bordes para sellarlos. Cueza los raviolis al vapor durante 30 minutos. Para 4 docenas.

Más *dim sum*. 1. Pastelito frito de rábano 2. Bola crujiente de sésamo 3. Rollo de primavera 4. Crema dulce de huevo 5. Ravioli de gambas transparente.

Comida china para llevar

La comida para llevar se puso de moda en los años treinta y, aunque probablemente empezó con los restos de comida del restaurante que los norteamericanos se llevaban a casa, pronto se refirió específicamente a la cocina china. Los clientes de los restaurantes chinos, para

Las cajas de comida para llevar y las galletas de la suerte son un invento norteamericano.

quienes las raciones familiares eran tan grandes que no se las podían terminar, se llevaban la comida a casa en cajas de cartón blanco adornadas con dragones rojos y con asas de alambre. Entonces los chinos ampliaron el negocio preparando comidas para llevar. El término "para llevar" se refiere tanto a los restos como a la comida de los restaurantes con reparto a domicilio. Los norteamericanos de muchas ciudades del país cobraron afición a la auténtica comida china, que resulta perfecta para llevar porque es sencilla, económica y sólo debe calentarse rápidamente antes de consumirla. A medida que llegaron más y más inmigrantes chinos a Estados Unidos, se multiplicaron los restaurantes especializados en comida para llevar. Las cajas blancas con asas metálicas se convirtieron en un símbolo de los restaurantes chinos en todo el país.

BANQUETE CHINO

La manera tradicional china de servir una comida difiere bastante de la sucesión de platos europea, la cual es una presentación más lineal de los platos compuesta por una fuente de comida cada vez. Las comidas y los banquetes de fiesta chinos se sirven "al estilo familiar", llevando a la mesa bandejas de diferentes alimentos por grupos.

Clientes eligiendo productos frescos en un mercado entre Grand Street y Mott Street.

Las comidas de cada día empiezan con platos fríos y prosiguen con platos calientes, una sopa clara ligera y un postre. Un banquete puede empezar con un surtido de numerosos platos fríos, tales como pollo "borracho", carpa de río a las cinco especias, setas marinadas, y apio y col encurtidos. De segundo, se sirven salteados calientes (alimentos cocidos a fuego fuerte en un wok, la cacerola china en forma de cuenco) variados: pollo con salsa *hoisin* y anacardos, carne de cerdo frita con nueces y tiras de carne de buey sazonada con tallarines transparentes. El tercer plato puede ser una sopa espesa, ya sea de aleta de tiburón o de nido de pájaro, ambas adornadas con virutas de jamón ahumado. A continuación, se pueden servir grandes platos de cohombro de mar braseado, abalone cocido en salsa de ostras, pato laqueado, perca de mar entera cocida al vapor con col o lechón asado. Para terminar la comida, unas sopas ligeras y, finalmente, un postre sencillo a base de frutas exóticas frescas, tales como lichis, naranjas chinas, nísperos, melones o naranjas. Las galletas de la suerte, unas galletas de almendras que se doblan y se cuecen alrededor de una tira de papel con un proverbio o una dicha, son una novedad que sólo se toma en los restaurantes chinos de Estados Unidos; de hecho, fueron inventadas en California.

El servicio de mesa es sencillo: un cuenco, un plato, unos palillos y una cuchara de porcelana. En los restaurantes, es costumbre repartir servilletas húmedas y calientes después de comer un plato

Un proveedor de especias, hierbas aromáticas, té y hierbas medicinales en Mott Street

con mucha salsa o uno que requiera usar los dedos para comer. En las comidas familiares se ponen todos los platos en la mesa al mismo tiempo, permitiendo así que cada persona elija justo lo que desea. En los banquetes, puede haber hasta 20 platos, tanto calientes como fríos. Tradicionalmente, los hombres y las mujeres solían sentarse en lados opuestos de la mesa, pero hoy en día ya no se mantiene esta costumbre. Con la comida, se bebe té negro.

Todos los platos, excepto las sopas, se comen con palillos, ya sean de bambú, de plástico, de ébano, de madera laqueada o incluso de marfil o jade. Para preparar salteados en el wok, se utilizan unos palillos largos de madera. Siempre se cumple la etiqueta de los palillos; asirlos demasiado arriba no sólo es poco elegante e ineficaz, sino que se considera una actitud arrogante. Los padres enseñan a sus hijos a utilizar los palillos, atando los extremos superiores con una goma elástica.

Vegetable Chow Mein
Chow mein de hortalizas

4 cucharadas de aceite vegetal
½ cucharadita de ajo picado
1½ tazas de caldo de pollo
¼ taza de jerez seco
½ cebolla blanca grande cortada en rodajas
1 taza de brotes de judía blanca frescos
1 taza de *bok choy* cortado en tiras
½ taza de apio cortado en juliana (tiras largas y finas)
¼ taza de brotes de bambú cortados en juliana
1 escalonia picada
sal
½ cucharadita de azúcar
pimienta negra recién molida
½ cucharadita de aceite de sésamo
2 cucharadas de fécula de maíz disuelta en 2 cucharadas de agua
tiras fritas de tortas de *wonton* para adornar

Caliente un wok o una sartén grande a fuego fuerte. Cuando humee, añada el aceite y el ajo y saltee éste. Vierta el caldo y el jerez y prosiga la cocción 1 minuto más o menos. Agregue la cebolla, los brotes, el *bok choy,* el apio, los brotes de bambú y las escalonias. Lleve a ebullición y cueza 5 minutos más.

Incorpore la sal, el azúcar, la pimienta y el aceite de sésamo. Añada la mezcla de fécula y continúe la cocción hasta que se espese, 1 minuto aproximadamente. Adorne con las tiras fritas de *wonton*. Para 2-4 personas.

Stir-Fried Bok Choy
Bok choy salteado

1 kg de *bok choy* lavado y sin las puntas
2 cucharadas de aceite de cacahuete
½ cucharadita de azúcar
2 cucharadas de caldo de pollo
1 cucharada de fécula de maíz disuelta en 1 cucharada de agua

Corte los tallos de *bok choy* en rodajas finas y las hojas grandes en juliana. Tenga todos los ingredientes cerca del fogón cuando prepare este plato, ya que el tiempo de cocción es muy corto.

Caliente un wok o una sartén grande a fuego medio, añada el aceite y cubra las paredes del wok o la sartén con el mismo. Agregue primero los tallos y saltéelos, sin dejar de remover, durante 30 segundos. Incorpore las hojas y saltee 30 segundos más. Vierta la sal, el azúcar y el caldo, y tape la sartén. Deje cocer durante 2 minutos. Añada la mezcla de fécula y deje cocer, destapado, hasta que el *bok choy* esté ligeramente glaseado. Para 6–8 personas, como guarnición.

Tofu

Brotes de judías

Melón amargo

Bok Choy

Tallarines de celofán

Col china

Choy Sim

Cinco especias chinas

Judías largas

Raíz de loto

Mizuna

Salsa de ostras

Salsa de soja

Castañas de agua

Espinacas de agua

Glosario

Bok choy: también conocido como *pak choi*, las variedades comunes tienen tallos blancos y verdes. Tanto las hojas como los tallos son comestibles. Los *bok choy* enanos con hojas de color verde pálido son más comunes. Ambos se utilizan en salteados.

Brotes de bambú: los brotes de la planta tropical del bambú; de color marfil y de forma cónica.

Brotes de judía: brotes de judías áureas, que normalmente se mezclan en ensaladas y salteados.

Castañas de agua: bulbos del tamaño de una nuez cuyo centro blanco, redondeado, crujiente y prácticamente insípido, se usa para aportar textura a muchos platos.

Choy sim: también conocido como *yu choy*, tiene unos tallos algo amargos que son más tiernos que las hojas. Sin embargo, toda la hortaliza es comestible. El *choy sim*, que sabe mejor salteado, combina bien con el sabor fuerte del ajo y de las guindillas.

Cinco especias en polvo: mezcla de semillas de anís, hinojo, clavo, canela y pimienta de Sichuán.

Col china: también conocida como col de Pekín, tiene forma alargada, un sabor delicioso y una textura crujiente. Se suele hervir a fuego lento en sopas, cortar en tiras para rellenar raviolis o servir a modo de lecho debajo de un pato entero cocido al vapor.

Crisantemo: también conocido como margarita imperial, tiene hojas planas y aserradas. Tiene un sabor fuerte y picante, pero si se cuece en exceso se vuelve amargo. Las hojas nuevas se blanquean rápidamente y se cubren con aceite para añadirlas a las ensaladas.

Espinacas de agua: esta hortaliza de primavera de color verde oscuro, con hojas en forma de flecha y de sabor suave, se cultiva en el agua.

Judías largas: estas judías oscuras pueden medir hasta 90 cm de largo. Se usan como las judías verdes, ya sean cocidas al vapor o salteadas y napadas con una salsa clara.

Melón amargo: esta hortaliza se parece a un pepino gordo y abultado de color verde claro.

Tiene un sabor amargo y sabe mejor cocida al vapor.

Mizuna: tanto el nombre japonés como el nombre chino, *shui cai*, significan "hortaliza de agua". Las hojas plumosas de color verde oscuro tienen un sabor picante. Las hojas nuevas y tiernas se usan en mezclas de ensaladas.

Mostaza: la mostaza tiene el sabor más fuerte de todas las verduras. La hortaliza cocida, cuyo sabor acre es parecido al de las semillas, es una buena guarnición para carnes y pescados. Se suele tomar encurtida o en conserva.

Pimienta de Sichuán: granos de pimienta marrón moteados con un aroma agradable.

Rábano blanco: también conocido por su nombre japonés*, daikon*, este gran tubérculo se parece a una zanahoria y tiene un sabor picante, que pierde al cocerse. También se puede comer crudo.

Raíz de loto: se trata del tallo de los nenúfares. La raíz forma un dibujo simétrico de agujeros y pulpa. Tiene una textura dura y crujiente y un sabor algo dulce.

Salsa de ostras: una salsa espesa elaborada con ostras, salsa de soja y salmuera, que se usa para sazonar.

Salsa de soja: el principal sazonador chino, elaborado con semillas de soja fermentadas, trigo, levadura y sal.

Salsa hoisin: una salsa dulce de color rojo amarronado elaborada con semillas de soja, harina, azúcar, agua, especias, ajo y guindilla. Se añade a todo tipo de platos.

Setas pajizas: estas setas pequeñas y gomosas se suelen encontrar en lata y se utilizan en sopas y estofados.

Tallarines de celofán: tallarines delgados y transparentes elaborados con pasta de judías áureas molidas.

Tofu: bloques semi sólidos de color blanco elaborados con semillas de soja chafadas y prensadas. Se utiliza en salteados.

LITTLE ITALY

Los italianos siempre han desempeñado un papel importante en la vida de Nueva York. Durante el auge de la inmigración de 1899 a 1910, casi dos millones de italianos llegaron a EE.UU. desde el sur de Italia, y casi una cuarta parte de éstos se estableció en la ciudad de Nueva York. Formaron enclaves concentrados en el sur de Manhattan en el Lower East Side y en Greenwich Village, reclamando una zona contigua a Chinatown que pasó a conocerse como "Little Italy". Los que procedían de pequeños pueblos de Italia solían permanecer juntos, conservando sus costumbres, sus dialectos y sus tradiciones culinarias. Incluso hoy en día, las familias italianas de Nueva York se sienten emparentadas con sus antepasados que emigraron desde Sicilia y ciudades como Bari o Nápoles. Los vínculos familiares y la unión a una herencia compartida siguen siendo muy fuertes, por eso los restaurantes de Little Italy todavía reflejan las variedades regionales de la cocina italiana.

Las terrazas de los cafés se alinean en las calles del centro de Little Italy.

Como la mayoría de los inmigrantes, al principio los italianos eran pobres, pero como provenían de un país con una de las tradiciones culinarias más ricas del mundo, abrieron negocios en un campo que conocían bien: la comida. Los pequeños comerciantes ofrecían pimientos, salchichas, pastas fritas y productos frescos en puestos callejeros. Al final del siglo, habían establecido un monopolio de los puestos de frutas en las esquinas. Unas décadas más tarde, los norteamericanos de descendencia italiana formaban el grupo étnico más grande de la ciudad y los restaurantes, mercados y cafés de Little Italy se instalaban en el centro comercial del Historic District del Bajo Manhattan. Los italianos también se establecieron en otras zonas, como el este de Harlem, Arthur Avenue y el barrio de Belmont en el Bronx, y en los barrios de Bensonhurst y Bay Ridge de Brooklyn.

Página siguiente: los elaboradores de pasta de Raffeto Ravioli, con pasta de tinta de calamar

Especialidades italianas en Alleva's, en Little Italy (desde arriba): 1 y 4. Salchichas *pepperoni* curadas y secadas 2. Queso provolone 3. Surtido de aceite de oliva, vinagre balsámico, y tomates de pera y pimientos asados en conserva 5. Queso pecorino 6. Salami suave de Génova y Milán 7. *Bocconcini* frescos (bolitas de mozzarella) con tomates y aceite de oliva.

Carretillas y tiendas de comestibles

Una de las imágenes más emblemáticas del viejo Nueva York era la de un vendedor de fruta italiano con una carretilla de mano. A finales del siglo XIX, los italianos eran los dueños de la mayoría de los puestos de fruta de Nueva York. Muchos de estos italianos eran obreros no especializados o agricultores sin tierras con poco dinero. Sus puestos eran modestos; al no poderse permitir nada más, se construían carretillas con trozos de madera y las empujaban a mano por las calles. Compraban frutas y hortalizas a precios bajos a los mayoristas y las vendían en las carretillas.

A la larga, los vendedores tuvieron éxito con sus puestos de fruta portátiles pero, en 1930, el alcalde Fiorello LaGuardia abolió las carretillas y los pequeños mercados al aire libre, y se edificaron mercados minoristas interiores para sustituirlos. Con el tiempo, algunas familias italianas ahorraron suficiente dinero para abrir una tienda, en la cual vendían a sus compatriotas exiliados los alimentos de su tierra. Hacia 1938, ya había 10.000 tiendas de comestibles italianas en Nueva York. Algunas de las tiendas que se inauguraron hace casi cien años siguen abiertas hoy en día, regentadas por los miembros de la tercera y cuarta generación de la familia fundadora. Tanto Alleva Dairy, Italian Food Center, Raffeto Ravioli como Faicco's Pork Store abrieron a principios del siglo XX y hoy son prósperos negocios del centro de la ciudad.

DELICIAS ITALIANAS

Pizza, cafés y pastelerías

Originaria de la ciudad de Nápoles, al sur de Italia, la pizza ha prosperado desde sus modestos inicios como un trozo de pasta horneada untada con salsa de tomate. La primera pizzería del Nuevo Mundo fue inaugurada en 1905 por Gennaro Lombardi en Spring Street de Nueva York, y servía lo que se convertiría en uno de los platos favoritos más perdurables de Norteamérica: la torta de pizza.

Sacando la pizza del horno de leña en Lombardi's.

Lombardi's y otras pizzerías de la zona servían a los residentes italianos y a los turistas que visitaban Little Italy. Se dice que un empresario puso un gorro de cocinero a un pizzero y malabarista aficionado, y lo tuvo en la vitrina de la tienda dándole vueltas a la masa de pizza; con ello aumentó diez veces sus beneficios. La pizza se ha convertido en un plato más norteamericano que italiano y, desgraciadamente, muchas pizzerías han sustituido el antiguo horno de ladrillos con fuego de leña por hornos de gas. Además utilizan pasta preparada, salsa y queso envasados. Sólo quedan un puñado de buenas pizzerías en Nueva York: Patsy's Pizza en el este de Harlem, Totonno Pizzeria en Brooklyn, John's Pizzeria en Greenwich Village y Lombardi's en Little Italy.

Los cafés son otro producto típico de la antigua patria. Mucho antes de que empezara la actual fiebre de las cafeterías en Estados Unidos, los cafés italianos servían auténticos cafés exprés y *cappuccinos* a los clientes que reclamaban el tueste oscuro del café italiano y los dulces acompañamientos de *biscotti* (galletas dulces y crujientes), *cannoli* (cuernos de pasta rellenos de nata) y *gelati* (helado italiano). Cuando hace buen tiempo, la gente se pasea a medianoche por las calles de Little Italy yendo de un café a otro, parándose a saludar a los amigos sentados en las mesas de las aceras y quedándose a tomar un café exprés. La vibrante vida callejera es mucho más activa en el barrio, más parecida a las comunidades de las ciudades italianas que enviaron a sus hijos e hijas a colonizar Norteamérica.

1. *Cannoli* de chocolate 2. *Cannoli* sin cobertura 3. *Éclairs* 4. Tartaletas de fruta 5. *Cornetti* y otras pastas clásicas italianas en una pastelería de Bleecker Street.

Una pizza de *pepperoni,* champiñones y pimientos, recién sacada del horno

Cada 19 de septiembre se celebra la fiesta de San Genaro en honor al obispo de Benevento, San Genaro, el patrono de Nápoles. Con una duración de diez días, ha sido una de las fiestas más celebradas de Nueva York durante más de 50 años, con puestos de salchichas y pimientos, *cannoli* y pastas *zeppole* fritas. La fiesta tiene orígenes religiosos, pero son el ambiente carnavalesco y las especialidades culinarias italianas los que atraen a las multitudes entusiastas.

En los restaurantes de Little Italy todavía se usan los nombres italianos de la pasta y no cometen los desatinos de la *nouvelle cuisine*. Las raciones son abundantes y la comida es buena y saciante. Es la cocina procedente del robusto sur, donde las salsas de tomate son consistentes y las frituras son más frecuentes que en el norte de la península italiana. La imagen que la gente suele tener de un restaurante italiano es la de una pequeña taberna oscura y romántica con manteles a cuadros rojos y blancos y velas clavadas en botellas de Chianti en todas las mesas; esta imagen nació en Little Italy. Es algo anticuada hoy en día, pero aún se pueden encontrar locales con un encanto tradicional y una comida moderada y sin pretensiones.

Pasta and Bean Soup
Sopa de pasta y judías

2 tazas de fríjoles rojos o judías *cannellino* blancas (secas)
2 dientes de ajo
2 cucharadas de romero seco
1 cebolla grande
1 tallo de apio
1 zanahoria pequeña
5 cucharadas de aceite de oliva
sal y pimienta negra recién molida
1 taza aprox. de *linguine* partidos o macarrones tipo coditos
queso parmesano recién rallado

Deje las judías en remojo toda la noche cubiertas con agua caliente. Escurra las judías, páselas a un cazo grande de fondo pesado y cúbralas con agua caliente limpia, llenando el cazo hasta cubrir las judías en unos 3,5 cm.

Pele los dientes de ajo y envuélvalos con el romero en una estopilla, formando una bolsita. Añada ésta a las judías. Pele la cebolla, dejando el extremo de la raíz intacto para mantener la cebolla entera durante la cocción. Lave el apio y la zanahoria, pélelos, trocéelos y agréguelos a las judías junto con la cebolla. Vierta el aceite de oliva y lleve el contenido del cazo a ebullición. Tape y deje cocer a fuego lento entre 2½ y 3 horas, hasta que las judías estén cocidas (cuanto más viejas y secas sean las judías, más tardarán en cocerse). Retire la bolsita de estopilla y la cebolla.

Retire del cazo cerca de un tercio de las judías, páselas por un tamiz y devuelva el puré al cazo. Salpimiente bien. Lleve la sopa a ebullición, añada la pasta y hiérvala hasta que esté cocida. Sirva la sopa caliente, espolvoreada con queso parmesano recién rallado, si lo desea. Para 4 personas.

Stuffed Green Peppers
Pimientos verdes rellenos

6 pimientos verdes grandes
¼ taza de mantequilla derretida
1 taza de cebolla troceada
1 diente de ajo picado fino
2 tazas de carne picada de buey
¼ taza de queso romano rallado
½ taza de pan rallado
¼ taza de perejil picado fino
2 huevos
sal y pimienta negra recién molida
¼ taza de aceite de oliva

Precaliente el horno a 180°C. Recorte los tallos de los pimientos, y retire las semillas y las membranas. Caliente la mantequilla y cueza la cebolla y el ajo hasta que se doren, unos 10 minutos a fuego mediobajo. Añada la carne y cueza, removiendo, durante 5 minutos. Agregue 3 cucharadas de queso, 3 cucharadas de pan rallado, el perejil, los huevos, y sal y pimienta al gusto.

Rellene los pimientos con la mezcla de carne y espolvoréelos con el queso y el pan rallado restantes. Disponga los pimientos en una fuente de horno untada con aceite y rocíelos con aceite de oliva. Cúbralos con papel de aluminio y hornéelos durante 30 minutos. Retire entonces el papel y cuézalos 20 minutos más. Para 6 personas.

Sicilian Meat Balls and Spaghetti
Albóndigas de carne a la siciliana con espaguetis

1 kg de bistec de pobre de buey picado
1 diente de ajo picado
¼ taza de perejil picado
sal y pimienta negra recién molida
⅓ taza de pan rallado seco
⅔ taza de queso parmesano rallado
4 huevos
¾ taza de agua
4 tazas de salsa de tomate
500 g de espaguetis secos

Ponga la carne en un cuenco mezclador y añada el ajo, el perejil, la sal y la pimienta, el pan rallado y el queso. Agregue los huevos y mezcle con las manos hasta que sea homogéneo.

Siga mezclando mientras incorpora gradualmente el agua. Con la mezcla resultante, forme 24 albóndigas de unos 7,5 cm. Cuézalas a fuego lento en la salsa de tomate durante 1½ horas. Sírvalas sobre los espaguetis cocidos. Para 6 personas.

Spaghetti with Clam Sauce
Espaguetis con salsa de almejas jóvenes

36 almejas jóvenes, abiertas y el líquido de cocción reservado
¼ taza de aceite de oliva
3 cucharadas de mantequilla
6 dientes de ajo picados finos
3 escalonias peladas y picadas finas
½ taza de perejil picado
¾ taza de vino blanco seco
sal y pimienta negra recién molida
500 g de espaguetis cocidos
guindilla seca picada

Pique finamente las almejas y resérvelas. Caliente el aceite y la mantequilla en una sartén y fría el ajo y las escalonias hasta que se doren. Añada el perejil, el líquido de las almejas y el vino, y lleve a ebullición. Salpimiente y hierva a fuego lento durante 15 minutos.

Agregue las almejas y cueza de 3 a 5 minutos. Vierta la pasta y mézclela con la salsa de almejas. Sirva el plato espolvoreado con la guindilla. Para 4 personas.

Almeja joven

COMIDA CALLEJERA

Los neoyorquinos tienen suerte de poder disfrutar de una mayor variedad de comida que la mayoría de los estadounidenses. Además, la pueden comprar en la calle. Con su gran población de inmigrantes y su animada vida callejera, Nueva York dispone de comida étnica en abundancia, mucha de la cual se vende en puestos callejeros. Éstos también venden los viejos clásicos norteamericanos como los perritos calientes y los helados. La comida callejera es hoy en día una moderna comodidad para muchos trabajadores que sólo quieren comer algo rápido o llevarse el almuerzo al despacho, para ahorrarse tiempo y dinero. Cada día a la hora de comer se pueden ver grandes carretillas metálicas de comida aparcadas frente a los rascacielos y los altos almacenes, vendiendo bocadillos, *souvlaki* (bocadillos de carne a la parrilla de Oriente Próximo) y *pretzels* tiernos untados con mostaza amarilla.

Las salchichas de Frankfurt (o perritos calientes, como se conocen familiarmente) son una de las comidas preferidas de los norteamericanos. Son prácticos de comer y, por lo tanto, un buen tentempié para tomar por la calle. Los neoyorquinos andan mucho por la ciudad y, a diferencia de muchos de sus homólogos de las ciudades del norte de Europa, no les importa ir comiendo por la calle. Los perritos calientes se venden en carretillas equipadas con pilas de agua caliente que los mantienen a la temperatura ideal. Se sirven con los condimentos ordinarios (mostaza, ketchup, encurtidos, col fermentada, cebollas picantes o, incluso, guindillas) y

Los perritos calientes, las nueces caramelizadas, las frutas secas y el *souvlaki* son sólo algunos de los tentempiés que se venden en carretillas portátiles como éstas frente al Radio City Music Hall, en el centro de Manhattan.

Página siguiente: los *pretzels*, vendidos ya sea en carretillas de mano como ésta o en modernos vehículos, han sido tentempiés callejeros durante más de un siglo; superpuesta superior: brochetas de carne cociéndose sobre una parrilla en el interior de la carretilla; superpuesta inferior: los polos de helado son uno de los numerosos helados que se venden en carretillas por toda la ciudad.

Castañas asándose en un brasero.

son consumidos por miles de aficionados en los partidos de béisbol, las familias de visita al zoo y la gente que simplemente pasea por los parques.

Las castañas llegaron a Nueva York a principios del siglo XX de manos de los italianos, que las asaban en braseros de carbón de leña y las vendían en la calle durante los fríos meses de invierno. Muy pronto, el hecho de comprar una bolsa de castañas

recién asadas se convirtió en una tradición en el Rockefeller Center, en la Quinta Avenida de Manhattan, donde los turistas observaban a los patinadores en la pista de patinaje y admiraban el gigantesco árbol de Navidad. Hoy en día, es más difícil encontrar castañas porque su importación resulta bastante cara y muy pocos vendedores disponen de ellas. Pero merece la pena buscar el humeante olor del brasero del vendedor de castañas en los fríos días de invierno.

Los *pretzels* tiernos de Nueva York son bastante diferentes de los *pretzels* duros y crujientes de origen alemán. Se trata de enormes lazos de pasta horneada, calientes y gomosos y con sal gema espolvoreada sobre la corteza, que algunas personas prefieren comer con un poco de mostaza amarilla. Los griegos llegaron en tropel a la ciudad a partir de 1920, trayendo consigo el *souvlaki*, unas brochetas de carne de buey o de cordero marinada y asada a la parrilla, que se comen con un trozo de pan. Los *falafels* (bolas fritas de garbanzos finamente molidos, que se sirven en un pan pita con hortalizas picadas y salsa picante) aparecieron en los años setenta. Los neoyorquinos siempre quieren algo nuevo

y sano, y este bocadillo vegetariano se puso de moda sobre todo entre los estudiantes universitarios. En 1936 Tom Carvel, un grecoamericano, inventó la crema helada (una especie de helado blando) y empezó a venderla desde su carretilla en Hardsdale, Nueva York. Posteriormente, cuando Carvel dejó su carretilla por una franquicia de tiendas, Mister Softee acaparó el negocio callejero y vendió helados blandos de vainilla y chocolate con coberturas, así como polos de helado y sándwiches de helado.

En Chinatown, a lo largo de Pell Street y Mott Street, la gente hace cola para probar un dulce a base de harina, huevos y azúcar llamado Pastelito embudo de Hong Kong. Aunque no es tradicional en China, es un popular tentempié callejero para los turistas en Nueva York.

HARLEM

Comida soul (tradicional de los negros del Sur) urbana

Cuando el mercado inmobiliario de Manhattan se hundió en 1904, muchas casas de pisos quedaron vacías y ofrecían alquileres bajos en la zona de alrededor de las calles West 130th a 145th. Muchas familias afroamericanas que habían empezado a emigrar hacia el norte después de la Guerra de Secesión a mediados del siglo XIX, se mudaron a la zona. En 1914, Harlem tenía 50.000 residentes de raza negra y numerosas iglesias negras se trasladaron al norte de la ciudad para estar más cerca de sus feligreses.

El clima político del Sur también contribuyó a la expansión de la comunidad negra de Nueva York. La gente se trasladaba al norte para huir del racismo profundamente arraigado del Sur, la violencia y la pobreza. Esperando encontrar trabajo y más oportunidades en el Norte, muchas otras personas de raza negra de todo el país se sintieron atraídas por la vida cultural en continua expansión de Harlem en los años veinte. Al poco tiempo, el pollo frito y las galletas al estilo sureño ya se servían en los restaurantes del barrio y en los clubes como el mundialmente famoso Cotton Club, el Connie's Inn y el Smalls' Paradise, en los cuales se hacían famosos los principales

La señora Sylvia Woods y su familia en el restaurante que lleva su nombre.

músicos afroamericanos del momento. Gente de todas partes de Nueva York viajaba al norte de la ciudad para verlos.

El famoso restaurante Sylvia's de Harlem abrió en 1961 con sólo cuatro mesas y una barra con capacidad para diez personas. Llegó a ser un gran restaurante que servía una de las comidas *soul* más exquisitas de todas partes. No sólo los aficionados del barrio disfrutan de la comida; acude gente de todas partes de la ciudad. Los neoyorquinos del Downtown suben al norte sólo para probar el pollo frito, las hojas de berza, el costillar a la barbacoa, los boniatos y el pan de maíz recién hecho de Sylvia's. Su comida tenía tal demanda que tuvo que trasladarse tres veces a

locales cada vez más grandes. En 1993, se sacaron al mercado los Sylvia's Food Products, una línea de platos preparados del popular restaurante de Harlem.

Harlem sufre los problemas de una gran ciudad y lucha por su identidad cultural. En agosto se celebra el Harlem Week Festival, evento que conmemora las costumbres y la comida afroamericanas, caribeñas y africanas. Esta feria callejera, que ofrece música, platos del Sur de Estados Unidos, del Caribe y de África, es una afirmación de la variada cultura negra.

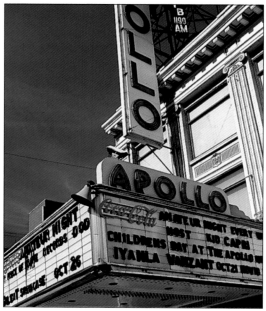

El famoso teatro Apollo de Harlem, un importante punto de reunión para los músicos

Los cocineros del Sylvia's con especialidades de comida *soul*. 1. Pollo frito 2. Judías de lima 3. Boniatos 4. Costillas 5. Siluro frito 6. Chuletas de cerdo rebozadas 7. Bananos fritos 8. Arroz "descarado".

La Iglesia bautista abisinia, la iglesia negra más antigua de la ciudad, donde se celebra el *brunch* con *gospel*.

Brunch con música gospel

Los *brunchs* con música *gospel* nacieron de los largos servicios religiosos que solían empezar el domingo por la mañana y terminar a primera hora de la tarde. La famosa cantante Rosetta Tharpe empezó cantando sones *gospel* en el Cotton Club a finales de los años treinta. Tuvo la idea de utilizar los servicios de la cocina del club para servir una comida después del servicio religioso en el cual cantaba. Se convirtió en una tradición, que ofrecía una combinación natural de música y comida. Hoy en día, en la Iglesia bautista abisinia, la iglesia negra más antigua de la ciudad, se sirve un *brunch* después del culto de la mañana. Siempre se compone de platos caseros básicos y platos de cocina *soul*, tales como pollo frito, puré de patatas natural, judías verdes y pastel de boniato. Actualmente, algunos restaurantes de Harlem omiten el servicio religioso y ofrecen simplemente la música y la comida. La costumbre se ha extendido a restaurantes de otras ciudades como Los Ángeles y Chicago, donde los clientes blancos y negros disfrutan en común de la comida *soul* y la música a la hora del *brunch*.

Sylvia's Barbecued Ribs
Costillas a la barbacoa de Sylvia's

2 tajadas de costillar de cerdo, unos 3 kg
1 cucharada de sal
1 cucharada de pimienta negra recién molida
1 cucharada de guindilla seca picada
2 tazas de vinagre blanco
2 tallos de apio picados finos
1 pimiento verde, sin semillas y picado fino
1 cebolla mediana picada fina
2 tazas de salsa picante envasada, tipo Tabasco
2 tazas de tomates italianos triturados
1½ tazas de azúcar
el zumo y la corteza picada de 2 limones grandes

Mezcle la sal, la pimienta negra y la guindilla en un cuenco. Frote las costillas con la mezcla, por ambos lados. Añada el vinagre, cubra el cuenco y refrigérelo toda la noche. Precaliente el horno a 180°C. A continuación, ase las costillas durante 2 horas y páselas a una fuente limpia. Luego, suba la temperatura a 200°C y áselas durante 30 minutos más.

En una batidora o un robot de cocina, triture el resto de los ingredientes. Pase la mezcla a un cazo y cuézala a fuego lento durante 15 minutos. Vierta la salsa sobre las costillas. Para 6–8 personas.

COMIDA CARIBEÑA Y AFRICANA

Sabor isleño y guisos africanos

Desde finales de los años sesenta hasta los años ochenta, grupos étnicos de las Antillas y de África viajaron a Nueva York, estableciéndose mayoritariamente en Queens y Brooklyn. Una de las zonas con mayor concentración de productos caribeños de la ciudad es el barrio de Crown Heights de Brooklyn. La tienda El Caribe de Crown Heights vende un surtido de productos envasados y hortalizas importados de las islas, al igual que el mercado al aire libre del Harlem hispano, La Marqueta, en el Upper East Side. En la West African Grocery de la Novena Avenida se puede adquirir comida africana.

En una cafetería de Brooklyn, una fuente con especialidades senegalesas

Los vendedores callejeros viajaban a Manhattan para vender sus alimentos tradicionales y evitar así la competencia de sus vecinos en el distrito. Con el tiempo, las carretillas de mano se convirtieron en puestos de comida para llevar y éstos a su vez en restaurantes. Algunos de los platos isleños favoritos de Nueva York son los buñuelos de bacalao, la cecina de pollo, el *callaloo* y la carne de cabra al curry. Las especialidades africanas como los currys etíopes con pan *injera* y el *Yassa* de pollo a la senegalesa también tienen mucha demanda. Los restaurantes etíopes ofrecen una experiencia auténtica, donde los comensales sentados sobre cojines bajos utilizan en la mesa trozos doblados de esponjoso pan *injera* para recoger los sabrosos guisos de carne y hortalizas. Se pueden conseguir cubiertos con sólo pedirlos.

Un surtido de comida etíope sobre pan *injera* 1. *Alitcha* (hojas de berza salteadas) 2. *Shiro* (puré de lentejas sazonado) 3. *Timtimo* (lentejas) 4. Ensalada de zanahoria y lechuga 5. *Tsebehio derho* (pollo y huevos duros en salsa picante) 6. *Derho tebsie* (pollo) 7. Patatas y zanahorias al curry.

La cecina de pollo jamaicana se suele acompañar con un vaso de zumo de acedera.

Jerk Chicken
(cecina de pollo)

Aunque parezca sorprendente, a Nueva York nunca le han faltado asados. Los aficionados a la carne de cerdo cocida a fuego lento sólo pueden elegir entre el estilo sureño o el chino. Pero si uno pregunta por un tipo de asado isleño, casi todo el mundo dirá cecina de pollo, una deliciosa receta caribeña, en la cual se sazona el pollo con una mezcla de especias y pimienta de Jamaica y se cuece lentamente en profundos hoyos. La palabra "jerk" (acecinar, en inglés) deriva de un término indio Arawak para la carne de buey secada al sol, *charqui*, o cecina. Cuando el jamaicano Allan Vernon llegó a Nueva York como carpintero en 1972, se dio cuenta casi al instante de que allí nadie preparaba cecina de pollo. Añorando el plato que más le gustaba de su país de origen, empezó a buscar la receta perfecta para elaborar cecina de pollo. En 1982, abrió el primer Vernon's Jerk Paradise, un pequeño puesto de comida para llevar al cual acudieron en tropel los jamaicanos nostálgicos de todos los distritos. Hoy, su salsa se vende embotellada en las tiendas de comestibles locales y en las tiendas de alimentación especializadas de toda la ciudad.

Callaloo
Carne de cangrejo con verduras picantes

2 cucharadas de aceite vegetal
1 cebolla grande troceada
4 dientes de ajo picados
1 kg de hojas de taro sin las puntas, lavadas y troceadas
2 chiles achatados, sin semillas y picados
500 g de carne de cangrejo, desmigada y sin restos de caparazón
8 tazas de agua

Caliente el aceite en un cazo a fuego lento y añada las cebollas y el ajo. Fría hasta que se reblandezcan, unos 15 minutos. Agregue las hojas de taro (por tandas, si es necesario) y remueva para empaparlas de aceite. Vierta el agua y los chiles, y cueza durante 30 minutos. Incorpore la carne de cangrejo y deje cocer 15 minutos más a fuego lento. Salpimiente y sirva el plato acompañado de arroz. Para 6 personas.

Vernon's Jerk Chicken
Cecina de pollo al estilo Vernon

1 cebolla blanca grande en cuartos
250 g de chiles jamaicanos achatados frescos sin la nervadura y troceados
125 g de jengibre fresco pelado y picado grueso
¼ taza de pimienta de Jamaica molida
¼ taza de hojas de tomillo fresco
3 cucharadas de pimienta negra recién molida
1 taza de vinagre de vino blanco
1 taza de salsa de soja oscura
1 pollo de 2,5 kg cortado en 6 trozos

En una batidora o un robot de cocina, triture las cebollas, el chile y el jengibre. Pase la mezcla a un cuenco y añada la pimienta de Jamaica, el tomillo, la pimienta negra, el vinagre y la salsa de soja.

Bañe el pollo con la salsa. Cúbralo y déjelo marinar durante 24 horas. Precaliente el horno a 180°C y coloque en la parte inferior del mismo una fuente plana con agua hirviendo para crear vapor. Disponga el pollo sobre una rejilla en una fuente para asar y áselo, bañándolo a menudo con la salsa, hasta que esté casi cocido, unos 30 ó 40 minutos. Retire el pollo de la fuente y precaliente la plancha o la parrilla. Empape el pollo con más salsa y áselo a la plancha a fuego fuerte durante 5 minutos. Déjelo reposar durante 15 minutos. Para 4 personas.

Senegalese Chicken Yassa
Yassa de pollo a la senegalesa

¼ taza de zumo natural de limón
4 cebollas grandes en rodajas finas
sal y pimienta negra recién molida
¼ cucharadita de guindilla en polvo
5 cucharadas de aceite de cachuete
1 pollode 2 kg cortado en 6-8 trozos
1 chile habanero
1 cucharada de mostaza de Dijon
¼ tazas de agua

En un cuenco, mezcle el zumo de limón, las cebollas, la sal y la pimienta, la guindilla en polvo y el aceite de cachuete. Introduzca los trozos de pollo en la marinada y refrigere durante 3 horas como mínimo.

Precaliente la plancha, retire los trozos de pollo del cuenco y áselos hasta que se doren ligeramente. Retire la cebolla de la marinada y cuézala en una cacerola a fuego lento hasta que esté tierna, unos 15 minutos. Añada la marinada restante y caliéntela. Agregue el pollo asado, el chile entero, la mostaza y el agua. Lleve a ebullición, baje el fuego al mínimo y deje cocer lentamente durante 20 minutos hasta que el pollo esté tierno y bien cocido. Para 4 personas.

Yassa de pollo a la senegalesa

LUNCHEONETTE

Una *luncheonette* es un tipo de restaurante norteamericano clásico, originariamente llamado *lunch counter* (barra para almorzar). Se han utilizado muchos términos para describir estos establecimientos, como, por ejemplo, *short-order restaurant* (restaurante con platos de rápida preparación), *snackbar* (cantina donde se sirven comidas ligeras y refrescos), *lunchroom* (restaurante pequeño que sirve comidas ligeras) o incluso *coffee shop* (cafetería; aunque éstas no suelen servir un surtido de bebidas con soda).

Hoy en día, quedan pocas *luncheonettes* en Nueva York. La mayoría cerró debido a la subida de los alquileres, a la aparición de los servicios de reparto de comida a las oficinas y a los gustos cambiantes del público. Una de las mejores continúa abierta: la Lexington Candy Shop and Luncheonette, en el Upper East Side de Manhattan, que ofrece un menú de emparedados clásicos: de atún fundido (sándwich de atún con un cuadrado de queso fundido sobre el relleno y aplanado en la plancha), de ensalada y huevo picado, de mortadela y *leberwurst,* paté típico alemán. Los refrescos favoritos son los gaseosos con helado, los batidos de leche malteada y el famoso (y misterioso) *egg cream* de Nueva York, que en realidad no contiene ni huevos ni nata, sino jarabe de chocolate, leche y un chorro de agua de Seltz que hace que la mezcla espume como los huevos batidos.

Las gaseosas con helado de chocolate son típicas de las *luncheonettes*.

Esta *luncheonette* del Upper East Side de Manhattan es una de las pocas que siguen abiertas.

Aparecidos hacia 1870, los bares de refrescos atrajeron a los clientes en los *drugstores* y los almacenes de artículos variados tales como Woolworth's, que ofrecían un refrigerio a los clientes mientras esperaban a que preparasen sus recetas médicas o descansaban entre compra y compra. No sólo servían batidos de leche y *floats* (bebidas gaseosas con bolas de helado flotando en la superficie), sino también sándwiches a la plancha y todo tipo de ensaladas. Las *luncheonettes* derivaron probablemente de estos bares de refrescos. En los años treinta, se acuñó la palabra *"luncheonette"* cuando los bares para almorzar y los bares de refrescos se fusionaron y se convirtieron gradualmente en establecimientos separados de los *drugstores*.

El cocinero de una *luncheonette* trabajaba justo detrás de la larga barra de formica o mármol donde los clientes podían ver cómo preparaba batidos de leche, tostaba bollos ingleses o freía hamburguesas en la plancha caliente. Los clientes sentados en la barra podían hacer sus pedidos directamente al cocinero, pero también había un servicio de mesa para la gente que prefería sentarse en un reservado. Las camareras utilizaban una especie de jerga para hacer los pedidos a los cocineros, expresiones pintorescas que transmitían rápidamente las demandas específicas. Los donuts y el café se llamaban *"sinkers and suds"* (roscas y espuma) y un sándwich *"high and dry"* ("en seco") se tenía que preparar sin mostaza ni mayonesa.

El cocinero aplana el sándwich de atún en la plancha caliente para que se tueste por fuera y se funda el queso.

En una *luncheonette* del Prospect Park de Brooklyn, un camarero prepara un típico *egg cream*.

La cafetería de autoservicio

En 1908, la Horn and Hardart Company abrió su primera cafetería equipada con máquinas automáticas en Filadelfia. Era una pared con compartimientos, cada uno de los cuales contenía una ración individual de comida que los clientes podían comprar echando monedas en las ranuras para abrir las puertas de vidrio. Los compartimientos eran rellenados por empleados que trabajaban detrás de las máquinas. Hardart vio una en Berlín y compró a un importador alemán el mecanismo que abría las puertas de vidrio al insertar una moneda.

La primera de estas cafeterías se abrió en Nueva York en 1913 y, en 1921, ya se habían instalado 21. Se pusieron de moda entre los clientes que querían una comida rápida y económica en un ambiente sencillo, pero elegante. Los comedores se amueblaban con mesas redondas de madera y los compartimientos de comida de la vitrina se guarnecían con estantes de madera al estilo victoriano con espejos de vidrio tallado. Las cafeterías de autoservicio estaban tan vinculadas a sus inventores (Horn y Hardart) que sus nombres se hicieron intercambiables. Siempre perfectamente limpios, a estos locales acudían tanto los ricos como los pobres; era muy frecuente ver a un vagabundo y a un hombre de negocios sentados uno al lado de otro. Estas cafeterías tuvieron mucho éxito en los años veinte, cuando se añadieron las mesas calentadas a vapor, que permitían servir no sólo sándwiches, sino también platos calientes tales como Macarrones con queso y Rollo de carne picada. A finales de los años cuarenta, con la llegada de la comida rápida, la popularidad de estas cafeterías decayó y, a principios de los años noventa, cerró la última que quedaba en Nueva York.

La clásica Jello (postre de gelatina preparada en polvo) de las cafeterías se suele mezclar con fruta y cuajar en un molde en forma de corona.

PASTA FILO Y QUESO FETA GRIEGOS

El pescado a la parrilla con limón fresco y tomillo es una especialidad de los restaurantes griegos de Astoria.

Surtido de cereales y legumbres en un mercado griego de la Novena Avenida, en Manhattan

La ciudad de Nueva York alberga la comunidad griega más grande de Norteamérica y probablemente la más grande fuera de Grecia; más de 500.000 griegos americanos viven en Manhattan y unos 70.000 en Astoria, en el distrito de Queens. Después de la Primera Guerra Mundial, muchos se trasladaron al centro de Manhattan, sobre todo alrededor de la Octava Avenida y, después de 1965, Astoria se convirtió en el centro de la colonia de inmigrantes griegos, con el mayor número de empresas de propiedad griega.

Como muchos otros grupos de inmigrantes, los griegos abandonaron su tierra natal en busca de oportunidades económicas y para huir de la persecución política. Las familias muy unidas nunca perdieron su identidad nacional ni su patriotismo. Muchos de ellos abrieron restaurantes, que les permitieron conservar sus tradiciones culinarias. De carácter trabajador y efusivo, los griegos establecieron negocios prósperos en Nueva York. A mediados de los años cuarenta, empezaron a abrir no sólo restaurantes y cafés que servían comidas típicas griegas, sino también restaurantes económicos y cafeterías con nombres como Apollo y Mykonos a lo largo de las avenidas de Manhattan. Muchos de estos locales todavía existen. Hoy en día en Astoria, las tiendas de la 30th Avenue atraen a la población grecoamericana, vendiendo surtidos de queso feta, aceitunas y aceites importados, y otros productos griegos.

Los norteamericanos aceptaron con entusiasmo los regalos culinarios de los griegos, tales como el gyro, un sándwich de cordero a la parrilla en pan pita. De hecho, gracias a los griegos y a los inmigrantes de Oriente Próximo que comparten muchas raíces culinarias, el pan pita ha pasado a ser un alimento común en los supermercados y en los menús del almuerzo norteamericanos. Este pan en forma de disco se puede rellenar con cualquier cosa, desde el ultranorteamericano atún hasta los más tradicionales hummus y falafel levantinos. La Spanakopita, pasta filo en capas o rellena con espinacas y queso feta, es otro plato habitual. La Baklava dulce, capas de pasta filo con azúcar o jarabe de miel y nueces picadas, es un postre exquisito.

Los griegos celebran la Pascua con gran alegría y ceremonia, y muchas familias grecoamericanas de la Iglesia ortodoxa oriental siguen las tradiciones culinarias asociadas con la festividad. Una de ellas es la cocción de un pan dulce con huevos rojos clavados en la masa. El color rojo y los huevos en sí son símbolos de la Resurrección. Las familias ayunan durante el día, oyen misa a medianoche y luego se toman una sopa nutritiva para romper el ayuno. El cordero es el plato más típico de la cena de Pascua.

Easter Bread
Pan de Pascua

½ taza de agua caliente
2 cucharaditas de levadura seca
1 taza de azúcar
6¼ tazas de harina blanca tamizada
½ taza de leche
½ taza de mantequilla
1 cucharadita de sal
4 huevos ligeramente batidos
1 cucharada de *mahlepi* (huesos de cereza) molido
2 huevos duros con la cáscara, preferiblemente teñidos de rojo
1 huevo batido para glasear
2 cucharadas de semillas de sésamo

Disuelva la levadura en el agua en un cuenco grande y añada ¼ taza de azúcar y ¼ taza de harina hasta que la levadura empiece a fermentar. Cubra la preparación y déjela reposar ½ hora.

Caliente la leche en un cazo pequeño, retírelo del fuego y añada la mantequilla, el azúcar restante y la sal. Mezcle bien y deje enfriar.

Agregue la mezcla de leche a la levadura y remueva bien. Incorpore los huevos y añada gradualmente una taza de harina. Con una cuchara de madera, incorpore el *mahlepi*, y siga añadiendo la harina hasta terminarla. Pase la masa a una superficie de trabajo enharinada y amásela durante 15 minutos hasta que sea blanda y elástica. Cúbrala con un paño limpio y déjela reposar hasta que crezca, unas 2 horas. Golpéela y divídala en 6 partes iguales. Cúbralas y deje que leuden durante 30 minutos.

Extienda cada una de las porciones de masa en una tira de 30 cm. Forme 2 trenzas de 3 tiras cada una. Precaliente el horno a 200°C. Pase las barras de pan a dos bandejas de horno ligeramente engrasadas y doble los extremos de cada pan hacia abajo. Presione un huevo teñido en cada extremo de los panes. Deje subir la masa durante 1 hora más. Pinte las barras de pan con el huevo ligeramente batido y espolvoréelas con semillas de sésamo. Hornéelas durante 30 minutos hasta que adquieran un tono dorado oscuro y déjelas enfriar antes de cortarlas. Para 2 barras.

Avgolemono
Sopa de huevo y limón

6 tazas de caldo de pollo
1 taza de arroz de grano largo
4 huevos
½ taza de zumo natural de limón
sal y pimienta negra recién molida

Lleve el caldo de pollo a ebullición y añada el arroz. Baje el fuego y tape la olla. Deje cocer 20 minutos a fuego lento, hasta que el arroz esté tierno.

Mezcle los huevos y el zumo de limón, y añada gradualmente la mitad de la mezcla de caldo y arroz caliente, sin dejar de remover. Devuelva la mezcla de huevo a la olla y caliéntela a fuego lento durante 5 minutos, sin dejar que hierva. Para 4 personas.

Muchas pastas griegas se elaboran con pasta filo, como por ejemplo: 1. *Kataifi* 2. *Baklava* en capas y 3. Nidos de *Baklava*.

Los huevos duros teñidos de color rojo intenso son un símbolo de resurrección y de renacimiento durante la Pascua griega.

Langostinos con feta servidos sobre pasta *orzo*

Shrimp with Feta
Langostinos con feta

3 cucharadas de aceite de oliva virgen extra
1 cebolla grande picada fina
¼ taza de perejil fresco picado fino
1 diente de ajo picado
1 cucharadita de azúcar
3 tazas de tomates de pera frescos picados
1 taza de *retsina* (vino blanco griego) o vino blanco
750 g de langostinos grandes pelados y sin el hilo intestinal
1 taza de queso feta desmenuzado

Precaliente el horno a 200°C. Caliente el aceite en una sartén grande a fuego medio, añada la cebolla y fría hasta que esté ligeramente dorada, unos 10 minutos. Agregue el perejil, el ajo y el azúcar, y remueva. Incorpore los tomates y cueza hasta que se reblandezcan y suelten parte de su líquido, unos 15 minutos.

Vierta el vino y deje cocer a fuego lento unos 15 minutos más. Añada los langostinos y cueza, sin dejar de remover, durante 1 minuto. Retire del fuego. Pase la mezcla a una fuente y cúbrala con el queso. Hornéela durante 5 minutos hasta que el queso se funda. Sirva sobre arroz o pasta *orzo*. Para 4 personas.

CAVIAR Y COL RUSOS

Borsch con una cucharada de
nata agria

Sirviendo *blinis* y caviar

La ciudad de Nueva York ha recibido muchos
inmigrantes rusos, en tres etapas discernibles. La
primera oleada llegó a partir de 1880. La mayoría
eran judíos, hablaban judeo-alemán y se establecieron en el Lower East Side. En los años veinte,
empezó a llegar el segundo grupo, la mayoría
miembros de la clase profesional relativamente
adinerada y culta que huían del nuevo régimen
bolchevique. En los años setenta se produjo la tercera oleada cuando la Unión Soviética autorizó la
emigración de los judíos, la mayoría de los cuales
se instaló en la zona de Brighton Beach de Brooklyn. El ruso se convirtió en la principal lengua
del barrio y empezaron a aparecer signos del alfa-
beto cirílico en todos los escaparates y las vallas
publicitarias. Los clubes nocturnos y los restaurantes rusos prosperan en Brighton Beach, que
sustituyó al Lower East Side como el nuevo barrio
judío. Los *delis* y las tiendas que venden pescado
relleno fresco, *pierogis,* corégono, caviar y *blinis*
han dado a este barrio del distrito de Brooklyn el
apodo de Little Odessa.

Blini and Caviar
Blinis y caviar

2 tazas de harina de alforfón
1 taza de harina blanca
4 cucharaditas de levadura seca
½ taza de agua caliente
⅓ taza de azúcar
4 tazas de leche
1½ tazas de agua
4 huevos ligeramente batidos
1 taza de mantequilla derretida y fría
sal
aceite vegetal para freír
caviar, nata agria y cebollino troceado

Tamice juntos los dos tipos de harina y reserve.

En otro cuenco, disuelva la levadura en agua caliente, añada una cucharada de azúcar y ⅓ taza de la mezcla de harina. Mezcle bien. Cubra el cuenco y deje subir la masa durante unos 45 minutos.

Mezcle 2 tazas de leche con 1½ tazas de agua en un cuenco grande. Añada los huevos, la mantequilla, el azúcar restante y la sal. Agregue la mezcla de levadura y suficiente harina para elaborar una pasta húmeda y poco compacta. Cubra la pasta y deje que suba durante 30 minutos.

Lleve 2 tazas de leche a ebullición en un cazo pequeño. Déjela enfriar un poco y añádala gradualmente a la pasta, removiendo bien.

Cubra el fondo de una sartén con aceite, caliente éste a fuego medio y vierta 1 cucharada de pasta. Extiéndala hasta que mida 7,5 cm de diámetro. Cueza el *blini* durante 10 segundos, déle la vuelta y cuézalo 15 segundos más hasta que esté hecho. Repita la operación hasta terminar la pasta, manteniendo calientes los *blinis* ya cocidos en el horno. Sirva los *blinis* calientes, con una cucharada de caviar encima y aderezados con nata agria y cebollino. Para 50 *blinis*.

Tradicionalmente se bebe un trago de vodka helado con el caviar.

Stuffed Cabbage
Col rellena

1 col verde
3 cucharadas de aceite vegetal
1 cebolla mediana pelada y troceada
500 g de carne picada de buey
½ taza de arroz crudo
½ taza de perejil picado fino
½ taza de uvas pasas
½ taza de agua
¼ taza de concentrado de tomate
½ cucharadita de pimienta de Jamaica
1 cucharadita de canela
sal y pimienta negra recién molida
2 tazas de caldo de pollo

En una olla grande con agua hirviendo, cueza la col de 10 a 15 minutos hasta que esté tierna. Escúrrala y refrésquela en agua fría. Sepárela en 16 hojas grandes, cortando los tallos duros. Caliente el aceite en una sartén a fuego medio y fría la cebolla durante 10 minutos. Añada la carne y deje freír 10 minutos más, hasta que ésta se dore. Agregue el arroz, el perejil, las uvas pasas, el concentrado de tomate, ½ taza de agua y las especias. Deje cocer a fuego lento durante 10 minutos, hasta que se haya evaporado casi todo el líquido. Escurra el exceso de líquido y deje enfriar la mezcla. Para rellenar la col, extienda una hoja sobre una superficie plana y disponga ½ taza de relleno en el centro. Doble los extremos de la hoja sobre la mezcla y forme un rollo. Repita la operación con las hojas y el relleno restantes. Coloque los rollos con la juntura hacia abajo en una cacerola, vierta el caldo de pollo y tape la cacerola. Cueza a fuego lento de 20 a 25 minutos. Para 16 rollos (para unas 8 personas).

Borsch
Sopa de remolacha

2 tazas de col cortada en tiras finas
2 tazas de agua con sal
½ taza de cebolla troceada
¼ taza de mantequilla
500 g de remolacha fresca pelada y rallada
4 tazas de caldo de pollo
2 cucharaditas de semillas de alcaravea
1 cucharadita de azúcar
sal y pimienta negra recién molida
3 cucharadas de zumo de limón
¼ taza de vino blanco seco
nata agria

Lleve el agua con sal a ebullición y añada la col y las remolachas. Cueza durante 10 minutos. Mientras tanto, saltee la cebolla en la mantequilla durante unos minutos, sin dejar que se dore.

Agregue el caldo de pollo a la cebolla y lleve a ebullición. Añada la col y las remolachas junto con el agua de cocción. Incorpore las semillas de alcaravea, el azúcar, y sal y pimienta al gusto. Deje hervir a fuego lento durante 2 minutos.

Retire la sopa del fuego y vierta el zumo de limón y el vino. Lleve a ebullición y retire nuevamente del fuego. Sirva la sopa en boles, aderezada con nata agria. Para 6 personas.

Blini con huevas rojas de salmón y caviar negro

CURRY Y CARDAMOMO INDIOS

A principios de los años cuarenta, se empezaron a establecer en Nueva York unos pocos asiáticos. En los años setenta llegaron numerosos inmigrantes indios y paquistaníes, familias que querían vivir en Estados Unidos. A lo largo de Lexington Avenue, en el East Side de Manhattan, la zona entre las calles 20 y 29 se conoce como Indian Row (calle india). Pasó de albergar unos pocos comercios a convertirse en un epicentro de tiendas y restaurantes donde uno puede adquirir comida india, utensilios de cocina y vídeos. En la calle 6, en el East Village, también hay una gran concentración de restaurantes indios; con sólo pasearse por la corta manzana, el transeúnte puede disfrutar de los aromas mezclados del curry y la alholva, y elegir un sitio para cenar entre la docena de establecimientos disponibles. Los neoyorquinos han adoptado los sabores picantes de las diferentes cocinas regionales indias: los platos vegetarianos de Gujarat coexisten junto a la comida de Bombay, del Punjab y de Cachemira, y los deliciosos panes de la cocina india como el *paratha* y el *chapati* resultan casi tan familiares a los neoyorquinos como los *bagels* y los *bialys*.

La tienda de especias Kalustyan's de Lexington Avenue, en Manhattan, vende toda una serie de especias indias, desde *amchoor* hasta cúrcuma.

Una de las ventajas de comprar en estos mercados indios es sentir el olor tentador de las especias que perfuman la zona. Es como viajar alrededor del mundo por un bazar exótico. En las paredes de las tiendas se expone un surtido de chutneys salados y dulces, algunos de importación y otros producidos por la propia tienda. Se venden especias insólitas, ya sean molidas o enteras, chiles frescos o secos, limas encurtidas e incluso alimentos congelados importados de varias regiones de la India. La cocina india es famosa por el uso de semillas, cereales y legumbres, de ahí que se venda una variedad asombrosa de lentejas rojas y amarillas, guisantes, arroz, garbanzos, semillas de mostaza y de amapola.

Brochetas de pollo *tandoori*

Especias e ingredientes indios

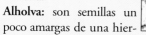

Ajenuz: son unas pequeñas semillas negras que se utilizan en encurtidos o se espolvorean sobre pan y bollería.

Alholva: son semillas un poco amargas de una hierba aromática asiática de la familia del guisante. Es un ingrediente básico del curry. Con estas semillas también se prepara una infusión digestiva.

Amchoor: es un condimento elaborado a base de mango verde seco.

Arroz basmati: es un arroz de grano largo que tiene un aromático sabor a nueces.

Asafétida: es un condimento elaborado a base de la resina de una planta de la familia de la zanahoria. Tiene un sabor parecido al ajo y se utiliza en cantidades pequeñas.

Azafrán: es una especia de color amarillo intenso que se obtiene del estigma de la planta *Crocus sativus* seco. El azafrán es quizás la especia india más reconocible. Los estigmas, que son recolectados a mano, tienen un precio muy elevado pero aportan un sabor intenso que es totalmente único y no tiene sustituto alguno. Se utiliza para condimentar el arroz y los currys, y también para teñir ropa.

Cardamomo: son las vainas negras o verdes de una planta de la familia del jengibre, que contienen unas semillas aromáticas. Se usa principalmente en platos de carne o espolvoreado al final de la cocción.

Clavos: son los capullos secos de un arbusto tropical de la familia del mirto. Se pueden comprar enteros o en polvo, y se usan para aromatizar tanto platos dulces como salados.

Comino: es el fruto maduro desecado de la planta del comino. Se trata de una de las especias que más se utilizan en la cocina india.

Cúrcuma: este polvo de color amarillo subido, que se obtiene de la raíz aromática de una planta de la familia del jengibre, es lo que se utiliza para dar ese color tan característico al curry.

Curry en polvo: no se trata de una especia como normalmente se cree, sino de una mezcla de especias al gusto utilizada para aromatizar guisos de carne y hortalizas con arroz.

Dhal/Dal: consiste en judías o lentejas cocidas y hechas puré.

Garam masala: se trata de una mezcla seca de especias que puede llegar a contener hasta 12 ingredientes diferentes, tales como canela, clavos, cilantro, comino, cardamomo, hinojo, macis y guindillas secas.

Ghee: consiste en mantequilla que se derrite lentamente y cuyos sedimentos lácteos se separan del líquido dorado claro (es decir, clarificada). A continuación, se cuece a fuego lento hasta que toda la humedad se ha evaporado, dándole un sabor a nueces similar al del caramelo.

Harina chapati: es la harina de trigo entero finamente molida, que se utiliza para elaborar el pan indio llamado *chapati*.

Harina gram: harina elaborada con garbanzos.

Hojas de curry: estas hojas, que se emplean en la cocina del este de la India, se parecen a una hoja pequeña de limonero y tienen un fuerte aroma a curry.

Radhuni: consiste en pequeñas semillas aromáticas.

Semillas de cilantro: las semillas secas de una planta de la familia de la zanahoria. Se usan en currys.

Semillas de hinojo: semillas de sabor a anís que se venden enteras o en polvo.

Semillas de mostaza: son pequeñas semillas de color negro o amarillo, perfectamente redondas, que se utilizan en la cocina india para condimentar los *dals* y los currys. Las semillas de mostaza negras tienen un sabor más fuerte y picante que las amarillas.

Tamarindo: conocido también como dátil indio (*tamr* que significa "dátil" y *Hind,* cuyo significado es "India" en el idioma árabe), es el fruto de este árbol tropical que se elabora compactándolo en bloques y se utiliza en conservas, además de como bebida refrescante.

Las bolas de masa con las que se elabora el pan indio *nan*.

El pan *nan* se cuece en las paredes de un horno *tandoori* caliente.

Para elaborar pan *dosi*, se extiende la pasta sobre una plancha caliente.

Los *dosi* se enrollan en forma de cilindros crujientes.

POLLO Y BANANOS DE PUERTO RICO

Desde la época de la Segunda Guerra Mundial, más de 800.000 puertorriqueños se han trasladado a la ciudad de Nueva York, trayendo consigo la lengua española y una cultura diferente. Muchos salieron de la isla caribeña, un territorio norteamericano, para huir de la penuria económica provocada por los desastres naturales que debilitaron las industrias azucarera y cafetera. Se establecieron en zonas del norte de Manhattan próximas al trabajo y al transporte. En 1926, el predominante barrio puertorriqueño se extendió desde las calles 90 a 111 entre la Primera y la Quinta Avenida, creando los barrios y las colonias donde se preservaba el estilo de vida puertorriqueño. A pesar de estar familiarizados con los alimentos del continente, ya que el comercio sin restricciones había llenado de productos norteamericanos las tiendas de comestibles de la isla, los nuevos inmigrantes mantuvieron su cocina tropical a base de frutas y hortalizas sabrosas y exóticas, y platos de pollo y de pescado.

Productos de una tienda de comestibles en el Harlem hispano

Las especialidades puertorriqueñas incluyen muchos platos a base de arroz y judías.

Los alemanes trajeron a Nueva York los *delicatessen* y los puertorriqueños la "bodega", una pequeña tienda con un surtido de alimentos frescos y envasados hispanos y norteamericanos. Se suele encontrar una en casi cada esquina en las zonas de población mayoritariamente puertorriqueña. En el año 1936, un matrimonio fundó la empresa de alimentación Goya. En la actualidad es una de las compañías hispanas más prósperas de Estados Unidos, que comercializa una gran variedad de conservas alimenticias tales como judías negras y pimientos, y otros tipos de alimentos envasados y en conserva del mercado hispano. La Marqueta, uno de los mercados más antiguos de Nueva York, se construyó en 1936 debajo del ferrocarril elevado de la calle 111 con el fin de sustituir a los vendedores con carretilla. Hoy en día continúa abierto, con puestos de frutas y hortalizas tropicales frescas como chayote, malanga (un tubérculo), bananos (plátanos feculentos), jícama (un tubérculo crujiente) y calabaza. También venden pescado seco, legumbres y tarros llenos de condimentos y especias para la cocina caribeña.

Un carnicero cortando carne por encargo.

Hortalizas de Puerto Rico

Chayote *(Sechium edule,* izquierda): esta hortaliza tiene un sabor suave a calabaza vinatera y una semilla grande en el centro que se extrae para cocinar. Resulta deliciosa cortada en dados y mezclada con un surtido de condimentos, rellena o al horno.

Malanga *(Xanthosoma sagittifolium,* derecha): este tubérculo, de piel marrón fina e irregular y de pulpa beige o rosada, tiene forma de boniato alargado.

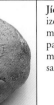

Jícama *(Pachyrhizus erosus,* izquierda): un tubérculo firme y crujiente, con un sabor parecido al de una manzana muy suave. Se utiliza en ensaladas.

Calabaza (derecha): una calabaza de las Antillas enorme. Suele ser del tamaño de un melón Honeydew, y por eso se vende partida en dos o en rodajas. Su pulpa naranja tiene un sabor similar a la calabaza común, aunque es más dulce y jugosa.

Bananos *(Musa paradisiaca):* de la familia de los plátanos, los bananos o plátanos machos no se comen crudos. Varían en tamaño y forma, y tienen un sabor feculento a hortaliza. Los maduros son moteados con puntos negros. Se sirven fritos y salados, salteados a modo de guarnición o en sopa.

El cerdo, el pescado y el pollo se suelen envolver en hojas de plátano para cocerlos.

Arroz con pollo

1 pollo de 2 kg cortado en trozos
sal y pimienta recién molida
4 cucharadas de aceite vegetal
1 pimiento verde cortado en dados
4 chiles verdes pequeños
2 cucharadas de hojas de cilantro fresco picadas
1 cebolla pequeña troceada
2 dientes de ajo picados
1 cucharadita de pimentón
¼ cucharadita de azafrán
1 hoja de laurel
½ cucharadita de orégano seco
4 tazas de caldo de pollo
2 tazas de tomates triturados
1 taza de arroz crudo
3 pimientos morrones troceados
¾ taza de guisantes cocidos

Salpimiente los trozos de pollo. Caliente el aceite en una cacerola grande a fuego medio-alto y dore los trozos de pollo uniformemente. Pase el pollo a una fuente y baje el fuego a potencia media.

Cueza el pimiento verde, la cebolla, los chiles y el ajo durante 10 minutos. Añada los tomates, el caldo de pollo, las hierbas, el pimentón y el azafrán; devuelva el pollo a la cacerola. Lleve a ebullición suave, añada el arroz y tape la cacerola. Cueza de 20 a 25 minutos hasta que el arroz esté tierno. Agregue los pimientos morrones y prosiga cocción durante 5 minutos más. Incorpore ¾ taza de guisantes. Para 4 personas.

91

UN BRINDIS POR NUEVA YORK

Bares y tabernas

El origen de los bares, las tabernas y los *saloons* de Nueva York se remonta ya a mediados del siglo XVII. La City Tavern vendía cerveza y vino, y pasó a ser tan importante en la comunidad que se convirtió en el ayuntamiento de la ciudad. Peter Stuyvesant, el primer gobernador de Nueva York, se quejó de que el 25% de las casas de la ciudad eran tabernas e impuso una estricta regulación de sus horarios de apertura.

El tabernero de la Fraunces Tavern con un tanque de cerveza *ale*.

Un Martini clásico en el King Cole Bar del hotel St. Regis de Manhattan

Las tabernas también eran lugares de hospedaje que servían comidas. Estos establecimientos, frecuentados sólo por hombres, cumplían muchas funciones. En ellos los hombres de negocios cerraban tratos, los escritores disertaban, se celebraban reuniones políticas y, por supuesto, proporcionaban un lugar para descansar después de un duro día de trabajo. A mediados del siglo XIX, a medida que se abrieron hoteles, las tabernas pasaron a ser lugares sólo para beber. Algunas servían comidas ligeras o almuerzos en la barra.

La cantina y el *saloon* (derivado de la palabra francesa *salon*) pasaron a ser los lugares donde la gente de clase trabajadora podía reunirse para tomar algo. Los inmigrantes alemanes e irlandeses abrieron muchos de estos bares en la ciudad. La mayoría eran salas largas y rectangulares con sillas, para dar cabida a la afluencia de obreros de fábrica que salían de trabajar; eran conocidos como "clubes de pobres". Durante la Ley Seca, cuando la venta de alcohol era ilegal, algunos de estos lugares vendían bebidas debajo de la mesa o en cuartos traseros secretos. Otros bares estaban ocultos detrás de puertas secretas y los clientes sólo podían acceder pronunciando una clave. Estos sitios eran conocidos como "tabernas clandestinas", que la policía registraba y clausuraba con frecuencia. En los años cuarenta, una década después de la revocación de la Ley Seca, los bares volvieron a desempeñar un papel importante en los restaurantes y

hoteles de Nueva York. Algunos de ellos eran extremadamente lujosos, decorados con paneles de madera noble y mobiliario elegante.

El Rainbow Room abrió en 1934 en el piso 65 del edificio RCA (el actual Rockefeller Center) y, en 1935, se añadió el Rainbow Grill, que también servía comida. Sigue siendo uno de los lugares más espectaculares de Nueva York para tomar un cóctel y disfrutar de las vistas, muy por encima de las calles de Manhattan. Hace varios años, se restauró toda la estructura para darle el esplendor del estilo *art déco* de los años treinta.

En el sur de la ciudad, la McSorley's Old Ale House aún sigue abierta cerca de Astor Place. Desde sus comienzos en 1854 hasta 1970, no se permitía la entrada a las mujeres. Hoy en día cualquiera puede pedir una cerveza en su célebre barra. Otra vieja institución es la White Horse Tavern, en

Greenwich Village, que tiene el dudoso honor de ser el último lugar donde el famoso poeta galés Dylan Thomas tomó una copa antes de morir en el hospital de Nueva York en 1953.

Los bares de hotel como el King Cole Bar del hotel St. Regis, el Bemelman's del hotel Carlyle y el Oak Room del hotel Plaza tienen décadas de historia y todavía están de moda. El Bemelman's es famoso por los murales pintados que hay detrás de la barra. El Oak Room ("salón de roble"), que debe su nombre a su lujoso artesonado de roble, ha servido a una serie de clientes famosos tales como F. Scott Fitzgerald y Mark Twain.

Cócteles

Los cócteles y Nueva York parece que vayan ligados como la ginebra y la tónica. Tal vez se deba a que la Norteamérica posterior a la Ley Seca observaba encantada cómo Hollywood retrataba en las románticas comedias de los años treinta a parejas mundanas de Manhattan bebiendo y bailando, blandiendo Martinis y pasando el rato en elegantes pubs como el Stork Club. El glamour de la gran ciudad y los combinados perfectamente mezclados iban estrechamente unidos.

A los neoyorquinos siempre les ha encantado beber, y los norteamericanos han popularizado los cócteles. Existen muchas historias curiosas sobre el origen de la palabra "cóctel" ("cocktail", en inglés). En una de ellas se utilizaba una pluma de gallo ("cock tail") para remover la bebida; según otra se sirvió una bebida en una huevera, o "coquetier" en francés. De todos modos, un periódico local de Nueva York fue al parecer el primero en publicar el término "cock tail" (en 1806) para describir una bebida a base de licores, azúcar y bíter. Los combinados empezaron a ponerse de moda a finales del siglo XIX, y muchos cócteles actuales fueron inventados en bares de la ciudad de Nueva York.

El Bloody Mary se inventó en el King Cole Bar.

Bloody Mary

Esta bebida es todo un clásico en el menú del *brunch* norteamericano. A veces se le añade salsa de rábano picante o de guindilla para darle un sabor picante. Se sirvió por primera vez en el King Cole Bar del hotel St. Regis. Un *Virgin Mary* se prepara con los mismos ingredientes pero sin el alcohol.

45 ml de vodka
60 ml de zumo de tomate
un chorrito de zumo natural de limón
sal y pimienta negra recién molida
3 chorritos de salsa Worcestershire

Agite todos los ingredientes con hielo picado y vierta la bebida, con hielo, en un vaso alto adornado con una ramita de apio.

Bronx

Esta bebida fue inventada en el hotel Waldorf-Astoria en 1906 por un barman que acababa de visitar el Zoo del Bronx. Se puede sustituir el zumo de naranja por zumo de mandarina para darle un sabor más exótico. En la receta original, se adorna la bebida con una espiral de corteza de naranja escaldada.

45 ml de ginebra
15 ml de vermut seco
15 ml de vermut dulce
15 ml de zumo de limón
15 ml de zumo de naranja

Mezcle todos los ingredientes con cubitos de hielo, cuele la mezcla en una copa de vino o sírvala con hielo en un vaso bajo.

Gibson

Debe su nombre al ilustrador Charles Dana Gibson, quien puso de moda cierto tipo de peinado hacia arriba cuando publicó sus dibujos de mujeres luciendo este estilo (llamadas "chicas Gibson"). Este cóctel es básicamente un Martini de ginebra adornado con una cebollita en vinagre. Se creó por primera vez en el Players Club de Nueva York en los años treinta.

30 ml de vermut francés
30 ml de ginebra
1 cebollita en vinagre

Agite los ingredientes con hielo y cuele la mezcla en una copa de Martini helada. O bien, vierta el vermut en la copa haciéndola girar para cubrir el interior de la misma, retire el exceso y cuele la ginebra fría en la copa. Ensarte una cebollita en vinagre en un palillo e introdúzcala en la copa.

Manhattan

Lleva el nombre del Manhattan Club, donde fue creado en honor al gobernador de Nueva York, Tilden, en 1874. Para esta bebida se utiliza el único licor fuerte destilado creado en Norteamérica: el bourbon.

45 ml de bourbon
30 ml de vermut dulce italiano
un chorrito de Angostura
una rodaja de naranja
1 guinda al marrasquino

Remueva con hielo y cuele la mezcla en una copa de cóctel o bien sírvala con hielo. Coloque la rodaja de naranja en el borde de la copa y adorne con la guinda.

El barman del Rainbow Room mezclando el cóctel perfecto.

1. Manhattan 2. Gibson 3. Bronx

DELMONICO'S

El primer restaurante elegante de Norteamérica

Como centro comercial y cultural de Estados Unidos, la gran ciudad de Nueva York siempre ha atraído a los empresarios más ambiciosos y a los talentos más creativos. Durante tres siglos de historia, miles de inmigrantes aportaron sus tradiciones culinarias al ya floreciente centro urbano, donde se abrieron los primeros restaurantes. A principios del siglo XIX ya existían bares, cafés y fondas en Estados Unidos, pero no hubo ningún local para comer en público hasta que, en 1831, abrió un restaurante llamado Delmonico's. Con su apertura, este histórico restaurante introdujo a los norteamericanos la cocina y las tradiciones gastronómicas europeas, nuevos alimentos como las ensaladas y los helados, y nuevas hortalizas como la berenjena y la endibia.

Delmonico's (que tuvo once ubicaciones y versiones diferentes durante sus casi 100 años de vida) se distingue porque fijó las pautas para el resto de los establecimientos del momento. Sus propietarios presentaron un nuevo concepto al público: un restaurante separado de un hotel. El hecho de sentarse en una mesa, elegir un plato de un menú y pagar por lo que se había comido simplemente no se había hecho hasta el momento. Delmonico's se convirtió en el restaurante más famoso de Norteamérica, que servía con cierta pompa la mejor comida y los mejores vinos a la clientela más selecta de la ciudad, inclusive a visitantes ilustres como Mark Twain, Charles Dickens y Oscar Wilde. Incluso Napoleón III cenó allí (si bien antes de ser coronado emperador). Cenar en Delmonico's no sólo era un placer gustativo (y caro), sino también una experiencia sumamente teatral. Su decoración era opulenta, con candelabros, mármol y bellos artesonados de madera. Con su cocina de marcada influencia francesa, al restaurante se le atribuyen muchas innovaciones culinarias, tales como el Bogavante Nemburg (bogavante en salsa cremosa), las Patatas Delmonico (patatas con mantequilla y zumo de limón) y la Sierra Nevada (bizcocho con helado, adornado con una capa de merengue dorada al horno), un postre elaborado que combina los elementos del fuego y el hielo.

El *Chicken à la King* (trozos deshuesados de pollo con salsa a la crema, en nidos de pasta de hojaldre), que tal vez debe su nombre a alguien llamado "Keene", es otro plato asociado con el restaurante Delmonico's, como los Huevos Benedict (dos bollos ingleses tostados, cubiertos cada uno con una loncha de jamón, un huevo escalfado y salsa holandesa). Según la leyenda, el cocinero de Delmonico's creó este plato para unos clientes habituales malhumorados llamados Benedict que, aburridos del menú de siempre, pidieron algo nuevo para comer.

El escritor y humorista norteamericano Mark Twain celebrando su cumpleaños con unos amigos en 1905, en uno de los comedores privados de Delmonico's.

Grandes platos creados en la ciudad de Nueva York

Hay innumerables historias y leyendas detrás de la invención de los platos famosos, y los restaurantes de Nueva York tienen muchas. Los relatos suelen ser de dudosa autenticidad, pero siempre son curiosos y añaden cierto interés al deleite de algunos de los platos favoritos.

En el hotel Ritz-Carlton, el cocinero Louis Diat creó la *Vichyssoise*, una sopa fría de puerro y patata. Tiene nombre francés, pero es tan norteamericana como el *Chop suey* y el *Apple pie*.

Otros platos son más difíciles de atribuir a una persona o un lugar, como el sándwich Reuben. Este bocadillo a la plancha a base de *corned beef*, queso suizo, col fermentada y salsa rusa sobre pan de centeno, es tal vez una invención de alguien llamado Reuben o de un *deli* neoyorquino del mismo nombre. Poco importa, es un sándwich clásico de los *deli* muy popular. Ocurre lo mismo con la tarta de queso de Nueva York. Existen muchos tipos de tarta de queso en todo el mundo, pero la de Nueva York se distingue por un suave relleno de queso cremoso horneado sobre una corteza de galletas de harina de trigo integral. Puede ser un postre delicioso, cremoso y pesado, o un postre más ligero, más seco y menos fuerte, según quién lo describa. Los neoyorquinos siempre discuten acerca de él. El restaurante Lindy's puso de moda esta tarta en los años cuarenta y ésta se convirtió en un postre clásico del menú norteamericano, sobre todo en los mejores asadores de Nueva York.

Eggs Benedict
Huevos Benedict

8 huevos grandes

8 lonchas de jamón de Virginia, cortadas en discos para colocarlas sobre los bollos

1 taza de salsa holandesa

4 bollos ingleses *(muffins)* partidos por la mitad

trufa negra en láminas para adornar

ramitas de perejil o de berros para adornar

Escalfe los huevos y sumérjalos en agua caliente. Ase las lonchas de jamón, escúrralas y manténgalas calientes en el horno a temperatura muy baja, o en el tostador del horno a fuego bajo.

Prepare la salsa holandesa y manténgala caliente.

Tueste las mitades de los bollos, disponga una loncha de jamón sobre cada una, retire los huevos escalfados del agua caliente, escúrralos sobre una servilleta o un paño y colóquelos sobre el jamón.

Vierta una cucharada de salsa holandesa sobre cada huevo, adorne con una lámina de trufa negra y con una ramita de perejil o de berro. Para 4–8 personas.

Hollandaise Sauce
Salsa holandesa

½ taza de mantequilla

3 yemas de huevo grandes

2–2½ cucharadas de zumo natural de limón

⅛ cucharadita de sal

una pizca de pimienta de Cayena

1–2 cucharadas de agua hirviendo

Tenga todos los ingredientes a temperatura ambiente antes de empezar. Utilice una cacerola para baño María o un cazo de 1 litro de capacidad colocado sobre agua al punto de ebullición (nunca hirviendo). Corte la mantequilla en 3 partes iguales.

Ponga 1 trozo de mantequilla en la parte superior de la cacerola para baño María. Añada las yemas de huevo y bata con un batidor o una cuchara de madera hasta que la mantequilla se derrita por completo. Agregue los 2 trozos restantes de mantequilla, de uno en uno, y bata hasta que se fundan. Vierta el zumo de limón, la sal y la pimienta de Cayena, y siga batiendo la mezcla hasta que la salsa se espese y adquiera una consistencia untuosa. Tardará de 10 a 12 minutos. Añada 1 ó 2 cucharadas de agua hirviendo. Pruebe la salsa para rectificar la condimentación. (Quizás prefiera un poco más de zumo de limón o de pimienta de Cayena.)

Si no piensa utilizar la salsa de inmediato, cubra la cacerola y mantenga la salsa sobre agua caliente, no hirviendo. Si se espesa demasiado, añada 1 ó 2 cucharadas de agua caliente y remueva hasta que esté fina.

Fondo: el Delmonico's hacia 1910, cuando se encontraba en la calle 26 con la Quinta Avenida.

La Pascua de los Hebreos

La Pascua de los hebreos, también llamada *Pesach,* es la fiesta religiosa judía más importante del año. En Estados Unidos, al igual que en el resto del mundo, es una celebración alegre, una ocasión en que las familias se reúnen para conmemorar el éxodo de los judíos, encabezados por Moisés, que huyeron de la esclavitud de Egipto para hallar la libertad en Israel. La Biblia da cuenta de este acontecimiento, que se cree que ocurrió hace aproximadamente tres mil años. La Pascua, que se celebra durante ocho días en los meses de marzo o abril, intensifica los sentimientos de regocijo y expectación, pues la gente también está esperando la llegada de la primavera. La primera noche de Pascua tiene lugar el *seder,* la "Fiesta del pan ácimo".

La celebración transcurre alrededor de una comida con un ritual prescrito (la palabra *seder* significa "orden" en hebreo) y alimentos impregnados de simbolismo. Si bien algunas partes de la comida son solemnes, también es cierto que el reír, el cantar y el compartir una buena comida son por lo menos tan importantes como los rituales formales. La prepara-

La "copa de Elías" siempre se reserva para el profeta Elías, que puede venir en cualquier momento para anunciar la llegada del Mesías.

ción del *seder* empieza varios días antes. Las familias ortodoxas retiran del hogar cualquier tipo de pan leudado, legumbres o cereales antes de que comience la fiesta. Una limpieza a fondo de la casa asegura que no quede ni una miga. La utilización de pan ácimo durante la época de Pascua recuerda la rápida huida de Egipto de los judíos, la cual fue tan imprevista que no tuvieron tiempo de esperar a que los panes leudaran. Se llevaron consigo la masa de pan a través del desierto, la cual se coció con el caluroso sol en forma de láminas planas y crujientes. El *matsa,*

una galleta salada en forma de láminas delgadas y con agujeros, que se rompen fácilmente en trozos, es el sustituto del pan durante la Pascua. Se usa para espesar sopas y se transforma en harina para las masas de pastel. También se denomina "pan de aflicción" (o de penitencia).

Al anochecer del día de Pascua, se encienden velas para anunciar el inicio del *seder.* Primero se recita el *Kaddish,* o bendición. La comida empieza con la lectura del *Haggadah,* el texto hebreo que narra la historia de Pascua, y todos los comensales toman un trago de vino. Como parte del *seder,* se pone una copa de vino adicional para el profeta Elías que, según la tradición, puede venir esa noche para anunciar la llegada del Mesías. También se ponen en la mesa tres trozos de *matsa* en una funda decorada y con compartimientos. Representan las tres ramas de la antigua religión judía.

Después de lavarse los dedos en un cuenco de plata, el cabeza de familia parte el *matsa* en trozos, uno de los cuales pasa a ser el *afikomen,* que más tarde se esconde por la casa para que los niños de la familia lo busquen después de la cena. El afortunado niño que encuentra el *afikomen* recibe un pequeño regalo.

El centro de la mesa *seder* y la atracción principal de la primera parte de la comida es la fuente *seder* sobre la cual se disponen ciertos alimentos,

Das Mahl beginnt mit dem Lesen des Haggadah, wo die Geschichte des Pessach-Festes niedergeschrieben ist.

The Unleavened Bread is covered and the wine-cup raised in praise:

IS OUR DUTY TO THANK, TO GLORIFY, TO EXALT, EXTOL AND

La cena comienza con las lecturas del *Haggadah* que narran la historia de la Pascua.

Un plato principal típico de Pascua: pecho de buey, hortalizas de raíz (zanahorias y patatas) y espárragos tiernos frescos.

1. ¿Por qué sólo comemos *matsa* esta noche? (La respuesta explica la apresurada huida de los judíos de Egipto.)

2. ¿Por qué sólo comemos hortalizas amargas esta noche? (La respuesta explica el simbolismo del sufrimiento de los judíos.)

3. ¿Por qué mojamos dos veces las hierbas en agua salada? (La respuesta explica que el primer remojo simboliza las lágrimas saladas de los esclavos y, el segundo, el baño de las ramas en sangre de cordero, un ritual que hicieron las familias judías para marcar sus casas y hacer que el Ángel de la Muerte las pasara por alto. De ahí viene el nombre de la fiesta en inglés, *Passover*, que significa literalmente "pasar por alto".)

4. ¿Por qué esta noche comemos recostados? (La respuesta explica que esta posición relajada representa el bienestar de la libertad frente a la esclavitud.)

Los comensales bañan ramitas de perejil en un cuenco con agua salada y huevo duro picado. El agua salada representa las lágrimas de los esclavos judíos.

cada uno de los cuales tiene un significado especial. Las fuentes *seder* tradicionales son de plata o de porcelana y están decoradas con caligrafía hebrea; las secciones de la fuente indican donde se debe colocar cada alimento. El *Haroseth,* una mezcla de manzanas picadas, frutos secos y vino, representa el mortero que los esclavos judíos fabricaban para amasar ladrillos para construir los muros de los faraones. También representa la dulzura de la esperanza. Una chuleta de cordero representa la antigua tradición del sacrificio ritual de animales. Las hortalizas amargas como, por ejemplo, raíz de rábano picante rallada, rememoran el sufrimiento de la esclavitud de los judíos en Egipto. Un huevo duro asado simboliza las ofrendas hechas en el templo, así como la reencarnación y la regeneración. Las hortalizas de hoja, normalmente perejil, también simbolizan el renacimiento de la vida en primavera.

A continuación, el miembro más joven de la familia lee las "cuatro preguntas" después de preguntar, "¿Por qué esta noche es diferente de todas las demás?" Las respuestas se leen del libro mientras los adultos contestan. Las cuatro preguntas son las siguientes:

La fuente *seder* contiene los alimentos simbólicos del *seder*. En el sentido de las agujas del reloj, desde inferior izquierda: *haroseth* (fruta, frutos secos y vino), verduras de hoja, un huevo asado y una pierna de cordero. En el centro: rábano picante.

vió a cerrar al paso de los egipcios que los perseguían.

Después de las lecturas y los rituales tradicionales, la comida principal puede empezar. Los platos típicos que se toman son pecho de buey, pescado relleno, sopa con bolas de *matsa* y, para postre, bizcocho con fruta. La copa de vino reservada para el profeta Elías se pasa de vez en cuando por la mesa y cada persona añade un poco de vino de su propia copa. La puerta de la casa se deja abierta, o un miembro de la familia va a abrirla para que Elías pueda entrar. Además, puede que los comensales derramen unas gotas de vino de sus copas como un acto de agradecimiento a los que perecieron en la lucha por la libertad, y para rememorar las diez plagas que Dios envió a la tierra cuando al principio los faraones se negaron a dejar marchar a los judíos.

Después de la cena, los niños buscan el *afikomen*, se hacen bendiciones y se cantan canciones de alabanza y de acción de gracias. La larga noche termina y todos los asistentes sienten que se han comunicado con sus antepasados de una manera profunda que ha fortalecido sus vínculos espirituales y familiares mediante la antigua tradición de compartir la comida y el vino.

La sopa de bolas de *matsa* se suele servir como entrante en la cena.

Después de hacer las cuatro preguntas y de dar las respuestas, un miembro de la familia toma dos trozos de *matsa* y pone el *haroseth* y las hortalizas amargas (o rábano picante) entre ambos, formando un bocadillo para luego comérselo. Esta mezcla de lo amargo y lo dulce representa supuestamente la esclavitud y la libertad juntas. Luego, moja una ramita de perejil en un cuenco con agua salada y huevo duro picado, lo cual se dice que representa las lágrimas saladas de los esclavos judíos. También figura que son las aguas saladas del mar Rojo, que milagrosamente se separó para dejar pasar a los judíos de camino a la Tierra prometida, pero se vol-

Los tres trozos de *matsa* en una funda de tela representan las tres ramas de la antigua religión judía.

ATLÁNTICO CENTRAL

por Anne Sterling

Delaware
Distrito de Columbia
(Washington, D.C.)
Maryland
Nueva Jersey
Pensilvania
Región septentrional
de Nueva York
y Long Island

Los estados centrales del litoral este de Estados Unidos ofrecen una gran variedad de especialidades culinarias. En esta región bendecida con lagos que templan el clima y con fértiles valles fluviales, los colonos trabajadores de Inglaterra, Alemania y Holanda no tuvieron problemas para establecer huertos exuberantes y granjas productivas. Varias generaciones más tarde, la agricultura sigue siendo un negocio floreciente y se envían todo tipo de productos a los mercados de las grandes ciudades de la Costa Este.

La disponibilidad de frutas y hortalizas de primera calidad impulsó la industria conservera, que nació en esta región. Las industrias Campbell's de Camden (Nueva Jersey) y H.J. Heinz de Pittsburg (Pensilvania) fueron las punteras en la carrera para ofrecer al público productos frescos en prácticas latas y botellas. Los tomates, que medraban en las llanuras templadas de la costa de Nueva Jersey, se utilizaron para crear la sopa de tomate y el ketchup que hoy son mundialmente famosos.

El suave clima también favoreció el éxito de la industria avícola en la península de Delmarva y del cultivo de setas en el Brandywine Valley. Estos productos no sólo suponen una gran contribución a la economía de la región, sino que también forman parte de muchos platos regionales.

Los indígenas norteamericanos enseñaron a los colonos europeos a recolectar ostras y cangrejos azules en Chesapeake (que significa "gran bahía de moluscos" en el idioma nativo). Allí, el agua salada del océano Atlántico se mezcla con el agua dulce de más de 40 ríos que nutren la bahía, creando un ecosistema ideal para una asombrosa variedad, calidad y cantidad de marisco.

En el estado de Pensilvania, la tolerancia religiosa hizo posible que los menonitas procedentes de Alemania y Suiza vivieran y trabajaran conforme a sus creencias. Todo el país ha llegado a apreciar la cocina práctica de estos "pensilvanos de origen alemán" y a admirar su estilo de vida sencillo y genuino.

A diferencia de las sencillas granjas de los amish y los menonitas, la alta burguesía inglesa adinerada poseía lujosas haciendas e introdujo sus gustos extravagantes en los actuales estados de Maryland y Delaware. Muchos de sus criados eran antiguos esclavos que combinaron sus especias y sus humildes hortalizas con la comida refinada de las fincas señoriales. El Cangrejo a la diabla y el Jamón campestre relleno de verduras son sólo dos de los platos de influencia sureña que aún se pueden degustar allí hoy en día.

A medida que pasaron los años, las grandes ciudades de los estados del Atlántico central atrajeron a inmigrantes de todo el mundo, que dieron un sabor internacional a la región. Los *hoagies* de influencia italiana, los donuts holandeses, los *pretzels* alemanes y el helado francés se pusieron de moda en la Costa Este y ahora son tan norteamericanos como el *Apple pie*.

COMIDA DE LOS PENSILVANOS DE ORIGEN ALEMÁN

Sencilla y copiosa

Los menonitas, seguidos de los amish, los moravos y otras sectas perseguidas del valle del Rin en Europa, aceptaron la invitación que William Penn hizo a todos los que buscaban la libertad religiosa para establecerse en su colonia al finales del siglo XVII. Estos pueblos de habla alemana llegaron primero a Filadelfia y luego siguieron el río Delaware hacia la selva, construyendo pequeñas cabañas de troncos y cultivando allí donde encontraban nogales negros, una muestra de que la tierra era fértil. Muy pronto se convirtieron en los mejores granjeros de las colonias, que llevaban sus productos al mercado en carromatos de carga diseñados para proteger sus mercancías. (Estos carros, cubiertos con grandes fuelles blancos similares a una capota, eran como los carruajes que los colonos utilizaron en sus primeros viajes hacia los territorios del oeste.) A medida que prosperaron, construyeron casas pequeñas y bien cuidadas con cocinas grandes, equipadas con hornos con chimenea y un piso a una altura practicable. Más adelante, grabaron escenas religiosas en los hornos, que los coleccionistas llamaban "Biblias de hierro".

A medida que se multiplicaron, los grupos se dividieron y se alejaron de su "tierra natal", como se la conoce actualmente. Pero los que pasaron a llamarse *Pennsylvania Dutch* (los pensilvanos de origen alemán) permanecieron agrupados en el condado de Lancaster y sus alrededores. Su nombre viene del hecho que los colonos de habla inglesa confundieron fonéticamente los términos *deutsch* (el alemán, su lengua común) y *dutch* (holandés). Los alemanes de Pensilvania (como ellos mismos se llamaban) son hoy en día un grupo variado; los amish han conservado su devoción por la vida sencilla, mientras que otras sectas, como los menonitas y los moravos, han aceptado la tecnología. Sin embargo, todos comparten una firme devoción hacia Dios, un dialecto alemán común y una afición a los alimentos de la fértil tierra.

Para estas comunidades recluidas, la hora de comer es el centro de la vida familiar. Su comida es sumamente saciante; los pasteles servidos para desayunar (y para comer y cenar) y las nutritivas sopas rebosan de "gran cantidad de ingredientes buenos".

Los "forasteros" sólo vislumbraban estos pueblos devotos y acudían como turistas para admirar su ropa tejida en casa y para viajar al pasado en los restaurantes amish de alrededor de Lancaster, donde servían platos típicos al estilo familiar, como el *Chicken pot pie* (pastel de estofado de pollo) o el *Shoo-fly pie* (tarta de crema y azúcar moreno). El lema común de estos comedores públicos es: "Pida lo que quiera pero termine lo que pida". Describe la filosofía de esta gente trabajadora y ahorradora, que comen de manera "sencilla y copiosa" pero que no desperdician una miga.

En todo lo relativo a la comida, son ingeniosos y ahorrativos. Preparan *angel food cakes* (bizcochos a base de claras de huevo, azúcar y harina) el mismo día

Nutritiva comida de un miembro de los River Brethen, un grupo cuyos dogmas de fe son parecidos a los de los menonitas. Deben su nombre al valle del río Susquehanna de Pensilvania, donde los primeros Brethen se establecieron hace unos dos siglos.

que elaboran pasta para así aprovechar las claras de huevo, y el *scrapple* (pasta frita de carne picada de cerdo con harina y especias) es un subproducto de carnicería. Con el excedente de hortalizas y frutas de verano, elaboran conservas y las guardan en la despensa para consumirlas todo el invierno. Una de las mejores conservas de hortalizas es el *sauerkraut* (col fermentada), una guarnición tradicional del pato o la oca de Navidad. Siempre han encurtido grandes cantidades de col y, durante la Guerra de Secesión, eran llamados "yanquis de col fermentada".

Sus mejores platos se han hecho familiares, ya que su cultura apenas ha cambiado a lo largo de los siglos. Su nombre, *"Pennsylvania Dutch"*, escrito ornamentalmente en un paquete de tallarines de huevo, panecillos de patata o salchichas se ha convertido en sinónimo de calidad y de virtud.

Sopas y estofados

Las sopas y los estofados siempre han formado parte de la cocina de los pensilvanos de origen alemán. Las amas de casa podían cocer alimentos a fuego lento en grandes cazuelas de barro en las brasas candentes de sus hornos económicos con chimenea y, mientras tanto, atender otras tareas domésticas. No desperdiciaban nada; convertían en caldo el agua de cocción de las hortalizas y, para satisfacer el hambre, elabora-

ban pasta y bolas de masa hervida de todas las formas y tamaños para transformar el caldo en una comida.

El *Chicken pot pie,* un plato típico en los restaurantes de todo Lancaster, es un estofado de pollo con "tallarines de *pot pie*", unos cuadrados de masa cocidos en caldo parecidos a los tallarines viscosos de algunas recetas. El *Booba Shenkel* ("piernas de chicos") es un estofado de buey con medialunas de masa hervida rellenas de patata, parecidas a una pierna rechoncha. El *Rivel* es un caldo sencillo con trocitos de masa parecidos al arroz, que se elaboran frotando una bola de masa de pasta en un tamiz. Para preparar una de las sopas más frugales, se mezclan *pretzels* rancios con leche caliente y mantequilla. Un ingrediente pródigo en muchas sopas y estofados de pollo es el azafrán, al cual los amish se aficionaron cuando éste abundó durante un corto periodo tras la guerra de 1812.

Las sopas y los estofados se podían preparar con carnes y hortalizas en conserva cuando no se disponía de alimentos frescos. El *Sauerbraten* combina carne de buey curada con azúcar y vinagre con una salsa que se suele espesar con galletitas de jengibre machacadas. Uno de los platos más apreciados hasta hoy, el *Schnitz und Knepp,* se compone de manzanas secas y jamón ahumado cocidos en un caldo sencillo, cubierto con bolas de masa cocidas al vapor.

Las rodajas secas de manzana (*schnitz*) se reblandecen, se hinchan y se vuelven sedosas, y las bolas de masa cocidas al vapor (*knepp,* que significa "botón") se vuelven ligeras como plumas.

Venta de encurtidos y conservas en un puesto del Mercado central de Lancaster (Pensilvania)

Preparación del Schnitz und Knepp

1. Cubra el jamón con agua para cocerlo.

2. Añada las manzanas a la cacerola con el jamón.

3. Agregue el huevo a la mezcla de harina.

4. Elabore una masa consistente.

5. Vierta cucharadas de masa en el caldo.

6. Cuando el caldo y el jamón estén casi cubiertos, tape la cacerola y deje cocer unos 20 minutos.

Schnitz und Knepp
Jamón con manzanas y bolas de masa hervida

1 kg de jamón ahumado cortado en trozos grandes

2–3 tazas de rodajas de manzana seca

2 cucharadas de azúcar moreno

2 tazas de harina

4 cucharaditas de levadura en polvo

½ cucharadita de sal

1 huevo

2 cucharadas de mantequilla derretida

½ taza escasa de leche

Cubra el jamón con agua y deje hervir a fuego lento durante 2 horas. Mientras tanto, cubra las manzanas con agua y resérvelas. Añada las manzanas y el líquido a la cacerola con el jamón y cueza una hora más. Agregue el azúcar moreno y remueva. Mezcle la harina, la levadura y la sal. Bata el huevo, la mantequilla fundida y la leche; incorpore esta preparación a la mezcla de harina para elaborar una masa consistente. Vierta cucharadas de masa en el caldo hirviendo, tape la cacerola y manténgala bien cerrada durante 20 minutos hasta que las bolas de masa estén cocidas. Para 8–10 personas.

Schnitz und Knepp

CARNES Y ENCURTIDOS

Scrapple y salchichas

Los pensilvanos de origen alemán se han distinguido por mimar a sus cerdos, engordándolos con manzanas para que su carne sea tierna y sabrosa. La matanza de cerdos a finales de otoño es una tradición que se puede presenciar en el museo del Landis Valley cerca de Lancaster. Los mejores cortes del cerdo se reservan, los cortes menores se encurten en salmuera, los mejores restos se convierten en salchichas, y los huesos y la cabeza se cuecen en agua para ablandar la carne restante. Estos restos de cerdo se separan del hueso, se mezclan con vísceras (hígado, riñones y corazón) y luego se cuecen en el caldo de los huesos y se salpimientan. La mezcla se vierte en moldes en los cuales la grasa se hincha ligeramente a medida que se enfría. Sellado con su propia grasa, el "pudding de perol" para untar se guarda tradicionalmente en la despensa para servirlo en invierno sobre tostadas, tortitas y gofres. La mezcla también se moldea en una tripa para elaborar el *Ring pudding*. Hay quien afirma que ésta fue la primera forma del perrito caliente norteamericano.

Cuando el pudding caliente se cuece lentamente con harina de maíz o de alforfón, se convierte en *scrapple,* o *ponhaws* en el dialecto de los pensilvanos de origen alemán. Se vierte en moldes alargados y se deja enfriar; luego se corta en rodajas y se recalienta.

Los amish trajeron el *scrapple* a la bahía Chesapeake, mientras que los habitantes de Filadelfia han dispuesto del *scrapple* desde la época en que los amish vivían en la ciudad. La cena conmemorativa del 200 aniversario de Benjamin Franklin que tuvo lugar en 1906 se componía de *scrapple* servido con champán Moët & Chandon.

Sirva el *scrapple* con pasta de manzana, manzanas fritas o compota de manzana, y jarabe de azúcar moreno.

Mortadela de Lebanon

Al oeste de Lancaster, los colonos pensilvanos de origen alemán crearon una salchicha única lista para comer, que actualmente se conoce como mortadela de Lebanon y que debe su nombre al condado donde se elabora la mayoría de estas salchichas de buey picantes. Es un producto magro, según normas de Pensilvania, que contiene 90% de carne magra de buey sazonada con pimienta negra y un poco de azúcar. En Palmyra (Pensilvania), los productores de mortadela de Lebanon de Seltzer cuelgan las gordas salchichas marrón-rojizas en ahumaderos de madera de unos 9 m de alto, donde las ahuman lentamente durante dos días y medio. Las salchichas húmedas se pueden tomar cortadas en rodajas finas con pan o cortadas en tiras y mezcladas con salsa de crema, tal y como se comía antiguamente el buey seco.

Siete cosas dulces y siete cosas agrias

Los granjeros pensilvanos de origen alemán se ganan la vida con cultivos comerciables como el maíz o el tabaco, pero cada familia tiene un huerto para abastecerse de comida, plantado según el

Los miembros de la Antigua Orden Amish, también llamada "Sencilla", se visten con la ropa tradicional y utilizan caballos en vez de vehículos motorizados para el trabajo agrícola y el transporte.

Para tomar el *scrapple* al estilo de los pensilvanos de origen alemán, corte rodajas de unos 1,25 cm de grosor, fríalas hasta que estén bien doradas y crujientes y sírvalas con huevos escalfados como desayuno.

Productos frescos en un mercado de Bird-in-Hand (Pensilvania).

Almanaque del granjero, una guía anual sobre el estado del tiempo que afecta a la época de cultivos. En la recolección, el excedente de frutas y hortalizas se condimenta con especias o se prepara en encurtidos, conservas y mermeladas que se sirven durante el año en todas las comidas como guarnición de los platos de carne. Según la tradición se debe servir en la mesa "siete cosas dulces y siete cosas agrias", en referencia a la acidez o el dulzor de los condimentos, sobre todo los días de fiesta. La anfitriona proporciona algo para todos los gustos y alinea los coloreados condimentos en el centro de la mesa en bonitos cuencos.

Las siete cosas dulces pueden incluir cualquier combinación de mermeladas, frutas frescas o sazonadas, galletas, pasteles, puddings y pastas de fruta. La pasta de fruta más tradicional es la de manzana, un producto que actualmente se vende en la mayoría de los supermercados. Esta receta de los pensilvanos de origen alemán era preparada tradicionalmente en grandes cantidades por grupos de mujeres en una "reunión" de trabajo, un evento social en el cual charlaban mientras pelaban manzanas y las cocían con sidra y especias. La pasta de manzana se unta sobre pan con *smierkase* (un tipo de queso fresco), otro alimento de los pensilvanos de origen alemán.

Las siete cosas agrias pueden incluir conserva de tomate verde, pimiento o maíz, ketchup vegetal, huevos rojos (esta primera variante de los huevos pintados de Pascua proviene de los amish), aguaturmas, judías amarillas o melón cantalupo encurtidos y *Chow chow.* El nombre *"chow chow"* deriva tal vez del término chino *"cha"*, que significa "mezclado". No se trata de una conserva, sino de una coloreada mezcla de hortalizas encurtidas. La combinación de hortalizas varía según la cosecha del huerto y los gustos del cocinero. Muchas conservas y mermeladas reflejan una afición a las frutas no maduras, como los tomates verdes, que ofrecen una acidez y una textura crujiente apetecibles.

El *Chow chow* y los Huevos rojos forman parte del conjunto de "siete cosas dulces y sietes cosas ácidas" de la comida de los pensilvanos de origen alemán.

Las mujeres de la comunidad pensilvana de origen alemán confeccionan a mano magníficas colchas. Los dibujos geométricos representan historias y símbolos, por lo que cada colcha no sólo es una obra de arte, sino también un diseño narrativo.

Chow chow
Hortalizas en conserva

Todos los ingredientes deben cortarse en dados del tamaño de las judías de Lima
4 tazas de judías de Lima frescas o congeladas
2 tazas de fríjoles frescos
4 tazas de judías verdes cortadas en trozos de 2,5 cm
1 repollo de coliflor (sólo los ramilletes)
5 tazas de vinagre de sidra
1½ tazas de agua
5 tazas de azúcar
¼ taza de sal
4 tazas de apio cortado en trozos
4 tazas de zanahoria cortadas en dados
3 pimientos cortados en dados (1 rojo, 1 amarillo y 1 verde)
2 tazas de granos de maíz frescos
2–3 cebollas blancas pequeñas cortadas en dados
4 tomates verdes cortados en dados

Cueza las tres clases de judía, las zanahorias y la coliflor por separado en agua con sal hasta que estén tiernas. Mezcle el vinagre de sidra, el agua, el azúcar y la sal, y lleve a ebullición suave. Añada las hortalizas y deje hervir a fuego lento de 10 a 15 minutos. Deje enfriar la mezcla, envásela en tarros esterilizados y séllelos según las instrucciones del fabricante.

Red Beet Eggs
Huevos rojos

10 remolachas pequeñas
1 taza de vinagre
1 taza de agua
½ taza de azúcar moreno
1 cucharadita de sal
6 huevos duros pelados

Hierva las remolachas hasta que estén tiernas y pélelas. Lleve el vinagre, el agua y el azúcar a ebullición, vierta la mezcla sobre las remolachas y refrigere toda la noche. Sustituya las remolachas por los huevos y refrigere toda la noche. Si lo desea, añada una rama de canela y 3 ó 4 clavos de especia. Para servir, corte los huevos en rodajas.

PASTELES Y DULCES

Fastnachts y Funnel cakes

Los *funnel cakes* (pastelitos embudo) se han convertido en un popular dulce de Carnaval y de las ferias en los estados del Atlántico central, donde se cuecen por encargo y se espolvorean con azúcar glas. Estos dulces crujientes y de forma irregular comenzaron como un tentempié de media mañana para los granjeros pensilvanos de origen alemán durante la cosecha, en la cual se degustaban pilas de *funnel cakes* con melaza o jarabe.

Otros dulces fritos típicos son los *fastnachts*, precursores del actual donut. Se sirven como desayuno el Martes de Carnaval para consumir la grasa de la cocina antes de la Cuaresma. El último miembro de la familia en bajar a desayunar es llamado *"Lazy Fastnacht"* (el *fastnacht* holgazán) y se le sirven las sobras deformes de masa. Los *fastnachts* son rectangulares con una hendidura en el centro para que éste resulte crujiente; de ahí proviene tal vez el agujero del donut. Se remojan en el café caliente o bien se parten por la mitad y se rellenan con mermelada o se cubren con melaza.

Shoo-fly Pie

Fastnachts

Pies, puddings, pasteles y galletas

Los pensilvanos de origen alemán adoran su *pie* (tarta o empanada). Hace un siglo se comía *pie* tres veces al día y, como regalo de compromiso, los jóvenes daban a su futura esposa un rodillo de pastelería primorosamente tallado.

El *pie* sigue siendo un postre indispensable para la cena y también se suele tomar para desayunar. Para mantener llena la alacena, se suelen cocer dos docenas de *pies* a la vez. Un *pie* auténtico siempre lleva una corteza superior o "tapa", por eso las empanadas de carne se decoran menos para distinguirlas de las tartas de fruta más ornamentadas.

El *pie* más famoso de todos, el *Shoo-fly pie,* es a lo que en realidad los pensilvanos de origen alemán llaman "pastel tarta". Conocido también como Pastel de melaza, se trata de una mezcla desmigada cocida sobre una fina capa de melaza en un fondo de tarta. Según una teoría, el nombre *"shoo-fly"* proviene del término francés *"choufleur"* (coliflor) porque la superficie desmigada se parece a esta hortaliza. Pero la explicación más razonable es que el pegajoso relleno de melaza es tan dulce que uno tiene que ahuyentar *(shoo)* a las moscas *(fly)*. Para obtener una textura más parecida a un pastel, ideal para remojar en el café caliente, se mezcla la melaza con las migas o se alternan las capas de ingredientes secos y líquidos al rellenar el fondo de tarta.

Los puddings comprenden todo un grupo de dulces que varían desde las compotas de fruta, como el "Brown Betty" (de manzana y pan desmigado), hasta las mezclas con leche como el pudding de pan o el arroz con leche. Por lo general se ponen en la mesa con la comida.

El tarro de galletas siempre está lleno de mantecadas o galletas crujientes de canela, pero en Navidad se elaboran galletas especiales como, por ejemplo, animales finos de pan de jengibre, *lebkuchen* (galletas de especias y miel) decoradas, *springerle* (una masa espesa que se prensa en unos moldes de madera especiales) al anís y *pfeffernusse,* diminutos dulces de fiesta elaborados con abundantes especias.

En el Feria estatal de Nueva Jersey, los *funnel cakes* se venden cubiertos con cerezas o con manzanas y canela, o simplemente espolvoreados con abundante azúcar.

Los *funnel cakes* deben su nombre a los embudos que se usan para verter la pasta fluida en el aceite caliente. Gracias a los estrechos picos, se puede arremolinar la pasta a medida que cae, creando espirales.

Fastnachts
Rosquillas de patata

1 patata mediana, pelada y cortada en rodajas
4 cucharadas de mantequilla
½ taza de azúcar
2 huevos grandes, batidos
1 cucharadita de sal
1 cucharada de levadura seca
6 tazas de harina

Hierva la patata en unas 2 tazas de agua ligeramente salada hasta que esté tierna. Reserve el agua y chafe la patata (debe obtener ¼ taza aproximadamente). Mida 1½ tazas del agua de cocción de la patata y derrita la mantequilla en el agua. Agregue el azúcar a la patata, remueva, vierta los huevos y la sal, y mezcle bien. Añada gradualmente el agua de la patata y la mantequilla. Disuelva la levadura en ¼ taza de agua caliente con una pizca de azúcar y añada la mezcla de huevo. Incorpore la mitad de la harina, mezcle bien y agregue la harina restante para obtener una pasta blanda.

Amase la pasta hasta que sea fina y elástica. Pásela a un cuenco engrasado, cúbrala y déjela leudar de 2 a 3 horas. Vierta la pasta sobre una superficie enharinada y extiéndala, en dos tandas, hasta dejarla de 1 cm de grosor. Corte la pasta en rectángulos de 5 × 7,5 cm y corte una ranura de 2,5 cm en el centro de cada uno. Tápelos y déjelos subir hasta que doblen su volumen, 1 hora aproximadamente.

Caliente aceite a 190°C y fría los *fastnachts* por tandas hasta que se doren bien. Escúrralos sobre papel de cocina y espolvoréelos con azúcar. Sírvalos con mermelada y melaza.

Funnel cakes
Pastelitos embudo

1 huevo
⅔ taza de leche
2 cucharadas de azúcar
¼ cucharadita de sal
¾ cucharadita de levadura en polvo
1⅓ tazas de harina

Llene una sartén grande con suficiente aceite para formar una capa de 5 cm. Caliente a 190°C.

Bata los huevos con la leche y tamice los ingredientes secos juntos. Mezcle los ingredientes líquidos con los secos y bata hasta obtener una pasta homogénea. Vierta 1 taza de pasta en un embudo, cerrando el agujero con la punta de un dedo de la otra mano.

Deje caer la pasta en el aceite a través del embudo y remoline la pasta varias veces en forma de espiral. Fría los pastelitos en abundante aceite de 1 a 2 minutos por cada lado o hasta que se doren bien. Escúrralos sobre papel de cocina y espolvoréelos con azúcar en polvo o rocíelos con melaza o jarabe.

Shoo-fly pie
Tarta de crema y azúcar moreno

1 fondo de tarta de 22,5 cm de diámetro
¾ taza de melaza
¾ taza de agua caliente
¾ cucharadita de bicarbonato de sosa
1½ tazas de harina
½ taza de azúcar moreno
1 cucharadita de canela
¼ taza de mantequilla

Precaliente el horno a 190°C. Mezcle la melaza, el agua y el bicarbonato. Bata la harina, el azúcar, la canela y la mantequilla hasta obtener una consistencia desmigada. Vierta el líquido en el fondo de tarta preparado y disponga encima la mezcla desmigada a cucharadas, cubriendo la melaza por completo. Hornee de 30 a 40 minutos, hasta que cuaje.

DELICIAS PARA LOS NIÑOS

Pretzels

La fábrica de *pretzels* más grande del mundo (Anderson Pretzels, cerca de Lancaster) y la primera panadería de *pretzels* de Norteamérica (Sturgis Pretzel House, en Lititz) se hallan en el corazón de la región de los pensilvanos de origen alemán.

En Sturgis, los niños de 2 a 100 años pueden aprender a enroscar un *pretzel*. Se da una porción de masa a cada estudiante. Las ranuras de la superficie de trabajo ayudan a los novatos a extender la masa en una tira de 55 cm de largo, que luego se dispone en forma de U con los extremos hacia arriba, para que "las oraciones de cada uno estén expuestas al cielo". A continuación, se forma una rosca en medio de la U que simboliza el vínculo del matrimonio. Los extremos se sellan sobre la pasta, formando tres huecos que representan la Santísima Trinidad. Durante siglos, los padres han dado los *pretzels* (que parecen unos brazos cruzados sobre el pecho) a los niños que rezaban sus oraciones.

En el Mercado central de Lancaster (Pensilvania) venden *pretzels, shoo-fly pies,* conservas y otras delicias.
Pretzels enroscados a mano y espolvoreados con sal gema, recién sacados del horno en la Sturgis Pretzel House de Lititz (Pensilvania).

Elaboración de los "juguetes transparentes"

1. Se añade sabor y color al almíbar y se hierve hasta la fase de caramelo duro (cuando, al verter un poco de almíbar caliente en agua fría, se forma una hebra dura). Luego, se vierte en moldes metálicos para caramelos.

2. Se introducen los palitos de cartón (para piruletas) en el caramelo antes de que éste se endurezca en los moldes.

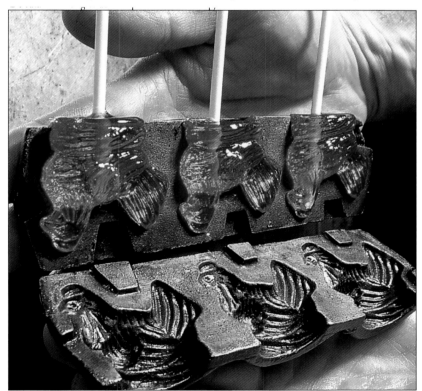

3. Los moldes engrasados se separan fácilmente de los caramelos duros.

4. Las piruletas acabadas se levantan con cuidado de los moldes.

Juguetes transparentes

Durante tres generaciones, la familia Regannas de la población morava de Lititz ha fabricado "juguetes transparentes", figuras en miniatura de los cuentos populares alemanes moldeadas en azúcar. Los caprichosos caramelos parecen de cristal y, antaño, se utilizaban para hacer creer a los espectadores que el director de espectáculos estaba comiendo cristal de colores.

Casi demasiado bonitas para comérselas, estas preciosas figuras se elaboran vertiendo azúcar cocido, mezclado con glucosa y colorante alimentario, en moldes de níquel y hierro tallados a mano. El almíbar caliente debe verterse "con gracia y eficacia" para llenar los rincones y las ranuras que se convertirán en delgados dedos de lecheras y preciosos cuernos de renos. Entre estas miniaturas de la vida real figuran tijeras, trenes, veleros, cestos y un zoo

lleno de animales. Desde el mes de noviembre hasta Pascua, el señor Regannas y su esposa trabajan diez horas al día para producir la tonelada de caramelos que se distribuyen por todo el país y que compran los niños en el mostrador de caramelos de las tiendas. Tradicionalmente, estos caramelos se ataban al árbol de Navidad como regalo para los niños, que se los comían el Día de Reyes.

Sopas y bocadillos

Un cuenco de sopa y un bocadillo forman un clásico almuerzo norteamericano. La región del Atlántico central es el lugar de origen de algunas de las sopas y los bocadillos que tan arraigados están en la cultura; resulta casi sorprendente descubrir que esconden historias interesantes.

Sopas

Sopas Campbell's La Anderson and Campbell Preserve Company de Candem (Nueva Jersey) fue una de las pioneras del marketing a gran escala de productos envasados después de la Guerra de Secesión. Un prodigio de la química llamado John T. Dorrance entró en la compañía en 1897. Se le ocurrió que las deliciosas sopas que había probado mientras hacía su doctorado en Europa se podían elaborar en forma de concentrado y venderlo en prácticas latas para que las amas de casa las preparasen en su hogar.

Sus primeras sopas concentradas fueron las de tomate, consomé, vegetal, de pollo y de rabo de buey. Los norteamericanos no tenían la costumbre de tomar sopa regularmente, pero gracias a la visión y la perseverancia de Dorrance y a la alta calidad de sus productos, la sopa se convirtió enseguida en una parte importante de la dieta norteamericana.

Las sopas concentradas Campbell's ganaron una medalla de oro en la Exposición de París de 1900. Se añadió de inmediato una representación de la medalla a todas las etiquetas de sopa de la empresa y sigue allí desde entonces.

La brillante etiqueta blanca y roja (inspirada en los uniformes limpios y brillantes del equipo de fútbol americano de la Universidad de Cornell) con la palabra "Campbell's" escrita en letras manuscritas (imitando las etiquetas escritas a mano de las conservas caseras) se convirtió en un clásico. En 1965, cuando Andy Warhol pintó la famosa lata en tonos verdes y púrpuras, se convirtió asimismo en un icono artístico.

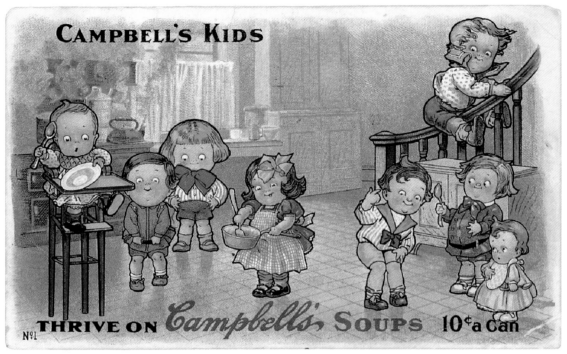

Un antiguo anuncio de sopas Campbell's de alrededor de 1911.

Pepper Pot de Filadelfia El *Pepper Pot* (sopa picante) fue inventado por el cocinero de las tropas del general George Washington durante la Revolución norteamericana en Valley Forge (Pensilvania). En un intento desesperado de mantener la moral durante el severo invierno, Washington pidió un plato para animar a sus soldados. Con las escasas provisiones disponibles (unos kilos de callos regalados por un carnicero local, unas pocas hortalizas y un puñado de granos de pimienta) el cocinero elaboró una sopa picante que fortaleció a los soldados y les dio ánimo, según cuenta la historia. El *Pepper Pot* fue una de las primeras 21 variedades de sopas Campbell's y, hoy en día, aún se puede encontrar en los supermercados en algunas zonas del país.

Sopa de judías de McClure Durante la Guerra de Secesión, los soldados se las arreglaban con muy poco que comer. Una galleta dura y seca y un poco de carne de cerdo o buey seca eran los únicos víveres un día tras otro. La sopa de judías, condimentada a veces con carne, fue un grato alivio de la monótona dieta. Después de la guerra, los veteranos empezaron a hacer reuniones cuya atracción principal era la sopa de judías. Muy pronto las reuniones anuales se organizaron como un evento público y, en 1891, tuvo lugar la primera "Sopa de judías", tal y como se llaman hoy estas reuniones, cerca de McClure (Pensilvania). Los tataranietos de los veteranos de la Guerra de Secesión todavía siguen celebrando estas reuniones.

La etiqueta blanca y roja con la medalla de oro era tan representativa de la sociedad norteamericana que, cuando Andy Warhol pintó su famosa lata en tonos verde y púrpura, ésta se convirtió en un icono del *pop art*. La inscripción "All Natural" era más que adecuada en una época en la que la comercialización de alimentos sanos y naturales daba grandes beneficios.

La sopa de tomate Campbell's fue una de las primeras del sector.

Bocadillos

Philly Cheese Steak Los *cheese steaks* (bistecs al queso) se pueden comprar en la sección de congelados del supermercado, pero entonces se pierde toda la diversión. Esta contribución de Filadelfia a la comida callejera es para tomar de pie cerca del vendedor, o sentado en un banco de un parque de la ciudad. Se cortan virutas de *Rib-Eye Steak* (lomo alto de buey) y se asan a la parrilla con dados de cebolla, se introducen en un panecillo con corteza y se cubren con un chorro de Cheez Whiz (una mezcla de queso para untar de lata). Los clientes se añaden pimientos, *Deli-Relish* (conserva de eneldo), ketchup y salsa picante al gusto. La bebida típica que se toma con un *Philly Cheese Steak* es una Cherry Coke.

Héroes Tanto Atlantic City como Baltimore, Nueva York y San Francisco afirman haber inventado el *hero* ("héroe"), un bocadillo tan grande que se ha de ser un héroe para comerlo. Este bocadillo, que se vende preparado en los puestos callejeros de las grandes ciudades o por encargo en las *"sub shops"* (tiendas que venden "submarinos", un bocadillo mixto hecho con una barra entera de pan), es tan popular como la pizza. El "héroe" tiene diferentes nombres regionales: *hoagie* (Pensilvania), *submarine* (Nueva Jersey), *po boy* (Nueva Orleans), *blimp, torpedo* o *grinder* (Nueva Inglaterra). Al parecer, el término "héroe" es el nombre original mientras que el "submarino" se puso de moda durante la Segunda Guerra Mundial en homenaje a este tipo de barcos muy parecidos a este bocadillo.

El "héroe" es una barra de pan blando o con corteza, de unos 30 cm de largo como mínimo, rellena con una mezcla de cualquier tipo de carnes y quesos cortados en rodajas finas que se venda en un *deli*. Una combinación clásica incluye pavo, buey asado, jamón y queso suizo.

Preparación de un Philly Cheese Steak

1. Se asa la carne de buey en la parrilla con la cebolla y el pimiento.

2. Se introduce la carne de buey en un panecillo.

3. Se añade la cebolla asada.

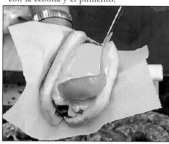
4. Se vierte el queso fundido por encima.

5. Se añade el pimiento verde asado.

6. Se cubre el bocadillo terminado con abundante salsa picante.

La barra de pan se corta por la mitad y, a veces, se extrae un poco de miga para apilar más fácilmente el relleno. Luego se humedece el pan con aceite de oliva, espolvoreado a veces con orégano, y se unta con una capa gruesa de mostaza y mayonesa. Los encurtidos y las aceitunas se sirven aparte, nunca dentro del bocadillo, pero las finísimas rodajas de cebolla y de tomate son indispensables.

Beef on Weck En la zona oeste de Nueva York, el bocadillo típico es el *"beef on weck"*: El *"beef"* es carne magra de buey asada y cortada en lonchas finas y el *"weck"* es un *"kummelweck"*, un bollo alemán de semillas de alcaravea espolvoreado con sal gema. En Schwabl's, establecido en West Seneca (Nueva York) en 1837, la carne de buey en sangre o medio hecha se corta por encargo y cada cliente le quita la grasa. El bollo se parte por la mitad, se baña en el jugo del asado y se rellena con abundante carne. Hay tarros de rábano picante a disposición de los clientes para que se lo añadan al gusto. La *birch beer* (un tipo de cerveza no alcohólica) de barril de Schwabl's es la bebida preferida para acompañar un *beef on weck*. Es el tipo de comida local que "deja huella". Incluso la gente que se ha mudado, cuando regresa a la ciudad siempre acude a Schwabl's para recordar un sabor del pasado.

El bocadillo "héroe" típico

CANGREJO AZUL DE CAPARAZÓN DURO

El nombre latino del cangrejo azul es *"Callinectes sapidus"*, que significa "nadador hermoso y delicioso", y la gente que ha probado un cangrejo azul sabe que el nombre le hace justicia.

Los primeros colonos ingleses no se aficionaron de inmediato a los cangrejos. Incluso cuando padecieron hambre en Jamestown (Virginia), uno de los primeros asentamientos del siglo XVII, se negaron a pescar cangrejos hasta que uno de sus jefes se lo ordenó. Más adelante, los cangrejos azules se convirtieron en un manjar muy apreciado y en una gran atracción de la región de Chesapeake. La existencia de este resistente crustáceo se ha mantenido siempre, puesto que medra en aguas de alta salinidad y no se ha visto afectado por los crecientes niveles de sal de la bahía como las ostras y los peces de aleta.

De abril a diciembre, los "barqueros" con delantales de hule y guantes de goma se aventuran en Chesapeake con trampas metálicas de diferentes formas para pescar cangrejos azules, descritos como pendencieros, belicosos y muy "gruñones". Los ejemplares machos, más conocidos como *"jimmies"* (palanquetas), suelen ser algo más carnosos que los ejemplares hembras, o *"sooks"*; se pueden distinguir por la forma del opérculo (la parte de debajo del caparazón).

En Maryland, los cangrejos de caparazón duro se cuecen al vapor a gran escala, ya sea en calderas de hasta 150 kg de capacidad o en canastas (que soportan hasta una tonelada) colocadas en una cámara de vapor. A continuación, se "descarnan" los cangrejos cocidos para extraer la carne del caparazón.

Los platos de cangrejo representan lo mejor de la cocina de Maryland. La carne de cangrejo se utiliza en una serie de especialidades locales, tales como Sábalo relleno de cangrejo y *Frittata* de cangrejo (huevos revueltos con carne de cangrejo, en forma de tortita), degustadas desde la época colonial. La sopa de cangrejo y las tortitas de cangrejo se encuentran en todas partes; cada ciudad de alrededor de la bahía Chesapeake tiene sus propias variantes. En Baltimore y en los pueblos situados a lo largo del litoral oriental abundan los excelentes restaurantes de cangrejo.

Cangrejo cocido al vapor

Para cocer cangrejos al vapor al estilo de Chesapeake, vierta unos 5–7,5 cm de agua en una olla grande y coloque una rejilla anticorrosiva en el fondo para mantener los cangrejos fuera del agua. A veces, se añade vinagre al agua para reducir el olor a pescado y se puede utilizar cerveza sola o mezclada con agua para realzar su sabor.

Coloque una capa de cangrejos en la rejilla, espolvoréelos con abundante *crab boil* (una mezcla especial de especias para carne de cangrejo) y apílelos hasta arriba en capas alternas, añadiendo el condimento entre cada una. Lleve el líquido a ebullición, baje el fuego al mínimo, tape y cueza al vapor unos 15 minutos o hasta que los cangrejos se vuelvan rojos.

Un barquero de la bahía Chesapeake subiendo trampas de cangrejo a su esquife en forma de caja.

Los cangrejos de caparazón duro cocidos al vapor son una especialidad de la región de la bahía Chesapeake, que abarca la costa de Maryland y de Virginia.

"Descarnar" un cangrejo cocido al vapor

En el derby de cangrejos de caparazón duro que se celebra anualmente en Cristfield (Maryland), los campeones llegan a descarnar un cangrejo en 40 segundos. Una persona corriente puede tardar media hora en descarnar uno de tamaño regular.

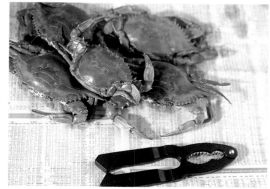

1. Cubra la mesa con papel de diario o de estraza. Prepare un mazo de madera (o un cascanueces) y cuchillos de mesa, y póngase ropa informal y cómoda. Apile los cangrejos cocidos y fríos en el centro de la mesa.

2. Separe las pinzas y las patas.

3. Parta las pinzas y extraiga la carne. No vale la pena partir las patas ya que contienen muy poca carne, pero se pueden guardar para preparar caldo de marisco o sazonar mantequilla derretida para una salsa.

4. Coloque el cangrejo sobre el dorso y, con los dedos o la punta de un cuchillo, arranque el opérculo de debajo (llamado "delantal"). Deseche el hilo intestinal del cangrejo que debería salir con el opérculo. Ponga el pulgar debajo del labelo de la parte superior del caparazón situado en el centro arrancándolo, con un cuchillo pequeño si es necesario, y deséchelo.

5. Retire las branquias, los intestinos y la materia porosa (llamada "dedos de muerto"), pero conserve la sabrosa sustancia amarilla o hígado. Ahora se aprecia la membrana dura y semitransparente que cubre la carne de cangrejo comestible.

Tome el cangrejo por cada lado y sepárelo por el centro o parta el caparazón restante por la mitad y retire la deliciosa carne blanca. Con un utensilio especial para nueces o la punta de un cuchillo, retire los pequeños trozos de carne.

Hasta que un inmigrante alemán llamado Gustav Brunn inventó el condimento Old Bay, una mezcla de especias para sazonar el agua de cocción de los cangrejos (que incluye clavos, pimienta de Jamaica, jengibre y sal de apio, entre otras especias; la receta es secreta), los cocineros utilizaban las antiguas recetas de sus familias para sazonar la carne de cangrejo. El sabor picante de los platos de marisco de esta región se debe a los esclavos de las colonias originarios del Caribe, donde adoran la comida picante. En esta mezcla, la pimienta de Cayena y el chile rojo en polvo realzan el color rojo ladrillo de los cangrejos cocidos y aportan un sabor picante a su carne.

Tortitas de cangrejo de Baltimore

Según la leyenda, Lord Baltimore comió su primera tortita de cangrejo poco después de fundar Maryland hacia 1630. Aunque hay tantas recetas de esta especialidad regional como cocineros en Chesapeake, todos coinciden en que únicamente se debe utilizar carne de cangrejo fresca en trozos lo más grandes posible. Algunos no utilizan condimentos para que destaque el exquisito sabor del cangrejo, mientras que otros añaden huevo duro, cebolla picada, salsa Worcestershire, mostaza y/o pimentón. Una famosa cocinera de la isla Smith elabora las tortitas de cangrejo con mezcla para tortitas o harina de fuerza en vez de migas o harina blanca, para obtener una textura más ligera. Se pueden preparar buñuelos de cangrejo del mismo modo que las tortitas de cangrejo, separando los huevos, batiendo las claras a punto de nieve y añadiéndolas a la mezcla al final.

Las tortitas de cangrejo se pueden dorar o freír en abundante aceite y hacerlas tan grandes como una hamburguesa, pero los lugareños prefieren las tortitas pequeñas servidas con galletas saladas. En cada pueblo de alrededor de Chesapeake hay como mínimo un restaurante especializado en cangrejo y todos sirven tortitas de cangrejo tan populares como los perritos calientes de Coney Island. Se pueden aderezar con gajos de limón, mayonesa, salsa tártara, salsa picante o mostaza; se considera de mal gusto tomar tortitas de cangrejo con ketchup.

Crab Cakes
Tortitas de cangrejo

1 huevo
2 cucharadas de mayonesa
1 cucharadita de mostaza seca
½ cucharadita de pimienta negra
2 cucharaditas de salsa Worcestershire
½ cucharadita de Tabasco
¼ cucharadita de pimentón
500 g de carne de cangrejo
2 rebanadas de pan blanco desmigadas

Mezcle todos los ingredientes excepto la carne de cangrejo y el pan rallado. Incorpore la mezcla de huevo a la carne de cangrejo y el pan rallado y forme tortitas con una cuchara de helado pequeña. Aplánelas ligeramente. Caliente un poco de aceite o grasa de tocino en una sartén a fuego medio-alto, añada las tortitas por tandas y cuézalas unos 2½ minutos por cada lado o hasta que se doren. Retírelas con una espumadera y escúrralas. Para unas 8–10 tortitas pequeñas.

CANGREJO DE CAPARAZÓN BLANDO

Alrededor de la primera luna llena de mayo, los cangrejos empiezan la muda, dando lugar a una exquisitez regional: el cangrejo de caparazón blando. Los machos mudan hasta 22 veces y las hembras 18 veces antes de desarrollarse totalmente; encontrarlos cuando son lo suficientemente grandes como para poderse comer (12,5–17,5 cm) y justo antes de la muda requiere habilidad y suerte. Los "nudistas" son cangrejos que ya tienen el nuevo caparazón blando debajo y han partido el caparazón duro. Se conservan en tanques especiales en "cabañas" para cangrejos y se vigilan constantemente hasta que finalizan el proceso de muda. Si se dejan los cangrejos en el agua después de la muda, el caparazón blando sigue endureciéndose durante unas horas. Con sólo recortarlo un poco, el cangrejo está listo para freírlo y degustarlo entero.

Los cangrejos de caparazón blando sólo se encuentran en primavera y a principios de verano y, como ocurre con otros alimentos de temporada, los aficionados buscan obsesivamente restaurantes que los sirvan. Para preparar un auténtico manjar de Chesapeake, los lugareños sirven el cangrejo frito entre dos rebanadas de pan blanco untado con mayonesa y cubierto con lechuga para almorzar, con las dos pinzas sobresaliendo del bocadillo.

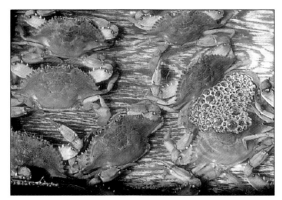

Tanque con cangrejos de caparazón blando vivos

El bocadillo de cangrejo de caparazón blando frito es un plato local típico en los meses de primavera y verano, en plena temporada de los cangrejos.

Preparación del cangrejo de caparazón blando para cocerlo

1. Enjuague varias veces el cangrejo vivo bajo el chorro de agua fría. Sacrifique el cangrejo clavándole un cuchillo pequeño y afilado entre los ojos. Con unas tijeras, corte la parte delantera de la cabeza del cangrejo situada unos 1,25 cm detrás de los ojos. Retire la bolsa de arena de detrás de la boca y deséchela.

2. Levante el caparazón por cada uno de los extremos puntiagudos. Retire y deseche las bolsas de branquias blancas de cada lado.

3. Empuje con cuidado el opérculo desde la parte posterior inferior del cangrejo. Deseche el hilo intestinal, que debería arrancarse. (El canal digestivo está vacío puesto que los cangrejos no comen durante los días previos a la muda.) Lave el cangrejo en agua fría con sal.

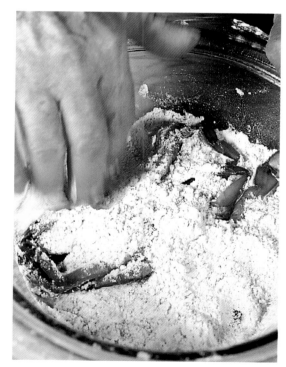

4. Para cocer un cangrejo de caparazón blando, reboce el cangrejo recortado con harina sazonada.

5. Fríalo en mantequilla durante un par de minutos por cada lado hasta que esté dorado.

6. Escúrralo bien. Sírvalo con limón y salsa tártara (una mezcla de mayonesa y pepinillo encurtido).

Página anterior: los cangrejos de caparazón blando fritos son dorados y crujientes, y se puede comer hasta el caparazón.

OSTRAS

Entre los alimentos familiares que los exploradores europeos encontraron a lo largo del litoral atlántico figuraban las ostras, no sólo en abundancia, sino también de gran tamaño, algunas tan grandes como un pie humano. Los indígenas norteamericanos que vivían cerca de Chesapeake habían degustado ostras durante miles de años y, para las 13 tribus que vivían en la actual zona de Long Island, estos sabrosos moluscos eran el alimento básico. En las colonias, las conchas se utilizaban para fabricar ladrillos y se incrustaban en el suelo para hacer senderos.

En 1820, en todas las ciudades de la Costa Este habían grandes bares de ostras donde uno podía saciarse de ostras por seis centavos. Las ostras se vendían en las esquinas de las calles y muchas tabernas las ofrecían en la barra. En los hogares, se utilizaban en pasteles y rellenos para el pavo de fiesta.

Las ostras de Chesapeake se empaquetaban en virutas de heno remojado en agua de mar y se enviaban en tropel hacia el interior por medio del ferrocarril, hasta las Montañas Rocosas como mínimo. El senador Abraham Lincoln de Springfield (Illinois), que más tarde fue el 16° presidente de Estados Unidos, solía recibir cargamentos para sus banquetes de ostras, en los cuales sólo se servían ostras de muchas maneras distintas: a la plancha, hervidas, a la diabla, en fricasé, guisadas en la concha, encurtidas, estofadas, cocidas al vapor, en empanadas, tortillas y buñuelos.

Cuando la provisión de ostras empezó a disminuir a mediados del siglo XIX, dos ostreros de East River (en Manhattan) descubrieron que las larvas de ostra se adherían a las rocas y las conchas del lecho del río para empezar a crecer. Fueron los primeros norteamericanos que consiguieron cultivar ostras preparando un lecho de conchas viejas a las cuales los bivalvos se pudiesen enganchar. Casi en la misma época, el cultivo empezó en la bahía Chesapeake. Hoy en día, debido a la mayor salinidad del agua de Chesapeake, las ostras son más sensibles a los parásitos (que sólo afectan a la ostra, pero no a quienes las consumen). La ostricultura es hoy en día un negocio en crecimiento con condiciones controladas que producen ostras sabrosas, complementando la deficiente provisión de ostras no cultivadas.

Pero la tradición perdura en Chesapeake, donde algunas ostras se recolectan del mismo modo que lo hacía la última flota pesquera comercial con bandera norteamericana en su época de máxima popularidad a finales del siglo XIX. Unas dos docenas de estas barcas en forma de V, llamadas "barriletes", siguen en servicio. El trabajo requiere paciencia, muchas horas y fuerza muscular para rastrear las ostras mediante un rastrillo portátil especial, sobre

Barqueros de la bahía Chesapeake descargando las ostras recogidas por las tenazas hidráulicas de un barco de ostras.

Las ostras también se pueden recolectar con tenazas portátiles, un método que requiere mucha mano de obra y que sólo permite capturar unas cuantas a la vez.

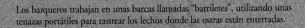

Los barqueros trabajan en unas barcas llamadas "barriletes", utilizando unas tenazas portátiles para rastrear los lechos donde las ostras están enterradas.

todo en invierno, cuando suele haber hielo en el aparejo de la barca.

El método de las tenazas es el más común. Se bajan unas tenazas parecidas a unas tijeras, o una vara de madera de 20 a 50 cm de largo con cestas metálicas, por el costado de una barca de bordes bajos para rastrear unas pocas ostras a la vez. Algunas barcas disponen actualmente de tenazas hidráulicas. La bajada de las tenazas se llama "lamedura" y el "barquero" sabe que está "sobre las ostras" cuando la cadena que se arrastra por el lecho parece "un trozo de espino". Las tenazas encuentran las ostras en rocas, bancos de arena y lechos que pueden tener varias millas de largo y un grosor de varios siglos de crecimiento.

Las ostras de la Costa Este de Estados Unidos son todas de la misma especie *(Crassostrea virginica)*; sin embargo, su tamaño, su sabor y su textura varían mucho en función del hábitat, la alimentación y la temperatura (crecen con mayor rapidez en agua templada y las que proceden de aguas con una mayor salinidad tienen un sabor más salado). Las ostras medran en aguas salinas tales como calas y bahías, donde las corrientes proporcionan el plancton que se criba a través de sus branquias. Un gran lecho de ostras necesita mucho movimiento de marea, ya que una sola ostra puede bombear hasta 132 litros o más al día. Los nombres de las diversas ostras provienen normalmente de la ciudad o la bahía donde se recolectan.

Por supuesto, los puristas insisten en que la única manera de comer estos bivalvos es tomándolos crudos en media concha. Pero también existen excelentes recetas regionales para cocer las ostras. Las ostras fritas se bañan en una pasta (a veces se llaman "buñuelos") o se rebozan con migas de galletas saladas y se fríen en abundante aceite. Son un plato típico en las fiestas de marisco a lo largo del litoral Este, servidas en cucuruchos de papel con gajos de limón.

Una de las preparaciones más típicas es el estofado de ostras, del cual existen muchas recetas. Un libro de cocina dedicado a las ostras incluirá docenas de maneras ligeramente distintas de elaborar estofados y sopas. El estofado de ostras, a veces llamado sopa de ostras, siempre es un caldo cremoso claro que sabe mayoritariamente al jugo de éstas, con todo el sabor de la ostra. Las únicas reglas son utilizar hasta la última gota del jugo (el agua de mar del interior de la concha) y no cocerlas en exceso. Para esto, se cuece a fuego lento la leche (o nata) con condimentos y las ostras se calientan por separado en su jugo durante unos minutos hasta que los bordes se ricen. En algunas recetas se cuece a fuego lento el caldo con las ostras entre 5 y 10 minutos, mientras que en otras se ponen todos los ingredientes en una cacerola para baño María y se calientan hasta que las ostras suben a la superficie. Los aficionados a las ostras saben que tomar ostras cocidas en leche a última hora de la tarde es un remedio seguro contra el insomnio.

Tipos de ostras en la región del Atlántico central

Blue Point: antaño, las ostras Blue Point de Great South Bay (Nueva York) eran conocidas internacionalmente. Hoy en día, Blue Point es un término genérico para cualquier ostra suave del Atlántico medio.

Chesapeake Bay: concha de tamaño pequeño a mediano; sabor dulce.

Chincoteague: tanto Maryland como Virginia tienen costa en la bahía Chincoteague. Las ostras son de tamaño pequeño a mediano con conchas redondas y planas, un sabor dulce y salado.

Kent Island: ostra de la bahía Chesapeake con una concha mediana y ovalada, un cuerpo rollizo y un sabor puro.

Pine Island: ostra de Bay Harbor (Long Island). Más dulce y salada que las otras.

St. George: ostra de la bahía Chesapeake con una concha lisa, oscura y simétrica y un sabor suave y dulce.

Oyster Stew
Estofado de ostras

500 g de ostras sin la concha, con su jugo
1 cucharada de mantequilla
1 taza de nata líquida
1 taza de leche
¼ cucharadita de romero seco (opcional)
1 cebolla pequeña picada fina (opcional)
pimienta recién molida y sal, al gusto

En un cazo, caliente las ostras con su jugo y la mantequilla a fuego moderado, de 3 a 4 minutos, o hasta que se hinchen y los bordes se ricen. En otro cazo, lleve la leche y la nata a ebullición con la cebolla y el romero; hierva 1 ó 2 minutos a fuego lento.

Mezcle las dos preparaciones, sazone al gusto y sirva de inmediato con galletas saladas. Para 3–4 personas.

Fried Oysters
Ostras fritas

1 quilo de ostras con su jugo
3 huevos
½ cucharadita de sal
½ cucharadita de pimienta
1 taza de galletas de soda desmigadas
1 cucharadita de cebollino picado fino (opcional)
2 litros de aceite vegetal o de cacahuete

Escurra las ostras (reserve el jugo) y séquelas con papel de cocina. Bata ¼ taza del jugo de las ostras con los huevos, la sal y la pimienta. Mezcle las migas de galleta y el cebollino. Bañe las ostras en la mezcla de huevo y rebócelas con las migas. Caliente el aceite a 190°C y fría las ostras hasta que estén bien doradas. Sírvalas con gajos de limón. Para 6 personas.

La manera más sencilla de comer ostras es tomarlas crudas en su media concha con salsa cóctel (una mezcla de ketchup y rábano picante) y limón.

TOMATES DE NUEVA JERSEY

Nueva Jersey, el Estado jardín, es el proveedor de las grandes ciudades de la Costa Este y posee la suma total más alta de acres cultivables de todos los estados. Las fértiles llanuras de la costa sur de Nueva Jersey producen sabrosos tomates, pimientos, melocotones, lechugas, judías de Lima, maíz, arándanos y arándanos rojos agrios.

El clima y la duración de la época de cultivo en el sur de Nueva Jersey son perfectos para el cultivo de sabrosos tomates. Para satisfacer la creciente demanda de tomates de Jersey, los agricultores prácticamente han doblado la producción estatal desde 1990 plantando especies desarrolladas para ser más sabrosas, más resistentes y de fácil transporte y producir frutos hacia finales de temporada. Además, los agricultores están tomando una medida adicional: atar las plantas con estacas y así mantener el fruto fuera de la tierra, reduciendo la "desfiguración" (de los frutos a causa de plagas) y las "señales de cremallera" (manchas marrones en el extremo de la flor) que hacen que los tomates no sean aptos para los supermercados, donde se vende la mayoría de los tomates de Jersey.

Una de las mejores especies nuevas de tomates es la "Rutgers", desarrollada en la universidad de Nueva Jersey del mismo nombre. Las variedades antiguas tienen nombres más bonitos, tales como Sunrise (salida del sol), Sunbeam (rayo de sol) y Sunbright (brillo solar). Diversas variedades de Carolina del Norte medran en Nueva Jersey, inclusive la Mountain Spring (la variedad más cultivada), la Mountain Fresh y la Mountain Supreme.

El 20% de la cosecha se compone de variedades "para procesar", utilizadas mayoritariamente para elaborar salsa de pizza; algunas son distintas variedades de tomates ciruela (Pueblo, Rosa) que se venden principalmente en los mercados urbanos para la cocina casera, y un pequeño porcentaje son ornamentales tomates cereza de color amarillo y en forma de pera que se venden a gran escala en las tiendas y los mercados. El nombre de tomate más estrechamente asociado con Nueva Jersey es

Campos de tomates creciendo bajo el sol de Nueva Jersey.

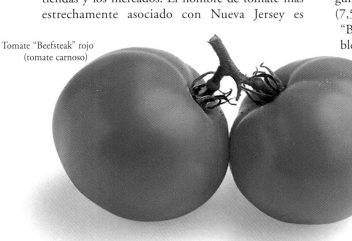

Tomate "Beefsteak" rojo (tomate carnoso)

"Beefsteak" (tomate carnoso). No se trata de ninguna variedad, sino de una referencia al tamaño (7,5 cm como mínimo) de variedades tales como la "Brandywine", que ya tiene un tamaño considerable antes de empezar a madurar. Dejan de crecer cuando aparece la primera nota de color. Los "Beefsteak" desarrollan un magnífico equilibrio de dulzor y acidez y una textura carnosa porque suelen estar todavía en la mata durante los días más calurosos de verano. Los jardineros caseros pueden elegir entre los tomates "Old Flames" nativos y la nueva especie "Big Beef Beefsteak" para obtener un sabor y un tamaño superiores.

El "célebre tomate Beefsteak", del que se dice que "uno es lo bastante grande como para llenar una sola lata", fue uno de los primeros y más famosos productos de la Anderson and Campbell Company, una próspera empresa conservera de Camden (Nueva Jersey) a partir de 1870. El término "beefsteak" también aparecía en la etiqueta de su ketchup de tomate y, en 1897, apareció en la etiqueta más famosa de todas, la primera lata de sopa de tomate Campbell's.

No muy lejos de la Campbell Company, la ciudad de Salem (Nueva Jersey) acoge anualmente una representación del día de 1820 en que el excéntrico Robert Gibbon Johnson se comió supuestamente un cesto entero de tomates en la escalera del palacio de justicia para demostrar que no eran venenosos. No hay pruebas de que dicho suceso ocurriese en realidad (en 1820, las semillas de tomate ya figuraban en un catálogo de jardinería de Filadelfia), pero es cierto que los tomates tardaron en volverse populares. Desde los dos estados de Carolina, el consumo del tomate se extendió hacia el norte, primero a Filadelfia y Nueva York, antes de llegar al sur de Nueva Jersey. Cuesta creer que durante muchos años los tomates fueran considerados una planta ornamental no demasiado sabrosa. Pero las recetas de ketchup de los libros de cocina británicos y la cocina de los inmigrantes italianos y franceses que ya habían cobrado afición a los tomates convencieron rápidamente a los escépticos de que los tomates eran comestibles.

En 1900, el consumo del tomate norteamericano sobrepasó el de las manzanas y las patatas (si bien, hoy en día, los norteamericanos comen más patatas que tomates). Los jardineros caseros de todo el país se intercambian información y consejos sobre su cultivo por medio del *Tomato Club Newsletter,* que se publica en Nueva Jersey. El estado ha albergado uno de los "pesajes" de tomate más populares del país desde 1978, donde el "Beefsteak" ganador suele pesar unos 2 kg.

En los huertos y las pequeñas granjas de Nueva Jersey siempre hay abundantes tomates verdes en las matas al final de la época de cultivo. Se hornean en pasteles, se cortan en rodajas, se empanan y se fríen. La conserva de tomate verde la elaboran los ahorrativos pensilvanos de origen alemán.

Tres aficionadas a los tomates en una feria agrícola en Flemington (Nueva Jersey).

El ketchup de tomate es el condimento típicamente norteamericano, con el cual se aderezan fritos tales como perritos calientes, hamburguesas y patatas fritas.

Ketchup Heinz

El ketchup (o catsup) ya era un condimento mucho antes de que los tomates se convirtieran en una fruta muy apreciada. Los colonos británicos, que adquirieron el término de la palabra malasia para una sabrosa salsa, trajeron las recetas del ketchup de manzana y del ketchup de setas a Norteamérica. Cuando los tomates aparecieron por primera vez, sólo existía el ketchup de manzana y la mermelada de tomate hasta que se resolvió el problema.

Cuando la Heinz and Noble Company empezó a embotellar el ketchup en 1872, existían dos sabores: nuez y tomate. Como la mayoría de las empresas conserveras, Heinz envasaba muchos alimentos. En 1890, la compañía empezó a concentrarse en el ketchup y a fabricar la botella característica con la actual y famosa etiqueta en forma de dovela. Ya en 1905, la compañía H.J. Heinz producía más de 5 millones de botellas de ketchup y había construido la fábrica conservera más grande del mundo. Actualmente vende más del 50% de todo el ketchup de tomate del mundo. En 1993, el ketchup Heinz fue mezclado con salsa mexicana y así nació una nueva variedad de condimento de tomate.

Green Tomato Relish
Conserva de tomate verde

Para picar las hortalizas en un robot de cocina, córtelas en trozos pequeños y píquelas por tandas para obtener una textura homogénea. También puede pasar las hortalizas por el molinillo con el disco grueso. Obtendrá unos 3 litros y se conservará durante varios meses en el frigorífico. Utilice un recipiente no reactivo para guardar las hortalizas saladas y para cocer la conserva.

2 tazas de tomates verdes picados finos (unos 500 g)
2 tazas de cebolla picada fina
2 tazas de col verde picada fina
6 pimientos verdes
3 pimientos rojos
¼ taza de sal *kasher*
2 tazas de azúcar
2 cucharaditas de semillas de apio
1 cucharadita de semillas de mostaza
½ cucharadita de cúrcuma (opcional)
2 tazas de vinagre de sidra
1 taza de agua

Pique finamente todas las hortalizas, espolvoréelas con sal y refrigérelas toda la noche. Enjuáguelas y escúrralas. Mezcle los líquidos y los condimentos, y lleve a ebullición suave. Añada las hortalizas, deje que rompa el hervor y cueza durante unos 3 minutos. Deje enfriar a temperatura ambiente y envase en tarros de vidrio.

Tomate pera

Tomate ciruela rojo

Tomate Roma amarillo

Tomate cereza

Variedad tradicional

SETAS DE PENSILVANIA

En Estados Unidos, el cultivo comercial de setas empezó en 1896 en Kenneth Square, en el Brandywine Valley, al sudoeste de Filadelfia. William Swayne, el hijo de un florista, experimentó con el cultivo de setas debajo de las mesas de trabajo del invernadero de su padre, y descubrió que la mezcla de tierra fértil y estiércol de caballo de las granjas locales utilizada para cultivar rosas también era ideal para las setas. Perseveró hasta construir el primer invernadero diseñado especialmente para cultivarlas. Al principio, las setas eran un cultivo de invierno que prosperaba con el frío, la humedad y la oscuridad de los inviernos de Pensilvania, pero con el acondicionamiento del aire también podían crecer en cualquier parte. Durante más de 100 años se cultivaron setas en 36 estados, pero Pensilvania está a la cabeza de todos ellos, suministrando aproximadamente la mitad de las setas del país. En un estado donde la agricultura es la principal industria, las setas son el cultivo comerciable más importante.

Kennett Square, en Pensilvania, no sólo es la localidad de origen del primer invernadero de setas y la sede de las mayores instalaciones de cultivo de setas del mundo, sino que también alberga el único Museo de las Setas de Estados Unidos. Los visitantes también pueden disfrutar del Mushroom Festival (Fiesta de las Setas) que se celebra cada mes de septiembre. El Phillips Place Mushroom Museum de Kennett Square muestra mediante dioramas y películas cómo se cultivan las setas, incluidas las variedades exóticas que cada vez son más populares.

En otoño, miles de aficionados a las setas invaden el Brandywine Valley para deleitarse con las recetas ganadoras del concurso de la Fiesta de las Setas que se celebra anualmente. El punto culminante del festival es la coronación de la Reina nacional de las Setas.

La seta más común en Estados Unidos es el champiñón blanco o "botón" *(Agaricus bisporus)*. Se caracteriza por un exterior blanco y firme y una piel lisa sin manchas marrones.

Estos hongos marrones son setas Portobello *(Agaricus brunnescens)*. Las esporas de las setas (que crecen en las láminas de debajo del sombrerillo) producen el micelio (el equivalente a la semilla de una planta verde). Éste se mezcla con el abono. Las setas se cultivan en estantes con gradas que contienen abono cubierto con musgo de pantano. Los estantes suelen ser de madera de ciprés, que conserva bien la humedad.

Cultivo de setas en 6 pasos

Un ciclo completo dura 15 semanas. La cosecha es de 1,750 kg de setas por pie cuadrado (9,30 m²).

1. Preparación del abono para setas (de 7 a 14 días): se forma una pila rectangular de abono según una fórmula especial y se humedece. La fermentación produce calor, amoníaco y dióxido de carbono. La combinación de los microorganismos, el calor y las reacciones químicas convierten el abono en una fuente de nutrientes apropiada para las setas pero para ningún otro tipo de hongo.

2. Perfección del abono (de 10 a 14 días): se retiran los insectos y el amoníaco.

3. Siembra de los micelios de hongos (de 14 a 21 días): se añaden al abono preparado unas células en forma de filamentos, cultivadas en granos de centeno remojados en agua con un aditivo nutriente.

4. Envoltura: se dispone encima un abono de nutrientes y se comprueba minuciosamente la humedad y la temperatura.

5. Germinación (de 18 a 20 días): el crecimiento de minúsculos sombrerillos de seta o "botones".

6. Recolecta: ciclos de 3 a 5 días, que duran hasta 35 días en total.

Setas Portobello y otras variedades exóticas

Phillips, en Kenneth Square (Pensilvania), es el mayor productor de setas exóticas de Estados Unidos. Aunque las setas exóticas sólo representan una parte del mercado total, esto puede cambiar con las tremendamente populares setas Portobello.

Descritas como "gruesas y morenas", estas setas marrones son tan carnosas que muchos vegetarianos y personas que vigilan las calorías las asan a la parrilla y las sirven a modo de bistecs. Estas setas son en realidad un *crimini* o seta castaña *(Agaricus brunnescens)* abierto completamente, y son las mejores para usos múltiples. Un sombrerillo entero, con relleno desde cangrejo a migas de pan, constituye una comida.

Las setas silvestres que crecen alrededor de Reading no tienen ninguna relación con los champiñones botón cultivados ni con las setas exóticas de la zona de Brandywine. Los buscadores expertos encuentran rebozuelos *(Cantharellus cibarius)*, algún boleto calabaza *(Boletus edulis)* y colmenillas *(Morchella esculenta)* alrededor de los manzanos, los olmos y los pinos con un clima húmedo y templado.

Setas Portobello con Duxelles

En esta receta se usa el gran tallo de las setas Portobello para rellenar el sombrerillo. Lave y recorte el tallo en cuartos y saltéelo con 1 escalonia en una cucharadita de mantequilla. Salpiméntelo y píquelo fino. Mézclelo con un poco de queso parmesano rallado o pan recién rallado. Rocíe el sombrerillo limpio con aceite de oliva, disponga el picadillo encima y áselo en el horno precalentado a 200°C unos 10 minutos.

Puesto que las setas obtienen los nutrientes de los fertilizantes y no de la fotosíntesis (el proceso que produce hidratos de carbono mediante la luz solar), no fabrican clorofila. Las setas cultivadas crecen mejor en un ambiente oscuro o con poca luz, ya que la luz solar las ennegrece.

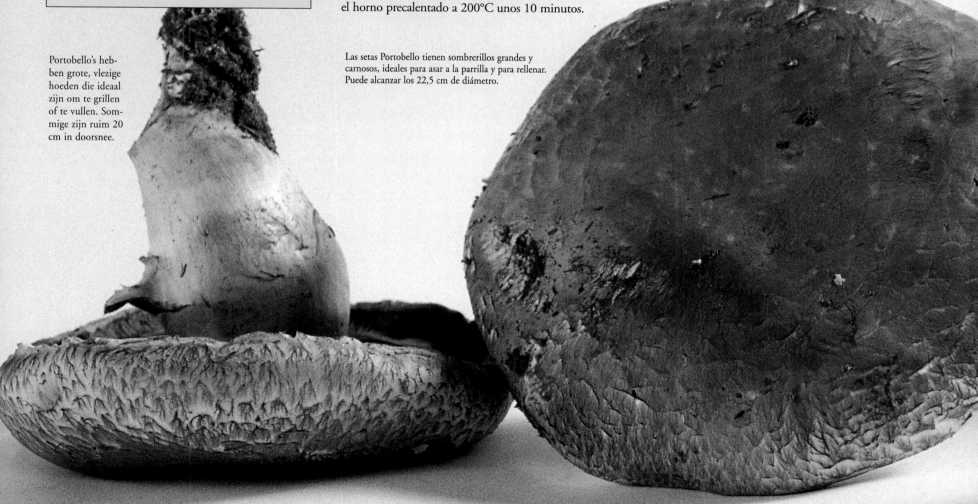

Portobello's hebben grote, vlezige hoeden die ideaal zijn om te grillen of te vullen. Sommige zijn ruim 20 cm in doorsnee.

Las setas Portobello tienen sombrerillos grandes y carnosos, ideales para asar a la parrilla y para rellenar. Puede alcanzar los 22,5 cm de diámetro.

AVES DE CORRAL DE DELMARVA

El término para la península "Delmarva" combina las sílabas de los nombres de tres estados que integran la zona: Delaware, Maryland y Virginia. Esta franja de tierra de unos 320 km de largo está bordeada por la bahía Chesapeake al este y la bahía Delaware al oeste, la cual mantiene el clima algo templado en invierno. Muchos de los primeros colonos se convirtieron en granjeros avícolas, puesto que los pollos medraban con las suaves temperaturas.

En 1923, una granjera avícola de Oceanview (Delaware) tomó una decisión comercial que cambió la economía de la península para siempre. La señora Steele decidió renovar sus gallinas ponedoras de sólo dos años de edad. Los pollos jóvenes (ahora llamados "pollos para asar") se vendieron a carniceros de la zona y estas aves tiernas y sabrosas que se podían preparar de mil maneras tuvieron un éxito inmediato. Hasta entonces, los pollos jóvenes eran escasos y se consideraban un lujo. La tierra fértil era apropiada para cultivar el forraje necesario para sustentar la creciente industria avícola. En 70 años, la industria de pollos para asar de Delmarva ha producido más de once millones de aves a la semana, manteniendo una red de criaderos, criadores contratados, fábricas de pienso y plantas de procesado. Hoy en día, el condado de Sussex (Delaware) produce más pollos para asar que cualquier otro condado del país. La proximidad de las principales ciudades de la Costa Este asegura que los pollos lleguen al cabo de unas horas de haber sido procesados.

Con los años, se han creado magníficas recetas de pollo. Los platos suelen combinar pollo con otros productos locales y son secretos familiares bien guardados. La ensalada de pollo con huevos duros, el pastel de pollo y ostras y la "torta" de pollo (pollo a la crema con champiñones sobre una torta de maíz) son algunos de los platos típicos. En verano, por toda la península, las cenas de los puestos de carretera y de las comunidades de recaudación de fondos se componen de pollo a la barbacoa, que los lugareños untan con una marinada de aceite y vinagre sazonada con sal, pimienta y especias para pollo. Todos los norteamericanos adoran el pollo, sobre todo el frito. En invierno, en esta región se degusta el pollo frito al estilo de Maryland con jugo de leche preparado con los jugos de la sartén rociados sobre el pollo. La preparación más tradicional de todas es el *Eastern Shore Chicken with Slippery Dumplings* (pollo de la orilla oriental con cuadrados viscosos de masa hervida), un plato creado sin duda por los pensilvanos de origen alemán que viven en Delmarva.

Un gallo Hubbard Cross para asar de ocho semanas de edad.

Pollos Perdue

Salisbury (Maryland) es el centro comercial de la península Delmarva gracias a la familia Perdue, que ha vivido allí durante 300 años.

En 1920, el año en que nació Frank Perdue, su padre abrió un negocio avícola con 23 gallinas Leghorn de menos de un año. Cuando tenía 10 años, recibió sus primeras 50 gallinas para cuidarlas. La empresa se dedicó progresivamente al negocio de los pollos para asar durante los años cuarenta y, en los cincuenta, cuando Frank tomó el control, A.W. Perdue and Sons ya se había ganado una reputación por cruzar pollos con éxito. Frank Perdue se convirtió en un personaje célebre de la televisión cuando anunció su producto con lemas tan pegadizos como: "Si quiere comer tan bien como mis pollos, sólo tiene que consumir mis pollos". La dieta especial y total-mente natural de los pollos Perdue incluye maíz, soja, minerales (algunos extraídos de conchas de ostra molidas, otro producto local) y extracto de pétalos de caléndula. Este extracto aporta a estos pollos su color amarillo subido característico. Los pétalos de caléndula no añaden vitaminas, pero el color dorado es una prueba de que los pollos absorben nutrientes y el color más intenso de la piel muestra a simple vista que las aves han sido bien tratadas.

En 1971, el nombre de la compañía pasó a ser Perdue Farms y, en 1991, el hijo Jim se convirtió en el portavoz y en la nueva figura televisiva de la familia. Desde que el abuelo de Jim fundó la empresa con unas pocas gallinas ponedoras hace 75 años, Perdue Farms ha pasado a ser el productor avícola más grande del nordeste y el segundo de todo el país.

Chicken with Slippery Dumplings
Pollo con cuadrados viscosos de masa hervida

2 pollos para asar enteros
2 cucharaditas de sal
½ cucharadita de pimienta
2 cucharadas de perejil picado
8 tazas de agua
¾ taza de agua caliente

Para los cuadrados de masa hervida:

2 tazas de harina
1 cucharadita de sal
2 cucharadas de grasa
⅓ taza de agua (aproximadamente)

Ponga los pollos en una olla y salpiméntelos por dentro y por fuera. Añada el perejil y el agua, lleve a ebullición y pase a fuego lento. Tape la olla y deje cocer unos 50 minutos o hasta que el pollo esté tierno. Retire el pollo, trínchelo y manténgalo caliente.

Mientras se cuece el pollo, prepare la masa hervida. Tamice la harina con la sal, añada la grasa y remueva hasta que la mezcla parezca harina de maíz. Agregue suficiente agua para obtener una masa blanda pero no pegajosa. Extiéndala hasta dejarla muy fina sobre una superficie enharinada y córtela en cuadrados. Lleve el caldo de pollo a ebullición, vierta los cuadrados de masa y cuézalos unos 15 minutos o hasta que se hundan en el fondo de la olla. Disponga el pollo y los cuadrados de masa hervida en una fuente y sirva el plato caliente. Para 10–12 personas.

Alas de pollo de Buffalo

Los productores avícolas de la península Delmarva saben que siempre habrá demanda de sus alas de pollo en Buffalo (Nueva York). Desde 1964, las alas de pollo fritas en abundante aceite no han tenido rival alguno como tentempié de bar en esta ciudad del lago Erie gracias a Theresa Belissimo, que las preparó por primera vez en el Anchor Bar de Main Street. Separó las dos partes de cada ala por la articulación y las frió en abundante aceite. A continuación, las untó con una capa gruesa de una mezcla de mantequilla, vinagre y salsa picante. Sirvió como aderezo unas ramitas de apio frías y crujientes y una salsa cremosa de queso azul para mitigar el efecto de la salsa picante.

Las alas de pollo de Buffalo se pueden encontrar en los bares, los restaurantes informales y los delis de todo el Atlántico central, servidas normalmente con una salsa picante de tomate.

Dos jóvenes aficionadas al pollo frito en la Fiesta del Pollo de Delmarva.

Buffalo-style Chicken Wings
Alas de pollo al estilo de Buffalo

1,5 kg de alas de pollo
2 tazas de aceite vegetal o de cacahuete para freír
½ taza de mantequilla salada, derretida
1–2 cucharadas de Tabasco
2 cucharadas de vinagre de sidra

Corte las puntas de las alas y resérvelas para preparar caldo de pollo. Corte las alas por la articulación y fríalas en abundante aceite calentado a 190°C.

Mezcle la mantequilla derretida, el Tabasco y el vinagre, y unte las alas con esta preparación. Sirva con ramitas de apio y salsa de queso azul. Para 35 a 40 trozos.

Blue Cheese Dressing
Salsa de queso azul

250 g de queso azul
½ taza de nata agria
¼ taza de mayonesa
leche, para diluir la consistencia

Desmenuce toscamente el queso con un tenedor. Mézclelo con la nata agria y la mayonesa. Añada leche para diluir la mezcla, hasta que adquiera la consistencia de una salsa para mojar.

Alas de pollo al estilo de Buffalo con salsa de queso azul y ramitas de apio.

DESAYUNOS DE CACERÍA Y PICNICS EN EL PORTÓN

Las regiones costeras de Maryland, Delaware y Virginia estuvieron pobladas por la aristocracia provinciana que construyó lujosas mansiones y continuó la vida deportiva aristocrática que había conocido en Inglaterra.

Los desayunos de cacería, que tenían lugar en primavera y en otoño, atraían a los caballeros de las fincas vecinas para participar en una cacería al amanecer y regresar al mediodía para disfrutar de una comilona con riquezas culinarias de la región. La influencia del Sur era patente en el tradicional ponche de bourbon o el julepe de menta que daba comienzo a las fiestas. El Jamón campestre al horno relleno de verduras, el *hominy* y el pan de maíz eran platos elaborados por los criados negros de las casas señoriales. La *Capitolade* de pollo, un nombre extravagante para el picadillo de pollo, era uno de los desayunos favoritos del presidente Jefferson en su finca de Virginia. También se incluye en este menú de desayuno de cacería típico del siglo XVIII del condado de Talbot (Maryland).

Ponche de bourbon

Huevos revueltos y nata

Salchicha con aros de manzana fritos

Beicon y rodajas de tomate fritas

Gofres • *Hominy* • Pan de maíz

Capitolade de pollo • Estofado de riñones

Mollejas a la crema y ostras

Huevas saladas a la parrilla • Arenque

Jamón campestre al horno

"Galletas batidas" • Galletas de suero de leche

Jaleas • Pasta de manzana • Miel • Conservas

Café

Los elaborados picnics en el portón de la carrera a campo traviesa están ingeniosamente presentados y resultan deliciosos.

La gente acude a la carrera a campo traviesa de Winterthur tanto por los picnics en el portón como por la prueba en sí.

Más adelante, la cacería pasó a ser un evento deportivo familiar que duraba todo el día y se llenaban las cestas con comida para disfrutar al aire libre. Después de un refrescante julepe de menta, un picnic moderno podría incluir pollo frito de Maryland, huevos a la diabla, canapés de berros, pepinos y tomates, pan casero, encurtidos para tomar con mantequilla y pastel de frutos secos y uvas pasas.

Los concursantes de la carrera a campo traviesa van a máxima velocidad.

Tanto los premiados como los espectadores pueden disfrutar de los trofeos llenos de botellas de champán helado.

Carreras de caballos a campo traviesa en Winterthur

Una prueba hípica que se remonta a los comienzos de Estados Unidos es la carrera a campo traviesa. Esta tradición, de la cual disfrutaban George Washington, Thomas Jefferson y gente acomodada de la región, perdura con un énfasis moderno en Winterthur, la antigua finca de la familia DuPont cerca de Wilmington (Delaware). La prueba, que dura todo el día, beneficia al museo y centro cultural de Winterthur, que alberga la colección de soperas Campbell's entre otras piezas de artes decorativas norteamericanas. En la hacienda también hay una réplica de una granja de Pensilvania del siglo XVIII, en la cual las exposiciones gastronómicas forman parte de las celebraciones festivas.

Desde 1979, algunos de los más bellos caballos de Norteamérica han acudido a Winterthur el segundo fin de semana de mayo para participar en la carrera anual a campo traviesa (su nombre en inglés significa literalmente "de punto a punto"), que se denominó así en la época colonial porque los jinetes seguían los puntos de los campanarios de las iglesias que señalaban la carrera. Además de la "carrera a campo traviesa", se celebran carreras de ponys, un desfile de carruajes antiguos, demostraciones de agilidad canina y un concurso de picnics en el portón.

Los espectadores siempre traían picnics a la prueba, que solían consistir en espléndidas comilonas servidas en los portones de sus coches de caballos. Al principio, la calificación de los picnics corría a cargo de celebridades culinarias que vagaban entre la multitud y elegían el "dulce más suntuoso" o el "aperitivo más asombroso" entre los centenares de cestas traídas para la ocasión. Con el paso de los años estas "comidas sobre ruedas" eran cada vez más elaboradas y el concurso de picnics en el portón se convirtió pronto en un acto oficial de la carrera a campo traviesa.

Actualmente, los concursantes de los picnics pagan un pequeño precio de entrada, que les garantiza un espacio para aparcar con una vista magnífica de las carreras y la posibilidad de ganar premios y la ovación del público. Los participantes adaptan su comida, sus coches y sus trajes a un tema anual como, por ejemplo, familias famosas, espectáculos de Broadway, cuentos de hadas y versos infantiles, éxitos cinematográficos y canciones favoritas. La típica inventiva norteamericana cobra vida a medida que carretadas de concursantes surgen de un jeep del ejército vestidos como soldados del general Patton sirviendo raciones militares o de un viejo automóvil destartalado como los palurdos de Beverly. La Familia Addams y Brady Bunch también han venido a la carrera para ofrecer un poco de diversión a la multitud.

LA CASA BLANCA

Los presidentes de Estados Unidos siempre han sido personajes visibles e influyentes. La gente se interesa tanto por sus películas favoritas y su comida como por su política. La negativa de George Bush a comer brécol impulsó a los agricultores a enviar un cargamento de esta hortaliza a la Casa Blanca (los comedores de beneficencia de la zona ofrecieron crema de brécol como respuesta al regalo inesperado). Los caramelos de goma se pusieron de moda después de que se consumieran unos 40 millones durante las celebraciones de la investidura de Ronald Reagan. En su escritorio del Despacho Oval siempre había un tarro lleno de estos caramelos multicolores. Según se dice, durante la crisis económica del gobierno de Reagan, el presidente cambió su plato favorito de carne de cangrejo y alcachofas por los humildes macarrones con queso.

La prensa se burló del trabajo de Jimmy Carter en el negocio de los cacahuetes y, sin embargo, dos de los presidentes más respetados, Washington y Jefferson, eran expertos agricultores con gustos gastronómicos refinados. Durante cuarenta años, hasta el gobierno de Andrew Jackson a principios del siglo XIX, la mayoría de las hortalizas que se servían en la Casa Blanca provenían de un huerto de los jardines. John Quincy Adams se interesaba por la horticultura y reformó artísticamente el jardín, incluyendo muchas plantas vegetales. James Madison y James Monroe también cuidaron un invernadero cerca de la Casa Blanca.

Hoy en día, unos 60.000 invitados cenan anualmente en la Casa Blanca. Los menús ya no se escriben en francés (tal y como era de rigor antaño) e incluyen una gran cantidad de ingredientes norteamericanos utilizados de manera creativa. Para una cena de estado en honor del presidente de Ucrania, las trufas de Oregon realzaron el sabor de un *risotto* y el queso de cabra de Nueva York adornó la ensalada. Las Primeras Damas del continente americano cenaron bogavante de Florida con una salsa al curry sazonada con lima Key. El *kasha* (alforfón) norteamericano se utilizó en una ensalada de pepino para acompañar un salmón marinado al jengibre servido al presidente de la Federación Rusa, Boris Yeltsin.

Dos presidentes sibaritas: Washington y Jefferson

Tanto George Washington, el primer presidente de Estados Unidos, como Thomas Jefferson, el tercero, eran unos granjeros apasionados, así como unos gastrónomos consagrados que daban cenas en profusión y, a menudo, en sus fincas de Virginia.

George y Martha Washington únicamente cenaron solos dos veces durante los últimos 20 años de su matrimonio. Mount Vernon, la residencia de campo de Washington en Virginia, recibió una multitud de invitados. Prácticamente todos los ingredientes de las comidas procedían de la granja, a excepción del estu-

La Casa Blanca, en Washington, D.C., ha sido la residencia de todos los presidentes norteamericanos desde el segundo presidente, Thomas Jefferson.

Las caramelos de goma fueron el tentempié favorito del presidente Ronald Reagan durante sus ocho años en la Casa Blanca.

Los macarrones con queso fueron el plato preferido del cosmopolita tercer presidente, Thomas Jefferson.

rión del río Potomac, de los cerdos salvajes cebados con bellotas y de los aguardientes caseros hechos con manzanas y melocotones de los huertos frutales. Washington fue uno de los primeros granjeros del país en encerrar a los animales, controlar su alimentación y utilizar fertilizantes en sus campos cultivados. Era un jardinero meticuloso.

El almuerzo se servía cada día a las tres en punto. La comida siempre incluía carne de caza, y cada día se hervía un jamón de Virginia para tenerlo a mano. Las alcachofas, una hortaliza popular en la época colonial, se solían utilizar en una de las ensaladas favoritas de Washington. A George Washington le gustaba especialmente la piña, como da fe

una anotación en su diario del 22 de diciembre de 1751: "Ninguna fruta satisface tanto mi paladar como la piña". El primer presidente también era muy aficionado al "generoso y aceitoso" Madeira y probó en vano a plantar vides para producir este vino en Mount Vernon.

En 1801, el presidente Jefferson trajo sus cocineros instruidos a la francesa a la Casa del Presidente (tal como se conocía entonces a la Casa Blanca), así como su conocimiento de las costumbres francesas, que adquirió mientras servía de enviado en París. Uno de los platos favoritos del tercer presidente eran los macarrones con queso, que preparaba con una máquina de pasta y queso parmesano

Algunos de los platos favoritos del presidente George Washington en la Fraunces Tavern de la ciudad de Nueva York (un establecimiento frecuentado por el general Washington). En el sentido de las agujas del reloj, desde superior izquierda: Bollos de pollo con arroz, una copa de Madeira, *Chowder* de almejas de Nueva Inglaterra y *Crumble* de manzana con nata.

Desde la sopa hasta el café: un menú de los platos favoritos de la Casa Blanca

La sopa era un plato habitual en la Casa Blanca. A John F. Kennedy le encantaba el consomé con juliana de verduras y la sopa de tomate helada. Cuando era senador de Massachusetts, se llevaba el *chowder* de pescado de Nueva Inglaterra (que, al parecer, era su favorito) en un termo por todo el recorrido electoral.

Aunque George Washington celebró la primera barbacoa presidencial, Lyndon Johnson y sus hijas pusieron de moda dicha práctica ofreciendo barbacoas al estilo de Tejas por todo el país durante la campaña de los años sesenta para reclutar demócratas adolescentes.

En 1939, cuando el rey Jorge VI de Inglaterra visitó a Franklin Roosevelt en Hyde Park (Nueva York), la Primera Dama Eleanor sirvió perritos calientes. El rey repitió.

Los líderes de la abstinencia Rutherford B. Hayes y su primera dama no servían alcohol. Ella era conocida como Lucy Limonada.

Teddy Roosevelt, que comía platos sencillos pero copiosos, siempre terminaba sus comidas en la Casa Blanca con una inmensa taza de café endulzado con siete terrones de azúcar. Se dice que tras una cena en Maxweel House, en Nashville (Tennessee), quedó tan encantado con el café que dijo: "Era bueno hasta la última gota". Estas famosas palabras se convirtieron en el lema de la marca de café molido de Maxwell House.

traídos de Italia. Le encantaba el helado e importó la técnica de elaboración francesa a Estados Unidos.

Como un auténtico gobernante instruido en el refinado arte de la diplomacia, Jefferson creía que los buenos vinos y la buena comida fomentaban las prósperas relaciones internacionales. Disponía una mesa generosa. Cuando sus gastos de comida en la Casa Blanca sobrepasaron su salario, se ofreció a pagar la suma de su propio bolsillo.

Si bien Jefferson admiraba la comida francesa, seguía siendo muy aficionado a la cocina casera de su Virginia natal. En París, plantó maíz en su jardín e importó pacanas para comérselas y para regalarlas. Los nogales pacaneros que regaló a

George Washington todavía permanecen en Mount Vernon. Jefferson era sobre todo un granjero entusiasta. Cuando se retiró a Monticello, declaró: "Soy un hombre mayor, pero un jardinero joven". En Europa quedó impresionado por la importancia del olivo como fuente de alimentación e intentó en vano plantar un olivo por cada esclavo de su colonia. Tuvo más éxito con el arroz, que importó de África. La variedad "seca" no requería anegar los campos y medraba en Virginia. Según consta, Jefferson fue una de las primeras personas que cultivó tomates en Norteamérica e hizo muchas anotaciones en su diario sobre estas plantas nuevas.

Vajilla presidencial encargada por Nancy Reagan para el gobierno de su marido. El servicio fue estrenado en una cena ofrecida al presidente egipcio, Hosni Mubarak.

CHOCOLATE HERSHEY'S

La tableta típicamente norteamericana fue inventada por el hijo trabajador de una madre menonita que, tras años de fracasos comerciales, volvió a la sencilla comunidad granjera donde había nacido para fundar la empresa de confitería más grande del mundo.

En Hershey (Pensilvania), incluso las farolas tienen la forma de los Besos de chocolate Hershey's con envoltorio plateado.

A los 41 años, Milton Hershey se casó con Catherine (Kitty) Sweeney en 1898.

Milton Hershey supo que encontraría trabajadores totalmente entregados en las zonas rurales de Pensilvania, así como una provisión disponible de un ingrediente de suma importancia, la leche fresca, que utilizó por primera vez para elaborar los "caramelos A transparentes". Se aventuró en la elaboración del chocolate para bañar estos caramelos y descubrió que existía una demanda de productos de chocolate. Viajó a Europa para aprender el secreto del chocolate con leche, pero regresó sin ninguna receta. Hizo sus propios experimentos y finalmente elaboró la receta del chocolate con leche que revolucionó la industria chocolatera de Norteamérica.

El envoltorio original de la tableta de chocolate con leche Hershey's, de alrededor de 1900

Para conseguir la textura cremosa de la tableta de chocolate de su marca, la receta de Hershey requería más manteca de cacao, lo que produjo un excedente de otro producto que promovió la fama de Hershey, el cacao en polvo. En 1900, vendió su negocio de confitería para dedicarse exclusivamente al chocolate.

Actualmente, miles de personas visitan el "Lugar más dulce de la tierra" para disfrutar del parque de atracciones que el señor Hershey construyó para sus empleados y para ver el Chocolate World, un recorrido animado por la fábrica.

Pero su lugar en la historia quedó sellado con un beso, por así decirlo. La forma y el tamaño de los Besos Hershey's fueron idea de Milton Hershey. La cúpula plateada aparece inesperadamente donde uno menos se lo espera en "La ciudad de chocolate de EE.UU."; los elegantes servilleteros de plata del precioso comedor circular del hotel Hershey tienen forma de beso, al igual que las farolas (tanto con envoltorio como sin envoltorio) que se alinean en la Cocoa Avenue (avenida del cacao), en el centro de Hershey. Pero incluso con los ojos cerrados, uno sabe donde está, puesto que el dulce olor del chocolate inunda el aire.

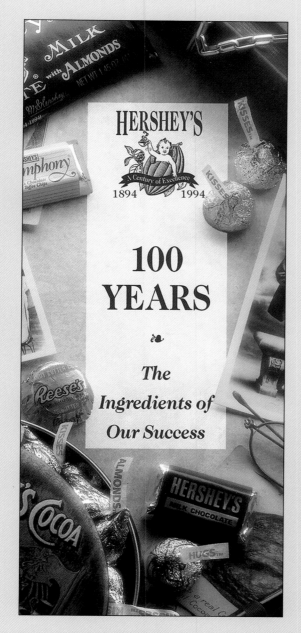

HERSHEY'S

A Century of Excellence

1894 ❧ 1994

100 YEARS

❧

The Ingredients of Our Success

Abrazos, Besos y tabletas de chocolate: datos e historia

1900: Milton Hershey elabora una receta de chocolate con leche.

1907: aparecen los Besos *(Kisses)* Hershey's. El nombre viene supuestamente del ruido a "besuqueo" que hacían las máquinas originales cuando arrojaban a chorros el chocolate en las cintas transportadoras. Hasta el año 1921, los Besos Hershey's se envolvían a mano. Se introdujeron máquinas de envolver y se añadió el penacho o bandera familiar.

1942–1949: se interrumpe la producción de los Besos Hershey's por el racionamiento de combustible que se produjo durante la Segunda Guerra Mundial. La infraestructura de la fábrica llegó a producir unos tres mil millones de porciones de campo resistentes al calor y de alta energía conocidas como "tabletas D".

1962: los Besos son el primer confite comercial que se envuelve con los colores rojo y verde típicos de Navidad.

Las tabletas de chocolate "tropical" resistente al calor de Hershey's viajaron a la luna con los 15 astronautas del Apolo.

1990: la tableta "Postre" no fundible de Hershey's es enviada a las tropas norteamericanas en Arabia Saudí durante la Guerra del Golfo.

1993: aparecen los Abrazos *(Hugs)* Hershey's: Besos de chocolate blanco y con leche.

Trabajadoras de línea de Hershey pesando manualmente cajas de 750 g de Besos Hershey's, alrededor de 1925–1933.

Datos relativos a Hershey's

La producción diaria de bombones requiere 700.000 litros de leche fresca de 50.000 vacas.

La Hershey Company es el mayor consumidor de almendras de Estados Unidos.

La Hershey Company puede producir hasta 33 millones de Besos al día.

Hay 1.000 perlas de chocolate en 500 g.

Los famosos Besos Hershey's tienen una forma cónica característica con un final muy puntiagudo.

DULCES CLÁSICOS DE CHOCOLATE

Brownies: muy "a la moda"

Unos de los postres favoritos de Milton Hershey eran los *brownies* cubiertos con helado (llamados "a la moda") y jarabe de chocolate. No es él único. Cada año, el despacho de relaciones con el consumidor de Hershey's recibe miles de llamadas pidiendo la receta del *brownie* clásico. Es uno de los dulces norteamericanos típicos.

Los *brownies* aparecieron después de la Primera Guerra Mundial y fueron ganando popularidad a mediados de los años treinta, cuando las madres adoptaron este postre sencillo y rápido de preparar. Aunque no existen pruebas sobre su origen, todas las teorías indican que se trata de un pastel de chocolate mal elaborado que resultó en un postre delicioso. El nombre se debe al color marrón *(brown,* en inglés) del pastel fallido o bien, según cuenta la historia, a una bibliotecaria serena y audaz llamada Brownie Schrumpf que se olvidó de añadir la levadura en polvo y tuvo el valor de servir su pastel de chocolate "desinflado".

El *brownie* es uno de los postres más norteamericanos y, cubierto con helado de vainilla, resulta sublime.

Durante toda la Depresión, se incluyeron recetas de *brownies* en las latas de cacao y en los envoltorios de las tabletas de chocolate y, tras conformarse durante décadas con una posición inferior frente a los pasteles más selectos, los *brownies* se pusieron más de moda que nunca. En 1983, la creadora y experta en postres norteamericana Maida Heatter sirvió *brownies* sin más a los asistentes a la Cumbre sobre Economía del presidente Reagan en Williamsburg, recibiendo alabanzas exageradas y peticiones de segundas porciones.

En el lujoso restaurante del hotel Hershey, los cocineros preparan magníficos *brownies* clásicos en un molde de tarta, los decoran con muchos Besos y los sirven con helado de avellana recién hecho. Al señor Hershey le hubiesen encantado.

S'Mores

Pregunte a cualquier *girl scout* (niña exploradora) cuál es su postre de chocolate favorito y sin duda será un "S'Mores". Este sándwich empalagoso se come alrededor de una hoguera, en la cual se tuestan las nubes de azúcar. Luego, se añaden una o dos pastillas de chocolate (generalmente, de una tableta Hershey's) sobre la mitad de una galleta de harina de trigo integral, se ponen las nubes de azúcar calientes encima del chocolate y se cubre con la otra mitad de la galleta. Son tan deliciosas que querrá más (*"s'more", some more,* en inglés).

Hershey's Best Brownies
Los mejores brownies de Hershey's

1 taza de mantequilla
2 tazas de azúcar
2 cucharaditas de extracto puro de vainilla
4 huevos grandes
¾ taza de cacao Hershey's*
½ cucharadita de levadura en polvo
¼ cucharadita de sal
1 taza de harina sin blanquear
1 taza de nueces picadas (opcional)

En primer lugar, caliente el horno a 180°C. Engrase un molde metálico de horno de 32,5 × 22,5 × 5 cm. Derrita la mantequilla en una cacerola grande (o en un medidor de vidrio de 1 l de capacidad en el microondas). Apague el fuego, añada removiendo el azúcar y la vainilla e incorpore los huevos, de uno en uno. Agregue el cacao, la levadura en polvo y la sal, y bata hasta mezclarlo todo muy bien. Añada la harina y, si lo desea, las nueces. Vierta la masa en el molde preparado y hornee de 30 a 35 minutos o hasta que los brownies empiecen a despegarse de las paredes del molde. Déjelos enfriar en el molde a temperatura ambiente sobre una rejilla metálica. Por último, córtelos en barras y sírvalos con helado de vainilla y jarabe de chocolate Hershey's. Para unas 36 unidades.

Million Dollar Fudge
Fudge del millón de dólares

3 tazas de azúcar
1 lata pequeña (160–180 g) de leche evaporada
2¾ tazas de mantequilla
375 g de perlas de chocolate semidulce
1 tarro pequeño de crema de nubes de azúcar
1½ tazas de pacanas, nueces de macadamia o nueces, tostadas y picadas
2 cucharaditas de extracto puro de vainilla

Mezcle el azúcar, la leche y la mantequilla en un cazo grande de fondo pesado. Lleve a ebullición a fuego fuerte. Cueza, sin dejar de remover, durante 5 minutos. Retire del fuego y añada el chocolate y la crema de nubes de azúcar. Remueva hasta obtener una mezcla homogénea. Incorpore las nueces y la vainilla.

Pase la mezcla a un molde cuadrado de unos 23 cm bien engrasado. Déjela reposar hasta que esté consistente. Córtela en cuadrados pequeños.

Old-Fashioned Chocolate Cake
Pastel de chocolate clásico

¾ taza de mantequilla reblandecida
1⅔ tazas de azúcar
3 huevos grandes
1 cucharadita de extracto puro de vainilla
2 tazas de harina sin blanquear
⅔ taza de cacao Hershey's
¼ cucharadita de bicarbonato de sosa
1 cucharadita de sal
¼ cucharadita de levadura en polvo
1⅓ tazas de agua
½ taza de caramelos de menta triturados finos (opcional)
pacanas troceadas, para adornar

Caliente el horno a 180°C. Engrase y enharine dos moldes redondos de 22,5 cm de diámetro. En un cuenco mezclador grande, bata la mantequilla, el azúcar, los huevos y la vainilla a velocidad rápida durante 3 minutos. Mezcle la harina, el cacao, el bicarbonato de sosa, la sal y la levadura en polvo. Añada la mezcla de mantequilla alternativamente con el agua. Remueva hasta unir los ingredientes y, si lo desea, agregue los caramelos triturados.

Vierta la masa en los moldes preparados y hornee de 30 a 35 minutos o hasta que, al insertar un pincho de madera en el centro, éste salga limpio. Deje enfriar los pasteles durante 10 minutos en los moldes, vuélquelos sobre una rejilla metálica y déjelos enfriar por completo. Cúbralos con el Glaseado de *fudge* de cacao y decórelos con pacanas. Para 10–12 personas.

Cocoa Fudge Frosting
Glaseado de fudge de cacao

½ taza de mantequilla derretida
½ taza de cacao Hershey's
500 g de azúcar glas
⅓ taza de leche
1 cucharadita de extracto puro de vainilla

Derrita la mantequilla en el microondas o sobre el fuego. Añada el cacao y caliente la mezcla hasta que hierva suavemente (30–60 segundos a fuego fuerte).

Agregue el azúcar glas, la leche y la vainilla. Bata con un batidor eléctrico hasta obtener una mezcla homogénea. Úntela todavía caliente. Para unas 2 tazas, suficiente para un pastel de 2 pisos.

Pastel de chocolate clásico con glaseado de *fudge* de cacao.

Marshmallows

Las nubes de azúcar (marshmallows), cilindros blancos tan blandos como cojines de plumas, se elaboraban originariamente a partir de las raíces gelatinosas de la malva, o arbusto del malvavisco, una conocida planta de jardín. Algunas partes de la planta se utilizaban para fines culinarios en tiempos de los romanos, y el dulce y pegajoso confite ha estado presente en muchas cocinas a lo largo de la historia.

La extracción del jarabe de la raíz de la malva era un proceso difícil y lento. Con el tiempo, ha sido sustituido por goma arábiga y, hoy en día, por gelatina en la elaboración de las nubes de azúcar.

Aunque muchas nubes de azúcar se destinan a las acampadas, en las cuales se ensartan en brochetas y se asan en la hoguera, los norteamericanos han inventado otros usos para este confite. Se derriten y se transforman en glaseado para pasteles o cobertura para helados, se untan entre mitades de galletas de harina de trigo entero y se cubren con chocolate, se cuecen en deliciosas mezclas de *fudge* o se bañan en chocolate caliente.

*El sabor a chocolate es más intenso si se emplea cacao de la variedad Hershey's European Style ("Dutched")

EL DINER CLÁSICO

Si no sabe que *"Adam and Eve on a raft and a regular"* (Adán y Eva sobre una balsa y un asiduo) es un término utilizado por las camareras de los *diners* (cafeterías de carretera) para designar dos huevos escalfados sobre tostadas y un café con nata y azúcar, le parecerá que se trata de una nueva interpretación de la historia de la Creación. Es frecuente oír términos de jerga como éstos en los *diners,* unos restaurantes informales que en realidad se parecen a vagones de tren donde los "cocineros de platos de rápida preparación" trabajan en la plancha detrás de una larga barra que ocupa todo el largo del estrecho local. Los cocineros también toman los pedidos de las camareras que sirven los reservados situados a lo largo de la pared y, durante las ajetreadas horas de comer, se establece una especie de taquigrafía verbal entre las camareras y los cocineros. Se trata de una pintoresca serie de frases que ya no se suelen utilizar, ni siquiera en los *diners* que aún siguen abiertos, a los cuales la gente va a recordar el sabor de tiempos pasados. Es una pena que hoy en día si un cliente pide un *"full house"* (lleno) y un *"grade A"* (sobresaliente), reciba a cambio una mirada vaga en vez de un sándwich de queso, beicon y tomate a la plancha con un vaso de leche.

El *diner* es una parte importante de la historia de los restaurantes norteamericanos, un tipo de cafetería informal donde la gente podía tomar comida familiar en un ambiente tranquilo y previsible. La edad de oro de los *diners* duró de los años treinta a cincuenta, cuando se abrieron centenares de estos modestos establecimientos en las autopistas y en las afueras de las ciudades, concentrados en su mayor parte en el nordeste de Estados Unidos, desde Pensilvania hasta Maine. Un nuevo interés por la cocina buena y sencilla ha permitido que algunos de los *diners* originales, así como los más nuevos creados al estilo de los antiguos, sigan en funcionamiento sirviendo a clientes a quienes les apetece comida reconfortante, como filetes de pavo con puré de patatas y jugo de carne.

El interés por la arquitectura "retro" regional resultó incluso en la creación de un museo del *diner* en Providence (Rhode Island), lugar de origen del *diner,* un vagón restaurante portátil, en 1872. Los primeros carros para almorzar eran arrastrados por las calles de las ciudades por hombres a pie o bien tirados por caballos. Vendían comida (bocadillos, pasteles, huevos duros) a los obreros y, muy pronto, los carros se convirtieron en populares nidales de la gente de clase obrera. Los carros para almorzar dejaron paso a los *diners* cuando se abandonaron las carretillas y sus propietarios encontraron una fuente de espacio prefabricado en forma de tranvías en desuso, que transformaron en restaurantes fijos. Más adelante, los *diners* fueron fabricados por empresas de Nueva Inglaterra que adoptaron el estilo de los vagones de tren. Diseñado según el modelo de los trenes, el interior de los *diners* era muy confortable: las esquinas redondeadas, los cómodos reservados y un espacio largo y estrecho con un techo bajo hacían que los clientes se sintieran encerrados y protegidos. En los años treinta, la arquitectura de los *diners* se caracterizaba por las líneas paralelas aerodinámicas del estilo "moderno", el borde exterior metálico y curvo que transmitía velocidad y eficiencia como los nuevos trenes que recorrían el país. Desde sus comienzos, los restaurantes norteamericanos se han distinguido por la rapidez, la limpieza y la eficiencia. Muchos *diners* estaban situados en el centro de pequeñas poblaciones o en las afueras de las ciudades; el *diner* era una estación de paso para los noctámbulos y la gente que llegaba en autobús, tren o camión, así como un punto de reunión para los lugareños que simplemente querían charlar tomando una taza de café. Aunque el *diner* empezó como un carro para almorzar, los restaurantes fijos enseguida se hicieron populares por su servicio de 24 horas al día. En ellos, los trabajadores que salían del turno de noche podían tomar un plato de huevos con patatas y cebollas doradas en la sartén o una hamburguesa. Después del colegio, los adolescentes podían sentarse en los reservados, pedir gaseosas con helado y poner música pop en los tocadiscos automáticos de encima de la mesa por cinco o veinticinco centavos.

El menú del *diner* era muy similar al de la *luncheonette,* otro tipo de cafetería informal, aunque en ésta se solían servir más helados y bebidas con gaseosa junto con los bocadillos y la comida a la plancha. Uno de los platos más famosos del menú era el "Blue Plate Special": rollo de carne picada con guisantes o judías verdes y puré de patatas. También ofrecían judías en salsa de tomate, bollos de almejas fritas, bocadillos de queso a la plancha y macarrones con queso al horno. No se servía alcohol, pero los clientes se contentaban con el surtido habitual de refrescos, limonada, leche, café, té y zumo de naranja. Los postres se elegían entre la selección de pasteles expuestos en la vitrina de detrás de la barra. Los favoritos eran la *Boston cream pie* y las tartas de limón y merengue, de crema de plátano, de manzana (servida con una bola de helado de vainilla) y de arándanos. Los puddings eran otros postres típicos de los *diners:* los más comunes eran el pudding indio (de maíz), el de frutos secos y uvas, el de chocolate y el de tapioca.

Este *diner* de Nueva Jersey tiene los detalles metálicos y aerodinámicos de los vagones de tren que inspiraron su diseño.

En el *diner* la hora del desayuno siempre ha sido muy ajetreada y, hoy en día, ocurre lo mismo. La gente pide el tipo de desayuno que no tiene tiempo de prepararse en casa entre semana: tortitas o gofres con jarabe de arce, torrijas, huevos revueltos con patatas y cebollas doradas en la sartén o patatas fritas caseras, picadillo de buey y huevos escalfados. Los donuts, los *crullers* (donuts largos) y los *muffins* (bollos) acompañan al café servido en tazas de porcelana gruesa. Huelga decir que no sirven ni café exprés ni *cappuccino;* es el reino de la cocina casera y tradicional.

La decadencia del *diner* empezó con el auge de los restaurantes de comida rápida en los años sesenta y la disponibilidad de comida para llevar. Pero la nostalgia de los *diners* supone hoy en día un gran negocio. A la gente le gusta comer en los *diners* y colecciona arte, vajilla, cuadros, fotografías y menús de estos establecimientos. Los nuevos restaurantes se diseñan al estilo de los viejos *diners,* con camareras vestidas de uniforme rosa que llaman a los clientes "encanto". Puede que los cocineros incluyan algunos platos sofisticados en el menú y que sirvan *biscotti* (galletas crujientes) y algún café con leche. Puede que la pintura sea un poco demasiado llamativa y que la iluminación sea demasiado favorecedora. Intentar imitar al máximo la pátina de la época y el ambiente del auténtico y viejo *diner* es una muestra clara de que estos locales son sólo una versión superficial de lo genuino, donde la auténtica cocina casera y el servicio sencillo eran los distintivos del clásico *diner* norteamericano.

La barra larga y el espacio estrecho con reservados a un lado imitan la disposición del vagón restaurante de un tren.

El rollo de carne picada, el puré de patatas, los guisantes y las zanahorias figuran en casi todos los menús de los *diners.*

EL MEDIO OESTE

por Pat Dailey

Illinois
Indiana
Iowa
Michigan
Minnesota
Misuri
Ohio
Wisconsin

El Medio Oeste es el centro imponente y fuerte de Norteamérica, una serie de estados situados literalmente en pleno corazón del país. Es conocido como la región de la leche y los cereales, la zona central donde las olas ambarinas de trigo se extienden muchos kilómetros en un mar aparentemente infinito y los rebaños de vacas lecheras pastan en campos verdes. Es una imagen romántica que para los millones de colonos e inmigrantes que se establecieron en el Medio Oeste albergaba esperanzas de oportunidades tan infinitas como el horizonte.

La historia de la cocina del Medio Oeste es parecida a la de casi todas las regiones de Estados Unidos: es la historia de un inmigrante combinada con las tradiciones de los indígenas norteamericanos que habitaron la zona mucho antes que el hombre blanco. Los indios enseñaron a los recién llegados (la mayoría procedentes de países del norte de Europa como Alemania, Polonia, Suecia, Noruega, Inglaterra e Irlanda) cómo cultivar arroz silvestre y cómo cazar y pescar. Al llegar al nuevo territorio se encontraron con algunas de las tierras de cultivo y de pasto más maravillosas del país y con una profusión de vías fluviales, bosques y huertos. Los lagos y los arroyos de la región norte del Medio Oeste ofrecían pescado y los bosques abundaban en venado y aves de caza, mientras que en las zonas del sur había acres y acres de tierra cultivable para sembrar. Los abundantes recursos formaban la base de la cocina regional y aseguraban que las despensas del Medio Oeste se mantuviesen bien llenas. Los sencillos y sustanciosos guisos de carne, los panes rústicos y los tubérculos que eran el pilar de las dietas en la madre patria también sustentaban a las familias en el nuevo territorio. Elaboraban queso y salchichas, fabricaban cerveza y ahumaban pescado y carnes justo como lo habían hecho en Europa.

Pero el Medio Oeste no es sólo un paisaje agrario habitado por granjeros. La gente que se estableció en los grandes centros urbanos (Chicago, San Luis, Detroit, Minneapolis, Kansas City, Cleveland y Milwaukee) también influyó en la determinación de la dieta del Medio Oeste. A principios de siglo, muchos norteamericanos de descendencia africana se trasladaron hacia las grandes ciudades del norte en busca de una nueva vida y un trabajo tras la abolición de la esclavitud en el Sur. También trajeron consigo su historia culinaria y añadieron la riqueza de la comida *soul* rural a la mezcla. Serbios, croatas, irlandeses, alemanes, checos, ucranianos, sirios y otros innumerables habitantes procedentes de Europa y Oriente Medio también se establecieron en las ciudades. Más recientemente, los inmigrantes asiáticos e hispanos trajeron sus tradiciones a los alrededores urbanos del Medio Oeste. Sobre todo en las ciudades, la escena gastronómica se caracteriza por una maravillosa complejidad, compuesta de diversas especialidades étnicas, así como de la cocina casera básica que da fama a la región.

La espectacular silueta de Chicago dibujada sobre el Lago Superior presenta un contraste urbano con los paisajes rurales del Medio Oeste.

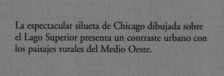

CHICAGO ÉTNICO

Años atrás, el poeta Carl Sandburg llamó a su ciudad natal, Chicago, el "carnicero de cerdos del mundo" debido a sus inmensos corrales de ganado y gigantescas industrias porcinas. Desde su fundación a principios del siglo XIX, Chicago ha sido el vínculo entre las bases del poder económico y político de la Costa Este y los recursos agrícolas del Oeste y el Medio Oeste. Actualmente sigue albergando muchos de los mercados de mercancías más importantes de Estados Unidos, en los cuales se comercia un tercio de los productos agrícolas e industriales del mundo. La ciudad siempre ha tenido una gran sensibilidad práctica acerca de esto y ha sido considerada como un lugar habitado por ciudadanos muy formales que prefieren la comida sencilla.

Conserva tenazmente la reputación de "ruda", si bien desde sus comienzos el pueblo de Chicago ha estado marcado por una variada mezcla de culturas y cocinas. Hoy en día, con uno de cada ocho residentes nacidos en el extranjero, Chicago es un mosaico de unas 80 a 100 culturas diferentes de todos los rincones del planeta. Cada una aporta su sabor a la mesa colectiva de la "Ciudad tempestuosa".

Los alrededores de Chicago ofrecen una magnífica representación de su enorme diversidad cultural. Existen aproximadamente 50 barrios étnicos diferentes y una gran cantidad de enclaves más pequeños salpican esta metrópolis desparramada. Puesto que la comida actuaba como una importante fuerza estabilizadora para los recién llegados, los mercados y los restaurantes fueron unos de los primeros negocios que se establecieron en la zona, sirviendo de importantes centros de atención.

Una panadería *kasher* en la zona de West Devon Avenue y Golda Meir Boulevard, en la cual viven ciudadanos árabes, indios, paquistaníes, hasidistas y de Oriente Medio.

El rótulo de un restaurante de Chinatown. El *Chop suey* es un plato que hoy en día se considera anticuado, teniendo en cuenta que en Estados Unidos el surtido de auténtica comida china es muy amplio. Es una receta que se inventó en este país en el siglo XIX para los trabajadores chinos del ferrocarril.

Sacos de arroz basmati en un mercado indio-paquistaní de Devon Avenue.

La entrada al Chinatown (barrio chino) de Chicago.

Muchos barrios sufrían un cambio espectacular cuando un grupo llegaba y otro se marchaba. El Rogers Park y el West Ridge, en el lado norte de la ciudad, fueron las primeras comunidades de inmigrantes judíos, y las pocas tiendas de alimentación, carnicerías *kasher*, panaderías y *delicatessen* que quedan traen a la memoria esa época. En la actualidad, en la zona viven tanto familias negras como hispanas. En el North Side también se encuentra Chinatown (el barrio chino), donde hoy en día viven y trabajan personas de distinta ascendencia asiática (de Laos, Tailandia, Vietnam y China). El Chinatown original, que está situado al sur del centro de la ciudad en las avenidas Wentworth y

Cermark, afirma tener 10.000 residentes. En él, casi todas las provincias de China están representadas por restaurantes que ofrecen cocinas variadas.

En los años sesenta, los nuevos inmigrantes procedentes del subcontinente indio convirtieron la zona de alrededor de Devon Avenue, antiguamente ocupada por restaurantes *kasher* y sinagogas, en un bullicioso mercado indio y paquistaní. Aquí los clientes pueden encontrar las crêpes parecidas a papel pergamino conocidas como *dosi* y los complejos guisos impregnados de especias exóticas. El *dal* (lentejas cocidas), el *iddly* (un pastel blanco de arroz molido) y los currys picantes forman parte de muchos menús. Muy cerca, los inmigrantes rusos, croatas y de Oriente Medio también han abierto negocios, cuyos rótulos en distintas escrituras y lenguas convierten esta franja del North Side de la ciudad en un tapiz gráfico. Unos quilómetros al sur, cerca del Lincoln Square Mall, se halla el barrio alemán más grande de Chicago. Varios quilómetros al nordeste, aún se pueden encontrar panaderías y tiendas suecas en Andersonville, donde vivieron los primeros inmigrantes escandinavos de la ciudad.

Greek Town en Halsted Street y Little Italy en Taylor son las zonas predilectas para comer de madrugada; algunas de las tabernas y trattorias permanecen abiertas hasta medianoche, o incluso hasta más tarde, y sirven especialidades mediterráneas en un ambiente bullicioso.

Los inmigrantes ucranianos y polacos se han concentrado a menudo en los mismos barrios, compartiendo una afición a platos como los *pierogis* y la col rellena. La zona llamada Little Ukraine (pequeña Ucrania), en la cercana parte noroeste de la ciudad, es una zona mixta típica habitada por polacos, rusos, estudiantes y residentes nuevos que se han mudado al aburguesado barrio. En él, uno puede degustar *holupka* (hojas de col rellenas), salchicha polaca, *pierogis,* tortitas rellenas de queso, col fermentada y sopas vigorosas y reconfortantes fortalecidas con salmuera picante. Unos metros más lejos se halla el barrio predominantemente hispano de Humboldt Park.

El barrio conocido como Pilsen, al sudoeste del centro del barrio de negocios, debe su nombre a la ciudad de la actual República Checa. Siempre ha sido una encrucijada cultural y ha acogido a innumerables inmigrantes. En el siglo XIX, estuvo mayormente habitado por la clase obrera checa y alemana. Más adelante, se establecieron polacos, croatas y lituanos que, con el tiempo, se marcharon. Actualmente se pueden ver vestigios de esa época en el estilo de las casas de ladrillos que se alinean en algunas de las calles.

Hoy en día Pilsen ofrece otro aspecto. Los inmigrantes mexicanos que llegaron en los años

Este vendedor de frutas, en Pilsen, representa la nueva mezcla de grupos étnicos que viven en la zona.

Esta carnicería musulmana de Devon Avenue vende carne sacrificada según las leyes religiosas.

sesenta representan ahora hasta el 90% de la población de la zona, convirtiendo Pilsen en una de las comunidades mexicanas más grandes de Estados Unidos.

La zona conocida como Douglas/Grand Boulevard del South Side de Chicago es el corazón y el alma de la comunidad negra. Al igual que otros muchos barrios de Chicago, sus residentes han sido de diversas etnias a lo largo de los años, inclu-

sive indígenas norteamericanos, católicos irlandeses y judíos alemanes. Los afroamericanos se establecieron aquí al final del siglo XIX y, a la larga, se vieron obligados por las normas sociales a ganarse la vida dentro de sus fronteras. Entre los años veinte y cuarenta, Douglas/Grand Boulevard era conocida como Bronzeville y albergaba una próspera escena cultural rica en jazz, música *gospel* y arte visual. Hoy en día el barrio intenta recuperarse tras

años de decadencia. Los grupos de ciudadanos y los activistas trabajan para preservar y rehacer la vida cultural y económica de la zona, reuniéndose a menudo en cafés, antros de barbacoas e iglesias locales en los cuales urden estrategias importantes y determinan programas. Un café del South Side es tan famoso por sus galletas al estilo sureño como por su clientela, compuesta por líderes influyentes de la comunidad negra.

Colonos escandinavos

Lefse y Lutefisk

Entre 1820 y 1914 llegaron a Estados Unidos más de dos millones de escandinavos. La perspectiva de inviernos severos e implacables no los disuadió; el Alto Medio Oeste les recordaba a su tierra natal y representaba oportunidades para los suecos, los daneses y los noruegos. Muchos se dirigieron hacia el interior tras su llegada a la Costa Este, para empezar a trabajar de leñadores, pescadores y granjeros. Los noruegos fueron los primeros en llegar, hacia 1840, y muchos de ellos se asentaron en la parte norte del valle del Misisipí. Los inmigrantes suecos empezaron a llegar poco después y, finalmente, vinieron los inmigrantes daneses.

Uno de los destinos fue Door County, en Wisconsin (con lo cual los suecos fueron el segundo grupo étnico más grande de Wisconsin después de los alemanes), y la estrecha península que se adentra en el lago Michigan aún alberga numerosa población escandinava. Lo más probable es que gracias a sus influencias se creara la famosa Olla de pescado de Door County, una fiesta al aire libre en la cual se cocina pescado y que se celebra en verano. Otro vestigio de la vida de los inmigrantes en las llanuras se puede encontrar en el restaurante de Al Johnson en Sister Bay. En él sirven una comida nutritiva y abundante, bajo un techo de bálago

Los arándanos encarnados están relacionados con los arándanos agrios. Crecen de manera silvestre en Escandinavia y Rusia y en algunos lugares del continente norteamericano. Esta baya ácida se suele endulzar, envasar y conservar en vez de comerla cruda.

Un colono frente a una cabaña con techo de césped en el Medio Oeste.

cubierto de hierba en la cual pasta un pequeño rebaño de cabras. En el menú figuran especialidades suecas tales como las tortitas finas como un pergamino con ácidos arándanos encarnados, las suculentas sopas y los saludables panes de centeno. El techo recuerda el tipo de vivienda campestre construida y habitada por los escandinavos, que fabricaban sus casas con bloques de tierra unidos con hierba.

Dane County (Wisconsin) también atrajo su parte de colonos escandinavos y aquí se enviaban las vacas lecheras a pastar en los prados ligeramente en pendiente. Las vacas, grandes productoras de leche, servían de base para la industria quesera que aún sigue en funcionamiento actualmente.

Muy cerca, en Racine (Wisconsin), los aros ovalados del bizcocho rico en manteca conocido como *kringle* (o *kringler*) son de origen danés. Los delgados pasteles en forma de O enorme se rellenan con almendras o pacanas picadas, cerezas o caramelo.

Había otras colonias escandinavas esparcidas por todo el Medio Oeste. Elk Horn (Iowa) atrajo a una gran multitud de daneses. Hoy en día siguen elaborando *rullepolse,* un tipo de espaldilla de buey prensada, condimentada y curada en salmuera; es uno de los pocos lugares fuera de Dinamarca en el cual todavía se puede degustar. En Decorah, en el nordeste de Iowa, los ciudadanos de origen noruego

conmemoran su herencia étnica con la Fiesta Nórdica, que se celebra todos los años durante la última semana de julio. La atracción principal es, por supuesto, la comida, inclusive un surtido de panes aromáticos y ligeramente dulces y el impresionante pastel de boda noruego. Quienes se atrevan pueden participar en el concurso para comer *lutefisk,* que reta a los norteamericanos de origen danés a que adopten sus tradiciones culinarias mientras comen este pescado gomoso tratado con lejía. Y aquí, al igual que en zonas aisladas del oeste de Minnesota, las mujeres granjeras siguen elaborando los delgados *lefse* noruegos. Estos panes planos a base de patata se extienden hasta dejarlos casi transparentes con un rodillo acanalado especial llamado rodillo de *lefse.* A continuación,

Erickson's, en el barrio de Andersonville (Chicago), vende alimentos escandinavos.

Las tortitas suecas con salsa de arándanos y las salchichas de patata y ternera son una especialidad para el desayuno en Ann Sather's, en Andersonville.

se cuecen sobre una plancha y se sirven calientes, a menudo untados con una capa fina de mantequilla y ligeramente espolvoreados con azúcar con canela. Stanton (Iowa) exhibe con orgullo su herencia sueca, con "la cafetera más grande del mundo". La torre de agua vivamente decorada de la ciudad es un monumento al café sueco y a la señora Olson, famosa por los anuncios de televisión. La señora Olson era el personaje creado por una marca de café para representar el buen sabor casero de su producto.

En Bishop Hill, situado en el centro oeste de Illinois, surgió una colonia sueca hacia 1840, establecida por Erik Jansson y que sirvió de hogar y de refugio a un grupo que huía de la persecución religiosa. Según se dice, aquí se elaboró por primera vez

El cocinero Wikstrom con un surtido de platos escandinavos. En sentido de las agujas del reloj, desde delante: salmón ahumado, salchichas, bolas de patata, judías doradas al horno y albóndigas suecas.

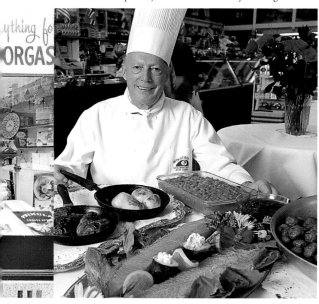

Una bandeja con rollos de canela glaseados recién horneados.

el gratinado de patatas cremosas con anchoas llamado la "Tentación de Jansson". En la actualidad, todavía se pueden encontrar en los hogares y los restaurantes de la zona las galletas delgadas y condimentadas llamadas *pepparkakor,* salchicha de patata, albóndigas suecas, bollos de cardamomo, pan limpa, arroz con leche y la "Tentación de Jansson".

Muchos de estos escandinavos que preferían la vida de las grandes urbes se establecieron en Chicago, congregados en varios barrios. Andersonville, en el North Side, era la colonia más grande (hubo una época en la cual habían más suecos en Andersonville que en Estocolmo), pero también surgieron enclaves más pequeños. Todavía quedan vestigios de los antiguos barrios y, aunque en la actualidad Andersonville no es tan firmemente

escandinavo como antaño, varias panaderías y tiendas de alimentación rememoran el sabroso pasado. Las judías al horno, el arenque, las albóndigas y la salchicha de patata son algunos de los platos que se venden aquí.

Swedish Pancakes
Tortitas suecas

3 huevos
2 tazas de leche
2 cucharaditas colmadas de azúcar
⅛ cucharadita de sal
¾ taza de harina blanca
6 cucharadas de mantequilla derretida
aceite vegetal, para la plancha

Mezcle todos los ingredientes en un cuenco grande, para obtener una masa fina. Caliente una plancha y úntela con aceite vegetal. Con un medidor de ¼ taza, vierta la masa en la plancha y cueza las tortitas por un lado hasta que se formen burbujas en la superficie. Déles la vuelta y cuézalas por el otro lado durante 1 minuto. Sirva las tortitas con arándanos encarnados o con jarabe de frutas. Para 4–6 personas.

Este rótulo de una tienda reza "Gracias, vuelva otra vez" en sueco.

Colonos polacos

Pierogis y Paczki

En Hamtramck (Michigan) la llegada de la Cuaresma no se anuncia con desfiles del martes de Carnaval o Pastel del Rey, tal y como ocurre en otras partes de Estados Unidos. En este barrio polaco-americano de De-

Paczki (donuts polacos) en la Alliance Bakery en Chicago.

troit, el Martes de Carnaval es anunciado por el *paczki*, un gran bollo polaco cubierto de azúcar. Conocidos también como donuts rellenos, los *paczki* son la forma tradicional polaca de empezar la penitencia de la Cuaresma. Aunque se suelen vender en las panaderías de la zona durante todo el año, tienen una mayor demanda en los días previos a la Cuaresma; una panadería de Hamtramck vende unas 100.000 unidades en estos días. De hecho, los polacos se refieren al Martes de Carnaval como el Día Paczki, una muestra de su afición a los donuts. El relleno más habitual es un chorro generoso de conserva de frambuesa, aunque también hay rellenos de limón, de crema, de fresa, de semillas de amapola y de ciruela.

Los polacos empezaron a congregarse en la región de Detroit a finales del siglo XIX y, ya en los años treinta, se calculaba que vivían más polacos en Detroit ("Little Poland", pequeña Polonia) que en cualquier otra ciudad de fuera de Polonia. Con el tiempo, se produjo un avance hacia el oeste y dicha distinción pasó a Chicago, donde hoy residen más polacos que en Varsovia. A menudo esforzándose económicamente, los primeros colonos polacos procuraron preservar su herencia culinaria. Con el tiempo sus recursos aumentaron, así como la munificencia de comida disponible. Esta tradición continúa.

Los donuts no son, por supuesto, la única contribución de los polacos a la cocina del Medio Oeste norteamericano. Las carnicerías y las panaderías narran un vivo relato de la emigración polaca. Las salchichas de cerdo curadas y perfumadas al ajo llamadas *kielbasa* son casi omnipresentes y se encuentran tan extensamente en los supermercados que ya no se consideran una comida étnica. Se suelen comer en un panecillo por ejemplo, en un partido de béisbol. Las salchichas hervidas o cocidas al horno se sirven con patatas al eneldo, col (a menudo fermentada, adoptada de la cocina alemana) y una rebanada gruesa de pan nutritivo.

Una vitrina con bollería polaca. 1. *Babka* 2. *Kolacz* de queso (pan dulce leudado) 3. *Nalesnicki* (tortitas rellenas de queso, cerezas o manzanas) 4. *Streusel* de fruta 5. Bollos dulces polacos y roscas de queso 6. Pastel de grosellas rojas 7. Pan leudado cuadrado 8. Pastel de cerezas 9. *Kolacz* de queso 10. Pastel de boda de cuatro pisos

En una preparación más elaborada, las salchichas polacas son sólo uno de los numerosos ingredientes del *bigos,* un guiso de cazadores polacos cuya preparación puede durar hasta tres días. Es un banquete para los amantes del cerdo que también se puede preparar con beicon y carne de cerdo fresca. Los generosos trozos de carne se cuecen a fuego lento junto con setas y col fermentada, resultando un plato sustancioso y muy condimentado.

Los polacos siguen celebrando la Nochebuena con una tradicional comida sin carne. Las *oblaten* (u obleas sagradas), un pan delgado y estampado con gracia, indican el inicio de la fiesta y dan comienzo a una procesión de platos. Entre los platos típicos están el *borscht* de color rubí, el *kutia* o pudding dulce de trigo (del cual se dice que, si al lanzar una cucharada al techo ésta se adhiere, tanto la cosecha como la suerte de la familia serán buenas) y los *pierogis,* rellenos de champiñones, patatas o col fermentada.

Abundan los panes dulces y las pastas. El *babka* (un pan fermentado con levadura), los *chrust* fritos, los pasteles de semillas de amapola, las barras *mazurek* y los *strudels* delicadamente enrollados son productos típicos de las panaderías polacas.

Blitz Torte
Tarta de almendras

Bizcocho:

½ taza de mantequilla
½ taza de azúcar glas
4 huevos grandes, yemas y claras separadas
1 cucharadita de extracto puro de vainilla
1 taza de harina blanca
1 cucharadita de levadura en polvo
3 cucharadas de leche entera
una pizca de cremor tártaro
1 taza de azúcar granulado
1 cucharadita de vinagre
⅔ taza de almendras blanqueadas y fileteadas

Relleno:

1 taza de azúcar granulado
1 taza de nata agria
3 cucharadas de harina blanca
4 yemas de huevo grandes
1 cucharadita de extracto puro de vainilla
fresas frescas cortadas en láminas o, si lo desea, una mezcla de frutas

Para el bizcocho:

Bata la mantequilla y el azúcar glas. Añada las yemas de huevo y la vainilla y mezcle bien. Tamice la harina y la levadura en polvo; añádalas a la mezcla anterior con la leche; bata ligeramente. Divida la masa entre dos moldes desmontables, de 22,5 cm de diámetro, engrasados y enharinados. Reserve.

Bata las claras de huevo con un batidor eléctrico hasta que estén espumosas. Agregue el cremor tártaro y siga batiendo hasta que estén a punto de nieve. Añada gradualmente el azúcar granulado, mezclando bien después de cada adición. Cuando haya añadido casi todo el azúcar, incorpore el vinagre. Siga batiendo hasta obtener una mezcla espesa y brillante.

Esparza la preparación sobre la masa en los moldes; espolvoree una capa de bizcocho con almendras. Hornee las dos capas de bizcocho a 160°C hasta que estén firmes, de 30 a 35 minutos. Déjelas enfriar en los moldes y desmóldelas con cuidado.

Para el relleno:

Mezcle el azúcar, la nata agria, la harina y las yemas de huevo en la parte superior de una cacerola para baño María colocada sobre agua hirviendo. Cueza a fuego medio, removiendo, hasta que se espese, unos 20 minutos. No deje hervir la mezcla. Retire del fuego y agregue la vainilla. Deje enfriar por completo y refrigere.

Para montar la tarta, extienda el relleno sobre la capa de bizcocho sin almendras. Si lo desea, añada una fina capa de fruta. Cubra con la otra capa de bizcocho, con el lado de las almendras hacia arriba. Sirva con más fruta. Para 8 personas.

Elaboración de la Blitz Torte

1. Bata las claras de huevo a punto de nieve con el cremor tártaro.

2. Extienda las claras batidas sobre la masa del pastel en los moldes.

3. Coloque una capa de bizcocho horneado sobre una fuente de pastel.

4. Extienda el relleno por encima.

5. Forme una capa uniforme de relleno sobre el bizcocho.

6. Disponga una capa de láminas de fresas frescas sobre el relleno.

7. Coloque encima la segunda capa de bizcocho, con el lado de las almendras hacia arriba.

139

COLONOS ALEMANES

Salchichas y Sauerkraut (col fermentada)

En Norteamérica se estableció un gran número de alemanes (a veces, hasta el 30% de los inmigrantes que llegaban al país eran alemanes), muchos de ellos en el Medio Oeste. Y el hecho de que estos alemanes llegaran antes que otros grupos étnicos permitió que sus raíces se arraigaran más. El legado es importante, sobre todo en materia culinaria. Los ingredientes y los estilos culinarios alemanes están tan integrados en la cocina norteamericana que a veces resulta difícil determinar dónde acaba una y dónde empieza la otra. Tomemos como ejemplo el asado, o los densos panes de centeno, los pasteles con cobertura desmigada y la cerveza, que son tan familiares a los norteamericanos. Todos son de origen alemán y, sin embargo, se cree indudablemente que pertenecen a la cocina norteamericana.

Los primeros grupos de colonos alemanes del Medio Oeste eran mayoritariamente facciones de los pensilvanos de origen alemán. A pesar del nombre, *Pennsylvania Dutch* (en inglés, significa literalmente "holandeses de Pensilvania"), los colonos no eran holandeses sino alemanes en busca de un lugar tranquilo para practicar su religión. La mayoría permaneció en la región amish de Pensilvania y otros se dirigieron hacia el oeste. Hoy en día se pueden encontrar pequeñas comunidades de amish y menonitas en Indiana, Ohio y Iowa. En cada zona, la cocina ofrece las características de la comida campesina; el estofado de pollo, las bolas de masa hervida, las tartas de crema de ruibarbo, los tallarines de huevo, los panecillos de patata, las galletas de azúcar y el *slump* de fruta son algunos de los numerosos platos que preparan.

Las extensiones de tierra atrajeron a muchos alemanes a Wisconsin y Misuri, y éstos empezaron a labrar la tierra con tesón. Las costumbres alemanas tuvieron una gran influencia en la agricultura norteamericana. Su diligencia y su entrega a la tierra permitió abrir los cimientos de una agricultura exitosa. Muy cerca nacieron ramales naturales de la agricultura; muchos granjeros alemanes elaboraban queso y salchichas y curaban carne para conservar su munificencia.

El hecho de que los alemanes estuviesen fuertemente implicados en la elaboración del queso se debe tanto a la geografía como a cualquier otra cosa. Wisconsin fue y continúa siendo actualmente un importante estado lechero y los antepasados de muchos de sus habitantes fueron colonos alemanes. Los métodos del Viejo Mundo se combinaban con los recursos disponibles para elaborar quesos tales como el *brick*, el *münster*, el *liederkranz* y el *limburger*.

Un surtido de charcutería alemana en un mercado de carne alemán de Chicago.

Ensalada alemana de patatas

La elaboración de salchichas estuvo aún más influenciada por las tradiciones alemanas. Los alemanes no fueron tan sólo los elaboradores de las salchichas, sino que en algunos casos también crearon nuevas variedades. Las *knackwurst*, las *bratwurst*, las *liverwurst*, las *mettwurst* y las *thuringer* son algunas de las salchichas típicas que los granjeros y los fabricantes de salchichas alemanes empezaron a producir. Se construyeron ahumaderos, oscuros y de madera, que se utilizaron para ahumar jamones, beicon e incluso pescado capturado en las aguas cercanas.

German Potato Salad
Ensalada alemana de patatas

16 patatas de piel roja medianas
500 g de beicon ahumado cortado en dados
¾ taza de vinagre de sidra
½ taza de azúcar
½ taza de caldo de pollo o agua
1 cebolla grande cortada en dados
2 cucharaditas de perejil fresco picado
sal y pimienta recién molida

Hierva las patatas con piel hasta que estén tiernas; escúrralas. Cuando estén lo bastante frías para poder manipularlas, pélelas, si lo desea, y córtelas en rodajas.

Mientras tanto, fría el beicon hasta que esté crujiente. Escúrralo y reserve ¾ taza de la grasa. Pase la grasa a un cazo mediano y añada el vinagre, el azúcar y el caldo o el agua. Lleve la mezcla a ebullición, removiendo para disolver el azúcar.

Agregue la cebolla y el beicon a las patatas y vierta el aliño caliente por encima. Añada el perejil, sal y pimienta. Sirva la ensalada tibia. O bien, cúbrala y refrigérela toda la noche. Caliéntela, tapada, en el horno a 160°C durante 35 minutos. Para 6–8 personas.

Especialidades alemanas en Berghoff's, Chicago. Derecha: escalopes empanados (superior) y *sauerbraten* (inferior). Izquierda: guarniciones de hortalizas.

CERVEZA

Cereales en una jarra

Aunque casi en todos los estados de Norteamérica hay como mínimo una pequeña fábrica regional de cerveza, el Medio Oeste está a la cabeza de la gran industria cervecera del país. El legado se remonta a la mitad del siglo XIX, cuando grandes extensiones de áridas praderas y verdes prados fueron transformados en valiosa tierra cultivable. El trigo, el centeno, la avena, la cebada y el maíz fueron de los primeros cultivos que brotaron en la fértil tierra negra, convirtiendo la región central en un inmenso granero y una fuente de ingredientes para fabricar cerveza. Además, los inmigrantes alemanes y bohemios llevaron consigo sus tradiciones y experiencias laborales. Éstas fueron las circunstancias que cimentaron la elaboración de cerveza en Estados Unidos. Las fábricas de cerveza se establecieron en los principales centros comerciales y de elaboración, incluidos San Luis, Cincinnati, Chicago, Milwaukee, St. Paul y Kansas City.

A medida que el país crecía, ocurría lo mismo con la industria. A finales del siglo XIX, en Estados Unidos había miles de productores de cerveza independientes y únicos. La decadencia de la elaboración de cerveza característica empezó cuando, en 1920, la Ley Seca interrumpió la producción legal de bebidas alcohólicas. Tras la abolición de la Ley Seca en 1933, sólo volvieron a abrir unas 400 fábricas de cerveza.

Dos años más tarde, la introducción de las latas de cerveza revolucionó la industria. Las máquinas de envasado eran caras y muchos fabricantes de cerveza no sobrevivieron al no poder adquirir la maquinaria. Los anuncios en televisión también son en parte responsables del marchitamiento de la industria. Sólo los principales productores tenían los recursos económicos para hacer publicidad; los más pequeños no pudieron persistir. El puñado de cervecerías que logró sobrevivir se redujo aún más en los años sesenta y setenta a causa de las fusiones y las adquisiciones. Más o menos en la misma época, los norteamericanos obsesionados con la buena salud hicieron exprimir el sabor característico de la industria cervecera estadounidense ya que, si bien no les gustaban las calorías (unas 150 por lata de 375 ml), todavía les encantaba beber cerveza. La Miller Brewing Company respondió a la demanda con un nuevo producto: la Miller Lite, con sólo 85 calorías por lata de 375 ml. El sabor era incluso más ligero que el de la *lager,* sin embargo la cerveza baja en calorías fue todo un éxito en un país obsesionado por la dieta. Los otros grandes fabricantes de cerveza se unieron rápidamente a la moda. En los años ochenta, los fabricantes de cerveza norteamericanos suministraban un barril tras otro de cerveza ligera. La industria también fue destilada y homogeneizada hacia la uniformidad. Era el momento oportuno para el desarrollo de las *microbreweries* (microcervecerías).

Fred Miller, el fundador de la Miller Brewing Company de Milwaukee (Wisconsin).

Los *Clydesdales* (caballos percherones) de Budweiser son grupos de ocho caballos de tiro emparejados que se dejan ver por todo Estados Unidos para promocionar la Anheuser-Busch Brewing Company de San Luis, la empresa que fabrica la cerveza Budweiser.

Pequeñas cervecerías

Muchos bebedores de cerveza norteamericanos querían una cerveza con más sabor, más cuerpo y más textura, así como una mayor diversidad de éstas. Aumentaron las ventas de cervezas de importación de mayor sabor y aparecieron las cervecerías caseras.

Los cerveceros aficionados se volvieron comerciales y, en los años noventa, había 900 pequeñas cervecerías en funcionamiento.

La mayoría de las pequeñas cervecerías elaboraba cerveza al estilo europeo. Aunque el entendido en cerveza sin duda ha madurado, este colectivo de

Un par de cervezas de una pequeña fábrica de cerveza.

amantes de la cerveza es un grupo informal y sin pretensiones. Sus cervezas tienen nombres extravagantes y sus estrategias de mercado son heterodoxas. Los aficionados pueden unirse a clubs de pequeñas cervecerías, que eligen la cerveza del mes, suscribirse a hojas informativas y acceder a páginas web en Internet. El tono cordial y enérgico de los artículos sobre la cerveza muestra el carisma joven de la industria.

Principales fabricantes de cerveza

El 80% de toda la cerveza que se consume en Estados Unidos lo producen cuatro gigantes de la industria. Tres de ellos se encuentran en el Medio Oeste: Anheuser-Busch, Miller y Stroh's. (El cuarto es Coors, en Colorado.)

Fabricación de cerveza

1. Montañas de malta en la fábrica de cerveza.

3. En la planta de embotellado, un trabajador comprueba que el proceso de llenado se desarrolla de modo uniforme.

Anheuser-Busch, de San Luis (Misuri), es el mayor fabricante de cerveza, no únicamente de Estados Unidos sino de todo el mundo; suministra aproximadamente a la mitad de todo el mercado cervecero norteamericano. Su cerveza Budweiser (que debe su nombre a la ciudad de Budweis, ubicada en la República Checa) representa una de cada cuatro cervezas vendidas en Norteamérica. La Bud es una *lager* (cerveza añeja) pálida norteamericana, de color dorado y sabor tostado y suave. Es el estilo de cerveza predominante producida en las grandes fábricas de cerveza del Medio Oeste norteamericano. Anheuser-Busch también fabrica la Bud Light (una popular cerveza baja en calorías) y la Michelob.

2. Recogiendo una muestra de cerveza de la caldera.

4. La malta y el agua se calientan conjuntamente en grandes cubas de cerveza.

Milwaukee, ciudad de cervezas

Hubo una época en que la cerveza era conocida como vino de Milwaukee. Milwaukee era llamada la Ciudad de la Cerveza y se consideró algo muy natural el hecho de denominar al equipo de béisbol profesional Milwaukee Brewers (cerveceros de Milwaukee). Esta metrópolis del sur de Wisconsin era realmente la "ciudad de las cervezas" *("city of suds";* en inglés "suds" se refiere a la espuma de la cerveza).

Ya no es el caso. Salvo una, las docenas de fábricas de cervezas que habían contribuido a la identidad de esta ciudad han cerrado o se han trasladado y, actualmente, sólo queda la Miller Brewing Company. Elabora *lagers* pálidas como los otros gigantes cerveceros. También es el cervecero que emprendió una revolución de los tipos de cerveza para los bebedores de Estados Unidos, abriendo un inmenso y nuevo mercado para las cervezas ligeras y bajas en calorías. En menos de diez años desde su introducción, la producción total de Miller Lite se multiplicó casi por diez. Las *lagers* Miller también se venden como Miller High Life y Miller Genuine Draft.

La G. Heileman Brewing Company, propiedad del consorcio Stroh, se halla justo al norte de la ciudad de La Crosse (Wisconsin). Sus productos más famosos son las *lagers* pálidas Pabst, Old Style, Old Style Light y Mickey's Malt Liquor. Las cervezas especiales elaboradas al estilo europeo son productos nuevos comercializados bajo las marcas Red River y Augsberger. Tanto la Sunflower Wheat (una cerveza al estilo alemán elaborada con trigo) como una cerveza *weiss* ligera, una roja con sabor a nuez, una negra, una *bock* con cuerpo (un tipo de cerveza negra y fuerte alemana) y una *doppel bock* (más fuerte que una *bock*) son cervezas producidas por esta fábrica en un esfuerzo por sacar provecho del reciente interés de los norteamericanos por las cervezas especiales.

Una selección de cervezas norteamericanas en lata

Queso

La elaboración comercial de queso en el Medio Oeste norteamericano es una industria relativamente joven, que se remonta tan sólo a 1830, cuando los granjeros de Nueva Inglaterra empezaron a ponerla en práctica. Sin embargo, el estado de Wisconsin ha alcanzado a países con tradiciones más venerables; es el tercer productor de queso más grande del mundo, después de Francia e Italia. Un millón y medio de vacas lecheras de Wisconsin producen la leche para elaborar 300 variedades de queso de Wisconsin.

La industria quesera empezó oficialmente en Wisconsin en 1841, cuando Anne Pickett mezcló leche de sus rebaños con leche de las vacas de sus vecinos y la transformó en queso. También se formaron otras pequeñas cooperativas y, en menos de 20 años, la industria quesera estaba en funcionamiento y se había organizado con fábricas de gran envergadura. Actualmente existen unas 200 fábricas de elaboración de queso en Wisconsin.

Superior: la vaca Holstein blanca y negra es una de las mejores vacas lecheras. Inferior: el cheddar semifuerte se recubre de cera roja.

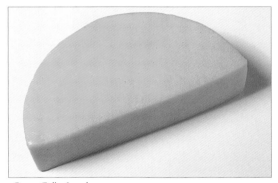

Queso Colby Longhorn

Dos quesos de Wisconsin, el Colby y el brick, son cien por cien norteamericanos (junto con otro único queso, el Jack, originario de California). El resto de los quesos fabricados en Estados Unidos se prepara según el modelo de variedades europeas (tales como el cheddar, el Brie, la ricotta, la mozzarella, el Camembert, el Gouda y el feta), elaborados originariamente por los queseros inmigrantes europeos que estaban resueltos a recrear los alimentos del viejo continente que les eran familiares. A mediados de los años ochenta, hubo otra afluencia de queseros europeos especializados que, atraídos por la abundancia de leche de primera calidad, importaron su experiencia junto con su entusiasmo por las oportunidades que ofrecía el Medio Oeste norteamericano.

El cheddar es de lejos el queso más popular en Norteamérica y representa la mitad de la producción total de Wisconsin. Los consumidores al oeste del río Misisipí prefieren el queso teñido de naranja mediante el colorante de bijol que se añade a la leche durante la producción. Al este del Misisipí prefieren el cheddar cremoso y de color blanco. El sabor y la textura son idénticos. La maduración determina lo fuerte que será un cheddar.

Un cheddar madurado menos de cuatro meses (contando desde el día de fabricación) será suave. Una maduración de cuatro a diez meses producirá un queso semifuerte; para obtener un cheddar fuerte se necesitan un mínimo de diez meses. Para identificar los diferentes grados de maduración del cheddar, la industria utiliza cera de distintos colores para envasar el producto final. La cera clara se usa para el cheddar suave, la roja indica un queso semifuerte y la negra se reserva para el cheddar fuerte y extra fuerte.

Inmensas fábricas de Wisconsin, Ohio e Illinois producen en serie enormes cantidades de queso, suministrando la mayoría del queso consumido en Estados Unidos. Entre la infinidad de quesos mediocres hay algunos excelentes, elaborados artesanalmente con técnica y esmero y distinguidos por su sabor y su carácter. El Maytag Blue de Iowa es uno de ellos. En 1941, la familia Maytag empezó a elaborar ruedas de queso azul con leche de vacas Holstein. El método de elaboración del queso fue desarrollado y patentado por un científico en la Universidad Estatal de Iowa, y fue el momento oportuno para que este negocio familiar despegará. A diferencia de la mayoría de los quesos azules, el Maytag Blue se madura durante cinco meses. El queso tiene un sabor fuerte y picante y una textura cremosa; los entendidos en quesos lo consideran de la misma clase que los quesos Gorgonzola y Roquefort europeos. El negocio sigue siendo propiedad de la familia Maytag. Un pequeño, pero creciente, número de queseros artesanos del Medio Oeste elabora unos quesos de leche de cabra y de leche de vaca únicos que compiten con los mejores del mundo. Esta tendencia confirma el creciente interés de los norteamericanos por los productos cultivados o elaborados por granjeros que quieren mantener la calidad y las características de los alimentos tradicionales.

El cheddar extrafuerte se recubre con cera negra.

El proceso de elaboración del queso

Aunque cada variedad de queso requiere pasos específicos para producirlos, algunos procedimientos son comunes a la mayoría de los quesos. Todo empieza con la leche, de la cual se comprueba primero su contenido en grasas y su pureza. Las leyes norteamericanas exigen que se pasteurice, a menos que el queso madure durante más de 60 días. Se añade a la leche un cultivo de base, que determina el sabor y la textura del queso. El cultivo suele estar compuesto de porcentajes variables de ácido láctico, bacterias o esporas de moho, encimas u otros microorganismos y productos químicos naturales. A continuación, se coagula la leche añadiendo el cuajo (un encima de coagulación de la leche) hasta que adquiere la consistencia de unas natillas y luego se corta en dados pequeños para permitir que el suero (el líquido) se separe de la cuajada (los sólidos). Cociendo y removiendo la cuajada y el suero juntos se proporciona a la cuajada la firmeza adecuada. Cuanto mayores sean el tiempo de cocción y la temperatura alcanzada, más duro será el queso.

Se escurre el suero y la masa de cuajada restante se transforma en un tipo determinado de queso según cómo se manipula y se sala. Por ejemplo, para elaborar el cheddar se utiliza un proceso llamado "cheddaring": las pilas escurridas de láminas gruesas de cuajada se revuelven y se apilan repetidamente para escurrir el suero restante y para desarrollar la acidez y el cuerpo adecuados. La cantidad de sal que se añade al queso depende de cada variedad. La sal se puede echar en la cuajada o restregarla en el queso ya prensado. También se puede sumergir el queso en una solución salada, o en salmuera, como es el caso de la mozzarella, el provolone, el queso suizo o el romano. Para terminar la formación de la cuajada y dar forma al queso, se prensa de 3 a 12 horas en función de su tamaño. Los quesos madurados se curan en una bodega con una humedad y una temperatura controladas. El queso fresco como la ricotta, el feta, el queso cremoso y el mascarpone no se curan.

El Cheez Whiz es un queso preparado blando que se comercializa en lata (de la cual el queso sale en forma de rosetas) o en tarro.

Macaroni and Cheese
Macarrones con queso

3 cucharadas de mantequilla	
3 cucharadas de harina blanca	
2½ tazas de leche entera	
1¾ tazas de queso cheddar fuerte rallado	
½ cucharadita de mostaza seca	
sal y pimienta de Cayena, al gusto	
270 g de macarrones tipo coditos, cocidos según las indicaciones del paquete	

Para la cobertura:

¾ taza de queso cheddar fuerte rallado
½ taza de pan tierno recién rallado
½ cucharadita de pimentón
1 cucharada de mantequilla cortada en trocitos

Derrita la mantequilla en un cazo mediano. Añada la harina y cueza a fuego medio durante 1 minuto. Incorpore la leche batiendo poco a poco. Cueza, removiendo de vez en cuando, hasta que la mezcla se espese. Retire del fuego y agregue el queso, la mostaza, la sal y la pimienta de Cayena. Remueva hasta obtener una mezcla homogénea.

Mezcle los macarrones con la salsa y páselos a una fuente de horno de 20 cm untada con mantequilla. Prepare la cobertura mezclando el queso, el pan rallado y el pimentón. Espolvoréela sobre los macarrones y esparza los trocitos de mantequilla por encima. Gratine en el horno, precalentado a 190°C, hasta que la cobertura se dore y forme burbujas, unos 25 minutos. Para 4–6 personas.

Datos relativos al queso:

Un norteamericano medio consume cerca de media tonelada de queso a lo largo de su vida. El consumo anual por persona es de unos 13,5 kg.

Se necesitan 5 litros de leche para elaborar 500 g de queso.

En Wisconsin, a los aficionados al deporte se les conoce como "cabezas de queso", apodo que ostentan orgullosos. También se ponen sombreros en forma de queso en los eventos deportivos.

Hay unos 1.500 queseros registrados en Wisconsin.

Macarrones con queso

TIPOS DE QUESO

Singularmente únicas:
Lonchas de queso norteamericano de Kraft

El queso más popular de Norteamérica es un producto de color amarillo subido, blando y fundente llamado "queso norteamericano" desarrollado por James L. Kraft a principios de siglo. Su relación con el cheddar es, a lo más, escasa aunque sigue reclamando el noble queso británico como pariente lejano. Kraft, que se trasladó de Buffalo (Nueva York) a Chicago, encontró dos cualidades del queso que le preocupaban cuando quiso establecer su negocio de reparto de queso puerta a puerta. Primero, cuanto más tiempo reposaba, más fuerte era su olor. Y los bordes siempre se secaban, lo cual causaba desperdicios, ya fuera al comerciante o al cliente. Kraft experimentó con varios procesos que evitaban que el queso se estropease, descubriendo finalmente un método en el cual el queso se desmenuzaba, se cocía en una mezcla que contenía colorante y se le volvía a dar forma para envasarlo en forma de bloque.

El queso "preparado" resultante fue un éxito inmediato, y alimentó tanto a los soldados en la Segunda Guerra Mundial como a los ciudadanos que se habían quedado en casa. En los años cuarenta, al ver que los norteamericanos eran muy aficionados a los bocadillos, a Kraft se le ocurrió la idea de cortar el queso en lonchas antes de envasarlo. Si bien al principio las amas de casa se mostraron escépticas (no se acababan de creer que el queso que parecía tan regular en los envases estuviese realmente cortado en lonchas), cambiaron rápidamente de opinión; en 1965, cuando aparecieron las lonchas envasadas individualmente, tuvieron un éxito inmediato. Puede que el queso sea insípido y previsible, pero se utiliza en más hamburguesas y bocadillos de jamón y queso que cualquier otro tipo de queso.

Kraft llevó el queso preparado todavía más lejos, introduciendo a los norteamericanos el Velveeta (un queso preparado pasteurizado) y el Cheez

Las lonchas de Kraft, láminas cuadradas de queso envueltas individualmente que se venden en todas las tiendas de comestibles de Norteamérica.

Whiz (una mezcla de quesos fundidos envasada en un tarro). Y, aunque el linaje es indudablemente confuso, tanto el Velveeta como el Cheez Whiz son unos derivados directos del queso cheddar.

Quesos oriundos de Wisconsin

El queso Colby fue el primer queso nuevo que se inventó en Wisconsin, creado en 1874 por el quesero Joseph Steinwand de Colby (Wisconsin). Quería elaborar una versión del queso cheddar más suave, menos seca y con una textura más porosa, y pasó a ser el preferido de los cocineros que buscan un queso para todo tipo de usos. Colby Longhorn es un término que designa un queso redondo ligeramente alargado, que se corta y se vende en forma de media luna.

El otro queso realmente oriundo, el brick, apareció un año más tarde aproximadamente. El suizo John Jossi empezó con la fórmula para elaborar el limburger, un queso de sabor fuerte y acre. La modificó disminuyendo el contenido en humedad de las cuajadas y prensándola entre ladrillos (de ahí su nombre; *"brick"* significa "ladrillo" en inglés) y obtuvo un producto similar algo más suave. Recibió el nombre de "limburger de hombre casado" porque su olor era menos fuerte que el original del cual provenía; los hombres podían comer el queso sin causar un disgusto a su esposa.

La Chalet Cheese Cooperative, empresa ubicada en Monroe (Wisconsin), es la última fábrica de Estados Unidos que elabora queso limburger. Este queso muy aromático (algunos se podrían describir incluso como malolientes), complejo y de sabor fuerte se elabora según un tipo de queso belga; así como su equivalente europeo, es fuerte, blando y ligeramente salado. Los aficionados a este

Limburger

tipo de queso anhelan su sabor robusto y suelen comerse una loncha gruesa entre dos rebanadas de pan de centeno con cebollas.

Cheez Whiz en tarro y Velveeta, dos quesos blandos para untar utilizados como salsa, relleno de bocadillos y con nachos (fritos de maíz con queso caliente y chiles).

Wisconsin Cheese Balls
Bolas de queso de Wisconsin

1 taza de queso cheddar fuerte rallado

1 cucharada de harina blanca

¼ cucharadita de mostaza seca

⅛ cucharadita de pimienta de Cayena

1 clara de huevo grande

aceite vegetal, para freír

Mezcle el queso, la harina, la mostaza y la pimienta en un cuenco pequeño; remueva bien. Bata la clara de huevo a punto de nieve con un batidor eléctrico. Añádala a la mezcla de queso. Forme bolas de unos 2,5 cm.

En una sartén honda, caliente abundante aceite a 185°C. Fría las bolas de queso hasta que se doren. Retírelas con una espumadera y déjelas escurrir sobre papel de cocina. Sírvalas de inmediato.

Las vacas satisfechas producen buena leche para elaborar queso en el Medio Oeste.

Cheddar curado

Cheddar con hierbas y pimienta

Provolone

Maytag Blue

Marinated Red, White and Blue Cheese Onions
Cebollas marinadas al queso azul

1 cebolla Vidalia grande pelada y cortada en gajos finos

1 cebolla roja grande pelada y cortada en gajos finos

3 escalonias grandes peladas y cortadas en rodajas finas

3 cucharadas de aceite vegetal

1 cucharada de vinagre de vino tinto

100 g de queso azul desmenuzado

½ taza de cilantro picado

½ taza de nueces tostadas y picadas

sal y pimienta recién molida, al gusto

Separe las cebollas en gajos. Póngalas en un cuenco grande con las escalonias, el aceite, el vinagre y el queso. Cubra y deje marinar de 24 a 48 horas.

En el momento de servir, añada el cilantro, las nueces, sal y pimienta. Sirva sobre pan tostado o, como condimento, con hamburguesas o salchichas a la parrilla. Para 6 personas.

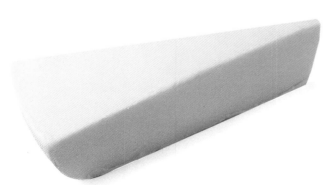

Cheddar extra fuerte

Cheddar fuerte

LA FERIA ESTATAL

Galardones máximos, algodón de azúcar y calabazas dignas de premio.

Aunque, según consta, la primera feria agrícola de Estados Unidos se celebró en 1810 (una exhibición de ganado en el condado de Berkshire, en Massachussets), la zona interior del Medio Oeste adoptó rápidamente la costumbre y toda la fanfarria que la acompaña. Durante más de un siglo, las ferias estatales y de los condados han presentado con orgullo lo más grande y lo mejor que la vida agrícola puede ofrecer. Desde ponys premiados hasta panes con el galardón máximo, desde dechados cosidos a mano hasta sabrosos encurtidos para tomar con pan y mantequilla, desde tiradores de tractores hasta desfiles, las ferias celebran el carácter casero y trabajador de la vida campesina.

Desde sus inicios, las ferias se organizaban para los granjeros a finales de verano o a principios de otoño, cuando muchas de las tareas agrícolas del verano se ralentizaban tras su frenético ritmo estacional. Los asistentes podían informarse sobre el nuevo ganado de cría y los caballos de tiro, examinar las muestras de semillas híbridas o los nuevos materiales para cercas (como el cercado de alambrado de espino, inventado en Illinois) y descubrir las novedades en maquinaria y equipamiento agrícolas. Las esposas de los granjeros eran invitadas a oponer sus pasteles y su arte para encurtir a los de sus vecinas y, al final del día, todos podían sentarse juntos y disfrutar de un *sundae* o una cena a base de jamón y judías. En resumen, las ferias eran (y son) sociales, prácticas, informativas y, sobre todo, divertidas.

Aunque el carácter de la Norteamérica rural está cambiando, las ferias estatales y de los condados atraen a más multitudes que nunca. La gente de la ciudad acude en tropel para tener una muestra de la vida campesina, mirando el ganado con la misma curiosidad con la que observan a los animales raros y exóticos en el zoo. En muchas ferias, los visitantes tienen la oportunidad de ordeñar las vacas, acariciar a las cabras y dar de comer a las vacas y los cerdos. Y, si bien las sandalias abiertas y otra ropa inapropiada distinguen rápidamente a los habitantes de la

Montarse en las atracciones, una parte de todas las ferias estatales

ciudad entre la multitud, todos toman contacto con sus raíces agrarias en las ferias.

En la Feria estatal de Illinois (Springfield), una feria espectacular celebrada a mediados de agosto, lo más abrumador es que todo lo comestible se fríe en abundante aceite. El olor flota en el aire y, a los asiduos a las ferias que van de puesto en puesto, les parece que casi todas las carpas de comida han instalado una caldera hirviendo de manteca caliente. Tomates verdes fritos. Brotes de cebolla fritos (gigantescas cebolletas, de hasta 500 g de peso, cortadas transversalmente para que las numerosas capas queden expuestas en abanico como un crisantemo abierto una vez cocidas). Orejas de elefante fritas, tan grandes que sobresalen del plato.

Chiles jalapeños rellenos de queso fritos. Bocadillos de chuletas de cerdo fritas. Perritos calientes fritos. *Funnel cakes* fritos. Incluso los trozos de manzana y los bloques de helados se rebozan y se fríen en abundante aceite.

De vez en cuando se percibe el olor del azúcar. El algodón de azúcar, los helados, las limonadas (este refresco típico de las ferias se prepara poniendo limones, azúcar y agua en un vaso, tapándolo y agitándolo) y la melcocha son algunos de los numerosos dulces disponibles. La mezcla de olores es fuerte y embriagadora y, visitando la feria, es difícil no sentir como si uno hubiese tropezado con una muestra del paraíso en la zona interior del país. De este modo empieza una odisea imparable de comida.

Niños con sus pollos premiados muestran sus galardones.

La calabaza más grande de la feria también ha sido premiada.

Un joven concursante muestra su girasol.

Lemon Shake-ups
Limonada

2 tazas de azúcar

3 tazas de agua

5 limones frescos, bien limpios

cubitos de hielo

Mezcle el azúcar y 1 taza de agua en un cazo. Lleve a ebullición y cueza 2 minutos. Deje enfriar el almíbar antes de utilizarlo.

Corte los limones transversalmente por la mitad y exprímalos. Reserve 4 mitades.

Mezcle una mitad de limón, 3 cucharadas de zumo de limón, ⅓ taza de almíbar y ½ taza de agua en cada uno de los 4 vasos grandes. Llene con cubitos de hielo, tape y agite enérgicamente. Sirva de inmediato. Para 4 personas.

Limonada

Puestos de tentempiés en la feria. Venden palomitas de maíz, *snow cones* (helado en virutas recubierto con jarabes), donuts y sidra de manzana, entre otras cosas.

Corn Dogs
Perritos calientes al maíz

1 taza de harina blanca, tamizada antes de medirla

⅔ taza de harina de maíz amarilla

2 cucharadas de azúcar

1½ cucharaditas de levadura en polvo

½ cucharadita de sal

2 cucharadas de grasa vegetal sólida

1 huevo grande ligeramente batido

¾ taza de leche entera

8 salchichas de Frankfurt

8 brochetas grandes de madera

aceite vegetal, para freír

Mezcle los dos tipos de harina, el azúcar, la levadura en polvo y la sal en un cuenco mediano. Añada la grasa y remueva hasta obtener una pasta desmigada. Agregue el huevo y la leche, y mezcle ligeramente. Seque bien las salchichas y ensártelas en las brochetas longitudinalmente. Rebócelas con la pasta, cubriéndolas bien, sosteniendo las salchichas con pinzas y extendiendo la pasta con un cuchillo.

Caliente unos 7,5 cm de aceite en una cacerola a 190°C. Añada las salchichas rebozadas y fríalas hasta que estén doradas, de 4 a 5 minutos. Sirva de inmediato, ya sea en las brochetas o en panecillos para perritos calientes. Para 8 personas.

Elephant Ears
Orejas de elefante

1¼ tazas de leche

½ taza de mantequilla

1 paquete de levadura seca activa

¾ taza de azúcar granulado

¼ taza de agua caliente (52–58°C)

5½ a 6½ tazas de harina blanca

1 cucharadita de sal

una pizca de nuez moscada recién rallada

3 huevos grandes ligeramente batidos

abundante aceite vegetal, para freír

azúcar glas o azúcar con canela

Caliente la leche con la mantequilla hasta que ésta se derrita. Déjela enfriar hasta que esté templada. Mientras tanto, disuelva la levadura y 1 cucharadita de azúcar en agua tibia y deje reposar la mezcla hasta que sea espumosa, de 5 a 10 minutos.

En un cuenco grande, una las mezclas de leche y de levadura junto con 2 ½ tazas de harina, la sal y la nuez moscada. Remueva hasta obtener una pasta homogénea. Cúbrala y déjela reposar hasta que se formen burbujas, unos 30 minutos. Incorpore los huevos batidos y seguidamente harina adicional para elaborar una masa blanda pero no pegajosa.

Pase la masa a una superficie enharinada y trabájela hasta que sea fina, flexible y elástica, unos 8 minutos. Devuélvala al cuenco, cúbrala y deje que suba en un lugar cálido hasta que doble su volumen, 1½ horas aproximadamente. Golpee la masa y divídala en 4 partes, y cada parte en 4 ó 5 trozos.

Vierta abundante aceite en una sartén grande y honda. Caliéntelo a 185°C. Moldee cada bola de pasta con las manos, en forma de disco oval grande de unos 25 cm de largo y 15 cm de grosor. Fría los discos de uno en uno, dándoles la vuelta una vez, hasta que estén bien dorados. Escúrralos sobre papel de cocina y espolvoréelos con azúcar glas o azúcar con canela mientras todavía están calientes. Sirva de inmediato.

Perritos calientes al maíz

El algodón de azúcar rosa es una golosina que no se puede preparar en casa. Los cristales de azúcar se centrifugan en una máquina que los transforma en fibras que se envuelven alrededor de un cono de papel.

UN DÍA EN LA VIDA DE UN GRANJERO

Dotado con algunas de las tierras más fértiles y productivas de Estados Unidos, el Medio Oeste ha sido conocido durante mucho tiempo como el granero del país por las cosechas de cereales que produce. Aquí abundan el maíz y el trigo, así como la soja, la avena, la cebada y el centeno. Pero las granjas del Medio Oeste también cultivan muchos otros alimentos. Las patatas, la col, las remolachas, los tomates, el rábano picante, las judías blancas, las cerezas, los melocotones y las manzanas son sólo algunos de los principales cultivos de la región.

Tres generaciones de granjeros Nichols: Tony, Nick y Lloyd

La agricultura ha cambiado radicalmente a lo largo de este siglo. Antes, el Medio Oeste estaba salpicado de miles de pequeñas granjas. Muchas familias vivían sólo de la agricultura. Hoy en día, esto no es frecuente. En un país cada vez más urbanizado, el número de granjas ha disminuido notablemente. Un gran porcentaje de su superficie está ocupado por la industria agropecuaria; grandes granjas industrializadas han desplazado a un gran número de pequeñas granjas.

Calabazas

Sin embargo, muchos habitantes del Medio Oeste mantienen con firmeza la tradición y la agricultura sigue siendo una profesión noble en la zona central de Estados Unidos, practicada con dignidad, tesón y un gran respeto por la tierra. Lloyd Nichols, del condado de McHenry (Illinois), es uno de estos granjeros.

Nichols es más bien un "granjero de mercado", aquel que sólo cultiva para vender en los mercados agrícolas urbanos. Como tal, no tiene grandes contratos con industrias alimentarias o supermercados.

La casa del granjero está aislada por el pajar rojo a la izquierda y el establo de las vacas a la derecha.

Lloyd y Doreen Nichols con su tractor, la pieza más esencial de la maquinaria agrícola básica.

El granero donde se seleccionan y se envasan las frutas y las hortalizas para llevarlas al mercado de los granjeros.

Lloyd Nichols vendiendo la cosecha del día en el mercado de granjeros de la ciudad.

Ilustrando el concepto "de la granja a la mesa", siembra las simientes en su extensión de 150 acres, cultiva y recolecta las cosechas y luego las limpia, envasa las innumerables variedades en canastas y las lleva al

Una flor de girasol repleta de semillas

mercado de granjeros local, donde él mismo vende las frutas y las hortalizas frescas. Como máximo, pasa un día desde que se recogen de la mata o de la tierra hasta que se venden. A veces, pasan tan sólo unas horas.

En temporada media, este granjero distribuye un gran surtido de productos al mercado; hasta 450 tipos de frutas y hortalizas. Tal y como le gusta definirse, sólo es un jardinero con mayores ambiciones. Cada

Las cebollas son una de las primeras cosechas que se recolectan.

año experimenta con nuevas frutas y hortalizas, siempre buscando cultivos que simplemente sean sabrosos. E, insiste, le gustan los nuevos retos.

Nichols empieza algunos cultivos ya a mediados de enero, cultivándolos en invernaderos, si bien la mayoría de sus plantaciones las siembra directamente en la tierra oscura y fértil. A finales de mayo, Nichols empieza a recolectar las espinacas, las lechugas, los espárragos, los berros, las cebollas y los ajos. Poco después brotarán sus más de 20 variedades de fresas. La temporada dura unas 21 semanas. Nichols comparte un parentesco especial con todos los granjeros.

Las fuerzas de la naturaleza (el tiempo, los insectos, los pájaros, los animales) tienen la última palabra sobre la calidad de la cosecha.

MAÍZ

El nativo norteamericano dorado

Conocer toda la historia del maíz es conocer la historia de Norteamérica. Estrechamente vinculado e integrado a la historia de Estados Unidos, el maíz es el alimento oriundo norteamericano más importante que germina en la tierra. El maíz *(Zea mays)* se cultiva en el hemisferio oeste desde hace más de 5.000 años y fue la base de las antiguas civilizaciones indias, como los Mayas o los Aztecas. Betty Fussell, autora de *La historia del maíz,* una crónica de la cosecha típica de Norteamérica, dice que el maíz es el hilo común de casi todo lo norteamericano. "El maíz es lo que une nuestra diversidad étnica" escribe, considerando el papel que éste desempeña en la cultura y la cocina contemporáneas.

El maíz fue uno de los pocos cultivos que el Nuevo Mundo compartía con el Viejo Mundo. Era una planta fuerte, muy atractiva y valiosa, que fue rápidamente aceptada en toda Europa y Asia. Cuando posteriormente la gente empezó a emigrar de estos continentes hacia Estados Unidos, trajo consigo nuevas recetas hechas con harina de maíz, como la polenta italiana y la *mamaliga* rumana. El maíz había cumplido un ciclo completo.

Con mucho, la mayor cantidad de maíz se cultiva en los estados del Medio Oeste y de las Grandes Llanuras. Si bien, sorprendentemente, menos del 1% de la producción total se consume como maíz. Aproximadamente el 85% del maíz cultivado es "maíz de campo", una variedad utilizada como forraje y, por lo tanto, un producto muy importante en este país de ávidos consumidores de carne. El maíz restante se puede considerar como "maíz oculto". Se utiliza en una infinidad de productos secundarios como, por ejemplo, etanol, jarabe de maíz, aceite de maíz, pastillas para la tos, pasta de dientes y perritos calientes.

Si bien la gran mayoría del maíz cultivado se destina a otros productos, a los norteamericanos les encanta el maíz. El consumo anual de maíz desvainado por persona es de 1,5 kg. La cocina natural y sencilla combina perfectamente con el maíz y las recetas más típicas figuran en los anales de la cocina regional norteamericana clásica. El *chowder* de maíz, la crema de maíz, el *succotash,* la torta de maíz, los bollos, los buñuelos y el pudding de maíz son algunas de las sabrosas posibilidades, pero ninguna preparación supera la siempre apetitosa mazorca de maíz untada con mantequilla. Los híbridos muy dulces, las actuales variedades favoritas de los consumidores de maíz dulce, se desarrollan en la Universidad de Illinois y se siguen mejorando. Estas variedades dulces como el azúcar contienen un 25–30% de azúcar, un notable incremento respecto al 5–10% de las variedades antiguas.

Mazorcas de maíz tiernas de finales de verano

En verano, las mazorcas de maíz asadas a la parrilla con la farfolla se venden en las ferias, las cenas comunitarias, las fiestas y las barbacoas de la ciudad.

Grilled Chili Corn on the Cob
Mazorcas de maíz picantes a la parrilla

4 mazorcas de maíz frescas con la farfolla
3 cucharadas de mantequilla reblandecida
1 cucharadita de guindilla en polvo, o más al gusto
una pizca de pimentón
sal

Tire las farfollas de las mazorcas hacia atrás, dejándolas unidas a la base. Retire los filamentos. Ponga las mazorcas en remojo en agua fría durante 30 minutos. Escúrralas y seque bien los granos. Mezcle la mantequilla, la guindilla en polvo y el pimentón. Unte la preparación sobre el maíz. Devuelva a las farfollas su forma original, atándolas en la parte superior con un clip metálico.

Ase las mazorcas a la parrilla sobre un fuego de carbón de leña, dándoles la vuelta varias veces hasta que el maíz esté caliente, de 20 a 25 minutos. Sirva las mazorcas calientes con sal al gusto.

Succotash
Cocido indio de judías con maíz

2 tazas de judías de Lima frescas, sin la vaina
1 trocito de cerdo salado o 1 loncha de beicon
½ taza de caldo de jamón, caldo de pollo o agua
2½ tazas de granos de maíz dulce fresco
½ cucharadita de hojas de tomillo seco
½ cucharadita de pimienta negra machacada
sal al gusto
⅓ taza de nata para montar

Mezcle las judías, el cerdo salado o el beicon, y el caldo o el agua en un cazo mediano. Tape parcialmente y lleve a ebullición. Deje cocer hasta que las judías estén casi tiernas, unos 8 minutos o más, según su calidad. Añada el maíz y los condimentos y cueza hasta que el maíz esté tierno, de 3 a 4 minutos. Agregue la nata y deje hervir a fuego lento unos instantes para espesar ligeramente el guiso. Para 4–6 personas.

Hileras de maíz joven en el campo

PALOMITAS DE MAÍZ

Las palomitas de maíz son divertidas, tanto de preparar como de comer. Crean tal hábito que, de media, cada hombre, mujer y niño de Norteamérica consume unos 53 kg al año. Y a pesar de la predilección por comer enormes cubos de palomitas en el cine, casi tres cuartas partes se preparan y se consumen en el hogar.

Indiana lidera el cultivo de maíz para palomitas de todo Estados Unidos. Casi la mitad de la cosecha total del país proviene del estado de Hoosier. A continuación se sitúan Illinois, Ohio y Nebraska. Chicago no sólo es el mítico "carnicero de cerdos del mundo"; también alberga el Popcorn Institute, un grupo comercial dedicado exclusivamente a promover los beneficios de los granos de maíz. En Marion (Ohio), el Popcorn Museum es un templo dedicado a este aperitivo típicamente norteamericano, con una notable exposición de su nostálgica colección de artilugios relacionados con las palomitas de maíz, tales como viejos utensilios para tostar maíz y carretillas de calle.

Charles Cretors, de Chicago, inventó la primera máquina a vapor que podía preparar suficientes palomitas de maíz de una sola vez como para que su venta callejera resultase rentable. Un elemento artificial incorporado, una bonificación, hizo que la máquina fuese todo un éxito en la Exposición de Estados Unidos que tuvo lugar en Chicago en 1893. Los paseantes atraídos por el olor, no podían evitar pararse a mirar las pequeñas y ruidosas explosiones. Poco después de que Cretors llevase el maíz a la calle, otro ciudadano de Chicago, Frederick Ruckheim, endulzó el maíz añadiendo melaza en las palomitas. Después de experimentar con otras muchas combinaciones, él y su hermano Louis también añadieron cacahuetes. En 1912 se introdujo un juguete en cada paquete, completando la fórmula de "palomitas bañadas con caramelo, cacahuetes y un premio", que es lo que contiene el Cracker Jack. Las pequeñas cajas de palomitas, pregonadas en los estadios de béisbol e inmortalizadas en canciones, apenas han cambiado hasta hoy; Sailor Jack y Bingo, el perro de ojos negros, siguen apareciendo con orgullo en cada cajita.

En Valparaíso (Indiana) vivía Orville Redenbacher, un antiguo agente agrícola del condado de Vigo campechano y ataviado con pajarita, que seguía la filosofía de hacer únicamente una cosa y hacerla mejor que nadie. En los años sesenta, cuando ya tenía una edad en que la mayoría de la gente piensa en retirarse, patentó un maíz híbrido comercializado como "Maíz para palomitas para gastrónomos de Orville Redenbacher" y que dio a las palomitas un prestigio que nunca habían tenido. La pasión de Redenbacher por las palomitas (empezó a cultivar y vender maíz cuando tenía 12 años) y su generosa simpatía, junto con un márketing ingenioso y un poco de suerte, le permitieron convertirse en una especie de celebridad. Su exigencia a la fama

Palomitas de maíz "para gastrónomos" de Orville Redenbacher, de Valparaíso (Indiana)

fue simple: palomitas de maíz ligeras, esponjosas, tiernas, sabrosas y que no dejasen granos de maíz sin reventar.

Todas las variedades de maíz estallan a cierto grado, aunque algunas con menos fuerza que otras. Aunque ciertas tribus indias creían que el estallido se debía a la presencia de diminutos demonios en el interior de cada grano de maíz, la realidad es más científica, aunque menos pintoresca. La clave es un alto contenido en fécula, que produce lo que podría considerarse como la "probabilidad de estallido adecuada". La humedad del interior del grano de maíz (la ideal sería de un 14–15%) aumenta cuando se aplica calor, lo suficiente como para que todo el grano estalle formando lo que el escritor norteamericano Henry David Thomas describió como "una flor de invierno perfecta". El volumen de las palomitas de maíz es hasta 44 veces mayor que el de los granos de maíz crudos; en otras palabras, 500 g de granos de maíz se convierten en unos 19 kg de palomitas de maíz.

Los puristas insisten, y con razón, en que la mejor manera de preparar las palomitas de maíz es en una cacerola vieja de fondo pesado y con tapadera, agitándola en el fuego hasta que los granos dejen de estallar. Pero la comodidad ha dejado de lado el método tradicional, haciendo aumentar más que nunca las ventas de palomitas para microondas. Los paquetes planos de granos de maíz se introducen en el microondas y, al cabo de 2 minutos, se obtienen fuera de la bolsa palomitas sazonadas y listas para comer.

Como aperitivo, las palomitas de maíz se han convertido en un gran negocio. Estas palomitas capitalizan la moda de la comida del Sudoeste y el interés por el cultivo de maíz de los indígenas norteamericanos en esa región. Incluso se venden palomitas para cocer en el microondas, un artículo ultramoderno.

FRUTAS Y FRUTOS SECOS

Caquis

Los caquis oriundos norteamericanos *(Diospyros virginiana)* que se cultivan en el sur de Indiana, Illinois y Misuri son claramente diferentes de los caquis asiáticos más comunes y más grandes. Estos frutos de árbol se parecen físicamente: ambos son extraordinariamente hermosos, de un color naranja brillante, coronados de un cáliz de color verde subido. Los caquis oriundos son más pequeños, algo más grandes que una pelota de golf, de forma bastante rechoncha y arrugados cuando están muy maduros. También llamados ciruelas dátil, la pulpa de los caquis norteamericanos es más dulce y carnosa que la de las variedades asiáticas. Es viscosa y cremosa, ideal para comer al natural y aún mejor para preparar delicias regionales tales como el pudding y el *fudge* de caquis. Puesto que se deterioran muy rápidamente rara vez, o nunca, se venden en los supermercados.

Steamed Persimmon Pudding
Pudding de caquis al vapor

½ taza de harina blanca
½ taza de galletas de mantequilla trituradas finas
1½ cucharaditas de bicarbonato de sosa
½ cucharadita de canela
½ cucharadita de sal
¼ cucharadita de nuez moscada recién rallada
1 taza de azúcar granulado
½ taza de mantequilla reblandecida
2 huevos grandes
1¼ tazas de pulpa de caqui
1 cucharada de zumo natural de limón
1 taza de pacanas picadas y tostadas
⅔ taza de pasas de Corinto secas, remojadas en 2 cucharadas de ron negro
nata montada o salsa espesa de repostería, para servir

Mezcle la harina, las galletas trituradas, el bicarbonato de sosa, la sal y las especias en un cuenco; reserve. Bata el azúcar y la mantequilla con un batidor eléctrico a velocidad rápida hasta obtener una mezcla ligera, unos 2 minutos. Añada los huevos, de uno en uno, mezclando bien después de cada adición. Agregue la pulpa de caqui y el zumo de limón. Remueva con una cuchara. Incorpore la mezcla de galleta, las pacanas y las pasas, mezclando bien.

Pase la preparación a un molde de pudding de 6 tazas de capacidad untado con mantequilla. También puede utilizar un molde de *kugelhopf* o un cuenco metálico de base redonda de la misma capacidad. Cubra el molde de manera ajustada con papel de aluminio resistente, doblando los bordes hacia adentro para que el recipiente quede hermético. Es importante que no entre nada de agua.

Elija una olla con tapadera, lo bastante grande para poder contener el molde de pudding. Añada una rejilla para cocer al vapor (o un plato resistente al calor) y varios centímetros de agua. Introduzca el pudding y tape la olla. Lleve a ebullición; baje el fuego y cueza a fuego lento durante 1 hora y 45 minutos, comprobando regularmente el nivel del agua.

Nueces negras

La mayoría de las nueces cultivadas en Estados Unidos proceden de California y son de la variedad inglesa. Pero también se recolecta una pequeña cosecha de nueces negras en Pensilvania, Arkansas,

el oeste de Virginia, Tennessee, las Carolinas y en Misuri, sobre todo alrededor de Stockton, donde se halla el mayor productor comercial de nueces. Y, si bien la demanda de nueces va en aumento, la provisión disminuye, ya que la preciosa madera del nogal negro es muy apreciada. Es probable que cada vez se corten más árboles y se vendan como madera en vez de cuidarlos hasta que den frutos.

Las nueces negras, del mismo tamaño que las nueces inglesas más comunes, tienen una cáscara misteriosamente jaspeada y acanalada (con caballones bien definidos). La pulpa oleosa tiene un sabor característico, acre, terroso y marcado, mientras que la nuez inglesa es dulce y suave. A diferencia de otras nueces, el sabor de las nueces negras se impregna del de los otros ingredientes. No es un fruto seco de aperitivo, sino más bien un ingrediente codiciado que resulta delicioso en confites y productos de pastelería tales como galletas, bollos, panes rápidos y pasteles.

Pudding de caquis al vapor con caquis norteamericanos

Maple Black Walnut Bars
Barritas de nueces negras y jarabe de arce

Corteza:

2 tazas de harina blanca
¾ taza de azúcar glas
1 taza de mantequilla fría, cortada en 16 trozos

Cobertura:

½ taza + 2 cucharadas de mantequilla
⅔ taza de jarabe puro de arce
½ taza de azúcar moreno claro, compacto
2 cucharadas de nata agria
1 cucharadita de extracto puro de vainilla
2 tazas de nueces negras en trozos

Para la corteza:
Mezcle la harina, el azúcar glas y la mantequilla en un robot de cocina o un cuenco grande. Bata con la cuchilla metálica o un mezclador de pasta hasta que los trozos de mantequilla sean del tamaño de un guisante. Pase la masa a un molde de horno de 32,5 x 22,5 cm y golpee ligeramente la base. Cueza en el horno, precalentado a 180°C, hasta que se dore ligeramente (de 20 a 22 minutos).

Para la cobertura:
Mezcle la mantequilla, el jarabe de arce, el azúcar moreno y la nata agria en un cazo mediano. Lleve a ebullición y cueza hasta que se espese ligeramente, de 1 a 2 minutos. Retire del fuego y agregue la vainilla y las nueces.

Vierta la cobertura sobre la corteza e introdúzcala de nuevo en el horno a 180°C. Cueza hasta que la cobertura cuaje, de 20 a 25 minutos. Deje enfriar el dulce por completo antes de cortarlo en barritas. Para 6 docenas.

Barritas de nueces negras y jarabe de arce, con nueces negras con y sin cáscara.

Cerezas Montmorency

Cerezas agrias
Cerca de la orilla norte del lago Michigan se cultivan las agrias cerezas rojas, conocidas también como "transparentes" o "cerezas de pastel". Formalmente llamada cereza de Montmorency (*Prunus cerasus*), la variedad fue traída de Europa occidental hace un siglo. Se ha aclimatado perfectamente a la región de los Grandes Lagos y, actualmente, es la única cereza agria que se produce comercialmente en Estados Unidos. Estas cerezas de color rojo claro son tan agrias que resulta prácticamente imposible comerlas al natural. Suavizadas con azúcar, tienen una textura y un sabor deliciosos y resultan idóneas para elaborar *pies,* pasteles de fruta, tartas, conservas y bollos.

La mayor concentración de estas frutas de árbol de color rojo vivo se encuentra en la zona de alrededor de la bahía Grand Traverse. Allí, unos dos millones de árboles perfectamente alineados producen en mayo unas flores rosas y fragantes que en julio, la época de recolecta, dan paso al fruto de color rojo intenso. Casi la mitad de la cosecha total del país proviene de esta pequeña zona, con otras plantaciones significativas en la parte sudoeste del estado y en la península Door (Wisconsin). Los cerezos son delicados y las variaciones climáticas (heladas a final de temporada, demasiada lluvia y demasiado calor) pueden arruinar las cosechas.

La Universidad estatal de Michigan ofrece el único programa del país sobre reproducción de la cereza agria. Los investigadores están buscando en Hungría híbridos que mejoren la producción, alargando así la época de cultivo de la cereza Montmorency. Pero incluso con variedades nuevas, la mayoría de la cosecha se enviará probablemente a industrias alimentarias y conserveras para elaborar productos tales como relleno para pastel de cerezas, conservas de cerezas, zumo de cerezas, cerezas secas e, incluso, vino de cereza y salchichas de pacanas y cerezas.

Cherry Pie
Pastel de cerezas

Relleno:

1 taza de azúcar
3 cucharadas de tapioca instantánea
5 tazas de cerezas agrias deshuesadas
2 cucharaditas de aguardiente de cereza, tal como kirsch (opcional)
1 cucharadita de corteza de limón picada
1 cucharada de mantequilla
2 láminas de pasta para forrar una fuente de pastel de 22,5 cm de diámetro

Glaseado:

1 cucharada de nata para montar
2 cucharaditas de azúcar

Precaliente el horno a 220°C. Mezcle el azúcar y la tapioca en un cuenco grande, removiendo. Añada las cerezas, el aguardiente (si lo desea) y la corteza de limón. Mezcle con cuidado y deje reposar durante 15 minutos. Forre un molde de pastel de 22,5 cm de diámetro con 1 lámina de pasta y cúbrala con el relleno. Corte la mantequilla en trocitos y espárzalos por encima. Coloque la otra lámina de pasta sobre el relleno. Recorte la pasta sobrante de los lados; pellizque los bordes para sellarlos y forme un reborde decorativo. Practique un corte decorativo en la corteza superior para permitir que salga el vapor. Para glasear el pastel, pinte la corteza con la nata y espolvoréela con azúcar.

Coloque el molde sobre una fuente de horno forrada con papel de aluminio para recoger los jugos. Cueza durante 10 minutos en el horno precalentado. Reduzca la temperatura del horno a 180°C y prosiga la cocción hasta que el pastel esté dorado, de 40 a 50 minutos. Deje enfriar a temperatura am-

COLMENILLAS

Tesoros terrosos

No es que la gente de Boyne (Michigan) sea extraordinariamente reservada. Simplemente no les moleste preguntando dónde se pueden recolectar colmenillas, muy apreciadas y difíciles de encontrar. Las colmenillas *(Morchella esculenta)* son prácticamente míticas en la región y, si bien la gente no para de hablar de las condiciones climáticas más favorables para estas setas o de la manera preferida de cocinarlas (ligeramente espolvoreadas con harina y salteadas en mantequilla, o rebozadas y fritas), sus labios están sellados cuando se les pregunta por su localización exacta.

Esta parte de Michigan densamente arbolada ofrece un excelente terreno para las setas costosas y poco comunes, así como para otras delicias gastronómicas tales como los puerros silvestres *(Allium tricoccum)*, los helechos comunes, los rebozuelos *(Cantharellus cibarius)* y los espárragos silvestres *(Asparragus tennifolius)*. Gran parte de la región son tierras estatales sin cultivar, exuberantes y verdes, con un suelo forestal fuertemente alfombrado. Estas condiciones son ideales para lograr que los sombrerillos sumamente denticulados de estas setas broten a principios de mayo. Las colmenillas crecen junto a robles, olmos y fresnos, y se suelen encontrar en la base de árboles altísimos, asomando entre la vegetación podrida que cubre el suelo. Pero son engorrosamente inconsistentes, con unas pautas de crecimiento que podrían calificarse de aleatorias y casuales.

Algunos micófilos prefieren recolectar setas en días lluviosos (aunque es más probable que las colmenillas recolectadas en días lluviosos escondan una desagradable colección de gusanos). Otros insisten en que un cielo claro y azul favorece la búsqueda. La experiencia aporta muchas teorías: sobre el ángulo apropiado en el cual mantener la cabeza para la búsqueda, los utensilios adecuados, los árboles idóneos, etc. Sin embargo, la suerte es el factor más importante que permite tanto que un principiante llene su cesta como que un experto regrese a casa con las manos vacías.

Es justamente esta aptitud caprichosa la que impulsó con tanto vigor el Campeonato nacional de búsqueda de setas, en Boyne City. Se celebra anualmente el fin de semana del Día de la madre (en mayo) y atrae a una procesión de concursantes que disponen de 90 minutos para recorrer a pie un "lugar secreto" en el bosque, buscando las hermosas colmenillas. El lugar varía cada año y no se precisa exactamente su localización. Esto permite, en teoría, que todos los concursantes compitan en igualdad de condiciones. Sin embargo, cada año hay un único ganador y, hasta la fecha, nadie ha superado el récord del año 1977 de 915 colmenillas.

Al ser muy fáciles de identificar, las colmenillas son una de las setas silvestres que más se recolectan.

Estofado de hortalizas tiernas con colmenillas

2 cucharadas de aceite de oliva

1 cebolla dulce pequeña, tipo Vidalia,
cortada en dados

250 g de espárragos finos, cortados al sesgo
en tiras de 2,5 cm

1 pimiento dulce rojo, sin semillas y
cortado en dados

125 g de colmenillas, partidas por la mitad
si son grandes

2 cucharadas de nata para montar

½ cucharadita de mostaza de Dijon

¼ cucharadita de sal

1 cucharada de albahaca fresca picada

cuscús a las hierbas o pilaf de arroz, para servir

Caliente el aceite en una sartén grande antiadherente a fuego fuerte. Cuando humee, añada la cebolla, los espárragos y el pimiento. Saltee, removiendo a menudo, hasta que las hortalizas estén tiernas y empiecen a dorarse por las puntas, de 6 a 8 minutos. Agregue las colmenillas y saltee justo hasta que empiecen a reblandecerse, 1 ó 2 minutos.

Vierta la nata, la mostaza y la sal. Cueza justo hasta que la nata se espese un poco, 1 minuto. Retire la sartén del fuego y añada la albahaca. Sirva sobre arroz o cuscús. Para 2–4 personas.

Una buscadora de colmenillas admira su recolecta del día.

159

ARROZ SILVESTRE

Preciados granos de la cosecha indígena

El arroz silvestre *(Zizania aquatica)*, una de las mayores glorias de la zona interior del norte, no es en realidad arroz sino las semillas de una planta acuática. Durante siglos se ha recolectado en los lagos del norte de Wisconsin y Minnesota; en cierta época, lo hicieron casi exclusivamente los indios nativos norteamericanos, especialmente las tribus Ojibway y Chippewa. Al igual que todos los recursos naturales, pasó a formar parte rápidamente de la dieta de los colonos europeos que podían conseguir los nutritivos granos.

El arroz silvestre fino y de color caoba, el único cereal originario de Norteamérica, se recolecta durante un período de dos semanas en otoño, cuando los tallos están tan llenos de semillas que se doblan por el peso de éstas. Los indígenas norteamericanos poseen todos los derechos para cosechar arroz silvestre en las reservas, y los no nativos pueden recolectarlo en algunos lagos. Pero las etnias Ojibway y Chippewa que participan a menudo en la cosecha, lo hacen como un acto espiritual y de unión familiar. Aunque, actualmente, ya no dependen del arroz silvestre como pilar de su alimentación, algunas familias realizan la cosecha como una especie de ritual anual, guardando los granos para poder utilizarlos en ceremonias.

El auténtico arroz silvestre germina en el lodo bajo unos 45 cm de agua y alcanza unos 183 cm de alto. En el lago Lower Rice, situado en la Reserva india Tierra Blanca de Minnesota, los métodos de recolección tradicionales están regidos por la tribu Ojibway. Se han de llevar a cabo en la época de siega determinada y en canoas propulsadas a mano, de unos 5 m de largo por 90 cm de manga como máximo. Primero se doblan las plantas sobre la canoa con unas varas de madera llamadas "aldabas" o "mayales", a veces hechas de cedro tallado a mano, que luego se utilizan para agitar o batir el arroz listo para la siega en la barca. En la orilla, después de poner las espigas a secar al sol, se tuestan los granos y se avientan en bandejas de abedul. La ubicación de este proceso se llama "campamento de arroz".

Éste es el método antiguo, siempre regido por las irregularidades de la naturaleza y, cada vez más, por la intervención del hombre. La contaminación, las otras plantas acuáticas y las inundaciones causadas por los diques de los castores han provocado una continua disminución de la cosecha total de arroz. Para compensar estos factores, actualmente hasta el 80% de la cosecha de arroz silvestre proviene de arrozales creados por el hombre en Minnesota y California. La práctica empezó en los años cincuenta y sigue prosperando. Los dos métodos coexisten como actitudes opuestas, siendo el uno una parte tradicional de la cultura indígena y el otro un intento de convertir este valioso

Un hombre Ojibway impele su barca con la pértiga mientras la chica golpea con sus varas las semillas de arroz silvestre en el suelo de la canoa.

Arroz silvestre en el tallo

Las espigas se extienden al sol para que se sequen.

Al tostar los granos descascarillados, éstos se vuelven de color marrón oscuro.

producto en un cultivo comerciable. La recolección a mano desde canoas es un ejercicio de gracia y destreza, mientras que la trilla de los arrozales con enormes segadoras se realiza rápidamente, con la eficiencia humana más notable.

El arroz de los arrozales se cultiva en una superficie que no sirve para otros fines agrícolas. Se anega también hasta unos 45 cm de alto, se siembra y luego se cuida al igual que cualquier otro cultivo agrícola. Hacia mediados de temporada, se deja drenar el agua como preparación para la cosecha de otoño. Dos ciudades, Kelliher y Waskish, solemnizan este arroz durante la Fiesta del Arroz silvestre de Minnesota, celebrada a principios del mes de julio.

Los Ojibway llaman al arroz silvestre *manomin* mientras que los escandinavos lo denominaban "mesada", refiriéndose al hecho de que incluso una pequeña cantidad de arroz silvestre podía alimentar a una gran familia. Multiplica su volumen por cuatro durante la cocción. A veces se comercializa envasado en una mezcla con arroz blanco, en la cual los caros granos de arroz silvestre son más bien escasos.

Arroz silvestre cocido

Para cocer arroz silvestre, ponga 1 taza del mismo enjuagado en un cazo grande con 4 tazas de agua y 1 cucharadita de sal. Lleve a ebullición, tape el cazo y pase a fuego lento. Cueza de 40 a 50 minutos, hasta que los granos estén tiernos y empiecen a partirse. Escurra el exceso de líquido y esponje el arroz con un tenedor. Para unas 4 tazas de arroz (para unas 6 personas).

Wild Rice and Mushroom Soup
Ensalada de arroz silvestre y pollo

1 taza de arroz silvestre
4 tazas de agua
sal al gusto
2 tazas de pollo cocido y cortado en dados
1½ tazas de uvas negras sin pepitas y partidas por la mitad
1 taza de piña fresca cortada en trocitos
½ taza de castañas de agua cortadas en rodajas
¾ taza de mayonesa
½ taza de nata agria
¾ taza de pacanas tostadas y picadas
hojas de lechuga, para servir

Mezcle el arroz silvestre y 4 tazas de agua en un cazo de fondo pesado. Lleve el agua a ebullición y cueza el arroz, tapado, hasta que esté tierno pero no blando. Escúrralo bien, sazónelo con sal y déjelo enfriar.

Mezcle el arroz, el pollo, las uvas, la piña y las castañas de agua en un cuenco grande. Bata la mayonesa y la nata agria y añada la mezcla a la ensalada. Sazone con sal, si es necesario. Sirva sobre hojas de lechuga. Para 6–8 personas.

Wild Rice and Chicken Salad
Sopa de arroz silvestre y champiñones

4 cucharadas de mantequilla
1 cebolla grande troceada
2 tallos de apio troceados
3 zanahorias troceadas
125 g de champiñones cortados en láminas
3 cucharadas de harina
5 tazas de caldo de pollo
2½ tazas de arroz silvestre cocido
1 ramita de tomillo fresco
3 cucharadas de jerez seco
1 taza de nata para montar
sal y pimienta recién molida, al gusto

Derrita la mantequilla en un cazo grande a fuego medio-alto. Añada la cebolla, el apio y las zanahorias; sofría, removiendo, hasta que las hortalizas empiecen a reblandecerse, de 4 a 5 minutos. Agregue los champiñones y sofría hasta que suelten su jugo, de 2 a 3 minutos.

Espolvoree la harina sobre las hortalizas; remueva bien y cueza 1 minuto. Añada el caldo y el tomillo. Tape y lleve a ebullición. Baje el fuego y deje cocer lentamente hasta que las hortalizas estén tiernas, 15 minutos. Agregue el jerez y el arroz, y cueza 1 minuto. Retire del fuego, vierta la nata y salpimiente al gusto. Para 4–6 personas.

Sopa de arroz silvestre y champiñones

Miembros de la tribu Ojibway en el norte de Wisconsin representando una danza en un *powwow* para celebrar la cosecha del arroz silvestre.

PESCADO

El Medio Oeste está formado y definido por una inmensa y complicada red de vías fluviales. Desde los apacibles arroyos más pequeños hasta el imponente lago Superior, el lago de agua dulce más grande del mundo, las aguas han proporcionado fronteras físicas, transporte, comercio, ocio e, históricamente, una abundante provisión de alimentos.

La pesca es una actividad de muchos habitantes del Medio Oeste. Hoy en día, el número de truchas de los lagos *(Salmo trutta lacustris)* que nadan en los Grandes Lagos es peligrosamente bajo, a pesar de los esfuerzos para restablecer la población. La perca amarilla *(Perca flavescens)*, una de las especies de agua dulce más sabrosas, está en peligro; recientemente se ha prohibido la pesca comercial para protegerla.

Los pescadores deportivos siguen acudiendo en multitud y, aunque algunos se llevan la pesca a casa para su consumo, muchos practican "la vuelta atrás" o el "capturar y soltar", es decir, devuelven su presa viva al agua. El *muskellunge* o sollo americano *(Esox masquinongy)*, más conocido como *"musky"*, es una presa belicosa y difícil de encontrar, una de las más apreciadas por los intrépidos pescadores de caña. Este luchador feroz y astuto, cuyo nombre significa "peligroso" en el dialecto Ojibway, habita los lagos del norte en Minnesota y Wisconsin. Pueden pesar hasta 35 kg y utilizarán todo su peso para evitar ser capturados. Dada la ocasión, también emplearán su temible y afilada dentadura para defenderse de los pescadores.

Otra magnífica presa de las aguas del norte es el pez de ojos saltones *(Stizostedion viterum viterum)*, tanto para los pescadores comerciales como deportivos. Muchos habitantes del Medio Oeste lo denominan "merluza de ojos saltones" pero no se trata de una merluza, sino de un miembro de la familia de la perca *(Perca fluviatilis)*. Su sabor es inmejorable y su refinada y exquisita carne es blanca, suave y sabrosa. En invierno, los pescadores profesionales dan caza a este pez en los Grandes Lagos con enormes redes rastreras verticales colocadas bajo el hielo.

El pez luna, el róbalo *(Morone labrax)* y el pez hoja *(Polyodon spatula)*, un tipo de esturión *(Acipenseridae)*, son comunes en los lagos y los ríos de las Ozarks, en Misuri. En Michigan, la pesca de la trucha resulta para algunos pescadores tanto una práctica espiritual como un deporte. Entre las otras especies comunes del Medio Oeste figuran el salmón coho y Chinook, los pomosios *(Pomoxis)* y el corégono.

Una de las maneras más antiguas de preparar el corégono es "entablar" el pescado entero sobre una tabla de madera y cocerlo sobre un fuego al aire libre. Los colonos, sin duda, aprendieron este método de las tribus indias de la zona que lo practicaban simplemente uniendo trozos grandes de madera de deriva y atando la presa recién pescada a la madera. A continuación, colocaban ésta en posición vertical en la arena cerca de un fuego, cuyas llamas cocían lentamente la suculenta carne.

Un pescador de caña con un lucio del norte.

Aunque rara vez se utiliza el método al aire libre, es una de las mejores maneras de degustar un pescado recién capturado. La madera aporta una sutileza de sabor que, mezclado con el sabor del aire libre, resulta delicioso. Sin embargo, también se puede preparar en el horno.

Planked Whitefish
Corégono a la tabla

Necesitará una tabla de madera dura (tal como arce o roble) sin tratar ni pulir. A ser posible, caliéntela en el horno o sobre la parrilla antes de asar el pescado.

4 cucharadas de mantequilla derretida
2 cucharadas de zumo natural de limón
1 cucharada de zumo natural de lima
2 cucharaditas de paprika húngara
1 cucharadita de tomillo fresco picado
sal y pimienta recién molida, al gusto
1 corégono entero (de 1,75 kg aprox.), limpio
gajos de limón

Mezcle la mantequilla, el zumo de limón y de lima, la paprika, el tomillo, la sal y la pimienta en un plato pequeño.

Engrase la tabla con un poco de aceite y coloque el pescado en el centro; sazónelo con abundante sal y pimienta. Úntelo por dentro y por fuera con un poco de la mezcla de mantequilla. Ase el pescado en el horno, precalentado a 220°C, hasta que se vuelva opaco en el centro (de 18 a 22 minutos); úntelo varias veces durante la cocción. Sírvalo con gajos de limón. Para 3–4 personas.

Pan-fried Walleye
Pez de ojos saltones frito

½ taza de galleta molida
½ taza de harina blanca
¼ taza de harina de maíz amarilla
1 cucharadita de sal
1 taza de leche entera
1 huevo grande ligeramente batido
8 filetes de pez de ojos saltones de 100–125 g cada uno
2 cucharadas de grasa de tocino
2 cucharadas de manteca

Mezcle la galleta molida, los dos tipos de harina y la sal en un plato llano. Vierta la leche y el huevo en otros dos platos llanos respectivamente.

Bañe primero el pescado en la leche y luego en el huevo, y rebócelo en la mezcla de harina, cubriendo ambos lados.

Caliente la grasa de tocino y la manteca en una sartén grande de hierro fundido. Cuando esté muy caliente, añada el pescado, con la piel hacia abajo. Fríalo, dándole la vuelta de vez en cuando, hasta que esté dorado y bien cocido, de 8 a 10 minutos. Escúrralo sobre papel de cocina y sírvalo caliente. Para 4 personas.

La olla de pescado

Las ollas de pescado son uno de los eventos que definen a Door County (Wisconsin). Consiste en una comida del Medio Oeste que combina la historia de la abrupta península, los recursos naturales y las tradiciones con mucha teatralidad. Miles de turistas acuden en tropel a este idílico lugar de vacaciones para disfrutar del bello paisaje y tomar parte en sus numerosas actividades al aire libre, incluidas las ollas de pescado.

No se sabe exactamente donde ni cuando surgieron las ollas de pescado. Pero lo que sí es cierto es que todo el ritual es de origen escandinavo. Muchos de los que se establecieron en Door County hacia 1800 eran suecos, noruegos y finlandeses. El evento también es conocido como olla de pescado "islandesa". Existen varias teorías sobre cómo se originaron las ollas de pescado. Según algunas, era una manera económica y práctica de servir a los leñadores. Otras afirman que se empezaron a preparar al aire libre en las barcas de pesca con redes rastreras verticales. En ellas se encontraba el pescado, así como la cocina con una olla abombada. Algunos de los troncos se sustituyeron por una olla con agua dulce y pescado. Se hervía todo a fuego muy fuerte hasta que la cena estaba lista.

No hay duda de que fue la fuerte ebullición, combinada con la alquimia culinaria, la que convirtió la deliciosa olla de pescado en un banquete. Se llena una caldera grande con unos 170 l de agua y mucha sal y se lleva a ebullición sobre un fuego al aire libre. Primero se añaden patatas rojas y cebollas y se dejan cocer hasta que estén casi tiernas. A continuación, se añaden rápidamente los filetes de corégono recién pescado al agua hirviendo, junto con más sal. La función de la sal es crucial.

Además de añadir sabor, aumenta la gravedad del agua, lo que permite que las impurezas del pescado suban a la superficie. Justo antes de que el pescado esté cocido, se echa queroseno en las llamas. El fuego reacciona airadamente, rodeando la olla con su furia infernal. Cuando las llamas arden, el agua rebosa llevándose todas las impurezas que flotaban en la superficie. El resultado es una magnífica combinación de pescado y hortalizas perfectamente cocidos y sazonados.

Door County Fish Boil
Olla de pescado de Door County

12 l de agua
3 hojas de laurel
12-18 patatas nuevas rojas pequeñas
2 tazas de sal
6-12 cebollitas blancas para hervir, peladas
6 filetes de corégono de unos 4,5 cm de grosor
gajos de limón y mantequilla derretida, para servir

Vierta el agua y las hojas de laurel en una olla grande con un colador extraíble; lleve a ebullición.

Mientras tanto, frote las patatas y corte una pequeña rodaja en la base de cada una; esto permitirá que el sabor penetre.

Cuando el agua hierva, añada las patatas y la mitad de la sal. Lleve de nuevo a ebullición y cueza durante 15 minutos. Agregue las cebollas y cueza unos 7 minutos. Añada el pescado y la sal restante. Cueza hasta que el pescado esté cocido en el centro, de 8 a 10 minutos, retirando de vez en cuando las impurezas de la superficie.

Retire el colador y escurra bien. Disponga los ingredientes en una fuente grande y sirva con gajos de limón y platitos de mantequilla fundida. Para 6 personas.

La olla con el pescado, las patatas y las cebollitas hierve con furia sobre el fuego de leña.

Una cena a base de olla de pescado: patatas, cebollitas y corégono.

163

CEREALES PARA EL DESAYUNO

Inflados y en copos: un bol lleno cada mañana

En el siglo XIX, comer razonablemente denotaba entereza moral, y una salud fuerte se atribuía a la moderación y a la vida sana. Cuando sor Ellen Harmon White se mudó de Maine a Battle Creek (Michigan) para abrir un sanatorio cuyo nombre era Western Health Reform Institute, su propósito era establecer un refugio tranquilo para aquellos que buscaban la pureza del cuerpo y del espíritu. "La salud y la felicidad dadas por Dios son suyas", prometió, "a condición de que tome dos comidas sin carne al día, sólo beba agua, evite la sal, las especias y los licores, y no fume."

Un viejo anuncio (de hacia 1916) de los Corn Flakes de Kellogg's

La puritana sor Ellen empezó sin saberlo el proceso que transformaría las mesas del desayuno de Norteamérica cuando contrató al Dr. John Harvey Kellogg, autor de varios libros de dietética, para dirigir el instituto. Kellogg convirtió el recientemente célebre sanatorio de Battle Creek en un popular centro de tratamiento de todo tipo de dolencias, tales como presión alta, adelgazamiento, aumento de peso y malestar general. Los famosos titanes de la industria, como los Rockefeller y los Ford, y el presidente Theodore Roosevelt visitaron el sanatorio, esperando recuperar su energía y su vitalidad. Y, mientras que probablemente muchos no hicieron

caso de la predicación de Kellogg sobre abstinencia sexual (se dice que escribió un tratado sobre este tema durante su luna de miel), se mostraron más dispuestos a aceptar sus criterios dietéticos. Kellogg abogaba por un régimen rico en fibra, una postura que le llevó a obtener en 1894 una patente para los primeros cereales en copos listos para comer, hechos con trigo previamente desmenuzado, cocido, extendido hasta dejarlo fino como el papel (con uno de los utensilios de cocina de la señora Kellogg) y horneado en forma de copos. Muy pronto, Kellogg procesó el maíz del mismo modo creando unos cereales de maíz en copos. Más tarde dijo que la inspiración para crear los copos le vino en un sueño.

El gran dogmático John Kellogg contrató a su hermano como ayudante y, mientras que John se aferraba a la pureza de sus creencias, la imaginación de Will empezaba a cuajar hacia otra dirección. Compró los derechos comerciales de los cereales de maíz en copos, mejoró su sabor y empezó a venderlos en las tiendas. Unas campañas de publicidad y un marketing ingeniosos convirtieron a los Toasted Corn Flakes (Cereales de maíz tostados) de Kellog's en un inmediato éxito comercial.

Millones de norteamericanos toman todos los días un bol de cereales con leche para desayunar. ¿Estos cereales son tan nutritivos como lo eran supuestamente los primeros cereales? En el siglo XIX no se hacía un análisis nutricional de los cereales; además, toda la industria estaba basada en reclamos nutricionales que no se podían confirmar y no tenían ningún valor. Al principio de la historia de los cereales, las recetas originales y los procedimientos de fabricación no variaron, pero el proceso de mecanización cambió en cierto modo los cereales preparados. Hoy en día, casi todos los cereales están enriquecidos con vitaminas y minerales adicionales y, por lo tanto, son más nutritivos que sus antecesores. Si bien muchos cereales para el desayuno se condimentan con cacao, fruta liofilizada, nubes de azúcar y una gran cantidad de azúcar (todos estos ingredientes los hacen más apetecibles para los niños), la mayoría de ellos sigue contribuyendo a la buena alimentación. La moda del *granola* (mezcla de cereales enteros, fruta y frutos secos) que empezó en los años sesenta, llevó a la introducción de cereales "sanos" para el desayuno, mezclas de ingredientes como copos de avena, almendras fileteadas y frutas secas. Irónicamente, estos cereales suelen contener la misma cantidad de grasas y azúcar que sus rivales que, supuestamente, eran menos saludables.

Cronología de los cereales

1891: siete molineros independientes se unen para formar un consorcio, la Quaker Mill Company.

1894: el Dr. John Harvey Kellogg obtiene la patente de los primeros cereales en copos listos para comer.

1898: se comercializan los Grape-Nuts de C.W. Post, los primeros cereales fríos vendidos en toda Norteamérica. La misma empresa había introducido unos años antes el Postum, un sustituto del café a base de cereales. Esas diminutas bolitas, que no contenían ni uvas

Un viejo anuncio de Ralston Purina

(grapes) ni frutos secos *(nuts),* se elaboraban con harina de trigo y de centeno. Pero Post, que había sido un paciente de Kellogg en el Sanatorio de Battle Creek, estaba convencido de que el elaborado proceso de cocción transformaba la fécula del pan en fécula de uva, que entonces era considerada una ventaja nutritiva. También observó que los crujientes cereales le recordaban a los frutos secos. Los primeros envases de Grape-Nuts incluían una copia de *"The Road to Wellville",* el tratado de Post sobre la salud.

1902: William Danforth de San Luis analizó que los mismos principios de alimentación sana aplicados al hombre eran válidos para las vacas y los cerdos y, según esta lógica, creó la Ralston Purina Company. Ésta sigue fabricando comida para el ganado y los animales domésticos, así como cereales para el desayuno, como por ejemplo Rice Chex, Wheat Chex y Corn Chex.

1904: la Quaker Oats Company instala una pequeña armada de cañones de la guerra hispanoamericana en la Exposición Universal de San Luis y lanza una granizada de arroz cocido e inflado. Aunque obtuvo mucha publicidad, la empresa no consiguió nada más. Volvió al tablero de dibujo y finalmente lanzó al mercado el Puffed Wheat (trigo inflado), el cereal "disparado desde cañones".

1921: unas gachas ricas en salvado se derraman accidentalmente sobre una plancha, resultando en unos copos crujientes y ligeros mucho más sabrosos que las gachas. La idea llega a la Washburn Crosby Company (la precursora de General Mills) y así nacen los Wheaties. En 1933, los cereales se utilizan bajo contrato

Sugar Frosted Flakes de Kellogg's   Bolitas de manteca de cacahuete   Cheerios de General Mills   Rice Krispies de Kellog's

Wafflers de U.S. Mills   Trigo inflado bañado con miel   Froot Loops de Kellogg's   Corn Flakes de Kellogg's

Corn Chex de Ralston Purina   Grape Nuts de Post   Wheaties de General Mills   Cocoa Pebbles de Post

como patrocinador de las emisiones radiofónicas de béisbol, iniciando su larga asociación con las estrellas del deporte. Actualmente, en las promociones especiales los envases se adornan con fotos de atletas famosos como la super estrella del equipo de baloncesto Chicago Bulls, Michael Jordan.

1928: se introducen los Rice Krispies de Kellogg's, los cereales que "crujen en la leche". En 1933, aparece en las cajas un gnomo ataviado con un gorro de cocinero. Muy pronto, se le unen un par de compinches. El trío se hace célebre como "Snap!", "Crackle!" y "Pop!". El atractivo de estas diminutas bolitas ligeras se extiende más allá del bol de cereales. Durante los años veinte, dos economistas domésticos que trabajaban para Kellogg's crearon un dulce sencillo y empalagoso a base de Rice Krispies, nubes de azúcar y mantequilla. La popularidad de los Rice Krispies Treats resultantes no ha decaído nunca desde entonces.

1941: la General Mills lanza los Cheerioats. Poco después, el nombre se queda en Cheerios. La General Mills patrocina *El llanero solitario* en televisión para promocionar las pequeñas Os. En 1953, el Niño Cheerios aparece en los anuncios de televisión, con su bíceps abultado con un Cheerio. Los sencillos cereales elaborados con avena en forma de donut (o de salvavidas, según se mire) siguen siendo uno de los alimentos para el desayuno más vendidos.

1952: los Corn Flakes de Kellogg's se recubren de azúcar para convertirse en los Sugar Frosted Flakes (y, más tarde, en los Frosted Flakes). El Tigre Tony dice a los niños que los cereales escarchados son *"GGGRRREAT!"* (¡fabulosos!) y éstos se convierten en los más vendidos de Norteamérica.

1963: Post introduce fresas liofilizadas en uno de sus cereales. Resulta un desastre absoluto.

1984: haciendo eco de las antiguas recomendaciones del Dr. Kellogg, se hacen reclamos sanitarios en pro de una dieta rica en fibra. A finales de los años ochenta, se presenta el salvado de avena como un alimento milagroso y sus promotores afirman que disminuye el nivel de colesterol en la sangre. Se añade salvado de avena a los cereales comercializados.

Kellogg's Rice Krispies Treats
Dulces de Krispies de Kellogg's

¼ taza de mantequilla

40 nubes de azúcar de tamaño normal
o unas 4 tazas de nubes miniatura

6 tazas de cereales Rice Krispies de Kellogg's

Derrita la mantequilla en un cazo grande. Añada las nubes de azúcar y cueza a fuego bajo, removiendo a menudo, hasta que las nubes se derritan.

Retire del fuego y agregue los cereales. Remueva con una cuchara grande hasta que los cereales queden napados con la mezcla de nubes de azúcar. Pase a una fuente de horno de 32,5 ξ 22,5 cm untada con mantequilla y presione uniformemente. Deje enfriar y corte en cuadrados.

Chex Party Mix
Aperitivo de cereales Chex

½ taza de mantequilla

1½ cucharadas de salsa Worcestershire

1¼ cucharaditas de sal sazonada

8 tazas de cereales Chex, preferiblemente una mezcla de diferentes variedades

1 taza de frutos secos salados variados

Derrita la mantequilla e incorpore la salsa Worcestershire y la sal. Mezcle con los cereales y los frutos secos en un cuenco grande, removiendo para napar los cereales.

Pase a un molde de brazo de gitano y hornee 1 hora a 120°C, removiendo 4 ó 5 veces durante la cocción. Esparza la mezcla sobre papel de cocina para que se enfríe.

Nota: También puede añadir a la mezcla otros ingredientes, tales como curry en polvo, manteca de cacahuete, palitos de *pretzel,* pimienta de Cayena o fritos de maíz.

Un bol de copos de maíz con leche y fresas es el desayuno habitual de millones de norteamericanos.

HAMBURGUESAS Y PERRITOS CALIENTES

El bocadillo favorito de Norteamérica

Ningún plato encaja tan bien con el estilo de vida típicamente norteamericano como la hamburguesa. Se puede comer andando, en el coche, de pie, sentado en una mesa de picnic o en una comida campestre. Es fácil de llevar, su sabor y su forma resultan familiares y, además, está hecha con un producto típicamente norteamericano, la carne picada de buey. Aunque la hamburguesa es uno de los símbolos gastronómicos más norteamericanos, debe su nombre a Hamburgo (ciudad del norte de Alemania) donde, a su vez, se la conoce como "bistec norteamericano". Apareció por primera vez bajo el nombre de "bistec de Hamburgo" en un diario de Boston en 1884 y, como "hamburguesa", en un menú del restaurante neoyorquino Delmonico's; hacia finales de siglo existía otra forma de hamburguesa conocida como "bistec de Salisbury". Sin embargo, no existen rivales para la comida favorita de los norteamericanos, la deliciosa hamburguesa de carne de buey a la plancha aderezada con un surtido de condimentos de colores chillones (mostaza, ketchup y encurtidos; y, a veces, cebolla picada) y dispuesta en un

El cocinero de una hamburguesería picando cebollas para mezclarlas con la carne picada para sus hamburguesas.

bollo recubierto de semillas de sésamo. Es más que un bocadillo; para la mayoría de los norteamericanos es una comida que reconforta, satisface y alimenta.

Se desconoce el lugar y la fecha exactos de la elaboración de la primera hamburguesa. Los descendientes de Louis Lassen, que regentaba un *lunch counter* en New Haven (Connecticut), afirman que fue él el primero en Estados Unidos que, en el año 1903, elaboró una hamburguesa tal como la conocemos actualmente. Moldeaba restos de carne picada en forma de hamburguesa, que luego asaba a la plancha y servía entre dos rebanadas de pan. Hoy en día, en este minúsculo local se siguen vendiendo

hamburguesas entre dos tostadas y sin condimentos, excepto un poco de queso amarillo fundido (en contraste con el lema de Burger King, "Pídala como quiera", que incita a los clientes a añadir todo lo quieran a su hamburguesa). Según otra versión, la hamburguesa se creó en el año 1904 durante la Feria mundial de San Luis, la cual, a juzgar por los numerosos platos que supuestamente le deben su origen (como, por ejemplo, el cucurucho de helado y los cereales de arroz inflado), tuvo que ser un semillero de innovación culinaria.

Los restaurantes *drive-in* de los años cuarenta y cincuenta se construyeron teniendo como base a la hamburguesa. El *drive-in* era un café que estaba provisto de un parking, en el cual los clientes podían aparcar sus coches y hacer su pedido a los/las camareros/as que se acercaban hasta el coche, a menudo en patines. Los clientes podían tomar sus hamburguesas, batidos y patatas fritas sin salir del coche, o fuera de éste si deseaban charlar con los otros clientes. Y lo hacían, por supuesto, convirtiendo el parking en una especie de comedor al aire libre, sobre todo en el sur de California, donde el clima suele ser cálido durante todo el año. Las hamburguesas eran fáciles de comer en el coche puesto que eran compactas y se servían empaquetadas. Una de las imágenes emblemáticas de la desenvoltura de los años cincuenta en Estados Unidos es la de un grupo de adolescentes modernos en el *drive-in*, tirados sobre sus coches o motos y comiendo hamburguesas. El resto del mundo

Al igual que White Castle, Cozy Inn (en Kansas) vende hamburguesas pequeñas.

comprendió que, junto con otros elementos juveniles de la cultura pop norteamericana como la Coca-Cola, Elvis y el chicle, las hamburguesas representaban un estilo de vida basado en la comida rápida y para llevar que despreciaba la tradición del Viejo Mundo.

El nuevo McDonald's (fundado en 1948 en San Bernardino, California), el gran templo del culto a la hamburguesa situado en el sur de California, fue presentado como un "restaurante familiar" donde la gente podía comer en el interior del local o fuera en sus coches. Era una alternativa a los *drive-in*, que las familias evitaban debido a las hordas de adolescentes con chaquetas negras de cuero que vagaban por el parking. Desde el principio, McDonald's fomentó una imagen sana de un servicio limpio y eficiente, junto con unos precios módicos y un producto predecible y estándar. Actualmente, una hamburguesa del famoso restaurante con arcos dorados es idéntica en todo el mundo. Las franquicias están estrictamente controladas y es justamente esta previsión, en parte, la responsable del éxito de McDonald's. Si bien no

Los condimentos habituales para una hamburguesa son mostaza, ketchup y pepinillo en rodajas o encurtidos.

son exactamente un *drive-in*, muchos McDonald's disponen de mostradores donde los clientes pueden recoger desde el coche su pedido para llevar. El producto más popular es quizás el "Big Mac", una hamburguesa doble con pepinillo, lechuga y una salsa especial que se introdujo en 1967.

Ha quedado demostrado que hay demanda suficiente como para que las otras cadenas de hamburgueserías tales como Wendy's, Burger King y White Castle, atiendan también al público norteamericano. White Castle, fundada en Kansas en 1921, estableció una red de restaurantes de carretera para servir al público viajero. Gracias a Henry Ford y su modelo A destinado a las masas, miles de norteamericanos empezaron a viajar en coche y necesitaban comer por el camino. Conocidas como *sliders* (resbaladoras), tal vez por ser muy grasientas, las hamburguesas White Castle eran algo más pequeñas que las normales y se vendían en bolsas.

El *cheeseburger* es la variante más popular de la

El Tail o' the Pup de Los Ángeles es muy conocido en la ciudad. El puesto en forma de salchicha de Frankfurt vende perritos calientes desde 1938.

Las hamburguesas se suelen hacer con bistec de pobre de buey picado.

hamburguesa. Es simplemente una hamburguesa que se cubre con una loncha de queso amarillo norteamericano, a ser posible cuando aún está en la plancha para que el queso se funda un poco. Las hamburguesas también se toman con muchos otros condimentos. Al más puro estilo norteamericano, los restaurantes regionales preparan sus propias variantes añadiendo champiñones salteados, rodajas de aguacate, beicon, cebolla frita, rodajas de tomate, chile o salsa barbacoa. Existe incluso una versión "de régimen", sin el tradicional bollo de pan pero con una rodaja de piña y una cucharada de *cottage cheese*. La mayoría de los norteamericanos prefiere las hamburguesas al natural y sencillas; déles una hamburguesa a la plancha medio cocida sobre un bollo con mostaza y ketchup y serán felices. Añada un refresco y unas patatas fritas y estarán en la gloria.

Perritos calientes (Hot Dogs)

Para muchos norteamericanos, el olor y el sabor de un perrito caliente asado a la parrilla hasta dejarlo crujiente y chamuscado recuerda el verano. Aderezada con mostaza y dispuesta en un panecillo tostado, esta salchicha un poco ahumada es el principal producto en la escala de éxitos de la comida rápida.

También conocidos como salchichas de Frankfurt, los perritos calientes son otro símbolo de la comida norteamericana. Deben su nombre a la ciudad de Frankfurt, que en 1987 celebró el 500 aniversario de esta salchicha. También se dice que son originarias de Viena. Gracias a los inmigrantes alemanes que llegaron a Estados Unidos en el siglo XIX, las salchichas se llamaron tanto *frankfurters* (salchichas de Frankfurt) como *wienerwursts* (salchichas de Viena). Hoy en día, también se denominan *tube steaks*, *wienies*, *wieners*, *red-hots*, *franks* y *dogs*. El hecho de que tengan tantos apodos demuestra su gran popularidad. Determinar si es el perrito caliente o la hamburguesa el bocadillo favorito de los norteamericanos equivale a tener que elegir entre el fútbol americano y el béisbol como deporte representativo de Estados Unidos. Es una cuestión que no se podrá resolver nunca, ya que los partidarios de ambas partes tienen buenas razones para defender su elección. A menudo, los aficionados a la pizza (o al baloncesto) toman parte en la polémica sólo para añadir más maraña.

El perrito caliente se parece al perro alemán de cuerpo alargado y patas cortas conocido como perro salchicha. En 1906, un dibujante de un periódico caricaturizó las salchichas calientes en panecillos como perros ladrando en el campo de polo de Nueva York. El título del dibujo, "*hot dogs*", ha hecho historia.

Las salchichas, ya precocidas, tan sólo se deben hervir, asar a la parrilla o freír para consumirlas. Casi siempre se toman en un panecillo alargado de pan blanco (tostado o no) muy condimentado. Al poder

asirlas fácilmente con una sola mano, son ideales para comerlas por la calle. Los perritos calientes están muy asociados con el béisbol, un deporte típicamente norteamericano. En los partidos, los vendedores ofrecen salchichas cubiertas con mostaza, ketchup y encurtidos (aderezadas a veces con cebolla picada o col fermentada). Los aficionados al béisbol afirman que los perritos calientes saben mejor en el estadio.

En general, los perritos calientes se elaboran con carne de buey o mezclándola con carne de cerdo. Pero la preocupación por su alto contenido en grasas ha

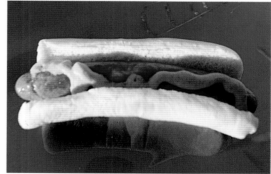

Un perrito caliente de Coney Island con un chorro de mostaza

hecho que se elaboren con pollo, pavo e incluso tofu. Sin embargo, éstas no son menos grasas que las otras.

Otras formas de perritos calientes son el *corn dog* (una salchicha de Frankfurt ensartada en una brocheta, rebozada con harina de maíz y frita), los *pigs-in-blankets* (un aperitivo de salchichas de cóctel enrolladas en una pasta y horneadas) y el *foot-long* o perrito caliente de Coney Island, que se vende en Nathan's Famous, en el paseo de Coney Island (Brooklyn). Los *chili dogs* son perritos calientes aderezados con *chile* de buey (sin judías). Los *franks-and-beans*, muy apreciado por los niños, son salchichas de Frankfurt mezcladas con judías en salsa de tomate caliente.

Las Grandes Llanuras

por Judith Fertig

Dakota del Norte

Dakota del Sur

Kansas

Nebraska

Oklahoma

De los 1.036.000 km² de pradera que antaño se extendían desde Illinois hasta Colorado y desde Manitoba y Saskatchewan (en Canadá) hasta el centro de Tejas, menos del 1% subsiste en estado natural. Sin embargo, las Grandes Llanuras son el mejor lugar para admirar el llano que tanto intimidó a los primeros colonos europeos.

Si visita el rancho Z-Bar cerca de Strong City (Kansas) o la reserva Tallgrass Prairie en Pawhuska (Oklahoma), podrá experimentar la llanura en su estado original. Podrá ver un mar de hierbas altas flotando contra el viento en kilómetros y kilómetros bajo el extenso cielo. Pero también podrá entender por qué la llanura infundía temor.

Para aquellos audaces pioneros del siglo XIX, la llanura era tan ajena como el mar. Es un paisaje al cual uno debe acostumbrarse, tal como relataba William Least-Heat Moon en su exitosa narración de un viaje titulada *PrairyErth:* "No es que tuviese que aprender a pensar en lo llano (las llanuras rara vez lo son), pero tuve que empezar a pensar abiertamente, sin fijar puntos de atención obvios… comprendí que las llanuras no son más que hierba al igual que el mar no es más que agua".

Actualmente, la llanura es tanto el terreno de la industria ganadera norteamericana como el granero del país, cultivando el trigo que produce el alimento básico. En las Grandes Llanuras viven todo tipo de comunidades étnicas, y las fiestas que conmemoran civilizaciones tan diversas como los checos, los escandinavos, los menonitas rusos y los indios sioux (Lakota) son ocasiones para rememorar el pasado y revivir las tradiciones en el presente. En agosto son una magnífica alfombra amarilla de girasoles, en otoño son una región de paso para las aves de caza y, en invierno, una extensión de llanos expuesta al viento.

Aquí, la comida es sencilla y reconfortante: Bollos de trigo y miel, *kolaches* y todo tipo de panes tradicionales. Bistecs tiernos, hamburguesas jugosas y el sabroso asado del domingo. Cervezas de trigo con unas gotas de limón para acompañar un bol de chile picante. Faisán asado crujiente. Tarta casera de moras.

La comida (y la gente) de las llanuras estaba a menudo en movimiento. Los indios de las Llanuras viajaban de los campamentos de caza a las regiones fértiles y cultivadas, y viceversa. Los colonos recorrían las numerosas rutas en dirección oeste hacia sus futuras tierras. Se llevaban consigo la comida transportable, desde las sopas de judías nativas hasta la cecina de búfalo y el *hominy*. Hoy en día, en todos los cafés provincianos se puede encontrar la misma comida que sustentó tanto a los norteamericanos nativos como a los colonos.

TOMA DE TIERRAS

En movimiento

Siguiendo los ríos, los comerciantes de pieles franceses y los hombres de las montañas fueron de los primeros europeos que viajaron a través de las Grandes Llanuras desde finales del siglo XVII hasta principios del siglo XVIII. Sin embargo, más aficionados a la aventura que a los asentamientos, establecieron puestos de comercio pero ninguna ciudad.

En sus diarios, detallan algunos de los platos indígenas que probaron, como, por ejemplo, éste de la tribu india Mandan el 23 de diciembre de 1804 en Dakota del Norte: "Kagohami, o Pequeño Cuervo, trajo a su esposa y su hijo cargados con maíz y ella nos invitó a un plato típico Mandan, una mezcla de calabaza, judías, maíz y cerezas silvestres norteamericanas."

Los colonos que viajaban por las llanuras utilizaban una cafetera de estaño como ésta.

Los cultivadores indígenas, como la tribu Hidatsa de Dakota del Norte, cultivaban cinco tipos diferentes de maíz: uno para asarlo y comerlo fresco; los otros para secarlos y elaborar *hominy*, harina de maíz y fécula de maíz. Cultivaban girasoles para extraer las semillas y el aceite, así como varios tipos de calabaza para comerlas frescas o secarlas. Muchos tipos de judías nativas (Anasazi, negras y pintas) se unieron a sus equivalentes europeos (judías Jacob's Cattle, judías rojas y judías pardas suecas) para formar parte del repertorio de ingredientes para la sopa.

Hoy en día, en las fiestas de los colonos, la comida se sigue preparando al aire libre, mezclando las tradiciones de los indígenas norteamericanos y las de los colonizadores. El maíz dentado seco se trataba con lejía para retirar la capa exterior antes de enjuagarlo y hervirlo para preparar *hominy*, un alimento tanto de los indígenas como de los colonizadores debido a su buena conservación. Las manzanas se cocían a fuego lento, sin dejar de remover, en una gran caldera de cobre para elaborar "pasta de manzana". El zumo de sorgo también se hervía a fuego lento para elaborar jarabe de sorgo, parecido a la melaza y de color marrón oscuro. Las judías nativas se cocían lentamente con jamón y condimentos para preparar una cena tradicional.

Inferior: para la abeja melífera *(Apis melliflora)*, los girasoles de las Grandes Llanuras son una abundante fuente de polen.

Desde 1870 hasta principios del siglo XX, en Kansas, Nebraska, Oklahoma y las dos Dakota se abrieron ·tierras a los "propietarios de tierra" (colonos que tomaron posesión de terrenos para la agricultura). El 16 de septiembre de 1893, un disparo de rifle en Guthrie (Oklahoma) marcó la salida de una carrera en la cual los participantes corrían a máxima velocidad para reclamar las parcelas de tierra.

Baked Hominy
Maíz molido al horno

4 tazas de *hominy* en lata bien escurrido
1 diente de ajo pelado y picado
250 g de queso cheddar fuerte en dados
2 tazas de leche
4 huevos batidos
1 cucharadita de sal
¼ cucharadita de pimentón

Precaliente el horno a 180°C. Esparza el *hominy* en una fuente de horno engrasada. Cubra con el ajo y el queso. En un cuenco, bata la leche, los huevos, la sal y el pimentón. Vierta la mezcla de huevo sobre el maíz y hornee de 50 a 60 minutos, o hasta que se formen burbujas y cuaje. Para 6–8 personas.

Campfire Supper
Cena de campamento

6 rodajas de beicon ahumado
1 cebolla grande
2 patatas
4 huevos

Corte el beicon en trozos y fríalo en una sartén grande. Pele la cebolla y las patatas, y córtelas en dados. Retire el beicon y fría la cebolla y las patatas en la grasa del beicon. Cuando las patatas estén doradas, bata los huevos en un cuenco pequeño y añádalos a la sartén. Remueva para cocer los huevos, salpimiente al gusto y sirva. Para 2 personas.

Oregon Trail Soup
Sopa de la Ruta de Oregón

125 g de fríjoles blancos comunes secos
125 g de judías Anasazi u otras judías nativas
125 g de judías pintas secas
125 g de judías negras secas
125 g de fríjoles rojos
2 cucharadas de aceite vegetal
1 cebolla grande pelada y troceada
6 tallos de apio troceados
3 zanahorias grandes peladas y troceadas
4 dientes de ajo majados
2 hojas de laurel
7 tazas de caldo de pollo
sal y pimienta, al gusto

Mezcle todas las judías en un cuenco grande. Cúbralas con agua hirviendo y déjelas en remojo toda la noche.

Escurra las judías y resérvelas. Caliente el aceite en una olla grande y saltee la cebolla, el apio, las zanahorias y el ajo. Agregue las judías junto con las hojas de laurel y el caldo de pollo. Lleve la mezcla a ebullición y baje el fuego. Tape y deje cocer a fuego lento de 2 a 3 horas, o hasta que las judías estén tiernas. Sazone al gusto. Retire las hojas de laurel y sirva. Para 10–12 personas.

Substancias edulcorantes de la llanura: un poco de miel y sorgo

Con la gran abundancia de flores silvestres, girasoles y tréboles en flor (*Trifolium*), no es extraño que los estados de las Grandes Llanuras produzcan la mayor parte de la miel de Estados Unidos. Sólo Dakota del Norte y Dakota del Sur representan casi 30.000 toneladas al año. Si bien recientemente la producción de miel estuvo afectada por un ácaro que infestó la colonia de abejas melíferas, los apicultores pronostican un regreso saludable a la colmena.

La región de las Grandes Llanuras se caracteriza por dos tipos distintos de miel, elaborada en diferentes épocas del año. Producida desde principios de primavera hasta mediados de agosto, la miel de flores o trébol es de color claro y de sabor dulce y suave. Las abejas melíferas liban las flores de ciruela silvestre (*Prunus americana*) en los matorrales que bordean los lechos de los riachuelos o las flores de trébol rosadas y de forma cónica entre las otras plantas de la llanura.

La miel de flores silvestres es más oscura, más sabrosa y menos dulce. Esta miel de mediados de verano a principios de otoño es la preferida de los cocineros porque aporta un marcado sabor a miel sin demasiado dulzor. La gran abundancia de flores silvestres de la llanura ofrece una amplia variedad a las abejas: margaritas amarillas, coreopsis, dedalera, lino de pradera y prímula de noche. La miel de girasol es particularmente oscura y fuerte, pero no tan fuerte como la miel de alforfón, cuyo sabor es parecido a la melaza sulfurosa.

La mejor miel se elabora en las colmenas de la región, sin mezclarla con otros tipos de miel. El panal cargado se debe calentar suavemente, pero sin hervirlo, para extraer la miel. Posteriormente se filtra y se envasa. En algunas tiendas de alimentos naturales de las Grandes Llanuras, venden tanto miel de trébol como de flores silvestres a granel. Los clientes pueden traer sus propios recipientes y llenarlos al gusto.

En las cocinas de la llanura, la miel endulza todo tipo de postres, desde galletas de especias hasta pasteles de fruta y helados. Pero, sin duda, la preparación favorita es rociar con miel galletas recién sacadas del horno, partidas por la mitad y untadas con mantequilla.

Sorgo

El jarabe extraído de las plantas de sorgo (*Sorghum vulgare saccharatum*), similares a la caña de azúcar, forma parte junto con la miel y la melaza de las substancias edulcorantes de la llanura que se remontan a la época colonial. Cuando no había azúcar, estos jarabes dulces se convirtieron en alimentos básicos de la cocina. Originaria de África, la planta del sorgo medra en las Grandes Llanuras. Cuando se recolecta, la caña se corta con un cuchillo de maíz y el jugo verde se recoge en una gran caldera de cobre. Para obtener un mejor sabor, se deja evaporar el jugo sobre un fuego al aire libre hasta que se transforma en un jarabe oscuro y espeso. El sorgo se suele usar en buñuelos de manzana y rociado sobre galletas y tortitas.

COLONIZADORES

Asentamiento

En 1849, cuando se descubrió oro en California, se trazaron las principales rutas en el paisaje, algunas de las cuales todavía son visibles (como la Ruta de Oregón y la de Santa Fe). Después de la Guerra de Secesión, a partir de 1860 hasta principios del siglo XX, la población de las Grandes Llanuras estaba formada por una mezcla de colonos inmigrantes europeos y gente de otras zonas de Norteamérica que vinieron a cultivar la tierra, trabajar en una finca ganadera y construir ciudades y vías férreas.

Tanto los colonos en ruta como las familias granjeras dependían de los alimentos secos como el maíz tostado, que era conservado durante mucho tiempo antes utilizarlo en diversos platos.

A finales del siglo XIX, inmigrantes de muy diversas etnias poblaron la región de las Grandes Llanuras. Sólo en Kansas, se establecieron más de 56 grupos étnicos, trayendo consigo sus costumbres alimentarias. Hoy en día, en un radio de unos 40 km desde Nicodemus (Kansas), la ciudad de colonos negros más antigua al oeste del Misisipí, se pueden encontrar platos del Sur tales como costillas a la barbacoa y verduras silvestres cocidas con codillos de jamón. En Hill City, una ciudad fundada por granjeros de Kentucky, el pollo frito es el plato típico. Carretera abajo se halla Damar, una ciudad poblada por alemanes del Volga a quienes les encantan los platos de pasta rellena y las remolachas encurtidas.

Para desplazarse hacia el oeste, utilizaban la "galera de las praderas" (el carromato), con sus cubiertas curvadas de lona subiendo y bajando por los caminos llenos de baches. Los primeros colonizadores adoptaron algunos alimentos de los indígenas, como la cecina (tiras de carne de buey o búfalo secadas y sazonadas), el *hominy* y los estofados de judías secas. También se llevaron la masa madre fermentada, la base para elaborar galletas y tortitas. Un barril de cerdo salado sustituía a la carne fresca y usaron hortalizas secas como el maíz tostado hasta que pudieron plantar el primer huerto. Los primeros colonos también aprendieron a apreciar los alimentos silvestres como las gaylusacias (*Gaylusaccia resinosa;* parecidas a los arándanos), los amelanquiers (*Prunus virginiana;*

cerezas silvestres pequeñas y amargas), los caquis norteamericanos *(Diospyros virginiana),* las nueces negras *(Juglans nigra),* las uvas blancas, los higos chumbos *(Opuntia ficus-indica),* las colmenillas *(Morchella esculenta)* y las aguaturmas *(Helianthus tuberosus;* el bulbo de un girasol perenne).

Tanto si se trataba de colonos viajando hacia una nueva parcela de tierra como de vaqueros siguiendo al ganado, los viajeros de las Grandes Llanuras se atenían a la cocina del carromato de provisiones (una mezcla de carnes a la parrilla y una guarnición cocida en una olla de hierro con tapa sobre un fuego al aire libre). Después de visitar una factoría por el camino, degustaban alrededor de una hoguera una cena a base de huevos frescos cocidos con beicon y patatas. Las aves de caza capturadas por el camino se asaban sobre un fuego al aire libre. Hoy en día, esta tradición se mantiene en las barbacoas en el jardín trasero y en las fiestas anuales de vaqueros.

Una vez establecidas las granjas y las ciudades, la cocina se prepara con alimentos de granja. Actualmente en las Grandes Llanuras, la cena favorita es un plato de pollo frito con judías verdes cocidas a fuego lento y sazonadas, bollos de canela, puré de patatas con jugo de pollo y una ensalada verde mixta.

Conservas de la llanura

Los primeros viajeros aprendieron a preparar los alimentos de la pradera. Los frutos silvestres (gaylusacias, amelanquiers, caquis, uvas blancas e higos chumbos) se recogían a mediados de verano y principios de otoño. En primavera, las colmenillas eran un delicioso complemento y, en otoño, las setas silvestres y los bábacos añadían variedad. Conservar estos alimentos para consumirlos en invierno se convirtió en un medio de expresión artística.

Hoy en día, tanto en las casas como en los pequeños comercios se siguen preparando mermeladas y jaleas a base de frutas oriundas. Con las diminutas ciruelas silvestres que crecen en los lechos de riachuelos y ríos, se elabora una jalea de color púrpura. Con el jugo se elabora jalea y con la pulpa pasta de ciruela, ambas con azúcar. Los amelanquiers, o cerezas silvestres, tienen más hueso que pulpa, pero con ellos se prepara jarabe y jalea. Los sioux de Dakota elaboran *wojapi* a base de zumo de amelanquier, miel y un poco de fécula de maíz para espesar, y lo sirven sobre pan frito. Casi todos los cocineros del país saben preparar jalea de saúco, ideal para servir con galletas. El pequeño alquequenje ácido nativo *(Physalis edulis)* se prepara en conserva con corteza de limón y azúcar.

Antiguamente, todas las mujeres granjeras de la llanura elaboraban conservas de albaricoque, uvas espina y frambuesas. Hoy en día, sigue siendo su pasatiempo favorito.

Inferior: unos hombres tomando sandía y jugando a las cartas frente a una cabaña cubierta de hierba en la llanura de Nebraska.

Moras silvestres *(Morus rubra)*

Los pasteles de la llanura

En la época colonial, la fresquera de pasteles (un armario de madera con diminutos agujeros que dejaban pasar el aire, pero no los insectos) estaba presente en todas las cocinas o porches traseros. Las nuevas familias granjeras inmigrantes aprendieron rápidamente a preparar los pasteles norteamericanos. Una pasta de hojaldre cubría un relleno de fruta cocida y endulzada: ruibarbo en primavera; zarzamoras, moras, uvas espina o arándanos a principios de verano; melocotones a finales de verano; manzanas en otoño. Las tartas cubiertas con merengue estaban rellenas de crema de limón, de chocolate o crema de coco. A finales de otoño, las pacanas oriundas, con menos pulpa pero más aceitosas, formaban la base de la sabrosa tarta de pacanas. Y, para el día de Acción de Gracias, tarta de calabaza fresca. Los cafés y restaurantes provincianos esparcidos por la amplia extensión de llanura se enorgullecen de sus pasteles caseros. Una porción de pastel y una taza de café son una excusa para charlar con los vecinos, hacer una pausa durante un largo viaje, hablar de los problemas o conocer a gente nueva.

Black Raspberry Pie
Pastel de frambuesas negras

4 tazas de frambuesas negras frescas
3 cucharadas de tapioca instantánea
½–1 taza de azúcar, al gusto
3 tazas de harina blanca
½ cucharadita de sal
1 taza de grasa vegetal
⅓–½ taza de agua helada
½ cucharadita de canela en polvo
2 cucharadas de mantequilla en trocitos

Precaliente el horno a 230°C. Seleccione las frambuesas y retíreles el tallo. En un cuenco mediano, mezcle las bayas, la tapioca y el azúcar. Deje reposar durante 15 minutos.

Para la pasta: Mezcle la harina y la sal en un cuenco mezclador. Con un cortapastas ó 2 cuchillos, incorpore la grasa cortándola hasta obtener una mezcla desmigada. Agregue el agua helada y mezcle con un tenedor hasta formar montoncitos de pasta. Una todos los montoncitos y amáselos rápidamente para formar una bola lisa. Manipule la pasta lo mínimo posible para mantener una corteza blanda. Extienda la mitad de la pasta sobre una superficie enharinada y forre el fondo de un molde de 22,5 cm de diámetro. Rellene la pasta con la mezcla de frambuesas. Espolvoree el relleno con canela y esparza la mantequilla por encima. Extienda la otra mitad de pasta y colóquela sobre el relleno. Practique incisiones en la corteza para permitir que el vapor se escape durante la cocción. Hornee unos 10 minutos a 230°C. A continuación, reduzca la temperatura a 180°C y hornee de 40 a 45 minutos más. Para 1 pastel.

Los higos chumbos (superior e inferior) recolectados de la chumbera eran otro alimento básico de la llanura.

El alquequenje, también llamado uva espina del Cabo, es una variedad de fruta silvestre que crece en las praderas norteamericanas.

TRIGO

Olas ambarinas de cereales

Los colonos europeos que llegaron a la Costa Este norteamericana durante el siglo XVI no tuvieron otra opción que arreglárselas con el cereal típicamente norteamericano, el maíz, hasta que pudieron cultivar el trigo (*Triticum vulgare*) que habían traído consigo. Durante bastante tiempo fue un fracaso. A finales del siglo XVIII, el trigo se estableció en las extensas praderas del Medio Oeste y de las Llanuras, y las nuevas vías férreas desempeñaron un papel muy importante en el desarrollo del cultivo del trigo.

El trigo de invierno grancé, la variedad que transformó las praderas en un "granero", llegó de manera indirecta. Hacia 1870, el gobierno de Estados Unidos había dado al ferrocarril de Santa Fe terrenos a ambos lados de la servidumbre de vía, en el centro de Kansas. Deseando vender la tierra a los colonos que necesitasen los servicios del tren, los funcionarios ferroviarios buscaron granjeros que pudiesen producir cosechas que medrasen en condiciones extremas y que pudiesen ser transportadas por ferrocarril a gran distancia. Algunos granjeros probaron a cultivar trigo de primavera, pero su necesidad de abundante humedad en verano, cuando la llanura estaba más seca, lo hacía inestable. Durante esa época, los agricultores de trigo menonitas de Ucrania querían emigrar para huir de la persecución religiosa a la que estaban sometidos. De esta manera, en el año 1875, se formó una curiosa unión entre los menonitas rusos de las estepas y el ferrocarril de Santa Fe de la llanura norteamericana, cuando los primeros colonos menonitas llegaron a la región de Newton (Kansas). Otros grupos de menonitas rusos se establecieron en zonas productoras de trigo de Nebraska, de los dos estados de Dakota y de las provincias del llano de Canadá.

En los dos estados de Dakota y en zonas de Oklahoma, predomina el trigo duro (*Triticum durum*), una variedad de primavera cultivada para la elaboración de pasta. Este trigo es una cosecha más resistente que soporta los inviernos rigurosos y medra con las precipitaciones de verano en los estados de las Llanuras. El trigo de primavera se recolecta en agosto. Si el dorado trigo duro se muele fino, se obtiene sémola de trigo; molido grueso o machacado y precocido, es conocido como cuscús. Puesto que la pasta elaborada con sémola resulta difícil de manipular para el cocinero casero, la utilizan principalmente los grandes fabricantes de pasta.

Hoy en día existen más de 200 variedades derivadas del trigo de invierno grancé original. Los nuevos híbridos permiten a los agricultores evitar las enfermedades y el deterioro de las plantas.

El trigo duro de invierno grancé *(Triticum vulgare)* es la variedad predominante en los estados de las Grandes Llanuras. Se usa mayoritariamente para elaborar harina panificable.

Productos de trigo

Sémola

Trigo descascarillado

Granos de trigo enteros

Harina de trigo integral

Harina blanca

Trigo partido

Una fábrica de harinas en Yukon (Oklahoma)

Cultivo y cosecha

Las simientes del trigo de invierno se siembran en surcos de tierra en otoño. Al cabo de unas semanas, crecen brotes de color verde esmeralda. Durante los fríos días de invierno, el trigo aún es de color verde aunque se encuentra en una fase latente. Cuando llegan las lluvias de primavera, el trigo vuelve a crecer. A principios de junio, se vuelve dorado; a mediados de junio, la cosecha empieza en el sur de Kansas y continúa durante el mes de julio en la llanura norte.

La época de la cosecha del trigo también es una época de reunión familiar. Los miembros de la familia se reparten las tareas, desde cortar el trigo con la segadora trilladora, hasta transportar el trigo recolectado a la cooperativa para venderlo y preparar bocadillos para llevarlos a los campos. Durante esta época crucial, se requiere la ayuda de todos, ya que una tormenta intensa o el granizo pueden arruinar la cosecha en el último momento.

El trigo de invierno grancé duro de Oklahoma (Kansas) y Nebraska produce la mayor parte de la harina blanca que se utiliza en Norteamérica. Generalmente, Kansas produce suficiente trigo para elaborar 30 mil millones de barras de pan. Sin embargo, los granos de trigo enteros también se emplean en la elaboración de otros alimentos como sopas, cereales para el desayuno cocidos, ensaladas, *tapenade* y cerveza de trigo.

Wheatberry and Bean Soup
Sopa de judías y granos de trigo enteros

1 taza de fríjoles blancos secos
1 taza de granos de trigo enteros
1 cebolla grande
2 zanahorias medianas
2 tallos de apio
2 dientes de ajo
3 cucharadas de aceite vegetal
2 l de agua
1 hoja de laurel
una pizca de tomillo seco
sal y pimienta, al gusto

Enjuague y escurra las judías y los granos de trigo; póngalos en cuencos separados. Cubra cada uno con agua hirviendo y deje reposar durante 1 hora para que las judías se ablanden. Pele la cebolla y las zanahorias, y córtelas en dados junto con el apio. Pique el ajo. Caliente el aceite vegetal en una olla sopera grande y saltee la cebolla, las zanahorias, el apio y el ajo durante 5 minutos. Escurra las judías y los granos de trigo y añádalos a la olla. Agregue el agua, la hoja de laurel y el tomillo. Lleve a ebullición, pase a fuego lento, tape la olla y cueza durante 1 hora. Remueva la sopa de vez en cuando. Cuando las judías estén tiernas, la sopa estará lista. Sazone al gusto, retire la hoja de laurel y sirva. Para 4 personas.

Wheatberry Salad
Ensalada de granos de trigo enteros

1 taza de granos de trigo enteros cocidos
1 taza de cuscús cocido
1 taza de garbanzos en conserva enjuagados y escurridos
1 manojo de cebolletas troceadas (incluida parte del tallo verde)
1 calabacín pequeño troceado
1 pepino pelado sin semillas y troceado
1 pimiento dulce rojo sin semillas y cortado en tiras finas de 2,5 cm de largo
1 manzana ácida descorazonada y troceada
¼ taza de perejil fresco picado para adornar

Aliño:

1 taza de yogur natural desnatado
⅓ taza de vinagre al estragón o con hierbas
2 dientes de ajo grandes pelados y picados
3 cucharadas de aceite de oliva
1 cucharada de mostaza de Dijon
1 cucharada de curry en polvo
1 cucharadita de comino molido
1 cucharadita de cilantro molido
¼ cucharadita de pimentón
sal y pimienta, al gusto

Bata los ingredientes del aliño en un cuenco pequeño y deje reposar. En un cuenco grande, mezcle los granos de trigo, el cuscús, los garbanzos, las hortalizas y la manzana. Vierta el aliño por encima y remueva bien. Cubra y refrigere durante 8 horas como mínimo. Para 6-8 personas.

Cerveza de trigo
Durante el calor del verano en la pradera, una jarra fría de cerveza de trigo con un gajo de limón resulta excelente para apagar la sed. Claras y algo ácidas, las cervezas de las Grandes Llanuras elaboradas con trigo suelen emplear la palabra alemana *weizen* o *weiss* (blanco), en referencia a la espuma blanca que se forma en la cerveza durante la fermentación. Al principio del proceso se añaden lúpulos Clusters, Eroica y Tellnang; los lúpulos Hallertauer completan el sabor refinado. Los sabores añadidos, como la frambuesa, realzan el sabor a fruta inherente debido a la fermentación alta.

EL GRANERO DE NORTEAMÉRICA

Harina de molienda

Cada día es una aventura para los molineros como el de la Hudson Cream Flour, en el condado de Stafford (Kansas). Rodeado por campos de trigo duro de invierno grancé, el molinero compra todo el trigo que puede para elaborar esta harina blanca única (la más fina de todas). La harina Hudson Cream se tamiza más de 12 veces, la última de ellas a través de una seda a prueba de agua. La actividad no cesa, entre el zumbido del molino y la fina neblina de harina en el aire. Vienen molineros de todo el mundo a visitar las instalaciones.

Periódicamente, el rabino del cercano Great Bend viene a certificar que una harina especial sea *kasher*. Y los empleados de McDonald's se aseguran de que la harina destinada a los bollos para hamburguesa sea de una calidad inmejorable.

El trigo recolectado en junio "madurará" hasta septiembre en un almacén. Entonces empezará el proceso de temple. Los granos de trigo se lavan, se limpian y se mezclan con un poco de agua para que resulte más fácil retirar las capas de salvado y el oleoso germen de trigo (si no se retirase, la harina se podría volver rancia). La mayoría de la harina proviene del endosperma feculento. Puesto que el nivel proteínico del trigo varía de un campo a otro, el harinero debe mezclar distintos trigos para obtener el nivel ideal. La proteína en la harina significa la presencia de gluten viscoso, firme y elástico que atrapa las burbujas de aire y permite que los productos de panadería leuden. La harina panificable tiene el nivel proteínico más alto, con un 13–14%. El de la harina blanca varía del 11 al 12%. La harina de repostería tiene el nivel más bajo, con un 9–10%.

A continuación, se muele y se tamiza la harina. De cada 50 kg de granos de trigo, sólo se obtienen 31 kg de harina Hudson Cream; con los otros 19 kg se elabora forraje, harina de baja calidad y aditivos para las mezclas de especias. Cada saco se llena, se estampa y se fecha, quedando listo para exponerlo en las tiendas de comestibles.

Derecha: el molinero Alvin Brensing mostrando la harina Hudson Cream finamente tamizada.

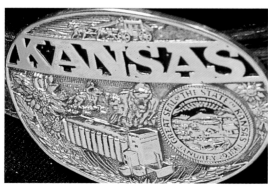

La máquina panificadora automática

Hoy en día, los panes se cuecen a menudo en una máquina panificadora automática, que ha pasado a ser un aparato habitual en muchas granjas y cocinas provincianas. Esta muestra de la afición de los norteamericanos a los artilugios y la maquinaria es un aparato en forma de caja que elimina por completo la acción del hombre en el proceso de elaboración del pan. Se ponen todos los ingredientes en la máquina según las instrucciones del fabricante; la máquina mezcla la pasta, la amasa, la deja leudar y luego la cuece. Se obtiene una barra de pan cilíndrica, lista para su consumo.

The Miller's Cinnamon Raisin Bread
(Pan de pasas y canela del molinero elaborado en una máquina panificadora)

Para preparar este pan según la manera tradicional, mezcle la levadura con un poco de azúcar y agua. A continuación, añada la harina, la leche tibia, los huevos, el gluten, la sal, el azúcar, la canela y las pasas. Amase y deje leudar la masa hasta que doble su volumen. Golpéela y deje que crezca de nuevo hasta que doble su volumen. Hornee a 180°C de 30 a 40 minutos.

⅔–¾ taza de uvas pasas
2 huevos
3 tazas + 1 cucharada de harina Hudson Cream o harina blanca
2 cucharadas de gluten
2 cucharaditas de canela molida
2 cucharadas de azúcar moreno
1½ cucharaditas de sal
2½ cucharadas de mantequilla derretida
1 taza + 2 cucharadas de leche caliente
2 cucharaditas de levadura seca instantánea

Sumerja las pasas en agua caliente durante 5 minu-

tos; escúrralas. Bata los huevos. Vierta todos los ingredientes en la máquina panificadora automática siguiendo las instrucciones del fabricante. Tras 5 minutos de amasado, compruebe que la masa no esté demasiado seca o demasiado blanda. Añada más agua o harina si es necesario. Tiempo total de amasado y cocción: 2½ horas. Para 1 barra de pan.

Los ingredientes para el pan de pasas y canela: harina, huevos, azúcar y uvas pasas hinchadas en agua caliente.

Ramas de canela

Pan de pasas y canela

KOLACHES Y RUNZAS

Desde la llegada del trigo a las Grandes Llanuras, los silos de granos con elevador automático se alzan en el ondulado paisaje como catedrales de la pradera. No es de extrañar, pues, que el lugar donde se cultiva, se almacena y se muele el trigo también sea el lugar donde el pan casero es un alimento básico de la vida diaria. Desde los tradicionales pan de centeno o pan de trigo y miel suecos hasta los panes artesanales como el *Kalamata* de aceitunas o el de trigo y nueces, los tipos de pan favoritos varían de un sitio a otro.

En algunas zonas de Nebraska abundan las especialidades de pan étnicas, desde el *povitica* croata (una barra con finas capas alternas de masa y relleno) hasta el *zwieback* menonita ruso o el *runza* (una masa dulce con un relleno de hamburguesa, col y cebolla), cuyo origen es incierto. Los pasteles para el té o *kuchen* como el *kolache* checo (una masa dulce con un relleno de fruta) o los pasteles con semillas de amapola, polacos y croatas, son populares en las panaderías provincianas y de las grandes ciudades. En muchos poblaciones de las Grandes Llanuras, incluso la típica hamburguesa se sirve en un bollo casero de trigo. Los panes tradicionales como el pan blanco, de trigo entero, de canela, multicereales o de centeno, se elaboran a mano o en máquinas panificadoras automáticas.

Kolaches

Los colonos checos, los llamados "bohemios", se establecieron en Nebraska y en los dos estados de Dakota hacia 1870. Su comida y sus costumbres tradicionales fueron descritas por la escritora Willa Cather, que escribió sobre su infancia en Red Cloud (Nebraska) y sobre la gente que conoció allí.

Eran aficionados a todo tipo de sabrosas bolas de masa hervida y a los estofados, como el de conejo en salsa avinagrada, pero les gustaban sobre todo los pasteles para el té y las pastas como el *kolache*. Hoy en día, esta comida se sigue preparando para las ocasiones especiales y las fiestas. En Tabor (Dakota del Sur), los Días Checos se celebran a mediados de junio con una profusión de polcas, *kolaches* y bolas de patata. Los panes especiales, las sopas y otros platos tientan a los asistentes. Los bailes populares, los desfiles y los trajes multicolores muestran el orgullo de su herencia checa.

Apricot Kolache
Kolaches de albaricoque

1¼ tazas de leche caliente (52–58°C)
1 paquete de levadura seca
½ cucharadita de azúcar
1 huevo
1 yema de huevo
¼ taza de azúcar
6 cucharadas de aceite vegetal
¼ taza de nata para montar
3½–4 tazas de harina blanca
½ cucharadita de sal

Para el relleno:

500 g de orejones
1½ tazas de agua
¾ taza de azúcar
1 cucharadita de vainilla
½ cucharadita de canela molida
3 cucharadas de agua
1 cucharada de azúcar

Mezcle ⅓ taza de leche, la levadura y ½ cucharadita de azúcar; deje reposar a temperatura ambiente hasta que esté espumoso. Bata el huevo entero y la yema en un cuenco y añada ¼ taza de azúcar, el aceite vegetal, la nata y la leche restante. En otro cuenco, mezcle 1 taza de harina y la sal. Agregue la preparación de levadura y la mezcla de huevo; bata hasta que sea homogéneo. Incorpore suficiente harina, ¼ taza cada vez, para elaborar una masa blanda algo pegajosa. Amásela durante 5 minutos. Cúbrala y déjela crecer durante 1 hora.

Para el relleno: Cueza los orejones en 1½ tazas de agua, tapados, durante 10 minutos. Hágalos puré, añada ¾ taza de azúcar y luego la vainilla y la canela. Reserve.

Moldee la masa en bolas de unos 4 cm. Colóquelas sobre una bandeja de horno, separadas 7,5 cm unas de otras. Deje que se hinchen hasta que doblen su volumen, unos 45 minutos. Forme una hendidura en cada bola, dejando un borde de 1,25 cm. Vierta una cucharadita colmada de relleno de albaricoque. Deje crecer la masa de 15 a 20 minutos. Hornee a 220°C durante 8 minutos. Retire del horno y deje enfriar en rejillas metálicas. Caliente las 3 cucharadas de agua con la cucharada de azúcar hasta que éste se disuelva; glasee las pastas con la mezcla. Para 1½ docenas.

Elaboración de los kolaches

1. Moldee la masa en bolas de unos 4 cm.

2. Forme una hendidura en cada bola con el pulgar.

3. Vierta relleno de albaricoque en cada hendidura.

4. Un glaseado de agua y azúcar dará un aspecto brillante a los *kolaches*.

Runzas

Tanto si se las denomina *runzas*, *bierocks* o *baruschkas*, estas empanadas germano-rusas son todo un éxito en las Grandes Llanuras. Se pueden encontrar en los restaurantes de los centros comerciales de Nebraska, así como en los diminutos cafés provincianos y los *diners* por todo el centro y el oeste de Kansas y de Dakota, donde se establecieron los menonitas y los alemanes católicos del Volga. Los granjeros solían llevárselos en el bolsillo para almorzar. Su práctico tamaño permitía comerlos fácilmente mientras se cosechaba el trigo.

Tanto los germano-rusos como los luxemburgueses se atribuyen la *runza*, pero nadie sabe a ciencia cierta de dónde proceden. Una *runza* es una masa de pan endulzada con un sabroso relleno de carne picada de buey sazonada, col en juliana y cebolla picada. Hay quienes añaden tiras de cheddar y mostaza, mientras que otros sustituyen la col en juliana y la cebolla por col fermentada. Los de origen luxemburgués también añaden semillas de alcaravea al relleno.

Runzas

Masa:

1 cucharadita de levadura seca
2 cucharadas de agua caliente
5 cucharadas de harina panificable
½ taza de azúcar
½ cucharadita de sal
1½ tazas de leche templada
10 cucharadas de mantequilla derretida
2 huevos

En un cuenco pequeño, disuelva la levadura con el agua caliente. Ponga la harina, el azúcar y ½ cucharadita de sal en un cuenco grande. Añada la leche, 8 cucharadas de mantequilla y los huevos a la levadura, y agregue la harina (si la masa está demasiado seca, añada más agua). Pase la masa a una superficie ligeramente enharinada y amásela hasta que sea elástica, unos 5 minutos. Póngala en un cuenco untado con aceite, cúbrala con un paño limpio y déjela leudar hasta que doble su volumen, unos 30 minutos. Golpee la masa y déjela reposar 30 minutos más. Mientras tanto, prepare el relleno.

Relleno:

2 cucharadas de aceite vegetal
1 cebolla amarilla pelada y picada fina
500 g de carne picada de buey
4 tazas de col verde en juliana
sal y pimienta al gusto

Caliente el aceite en una sartén grande a fuego medio. Añada la cebolla y fríala hasta que esté blanda, 20 minutos. Pase a fuego medio-alto, agregue la carne y dórela 8 minutos. Vierta la col y refría 10 minutos más, o hasta que ésta se marchite. Sazone al gusto y reserve.

Precaliente el horno a 180°C. Pase la masa a una superficie enharinada y divídala en 12 bolas. Extienda cada bola formando un disco de 15 cm de diámetro. Disponga ¼ taza de relleno en el centro de cada disco, doble los bordes y pellízquelos para sellarlos. Coloque las *runzas*, con la juntura hacia abajo, en una bandeja de horno engrasada y deje que se hinchen durante 20 minutos. Hornéelas hasta que se doren, de 15 a 20 minutos. Píntelas con la mantequilla restante y sírvalas. Para 1 docena.

Runzas rellenas de carne de buey y col

179

Pasteles y dulces suecos

Lindsborg, una pequeña población del centro de Kansas, fue creada en 1869 por inmigrantes de Varmland (Suecia). En esta preciosa ciudad, la arquitectura es una mezcla del estilo de los bungalós norteamericanos con la pintura azul claro y las curvas de la decoración sueca. Los lugareños conmemoran su herencia con fiestas a lo largo del año. A mediados de junio, el *midsommersdag* (día de San Juan) ofrece especialidades suecas en honor al día más largo del año. Un mayo (cubierto con ramas de álamo) y los bailes populares son las atracciones principales de las festividades. Todo el mundo degusta tortitas suecas, albóndigas de carne, pan *limpa* de centeno, salchichas de patata y *ostkaka* (un tipo de tarta de queso sueca).

En Navidad, Lindsborg también celebra festejos. Se fijan gavillas de trigo a postes ligeros con cintas rojas; diminutas gavillas de trigo atadas con cinta roja también decoran el árbol de Navidad. A mediados de diciembre, el día de Santa Lucía, se organiza una venta de pasteles de la comunidad, en la cual los bollos de azafrán, los panes (como el *kringler*) y las galletas suecas (como las galletitas de jengibre) son el orgullo de los cocineros. La fiesta honra a Santa Lucía, que supuestamente salvó a una aldea medieval sueca de la hambruna. Para festejar este día, la chica mayor de la familia lleva una corona de Santa Lucía con velas encendidas y ofrece café y bollos de azafrán a su familia. La comunidad corona a dos Santa Lucías: una niña de 10 años (y un niño con un sombrero lleno de estrellas) y una chica adolescente. Los bailes populares suecos y la procesión de Santa Lucía involucran a todo el pueblo.

Los productos de pastelería suecos pueden ser dulces o salados. El *limpa*, un denso pan sueco de centeno, es oscuro, fibroso y algo agrio. El crujiente *knäckebrod* se elabora con harina de trigo integral y normalmente se sirve con queso para untar o sopa. Las almendras y las especias son los sabores preferidos para las galletas y las pastas. Aunque los bollos de azafrán eran el pan de fiesta tradicional sueco, a principios de la época colonial el azafrán era difícil de conseguir en Lindsborg. Como alternativa, se elaboraban galletas de especias, o *pepparkakor*, que los bailarines repartían a todo el mundo durante la procesión de Santa Lucía. El *kringler*, una pasta perfumada con almendra, es el desayuno más habitual.

El caballo de madera pintado llamado "Dala" es un objeto de decoración tradicional.

Tradicionalmente, en el día de Santa Lucía (una fiesta sueco-americana que se celebra en diciembre) se pone una corona con velas a una niña de diez años y a una adolescente, y se corona a un chico con un gorro puntiagudo con estrellas.

Kringler

1 taza + 1 cucharada de mantequilla
2 tazas de harina blanca
1 cucharada de agua
1 taza de agua
3 huevos
½ cucharadita de extracto de almendras
1 taza de azúcar glas tamizado
nata ligera

Puede doblar las cantidades de los ingredientes, tal y como muestra la secuencia de fotos paso a paso.

En un cuenco mediano, mezcle cortando ½ taza de mantequilla con 1 taza de harina hasta que los trozos sean del tamaño de un guisante. Rocíe parte de la mezcla con 1 cucharadita de agua; remueva suavemente con un tenedor. Empuje la masa contra las paredes del cuenco. Repita la operación hasta humedecer toda la masa. Forme con ella una bola y divídala por la mitad. En una bandeja de horno sin engrasar, extienda cada bola de masa formando una banda de 30 × 10 cm. Reserve.

En un cazo mediano, mezcle la mantequilla restante y 1 taza de agua. Lleve a ebullición. Retire del fuego y añada de golpe la harina restante. Bata la mezcla hasta que sea homogénea. Déjela enfriar 5 minutos. Añada los huevos, de uno en uno, batiendo a mano cada vez. Agregue el extracto de almendras. Extienda de manera uniforme la mitad de la mezcla sobre cada banda de masa. Hornee a 190°C durante 40 minutos o hasta que la masa esté dorada e hinchada. Deje enfriar sobre una rejilla metálica.

Mezcle el azúcar glas, 1 cucharada de mantequilla, unas gotas de extracto de almendras y nata ligera (1 cucharada). Esparza la mezcla sobre el *kringler* y haga rebanadas en diagonal de 2,5 cm. Para 2 docenas.

Elaboración del kringler

1. Mezcle la mantequilla, la harina y el agua.

2. Forme bolas con la masa.

3. Aplane las bolas de masa en forma de dos rectángulos.

4. Para el relleno: añada los huevos a la mezcla, de uno en uno.

5. Extienda la pasta sobre cada banda de masa.

Saffron Buns for St. Lucia Day
Bollos al azafrán de Santa Lucía

1 sobre de levadura seca

¼ taza de agua caliente

½ taza de mantequilla

1 taza de nata ligera

½ taza de azúcar

½ cucharadita de sal

1 huevo batido

¼–½ cucharadita de azafrán en polvo

4 tazas de harina blanca tamizada

uvas pasas, 1 huevo batido y azúcar granulado,
para adornar

Disuelva la levadura en agua caliente y resérvela. En un cazo pequeño, derrita la mantequilla y añada la nata. Vierta la mezcla tibia sobre la levadura. Bata el azúcar, la sal, el huevo y el azafrán, e incorpóre-los. Agregue la harina y mezcle bien. La masa debe quedar homogénea y esponjosa. No la amase; pásela a un cuenco grande engrasado, cúbrala y déjela leudar durante 30 minutos o hasta que doble su volumen.

Pase la masa a una superficie ligeramente enharinada y amásela hasta que sea lisa y brillante, unos 5 minutos. Pellizque trocitos de masa y forme tiras de 1,25 × 12,5 cm; déles forma de S. Disponga los bollos bien separados en una bandeja de horno engrasada, cúbralos y déjelos crecer a temperatura ambiente hasta que doblen su volumen. Píntelos con el huevo batido, espolvoréelos con azúcar granulado y coloque una pasa en cada curva de la S. Cueza en el horno, precalentado a 200°C, de 10 a 12 minutos. Para 20 bollos.

Una pareja con trajes tradicionales suecos frente a la iglesia de Lindsborg.

Elaboración de los bollos al azafrán

1. Incorpore la mezcla de azúcar, sal, huevo y azafrán.

2. Amase hasta que la masa sea lisa y brillante.

3. Forme tiras de masa.

4. Corte cada tira en trozos.

5. Moldéelos en forma de S.

6. Bollos al azafrán ya cocidos.

Un surtido de dulces navideños suecos. 1. Galletas de azúcar 2. Muñecos de pan de especias glaseados 3. Pastel de manzana y especias. 4. Galletas de manteca de cacahuete y galletas de mantequilla 5. Corona de cardamomo 6. Pan de centeno 7. *Knackebrod* (galleta de munición) 8. Pastel de almendras 9. Barritas de especias glaseadas 10. Tarta de arándanos rojos con celosía 11. Muñecos de pan de especias 12. Barritas de almendras 13. Galletas *spritz*

BISONTE

En su hogar, en las grandes extensiones de pasto

Durante miles de años, el bisonte americano ha vagado por gran parte de Norteamérica. Aunque usualmente se le ha llamado "búfalo", el bisonte americano *(Bison bison)* es diferente del búfalo de agua asiático *(Bubalus bubalis)* y del búfalo del Cabo africano *(Syncerus caffer)* y, ahora, sus vendedores promueven el uso del término "bisonte".

El bisonte americano dejó su huella en el paisaje, manteniendo la llanura como pasto y cavando "hondones" que se llenaban de agua de lluvia tras una tormenta. Estos animales velludos y jorobados proporcionaban un medio de vida a los indios de las Llanuras, que los cazaban con el arco y la flecha o los ahuyentaban hacia los escarpados riscos para matarlos río abajo. Se aprovechaban prácticamente todas las partes del búfalo: la carne y la grasa para cocinar, la piel como ropa y lecho, los huesos como utensilios y pegamento.

Como alimento, el bisonte se podía cocinar de muchas maneras. Después de una cacería, el plato de recompensa era el sabroso hígado, cocido lo más pronto posible y degustado por los cazadores. El contenido del estómago del bisonte (hierbas y pasto sin digerir) se añadía a la carne en la olla de la sopa para preparar un guiso nutritivo. Las mujeres cortaban la carne de bisonte en tiras, que luego secaban y ahumaban para elaborar cecina. La grasa y la carne seca de bisonte se trituraban con bayas secas para preparar *pemmican*, un plato muy calórico para los exploradores.

A medida que los colonos llegaron al Oeste con sus potentes rifles, todo esto cambió. El ritual de la caza del bisonte, venerado en la cultura y las tradiciones de los indígenas, empezó a desaparecer. Las pieles de búfalo, utilizadas como mantas en los carruajes, hicieron furor en el Este. Dodge City (Kansas) se enriqueció con el comercio de pieles de búfalo hasta que, en 1893, se habían extinguido prácticamente todos los ejemplares. Más al norte, en los dos estados de Dakota, se disparaba a los búfalos que vagaban por los vías férreas, y los agentes estatales mataron a muchos más, tratando de alejar de la región a los indios restantes.

Actualmente, las tribus indias como los sioux del río Cheyenne, en Dakota del Sur, están ayudando a volver a traer las manadas de bisontes, criándolos tanto por su valor espiritual como por el dinero que aportan.

Comida y marketing

A mediados del siglo XIX habían unos 40 millones de bisontes americanos. Al final del siglo quedaban menos de 1.000 ejemplares en Estados Unidos y Canadá. Los esfuerzos de los conservacionistas, los indígenas norteamericanos y los ganaderos han

Un cuadro del siglo XIX que representa un indígena cazando un bisonte.

logrado evitar la extinción del bisonte americano. Actualmente, se calcula que hay aproximadamente 150.000 búfalos/bisontes americanos entre Estados Unidos y Canadá.

El bisonte americano se vuelve a criar por las propiedades de su carne. Dirigiéndose a un público preocupado por la salud y el sabor, los vendedores promueven el hecho de que la carne de bisonte es más dulce y sabrosa que la carne de buey, pero menos grasa. Se les considera animales básicamente "libres" puesto que se alimentan de pasto y sólo pasan un corto periodo de tiempo en el establo para comer grano. Robustos y sanos, no necesitan ni productos químicos, ni drogas ni hormonas. Por eso, el bisonte resulta más

Un bisonte adulto

sano que muchas otras carnes. Al tener poca grasa o "vetas", también se cuece más rápido que la carne de buey, de modo que se debe evitar cocerlo en exceso. El mejor consejo es cocinar el búfalo a fuego más bajo y durante menos tiempo que la carne de buey.

Datos relativos al búfalo

Los bisontes americanos pertenecen a la familia de los bóvidos y se cree que descienden del ganado salvaje. Gracias a su pelaje velludo, soportan muy bien los rigores del clima de la pradera. Al ser animales migratorios, vagan naturalmente en busca de nuevos de pastos y nuevas fuentes de agua. Sus excrementos secos, conocidos como *buffalo chips*, se usaban a menudo como combustible para las hogueras de campamento.

Las manadas de bisonte se componen de pocos machos y muchas hembras. El periodo de gestación del bisonte hembra normalmente es de 270 a 285 días y suele dar a luz a un ternero de color canela que pesa unos 20–25 kg. Puede engendrar crías hasta los 30 años de vida, con una media de una al año. Un bisonte macho puede cubrir de 10 a 15 hembras. La Asociación nacional del bisonte calcula que cada año se sacrifican más de 15.000 bisontes, que producen 3.750 toneladas de carne.

Bison Chili
Chile de carne de bisonte

2 dientes de ajo

1 cebolla grande

1 cucharada de aceite vegetal

500 g de carne picada de bisonte

500 g de judías negras secas

½ taza de apio troceado

1 pimiento dulce verde

1 taza de tomates troceados

2 cucharaditas de tomillo seco

1 cucharadita de pimienta negra

2 hojas de laurel

1 l de agua

salsa natural y nata agria

Pique el ajo; pele la cebolla y córtela en dados. En una olla grande, caliente el aceite a fuego medio-alto y saltee el ajo y la cebolla durante 4 minutos, o hasta que estén tiernos. Añada la carne picada, las judías secas y el apio troceado. Retire las semillas del pimiento y córtelo en dados; añádalos a la olla junto con el resto de ingredientes (excepto la salsa y la nata agria) y deje que rompa el hervor. Baje el fuego y cueza lentamente de 1½ a 2 horas. Para servir, vierta el *chile* en cuencos y disponga encima una cucharada de nata agria y un poco de salsa. Para 6–8 personas.

Marinated Bison Steak with Summer Corn Relish
Bistec de bisonte marinado con condimento de maíz de verano

2 dientes de ajo

1 cucharada de salsa Worcestershire

¼ taza de aceite de oliva

4 bistecs de bisonte

Para el condimento de maíz:

1 taza de granos de maíz frescos cocidos

½ manojo de cilantro

1 tomate mediano

4 cebolletas

Prepare una parrilla de carbón vegetal. Pique el ajo y mézclelo con la salsa Worcestershire y el aceite. Marine los bistecs en esta mezcla durante 30 minutos como mínimo.

Ponga los granos de maíz en un cuenco pequeño. Pique el cilantro, el tomate y la cebolleta y mézclelos con el maíz. Cuando las brasas de la parrilla estén blancas, ase los bistecs durante unos minutos por cada lado. Sírvalos con el condimento de maíz. Para 4 personas.

Peppered Bison Jerky
Cecina de bisonte a la pimienta

375 g de espaldilla de bisonte

⅓ taza de salsa de soja

1 diente de ajo

⅛ cucharadita de sal

1 cucharadita de pimienta negra machacada

Corte la carne longitudinalmente, en el sentido del nervio, en tiras de 0,6 cm de grosor. Pique el ajo. En un cuenco, mezcle la salsa de soja, el ajo, la sal y la pimienta. Unte las tiras de carne con esta mezcla, cúbralas con film transparente y refrigérelas durante 2 horas.

Precaliente el horno a 100°C. Coloque dos rejillas en una bandeja de horno. Disponga las tiras de carne sobre las rejillas e introduzca la bandeja en el horno. Ase la carne de 1½ a 2 horas, o hasta que se dore y esté crujiente y quebradiza. Consérvela en un recipiente hermético.

Chile de carne de bisonte

GANADO BOVINO

Donde antaño vagaban el venado y el antílope, hoy en día pasta el ganado bovino. Cuando hacia 1870 el bisonte de las llanuras se extinguió prácticamente, fue sustituido por el ganado bovino. Las primeras vacas fueron las legendarias Longhorn de Tejas, una raza salvaje que descendía del ganado que los españoles trajeronz desde Europa hasta México y el Sudoeste en el siglo XVI. Los vaqueros solían llevar sus Longhorn por la Ruta de Chisholm, desde el sur de Tejas hasta la estación de ferrocarril en Abilene (Kansas). Pero no tardaron mucho en cruzar las razas europeas tales como las Shorthorn, Hereford y Angus inglesas con las Longhorn. Así fue como empezó la industria ganadera norteamericana.

En la llanura se necesitan cuatro acres de forraje para mantener a una res, por lo que es muy frecuente ver a los vaqueros montados a caballo comprobando su ganado varias veces al día, a través de kilómetros y kilómetros de pastos. Los actuales vaqueros desplazan al ganado transportándolo en camión por las grandes distancias entre los pastos; atrás queda la época de las largas batidas de ganado. Las reses se llevan al mercado con un año de edad, habiendo sido cebadas con maíz en una cuadra durante unos días (o unas semanas) antes de sacrificarlas. Las subastas por vídeo son habituales, ya que permiten que la venta se lleve a cabo en Tejas y que el comprador puje desde Kansas mientras mira un vídeo del ganado, que se encuentra en Dakota del Sur. Los corrales de ganado y las subastas son un gran negocio en Oklahoma City (Oklahoma) y en Omaha (Nebraska).

Aunque los ganaderos siguen siendo gente muy conservadora y tradicional, no son contrarios a cambiar con los tiempos. Las mujeres ganaderas ya no son una excepción. Y, tanto unos como otros prueban nuevas razas y técnicas para correr parejo con la continua evolución de la industria ganadera.

Un toro Hereford galardonado en la subasta de Oklahoma City (Oklahoma)

Toro Belgian Blue: raza corpulenta con un sabor y una textura de inmejorable calidad, con menos grasa y colesterol. Se introdujo recientemente en las Grandes Llanuras.

Vaca Belgian Blue

Beefalo: un cruce entre el bisonte y la vaca (exactamente ⅜ de bisonte y ⅝ de bovino de cualquier raza). Es apreciado por su capacidad para buscar alimentos y por su fortaleza.

Res Black Angus: por su excelente sabor y su textura se le denomina "Buey Black Angus".

Toro Blonde d'Aquitaine: este animal de color dorado, originario del sudeste de Francia, se cría desde el siglo VI. Su carne es magra.

Bistecs de solomillo asados a la parrilla al aire libre

Los norteamericanos amantes de la carne aprecian mucho las parrilladas al aire libre. Los secretos para obtener un excelente bistec asado en una parrilla al aire libre son elegir el corte de carne adecuado, preparar el fuego correctamente y dejar reposar la carne después de asar.

Los mejores cortes para asar incluyen los bistecs de costillar (a veces llamados "bistecs Delmonico"), el filete, el entrecot, el *T-bone*, el *porterhouse* y el solomillo de buey). Primero se asa la carne por un lado y luego por el otro; el tiempo de cocción depende del grado de cocción deseado.

El mezquite, que arde a temperaturas muy altas, es la madera elegida por muchos especialistas del asado. Otras maderas buenas para asar son el nogal pacanero y cualquier otra madera de árbol frutal como el manzano. Los cocineros expertos en parrilladas preparan un fuego de leña disponiendo tres o cuatro troncos en forma de pirámide sobre astillas y dejan reducir el fuego entre 3 y 4 horas de modo que sólo queden las brasas, cubiertas por una capa de ceniza blanca. Este método es más rápido y fácil de controlar.

Bistecs de solomillo asándose a la parrilla.

Toro Brangus: un cruce entre el Black Angus y el Brahman de Tejas.

Vaca y ternero Brangus

Vaca Braunvieh: introducida en Estados Unidos a principios de los años sesenta, esta "vaca marrón" de las regiones alpinas de Europa central se criaba por su leche y su carne.

Toro Charolais: este ganado blanco de pura raza antigua es originario del centro de Francia y se cría en Estados Unidos desde los años treinta.

Toro Gelbvieh: esta raza bávara es una de las más antiguas de Alemania. En Estados Unidos se crían desde principios de los años setenta.

Vaca y ternero Gelbvieh

Toro Hereford: esta raza desciende del ganado inglés del siglo XVIII. Las vacas convierten realmente la hierba en carne.

Vaca Hereford descornada: estas vacas fueron desarrolladas por un ganadero de Iowa, que criaba ganado sin cuernos naturalmente. Son una raza reconocida desde hace casi un siglo.

Vaca del Limousin: una raza francesa de color dorado rojizo que llegó a Kansas desde Canadá en 1971.

CORTES DE CARNE DE BUEY

A los norteamericanos les encanta la carne de buey. Para muchos, una comida a base de bistecs es un placer, un plato para una ocasión especial o una comida familiar y saciante. Los consumidores norteamericanos, al manifestar su preocupación por las grasas saturadas y el colesterol de esta carne, han llevado a los productores a criar carne más magra. Pero lo mejor de la carne de buey norteamericano son las finas vetas de grasa que le aportan su sabor y su atractivo.

Entrecot deshuesado de buey

Lomo de buey deshuesado

Pecho de buey

Filete de buey

Falda trasera de buey

Entrecot de buey

Porterhouse

Lomo alto de buey

Ossobuco (morcillo trasero)

Bistec de cadera de buey

Punta de solomillo de buey

Cocción de la carne de buey

Espalda o aguja: el asado de aguja se puede brasear, cortar para hacer estofados o picar para preparar hamburguesas. En Oklahoma, se suele ahumar lentamente la espalda de buey para la barbacoa.

Costilla: de este corte se sacan asados y bistecs tiernos. El lomo alto asado y los bistecs de costilla son típicos de los asadores.

Lomo y solomillo: el *porterhouse*, el *T-Bone* y el filete grueso de solomillo se obtienen de esta parte.

Jarrete y babilla: estos cortes se brasean en cazuela. Las escalopes de babilla de buey se aplanan, se empanan y se fríen para preparar los bistecs rebozados, el equivalente norteamericano del *wiener schnitzel*.

Falda trasera: marinado y ablandado, este corte se suele asar entero a la parrilla y cortar en diagonal en tiras finas, en sentido contrario al nervio.

Delgados: es la mejor carne para preparar *fajitas*. Se corta en tiras, se marina, se asa a la parrilla y se sirve con *tortillas* de trigo.

Pecho: este corte fibroso requiere una cocción lenta. Si se frota con condimentos y se ahuma ligeramente, resulta delicioso asado a la barbacoa. Braseado lentamente en el horno con cebollas y otros condimentos es un plato de domingo muy apreciado.

Morcillo: este corte es ideal para preparar un sabroso caldo de buey.

Los secretos de la carne de los asadores

¿Por qué la carne de un asador sabe tan bien? Pues porque los asadores tienen sus propios secretos para su elaboración. En primer lugar, los restaurantes tienen acceso a una carne de buey de mejor calidad que la que se suele vender en los supermercados. La mayor parte es de calidad media o superior. Los mejores asadores sirven carne de primera calidad, bien veteada con grasa para obtener un sabor jugoso y una textura tierna. En segundo lugar, muchos asadores maduran su propia carne de buey y la cortan a mano. Este proceso mejora el sabor y la textura, ya que la carne contiene menos agua. Y por último, en los asadores los bistecs generalmente se soasan sobre un fuego muy fuerte, a temperaturas que no se pueden alcanzar con una parrilla corriente. Una novedad: ahora muchos asadores venden carne de buey por correo.

Steakhouse Steak with Fried Onion Slivers
Bistecs con aros de cebolla fritos

4 trozos (de 180 g) de filete de buey
2 cucharadas de mantequilla clarificada o sebo de buey derretido
sal y pimienta al gusto

Caliente una sartén de hierro fundido a fuego fuerte hasta que el fondo de la misma se vuelva gris.

Empape ambas caras de los filetes con la mantequilla o el sebo derretido. Soase la carne de 2 a 3 minutos por cada lado si le gusta poco hecha; unos minutos más, si le gusta medio cocida. Los bistecs soltarán mucho humo, pero quedarán chamuscados por fuera y rosados y jugosos por dentro, como en los asadores. Sirva de inmediato con aros de cebolla fritos. Para 4 personas.

Fried Onion Slivers
Aros de cebolla fritos

1 cebolla grande cortada en aros muy finos (utilice una mandolina)
½ taza de harina blanca
3 tazas de aceite de cacahuete
sal al gusto

En un cuenco, mezcle los aros de cebolla con la harina hasta que estén bien rebozados. En una sartén eléctrica o una freidora, caliente el aceite de cacahuete a 180°C. Fría los aros de cebolla por tandas hasta que estén bien dorados, durante unos 10 minutos aproximadamente. Escúrralos sobre papel de cocina y sálelos al gusto. (Puede prepararlos con antelación y mantenerlos calientes en el horno.) Para 2 personas.

Asado de solomillo de buey

Delgados (falda) de buey

Solomillo de ternera

Chuleta de ternera

Escalope de ternera

Espalda de ternera

Carnes exóticas

El avestruz y el emú

El avestruz *(Struthio camelus)*, el ave viva más grande del mundo, pertenece a la misma familia que el emú y el ñandú. Originario de las llanuras de África, puede alcanzar los 2,5 m de alto y pesar hasta 172 kg.

Se crían avestruces desde hace cerca de un siglo, principalmente por sus plumas y no por su carne, considerada demasiado dura. Sin embargo, con una dieta a base de menos pasto, más cereales, y menos ejercicio, la carne de avestruz puede ser tierna. Calificada por los medios gastronómicos como un entrante prometedor en los menús de carne de caza salvaje, la carne de avestruz es aún relativamente escasa, ya que los ganaderos prefieren "esperar y ver". No obstante, un buen corte de esta carne roja confirma que el avestruz es bastante sabroso. Algunos creen que es indistinguible del solomillo de buey. Las carnicerías de las grandes ciudades como Kansas City y Omaha ofrecen bistecs de avestruz y emú al mismo precio que el solomillo de buey. Puesto que el avestruz también tiene menos grasas que una pechuga de pollo, las ventajas para la salud también son prometedoras.

Los emús *(Dromiceius novaehollandiae)* son nativos de Australia y son más pequeños que los avestruces, con 1,7 m de alto y 50 kg de peso. Les gusta comer plantas verdes y fruta, produciendo a veces daños a los granjeros y los jardineros.

Conduciendo por los caminos rurales de las Grandes Llanuras, sigue chocando bastante ver avestruces y emús corriendo por la pradera. Es decir, hasta que uno considera que antaño se introdujeron camellos en Tejas, si bien no duraron por muchas y diversas razones. Si estas aves y mamíferos exóticos se hubiesen hecho populares, la historia no sería la misma. El hecho de que en las películas de vaqueros norteamericanas no aparezcan ladrones de ganado robando avestruces o tipos malos cargando su botín sobre llamas es puramente casual.

Los ganaderos también han tenido que aprender un estilo completamente nuevo de cría de animales domésticos. A los avestruces y los emús les gusta escarbar en la arena; además, el avestruz macho emite un extraño sonido que es en parte grave como un rugido de león y en parte un silbido. Pueden correr a un máximo de 64 km por hora y cocean conz fuerza cuando son atacados, por lo que puede resultar difícil acorralarlos. Cada macho cava un nido poco profundo en la arena y de tres a cinco hembras ponen sus huevos en el nido comunitario. Cada hembra pone hasta diez huevos de una sola vez, cuyas crías salen del cascarón en cinco o seis semanas. Por la noche, el macho se sienta sobre todos los huevos. Estas aves viven hasta 70 años, convirtiendo la ganadería en un negocio de por vida.

Los carniceros también han tenido que aprender la mejor manera de cortar las carcasas de avestruz y emú, tratándolas más como la del buey que como la de las aves de corral.

Emu Steaks with Bacon Molasses Sauce
Bistecs de emú con salsa de melaza y beicon

4 bistecs de emú (de 220 g cada uno)
pimienta negra
sal
2 dientes de ajo picados

Frote los bistecs con la pimienta, la sal y el ajo. Áselos sobre brasas calientes, unos minutos por cada lado si le gustan medio hechos. Sírvalos con Salsa de melaza y beicon.

Para la salsa:

125 g de beicon ahumado troceado
1 diente de ajo picado
½ cucharadita de tomillo fresco picado
1 cucharada de cebollino fresco picado
¼ taza de vinagre de sidra
2 cucharadas de melaza
¼ taza de aceite de oliva
sal y pimienta al gusto

Saltee el beicon, el ajo y las hierbas hasta que el beicon esté dorado y crujiente. Desglase la sartén con el vinagre y agregue la melaza. Añada batiendo el aceite de oliva y sazone al gusto. Corte la carne en diagonal y vierta la salsa por encima. Para 4 personas.

Página anterior: el emú es un ave grande incapaz de volar, originaria de Australia.

Nativa del continente africano y de algunas regiones del sudoeste de Asia, el avestruz es célebre por su cuello largo y fino y sus exuberantes plumas. En el siglo XIX, sus plumas decoraban los sombreros de las señoras, pero hoy en día estas aves se crían por su carne magra.

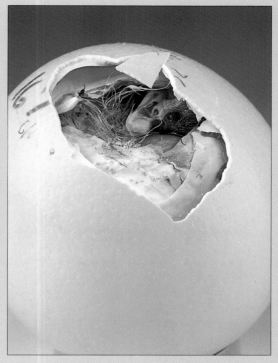

Una cría de avestruz rompiendo el duro cascarón.

De izquierda a derecha: huevos de avestruz, emú y ñandú junto a un huevo de gallina (delante)

189

Aves de caza

Aves de los prados

En la pradera, después del brumoso calor de agosto, los claros cielos azules de septiembre anuncian el comienzo del otoño y de la temporada de caza de pluma. Los faisanes se esconden a lo largo de los setos, las bandadas de codornices se reúnen en los arroyos cubiertos de matojos y las grullas emprenden el vuelo al menor ruido. El pavo salvaje *(Meleagris gallopavo)*, el faisán *(Phasianus colchicus)*, la codorniz *(Coturnix coturnix)*, la bonasa americana *(Bonasa umbellus)*, el urogallo de cola puntiaguda *(Pediocetes phasianellus)* y la chachalaca *(Pediocetes pallidicinctus)* medran entre las altas hierbas de la pradera, donde construyen sus nidos y crían a sus polluelos.

Gracias a los pliegues de piel de alrededor de su hocico, los perdigueros labradores negros pueden traer los faisanes sin estropearlos.

La chachalaca y el urogallo de cola puntiaguda, que se alimentan de insectos, son las primeras presas, desde mediados de septiembre hasta mediados de octubre. A principios de octubre, se caza la becada *(Scolopacidae)* y el pavo salvaje, junto con el faisán y la codorniz a principios de noviembre. Para acechar estas aves de la meseta, los cazadores recorren los campos y los prados con sus perros, para hacer que las aves alcen el vuelo.

Los cazadores de las Grandes Llanuras han desarrollado sus propios métodos. El perro de caza predilecto tanto para las aves de caza de la meseta como para las aves acuáticas salvajes es el setter inglés, aunque los perdigueros labradores y los vizlas también son populares. El atuendo que suelen llevar los cazadores es una chaqueta de color naranja subido sobre una camisa de franela y ropa interior térmica. Muchos cazadores de las Grandes Llanuras que ya no viven en el campo se asocian a clubes que arriendan terrenos para cazar. Estos clubes también les ayudan a obtener los permisos necesarios y les proporcionan transporte. A primera hora de la mañana, se ofrecen

Los cazadores llevan ropa de colores vivos (pero nunca los del plumaje de las aves) para destacar en el paisaje otoñal. Es una precaución de seguridad durante la época de caza, ya que cualquier movimiento repentino puede provocar disparos de escopeta.

los desayunos de cazadores en las sacristías, unos eventos que normalmente dan comienzo a la temporada en los pueblos pequeños; grandes cantidades de huevos revueltos, salchichas, galletas, jugo de carne, zumo de naranja y café estimulan a los asistentes.

Con un poco de suerte, al final del día el cazador regresa a casa con el zurrón bien lleno.

Cocción de las aves de caza de la meseta

Entre los cazadores de las Grandes Llanuras sigue desencadenándose la controversia sobre si desplumar o no un faisán. Muchos prefieren desplumarlo, aunque en ese caso no se puede asar el faisán ya que la carne se secaría; pero se puede cubrir y cocer. Si se deja la piel, se pueden introducir trozos de beicon, mantequilla o queso cremoso entre la piel y la carne para que no se seque. Si se despluma el faisán, se debe hacer lo antes posible, ya que las plumas tienden a entiesarse en la piel cuando el cuerpo del ave se enfría. El faisán y la chachalaca se pueden cocinar como las aves de corral domésticas.

La codorniz y la becada, dos aves migratorias más pequeñas, se pueden asar a la parrilla o bien rustir o asar al horno. Ya que actualmente la mayoría de las codornices se venden desplumadas, se marinan con mantequilla o aceite para evitar que la carne se seque.

Para comprobar la edad de un ave de caza, mire sus uñas. Cuanto más joven sea el ave, más afiladas las tendrá. Las aves viejas tienen las uñas más romas, lo que atestigua una vida más larga en la naturaleza. Un ave joven se cuece más rápidamente y requiere poco tratamiento para ablandar la carne. Las aves adultas mejoran con una cocción más larga, lenta y húmeda, como el braseado.

Chachalaca menor *(Pediocetes pallidicinctus)*. Estas aves también se conocen como gallo menor de las praderas, grulla y ave de corral.

Colín de Virginia *(Colinus virginianus)*. Fácil de domesticar, no sólo es una de las aves preferidas para cazar en la naturaleza, sino que también se cría en muchas partes del mundo.

Codorniz de Gambel *(Callipepla gambelii)*. Las codornices también se conocen como perdices en algunas zonas de Estados Unidos, pero la auténtica perdiz *(Perdix y Alectoris)* es en realidad muy diferente.

Fried Prairie Chicken with Cream Gravy
Chachalaca frita con jugo cremoso

1 chachalaca
sal, pimienta, harina
aceite para freír
2 cucharadas de mantequilla
2 cucharadas de harina
1 taza de leche

Corte la chachalaca en trozos. Mezcle la sal, la pimienta y la harina en una bolsa de papel y espolvoree el ave con esta mezcla. Caliente el aceite en una sartén de fondo pesado y soase la chachalaca lentamente por ambos lados, durante unos 45 minutos aproximadamente. Pase el ave a una fuente precalentada y manténgala caliente. Añada la mantequilla y la harina al jugo de la sartén y mezcle bien. Dore un poco la harina y agregue la leche para elaborar una salsa. Sazone al gusto y sirva sobre la chachalaca acompañada de puré de patatas natural. Para 4 personas.

Quail in Chokecherry Cream Sauce
Codorniz en salsa cremosa de amelanquier

4 codornices
½ cucharadita de pimienta blanca
1 cucharadita de sal
¼ taza de mantequilla
¼ taza de champiñones cortados en láminas
2 cucharaditas de mantequilla
¼ taza de caldo de buey
¼ taza de jalea de amelanquier o grosella roja
1 taza de nata espesa
sal y pimienta, al gusto
zumo natural de limón
perejil picado fino

Lave, enjuague y parta la codorniz por la mitad. Salpimiéntela por dentro y por fuera. Caliente la mantequilla en una sartén y saltee la codorniz hasta que esté dorada y bien cocida. Pásela a una fuente precalentada y manténgala caliente. Añada la mantequilla restante a la sartén y saltee los champiñones. Vierta el caldo y la jalea. Deje cocer a fuego lento hasta que se reduzca a la mitad. Agregue la nata y cueza hasta que se espese un poco. Rectifique la condimentación y añada el zumo de limón, si lo desea. Nape la codorniz con la salsa y sírvala espolvoreada con perejil. Para 4 personas.

Roast Pheasant
Faisán asado

2 faisanes de 1,5 kg limpios (reserve los menudillos)
125 g de queso cremoso reblandecido
2 cucharadas de queso parmesano rallado
2 cucharadas de perejil fresco picado
1 cucharadita de estragón seco
sal y pimienta
1 cucharada de mantequilla
250 g de champiñones frescos
1 diente de ajo pelado y picado
3 cucharadas de oporto
½ taza de nata espesa

Precaliente el horno a 200°C. Ponga los menudillos en un cazo pequeño con agua y lleve a ebullición; cueza a fuego lento hasta que estén tiernos, unos 45 minutos, mientras se asan los faisanes. En un cuenco pequeño, mezcle el queso cremoso, el parmesano, el perejil y el estragón. Con los dedos, introduzca esta mezcla bajo la piel de los faisanes. (Si ha adquirido los faisanes sin piel, unte la mezcla directamente sobre la carne.) Salpimiente las aves y dispóngalas en una fuente para asar con tapadera. Cubra las aves con papel de aluminio o papel pergamino untado con mantequilla, tape la fuente y ase las aves unos 45 minutos. Durante los últimos 10 minutos, retire la tapa y el papel de aluminio o pergamino para que los faisanes se doren. Retírelos del horno y déjelos reposar en un lugar cálido mientras prepara la salsa.

Añada el caldo de los menudillos al jugo de cocción de la fuente y lleve a ebullición a fuego fuerte hasta que la mezcla se haya reducido a ¾ taza. Reserve. En una sartén grande antiadherente, derrita la mantequilla a fuego medio-alto y saltee los champiñones y el ajo unos 4 minutos, o hasta que los champiñones suelten su jugo. Agregue el oporto y la mezcla de jugos reducidos, y lleve a ebullición. Deje cocer unos 2 minutos, vierta la nata y cueza 5 minutos más, o hasta que la salsa resulte consistente y almibarada.

Trinche los faisanes y disponga los trozos en una fuente de servir. Nápelos con la salsa e introduzca la fuente en el horno para calentarlos durante 10 minutos. Para 4 personas.

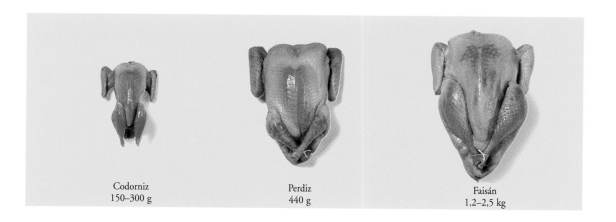

Codorniz
150–300 g

Perdiz
440 g

Faisán
1,2–2,5 kg

AVES ACUÁTICAS

En otoño, las Grandes Llanuras se convierten en lo que se denomina "región de vuelo a baja altura". Las aves acuáticas *(Anatidae* y *Anhimidae)* que vuelan hacia el sur desde Canadá hacen sus escalas en este hábitat ideal. Los campos cosechados de trigo, de maíz y de mijo (una planta de la familia del sorgo utilizada como pienso) y los cereales silvestres como el amaranto *(Amaranthus tricolor,* una mala hierba de hoja que produce semillas comestibles), les proporcionan comida y, los abundantes lagos y marismas, agua.

Cuando los glaciares prehistóricos hicieron desaparecer del paisaje la cubierta de sempervivientes y crearon la pradera, también favorecieron el desarrollo de lagos y tierras pantanosas. En estos aguaderos esparcidos por las Grandes Llanuras, las aves acuáticas se reúnen y reagrupan durante la larga migración hibernal hacia México y América del Sur.

Cómo rellenar y asar una oca

1. Frote la oca con sal y pimienta.

2. Introduzca las manzanas, la cebolla y las ciruelas pasas en la cavidad.

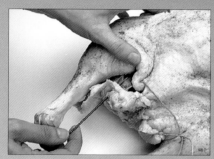

3. Cierre la cavidad con bramante.

4. Coloque la oca en una fuente grande para asar y rocíela con el vino blanco.

La caza de aves acuáticas implica una técnica y una disposición del tiempo diferentes de las que se utilizan en la caza en los prados. Usando reclamos que dejan flotar en un lago o una marisma y ocultándose en los escondrijos de los patos o detrás de la vegetación, los cazadores ataviados con chaquetas de color verde moteado esperan a que las aves acuáticas se abatan y se posen en las tranquilas aguas cerca de los reclamos. Las primeras aves en llegar son las cercetas *(Anatidae)*, los patos marinos norteamericanos *(Aythya valisineria)*, los patos de cola larga *(Anas acuta)* y los patos salvajes de collar y de cabeza verde; se cazan desde mediados de septiembre en el sur de la pradera hasta principios de noviembre, más al norte. Las ocas salvajes (ocas marinas de Canadá, *Branta canadensis*; ocas cariblancas, *Anser albifrons*; ocas azules, *Anser caerulescens*; y ocas Ross, *Anser rossii*) se cazan en cuanto aterrizan, desde principios de noviembre hasta principios de enero. Incluso las poco comunes grullas blancas hacen una visita corta, pero entonces cesa toda la caza, ya que son una especie en peligro de extinción.

Cuando se ha alcanzado a un pato u oca salvaje, el perro del cazador (probablemente un perdiguero labrador a quien no le importa mojarse en un claro día de otoño) acude a recuperarlo.

Roast Goose
Oca asada

1 oca salvaje
1 cebolla pelada y cortada en cuartos
2 manzanas descorazonadas y cuarteadas
4 cucharadas de mantequilla
sal y pimienta, al gusto
1 taza de Sauternes o vino blanco dulce

Precaliente el horno a 140°C. Introduzca la cebolla y las manzanas en la cavidad de la oca. Unte la mantequilla sobre la pechuga y sazone la oca con sal y pimienta. Pásela a una fuente de asar grande y añada el vino. Ásela, tapada, durante 2 horas. Retire la tapa y prosiga la cocción de la oca, untándola de vez en cuando, hasta que esté dorada y cocida. Sírvala con Tortitas de arroz silvestre y manzana. Para 6 personas.

Apple and Wild Rice Griddle Cakes
Tortitas de arroz silvestre y manzana

1 taza de arroz silvestre cocido
1 taza de arroz blanco cocido
¼ taza de harina blanca
½ cucharadita de nuez moscada rallada
sal y pimienta al gusto
½ taza de pacanas tostadas
1 manzana verde ácida descorazonada y rallada
2 cucharaditas de ralladura de naranja
2 cucharadas de hierbas aromáticas frescas (tal como perejil, cebollino, romero) picadas
1 huevo ligeramente batido
aceite vegetal para freír

Mezcle los ingredientes secos en un cuenco y remueva para rebozarlos con la harina. Añada la manzana, la ralladura de naranja y las hierbas frescas, y mezcle bien. Caliente el aceite en una sartén grande a fuego medio. Tome una cucharada de pasta y aplánela con las manos. Fría la tortita por ambos lados hasta que esté bien dorada. Repita la operación hasta terminar la pasta.

Cocción de las aves acuáticas

Los patos y las ocas salvajes son aves más magras y con un sabor más marcado que las aves de caza criadas en granja. Además, el cocinero no sabe exactamente la edad del ave ni si su carne es tierna. Por lo tanto, es preferible un método de cocción largo y a fuego bajo: asarlas a fuego lento o brasearlas con condimentos y hortalizas aromáticas. Un pato será suficiente para dos personas, mientras que una oca puede ser para cuatro o más comensales. En las aves salvajes, la mayor parte de la carne está en la pechuga y los muslos; las alas y las patas son poco carnosas.

Girasoles

En las Grandes Llanuras, el final del verano es la época de los girasoles. En todas partes, desde el borde de la carretera hasta el campo, se ven flores de color amarillo brillante. En Kansas, el girasol silvestre es el emblema oficial del estado. Además de formar un bello paisaje, las más de 80 variedades de girasol producen valiosas semillas para elaborar aceite para la cocina y la industria, semillas para pájaros y aperitivos. Si la cosecha es buena, 1 acre de girasoles produce hasta 750 kg de semillas.

El girasol es una planta originaria de Norteamérica que ya se cultivaba en el año 3000 a. C. Se convirtió rápidamente en un cultivo de los indígenas de las Grandes Llanuras, tanto por sus semillas como por sus bulbos, las aguaturmas, que hoy en día se utilizan en sopas y ensaladas. Buffalo Bird Woman, una horticultora de los indios Hidatsa, cuya tribu estaba asentada en el río Knife en Dakota del Sur, explicó lo siguiente a un visitante: "La primera semilla que plantamos en primavera es la de girasol. Hacia la primera semana de abril, el hielo se rompe en el río Misuri y plantamos semillas de girasol tan pronto como se puede labrar la tierra. Con la harina de girasol elaboramos un plato llamado *do'patsa-makihi'ke*, una mezcla de cuatro hortalizas; es nuestra especialidad".

Otra receta de los Hidatsa, un equivalente de las barras de *granola* norteamericanas, dice así: "Seque las semillas de girasol en una cazuela de arcilla, tritúrelas hasta obtener una harina fina y forme una bola. Envuelva ésta con la piel del corazón de un búfalo para que se conserve. Se consume en los viajes largos como tentempié".

El girasol llegó a Europa a principios del siglo XVII, cuando los exploradores trajeron consigo semillas del Nuevo Mundo. En 1965, se volvió a introducir en las Grandes Llanuras tras haber llegado a Rusia. Los granjeros del Red River Valley, en Minnesota y Dakota del Norte, cultivaban lino *(Linum)*, del cual extraían aceite de linaza, utilizado para fabricar la pintura al óleo. Pero esta industria cambió y los cultivadores de lino tuvieron que buscar un nuevo cultivo. Se dedicaron al girasol. Cuando un investigador trajo de Rusia las semillas de un nuevo híbrido, el Red River Valley se convirtió en la región del girasol. Hoy en día, Fargo (Dakota del Norte) es la capital norteamericana del girasol.

194 A finales de verano, los campos de girasoles son un paisaje común en las Grandes Llanuras.

Aguaturmas

El girasol americano llegó hasta Europa a través de los conquistadores españoles. Su nombre en italiano, *girasole*, fue confundido con la palabra "Jerusalén" y, por este motivo, el bulbo del girasol se conoce en inglés como *Jerusalem artichoke* (alcachofa de Jerusalén). Sin embargo, fueron los franceses quienes introdujeron el aguaturma *(Helianthus tuberosus)* como hortaliza. El explorador Samuel de Champlain la describió en su diario en el año 1605. Fue muy prolífica en los huertos europeos y, en el año 1620, ya era una hortaliza totalmente corriente. Más conocida como hortaliza en Europa que en Norteamérica, el aguaturma se ha de cocer antes de poder ser utilizada en sopas o ensaladas, de lo contrario provoca flatulencias. Refiriéndose al bulbo del girasol, uno de los primeros exploradores de la pradera canadiense, Alexander Henry, observó en el año 1801 que la "patata silvestre de ese país" es "medianamente buena" si está hervida. En la actualidad, en los hogares y los restaurantes de la llanura, esta hortaliza se suele servir normalmente hervida, cortada en rodajas y se consume en ensalada más que en sopas.

Semillas de girasol peladas, tostadas y con cáscara

Tostar semillas de girasol

Es importante saber que las semillas cultivadas para el aceite son completamente negras, mientras que las destinadas al consumo son rayadas.

Retire las cáscaras y disponga las semillas en una bandeja de horno. Tuéstelas a 175°C de 10 a 15 minutos, hasta que las semillas empiecen a soltar aceite. No deje que se doren. Si lo desea, espolvoréelas con sal marina nada más sacarlas del horno.

Sunflower-Crusted Troust
Trucha con costra de girasol

8 filetes de trucha frescos
¼ taza de semillas de girasol peladas y saladas
¼ taza de harina de maíz
¼ taza de harina blanca
pimienta recién molida, al gusto
½ taza de aceite vegetal

Enjuague los filetes de trucha y séquelos bien. En un robot de cocina, pique las semillas de girasol hasta obtener una harina fina. Pásela a un plato y mézclala con la harina de maíz, la harina blanca y la pimienta. Espolvoree ambas caras de los filetes con esta mezcla y reserve. Caliente el aceite en una sartén de hierro fundido a fuego medio-alto. Saltee los filetes, unos 3 minutos por cada lado, hasta que estén dorados y crujientes, pero sin cocerlos en exceso. Para 8 personas.

Kansas Sunflower Bread
Pan de girasol de Kansas

2 tazas de agua caliente (60–65°C)
2¾ tazas de harina panificable + harina adicional
1 cucharada de azúcar
2 paquetes de levadura seca
2 tazas de harina de trigo integral
1 taza de copos de avena
⅓ taza de leche en polvo desnatada instantánea
¼ taza de mantequilla
¼ taza de miel
2 cucharaditas de sal
1 taza de semillas de girasol peladas y sin sal

En un cuenco grande, mezcle el agua, la harina panificable, el azúcar y la levadura. Bata unos 3 minutos con un batidor eléctrico a velocidad lenta. Cubra la masa y déjela leudar hasta que doble su volumen, unos 30 minutos. Añada la harina de trigo integral, los copos de avena, la leche, la mantequilla, la miel y la sal. Mezcle bien. Agregue las semillas de girasol. Añada suficiente harina panificable para obtener una masa consistente y trabájela de 6 a 8 minutos. Forme una bola con la masa y pásela a un cuenco engrasado. Cúbrala y déjela crecer hasta que doble su volumen, durante unos 30 minutos aproximadamente. Golpee la masa, pásela a una superficie ligeramente enharinada y divídala en dos. Cúbrala y déjela reposar 10 minutos. Forme dos barras y póngalas en moldes de pan de 20 × 10 × 5 cm. Cúbralas y déjelas en un lugar cálido para que doblen su volumen, unos 30 minutos. Horneélas a 190°C durante 35 minutos. Tápelas con papel de aluminio durante los últimos 15 minutos si la corteza se dora demasiado. Desmóldelas y déjelas enfriar sobre una rejilla metálica. Para 2 barras.

REFRESCOS

Bebidas efervescentes

Los refrescos, esencialmente gaseosas con sabores, son la bebida favorita de la mayoría de los norteamericanos. En 1900, el consumo por persona apenas era de 4 litros al año. Actualmente, esta cantidad se ha multiplicado por más de 50. Estas bebidas gaseosas dulces, elaboradas a base de agua, azúcar, aromas y colorantes, también se conocen como "soda", "agua tónica" y *soda pops*. Su historia es puramente norteamericana, con la excepción del inglés Joseph Priestley que, en 1767, descubrió cómo cargar el agua de ácido carbónico, obteniendo un líquido lleno de diminutas burbujas. Sin embargo, en Estados Unidos, la industria de los refrescos no surgió hasta el siglo XIX, cuando se añadieron azúcar y aromas a la gaseosa. En el siglo XX, hubo una época en la cual los norteamericanos consumieron más refrescos que agua natural.

Antiguamente, los refrescos se utilizaban como tónicos medicinales más que como bebidas refrescantes. Las aguas minerales naturales como las de Saratoga, en la zona septentrional de Nueva York, curaban supuestamente enfermedades y se embotellaron para los pacientes que no podían acudir a los manantiales. En 1807, un profesor de química de la Universidad de Yale, Benjamin Silliman, fue el primero en comercializar agua con gas embotellada. En el año 1832, el agua con gas se comercializó a gran escala. Se denominó "soda" o "agua de soda" porque, para cargar el agua de ácido carbónico, se usaban sales de sodio (ya no es el caso actualmente). Los farmacéuticos instalaron "fuentes" de soda en sus establecimientos y añadieron a este agua

La Coca-Cola y otras bebidas se venden en latas y grandes botellas de plástico en los supermercados.

burbujeante hierbas, cortezas y raíces aromáticas, tales como sasafrás y jengibre, para realzar sus efectos curativos. A partir de 1840, con la adición de azúcar y sabores tales como limón, fresa y vainilla, la industria de las gaseosas se puso en marcha realmente. Estas bebidas se habían convertido en delicias para apagar la sed.

Los movimientos antialcohol y los años de Ley Seca (1919–1933), cuando se prohibió la elaboración y la venta de bebidas alcohólicas, crearon un clima favorable para promocionar las bebidas sin alcohol. Incluso el mercado de los refrescos se extendió gracias a los avances en la elaboración, el embotellado y la distribución. Las gaseosas ya no se encontraban únicamente en las "fuentes de soda", sino que también se vendían en distribuidores automáticos en botellas y en latas. Además, todas las estaciones de servicio de carretera, todas las tiendas de la esquina y todos los restaurantes ofrecían litros y litros de refrescos a un público norteamericano insaciable.

Los refrescos se convirtieron en un símbolo de la cultura norteamericana. A pesar de la escasez de azúcar y acero durante la época de la Segunda Guerra Mundial, a los soldados norteamericanos destinados a ultramar nunca les faltaron los refrescos, ya que el Departamento de guerra norteamericano los consideró "esenciales para la moral de los soldados" y los hizo llegar a las tropas. En la actualidad, la Coca-Cola y la Pepsi, los dos principales refrescos de Estados Unidos, son conocidos en todo el mundo y se venden en más de 100 países. Las dos empresas se han repartido el mercado mundial. En una maniobra que recuerda el imperialismo del siglo XIX, la Coca-Cola se vende en China mientras que la Pepsi tiene los derechos comerciales en la Unión Soviética. De mutuo acuerdo, no se cruzan en el camino.

La cola (el ingrediente básico de la Coca-Cola y la Pepsi) es el sabor preferido de los norteamericanos. Las bebidas con sabor a lima-limón como 7-Up, Sprite, Dr. Pepper y Mountain Dew (la favorita en los estados del Sur) también son muy apreciadas, así como las gaseosas con colorantes y sabores artificiales como uva, fresa y naranja. Los

tradicionales *ginger ale* (gaseosa de jengibre) y las cervezas sin alcohol a base de raíces continúan siendo muy populares. Los refrescos de elaboración regional vuelven a cobrar interés; al igual que las cervezas de las pequeñas cervecerías, son fabricados por gente que quiere elaborar bebidas con un sabor y un carácter especiales. El agua tónica Cel-Ray del Dr. Brown, aromatizada con extractos de semillas de apio, es uno de esos refrescos que nunca han pasado de moda. Es una de las bebidas preferidas en los *delicatessen* neoyorquinos desde el año 1869.

Además de sus burbujas, todos los refrescos tienen dos características comunes: siempre se sirven fríos o con cubitos de hielo, y son muy dulces. En los años cincuenta, salió al mercado el primer refresco sin azúcar, destinado en un principio a los diabéticos, pero resultó que mucha gente quiso una bebida sin calorías y el mercado de los refrescos ligeros se expandió rápidamente en los años sesenta, con el lanzamiento de la primera Coca-Cola Light. Actualmente, los refrescos light se endulzan ya sea con sacarina, sin calorías, o con el nutritivo (es decir, que contiene calorías) aspartamo, cuyo poder edulcorante es tan concentrado que tan sólo añade unas pocas calorías a la bebida. Las bebidas sin sodio, sin cafeína y energéticas (que contienen sales y electrolitos) son otros de los productos especiales que atraen al público preocupado por la salud.

Los nuevos refrescos se parecen a sus antecesores, los saludables tónicos. También reaparecen las aguas minerales embotelladas. Las sodas "naturales", que no son más que agua con gas aromatizada con zumos de fruta, se promocionan como alimentos naturales. Dirigidos a la misma clientela que compra helados exquisitos, estos refrescos tienen sabores exóticos: kiwi, mandarina, ginseng, hierba de limón, fruta de la pasión e, incluso, jarabe de arce son algunas de las variedades más raras del mercado. Sin embargo, una innovación de la agronomía no llegó a desarrollarse nunca en el mercado de las bebidas; al parecer, no hay ningún interés por añadir la leche con gas al panteón de los refrescos norteamericanos.

En cualquier parte de Estados Unidos, las bebidas se venden en grandes vasos para llevar.

Los dependientes que servían refrescos en una "fuente de soda" eran llamados *soda jerk*.

Refrescos con hielo

A los norteamericanos les encantan las bebidas con hielo, a diferencia de los europeos, que prefieren las bebidas a temperatura ambiente. Y no tiene nada que ver con el clima; incluso si está nevando, en casi todos los restaurantes de Estados Unidos, los clientes se sirven un vaso de agua helada nada más sentarse.

A los norteamericanos les gusta beber agua durante las comidas y, si es agua del grifo, al enfriarla se disimula el posible mal sabor. Las bebidas heladas existen desde hace más de un siglo; los restaurantes norteamericanos disponen de máquinas de hacer hielo desde 1875 y, hoy en día, muchos frigoríficos incorporan distribuidores de hielo.

Las bebidas preferidas de los norteamericanos se han de servir heladas para degustarlas mejor. En Estados Unidos, la publicidad ha difundido extensamente la idea de que algo frío es refrescante y de que la sed insaciable del público norteamericano sólo se puede apagar con grandes vasos de té helado o de soda con mucho hielo (de hecho, algunos refrescos no se pueden apreciar si están calientes). Se gastan miles de dólares en fotografía para anunciar bebidas en vasos cubiertos de gotitas de condensación producidas por el líquido frío y delicioso que contienen. Para los anuncios de cócteles y bebidas como el whisky con hielo, los fotógrafos utilizan incluso cubitos de hielo falsos, muy caros y hechos de lucita, en vez de los cubitos auténticos que se derriten. Mediante esta descripción del frío y de la humedad en el contexto de las bebidas, quieren producir una reacción tanto emotiva como fisiológica; estas fotos dan sed.

Existen muchas formas de cubitos de hielo: cúbicos, rectangulares, redondos, cilíndricos, medias lunas, oblongos e, incluso, con formas decorativas hechas en moldes de plástico. El hielo, ya sea triturado o picado, se utiliza para preparar cócteles. Los entendidos compran los cubitos transparentes como el cristal que se venden en bolsas de varios quilos y que han sido congelados a temperaturas muy bajas, un proceso que purifica el hielo. Los cocineros creativos elaboran cubitos de agua mineral, café y zumos de fruta, para que las bebidas heladas no queden diluidas con agua natural. Los cubitos decorativos representan flores, ramitas de hierba y cortezas de cítricos y constituyen un perfecto adorno para las bebidas.

Cubitos de
hielo falsos usados
en fotos publicitarias

Soda de lima-limón

Soda de frambuesa negra

Soda de naranja

Bebida para deportistas

Ponche de frutas

El Sur

por Tipton-Martin

Alabama
Arkansas
Carolina del Norte
Carolina del Sur
Florida
Georgia
Kentucky
Misisipí
Tennessee
Virginia
Virginia Occidental

Como en la mayoría de las regiones de Norteamérica, la cocina del Sur es una mezcla de las tradiciones de los pueblos indígenas y las de los inmigrantes del Viejo Mundo. La comida de los indígenas fue realmente la primera cocina norteamericana y, en la región del Sur, se componía de gachas de maíz, carne y pescado asados en la hoguera y estofados de caza. Indudablemente, los pueblos nativos practicaban las técnicas de la barbacoa y de la cocción de la comida en un hoyo cavado en la tierra. Los primeros colonos europeos trajeron consigo las tradiciones culinarias inglesas y las mantuvieron tan bien como pudieron, pero la mayor parte del tiempo tuvieron que comer tal como los nativos les habían enseñado. Con el tiempo, las costumbres culinarias holandesas, francesas, españolas, inglesas, alemanas, africanas y de los indígenas norteamericanos se mezclaron, formando la cocina del Sur que conocemos actualmente.

Con una provisión casi infinita de pescado, marisco, aves de caza y plantas, los colonos europeos también aprendieron de las mujeres indígenas a cultivar boniatos, maíz y calabazas. Además, en sus huertos crecían hortalizas, tales como zanahorias y nabos, que habían plantado con semillas traídas de Europa. En las miles de hectáreas de tierra fértil a lo largo de la Costa Este, cultivaron arroz, tabaco, azúcar y algodón a gran escala. La producción agrícola de los estados del Sur era extraordinaria un siglo antes de la devastadora Guerra de Secesión, que subyugó a toda una generación de granjeros del Sur.

El sistema de las plantaciones se apoyaba en la esclavitud. Los negros de África se convertían en propiedad de los terratenientes blancos, ejerciendo de criados o de mano de obra para el campo, para producir las mercancías que se exportaban a los estados del Norte y a Europa. Desde África, los esclavos trajeron consigo algunos de sus alimentos favoritos, tales como los ñames, las semillas de sésamo, los quingombós, los cacahuetes y las judías de careta. Trabajando como cocineros o peones agrícolas en inmensas haciendas, mezclaron las tradiciones gastronómicas europeas y africanas y crearon un estilo culinario mestizo.

Los habitantes del Sur, que daban mucha importancia al arte de recibir y a la hospitalidad, se hicieron célebres por sus suntuosos banquetes. Hoy en día, las celebraciones sureñas siguen siendo grandes fiestas centradas en la comida. Siguiendo las costumbres que las familias, tanto negras como blancas, se transmitían de generación en generación, las mesas se llenan de platos que simbolizan la cocina del Sur: pollo frito, jamón ahumado, *grits* (sémola de maíz), tomates estofados, verduras, panes de maíz surtidos, galletas y todo tipo de postres suculentos. Incluso el desayuno constituye una ocasión especial en el Sur, donde la esencia de la cocina se basa en la comida casera y la calurosa acogida de la hospitalidad sureña.

LA PLANTACIÓN

Antes de la Guerra de Secesión, el paisaje del Sur estaba dibujado por las plantaciones, unos sistemas económicos y sociales que funcionaban como pequeñas aldeas casi autosuficientes. Las familias ricas ubicaban sus plantaciones junto a las vías fluviales de Virginia, Georgia y los dos estados de Carolina, cerca de las rutas comerciales a Inglaterra, donde vendían sus mercancías. Antes de que este estilo de vida se perdiera hacia 1865 con la Guerra de Secesión, algunas de las plantaciones más grandes tenían más de 5.000 acres y producían cuantiosos cultivos de azúcar, tabaco, trigo, arroz, índigo y algodón.

En ellas coexistían dos culturas. Por un lado estaba el dueño de la plantación y su familia, que vivían rodeados de criados y esclavos, quienes les proporcionaban toda clase de lujos. Y, por el otro lado, estaba el esclavo, que trabajaba durante muchas horas en duras condiciones sin ningún tipo de privilegios.

La plantación no sólo producía las mercancías agrícolas que se comerciaban en las colonias, sino que también colmaba las necesidades de la familia del dueño de la plantación. Los bosques de la finca proporcionaban la madera usada por los carpinteros para construir y arreglar su inmenso dominio. Con esta madera, los toneleros fabricaban los barriles de licor y las cajas en las cuales se transportaba el tabaco del dueño. Los bueyes de sus rebaños de ganado alimen-

taban a la familia y, con su piel, se fabricaba cuero y calzado; las ovejas daban lana para confeccionar ropa; de los cereales se obtenía malta empastada para destilar y los huertos suministraban productos frescos.

Poseedores de un gran prestigio social, los dueños de las plantaciones eran famosos por su hospitalidad.

La plantación Westover, en Virginia

Sus lujosas casas ofrecían abundante comida y bodegas de vino. A mediados de 1700, Thomas Jefferson, el tercer presidente norteamericano y el primer gran gastrónomo, se enorgullecía de Monticello, su finca situada en lo alto de una colina en Charlottesville (Virginia). La decoró con una magnífica colección de muebles y arte y se rodeó de toda una serie de artilugios gastronómicos. Basándose en su experiencia como arquitecto, Jefferson instaló en su comedor un aparato que le facilitaba su tarea de huésped. Era un montaplatos (un pequeño estante empotrado que funcionaba como un ascensor) con el cual transportaba el vino desde la bodega hasta el comedor. También instaló una bandeja giratoria en la pared del comedor para recoger el servicio de mesa.

Mientras que el dueño de la plantación se dedicaba a construir su imperio, escribir cartas, leer y reci-

bir invitados, su esposa se ocupaba de la casa. La mayoría de las grandes plantaciones disponía de un capataz y un vigilante de esclavos para supervisar el trabajo de los esclavos en el campo, pero las mujeres organizaban las tareas domésticas. Planificaban las opulentas cenas que incluían varios tipos de carne, mariscos y aves de corral, así como estofados, hortalizas, postres, vinos franceses, cerveza, ron y sidra. En sus ratos libres, las mujeres y las hijas del dueño leían, tocaban el piano y tomaban té en mesas con finos manteles de damasco, tazas de porcelana y cubiertos de plata. Pero no todos los dueños de plantaciones vivían con tanta opulencia. Muchas eran las fincas más modestas, con menos tierras y menos esclavos.

En cambio, la vida de los esclavos era miserable. Trabajaban durante todo el año en un clima extremadamente cálido, manteniendo los campos, los cultivos y los jardines. Cuidaban las cañas de azúcar, escardaban las malas hierbas de los campos de algodón y cortaban las hojas de tabaco. Se ocupaban del mantenimiento de todos los edificios de la propiedad, haciendo asimismo de albañiles y de carpinteros.

Dentro de la mansión, el trabajo de los criados era también difícil. El dueño de la plantación compraba pocas cosas aparte de la sal, la melaza, las especias, el ron y un poco de azúcar; los esclavos debían producirlo todo. Aunque sus tareas se limitaban a las necesidades domésticas, también tenían que trabajar fuera de la casa. Por ejemplo, batían la nata en la lechería, restregaban la ropa en cubas en el lavadero e hilaban la lana en la sala del telar. Preparaban las comidas en cocinas separadas de la casa principal que, en algunas fincas, estaban unidas a ésta por una galería cubierta que permitía llevar los platos sin que se mojaran.

La finca

En Norteamérica, en la época colonial, las plantaciones más grandes disponían de una serie de pequeños edificios tales como talleres, habitaciones y almacenes, situados detrás de la casa del dueño o esparcidos por la propiedad. En algunas plantaciones, las dependencias cercaban el terreno y definían los límites del jardín del dueño. El conjunto de edificios bajos de madera o de ladrillo siempre se hallaba cerca del capataz, quien supervisaba los trabajos diarios de la plantación. Algunos dueños de plantaciones, incluido el primer presidente George Washington, disponían las dependencias según la importancia que les daban. En Mount Vernon, la finca de Washington en Virginia, la vivienda del jardinero estaba situada justo detrás de la mansión (llamada "Casa Grande"), reflejando la afición de Washington por la horticultura.

Las dependencias más básicas estaban hechas con troncos. Cerca de las Sea Islands de Carolina del Sur y Georgia, algunas viviendas estaban construidas con un tipo de hormigón grueso, que los esclavos preparaban con conchas de ostra. La disposición en semicírculo de las habitaciones de los esclavos todavía se puede ver en la plantación Kingsley de Florida.

Edificios de trabajo de la finca

El ahumadero: en el interior de las oscuras y ennegrecidas paredes de ladrillos del ahumadero, se colgaba la carne fresca sobre un hoyo poco profundo cavado en el centro del suelo de tierra, para conservarla para el invierno. La carne de cerdo se frotaba con sal y se colocaba en cajas de madera, donde se curaba durante seis semanas. Luego, se colgaba de palos dispuestos horizontalmente o se colocaba en estantes bajos a los lados del ahumadero. La carne sobrante se tenía que colgar de los pares y las vigas

Las habitaciones de los esclavos de la plantación se pueden ver a la izquierda de la "Casa Grande".

del techo. Se ahumaba lentamente sobre un fuego de madera verde durante una semana y luego se curaba. Las mazorcas de maíz y la madera de manzano mezcladas con las brasas aportaban sabor a la carne. Algunos dueños de plantaciones encerraban a los esclavos en el oscuro y sucio ahumadero para castigarlos.

La lechería: un pequeño edificio de ladrillos y de forma cuadrada, donde la leche se mantenía fría durante el verano. En algunas plantaciones, los esclavos también batían aquí la mantequilla.

El depósito de hielo: el hielo se guardaba en un subterráneo para protegerlo del tórrido calor del Sur. La entrada y el techo en pendiente eran visibles desde el exterior. La cámara frigorífica estaba más abajo. En Monticello había dos fosos de 5 m de profundidad, con capacidad para 60 carros de hielo.

El gallinero y los palomares: las aves de corral eran una parte muy importante de la dieta colonial. En las plantaciones había todo tipo de aves, incluidos patos, ocas, pavos, palomas y pollos. Los pollos eran especialmente apreciados porque producían carne y huevos, requerían poco pienso y se podían comer nada más sacrificarlos. Las construcciones podían ser desde corrales toscamente formados hasta gallineros más elaborados.

La cuadra y los establos: eran inmensos o bien prácticamente inexistentes, si el ganado se acorralaba y se ordeñaba en el exterior.

La casa del capataz: el capataz y su esposa disponían de una casa propia a cambio de sus servicios. Al principio de la esclavitud, los capataces vivían con los esclavos pero posteriormente recibieron una pensión alimentaria, criados propios y, en algunos casos, un salario.

Los dueños ricos disponían de otras dependencias o talleres; eran construcciones menos robustas que no sobrevivieron a la devastación de la Guerra de Secesión. Incluían herrerías, tenerías, salas de telares, molinos harineros, almacenes (para guardar las pilas de algodón y la lana tejida por los esclavos), cobertizos para herramientas y leñeras.

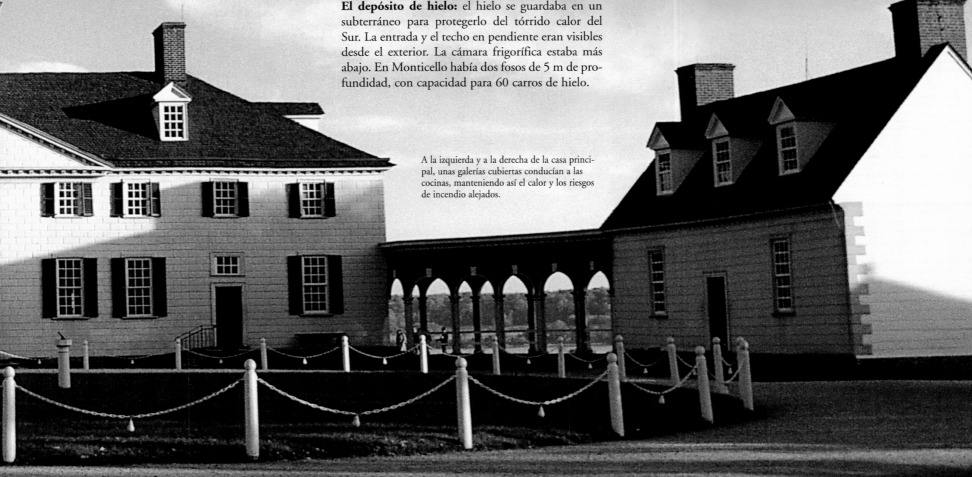

A la izquierda y a la derecha de la casa principal, unas galerías cubiertas conducían a las cocinas, manteniendo así el calor y los riesgos de incendio alejados.

La cocina de la plantación

El dominio del cocinero esclavo

En la mayoría de las plantaciones, las cocinas estaban separadas de la casa principal porque sus inmensos fogones eran un peligro de incendio. Sólo unas pocas, como la de Monticello, la finca de Thomas Jefferson, estaban formadas por una sala estucada en blanco con un suelo de losas de piedra situada en la casa principal, debajo del comedor. Las cocinas de las plantaciones ricas disponían de una sala adjunta, en la cual comían los esclavos.

Cocinar en una de estas cocinas resultaba tan peligroso como difícil. Las esclavas cocinaban sobre un fuego extremadamente caliente, utilizando pesadas ollas de hierro y gruesas sartenes de mango largo, colgadas en rejillas sobre el hogar. Acarreaban los productos perecederos desde los arroyos cercanos o los depósitos de hielo, preparaban conservas de frutas y hortalizas para el invierno y sacrificaban a los animales. Trabajaban durante muchas horas, desde el amanecer hasta el ocaso, y sólo disponían de unas horas libres los domingos. Además, eran severamente castigadas por cualquier infracción contra la plantación o el dueño. Como diversión, capturaban caza menor, celebraban picnics y acudían a las misas.

Los cocineros esclavos eran grandes maestros en las cocinas de las plantaciones. A mediados del siglo XIX, el dueño de esclavos Robert Q. Mallard dijo que sus esclavos cocineros "poseían tal genio natural que se distinguían sobradamente de los cocineros franceses en la elaboración de platos sanos, deliciosos y apetitosos." Incluso antes de convertirse en el tercer presidente de Estados Unidos, Jefferson compartía esta opinión. Mientras fue embajador en Francia, su aprecio por la cocina francesa le llevó a poner a uno de sus criados negros, James Hemings, como aprendiz de uno de los mejores cocineros de París. Hemings recibió cursos especiales de pastelería y aprendió a hablar francés. En 1787, se convirtió en el jefe de cocina de la embajada norteamericana, donde preparaba alta cocina y exquisitos postres franceses para Jefferson.

La comida preparada por los cocineros esclavos era extraordinariamente diferente de la que consumían ellos mismos. Una madre esclava cuidaba de sus hijos y elaboraba platos con las sobras de la comida de los dueños de las plantaciones. Mezclaban menudos de cerdo (órganos internos, pies, orejas y rabos) y caza menor (como zarigüeyas y ardillas) con hortalizas, que eran muy abundantes. Encurtían pies y orejas de cerdo, cocían sesos con huevos para desayunar y freían tripas de cerdo para cenar.

En las grandes plantaciones, se sacrificaban hasta 100 cerdos al año. En otoño, en la época de la matanza del cerdo, los mejores cortes se salaban y se secaban para alimentar a la familia del dueño de la plantación durante todo el año. Los esclavos

La cocina de la plantación estaba bien equipada con ollas y sartenes de hierro fundido, cucharones y pesados morteros de piedra (a la izquierda) para mezclar y moler.

se tenían que conformar con los desperdicios: derretían la grasa para hacer manteca, con la piel preparaban chicharrones para hornearlos con el pan de maíz y, con los huesos del cuello, los codillos y el tocino, condimentaban las hortalizas que cultivaban en sus huertos. Irónicamente, tras la Guerra de Secesión, estos platos pobres de los esclavos fueron la comida que permitió sobrevivir tanto a los negros como a los blancos en todo el Sur. Cuando se reorganizaron los estados secesionistas después de la guerra (y el Sur fue reconstruido tras la devastación), se elogió el refinado arte de los cocineros que, como Hemings y otros esclavos anónimos, habían conservado las tradiciones culinarias de las plantaciones. Sus caras aparecieron en paquetes de alimentos preparados y mezclas como el arroz Uncle Ben's, los cereales Cream of Wheat y el jarabe de Aunt Jemima, simbolizando los altos estándares culinarios.

Inferior: la puerta delantera de la plantación Westover, en Virginia. Derecha: la cocina de Mount Vernon, la finca de George Washington en Virginia.

JAMÓN, GALLETAS Y JUGO DE CARNE

La Trinidad del Sur

Varios alimentos destacan por su simplicidad y por su calidad, representando lo mejor de la cocina del sur. La trinidad gastronómica formada por el jamón campestre ahumado, las tiernas galletas hojaldradas y el cremoso jugo de carne se puede degustar en muchos restaurantes y cafés de carretera de la región, pero cada uno de los ingredientes de este plato constituye una auténtica comida "casera".

Jamón de Smithfield

Esta delicia del Sur se elabora en la ciudad de Smithfield (Virginia) con cerdos alimentados con cacahuetes de Virginia. En Kentucky, Tennessee, Georgia y Carolina del Norte, el jamón campestre se obtiene de cerdos cebados con maíz. Todos estos jamones son curados mediante el método de secarlos y salarlos. Sin embargo, el nombre de Smithfield es una denominación de origen reservada al jamón producido en este condado de Virginia, cerca de Norfolk, según un proceso patentado de curado y ahumado que incluye una maduración mínima de seis meses. Generalmente, los jamones campestres se maduran durante tres meses, con lo cual su sabor es más suave, menos ahumado y menos salado. En el Sur, el jamón campestre aparece ceremoniosamente en la mesa de la cena, pero también se puede freír y servir para desayunar con huevos, sémola de maíz, galletas, patatas fritas caseras y jugo *redeye*.

Galletas

Las galletas calientes se denominan "el orgullo del Sur" y, al igual que el pan de maíz, pueden acompañar cualquier plato sureño. Tanto si se trata de las galletas de suero de leche tiernas y hojaldradas como de las galletas "batidas", éstas aparecen en todas las comidas. Para desayunar se reblandecen con jugo de carne y se sirven con salchichas y, para cenar, se acompañan de pollo frito.

Aunque antaño las galletas "batidas" eran muy apreciadas, hoy en día ya no son tan comunes, pues su elaboración es muy laboriosa; la masa se batía literalmente con un rodillo de cocina, un martillo, el filo de un hacha o cualquier instrumento pesado, para obtener una masa seca pero blanda por dentro.

Hoy en día, las galletas de suero de leche son las más corrientes, tanto en el hogar como en los restaurantes. Se elaboran con una masa parecida a la de las galletas "batidas". Como variante, se puede condimentar la masa con hierbas frescas, queso e incluso boniatos. Estas galletas aromatizadas se suelen servir a los invitados, preparadas según una receta casera más refinada y cortadas en diminutos y elegantes discos. También se pueden partir por la mitad y rellenar con lonchas de jamón campestre, para servirlas como entrante en la comida.

Cualquiera que haya pedido a un habitante del Sur su receta de galletas, sin duda se habrá frustra-

Una vez salados y ahumados, los jamones de Smithfield se maduran en el ahumadero. Por ley, estos jamones han de madurar durante seis meses. Se dice que los indígenas norteamericanos del Sur crearon la práctica de salar y ahumar las carnes para conservarlas durante mucho tiempo.

do por la falta de exactitud sobre la cocción. La elaboración de las galletas no es nada científica. El cocinero da las cantidades de líquido a ojo y sólo precisa que se debe manipular la masa con cuidado y amasarla hasta que adquiera la consistencia deseada. Algunos panaderos aplanan la masa de galletas con las manos, mientras que otros utilizan un rodillo de cocina. Las galletas se pueden cortar con un vaso, un cortapastas o un tarro de mermelada.

La elección de la harina es otro problema. Las harinas del Sur son únicas y permiten elaborar galle-

tas realmente ligeras. La fabricación de la harina White Lily, molida por una empresa de Knoxville (Tennessee) fundada hace 111 años, es el secreto mejor guardado de un cocinero del Sur. Se compone de trigo grancé de invierno blando, que se muele hasta obtener un polvo fino y luego se tamiza a través de finos paños de seda. Este tipo de harina tiene un menor contenido en proteínas y gluten que las variedades del Norte, por lo que resulta perfecta para elaborar galletas tiernas y pastas exquisitas. En las recetas, se puede sustituir por harina de repostería.

Elaboración de las galletas

1. Corte la grasa y la mantequilla en la harina con un mezclador de pasta.

2. Incorpore el suero de leche en la harina con un tenedor.

3. Amase ligeramente sobre una superficie enharinada hasta que la masa deje de ser pegajosa.

4. Corte discos de masa de 5 cm con un cortapastas.

5. Disponga las galletas en una bandeja de horno engrasada.

6. Es preferible servir las galletas recién sacadas del horno.

Buttermilk Biscuits
Galletas de suero de leche

2¼ tazas de harina para repostería
1 cucharadita de levadura en polvo
1 cucharadita de bicarbonato de sosa
1 cucharadita de sal
⅓ taza de grasa vegetal sólida fría
⅓ taza de mantequilla fría cortada en trocitos
1 taza de suero de leche

Precaliente el horno a 230°C. En un cuenco grande, tamice los ingredientes secos. Mezcle o corte la grasa y la mantequilla en la harina, hasta que la mezcla parezca harina de maíz. Para incorporar la grasa en la harina, puede frotar ligeramente la mezcla con los dedos. Agregue el suero de leche, mezclando con un tenedor hasta obtener una masa blanda. Una la masa y trabájela ligeramente sobre una superficie enharinada hasta que deje de ser pegajosa, espolvoreando la superficie con harina si es necesario. Extienda la masa hasta que mida poco más de 1 cm de grosor. Espolvoree un cortapastas de 5 cm con harina y corte discos de masa. Disponga las galletas en una bandeja de horno engrasada y hornéelas durante 15 minutos, hasta que estén algo doradas. Para 1 docena aproximadamente.

Cómo perfeccionar las galletas

1. Trabaje la masa con cuidado, sin manipularla demasiado. Evite desarrollar en exceso el gluten, para así obtener unas galletas tiernas.
2. Reboce el cortapastas con harina, retire el exceso y presione el cortapastas firmemente en la masa para obtener unos bordes rectos y lisos.
3. Corte las galletas unas al lado de las otras para evitar extender de nuevo la masa, de lo contrario las galletas resultarían duras. No vuelva a utilizar los restos de masa.
4. Mezcle las grasas para realzar el sabor. La manteca aporta un sabor único y produce una masa hojaldrada, mientras que la mantequilla y la grasa sólida producen una galletas tiernas y escamosas.
5. En el Sur, el suero de leche es un alimento básico que se remonta a la época anterior a la refrigeración. Pero se puede sustituir por leche entera. Si usa leche, añada ½–1 cucharadita de levadura en polvo por cada taza de líquido indicada en la receta.
6. Precaliente el horno y cueza las galletas a temperatura muy alta para evitar que se vuelvan duras.
7. Si las bandejas de horno están bien engrasadas, las galletas no se pegarán aunque se doren.

Jugo de carne

Quienes no conozcan el jugo de carne condimentado con nata o leche que se sirve en todo el Sur, se sorprenderán de la afición a esta mezcla pastosa. De hecho, es una parte importante de los platos del Sur. El jugo de carne espesado con harina es la salsa que une el jamón con las galletas y el puré de patatas con el pollo frito. Para desayunar, el jugo se prepara en la sartén utilizada para cocer las salchichas. La leche caliente o la nata se mezclan con la harina y los restos de carne dorados para preparar una salsa homogénea y sabrosa con la cual se naparán las salchichas y las galletas. Para comer, el jugo se puede preparar en la sartén de freír el pollo, ya que la grasa de pollo aporta al jugo una textura crujiente. También llamado *Country Gravy* (salsa del país), el jugo se sirve con el plato principal. El jugo *redeye* se elabora con migas de jamón y, sorprendentemente, se le añaden unas cucharadas de café frío.

POSTRES

Gusto por los dulces en el Sur

La pasión de los norteamericanos por los dulces se convirtió en una obsesión cuando el azúcar pasó a ser un producto más barato y común gracias a la producción azucarera del Sur. Algunos postres eran sencillos, creados y preparados por cocineros caseros como Aunt Sally (tía Sally), que trabajaba de cocinera en la Curry Mansion de Key West, en la costa de Florida, en el siglo XIX. Según la leyenda, fue ella quien inventó la tarta de lima Key, una especialidad de Florida. Las recetas de otros dulces del Sur se basan en las técnicas clásicas de la cocina francesa, haciendo uso de ricas salsas y de abundante nata y mantequilla. Al parecer James Hemings, el cocinero del presidente Thomas Jefferson, recreó para su jefe deliciosos postres franceses como los merengues a los que se había aficionado cuando fue embajador en Francia. Al tercer presidente también le gustaban los postres helados y, a menudo, pedía que sirviesen helado en su finca de Virginia.

Algunas de las frutas del Sur muy comunes eran antaño consideradas exóticas y se reservaban para las ocasiones especiales. Pero, gracias al progreso de la agronomía y a la expansión del comercio internacional, los puddings y las mousses a base de fresas, piña y plátanos pasaron a ser tan habituales en las cenas como la tarta de manzana o de melocotón. Las compotas de fruta se utilizaban como relleno de pastelitos o se servían como postre. En el Sur, se solían preparar compotas con la gran abundancia de bayas silvestres, ciruelas, higos, peras, albaricoques y manzanas. Los habitantes del Sur elaboraban helado casero añadiendo melocotones de Georgia frescos a la crema de vainilla mientras la batían a mano en una heladora. Los puddings cocidos al vapor eran un plato de fiesta procedente de Inglaterra, donde se horneaban en moldes de hojalata.

Tarta de lima Key en la Curry Mansion House de Key West (Florida), donde se dice que fue inventada.

Los melocotones de Georgia frescos son una delicia del Sur profundo.

Postres del Sur

Ambrosía: este postre típico de Navidad se elabora con trozos de fruta, nubes de azúcar, frutos secos y coco.

Cobbler de moras: un *cobbler* es en realidad una capa gruesa de fruta cubierta con galletas o con una lámina de pasta, según las preferencias del cocinero. Se sirve con helado o nata montada. También se puede preparar con melocotones.

Pudding de ciruelas: los primeros colonos ingleses de Jamestown (Virginia) tomaban este pudding cocido al vapor en el siglo XVII y, hoy en día, sigue siendo una tradición en Navidad.

Pudding de plátano: se compone de capas alternas de crema de vainilla, rodajas de plátano y barquillos de vainilla. Se sirve frío.

Dulces

Los cocineros del Sur son expertos en el arte de elaborar dulces. Entre las delicias de fiesta de invierno figuran las bolitas de ron o de bourbon, las pastas de té, las tartaletas, las tortas de mantequilla y los *haystacks*. Los pralinés se degustan todo el año.

Bolitas de bourbon: este dulce de fiesta no requiere cocción. Es una mezcla de galletas molidas, frutos secos y azúcar, rociada con bourbon o ron.

Divinity: este *fudge* blanco a base de azúcar, jarabe de maíz o melaza, y claras de huevo es extremadamente dulce.

Haystacks: caramelos hechos de coco fresco rallado y tostado, en forma de hacina.

Pralinés de pacanas: mitades de pacanas bañadas en un *fudge* de azúcar moreno y recortadas en forma de disco.

Molasses Divinity
Divinity de melaza

2¾ tazas de azúcar granulado
⅔ taza de melaza
½ taza de agua
¼ cucharadita de sal, opcional
2 claras de huevo
1 cucharadita de vainilla
⅔ taza de pacanas picadas

Mezcle el azúcar, la melaza, el agua y la sal en un cazo a fuego lento, removiendo hasta que el azúcar se disuelva. Lleve a ebullición y cueza hasta que, al verter una pequeña cantidad en agua helada, se forme una bola, unos 110°C en un termómetro de azúcar (fase de bola blanda). Mientras tanto, bata las claras de huevo a punto de nieve. Vierta gradualmente la mezcla de almíbar en las claras, batiendo de manera rápida y constante. Añada la vainilla y siga batiendo hasta que el caramelo se haya espesado y enfriado, y mantenga su forma. Agregue las pacanas. Deje caer la mezcla de caramelo desde la punta de una cucharada untada con mantequilla sobre papel encerado o bien extienda la mezcla en un plato untado con mantequilla y córtela en cuadrados. Para unas 2 docenas.

Divinity de melaza

TARTAS

La afición de los habitantes del Sur por las tartas proviene de Europa, donde nació la tradición de hornear carne, hortalizas y frutas en láminas de pasta. Las tartas están tan extendidas en el Sur que prácticamente se puede atribuir un relleno tradicional diferente a cada estado de la región. La elaboración de la pasta para tarta es un arte en el cual se distinguen los panaderos del Sur.

Blackbottom Pie (tarta de fondo negro): el secreto de esta tarta de crema de chocolate es una fina capa de chocolate untada sobre el fondo de pasta.

Chess Pie: tarta rellena de una crema muy dulce perfumada con una pizca de limón. Existen varias leyendas sobre el origen de su nombre. Una afirma que el término *chess* es una deformación de la palabra *cheese* (queso).

Hand Pies: estas tartaletas, que caben en una mano, se rellenan con fruta seca cocida. El fondo de tarta se prepara con galletas o con pasta, según la tradición familiar. Estas tartaletas se pueden hornear o freír.

Tarta de coco: en el siglo XIX, el comercio entre las Antillas y las colonias norteamericanas era extenso, y el coco se convirtió en un ingrediente exótico muy apreciado.

Tarta de fresas: esta tarta no va cubierta de pasta. Las fresas cortadas en láminas se cuecen ligeramente en azúcar y se vierten en un fondo de tarta precocido.

Tarta de lima Key: las ácidas limas de los Keys (cayos) de Florida (las islas frente al cabo sur del estado) aportan un sabor picante al relleno de crema, que se cuece en un fondo de tarta de pasta o de galletas de trigo entero.

Tarta de limón y merengue: muchos menús del Sur incluyen esta tarta, una crema picante de limón horneada en un fondo de tarta hojaldrado y cubierto con merengue.

Tarta de manteca de cacahuete: esta tarta espumosa contiene uno de los ingredientes más famosos del Sur. La manteca de cacahuete se mezcla con azúcar, mantequilla y nata. Luego se incorpora a las claras batidas y la nata montada y se hornea.

Tarta de pacanas: originariamente llamada "tarta transparente", esta tarta contiene pacanas oriundas del Sur y se endulza con sorgo o melaza. También se suele utilizar jarabe de maíz oscuro. Es una tarta muy dulce con muchas variantes; por ejemplo, el jarabe de melaza o el chocolate pueden ser uno de los ingredientes. En Kentucky se le añade bourbon.

Tarta de uvas: conocida en Carolina del Norte como *Jelly Pie*, esta tarta se elabora con uvas Concord frescas (con las cuales se prepara jalea de uvas).

Chess Pie

Tarta de limón y merengue

Tarta de fresas

Tarta de manteca de cacahuete

Tarta de pacanas

Grape Pie
Tarta fría de uvas

6 tazas de uvas Concord	
2 tazas de azúcar	
6 cucharadas de fécula de maíz	
1 cucharada de zumo de limón	

Despepite las uvas y póngalas en un cazo. Lleve a ebullición, baje el fuego y deje cocer a fuego lento durante 20 minutos. Mezcle el zumo de limón y la fécula de maíz. Añada el azúcar y la mezcla anterior a las uvas. Cueza durante 5 minutos a fuego lento hasta que se espese. Deje enfriar la mezcla y viértala en un fondo de tarta cocido de 22 cm de diámetro. Adorne el borde con nata montada o disponga encima uvas frescas sin pepitas.

Elaboración del fondo de tarta

1. Añada la mitad de la manteca y córtela con dos cuchillos.

2. Mezcle hasta que resulte grumoso.

TARTAS "DIXIE" CLÁSICAS

Dixie es el apodo de los estados del Sur. Se refiere a la *Mason-Dixon Line*, una frontera trazada por dos astrónomos ingleses en el siglo XVIII para separar los estados de Pennsylvania y Maryland. Con el tiempo, esta línea divisoria representó la separación entre los estados libres y los que practicaban la esclavitud.

3. Vierta el agua sobre la mezcla y remueva con un tenedor.

4. Extienda la pasta sobre una superficie enharinada. Si la pasta es muy pegajosa, le resultará más fácil hacerlo con un rodillo forrado con una funda de tela.

Fondo de tarta clásico del Sur

1⅓ tazas de harina blanca
½ cucharadita de sal
½ taza de manteca o grasa sólida
3 cucharadas de agua helada

Mezcle la harina y la sal en un cuenco. Añada la mitad de la manteca o grasa y córtela con un mezclador de pasta o 2 cuchillos, hasta que la mezcla resulte grumosa. Incorpore la grasa restante cortándola hasta obtener una mezcla fina y desmigada. Vierta el agua sobre la mezcla, cucharada a cucharada, y remueva ligeramente con un tenedor hasta que la pasta se desprenda de las paredes del cuenco. Forme con ella una bola y refrigérela durante 30 minutos.

Con un rodillo enharinado o forrado con una funda de tela, extienda la pasta sobre una superficie ligeramente enharinada hasta que mida 0,6 cm de grosor. Forre con ella un molde de tarta de unos 22 cm de diámetro. Presione la pasta contra el molde, doble los bordes y forme estrías. El fondo de tarta estará listo para hornearlo en blanco (sin relleno) o para utilizarlo en recetas. Para 1 fondo de tarta.

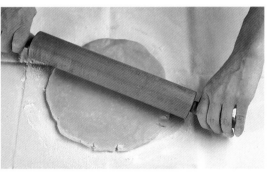

5. Cuando la masa sea menos pegajosa, retire la funda del rodillo.

6. Forme estrías en el borde de la pasta con el pulgar y los dedos índices.

Chess Pie

½ taza de mantequilla o margarina reblandecida
1½ tazas de azúcar
3 huevos
¼ taza de leche
1 cucharada de harina de maíz
¼ cucharadita de sal
1 cucharadita de vainilla
el zumo y la ralladura de 1 limón
1 fondo de tarta cocido de 22,5 cm de diámetro

Bata la mantequilla y el azúcar con una cuchara de madera. Incorpore los huevos, de uno en uno. Agregue la leche y mezcle bien. Añada la harina de maíz, la sal, la vainilla, el zumo y la ralladura de limón, y mezcle de nuevo. Vierta la preparación en el fondo de tarta y cueza la tarta en el horno, precalentado a 180°C, hasta que cuaje (unos 45 minutos). Enfríela a temperatura ambiente antes de servir. Para 8 personas.

El fondo de tarta acabado

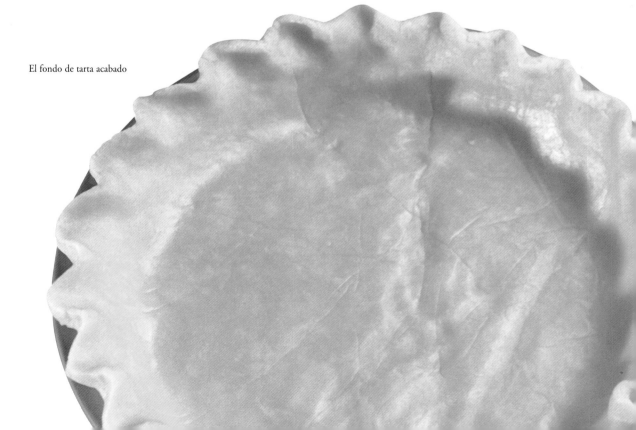

Elaboración de la Tarta de lima Key

1. Los ingredientes necesarios.

2. El fondo de tarta de galletas de harina de trigo entero se puede comprar preparado o elaborarlo con este tipo de galletas molidas, mezcladas con mantequilla y presionadas en un plato de tarta.

Key Lime Pie
Tarta de lima Key

4 huevos con las yemas y las claras separadas
½ taza de zumo de lima Key
1 bote de 440 g de leche condensada azucarada
cremor tártaro
⅓ taza de azúcar
1 fondo de tarta de galletas de harina de trigo entero de 20 cm de diámetro

Bata las yemas de huevo hasta que estén pálidas y espesas. Agregue el zumo de lima y luego la leche, removiendo hasta que la mezcla se espese. Vierta la preparación en el fondo de tarta. Bata las claras de huevo a punto de nieve con cremor tártaro. Incorpore gradualmente el azúcar, batiendo hasta que las claras estén brillantes. Extienda la mezcla sobre el relleno hasta el borde de pasta. Cueza la tarta en el horno precalentado a 180°C hasta que se dore bien (unos 20 minutos). Deje enfriar por completo antes de servir.

3. Bata las yemas de huevo y agregue el zumo de lima y la leche.

4. Vierta la preparación en el fondo de tarta.

5. Extienda las claras de huevo batidas sobre el relleno.

6. Hornee hasta que las puntas del merengue estén doradas.

Limas Key

PASTELES

La cocción sobre un hogar no permitía hacer pasteles ligeros y esponjosos, por eso los cocineros de los siglos XVIII y XIX sólo elaboraban pasteles de frutas y de especias muy densos. Las mezclas pasteleras delicadas llegaron mucho más tarde, cuando aparecieron los hornos, los agentes leudantes y los utensilios para medir a finales del siglo XIX. Hasta entonces, los cocineros cocinaban por intuición, utilizando recetas poco precisas y cuyos ingredientes se medían con tazas y cucharadas. Un receta típica podía ser: "mezcle el azúcar y la harina hasta que se terminen… añada un vaso de coñac… y hornee." Hoy en día, los pasteles elaborados, como los elegantes pasteles de tres pisos, son toda una tradición en el Sur.

Apple Stack Cake (Pastel de pisos): pastel de siete a nueve pisos que incluye manzanas secas y suero de leche. Es típico de los Apalaches, las regiones montañosas del Sur.

Depression Cake (Pastel de la Depresión): también conocido como *War Cake* (Pastel de la guerra), fue creado durante la depresión económica y demuestra la habilidad del cocinero, que utilizó manteca, agua y azúcar moreno en vez de huevos, leche y mantequilla.

Lane Cake de Alabama: pastel de varias capas relleno de frutos secos y frutas y cubierto con un glaseado al bourbon.

Pastel 1-2-3-4: se remonta a la época en que las medidas no estaban normalizadas, de modo que la fórmula se pudo transmitir fácilmente de generación en generación. El nombre se refiere a sus ingredientes: 1 taza de mantequilla, 2 tazas de azúcar, 3 tazas de harina y 4 huevos. También se conoce como *Great Cake*.

Pastel de coco: pastel blanco horneado en tres capas, relleno de crema de limón y cubierto con un glaseado cocido esponjoso.

Pastel de chocolate: en el Sur, el pastel de chocolate es en realidad un pastel amarillo cubierto con un glaseado de chocolate.

Pastel de especias: frutas secas y confitadas cocidas en una mezcla aromática, perfumada con canela y nuez moscada.

Pastel de la reina Ana: pastel especiado que recuerda al pastel de zanahorias.

Pastel de mermelada: tanto Tennessee como Kentucky reivindican este pastel de especias y mermelada, cubierto de penuche (un glaseado de azúcar moreno).

Pastel Lady Baltimore: este pastel blanco de varias capas, relleno de frutos secos y fruta bañados en coñac, se hizo famoso en una novela romántica de 1906, titulada *Lady Baltimore*. Con las yemas de huevo restantes, se prepara el Pastel de Lord Baltimore.

Pound Cake (Bizcocho cuatro cuartos): pastel muy denso que debe su nombre a las proporciones de los ingredientes utilizados: una docena de huevos, 500 g de harina, 500 g de mantequilla y 500 g de azúcar.

Red Velvet Cake: mezcla de chocolate con colorante alimentario rojo. El pastel cayó en desgracia debido a los riesgos para la salud del colorante rojo.

Torta con fresas: cuesta creer que antaño las fresas fueran tan escasas que se consideraran una fruta exótica. Para un postre especial, los cocineros las endulzan y las sirven con galletas.

Tenessee Jam Cake
Pastel de Tennessee

3¼ tazas de harina blanca
1 cucharada de clavos de especia molidos
1½ cucharaditas de canela molida
1½ cucharaditas de nuez moscada molida
2 cucharaditas de bicarbonato de sosa
1 taza de mantequilla
2 tazas de azúcar
6 huevos con las yemas y las claras separadas
1 taza de leche

Mezcle la harina, los clavos, la canela, la nuez moscada y el bicarbonato de sosa, y reserve. Bata la mantequilla y el azúcar con un batidor eléctrico hasta obtener una mezcla pálida y esponjosa. Añada las yemas de huevo, de una en una, batiendo bien después de cada adición. Agregue los ingredientes secos, alternativamente con la leche. Incorpore las claras batidas a punto de nieve. Vierta la pasta en 2 moldes de 22,5 cm de diámetro enharinados y cueza durante 35 minutos en el horno precalentado a 180°C o hasta que, al insertar una brocheta en el centro, ésta salga limpia. Deje enfriar 5 minutos en los moldes. Desmolde sobre una rejilla metálica y deje enfriar del todo. Cubra con Glaseado de caramelo. Para 12 personas.

Glaseado de caramelo

2 tazas de azúcar moreno claro, compacto
1 taza de azúcar granulado
2 cucharadas de jarabe de maíz claro
una pizca de sal
2 cucharadas de mantequilla
⅔ taza de nata espesa

Mezcle los dos tipos de azúcar, el jarabe de maíz, la sal, la mantequilla y la nata en un cazo de fondo pesado. Cueza a fuego lento, removiendo hasta que el azúcar se disuelva. Lleve a ebullición y cueza hasta alcanzar unos 115°C en un termómetro de azúcar (fase de bola medio blanda). Retire del fuego y deje enfriar para entibiarlo. Bata hasta que el glaseado esté lo suficientemente espeso como para poder untarlo. Añada agua caliente o más nata si el glaseado parece espeso.

Tortas con fresas

Strawberry Shortcake
Tortas con fresas

Tortas:

2 tazas de harina
3 cucharadas de azúcar
1 cucharada de levadura en polvo
½ cucharadita de sal
6 cucharadas de mantequilla cortada en trocitos
1 huevo grande ligeramente batido
¾ taza de leche

Bayas:

4 tazas o más de fresas frescas
3 cucharadas de azúcar o al gusto
1 taza o más de nata espesa fría
¼ cucharadita de extracto de vainilla
azúcar glas, al gusto

En primer lugar, prepare las tortas. En un cuenco, mezcle la harina, el azúcar, la levadura en polvo y la sal. A continuación, añada la mantequilla y, con las yemas de los dedos, pártala rápidamente en trocitos mezclándola con la harina. Bata el huevo junto con la leche y vierta la mezcla en los ingredientes secos para obtener una pasta homogénea y blanda. Amásela brevemente sobre una superficie enharinada y extiéndala hasta que mida aproximadamente 1,5 cm de grosor. Con un cortapastas o el borde de un vaso, corte la pasta en discos de unos 6 cm. Póngalos bien separados en una bandeja de horno sin engrasar.

Retire el tallo de las fresas y córtelas en láminas; mézclelas con el azúcar. Deje macerar las fresas durante ½ hora aproximadamente para que suelten su jugo. Mientras tanto, monte la nata a punto de nieve y, a continuación, agregue la vainilla y añada azúcar glas al gusto. Cubra y refrigere hasta el momento de servir.

Precaliente el horno a 230°C. Hornee las tortas de 12 a 15 minutos, hasta que estén justo cocidas. Por último, en el momento de servir, abra las tortas por la mitad, disponga unas fresas y un poco de jugo sobre la parte inferior de la torta, cubra con una cucharada de nata montada y tape con la parte superior. Sirva más nata montada a un lado. Para 6 o más personas.

Cocina de las Tierras Bajas

Las Tierras Bajas de Carolina del Sur se caracterizan por las marismas, las calas y los canalizos que se adentran en la región costera desde el océano Atlántico. Sus límites suscitan a menudo controversias, pero en principio, las Tierras Bajas se extienden desde el litoral de Carolina del Sur hasta la "Fall Line", donde la vegetación y la topografía empiezan a cambiar. Carolina del Sur, una exuberante región de robles cubiertos de musgo y marismas relucientes, se extiende al norte hasta la frontera con Carolina del Norte y, al sur, hasta el río Savannah, en Georgia. En el centro se encuentra Charleston.

Los colonos ubicaron aquí sus plantaciones porque el suave clima y la tierra húmeda y fértil eran ideales para cultivar el algodón de Sea Island y el arroz, tan habitual en los menús de las Tierras Bajas. Construyeron espectaculares mansiones, decoradas con vistosas verjas de hierro y rodeadas de jardines elegantemente diseñados, las cuales todavía se pueden ver en la ciudad de Charleston.

Los cocineros de las Tierras Bajas labraron su cocina a partir de la herencia culinaria que les dejaron sus antepasados de diversas procedencias. Como la cocina criolla de Nueva Orleans, la cocina de esta región reúne elementos de las tradiciones francesas, españolas, africanas e inglesas. Los hugonotes franceses que emigraron a esta zona legaron sus refinadas salsas. Tanto los *bisques* como los suculentos soufflés, los gratinados de verduras y los platos de carne son de origen francés. El arroz rojo y los pilafs *(purloos),* tan apreciados en esta región, están inspirados en la cocina española. El *Sally Lunn,* un pan leudado inglés, también es muy apreciado en la zona. Los platos a base de quingombós, boniatos y semillas de sésamo son de origen africano. Las *benne wafers,* unas galletas finas hechas con semillas de sésamo, son una de las especialidades de Charleston.

Los cocineros de las Tierras Bajas se interesaban por las características de otras cocinas y adoptaban todo lo que podían. Charles Town, como se

En el paisaje llano y pantanoso de las Tierras Bajas, las pequeñas barcas de pesca se mueven fácilmente alrededor de las calas y los canalizos del litoral.

denominaba entonces a Charleston, era la ciudad portuaria a la cual llegaron miles de esclavos a finales del siglo XVII. Aquí, los cocineros pedían información acerca de las especias exóticas a los viajeros que llegaban de la India. Así, por ejemplo, la receta del *Chicken Country Captain* incluye curry, pasas de Corinto y almendras, que recuerdan a los platos indios. También se instruyeron en la conservación de los alimentos de manos de los pueblos del Mediterráneo, preparando encurtidos y conservas de hortalizas.

John Martin Taylor, un experto en las Tierras Bajas, resume de esta manera la cocina regional: "La cocina de las Tierras Bajas no se caracteriza específicamente por los platos europeos, africanos o antillanos; son más bien los matices de la mezcla y un respeto por el pasado lo que la convierten en una cocina única".

Benne wafers

De izquierda a derecha: vainas de semillas de sésamo (*Sesamum indicum),* pala con semillas de sésamo y galletas de sésamo en primer plano y un tarro de galletas. Las semillas de sésamo, introducidas en Norteamérica en el siglo XVII, se cultivan desde hace más de 4.000 años.

Asado de ostras de las Tierras Bajas

En 1566, cerca de Charleston, unos indígenas sirvieron ostras asadas a unos exploradores españoles. Hoy en día, el asado de ostras sigue siendo un plato muy apreciado en las Tierras Bajas, tan popular como la merienda en la playa del Norte. La preparación de un asado empieza a primera hora de la mañana, cuando los ostreros van a buscar los bivalvos en las aguas saladas de las calas. Los recolectan a pie a lo largo del litoral o desde una barca de fondo plano. Vacían sus toneladas de ostras en una caldera, las cubren con un saco de arpillera húmedo y las ponen sobre brasas calientes para cocerlas. A continuación, echan las ostras sobre mesas de picnic cubiertas con periódicos delante de comensales hambrientos, que abren las ostras haciendo palanca con unos cuchillos especiales.

En Carolina del Sur y en Georgia, las ostras también se recolectan en los arrecifes a lo largo de la costa mediante un método tradicional. Para recolectar y conservar las ostras hasta que se pueden subir a bordo se utilizan unas barcas pequeñas provistas de unas pinzas con mangos largos de madera y rastrillos al final.

Benne wafers
Galletas de semillas de sésamo

½ taza de mantequilla
1 taza de azúcar moreno compacto
1 huevo
½ taza de harina blanca
¼ cucharadita de levadura en polvo
una pizca de sal
1 cucharadita de vainilla
1 taza de semillas de sésamo tostadas

Bata la mantequilla con el azúcar. Añada batiendo el huevo y, seguidamente, la harina, la levadura, la sal, la vainilla y las semillas de sésamo. Vierta cucharaditas de pasta en bandejas de horno engrasadas, dejando suficiente espacio para que la pasta crezca. Cueza las galletas de 8 a 10 minutos en el horno precalentado a 180°C, o hasta que estén consistentes. Déjelas enfriar unos segundos y páselas a rejillas metálicas para que se enfríen por completo.

Red Rice
Arroz rojo

125 g de beicon cortado en dados
½ taza de cebolla troceada
1 taza de arroz de grano largo
500 g de tomates en lata
½ taza de agua
1 cucharadita de sal

Fría el beicon en un cazo de fondo pesado hasta que esté crujiente. Escúrralo sobre papel de cocina. Deje únicamente 2 cucharadas de grasa y cueza la cebolla hasta que esté tierna. Añada el arroz y remueva hasta que esté bien empapado de grasa y se vuelva opaco. Agregue los tomates, el agua y la sal. Lleve a ebullición, baje el fuego y deje cocer, tapado, hasta que el arroz esté tierno y haya absorbido todo el líquido, unos 20 minutos. Desmenuce el beicon sobre el arroz y sirva. Para 4–6 personas.

Huguenot Torte
Tarta Hugonote

2 huevos
1½ tazas de azúcar
¼ taza de harina blanca
3 cucharaditas de levadura en polvo
¼ cucharadita de sal
1 taza de manzanas ácidas troceadas
1 taza de pacanas o nueces picadas
1 cucharadita de vainilla
2 cucharadas de pacanas o nueces molidas

En un cuenco grande, bata los huevos hasta que estén espumosos, espesos y de color limón. Incorpore gradualmente el azúcar, la harina, la levadura en polvo y la sal. Añada las manzanas, las nueces picadas y la vainilla. Vierta la mezcla en un molde de horno de 22,5 cm bien engrasado. Cueza la tarta durante 45 minutos en el horno precalentado a 160°C, o hasta que esté crujiente y dorada. Déjela enfriar por completo. Sírvala con nata montada y espolvoreada con nueces molidas. Para 6–8 personas.

Especialidades de las Tierras Bajas

Pickled Artichokes: las aguaturmas son un tubérculo (el bulbo del girasol) que los habitantes del Sur conservan en vinagre y sirven con carne.

Red Rice: este pilaf es un plato muy típico en las Tierras Bajas, elaborado a base de tomates madurados en la mata y hierbas frescas del huerto.

Benne Wafers: galletas finas y crujientes hechas con semillas de sésamo, que los esclavos africanos introdujeron en Norteamérica. Las semillas de *benne* (sésamo) también son el ingrediente principal de una galleta salada hojaldrada.

Chicken Country Captain: este plato elaborado con pollo estofado se empapa de la tradición de las Tierras Bajas. Se cuece el pollo a fuego lento en un jugo de carne y tomate, aderezado con un poco de curry, y se sirve sobre arroz.

Purloo: un pilaf de arroz hecho con gambas y tomates.

She-crab Soup: esta sopa se prepara exclusivamente con cangrejos hembras porque son mucho más sabrosos que los machos. Se añaden las ovas para realzar el sabor. En esta deliciosa y cremosa sopa espesada con harina, las ovas se pueden sustituir por huevos duros.

Shrimp Pie: esta tarta se incluye a menudo en el menú del desayuno de esta región. En Charleston, se añaden migas de pan a las gambas y los condimentos.

Huguenot Torte: es uno de los platos más tradicionales de Charleston. Se trata de una mezcla de manzana y frutos secos cuya receta apareció por primera vez en 1950 en el *Charleston Receipts*, un libro de cocina de la Junior League. Es una adaptación de un pudding de los ozarks de Misisipí en honor a los inmigrantes hugonotes franceses.

Un surtido de condimentos y alimentos regionales. Delante, de izquierda a derecha: semillas de sésamo, pacanas, rollitos de fruta, pasas bañadas en chocolate y sémola de maíz. Detrás, de izquierda a derecha: chutney de pera, salsa de chiles, conserva de tomate verde, conserva de kiwi, una bolsa de mitades de pacanas condimentadas, mezcla de judías y arroz, salsa de chiles serranos, jarabe de caña, una bolsa de harina de maíz, jalea de chiles y conserva de alcachofas.

COCINA GULLAH

El *gullah* es una lengua criolla, una mezcla del inglés que hablaban los negros en los siglos XVII y XVIII y las lenguas de África occidental. La utilizaban los habitantes de las islas situadas frente a la costa de Carolina del Sur y de Georgia, los descendientes de los esclavos libres que quedaron aislados del continente. Las palabras como *goober* (cacahuete), *gumbo* (quingombó) y *voodoo* (vudú) son términos *gullah*. Según los lingüistas, las expresiones *O.K.* (correcto), *juke box* (tocadiscos automático) y *tacky* (vulgar) podrían ser otras expresiones norteamericanas de origen africano.

Debido a su aislamiento, la cultura *gullah* se ha conservado intacta hasta hoy. Hasta casi 1930, ningún puente unía el continente con la isla de Sta. Helena, el centro de la vida *gullah*. La lengua de los esclavos que vivían en las tierras pantanosas de las islas de Carolina del Sur era una mezcla de su propio dialecto africano con la lengua de sus amos: holandés africanizado, inglés, francés o alemán, según el origen del dueño de la plantación.

La cocina *gullah* es prácticamente la misma que la de las Tierras Bajas, pero los cocineros *gullah* tienden a utilizar grasa de cerdo ahumada y derretida en vez de mantequilla o aceite vegetal. También aprecian los platos clásicos del Sur, especialmente el marisco y los moluscos. Una de las especialidades de la zona es el Guiso Frogmore, una deliciosa mezcla de cangrejos y gambas locales, salchicha y maíz, cocida con especias. Su nombre se debe a una pequeña ciudad de Sta. Helena.

La Fiesta *gullah* atrae cada año a miles de visitantes a Sta. Helena para honrar al pueblo de esta isla arenosa, situada cerca de los centros turísticos de Myrtle Beach y Hilton Head. Los investigadores continúan estudiando la herencia cultural de las Sea Islands y de sus habitantes, explorando la unión entre las costumbres africanas y la artesanía *gullah*, tal como la cestería.

Ingredientes locales en un cesto de mimbre, que sólo confeccionan los artesanos de las Tierras Bajas.

Un pescador arreglando sus redes en la isla de Sta. Helena (Carolina del Sur)

Una artesana de Sta. Helena rodeada de sus creaciones

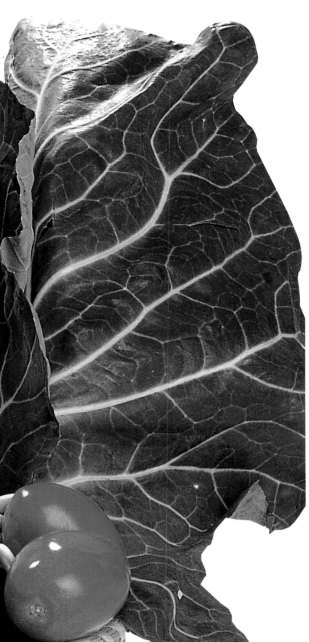

Frogmore Stew
Guiso Frogmore

3 l de agua
1 botella de cerveza de 375 ml
1 cucharadita de pimienta negra en grano
2 cucharaditas de condimento Old Bay
1½ docenas de mazorcas de maíz cortadas en trozos de 7,5 cm
1 bulbo de apio cortado en trozos de 2,5 cm
1 cebolla mediana cortada en trozos de 2,5 cm
3,5 kg de patatas rojas cortadas en cuartos
1 kg de salchicha ahumada, cortada en trozos de 2,5 cm
1 kg de gambas peladas y sin hilo intestinal

Lleve el agua a ebullición en una olla muy grande. Añada la pimienta en grano y el condimento Old Bay. Agregue el maíz, el apio, la cebolla y las patatas y deje hervir hasta que las patatas estén casi cocidas, entre 10 y 15 minutos. Incorpore la salchicha y las gambas y cueza 15 minutos más. Sirva el guiso en cuencos y vierta el caldo de cocción por encima. Para 12 personas.

Guiso Frogmore

Elaboración del Guiso Frogmore

1. Los ingredientes del Guiso Frogmore.

2. Corte la salchicha en trozos de 2,5 cm.

3. Añada el condimento Old Bay y las gambas.

ARROZ

Actualmente, Estados Unidos es uno de los principales exportadores mundiales de arroz *(Orzya sativa)*, una planta semiacuática de la familia de la hierba originaria de Asia. Los estados del Sur como Arkansas, Luisiana, Tejas y Misisipí producen la mayor parte del arroz, junto con California. En Carolina del Sur, el cultivo empezó cuando el capitán de un barco que llegó a Charleston procedente de Madagascar regaló un puñado de arroz al dueño de una plantación local. A pesar de unas condiciones ideales para su cultivo (un suelo rico y un terreno llano, fértil y bien irrigado), los primeros cultivos de arroz coloniales se marchitaron en manos de agricultores inexpertos. Los esclavos de África occidental, que habían cultivado arroz en su tierra natal, fueron destinados a preparar el suelo, sembrar, cosechar y trillar el arroz. En 1726, era uno de los principales cultivos de Carolina del Sur y el puerto de Charleston exportaba más de 4.000 toneladas de arroz *"Carolina Golde"* a Inglaterra.

Charleston se convirtió en una ciudad portuaria próspera donde los dueños de las plantaciones vivían pródigamente en mansiones con chimeneas de mármol y verjas ornadas. A finales del siglo XIX, la producción de arroz de Carolina del Sur decayó cuando ésta se desplazó hacia el oeste a Misisipí, Luisiana, Misuri, Arkansas, Tejas y California. La Guerra de Secesión, los huracanes, la competencia de otros cultivos y, finalmente, la huida de los esclavos de los campos del Sur infligió una gran pérdida a la producción de arroz. Para conservar parte de esta cultura en Carolina del Sur, la señora Samuel G. Stoney reunió más de 200 recetas de arroz en el libro titulado *The Carolina Rice Cook Book*. Publicado por la Carolina Rice Kitchen Association, incluía todo tipo de platos de arroz, desde el manjar blanco de arroz (una receta extraída del libro de Mary Randolph titulado *The Virginia Housewife)* hasta innumerables recetas anónimas dadas por "las damas nobles de las Tierras Bajas de Carolina".

Sin embargo, era más probable que la mayoría de las recetas de estas damas proviniese en realidad de sus cocineras o de generaciones anteriores. En Carolina del Sur, al igual que en todo el Sur, era el cocinero africano, y no el ama de casa, el que preparaba las comidas. Incorporaban el arroz a los guisos, las sopas, los panes y los puddings, lo mezclaban con judías rojas o lo añadían a la masa de las tortitas y del pan de maíz. Algunos de los platos, como las tortitas o los pasteles de arroz, son especialidades de Carolina del Sur. El *Chicken Country Captain*, un plato de pollo al curry que debe su nombre a un oficial del ejército británico que trajo la receta de la India, es otro plato de arroz típico de la región.

Arrozal con los brotes verdes creciendo en el agua.

Uno de los platos de arroz de Carolina del Sur más famosos es el pilaf o *purloo*. Tanto el nombre como el plato provienen de Persia, aunque algunos creen que fue introducido por los hugonotes que huían de la persecución de los católicos en Europa. Sea cual sea su origen, su preparación empieza por los elementos básicos: se añade el arroz de grano largo lavado a un caldo aromático hirviendo, normalmente en una proporción de dos partes de líquido por una de arroz. Se tapa y se deja cocer hasta que está casi seco. Algunos pilafs incluyen carne o marisco, acercándose más a los platos originales, como la paella española.

El arroz es un cereal muy nutritivo, que proporciona gran parte de las necesidades nutricionales a dos tercios de la población mundial. Este hidrato de carbono compuesto contiene los ocho aminoácidos que conforman las proteínas y, en comparación con otros cereales como el maíz, se considera una fuente de proteínas de calidad superior. Puesto que en Estados Unidos algunos nutrientes se pierden durante el tratamiento, la mayoría del arroz se enriquece con tiamina, niacina y hierro. El hecho de que el arroz se pueda sancochar y tratar para poder prepararlo rápidamente explica en parte su popularidad en el mercado norteamericano.

El cultivo del arroz es beneficioso para el medio ambiente. La semilla se planta en primavera en campos inundados de agua. Éstos proporcionan un

Cosecha de los tallos de arroz. La segadora trilladora corta el arroz, separa el grano de los tallos y lo vierte en un camión por medio de un embudo. A continuación, se seca y se transporta a un molino para tratarlo.

hábitat y una fuente de alimentación a las aves acuáticas migratorias, así como a otros animales salvajes, incluidos los crustáceos tales como los cangrejos de río, que coexisten naturalmente en el mismo medio que el arroz. El agua es aireada y purificada por el sol puesto que las substancias químicas se descomponen en el transcurso de las estaciones. Cuando el arroz ha madurado, se drena el agua y los granos se recolectan, se secan y se muelen.

*Chicken
Country Captain*

Chicken Country Captain

125 g de beicon cortado en dados
1 taza de cebolla troceada
½ taza de pimiento verde troceado
2 dientes de ajo picados
3 tazas de tomates troceados sin escurrir
2 cucharaditas de sal
½ cucharadita de pimienta blanca
1 cucharadita de curry en polvo
1 cucharadita de perejil picado
1 cucharadita de hojas de tomillo desmenuzadas
1 pollo para asar (de 1,7–2 kg) troceado
½ taza de harina blanca
¼ cucharadita de pimentón
aceite
¼ taza de almendras blanqueadas cortadas en láminas
½ taza de uvas pasas o uvas troceadas
arroz cocido caliente

Fría el beicon en una cacerola grande hasta que esté crujiente y la grasa se haya fundido. Retire el beicon con una espumadera. Fría la cebolla, el pimiento verde y el ajo en la grasa del beicon hasta que estén tiernos pero no dorados. Añada los tomates, 1 cucharadita de sal, ¼ cucharadita de pimienta blanca, el curry en polvo, el perejil y el tomillo. Mezcle bien y cueza a fuego lento y sin tapar durante 10 minutos. Reserve.

Sazone la harina con la sal y la pimienta restantes y el pimentón. Espolvoree uniformemente esta mezcla sobre el pollo. Retire el exceso. Caliente 1,25 cm de aceite en una sartén grande. Añada el pollo, sin llenar demasiado la sartén. Sofría el pollo uniformemente. Retírelo y páselo a la cacerola con la salsa. Tape y cueza durante 45 minutos en el horno precalentado a 180°C, o hasta que el pollo esté tierno. Espolvoree con las almendras y las pasas. Sirva sobre arroz cocido caliente. Para 6 personas.

Rice Pudding
Arroz con leche al horno

3 huevos batidos
1 taza de leche
1 cucharada de mantequilla derretida
¾ taza de azúcar
½ cucharadita de vainilla
¼ cucharadita de ralladura de limón
½ taza de uvas pasas
2 tazas de arroz cocido
una pizca de nuez moscada rallada

Mezcle los huevos, la leche, la mantequilla derretida, el azúcar y la vainilla. Agregue la ralladura de limón, las uvas pasas y el arroz. Vierta la mezcla en una fuente de horno de 0,5 l de capacidad, untada con abundante mantequilla. Coloque la fuente en una cacerola con suficiente agua caliente para cubrirla hasta la mitad. Cueza en el horno, precalentado a 180°C, durante 1¼ horas o hasta que la crema cuaje. Espolvoree con nuez moscada antes de servir. Para 8 personas.

Arroz maduro en el tallo

Shrimp Pilaw
Purloo (pilaf) de gambas

4 lonchas de beicon cortadas en dados
1 taza de cebolla troceada
1 diente de ajo picado
1 taza de arroz de grano largo
1½ tazas de caldo de pollo
1 cucharadita de salsa Worcestershire
¼ cucharadita de pimienta de Cayena
2 cucharaditas de sal
1 taza de tomates troceados y escurridos
500 g de gambas peladas y sin hilo intestinal
1 cucharada de perejil picado

En una cacerola de fondo pesado, fría el beicon hasta que esté crujiente y la grasa se haya fundido.

Retire el beicon con una espumadera y escúrralo. Deje sólo 2 cucharadas de grasa. Fría la cebolla en la grasa caliente hasta que esté tierna pero no dorada. Añada el arroz y remueva hasta que los granos brillen y se empapen de grasa. Vierta el caldo de pollo, la salsa Worcestershire, la Cayena, la sal y los tomates. Lleve a ebullición a fuego fuerte, tape la cacerola y cueza 30 minutos en el horno precalentado a 180°C. Agregue las gambas y el beicon, remueva ligeramente, tape y deje cocer 10 minutos más o hasta que se haya absorbido el líquido y las gambas estén rosas. Retire la cacerola del fuego y deje reposar, tapado, durante 10 minutos. Esponje el arroz y espolvoréelo con perejil antes de servir. Para 4 personas.

Purloo de gambas

Cocina "soul"

Resulta irónico que los cocineros afroamericanos, deseando crear una identidad para su estilo culinario, decidieran en los años sesenta que *soul food* era la expresión perfecta para distinguir su cocina de los panes de maíz, las galletas y el cerdo de la cocina del Viejo Sur. En realidad, la cocina sureña y la cocina *soul* comparten muchos platos: las hortalizas cocidas a fuego lento sazonadas con cerdo ahumado, la barbacoa, los boniatos, el pollo frito y los postres muy dulces. La diferencia radica en la condimentación. En la cocina *soul* se sazonaban mucho los platos. El resultado eran unos platos sureños más especiados, más salados y más dulces.

El término *soul* implica una expresividad natural y parece una descripción perfecta para una manera de cocinar por instinto, transmitida oralmente de generación en generación en las familias afroamericanas.

Antes de la esclavitud, los africanos preferían los platos muy sazonados a base de hortalizas, frutas, cereales y marisco. En África occidental, preparaban unas gachas de harina de maíz mezcladas con mandioca *(Manihot esculenta)*, ñame *(Dioscorea)*, bananos o arroz; este plato se llamaba *fufu*. El arroz *jollof* (que hoy se conoce como pilaf), las judías de careta *(Vigna unquiculata)*, las lentejas y otras legumbres aderezaban los estofados africanos llamados *wats* y *tagines*. Los esclavos se llevaron algunos de estos alimentos, incluidos el quingombó y las semillas de sésamo, en sus travesías del Atlántico.

En el Nuevo Mundo, las cosas cambiaron para los africanos. "En la granja del coronel Lloyd, los esclavos recibían cada mes como ración alimentaria 4 kg de cerdo encurtido, o su equivalente en pescado. El cerdo estaba a menudo estropeado y el pescado era de muy mala calidad. Junto con estos alimentos, recibían un saco de harina de maíz no cernida, de la cual un 15% era más apto para los cerdos que para los hombres…", escribió Frederick Douglass en su autobiografía en 1892. Con el tiempo, las duras raciones mejoraron. Los dueños de las plantaciones permitieron a sus cautivos tener sus propios huertos y criar pollos. Los esclavos también pudieron pescar y capturar caza menor, como zarigüeyas y ardillas, para mejorar su dieta.

Cuando se proclamó la liberación de los esclavos, las diferencias entre la dieta empobrecida de los afroamericanos y la comida del Sur habían desaparecido. Las judías de careta, el pollo con relleno de pan de maíz, las judías verdes cocidas con cerdo salado, los boniatos almibarados y el pan de maíz empezaron a servirse en las cenas de pastores, las veladas parroquiales, las reuniones familiares y los funerales, tanto en las familias blancas como negras.

Después de la Guerra de Secesión, los esclavos libres empezaron a emigrar en masa hacia los estados del norte en busca de un trabajo y una nueva vida. Se llevaron consigo sus tradiciones culinarias sureñas y las adaptaron a los nuevos ingredientes y estilos de cocina. Probaron la cocina de los alemanes de Pensilvania y añadieron el pescado relleno y cocido al horno de los Grandes Lagos a su repertorio de recetas. Los cocineros, que antaño sólo pudieron utilizar alimentos de baja calidad, ahora podían gastar más en los mercados. Cocían chuletas de cerdo y utilizaban azúcar blanco en la masa de pastel amarillo para mejorar su sabor. Con el tiempo, estos nuevos platos se unieron a los pies de cerdo, las tripas de cerdo fritas, las verduras y las judías de la comida *soul* del Sur.

Hoppin' John con verduras

El día de Año Nuevo

El *Hoppin' John* es un plato de Carolina del Sur a base de judías de careta y arroz. En el Sur se sirve durante todo el año, pero sobre todo el día de Año Nuevo para que traiga buena suerte y salud para el año que empieza. Esta tradición está versada en la superstición, al igual que la costumbre sureña según la cual el hombre de la familia ha de ser la primera persona que atraviese el umbral de la casa el día de Año Nuevo. Los orígenes del nombre son confusos: según una leyenda, proviene del hecho de que los niños saltaban alrededor de la mesa de la cocina antes de comer este plato. Otra atribuye el nombre a una petición hecha a un invitado a una cena con estas palabras: "*Hop in, John*" ("Sube, John"). Sea cual sea la verdad, el plato recuerda las mezclas de judías y arroz preparadas en África, rememoradas por los esclavos de las plantaciones de Sea Island en Carolina del Sur. Se dice que cada judía de careta representa un soldado, blanco o negro, fallecido en la Guerra de Secesión. Tradicionalmente, el *Hoppin' John* se sirve con hojas de berza (que simbolizan el dinero que se recogerá en el año nuevo) y tripas de cerdo fritas.

Candied Yams
Tarta de boniatos

1½ tazas de boniatos cocidos y hechos puré
1 taza de azúcar moreno compacto
3 huevos
½ taza de mantequilla derretida
⅓ taza de leche evaporada
1 cucharadita de nuez moscada molida
1 cucharadita de vainilla
1 fondo de tarta de 22,5 cm de diámetro sin cocer

Mezcle los boniatos, el azúcar, los huevos, la mantequilla, la leche, la nuez moscada y la vainilla. Bata hasta obtener una mezcla homogénea. Vierta la mezcla en el fondo de tarta y cueza en el horno, precalentado a 220°C, de 45 a 50 minutos o hasta que el centro de la tarta cuaje. Para 8 personas.

Sweet Potato Pie
Boniatos almibarados

2 tazas de agua
2 tazas de azúcar
2 cucharadas de mantequilla
una pizca de canela molida
4 boniatos pelados y cortados en rodajas

En un cazo, lleve el agua a ebullición con el azúcar, la mantequilla y la canela. Añada las rodajas de boniato al almíbar hirviendo. Baje el fuego a potencia media y cueza, tapado, a fuego lento hasta que el boniato esté cocido (unos 35 minutos). Para 4 personas. Véase fotografía superior.

Hoppin' John

250 g de jarretes de cerdo ahumados
1 cebolla troceada
1 diente de ajo picado
1 cucharada de guindilla roja seca picada
2 l de agua
2 tazas de judías de careta secas seleccionadas y toda la noche en remojo
1 cucharadita de sal
1 taza de arroz cocido

En una olla, lleve el agua a ebullición con los jarretes, la cebolla, el ajo y la guindilla. Baje el fuego y deje cocer lentamente durante unos 15 minutos. Añada las judías y cueza hasta que estén tiernas (1¼ horas aproximadamente). Retire los jarretes de la olla, corte el jamón y devuélvalo a la olla, desechando la piel y los huesos. Agregue la sal y el arroz y cueza entre 5 y 10 minutos más para calentarlo todo. Para 4 personas.

Mixed Greens
Verduras variadas

125 g de cerdo salado troceado
una pizca de azúcar
sal, pimienta y sal de ajo, al gusto
1 chile jalapeño pequeño picado
3 manojos de hojas de mostaza o de berza
2 manojos de hojas de nabo

Mezcle el cerdo salado, el azúcar, la sal, la pimienta y la sal de ajo en una olla grande para caldo y lleve a ebullición. Pase a fuego medio y cueza lentamente y tapado durante 30 minutos. Mientras tanto, lave las verduras en agua fría con una pizca de sal, cambiando el agua salada 4 veces como mínimo. A continuación, separe las hojas de los tallos y deseche éstos. Parta las hojas en trozos pequeños y añádalas a la olla. Cueza las verduras hasta que estén tiernas, de 1 a 1½ minutos. Sírvalas con vinagre, si lo desea. Para 6 personas. Véase fotografía inferior.

POLLO FRITO

El pollo frito del domingo forma parte de la herencia del Sur desde hace más de un milenio. Antiguamente, se festejaba la primavera (la época en la cual los pollos alimentados a mano ofrecían la carne más deliciosa) con una bandeja de pollo frito caliente, crujiente por fuera y jugoso por dentro. Irónicamente, la industria de la comida rápida ha convertido el plato principal de la cena de una familia rural en un producto adulterado y grasiento. Desde que, en 1824, apareció la primera receta de pollo frito en el libro *The Virginia Housewife* de Mary Randolph, han surgido tantas recetas probadas y auténticas para preparar este plato como grandes cocineros hay en el Sur. La controversia sobre su preparación se remonta a varias generaciones.

Prácticamente ningún libro de cocina del Sur ofrece la auténtica receta. Los cocineros discrepan sobre si se debe bañar el pollo en suero de leche antes de freírlo, si se debe empanar o rebozar con una pasta, si primero se deben añadir a la cacerola los trozos pequeños o los grandes, o si se debe cocer a fuego medio o alto. Tampoco se ponen de acuerdo sobre si tapar o no la cacerola.

Las técnicas de los grandes cocineros del Sur

Según John Martin Taylor, lo único que se necesita para preparar un pollo frito perfecto es grasa caliente y limpia y un pollo fresco. Prefiere freírlo en abundante grasa, "cuanta más, mejor", para que los trozos no se toquen y se tuesten por todos los lados nada más verterlos en la grasa caliente.

Edna Lewis fríe primero los trozos pequeños en una mezcla de grasas bien equilibrada: manteca casera, mantequilla batida y un trozo de jamón ahumado para darle sabor. Reboza cada trozo en una mezcla de harina sin blanquear y harina de trigo entero. "Para freír bien el pollo, uno debe permanecer cerca de los fogones y estar atento, dándole la vuelta a cada trozo dos o tres veces para que se dore uniformemente."

Camille Glenn tiene una opinión firme sobre el tema. "Nunca se debe reblandecer el pollo antes de

Coronel Sanders

Kentucky Fried Chicken

El coronel Harland D. Sanders, que a la mayoría de los norteamericanos les recuerda al querido San Nicolás, no reconocería la multimillonaria empresa que surgió del diminuto café que fundó en Corbin (Kentucky) hace más de 60 años. La compañía nació en 1930 cuando Sanders trabajaba en una estación de servicio de Corbin. Cuando no ponía gasolina ni limpiaba parabrisas, Sanders cocinaba y servía comida casera a los viajeros cansados. Con el tiempo, recibió un montón de elogios, incluido el reconocimiento en la guía gastronómica Duncan Hines. No tardó mucho en abrir su propio restaurante, The Sanders Cafe, cuya especialidad era el pollo frito sazonado con una mezcla secreta de once hierbas y especias. Finalmente, creó el sistema de franquicias para vender su producto en todo el país. Hoy en día, conocida simplemente como KFC, la empresa forma parte del imperio Pepsi Cola y el pollo frito del Sur (o, por lo menos, una variante sencilla de éste) puede degustarse en todo el mundo.

Galletas caseras, té helado y pollo frito

freírlo, ni cocerlo al vapor o brasearlo en el horno una vez frito. No se baña en leche, pan rallado ni pasta; simplemente se reboza con abundante harina. Se sazona con sal y pimienta. Se utiliza grasa nueva y una sartén de hierro. Con manteca se obtiene el pollo más crujiente, pero la grasa vegetal es un buen sustituto. No se debe utilizar grasa de tocino.

Jeanne Voltz sigue un método sencillo. "Este polémico plato requiere abundante grasa (ésta se puede volver a utilizar) y un fuego moderadamente alto para evitar que sea grasoso." No se opone al hecho de bañar el pollo en leche.

Bill Neal revuelve el pollo con suero de leche y lo deja marinar durante 2 horas como mínimo.

Cómo freír el pollo

1. Añada pimienta a la harina en una bolsa grande de plástico.

2. Reboce los trozos de pollo en la harina sazonada.

3. Fría el pollo y escúrralo sobre papel de cocina.

Fried Chicken
Pollo frito

3 l de agua
1 cucharada de sal
1 pollo para asar (de 1–1,2 kg) troceado
1 cucharadita de sal
1 cucharadita de pimienta
1 taza de harina blanca
2 tazas de aceite vegetal
¼ taza de grasa de tocino

Vierta el agua y 1 cucharada de sal en un cuenco grande. Añada el pollo, cúbralo y refrigérelo durante 8 horas. Escurra el pollo, aclárelo con agua fría y séquelo bien. Mezcle 1 cucharadita de sal y otra de pimienta y espolvoree la mitad de la mezcla sobre el pollo. Pase la mezcla restante y la harina a una bolsa de plástico grande, resistente y con cierre. Introduzca 2 trozos de pollo y cierre la bolsa. Agite para rebozarlos completamente. Retire el pollo y repita la operación con los trozos restantes. Mezcle el aceite y la grasa de tocino en una sartén de hierro fundido de 30 cm o una freidora de pollo. Caliente a 185°C. Añada el pollo por tandas, con la piel hacia abajo. Tape y fría 6 minutos, destape y fría de 5 a 9 minutos, dando la vuelta a los trozos durante los últimos 3 minutos para que se doren uniformemente, si es necesario. Escurra el pollo sobre una fuente cubierta con papel de cocina y colocada sobre un cuenco grande con agua caliente. Para 4 personas.

Nota: Para obtener mejores resultados, mantenga la temperatura del aceite entre 150 y 160°C. Puede sustituir la solución de agua y sal por 2 tazas de suero de leche.

Los trozos de pollo se rebozan con una mezcla de harina, sal y pimienta, y se fríen en manteca y aceite de cacahuete.

Craig Claiborne baña los trozos de pollo en una mezcla de leche y salsa Tabasco, los espolvorea con harina, sal y pimienta, y los fríe en una mezcla de manteca y mantequilla en una sartén de hierro.

Preparación del té helado

Té helado

El té helado es una bebida típica del Sur que se sirve a cualquiera hora del día, siempre con comida y con mucho azúcar. Se puso de moda en 1904, en la Feria mundial de San Luis, cuando Richard Blechynden se dio cuenta de que no podía vender té caliente en pleno verano e inventó el té helado. Desde entonces, la producción local de azúcar y un clima cálido y húmedo han asegurado la presencia del té helado y azucarado en los menús del Sur.

Té helado

2 cucharaditas de té a granel
1 limón fresco
hojas de menta fresca

Almíbar:

¼ taza de azúcar granulado
½ taza de agua

Para obtener un mejor sabor, es preferible utilizar té a granel en vez de bolsitas de té. Corte el limón en gajos para adornar. Vierta el agua fría en un hervidor de té y llévela a ebullición. Justo antes de que rompa el hervor, caliente la tetera rociándola con un poco de este agua.

Vuelva a poner el hervidor en el fuego para que el agua hierva. Ponga 2 cucharaditas de hojas de té en la tetera o el cestito para infusiones por cada taza. Vierta el agua hirviendo sobre las hojas, tape la tetera y cúbrala con un cubretetera.

Deje reposar el té de 3 a 5 minutos. Cuélelo. Prepare un almíbar con el azúcar y el agua. Mezcle el almíbar con el té y refrigere. Sirva en un vaso alto con hielo y adorne con los gajos de limón y una ramita de menta.

1. Corte el limón fresco para adornar.

2. Vierta el té preparado en una jarra de cristal a través de un colador.

3. Vierta el almíbar en la jarra con el té. Adorne el té helado con limón y menta.

PAN Y SÉMOLA DE MAÍZ

El pan diario del Sur

A pesar de que, actualmente, en el Sur ya no se cultiva maíz de forma comercial, el pan de maíz es muy apreciado debido a su gran versatilidad. Hay pan de maíz en todo tipo de recetas, desde la masa de gofres hasta el pan leudado. El pan de maíz es tan valorado que incluso las sobras se desmigan en leche o suero de leche y se comen como si fuesen cereales fríos.

El maíz ha sido un alimento básico en la cocina del Sur desde que los indígenas norteamericanos lo regalaron a los primeros colonos europeos. En el año 1607, los algonquinos, mandados por el Jefe Powhatan, compartieron un banquete de *succotash*, venado y bayas con los colonos y les enseñaron a cultivar el maíz. A mediados del siglo XVII, los colonos combinaban las técnicas culinarias europeas y las gachas de maíz originarias de Norteamérica para crear nuevos platos.

El maíz que cultivaban los colonos por aquella época no se parecía a las mazorcas amarillas tiernas y dulces que conocemos en la actualidad. Sus granos duros y feculentos eran más parecidos al "maíz indio" multicolor de Estados Unidos y requerían una cocción lenta para poder consumirlos. Los granos enteros se hervían en una solución de lejía y, a continuación, se desvainaban, se lavaban y se secaban para elaborar *hominy*, la base del *succotash* (un estofado espeso elaborado con maíz, judías y carne).

Unas de las guarniciones más comunes del Sur son los *grits*, unas gachas de harina de maíz blandas y sabrosas. Los *grits* se preparan con *hominy* triturado y son blancos o amarillos, según el color de los granos de maíz. Se puede hervir el cereal en agua o leche, sazonada con sal y mantequilla, y servir con huevos y carne para desayunar. Las sobras de los *grits* se fríen en grasa de tocino y se sirven para cenar.

La harina de maíz blanca molida a la piedra, que se obtiene triturando los *grits* en un polvo fino, sigue siendo una parte importante de la cocina del Sur. Los primeros colonizadores prepararon muchos platos basados en el primer pan de maíz, el *corn pone*. La palabra *apone* es un término indígena que significa "horneado" y se refiere a los pasteles planos elaborados con harina de maíz y agua y cocidos sobre cenizas. A partir de esta sencilla técnica se ha creado todo un surtido de panes; todos contienen básicamente los mismos ingredientes pero se cuecen de manera diferente. Algunos de estos panes siguen formando parte de la actual cocina del Sur.

Los *hush puppies* son uno de estos platos. Existen muchas leyendas sobre el origen del nombre de

Dos versiones de pan de maíz: pan de maíz horneado en una sartén de hierro fundido (superior izquierda) y bastoncitos de maíz horneados en moldes en forma de mazorca (derecha).

estos buñuelos elaborados con harina de maíz que se sirven acompañados de pescado frito en todo el Sur. Una de estas leyendas afirma que fueron creados cerca de Apalachicola, junto a Tallahassee, en Florida. Alguien formó bolas con la pasta que sobraba al freír el pescado y las dio a los perros que estaban ladrando, gritando "*Hush, puppies!*" (¡Callaos, perritos!). Según otra versión, se echaron los buñuelos de maíz a los cachorros para que no revelasen la ubicación de un batallón sureño durante la Guerra de Secesión.

Grits
Sémola de maíz

4 tazas de agua hirviendo
1 cucharadita de sal
1 cucharada de mantequilla
1 taza de sémola de *hominy* (maíz molido)

Mezcle el agua, la sal y la mantequilla en un cazo. Lleve a ebullición. Añada la sémola poco a poco, baje el fuego y cueza de 45 a 50 minutos hasta que la sémola esté cocida, removiendo a menudo. Para 4–6 personas.

Cornbread or Corn Sticks
Pan de maíz o Bastones de maíz

1½ tazas de harina de maíz blanca molida a la piedra
½ taza de harina blanca
2 cucharadas de azúcar
1 cucharadita de sal
2 cucharaditas de levadura en polvo
½ cucharadita de bicarbonato de sosa
1 huevo batido
1 taza de suero de leche
¼ taza de mantequilla derretida

Mezcle los ingredientes secos en un cuenco mediano. En otro cuenco, bata el huevo, el suero de leche y la mantequilla. Bata los ingredientes líquidos con los secos hasta que estén bien mezclados. Vierta la pasta en una sartén de hierro fundido, bien engrasada y precalentada, y cuézala a 220°C de 20 a 25 minutos o hasta que se dore.

Para los bastones de maíz, utilice un molde de hierro fundido con grabados en forma de mazorca. Vierta la pasta en el molde engrasado y precalentado. Para 8 personas.

Spoonbread
Soufflé de maíz

1¼ tazas de harina de maíz
1 cucharadita de sal
3 tazas de leche
3 huevos batidos
1 cucharada de levadura en polvo
2 cucharadas de mantequilla

Mezcle la harina de maíz, la sal y 2 tazas de leche en un cazo. Lleve a ebullición, baje el fuego y cueza lentamente, sin dejar de remover, hasta obtener unas gachas espesas. Retire del fuego y deje enfriar un poco. Añada la leche restante, los huevos, la levadura y la mantequilla. Bata bien. Vierta la pasta en un molde de soufflé de 1 l de capacidad bien engrasado y cueza de 25 a 30 minutos en el horno precalentado a 200°C, o hasta que el soufflé esté hinchado y cocido. Para 6 personas.

Hush puppies
Buñuelos de maíz

1 taza de suero de leche
2 tazas de harina fina de maíz
1 cucharada de sal
una pizca de bicarbonato de sosa
1 huevo batido
1 cucharada de azúcar
4 tazas o más de aceite, para freír

Mezcle el huevo y el suero de leche, y tamice los ingredientes secos juntos. Añada la mezcla anterior a los ingredientes secos, removiendo rápidamente con un tenedor y añadiendo un poco de agua si es necesario para obtener una pasta espesa. Caliente el aceite a 190°C en un cazo grande, añadiendo más si es necesario para cubrir de 7,5 a 10 cm de profundidad. Vierta la pasta a cucharadas en el aceite y fría los buñuelos hasta que estén bien dorados.

Hush Puppies

Glosario de platos a base de harina de maíz

Batter Cakes, Corn Cakes: especie de tortitas que se preparan con una masa de harina de maíz y agua o leche.

Corn Pone: masa de pan de maíz sin huevos, que se moldea en pequeñas formas ovaladas y se hornea o se fríe.

Corn Pudding: crema de maíz horneada.

Cornbread, Corn Sticks, Corn Muffins: la receta del pan de maíz del Sur es muy simple, pues se prepara con harina de maíz, leche, mantequilla, levadura y sal. Es mejor cocerlo en una sartén de hierro fundido bien templada para que tenga una corteza crujiente. Los puristas exigen harina de maíz blanca molida a la piedra y, algunas veces, sustituyen la leche entera por suero de leche picante. La gente del Sur se burla de la gente del Norte porque endulza el pan de maíz; por una vez, el azúcar no forma parte de los ingredientes en la elaboración de un plato. Como variante, los cocineros del Sur suelen añadir granos de maíz a la masa. En verano, se incorporan granos de maíz sin madurar. El pan de maíz de otoño incluye granos de maíz muy maduros. En invierno, los cocineros afroamericanos emprendedores utilizan en su elaboración puré de maíz en lata, que hace que el pan sea dulce y viscoso. Algunos agregan incluso unas cuantas gaylusacias o chiles jalapeños a la mezcla.

Cornbread Dressing: este relleno se sirve tradicionalmente en el Sur en la cena del domingo. Está elaborado con una mezcla de hierbas frescas, salchicha, pacanas y pan de maíz desmigado que se utiliza para rellenar las aves de corral. En las regiones de las costas del Sur, también se le añaden ostras.

Cracklin' Bread: en la época de la matanza, cuando se funde la grasa del cerdo, los trozos crujientes que sobran, los chicharrones, se desmenuzan en la masa del pan de maíz para realzar su sabor.

Cush: término *gullah* para las gachas de harina de maíz.

Dodgers: panecillos de maíz hechos con masa de *corn pone* hervida u horneada.

Dumplings (bolas de masa hervida): la harina de maíz aporta la textura crujiente a estas bolas de masa que se cuecen en caldo hirviendo (sopa o estofado) en una olla tapada.

Grits: *hominy* molido fino que se cuece en agua hirviendo, leche o nata y se sirve como guarnición caliente de carnes o para desayunar. Algunas veces, se añade queso al cereal antes de cocerlo.

Hoecake: otro nombre del *johnnycake*, supuestamente creado por los esclavos que preparaban masa de pastel "para el viaje" *(journey)* sobre su azada *(hoe)* mientras trabajaban en el campo bajo el tórrido sol.

Hot Water Cornbread (hardtack): consiste en una mezcla elaborada a base de harina de maíz, levadura en polvo, sal y azúcar, que se humedece con agua hirviendo y, a continuación, se fríe en una plancha caliente hasta que está bien dorada y crujiente.

Hush puppies: buñuelos de masa de pan de maíz sazonada, que se sirven con pescado.

Johnnycake, Journey cake: torta plana a base de harina de maíz, sal y agua hirviendo o leche fría. Algunas variantes, como el *Philpy* de Charleston, incluyen huevos, aceite, mantequilla derretida y levadura.

Light Cornbread: la pequeña cantidad de levadura añadida a la masa de pan de maíz tradicional la hace leudar. El pan se suele cocer en aros sobre una plancha.

Mush: cereales o gachas hechas con harina de maíz cocida en leche o agua y servidas con leche o jarabe de arce. Se pueden dejar enfriar en la sartén, cortar en cuadrados y saltear como si fuese polenta.

Spoonbread: en uno de los libros de cocina más antiguos de Estados Unidos, *The Carolina Housewife,* Sarah Rutledge da su receta del *Owendaw Cornbread,* que consiste en un tipo de pan de maíz cocido de la misma manera que un soufflé. Conocido en la actualidad como *spoonbread,* esta guarnición, que es ligera como el soufflé, se sirve en todo el Sur.

BARBACOA

Humeante y sabrosa

Cabe hacer una distinción entre el utensilio llamado "barbacoa" que los norteamericanos utilizan para cocinar en el jardín trasero y el tipo de comida conocido como "barbacoa". En el Sur, el término se refiere a la carne sazonada y cocida lentamente sobre un fuego, con un sabor ahumado. La carne a la barbacoa figura en los menús de todos los estados y por eso puede parecer un plato nacional norteamericano, pero de hecho, se asocia mayoritariamente con el Sur, donde se sirve en todas partes y cuyos habitantes la aprecian casi con fanatismo desde que los indígenas enseñaron a los colonos a asar la carne de caza sobre un fuego al aire libre.

Normalmente se utiliza carne de cerdo, aunque el pollo, el pecho de buey e incluso la carne de caza son cada vez más apreciados. Por lo general, la carne de cerdo se ahuma, se separa del hueso o se corta y, a continuación, se sirve apilada en bollos de pan blanco. Se puede servir al natural, con una salsa de vinagre y tomate o con guarniciones tales como *coleslaw* (ensalada de col) o aros de cebolla fritos. Por alguna razón, en los menús de los restaurantes de barbacoa figura muy a menudo un plato llamado *Brunswick Stew.* Originariamente era un estofado de carne de ardilla nativo de Virginia o de Georgia, un hecho que resulta difícil, si no imposible, de determinar.

Las pocas variaciones existentes en la preparación de la carne dependen del gusto del cocinero y de los ingredientes disponibles. Sin embargo, el cocinero puede ser realmente creativo en la elaboración de la salsa barbacoa. Existen literalmente centenares de variantes, de las fuertes a las suaves, de las picantes a las dulces, de las espesas a las líquidas.

Antes de asarla, la carne se sazona con una marinada seca, preparada con las hierbas y los condimentos favoritos, que se frota sobre la carne. También se puede embadurnar la carne con una marinada a base de un líquido ácido (vinagre, vino o zumo de limón), aceite, hierbas y especias, para evitar que se seque durante la cocción.

En los restaurantes de barbacoa, los cocineros asan la carne preparada sobre un fuego en un hoyo hecho de enormes barriles metálicos o de ladrillos de ceniza, el cual puede contener grandes cortes de carne para así servir a un gran número de personas. La elección del combustible para el inmenso fuego es muy personal; se suele utilizar madera de nogal americano, roble o nogal pacanero. En algunas partes de Florida, se usa madera de palmito y mazorcas de maíz. Los cocineros se pasan de ocho a diez horas (según el corte de carne) vigilando la barbacoa cerca de la parrilla ardiente, humeante y llena de cenizas, normalmente en un sitio poco o nada ventilado. Se embadurna y se le da la vuelta a la carne hasta que está crujiente por los bordes, pero tierna en el centro. Los entendidos distinguirán una buena barbacoa si la carne tiene un color rojo intenso, que demuestra que el cocinero ha vigilado bien la cocción. Impregnados del sentido de la hospitalidad del Sur, a los especialistas de la barbacoa les gusta satisfacer a los clientes con sus elaboraciones únicas. Para ellos, la barbacoa es todo un arte, sus recetas son secretas y su profesión es todo un orgullo.

Una deliciosa barbacoa

Tipos de barbacoa

Pork back ribs: las costillas de cerdo se cortan de la espalda y de la parte central del lomo. Tienen algo de carne entre los huesos.

Spareribs: la aguja de cerdo se obtiene de la panza o ijada y tiene menos carne que las costillas.

Country-style ribs: las más carnosas, se cortan del final del costillar del lomo.

Boneless ribs: las costillas deshuesadas no son tan apreciadas como las costillas enteras. Provienen del lomo de cerdo o de una chuleta deshuesada y cortada en tiras largas y gruesas.

Shoulder: la espalda es el corte utilizado para la barbacoa desde Memphis (Tennessee) hasta Lexington (Carolina del Norte). Después de asar la carne lentamente durante muchas horas, se pica o se corta en tiras finas.

Whole hog: las carcasas enteras de cerdo se parten por la mitad y se cuecen en un emparrillado sobre brasas de roble o nogal americano.

Condimentos

Marinada seca: sal, azúcar, pimienta, pimentón, ajo, cebolla y hierbas.

Marinada líquida: aceite, hierbas, especias y vinagre, vino, salsa de soja o zumo de limón.

Guarniciones típicas

Coleslaw (ensalada de col)
Pan blanco
Pan de maíz
Brunswick Stew
Liver Hash (picadillo de hígado)
Patatas fritas
Aros de cebolla
Quingombó frito en abundante aceite

Utensilios necesarios

Pinzas
Espátula de metal
Tenedor de mango largo
Pincel para embadurnar
Brocha para untar la salsa
Cuchillo de carnicero de tamaño grande

Elaboración de la barbacoa

1. Las costillas de cerdo son el corte más apreciado para la barbacoa. Se frota la carne con una marinada seca o se deja marinar en una mezcla líquida durante varias horas o toda la noche. Se prepara un fuego en un hoyo hondo o en una parrilla interior y se deja reducir hasta que sólo queden brasas.

2. Se coloca la carcasa, la espalda o las costillas sobre las brasas, encima de una rejilla o una parrilla. También se pueden añadir pechugas de pollo.

3. Se le da vueltas a la carne continuamente mientras se asa. La cocción puede durar hasta 10 horas según el tipo de carne utilizada y el grado de calor.

4. La salsa se unta o se vierte con un cucharón sobre la carne durante los últimos 30 minutos de cocción.

5. Se retira la carne de la parrilla y se corta en tiras finas o se pica para preparar bocadillos. Las costillas se suelen servir con el hueso y se comen con los dedos. Se proporcionan abundantes servilletas de papel (pero no cubiertos).

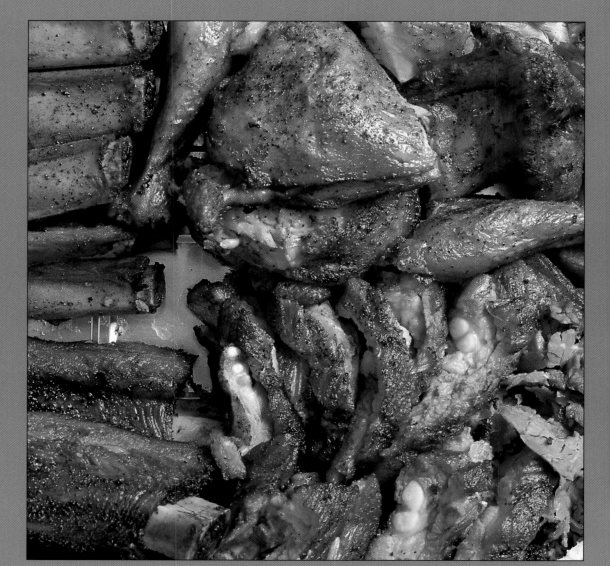

SALSA BARBACOA

La receta secreta

Si pregunta a diez especialistas en barbacoa del Sur cuál es la receta de la salsa, la respuesta será siempre la misma. Es un secreto, puesto que la salsa es lo único que distingue a un cocinero de otro. Como variante, los cocineros de barbacoa añaden a la mezcla básica (vinagre, tomates, azúcar y especias) diversos ingredientes, desde bourbon de Kentucky hasta cebollas Vidalia. No se debe confundir la salsa con el *mop,* la salsa que contiene los mismos ingredientes que la marinada y con la cual se embadurna la carne con una brocha o un pincel durante la cocción para evitar que se seque. La salsa barbacoa se unta sobre la carne hacia el final de la cocción o se sirve aparte. Puede ser desde espesa y dulce hasta líquida y avinagrada. Su sabor puede ser picante o suave. Existen muchos tipos de salsas envasadas y, debido a la popularidad de la barbacoa, han pasado a ser un producto de gran demanda en las tiendas especializadas. Suelen tener nombres divertidos o curiosos (tales como *Bone-Suckin' Sauce, Uncle Spunky's Sissy Sauce, Hot Sauce for Big Kids Only* y *Que Queens Love Potion for the Swine),* que evocan la importancia de la barbacoa en la cultura norteamericana.

Derecha: los trozos de carne de cerdo y de buey asados a la barbacoa se bañan con una salsa sabrosa y ahumada.

Variantes regionales

Vinagre y pimienta: en el este de Carolina del Norte, la salsa es líquida, clara y muy picante. Esta salsa avinagrada se sirve como aderezo de la espalda de cerdo; no se cuece ni se unta sobre la carne. En las barbacoas de las Tierras Bajas también se sirve espalda de cerdo sin salsa, con una guarnición de picadillo de hígado sobre arroz.

Vinagre y tomates: en el oeste de Carolina del Norte, sirven una salsa elaborada a base de ketchup mientras que, en el norte, añaden tomates frescos.

Mostaza: en Alabama y el centro de Carolina del Norte, prefieren una salsa que se elabora a base de mostaza.

Black Dip: en la ciudad de Owensboro, en el oeste de Kentucky, la carne más apreciada para la barbacoa es la de cordero, que se sirve acompañada con una salsa Worcestershire fuerte llamada *Black dip.*

Un cocinero con un surtido de carne a la barbacoa. Desde arriba: costillas de buey, pollo, cortes de buey y costillas de cerdo.

Salsa barbacoa al bourbon

¼ taza de salsa Worcestershire
¼ taza de salsa de soja
1 cucharadita de pimienta de Jamaica
1 cucharadita de guindilla en polvo
1 cucharadita de albahaca
1 cucharadita de orégano molido
1 cucharadita de jengibre recién rallado
1 cucharadita de pimienta negra
2 cucharaditas de mostaza seca
90 ml de vinagre de sidra de manzana
1 cucharadita de semillas de apio molidas
1 botella de 440 ml de salsa barbacoa al tomate
6 cucharadas de mantequilla o margarina
¾ taza de zumo de limón
1 taza de puré de melocotón
2 chorritos de humo líquido (aromatizante)
½ taza de azúcar moreno compacto
½ taza de ketchup
2 cucharadas de zumo de piña
2 cucharadas de bourbon

Mezcle las salsas Worcestershire y de soja en una licuadora con las especias secas. Bata hasta mezclar bien las especias. Vierta el líquido condimentado y el resto de los ingredientes, excepto el bourbon, en un cazo grande. Cueza a fuego lento durante 2 horas como mínimo. Añada el bourbon y deje enfriar. Deje reposar la salsa, bien tapada, durante 3 días como mínimo para que los sabores se entremezclen. Utilice la salsa para untar costillas de cerdo durante la última hora de cocción. Para 1½ litros aproximadamente.

BOURBON

Una bebida norteamericana

El whisky bourbon es el único licor destilado originario de Estados Unidos. Se creó en las montañas de Kentucky en el siglo XVIII. Era un whisky de maíz primitivo que recibió el romántico nombre de *moonshine* (luz de luna). Hoy en día, es un whisky puro (es decir, sin mezclas) apreciado por los entendidos, un producto genuinamente norteamericano a base de maíz, el cereal originario de Norteamérica.

Con alambiques que importaron de Escocia, los primeros colonos intentaron elaborar licor con ingredientes autóctonos de las tierras norteamericanas, fermentando bayas, manzanas, zanahorias, patatas, cereales, corteza y melaza. Sus éxitos fueron muy variados, creando desde brebajes aceptables hasta otros claramente espantosos. También cultivaron uvas e importaron algunos vinos para satisfacer su afición a las bebidas alcohólicas. Hasta que, finalmente, descubrieron que el centeno medraba en el suelo norteamericano y que era un buen sustituto de la cebada que se utilizaba para elaborar whisky en Europa. Así, a finales del siglo XVIII, el whisky de centeno se producía en grandes cantidades en las colonias. Incluso George Washington sacó provecho de su destilería. Sin embargo, el maíz era el cereal que predominaba en Kentucky y un pastor bautista, llamado Elijah Craig, inventó el bourbon a partir de una mezcla de maíz, centeno y cebada. El licor debía su nombre al condado de Bourbon (Kentucky), donde se destiló por primera vez.

A finales del siglo XVIII, se impusieron impuestos a los licores nacionales e importados para pagar la deuda contraída por el país tras la Guerra de la Independencia. El fuerte malestar causado por estos impuestos desencadenó, en 1791, la Rebelión del whisky entre los fabricantes de whisky y los recaudadores de impuestos. Los que no podían pagar los impuestos establecieron sus destilerías, o alambiques, en zonas montañosas muy apartadas, donde elaboraban whisky en secreto para evadir los impuestos. Estos empresarios nocturnos eran conocidos como *moonshiners* porque destilaban el whisky de maíz literalmente "a la luz de la luna". Este whisky áspero era denominado *moonshine* o *white lightning*. Se parecía a los primeros licores destilados y era abundante.

Los avances tecnológicos que llegaron con la revolución industrial hicieron que fuera más productivo y más rentable el negocio de la destilería. Un científico escocés, el Dr. James Crow, inventó un proceso basado en los principios de la masa fermentada, en la cual se utiliza una porción de la mezcla fermentada llamada *mash* para preparar la siguiente. De esta manera nació el Sour Mash Whiskey. A mediados del siglo XIX, los destiladores descubrieron que su whisky, después de permanecer en barricas de madera, desarrollaba un color

ambarino y era más suave que el whisky puro del alambique. También descubrieron que su sabor mejoraba si se guardaba en barriles cerrados herméticamente hechos de madera quemada. En Tennessee, los fabricantes de whisky empezaron a hacer gotear su producto a través de un mínimo de 3 m de carbón de leña de arce, antes de añejarlo. Este proceso distinguió al whisky de Tennessee del bourbon y de los otros whiskys elaborados en Norteamérica.

En 1811, había más de 2.000 destiladores en Kentucky y los norteamericanos bebían más que nunca. Algunas personas empezaron a aficionarse a ciertas marcas, otras se mostraron totalmente en contra de todas las bebidas alcohólicas. En el año 1846, las exigencias de los detractores del alcohol dieron como resultado el primer condado "seco", en el cual estaba totalmente prohibida la venta de alcohol, en el estado de Maine (Nueva Inglaterra). Muy pronto le siguieron decenas de condados de todo el país. A pesar de que la elaboración de alcohol se había extendido a gran escala tras la Guerra de Secesión, el movimiento antialcohol ganó finalmente la batalla y las destilerías tuvieron que cerrar. En 1919, una ley del congreso prohibió la fabricación y la venta de alcohol en Estados Unidos. La Ley Seca empezó en 1920.

A pesar de los controles realizados durante la Ley Seca, las ventas de licores fuertes crecieron más que nunca y los aficionados se podían beneficiar de grandes descuentos e incentivos al comprar (ilegalmente, por supuesto) las bebidas por correo. Los granjeros, incluso sabiendo muy poco sobre el proceso de destilación, fabricaban un licor áspero y sacaban provecho al vender *white lightning* o *moonshine* ilegalmente. Estos fabricantes pasaron a ser conocidos con el nombre de *bootleggers* pues escondían las botellas en las cañas de las botas.

La afición de los norteamericanos al bourbon duró más que la Ley Seca. Dos años después de que se llevara a cabo la abolición de esta ley, el negocio de las destilerías prosperaba. Las destilerías de mayor tamaño se unieron y formaron las empresas más importantes que funcionan en la actualidad. Esta consolidación trajo consigo mejores controles, acuerdos comerciales y un código de conducta para los destiladores. Resulta irónico que el Jack Daniels, el famoso bourbon, se elabore en un antiguo condado "seco" de Tennessee, un hecho que la compañía recalca en su campaña publicitaria.

Los gustos de los norteamericanos se volvieron más refinados y el bourbon se introdujo en numerosas recetas de cócteles, dulces, postres, salsas barbacoa y platos principales del Sur. Los entendidos en la materia apreciaban todas las clases de bourbon, desde los bourbons que se producían de forma limitada hasta los whiskys puros de centeno de Tennessee. En la actualidad, las degustaciones de whisky son casi tan populares como las de vino y cerveza.

Los tres ingredientes básicos del bourbon: maíz, centeno y cebada

Preparación de un julepe de menta

1. Machaque las hojas de menta con una cuchara.

2. Agregue lentamente el bourbon.

3. Adorne el julepe con menta.

La fermentación del bourbon en la cuba

Elaboración del bourbon

1. Se cuecen grandes cantidades de maíz, centeno, cebada o trigo con agua de manantial. El tipo de grano utilizado determina el sabor del whisky; el de maíz es el más dulce.

2. Se añade levadura y se deja fermentar la mezcla.

3. Se reserva una parte de la mezcla fermentada para su uso posterior.

4. La mezcla fermentada restante se destila en un alambique y se obtiene un whisky fuerte y transparente.

5. El whisky puro se vierte en barricas de roble quemado y se deja añejar durante dos años como mínimo, para que adquiera su color intenso y su sabor suave y doncel.

Julepes de menta

No se sabe exactamente cuándo ni por qué los julepes de menta pasaron de ser una poción matinal para los enfermos, en el siglo XVI, a convertirse en toda una institución del Sur. Tanto los habitantes de Virginia como los neoyorquinos y todos los gastrónomos afirman haber inventado la receta. Se machacan las hojas de menta con una varilla de cóctel o una cuchara de plata y se mezclan con azúcar, bourbon y hielo en un vaso de plata especial. Según la tradición, el vaso de plata se debe enfriar con hielo o en el congelador, y las mujeres deben llevar guantes mientras mezclan la bebida para no dejar huellas dactilares en la copa. En el Sur, el método exacto para machacar las hojas de menta con el azúcar es tan controvertido como la preparación de las galletas y el pollo frito típicos. Lo único claro es que el bourbon es el ingrediente fundamental y que los julepes de menta son parte integrante del día del Derby de Kentucky, la carrera de caballos más larga y antigua de Norteamérica. Se celebra desde el año 1875 en Churchill Downs durante el primer fin de semana de mayo y ofrece los picnics en el portón más lujosos de Kentucky, en los cuales los julepes de menta fluyen generosamente.

Julepe de menta

5–6 hojas de menta
1–2 cucharaditas de azúcar
1 cucharada de agua fría
hielo picado fino o troceado
60–125 ml de bourbon
1 ramita de menta

Ponga las hojas de menta, el azúcar y el agua en una jarra de julepe de menta de plata o un vaso alto de 250 ml de capacidad. Machaque la menta con una cuchara o una varilla de cóctel, y remueva hasta que el azúcar se disuelva. Llene la jarra con hielo, compactándolo bien. Agregue lentamente el bourbon y remueva para mezclarlo todo. Adorne con una ramita de menta. Para 1 persona.

COCINA DE MONTAÑA

La región montañosa de los Apalaches se extiende desde las colinas de Virginia Occidental hasta la zona de Piedmont (Carolina del Norte), pasando por Kentucky, Tennessee y Alabama. La gente de esta región sigue preparando los platos sencillos y sin pretensiones que sustentaron a los habitantes del Sur durante las difíciles crisis económicas, cuando la falta de medios acechaba a muchas zonas rurales. La caza, la recolección de alimentos y una hábil utilización de las materias primas son, desde hace tiempo, los pasatiempos de supervivencia de los Apalaches. Los estofados de caza menor (zarigüeyas y ardillas), las recetas rústicas a base de frutas secas endulzadas con azúcar moreno o melaza, y los platos de verduras silvestres servidos en las fiestas de primavera forman parte de la cocina tradicional de montaña.

Cada otoño, en Renfro (Kentucky) se elabora melaza a la antigua en la Fiesta de la Cosecha de los Apalaches. Los altos tallos de caña de azúcar se arrancan a mano y luego se cortan. A continuación, una prensa tirada por una mula extrae el jugo de la caña. Este jugo verde se hierve en cubas hasta convertirlo en un jarabe espeso, que se embotella y se vende. En las montañas de Alabama y Carolina del Norte, también se prepara jarabe de sorgo en las fiestas de otoño. Este edulcorante, utilizado antaño por los colonos y la gente del campo, se elabora con sorgo *(Sorghum vulgare)*, cuyos tallos parecidos al maíz son cosechados por los hombres para que las mujeres preparen el jarabe. En estas celebraciones anuales de la cultura tradicional, las comunidades rurales se reúnen para preservar las costumbres transmitidas de generación en generación.

Conservas y encurtidos dispuestos sobre un viejo camión

Una mañana brumosa en las montañas de Virginia Occidental

Apple Stack Cake
Pastel de manzana

Bizcocho:

5¼ tazas de harina blanca

1 cucharadita de bicarbonato de sosa

1 cucharadita de levadura en polvo

1 cucharadita de sal

1 cucharadita de canela molida

2 tazas de azúcar moreno compacto

1 taza de grasa

2 huevos

2 cucharaditas de vainilla

½ taza de suero de leche

3 moldes de pastel de 22,5 cm de diámetro
engrasados y enharinados

Relleno de manzana:

5 tazas de agua

500 g de manzanas secas troceadas

2 tazas de azúcar moreno compacto

½ cucharadita de nuez moscada molida

½ cucharadita de sal

2 cucharaditas de canela molida

½ cucharadita de clavos de especia molidos

azúcar glas

Mezcle la harina, el bicarbonato, la levadura, la sal y la canela. Reserve. Bata el azúcar moreno y la grasa en el cuenco grande de una batidora durante 2 ó 3 minutos. Añada los huevos, de uno en uno, batiendo bien después de cada adición. Agregue la vainilla. Incorpore los ingredientes secos alternativamente con la leche, batiendo a velocidad lenta hasta que quede todo mezclado.

Divida la masa en 7 porciones de ¾ taza. Extienda 3 porciones de masa en los 3 moldes preparados. Hornee durante 10 minutos aproximadamente o hasta que se forme un corteza dorada. Deje enfriar las capas de bizcocho en los moldes; después, desmóldelas y déjelas enfriar del todo sobre rejillas metálicas. Lave y prepare los moldes y cueza las 4 porciones de masa restantes.

Lleve el agua a ebullición en una olla grande. A continuación, añada las manzanas secas y cuézalas a fuego medio hasta que hayan absorbido toda el agua, de 20 a 25 minutos. Agregue el azúcar, la nuez moscada, la sal, la canela y los clavos; cueza a fuego lento, removiendo con frecuencia.

Disponga 1 capa de bizcocho en una fuente de servir y cúbrala con un poco de relleno caliente. Continúe formando pisos con el bizcocho y el relleno restantes, terminando con una capa de bizcocho. Deje reposar durante unas 24 horas antes de cortar el pastel. Tamice azúcar glas por encima antes de servir. Para 12 personas.

Apple Stack Cake

Preparación del pastel de manzana

1. Extienda la masa en los moldes engrasados y enharinados.

2. Cubra las capas de bizcocho con el relleno caliente.

3. Tamice azúcar glas sobre la última capa de bizcocho.

BURGOO Y PUERROS SILVESTRES

Burgoo

La mayoría de los habitantes del Sur admite que el *burgoo*, una sopa espesa de carne (buey, pollo, ardilla o cordero) y hortalizas, es un plato originario de Kentucky. A algunos les recuerda a otra famosa especialidad del Sur, el *Brunswick Stew*, que también contiene carne de ardilla, buey o pollo pero, a diferencia del *burgoo*, se adereza con un hueso de jamón de Virginia. Según la leyenda, Gus Jaubert, un cocinero de Lexington (Kentucky), hizo famoso el *burgoo* cuando preparó litros y litros para el general confederado John Hunt Morgan y su brigada durante la Guerra de Secesión. Jaubert fue coronado "Rey del *burgoo*" y, desde entonces, este plato se suele preparar para grandes multitudes en mítines políticos y otros actos públicos. Resulta difícil encontrar una receta de esta sopa para menos de 50 personas. Tanto los ingredientes como la manera de cocinarlo, en una caldera de hierro fundido colgada sobre un hogar, forman parte de la tradición.

Los orígenes de la palabra *burgoo* son, al parecer, tan misteriosos como el verdadero lugar de origen del *Brunswick Stew*. Descrito como una deformación del término "barbacoa" o como una palabra turca o árabe, el origen de *burgoo* nunca se ha podido explicar satisfactoriamente.

Burgoo

Burgoo

1–1,5 kg de huesos de ternera o de buey
1 kg de jarrete de ternera
1 kg de jarrete de buey
1 kg de pecho de cordero
1 kg de pecho de ternera
1 gallina para guisar, 1 pollo para asar o 1 capón
2 cebollas peladas
4 tallos de apio partidos en trozos
2 hojas de laurel
1 cucharadita de tomillo seco
8–10 l de agua
4½ tazas de cebolla troceada
4½ tazas de patatas peladas y cortadas en dados
4 zanahorias troceadas
2 pimientos verdes sin semillas y troceados
2 pimientos rojos sin semillas y troceados
1½ tazas de apio troceado
1,5–2 l de puré de tomate
2 tazas de maíz entero
2 tazas de judías de Lima frescas
1 guindilla roja pequeña entera, picada
500 g de quingombós pequeños sin el tallo
sal, pimienta de Cayena, pimienta negra recién
molida, salsa Worcestershire y Tabasco, al gusto
perejil picado

Ponga toda la carne, las cebollas enteras, los trozos de apio, las hojas de laurel y el tomillo con el agua fría en una olla grande y lleve a ebullición a fuego lento. Baje el fuego y cueza lentamente, espumando a menudo, durante 1½ horas. Retire el pollo de la olla y continúe cociendo la carne hasta que se desprenda del hueso, de 3 a 4 horas más. Separe la carne de los huesos, trocéela y devuélvala a la olla. Deseche los huesos. Añada todas las hortalizas a la olla, excepto los quingombós. Sazone al gusto y prosiga la cocción hasta que la sopa se espese; agregue los quingombós en los últimos 40 minutos de cocción. Espolvoree con perejil antes de servir. Para 10–15 personas.

Las viejas cafeteras de estaño esmaltado todavía se utilizan en las cocinas de las granjas.

Los *ramps* son autóctonos de Norteamérica.

Ramps (Puerros silvestres)

Cada primavera, algunas poblaciones apalaches celebran la temporada de los puerros silvestres con cenas populares y banquetes a base de esta hortaliza. Los *ramps (Allium tricoccum)* se parecen a escalonias largas con hojas verdes en la punta y tallos firmes y blancos. Crecen en estado silvestre en regiones boscosas y montañosas, desde finales de febrero hasta mediados de abril. Son apreciados por su sabor picante, pero algunas personas los detestan por su olor fuerte, a veces repulsivo. Se comen de muchas maneras: en sopas, en estofados y crudos en ensaladas. La preparación más común es sancocharlos, salpimentarlos y freírlos en grasa de tocino en una sartén de hierro fundido.

Así es como se sirven cada año en las cenas en su honor. La preparación del banquete es una tarea enorme que involucra a toda la comunidad. Los voluntarios se pasan las dos semanas anteriores al evento arrancando puerros silvestres en los bosques cercanos. Luego, pasan más de 8 horas al día lavando, cortando y cociendo 1.000 kg de esta hortaliza para la fiesta, que suele incluir música y bailes de las montañas.

Una vez cortados, los puerros silvestres se sancochan en grandes ollas y se remueven con horcas. El día de la cena, tanto las hojas como los bulbos se saltean con beicon o jamón en sartenes de hierro y se salpimientan. Se vierten en enormes cuencos y se sirven con pan de maíz, judías en salsa de tomate, patatas fritas y compota de manzana. Los aficionados a esta hortaliza dicen que su sabor es indescriptible y todos afirman que éste persiste en el paladar durante días.

MIAMI CUBANO

Sabores aromáticos del Sur de Florida

Las abrasadoras especias y los sabores tropicales y exóticos de la cocina caribeña realzan la cocina del Sur de Florida, donde los cubanos exiliados conmemoran su herencia cultural. La mayor población cubana de fuera de La Habana reside en Florida, en una región que se extiende desde el centro del estado en Ybor City (Tampa) hasta Little Havana (Miami). Una razón por la cual los cubano-americanos se sienten como en casa en el Sur de Florida es que pueden encontrar fácilmente la mayoría de sus ingredientes típicos, ya que éstos son autóctonos de esta región tropical. Las tradiciones culinarias españolas se reflejan tanto en los platos cubanos como en los caribeños. Son vestigios de la época en la cual Cuba era una colonia española.

Bajando por la Calle Ocho de Little Havana, uno puede degustar platos tradicionales como el Moros y Cristianos (un plato a base de judías y arroz), oler el delicioso aroma de los sofritos y comprar un bocadillo cubano que, por cierto, es una creación norteamericana. Para prepararlo, se empieza con un trozo grueso de pan blanco cubano, partido en dos y untado con mantequilla y mostaza. Luego se apila entre las dos mitades un relleno de salchicha, jamón, cerdo a la barbacoa, queso gruyère y pepinillos al eneldo. Finalmente, se aplana el bocadillo en una plancha. El pan cubano también

Un vendedor de bocadillos cubano en Little Havana (Miami)

es muy apreciado para desayunar, untado con mermelada y servido con café con leche.

En los cayos de Florida, un grupo de islas frente al cabo de Florida, predominan los sabores cubanos y caribeños. La influencia cubana se puede apreciar en el sabor ácido de las gambas marinadas con lima y asadas a la parrilla, en los guisos de marisco sazonados con chiles y en las ensaladas de frutas y hortalizas exóticas. Todos los platos se aderezan generosamente con los sabores típicos de la cocina española: tomates, ajo, pimientos y cebolla. Éstos se mezclan con ingredientes caribeños: caracola, bananos, cocos, guayabas, mangos y curry.

Se apila el relleno del bocadillo en una mitad de pan y, junto con la otra mitad, se aplana con la plancha. A continuación, se juntan las dos mitades.

El mercado Opa-Locka de Miami es famoso por sus productos exóticos.

Glosario cubano

Alcaporado: estofado de buey sazonado con uvas y aceitunas.

Arroz con pollo: plato de pollo con arroz, que se puede preparar espeso o caldoso.

Arroz marillo: arroz amarillo al azafrán. Como la especia es cara, los cocineros cubanos la sustituyen a veces por cúrcuma.

Bananos (*Musa paradisiaca*): pertenecientes a la familia de los plátanos, los bananos o plátanos machos no se comen crudos. Hay distintos tipos según su tamaño y su forma, y tienen un sabor feculento a hortaliza. Los bananos maduros tienen la piel moteada con puntos negros, igual que los plátanos muy maduros. Se sirven fritos y salados como patatas fritas, salteados a modo de guarnición o cocidos en sopa.

Boniato

Bolichi: asado marinado relleno con huevos duros. Es un plato muy popular en Key West.

Bollitos: bolas fritas elaboradas con una mezcla de judías de careta y ajo.

Boniato: tubérculo parecido a la batata. La variedad cubana tiene la piel moteada y una pulpa blanca o amarilla. Cuando está cocido, es más seco y más esponjoso que los boniatos comunes. La pulpa tiene un sabor un poco amargo.

Calabaza

Mandioca

Calabaza: gran calabaza cubana de forma redonda. No suele ser más pequeña que un melón Honeydew, por este motivo se vende generalmente partida en dos o en rodajas grandes. Su pulpa de color naranja tiene un sabor parecido a la calabaza común, aunque es más dulce y jugosa.

Carambola: esta fruta crujiente y ácida tiene un sabor parecido a la manzana. Se suele utilizar como adorno.

Chayote: también conocida como *christophine,* esta hortaliza de sabor suave pertenece a la familia de la calabaza.

Empanada: consiste en una pasta pequeña rellena de pescado o carne.

Escabeche: pescado encurtido que se sirve como plato ligero en el aperitivo o la comida.

Flan: postre tradicional cubano que está cubierto de caramelo. Se puede perfumar con almendras, coco o ron. Algunas recetas incluyen bananos y judías negras en su preparación.

Malanga (*Xanthosoma sagittifolium*): tubérculo de piel marrón fina e irregular y de pulpa de color beige o rosada, que tiene forma de boniato alargado.

Moros y Cristianos: plato elaborado a base de judías negras y arroz, que se suele servir acompañado con carne y bananos fritos. El nombre hace

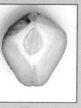
Chayote

Malanga

Judías negras

referencia al conflicto suscitado entre los moros negros, que invadieron España en el siglo VIII y dominaron el país durante varios siglos, y los cristianos blancos, que finalmente lograron reconquistar su tierra natal.

Naranjas de Sevilla (*Citrus aurantium*): también conocidas como naranjas amargas, estas frutas son pequeñas y ácidas. Su pulpa es más oscura que la de las naranjas *navel.*

Paella: este plato típico español era muy popular en Cuba cuando ésta era una colonia española. La variante cubana incluye chorizo, marisco y arroz de Valencia.

Picadillo: picadillo de carne de buey condimentado con abundantes especias. Es uno de los platos cubanos más populares, que se sirve acompañado con bananos fritos, judías negras y arroz.

Sangría: bebida refrescante elaborada con una mezcla de gaseosa, vino tinto, frutas y azúcar.

Sofrito: salsa que se prepara con cebollas picadas, ajo, tomates, pimientos, hierbas, especias y jamón, todo cocido en aceite.

Mandioca (*Manihot esculenta*): también conocida como yuca, esta raíz se vende fresca y congelada. La mandioca fresca tiene una piel de color marrón parecida a una corteza.

Bananos

Naranja de Sevilla

Carambola

AZÚCAR

En octubre, cuando comienza la cosecha de la caña de azúcar, los campos desprenden un olor acre, que impregna el aire de Florida hasta marzo. Se debe a que los granjeros del condado de Palm Beach queman sus campos para retirar las hojas muertas y el exceso de cañas de azúcar.

La caña de azúcar *(Saccharum officinarum)* es una gigantesca planta perenne, originaria de Asia, que medra en esta región subtropical. Cultivada durante mucho tiempo en las Antillas, la caña de azúcar fue traída a la costa norteamericana por los conquistadores españoles en el siglo XVI, cuando establecieron plantaciones en Florida para cultivar este valioso producto. Su cultivo requería mucha mano de obra, que se cubrió con esclavos. Al principio, eran indígenas de la zona sometidos por los españoles y, luego, africanos. Esto marcó el comienzo del comercio de esclavos entre el continente norteamericano y África.

Hoy en día, la caña de azúcar se cultiva comercialmente en Florida, Luisiana, Tejas y Hawai. Es un híbrido creado a partir de cuatro especies del género *Saccharum*, que puede alcanzar de 3 a 6 metros de altura y unos 5 cm de diámetro. La caña de azúcar comercial se planta de septiembre a enero mediante reproducción por estacas. Éstas se colocan en surcos, con una separación de 1,5 m entre cada una de ellas, y se cubren ligeramente con tierra. En cada estaca crecen varios brotes, formando un racimo de caña de azúcar. Las plantas maduran durante un periodo de 12 a 15 meses. Tras la primera cosecha, los tallos parecidos al bambú producen de tres a cinco cosechas más.

Son muy pocos los estados donde los granjeros siguen cosechando la caña de azúcar a mano. En Florida, un sistema mecanizado y muy instrumentalizado ha sustituido a los métodos manuales de

Campos de caña de azúcar en Florida

El azúcar cande es muy apreciado por los niños. Los cristales de azúcar puro se moldean en forma de piruleta alrededor de un palillo. Se utilizan para remover el té y las bebidas dulces.

antaño. Unas máquinas especiales, parecidas a las segadoras trilladoras, cortan y cargan la caña de azúcar en vagonetas. Cada 45 segundos los remolques transportan 19 toneladas de caña hasta el molino. Allí, unas grúas eléctricas muy rápidas y provistas de ganchos colocan las cañas sobre una cinta transportadora, que las envía al molino donde se almacenan antes de ser trituradas. Casi todos los molinos funcionan las 24 horas del día y trituran 21.000 toneladas de cañas de azúcar al día durante los 150 días que dura la cosecha.

El tratamiento en los molinos es una operación igualmente impresionante que dura todo el día. Los tallos de caña de azúcar se trituran para extraer más fácilmente el jugo de azúcar dulce. Se eliminan las impurezas de este jugo transparente, se traspasa a un evaporador para retirar la mayor parte del agua y, luego, se calienta al vacío a muy baja temperatura para retirar aún más agua hasta que se forman cristales. La mezcla de cristales de azúcar y melaza, llamada "masa cocida", se enfría en cristalizadores electromecánicos, donde los cristales aumentan de tamaño. Tan comunes en la mesa del desayuno como el azúcar puro, estos terrones se separan de la espesa melaza en una máquina de hilar a alta velocidad. A continuación, se almacenan en enormes pilas en el almacén del molino antes de ser enviados a las refinerías de todo Estados Unidos para producir azúcar blanco. Una tonelada de caña de azúcar produce unos 100 kg de azúcar sin refinar, pero no todos los derivados de la caña de azúcar se destinan al consumo humano. La parte fibrosa del tallo, el bagazo, se utiliza como combustible y la mayor parte de la melaza se vende como pienso para animales.

Cosecha y tratamiento de la caña de azúcar

1. Los campos de caña de azúcar crecen sobre un suelo muy llano en el sur de Florida.

5. Jugo de caña de azúcar en tubo de ensayo.

2. El tallo de la caña de azúcar es nudoso como el bambú.

6. Cristales de azúcar puro sobre una platina. Los derivados de la melaza ya se han extraído.

3. Cosecha de la caña de azúcar. La máquina cortadora sesga la caña y la coloca en fila para recogerla mecánicamente.

7. En la última fase del tratamiento se obtiene el azúcar puro. En la foto, en una cinta transportadora.

4. Lavado de la caña de azúcar.

8. Montaña de azúcar puro en el almacén del molino, lista para ser enviada a la refinería de azúcar, donde se transformará en azúcar blanco.

Tipos de azúcar

1. Azúcar moreno

2. Terrones de azúcar moreno

3. Azúcar glas

4. Cristales de azúcar cande

5. Azúcar blanco granulado

CRUSTÁCEOS

Concha de caracola

Caracolas

La caracola (género *Strombus*) requiere una preparación laboriosa antes de su cocción. Es un gasterópodo que vive en los arrecifes de coral de Florida y alrededor de los Cayos *(Keys),* las islas al sudoeste de la punta de Florida. Es de tamaño grande, con una concha decorativa en espiral, que los niños se acercan a la oreja para oír el rugido del océano. La carne de la caracola es muy dura, por lo que debe triturarse en el robot de cocina antes de cocerla. Tiene un sabor dulce parecido al de la almeja y se suele servir en forma de *chowder* espeso o de buñuelos. También se puede marinar con zumo de limas Key, para ablandar la carne, y luego cocerla. A los habitantes de los Cayos se les llama "caracolas", un apodo que aceptan con orgullo.

Gamba blanca del Golfo

Gambas

Los norteamericanos son muy aficionados a las gambas. El consumo por habitante de estos crustáceos va en segunda posición, por debajo del de atún en lata. Hay quien cree que la industria de las gambas nació en el Sur, en Fernandina Beach (Florida). Desde allí se extendió hacia el norte a lo largo de la costa de Georgia, hasta los dos estados de Carolina,

y al oeste hacia el Golfo de México. Los pescadores de Alabama y Florida capturan varios tipos de gambas tropicales, que se diferencian por el color del caparazón (antes de cocerlas): la gamba rosa *(Penaeus setiferus)* a principios de primavera, la gamba marrón *(Penaeus aztecus)* de mayo a julio, y la gamba blanca *(Penaeus duorarum)* de julio a noviembre. Las gambas rosas y blancas también se pueden criar en viveros.

Las gambas destacan en el *gumbo* de Carolina del Sur y en otra especialidad de la región, el *purloo* (pilaf). Su sabor suave y dulce combina perfectamente con los cereales. El pastel de gambas de Savannah (Georgia) y el plato de espaguetis con gambas son algunas de las especialidades regionales más apreciadas. Sin embargo, en estas recetas, las gambas se rebozan con pan rallado y se napan con salsa de nata respectivamente, con lo cual se pierde parte de su delicado sabor.

Langosta

Langostas

La langosta *(Panulirus argus),* también conocida como "bogavante de roca", vive en las cálidas aguas de Florida. La mayor parte de la carne se halla en la cola. Sus pinzas apenas tienen carne, a diferencia de las pinzas grandes y carnosas de la langosta de agua fría. La parte delantera del caparazón está cubierta de espinas. Se suele servir cocida al horno y rellena con una mezcla de carne de cangrejo o pescado sazonada con zumo de lima, o simplemente a la parrilla.

Conch Chowder
Chowder de caracola

125 g de cerdo salado
2 cebollas medianas troceadas
4 dientes de ajo majados
1 pimiento verde grande troceado
500 g de tomates de lata
180 g de concentrado de tomate en lata
2 l de agua muy caliente
1 cucharadita de condimento para pollo
8 caracolas grandes
1 cucharada de vinagre
sal y pimienta, al gusto
1 cucharada de orégano
4 hojas de laurel
2 cucharadas de salsa barbacoa
9 patatas medianas peladas y cortadas en rodajas

Corte el cerdo salado en dados y fríalo en una olla grande. Añada las cebollas, el ajo y el pimiento verde. Cueza hasta que las verduras estén tiernas pero no doradas. Agregue los tomates, el concentrado de tomate, el agua y el condimento para pollo. Deje cocer a fuego lento mientras prepara las caracolas. Machaque las caracolas con un mazo pequeño para romper el tejido duro. Trocee la carne y añádala a la sopa. Lleve a ebullición. Añada el vinagre, sal y pimienta, el orégano, las hojas de laurel y la salsa barbacoa. Lleve de nuevo a ebullición, tape, baje el fuego y deje cocer lentamente durante 2 horas. Agregue las patatas y cueza a fuego lento hasta que estén tiernas, unos 20 minutos. Para 8 personas.

Chowder de caracola

CATFISH

Los filetes de siluro *(catfish)* espolvoreados con harina, fritos con *hush puppies* y servidos con *coleslaw* constituyen uno de los platos tradicionales del Sur, junto con el pollo frito, el té helado y las galletas con jugo de carne. Sin embargo, el término "siluro" evoca un pez bigotudo que se alimenta de desechos. Lo solían consumir únicamente los habitantes pobres del Sur, pero, tras dos décadas de marketing por parte del Instituto del Siluro, una asociación de criadores de esta especie e industrias alimentarias, el siluro *(Ictalurus)* ha pasado de ser una comida casera y humilde del Sur a ser uno de los pescados más apreciados del país. Es un gran logro teniendo en cuenta que los californianos comen tres veces más siluro que hace 10 años. La frecuente presencia del siluro en los menús de todo el país se debe en parte a la reciente popularidad de la comida regional norteamericana en los restaurantes, y a la piscicultura ha permitido satisfacer la creciente demanda.

A diferencia del siluro con sabor a lodo que se encuentra en el fondo de las charcas y los ríos situados en las regiones remotas y silvestres del Sur, el siluro de vivero tiene un sabor fresco y sutil y no huele mal. Los cocineros y los autores de libros de cocina dan mayor importancia a esta variedad, creando nuevas recetas. Belzoni (Misisipí) es la "capital mundial del siluro". Los granjeros de esta población, como los de Arkansas, Luisiana y Alabama, han arado sus campos de algodón y de soja para sustituirlos por charcas lodosas de agua dulce, en las cuales se dedican a la floreciente cría del siluro.

Siluro de río *(Ictalurus punctatus)*

Existen unos doce tipos de siluro comestible nativos de Norteamérica. Todos tienen al menos dos características comunes: no tienen escamas y tienen unos "bigotes" similares a los de un gato.

Fried Catfish
Siluro frito

¾ taza de harina de maíz amarilla
¼ taza de harina blanca
1 cucharadita de sal
1 cucharadita de pimienta de Cayena
¼ cucharadita de ajo en polvo
1,5–2 kg de filetes de siluro

Mezcle la harina de maíz, la sal y la pimienta de Cayena. Reboce el pescado con la mezcla, retirando el exceso. Caliente unos 4 cm de aceite de cacahuete en una sartén de hierro fundido de 30 cm de diámetro hasta que humee, a unos 180°C. Disponga el pescado en la sartén en una sola capa y fríalo hasta que esté bien dorado. Déle la vuelta y fríalo por el otro lado. Retírelo y escúrralo sobre papel de cocina. Sírvalo caliente. Para 4 personas.

STONE CRAB

Según James Beard, la última gran autoridad en cocina, el cangrejo es el más americano de todos los crustáceos. Se utiliza en recetas típicamente norteamericanas. En las bahías, los canales y los ríos del Sur viven más de 60 especies de cangrejo, pero predomina el cangrejo azul *(Callinectes sapidus)*, que se pesca prácticamente durante todo el año. Los bocadillos a base de cangrejos de caparazón blando fritos (cangrejos que han mudado su caparazón duro para desarrollar uno nuevo y más grande) son muy apreciados en el Sur.

El enorme cangrejo de mar *(Menippe mercenaria)* es una especialidad de Florida, donde sólo se comen sus inmensas pinzas de puntas negras. Este caro manjar atrae a gente de todo el mundo al Joe's Stone Crab, un restaurante de Miami Beach que ha convertido este crustáceo en una atracción turística para los gastrónomos. Los cangrejos de mar viven en las aguas de la bahía Biscayne, cerca de Miami. Actualmente son más escasos que antaño, por eso su pesca está controlada. Durante la temporada de cangrejos, de octubre a mayo, los pescadores los capturan, les extraen la más pequeña de las dos pinzas y los devuelven al mar. Así, el crustáceo podrá usar su pinza más grande para defenderse hasta que le vuelva a crecer la otra, al cabo de 18 a 24 meses.

Las pinzas se suelen servir cocidas y partidas, ya que el caparazón es muy duro y se ha de romper con un martillo. Los comensales bañan la carne de cangrejo en mantequilla fundida, del mismo modo que se come el bogavante en el Norte. También se venden cocidas y congeladas para utilizarlas en las recetas.

Una fuente de pinzas de cangrejo de mar partidas, servidas con mantequilla derretida y mayonesa condimentada.

El restaurante Joe's Stone Crab es el mejor lugar para degustar esta especialidad del sur de Florida.

Una fuente de tortitas de cangrejo de mar servidas con gajos de lima, gambas, carambola y una mazorca a la parrilla.

Joe's Stone Crab Cakes
Tortitas de cangrejo de mar de Joe's

500 g de carne de cangrejo de mar
½ pimiento rojo dulce troceado
¼ taza de cebolla troceada
4 cebolletas sin las puntas y troceadas
¼ taza de perejil picado
1 diente de ajo picado
1 huevo ligeramente batido
2 cucharadas de mostaza de Dijon
1 cucharada de zumo natural de limón
½ cucharadita de salsa Worcestershire
¼ cucharadita de salsa de guindilla
¾ taza de pan seco rallado fino
2 cucharadas de mantequilla
2 cucharadas de aceite
gajos de lima o limón para adornar

En un cuenco grande, mezcle la carne de cangrejo, el pimiento, la cebolla, las cebolletas, el perejil y el ajo. En un cuenco pequeño, bata el huevo, la mostaza, el zumo de limón, la salsa Worcestershire y la de guindilla. Remueva suavemente la carne de cangrejo con esta mezcla. Añada ¼ taza de pan rallado y mezcle.

Con ½ taza aproximadamente de la mezcla de carne de cangrejo para cada una, forme 8 tortitas ovaladas de unos 1,3 cm de grosor y unos 9 cm de largo. Reboce las tortitas con el pan rallado restante y dispóngalas en una bandeja de horno forrada con papel encerado. Refrigere durante 1 hora como mínimo.

Caliente la mantequilla y el aceite en una sartén antiadherente grande a fuego medio. Cueza 4 tortitas a la vez, hasta que se doren, unos 5 minutos. Quizás deberá bajar el fuego durante la cocción para evitar que se quemen. Sírvalas calientes, adornadas con gajos de lima o limón. Para 4 personas.

Pesca, cocción y preparación de los cangrejos de mar

1. Pescadores en su barca en la bahía Biscayne, frente a la costa de Miami.

2. Se comprueba el tamaño de los cangrejos.

3. Se extrae una pinza y se devuelve el cangrejo al mar.

4. Las pinzas se cuecen en un inmenso cesto, que se sumerge en agua hirviendo.

5. Una vez cocidas las pinzas, se parte el duro caparazón con un martillo.

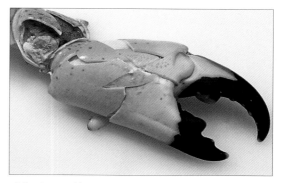

6. La pinza partida.

Pinzas de cangrejo de mar cocidas

EL CACAHUETE

La planta leguminosa predilecta de Norteamérica

Los cacahuetes *(Arachis hypogaea)* son uno de los cultivos más antiguos del mundo. Los indios de América del Sur ya los cultivaban hace 5.000 años. Hoy en día, se podría decir que los cacahuetes son el fruto seco favorito de los norteamericanos. Los consideran un fruto seco pero, en realidad, se trata de una planta leguminosa que pertenece a la misma familia que los guisantes y las judías. Los cacahuetes son un importante cultivo en el Sur de Estados Unidos, donde llegaron de manera indirecta procedentes de América del Sur.

Los cacahuetes fueron introducidos en África por los exploradores españoles, que cultivaban estas plantas por sus semillas ricas en proteínas para alimentar a los prisioneros antes de llevarlos al Nuevo Mundo. Los esclavos, que adoraban los cacahuetes por su similitud con el *nguba*, un cacahuete del Congo *(Yoand geia subterranea)*, los introdujeron a su vez en Norteamérica. Durante gran parte del siglo XVIII, los cacahuetes eran considerados básicamente como una comida de pobres y un excelente alimento para los cerdos. Aunque en el Sur de Carolina se cultivaban comercialmente por su aceite y como alimento, los cacahuetes no tuvieron mucho éxito durante el siglo XIX. Su cultivo y su cosecha requerían simplemente demasiado trabajo. Los cacahuetes crecen bajo tierra, a partir de brotes que se extienden desde la planta exterior y penetran en la tierra. Para cosechar los frutos maduros, se debe arrancar e invertir toda la mata al cabo de unos cinco meses de haberla plantado.

La maquinaria inventada a finales del siglo XIX redujo el trabajo de los granjeros y les ayudó a plantar, cultivar, cosechar, desvainar y limpiar los granos, creando una mayor provisión de cacahuetes. De las numerosas variedades, se plantaban cuatro tipos básicos: el cacahuete trepador, el de Virginia, el español y el de Valencia. Hoy en día, en la región sudeste de Estados Unidos (Georgia, Alabama y Florida), se cultivan mayoritariamente los cacahuetes trepadores de grano mediano, mientras que en la región de Virginia y Carolina se planta el cacahuete de Virginia de granos más grandes. Los cerdos alimentados con estos cacahuetes producen los jamones de Virginia, de sabor único.

En 1903, el químico afroamericano George Washington Carver empezó a experimentar con los cacahuetes en el Tuskegee Institute. Considerado el padre de la industria de los cacahuetes, Carver descubrió más de 300 usos del cacahuete y propuso su cultivo rotativo en las regiones algodoneras, donde el gorgojo amenazaba la agricultura. El trabajo de Carver era tan exhaustivo que, en 1925, publicó un boletín cultural titulado *Cómo cultivar el cacahuete y 105 maneras de prepararlo.* Incluía recetas para preparar dulces, ensaladas, sustitutos de los

Cacahuetes españoles en la planta. Suelen contener tres granos por cáscara.

platos de carne, pasteles, bollos, panes y sopas. Carver también ofrecía un menú entero a base de cacahuetes para demostrar la versatilidad de esta planta leguminosa.

Actualmente, casi la mitad de la producción nacional de cacahuetes se cultiva en el estado de Georgia. Cerca de una cuarta parte de ésta se exporta, mientras que el resto se utiliza para elaborar aceite de cacahuete, bebidas ricas en proteínas, barritas diéteticas, caramelos y manteca de cacahue-te. Para muchos norteamericanos, los cacahuetes tostados son un alimento esencial para llevar a los partidos de béisbol; cada año, los vendedores de refrigerios venden millones de bolsas de papel llenas de cacahuetes salados a los aficionados sentados en las gradas.

El célebre investigador George Washington Carver identificó centenares de usos del cacahuete durante su trabajo en el Tuskegee Institute de Alabama.

Peanut Brittle
Sopa de cacahuetes del Sur

2 cucharadas de mantequilla

2 cucharadas de cebolla rallada

1 tallo de apio cortado en rodajas finas

2 cucharadas de harina blanca

3 tazas de caldo de pollo

½ taza de manteca de cacahuete cremosa

2 cucharadas de jerez seco

2 cucharadas de zumo de limón

¼ cucharadita de sal

2 cucharadas de cacahuetes tostados y picados

Derrita la mantequilla en un cazo mediano a fuego medio. Añada la cebolla y el apio y sofría 5 minutos. Agregue la harina y remueva hasta mezclarla bien. Vierta gradualmente el caldo de pollo, sin dejar de remover para obtener una mezcla fina. Cueza a fuego lento durante 30 minutos. Retire del fuego y cuele. Vuelva a poner el líquido en el fuego y añada la manteca de cacahuete, el jerez, el zumo de limón y la sal. Caliente bien la sopa y sírvala adornada con los cacahuetes picados. Para 4 personas.

Southern Goober Soup
Crocante de cacahuetes

1 taza de azúcar

1½ tazas de cacahuetes tostados sin cáscara, picados gruesos

Ponga el azúcar en una sartén de hierro y de fondo pesado y derrítalo a fuego lento hasta obtener un almíbar fino y dorado, removiendo constantemente para evitar que se queme. Retire del fuego y añada los cacahuetes y sal. Extienda la pasta en una fuente sin engrasar para que se solidifique. Marque cuadrados en el crocante cuando esté casi duro o pártalo en trozos irregulares cuando se haya endurecido del todo. Para unos 125 g.

Hileras de plantas de cacahuete

Manteca de cacahuete

Vendida por primera vez en 1890, la manteca de cacahuete es un alimento básico desde hace más de 100 años. Los africanos trituraban cacahuetes para preparar guisos ya en el siglo XV, los chinos los majaban para elaborar una salsa cremosa y los soldados de la Guerra de Secesión tomaban gachas a base de cacahuetes. Sin embargo, la actual manteca de cacahuete no se hizo popular hasta que George A. Bayle Jr., el propietario de una empresa de productos alimentarios, elaboró y envasó una pasta de cacahuetes molidos con galletas saladas como complemento dietético para las personas que no podían masticar. La creación de Bayle se convirtió en el primer bocadillo de manteca de cacahuete.

Cacahuetes hervidos

Los cacahuetes recién cosechados y hervidos son muy apreciados en el Sur profundo. Cuando se acaban de recoger, los cacahuetes tienen una textura blanda, a diferencia de la consistencia crujiente de los secos. El tiempo de cocción varía según la maduración de los cacahuetes, pero en general es más corto para los verdes recién cosechados que para los que han sido almacenados. Cuando están bien cocidos, su textura debe parecerse a los guisantes o judías hervidos. Hierva en agua 500 g de cacahuetes pelados y una cucharada de sal durante unos 45 minutos. Compruebe entonces el punto de sal y de cocción. Escúrralos bien para evitar que absorban más sal. Congélelos en recipientes a prueba de humedad. Para consumirlos, descongélelos y caliéntelos en el horno o el microondas.

Cacahuetes tostados

Pelados: Disponga una capa de cacahuetes crudos en una bandeja de horno poco profunda. Tuéstelos a 180°C de 15 a 20 minutos, hasta que se doren bien. Remueva de vez en cuando para que se tuesten uniformemente. Cuando estén hechos, añada una cucharadita de mantequilla por cada taza de cacahuetes, removiendo hasta que estén bien empapados. Espolvoréelos con sal.

Con cáscara: Disponga una o dos capas de cacahuetes en una bandeja de horno poco profunda. Tuéstelos a 180°C de 25 a 30 minutos, removiendo de vez en cuando. Pele y pruebe unos pocos cacahuetes durante los últimos minutos de cocción para comprobar que estén hechos.

Crocante de cacahuetes

Cacahuetes con y sin cáscara

Bocadillo de manteca de cacahuete y mermelada

LA PACANA

Muy apreciada en pastelería

El nogal pacanero *(Carya illinoensis)* es autóctono de Tejas, donde antaño medraba en estado silvestre en las orillas de los ríos. Es una variedad del nogal americano, cuyo nombre proviene de la palabra india algonquina *paccan*, que significa "nuez con cáscara dura para partir". Los indígenas del Sudeste prensaban las nutritivas pacanas para obtener aceite. También las trituraban y las tostaban para usarlas en guisos. Los colonos plantaron nogales pacaneros y los primeros cocineros norteamericanos las mezclaban en el postre llamado tarta transparente o de melaza, el origen de la actual tarta de pacanas.

Thomas Jefferson introdujo el nogal pacanero en el Este, transplantando algunos árboles de Misisipí en Monticello, su finca de Virginia. George Washington, el primer presidente de Estados Unidos, también tenía nogales pacaneros en su finca, Mount Vernon.

Los nogales pacaneros adultos producen hasta 300 kg de nueces al año, pero son difíciles de cultivar. Requieren altas temperaturas en verano, tanto de día como de noche, y mucho espacio para crecer. La mayor parte de la producción norteamericana de pacanas está centrada en Georgia.

Las pacanas son excelentes para preparar pasteles y dulces. En el Sur son muy apreciadas por el exquisito sabor que aportan a las galletas, los gofres, las tartas y los dulces tales como los caramelos de pasta de azúcar, los hojaldres y las bolas de pacanas. El praliné de pacanas, un caramelo a base de pacanas y azúcar moreno, es muy popular en Luisiana y Tejas, mientras que en Alabama y Georgia los postres se adornan con coberturas de praliné desmenuzado o de pacanas glaseadas. La tarta de pacanas es quizás el postre sureño más conocido. Se puede endulzar con jarabe de sorgo, jarabe de maíz claro u oscuro, melaza, miel, jarabe de arce, azúcar blanco o azúcar moreno. Al parecer, la única regla es que ha de ser extremadamente dulce. A veces se añade bourbon, chocolate o uvas pasas al relleno.

Pacanas en la rama

Pacanas con y sin cáscara. Son el fruto seco preferido de los norteamericanos. De hecho, los cacahuetes son los favoritos, pero técnicamente son una planta leguminosa.

Pecan Pie
Tarta de pacanas

¼ taza de mantequilla o margarina reblandecida
1 taza de azúcar
4 huevos
¾ taza de jarabe de maíz claro
2 cucharaditas de vainilla
1¼ tazas de mitades de pacanas
1 fondo de tarta de 22,5 cm de diámetro
sin cocer

Bata la mantequilla y el azúcar en un cuenco. Añada los huevos, el jarabe y la vainilla. Agregue las pacanas. Vierta el relleno en el fondo de tarta sin cocer y hornee a 190°C durante 5 minutos. Reduzca la temperatura a 160°C y hornee 45 minutos más o hasta que, al insertar un cuchillo en el centro, éste salga limpio. Deje enfriar a temperatura ambiente antes de cortar. Para 8 personas. Véase fotografía página siguiente.

COCA-COLA

Receta médica refrescante

La Coca-Cola, "el mejor refresco del mundo", surgió hace más de 100 años en una farmacia de Atlanta como una receta médica para los habitantes sedientos de Georgia. En 1886, John Styth Pemberton, buscando un remedio contra el dolor de cabeza y otras dolencias, inventó la Coca-Cola mezclando extractos de coca y de nuez de cola en una olla de cobre, en su jardín trasero. Vendía vasos de este refresco por cinco centavos en la cercana farmacia Jacobs. Cuando se añadió agua con gas, la bebida fue calificada de "deliciosa y refrescante". A los clientes les encantaba su sabor característico, ligeramente picante, debido a la nuez de cola. Ésta era originaria de África pero, posteriormente, fue cultivaba en América del Sur. Desde entonces, la Coca-Cola, uno de los productos más comercializados de la historia, se ha convertido en un símbolo universal de la cultura norteamericana. El refresco ha aparecido incluso en recetas de pasteles, salsa barbacoa, ensaladas y aliños.

En 1888, Asa Candler compró los derechos de este refresco por 2.300 dólares. Llevó la bebida más allá de sus modestos orígenes, eliminó cualquier rastro de cocaína (que provenía de las hojas

Superior: hasta 1916, la botella de Coca-Cola era lisa; luego fue sustituida por la botella acanalada que aún se utiliza hoy en día.

de coca con las cuales se elaboraba la bebida) y la registró con la marca "Coca-Cola". Emprendió un plan de marketing a gran escala, que incluía objetos de recuerdo, calendarios, relojes, jarras y baratijas, todo con la marca Coca-Cola. En sólo tres años, Candler abrió la primera fábrica fuera de Atlanta y, luego, en Chicago y Los Ángeles. En su informe anual a los accionistas, proclamó: "Ahora se bebe Coca-Cola en todos los estados y territorios de Estados Unidos." En los 20 años siguientes, se abrieron plantas de embotellado a gran escala. A finales del siglo XIX, el número de fábricas había pasado de dos a más de 1.000.

En 1919, Robert Woodruff se hizo cargo de The Coca-Cola Company, poniendo de relieve la calidad del producto. Revolucionó el concepto de la comercialización. A principios de los años veinte, siendo él director, la compañía introdujo la innovadora caja de 6 botellas que permitía a los consumidores llevarse la Coca-Cola a casa con facilidad.

Woodruff también estableció normas de calidad en el proceso de embotellado. Asimismo, exportó la Coca-Cola a Inglaterra, Cuba, Puerto Rico, Filipinas y Guam, convirtiéndola en un producto internacional.

El impacto económico de Woodruff en Coca-Cola tan sólo fue superado por su compromiso social. Convirtió la bebida ambarina en un símbolo de amistad y refresco, asociándola con los Juegos Olímpicos en el verano de 1928. También aseguró que todos los soldados de la Segunda Guerra Mundial en uniforme podían comprar una Coca-Cola por cinco centavos, "dondequiera que estuviesen y costase lo que costase a la empresa."

Con los años, la compañía siguió lanzando nuevas bebidas e innovadores envases para atraer a un público mayor. Se fusionó con la Minute Maid

Coca-Cola en el típico vaso de boca ancha, en la moderna lata con lengüeta y en la clásica botella, la preferida por los entendidos.

Durante los primeros Juegos Olímpicos celebrados en Amsterdam en 1928, se instalaron puestos como éste para vender Coca-Cola en el exterior del estadio de deportes.

Corporation y añadió los concentrados de zumo de cítricos congelados a su línea de productos. La aparición de la *Diet Coke* (Coca-Cola Light) cambió las costumbres dietéticas de los norteamericanos y creó el nuevo concepto de los refrescos bajos en calorías. La compañía provocó la protesta del público cuando cambió su fórmula en 1985, pero respondió rápidamente a la demanda volviendo a introducir la fórmula original. La Coca-Cola "clásica" volvió pronto al mercado y, hoy en día, se vende en más países que cualquier otro producto.

Gracias al innovador proceso de embotellado se amplió la disponibilidad de refrescos, permitiendo a los clientes degustarlos sin tener que ir a un bar. Los vendedores llevaban las botellas de Coca-Cola en cestos de madera, lo que les permitía venderlas en eventos deportivos y otros actos al aire libre.

Los relojes con el logo de Coca-Cola fueron uno de los primeros regalos para los mejores vendedores.

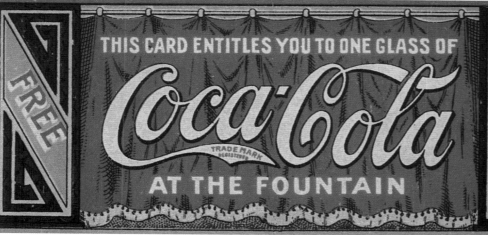

Un antiguo cupón para una degustación de Coca-Cola

TABACO

La hoja de oro norteamericana

La práctica de fumar hojas de tabaco *(Nicotiana tabacum)* es originaria de América. Cuando Cristóbal Colón llegó al Nuevo Mundo en el año 1492, vio que los indígenas fumaban y mascaban las hojas de esta planta autóctona y la describió como embriagadora. En el siglo XVI, Jean Nicot (de cuyo nombre proviene la palabra "nicotina", el principio activo del tabaco) introdujo las hojas de tabaco en la corte de Francia. La costumbre de fumar se extendió por toda Europa. El cortesano inglés sir Walter Raleigh recibió tabaco de la colonia de Virginia por medio de algunos colonos, se aficionó enseguida al tabaco y convirtió la pipa en toda una institución. Si bien al principio el tabaco fue elogiado por sus conciudadanos como un remedio para todas las dolencias del cuerpo humano, también fue criticado por provocar una especie de "embriaguez seca".

No obstante, la exportación de la "hoja de oro" a Inglaterra supuso el espectacular comienzo del comercio en el Nuevo Mundo, así como el milagro económico de Jamestown, una colonia de Virginia, hace más de 350 años. A pesar de que el cultivo del tabaco empobreció completamente la tierra, agotando los nutrientes esenciales (nitrógeno y potasio), los dueños de las plantaciones convirtieron el tabaco en el principal cultivo comercial de Virginia y muy pronto se hicieron ricos. Las restricciones comerciales impuestas por Inglaterra en su nueva colonia sólo permitían exportar tabaco a Gran Bretaña, por eso las plantaciones de Virginia comerciaban casi en exclusiva con la madre patria, recibiendo a cambio productos de primera necesidad y artículos de lujo.

Hacia 1660, los colonos de Virginia trasladaron sus plantaciones a los dos estados de Carolina y empezaron a cultivar tabaco "de Virginia", una variedad más suave que la que los colonos de la isla Roanoke llevaron a sir Walter Raleigh. Al igual que el *burley* (una variedad de color claro), con el cual se fabricaban cigarrillos y tabaco de mascar, la planta madura se cortaba entera y se curaba al aire. Los habitantes de Carolina utilizaban la hoja de tabaco para comprar productos y servicios y, en 1703, consiguieron exportar 11.500 toneladas de tabaco a Europa. La producción de tabaco continuó creciendo hasta principios del siglo XIX. En el año 1839, Virginia produjo unas 37.500 toneladas y Carolina del Norte, unas 8.400.

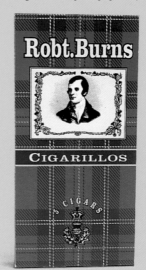

Tabaco secándose en el interior y el exterior de un granero de Maryland

Además de su importancia como cultivo comercial del Sur, el tabaco ha tenido una rica historia social, relacionada con la aristocracia, el ocio y la alimentación. Los indígenas norteamericanos utilizaron la pipa para fumar tabaco y, en los siglos XVI y XVII, las clases altas europeas la adoptaron como el principal medio para fumar. En el siglo XVIII, las cajas de rapé eran el principal accesorio personal, en una época en que tanto los hombres como las mujeres de la corte de Francia lo aspiraban.

Desde su aparición a principios del siglo XIX, el puro se convirtió en un signo exterior de prestigio social; ofrecía un medio cómodo de fumar sin preparación alguna. Muchos nobles e industriales gozaban de un aromático puro después de un suntuoso banquete, mientras que los cigarrillos, inventados en el siglo XIX, disfrutaban de una gran popularidad entre el público en general por su comodidad y su mayor disponibilidad.

Al principio, fumar era un privilegio reservado a los hombres, en una sociedad patriarcal en la cual los hombres y las mujeres se dedicaban a actividades sociales por separado después de las comidas. En los salones, los hombres conversaban, jugaban a cartas, hacían concursos de bebidas, brindaban y fumaban mucho, mientras que las mujeres tomaban café y té, pero no fumaban. En los años veinte, las mujeres empezaron a fumar y, finalmente, hombres y mujeres fumaron y bebieron juntos en la sobremesa.

En los años treinta, los cigarrillos se aceptaron en la mesa y, para las mujeres, fumar pasó a ser una manera más espectacular de expresar su personalidad con el uso de las boquillas. También era una

Los "cigarrillos" son puros pequeños y finos.

Los cigarrillos con filtro fabricados sin aditivos químicos se comercializan para los consumidores preocupados por la salud.

Tabaco de pipa perfumado con ron y arce

Durante décadas, los Marlboro se han asociado con los vaqueros que aparecían en su publicidad.

Efectos del tabaco en el desarrollo de Estados Unidos

• Durante la Revolución norteamericana, sirvió para pagar los intereses de los créditos franceses.

• Sirvió para mantener el Congreso continental y comprar material bélico. En un llamamiento público para aprovisionar a sus tropas, Washington dijo: "Si no podéis enviar dinero, enviad tabaco."

• Sirvió de catalizador en el sistema de subastas en el almacén, que permitía a los compradores examinar las hojas antes de adquirirlas.

• Originó la aparición de las marcas. En 1862, John Ruffin Green empezó a fabricar cigarrillos de primera calidad para los estudiantes de la Universidad de Carolina del Norte. Estando en el ejército confederado, los desesperados estudiantes escribieron a Green para pedirle más cigarrillos, que compartían con los otros soldados. Pronto, soldados de todo el país escribieron a Green pidiéndole más *Best Flavored Spanish Smoking Tobacco*. Green adoptó un toro como logo comercial y puso el nombre de Durham a sus cigarrillos.

• Favoreció el desarrollo de las infraestructuras en el joven país. Perjudicados por el mal estado de las vías de transporte, los fabricantes de tabaco promovieron la mejora de las carreteras, la reparación de los puentes y la construcción del ferrocarril desde las principales ciudades de Carolina del Norte hacia el este y el oeste.

Hojas secas de tabaco sin tratar

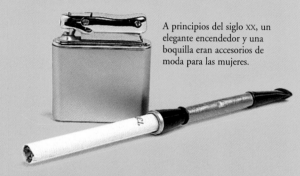

A principios del siglo XX, un elegante encendedor y una boquilla eran accesorios de moda para las mujeres.

Entendidos en puros

Los buenos puros siempre han sido un signo externo de prestigio social para los hombres de fortuna. Hoy en día, en Estados Unidos resurge el interés por los puros. Pero el actual fumador de puros difiere bastante de la antigua imagen del industrial con un puro Wheeling (un tipo de puro barato de Wheeling, en Virginia Occidental) sujeto firmemente entre los dientes. Saborear un buen puro vuelve a ser un pasatiempo elegante.

Por toda Norteamérica, en los hoteles de lujo y los clubes privados, una elite de fumadores de puro que incluye agentes de bolsa, abogados, médicos y empresarios se complacen en ambientes tranquilos, beben buenos vinos y licores, degustan comidas elaboradas y fuman puros de primera calidad. Han formado clubes del puro para satisfacer su pasión en compañía de otros aficionados. Algunos restaurantes disponen de salas especiales para fumadores de puros u organizan "veladas del puro", en las cuales los entendidos pueden apreciar la sinergia entre el tabaco y los placeres gustativos. Las reuniones suelen incluir degustaciones de bourbon, coñac y whisky escocés de primera calidad. Y, desde los últimos años, admiten la presencia de mujeres. La revista *Cigar Aficionado* complace los intereses de los fumadores. Y, a pesar del clima antitabaco que predomina en Estados Unidos, ahora muchas grandes ciudades disponen de tiendas de puros con una extensa selección de accesorios relacionados con éstos.

Los entendidos en puros gozan de cierto prestigio social.

audaz manifestación de emancipación femenina. En el Sur, el tabaco de mascar siempre ha sido popular; si bien es, en cierto modo, sucio, ya que implica escupir el exceso de saliva y, finalmente, la mascada en una escupidera. Hoy en día, es una práctica tradicionalmente asociada a los jugadores de béisbol de la liga principal, aunque algunos de ellos prefieren mascar chicle porque es más sano.

Debido a los riesgos que implica para la salud, fumar cigarrillos ya no se venera como el final triunfal de una buena comida. En los hogares y los restaurantes, los fumadores ofenden la susceptibilidad de los no fumadores. Se han de aislar en zonas para fumadores o, incluso, en los sitios públicos tienen prohibido fumar.

Caja de puros baratos

Una antigua caja de tabaco Lucky Strike

Pipa y tabaco de pipa

Una caja de "cigarillos" (pequeños puros)

Tabaco de mascar

Cigarrillos sin filtro

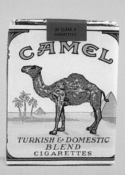

HELADO

Delicias heladas

El helado, elaborado con leche, nata, huevos, azúcar y aromas, es muy apreciado por los norteamericanos. En otros países también hay una gran afición por los helados, pero en Estados Unidos ésta raya en lo fanático. El helado se inventó probablemente en China hace miles de años y, de una u otra manera, llegó a Italia, donde se convirtió en un postre sofisticado. En el siglo XVIII, los presidentes Washington y Jefferson, unos sibaritas que probaron esta delicia en Francia, trajeron recetas de helado a Estados Unidos. Más tarde, en 1846, una mujer de Nueva Jersey, Nancy Johnson, se inventó una heladora que se accionaba girando una manivela. Desde entonces, el helado es el más apreciado de los postres típicamente norteamericanos.

Un puesto de helados en forma de iglú

Hace unos años, la gente se contentaba con un reducido surtido de sabores: chocolate, vainilla y fresa. De vez en cuando se atrevían con el café y el caramelo. Hoy en día, se puede encontrar una sorprendente variedad de sabores y mezclas de helados. Algunos de los sabores más raros están inspirados en los tentempiés dulces. Entre los sabores que se encuentran normalmente en los puestos de helados figuran el de pastel de queso, chicle, galletas con perlas de chocolate y algodón de azúcar. Se pueden adquirir helados en tarros o en cucuruchos, con coberturas de caramelo o de frutos secos. Los helados de primera calidad, ricos en grasa de leche y con ingredientes caros, se hicieron populares en los años setenta. Ben and Jerry's, una empresa altruista y comprometida con el medio ambiente, ha tenido mucho éxito al apelar a los ideales filantrópicos en el marketing de su producto, con un enfoque moderno de la publicidad. Y, además, elabora unos helados deliciosos.

Todos los norteamericanos recuerdan la primera vez que tomaron un *sundae* napado de *fudge* caliente, un postre típico compuesto de bolas de

Un cucurucho con tres bolas de helado

helado de vainilla de color marfil napadas con chocolate caliente. El *sundae* fue creado en 1890, en el Medio Oeste, cuando alguien añadió jarabe de chocolate a un plato de helado. La práctica se puso de moda a nivel nacional y se ha desarrollado a lo largo del siglo XX. Hoy en día, existen todo tipo de coberturas para decorar las bolas de helado servidas en recipientes metálicos o de vidrio. Las guindas al marrasquino, los frutos secos picados, la salsa de caramelo, las nubes de azúcar fundidas, la nata montada, los fideos de chocolate y todo tipo de jarabes son sólo algunas de las coberturas más comunes. El Banana Split, un *sundae* apilado sobre un plátano partido en dos, era un capricho extravagante y calórico que se servía en todas las heladerías.

Las bebidas a base de helado también se hicieron populares cuando las "fuentes de soda" (bares de refrescos situados en el interior de los grandes

almacenes) empezaron a ofrecer helado con agua de soda o refrescos de sabores llamados *ice cream sodas* (gaseosas con helado). Con la llegada de los automóviles, aparecieron los primeros restaurantes *drive-in* que servían *frappés* (una mezcla de helado y leche, de Nueva Inglaterra), batidos de helado y *root beer floats* (también conocidos como *Black Cows),* que consistían en vasos de bebidas gaseosas con una o dos bolas de helado de vainilla).

En Estados Unidos, la manera clásica de tomar helado es en un cucurucho. Es fácil de asir y permite a los norteamericanos cumplir su afición de ir comiendo mientras pasean. Además, es el recipiente perfecto para una substancia rica y cremosa que se derrite. Se dice que el primer cucurucho de helado apareció en 1904 en la Feria mundial de San Luis cuando un vendedor de gofres enrolló uno en forma de cucurucho para poner el helado del vendedor del puesto vecino que se había quedado sin platos. Hoy en día, existen dos tipos de cucuruchos: uno crujiente como una galleta y otro bastante insulso en forma de copa con la base plana.

Las secciones de congelados de los supermercados ofrecen una asombrosa variedad de postres helados. Los polos de helado (zumo coloreado y endulzado, congelado alrededor de un palito) no contienen ningún producto lácteo, pero igualmente se consideran helados. Las barras de helado, un dulce típicamente norteamericano, son un bloque de helado de vainilla de forma rectangular, cubier-

Las barras de helado se venden en paquetes en la sección de congelados de los supermercados. De izquierda a derecha: helado de vainilla con una cobertura crujiente de chocolate y caramelo, barra de helado de vainilla cubierta de chocolate y barra de helado de naranja.

to de chocolate, con o sin palito. Fueron inventadas en 1919 por un repostero danés, Christian Nelson, propietario de una tienda de confites en la pequeña ciudad de Onawa (Iowa). Descubrió la manera de cubrir el helado con una fina capa de chocolate y bautizó su creación con el nombre de *"I scream bar".* Varios años más tarde, Nelson se asoció con otro confitero, Russell Stover, que puso un nuevo nombre a la barra de helado: *Eskimo Pie* (Pastel esquimal). El público se abalanzó sobre el producto rebautizado y, muy pronto, llegaron a vender un millón de barras al día. La barra de helado y el sándwich de helado (helado de vainilla entre dos galletas de chocolate) eran vendidos en verano por hombres de uniforme llamados *"Good Humor"* (Buen humor), que ofrecían sus dulces helados por todos los pueblos de Norteamérica.

La categoría de "helado" comprende dulces helados que no contengan nata, tales como los sorbetes, los yogures helados, la leche helada y las barras de helado de frutas. Los yogures helados y la leche helada se elaboran con yogur desnatado y leche respectivamente y, aunque puedan parecer alimentos dietéticos, pueden contener muchas calorías. Los dulces helados bajos en calorías se suelen preparar con tofu, que probablemente debería ocupar una subcategoría en la jerarquía de los helados. Los norteamericanos, grandes amantes de los dulces, intentan, como siempre, encontrar una manera de disfrutar de los sabrosos postres sin por ello ganar peso.

Los cucuruchos de helado son una delicia típica del verano.

Sándwich a base de helado de vainilla y galletas con perlas de chocolate; el helado también está salpicado de perlas de chocolate.

Helado blando de vainilla y chocolate entre galletas de chocolate.

251

Nueva Orleans y Luisiana

por Lee Dicks Guice

Luisiana es tan diferente del resto de Estados Unidos, tanto geográfica como culturalmente, que prácticamente constituye un país por sí sola. Es una amalgama de nacionalidades cuyos variados orígenes mezclan la formalidad de las costumbres europeas del Viejo Mundo con la desenvoltura nativa. La cocina de la región refleja esta mezcla de tradiciones, que ha tardado tres siglos en formarse.

Luisiana está situada entre los estados de Tejas, Arkansas y Misisipí. La mitad del estado está rodeada de agua, con el poderoso río Misisipí al este y el Golfo de México al sur. Una red de múltiples vías fluviales ofrece especies acuáticas variadas y la caza salvaje abunda. Luisiana merece su apodo de "Paraíso del deportista".

Tanto los franceses como los españoles, los italianos, los alemanes, los indígenas, los africanos y los antillanos han aportado su estilo culinario a Luisiana, resultando en un baturrillo de técnicas y sabores. La cocina de Luisiana es una mezcla única de las exquisitas salsas y los condimentos de Nueva Orleans, de la cocina consistente y mundana de la región sudoeste del estado, así como de la comida sencilla y la caza de las regiones del norte y de las colinas. Los franceses y los españoles trajeron a Luisiana las tradiciones y las complejas técnicas de cocina europeas y las adaptaron a los ingredientes de la región. Por toda Luisiana, los indígenas norteamericanos mostraron una gran variedad de hortalizas y especias a los recién llegados. La influencia de los africanos y los antillanos queda plasmada en la técnica de cocción lenta y en la pasión por los platos picantes. Los italianos aportaron el ajo, el aceite de oliva y la salsa de tomate. Los alemanes cultivaron trigo y hornearon panes similares a las especialidades europeas. Los irlandeses abrieron prósperos bares y restaurantes.

Los habitantes de Luisiana, sociables y entusiastas, siempre están con ánimo para una fiesta y los gastrónomos se deleitan en las grandes reuniones sociales en torno a los guisos de marisco, las fritadas de pescado, la matanza del cerdo y los *fais do do* (las danzas cajún). Cuando la música empieza a sonar, alguien grita entre el gentío, *"Laissez les bons temps rouler!"* ("Dejad correr los buenos momentos"). Y corren...

MARDI GRAS

"¡Tíreme algo, señor!" Ésta es la exclamación que más se oye cuando los *Krewes* (los clubes privados que patrocinan los desfiles y los bailes) recorren las calles de la ciudad, tirando rosarios de colores, doblones españoles (falsos), vasos de plástico y otros recuerdos festivos desde las carrozas decoradas. Personas de toda condición (ricos y pobres, jóvenes y ancianos) tratan de llevarse a casa al menos un recuerdo del Martes de Carnaval *(Mardi Gras)*.

El Martes de Carnaval (en Luisiana utilizan el nombre francés, *Mardi Gras)* precede al Miércoles de Ceniza, el primer día de Cuaresma. La celebración oficial empieza el seis de enero, la noche de Reyes, que conmemora la llegada de los tres Reyes Magos para honrar al Niño Jesús. El término "carnaval", que se refiere a toda la festividad, proviene del latín y significa "fin de la comida" o "supresión de la carne", aludiendo a la preparación de los 46 días de ayuno que preceden a la Pascua. Los habitantes de Luisiana aprovechan al máximo el ambiente festivo.

El primer Martes de Carnaval se celebró en 1699, cuando Pierre LeMoyne d'Iberville acampó

En el *Courir du Mardi Gras,* los participantes disfrazados y enmascarados corren al galope para ser los primeros en conseguir un ingrediente importante para el *Gumbo* del Martes de Carnaval.

El desfile del rey de los zulúes, el primero de todos los *Krewe* afroamericanos, precede el desfile de Rex el Martes de Carnaval.
Inferior derecha: un jinete jubiloso se desenmascara para mostrar con orgullo su presa, un pollo vivo, que será uno de los principales ingredientes del *Gumbo* del Martes de Carnaval que se prepara para la ocasión en Church Point (Luisiana).

en una pequeña parcela de tierra a orillas del río Misisipí, al sur de Nueva Orleans, y proclamó ese lugar como *Pointe du Mardi Gras,* en honor al Martes de Carnaval. Se dice que la carne de búfalo (bisonte americano) fue el centro de atención de la comida de la celebración. Y, en 1872, el primer desfile del Martes de Carnaval en honor a Rex, el rey del Carnaval, recorrió las calles de Nueva Orleans, introduciendo los colores oficiales de este día: el púrpura (simbolizando la justicia), el verde (la fe) y el dorado (el poder).

Hoy en día, en todo el estado, sobre todo en Lafayette (la capital cajún francófona) y en Nueva Orleans, se celebra esta fiesta con desfiles y bailes. También se lleva a cabo el *Courir du Mardi Gras* (la carrera del Martes de Carnaval), en el cual los

participantes montados a caballo van en busca de comida, capturando pollos, cerdos untados de grasa y cestas de cangrejos de río. Esta frenética recogida de alimentos forma parte de una carrera de relevos para reunir los ingredientes del *Gumbo* cajún del Martes de Carnaval, un guiso copioso.

En Nueva Orleans, unos 65 *Krewes* participan en la organización de todo el Carnaval. Son muchos más en todo el estado. Cada *Krewe* patrocina un tema histórico o mitológico, que comienza con la carroza del rey. Una carroza se compone de un remolque plano con dos o tres niveles tirado por un tractor, desde el

Los doblones y los rosarios de plástico son algunos de los objetos típicos que se lanzan desde las carrozas.

cual los miembros de la *Krewe* lanzan abalorios a los miles de espectadores. Los desfiles incluyen orquestas, figurantes, jinetes a caballo, bailarines afroamericanos con antorchas y payasos. Los miembros de los *Krewe* disfrazados lanzan al público miles de dólares (en forma de chucherías, rosarios de plástico, doblones y sorpresas especiales) desde las carrozas cuando el desfile recorre las calles de Nueva Orleans. Hay que verlo para creerlo. Y el martes a medianoche, cuando terminan los desfiles, se habrán lanzado millones de vasos de plástico, rosarios y doblones a las multitudes de jaraneros que han acudido a disfrutar del mayor espectáculo gratuito del país.

Las majorettes ya vestidas con sus uniformes se reúnen antes de una larga noche de desfile.

Los miembros zulúes disfrazados lanzan cocos pintados de negro y dorado y cimeras en forma de coco a la multitud eufórica.

El *Krewe* de Orfeo, fundado por el cantante Harry Connick Jr., desfila todos los lunes por la noche antes del Martes de Carnaval. Músicos famosos se enmascaran y presiden las fiestas.

PASTELES DEL REY

Poco conocidos fuera de Nueva Orleans y las ciudades vecinas que celebran el Martes de Carnaval, los pasteles del Rey forman parte de la tradición del Carnaval, al igual que los disfraces, los rosarios y los doblones. El pastel del Rey es una corona de brioche rellena con una mezcla de frutos secos (algunas variantes incluyen fruta y crema pastelera). Se inspira en el *pithiviers* francés, un clásico pastel redondo de hojaldre relleno de pasta de almendras. La superficie se adorna con azúcar de los colores típicos del Martes de Carnaval: púrpura, verde y dorado. En la masa se

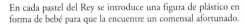

En cada pastel del Rey se introduce una figura de plástico en forma de bebé para que la encuentre un comensal afortunado.

esconde una figura de plástico o de porcelana en forma de bebé.

La tradición de esconder una figura en el pastel se remonta a la Edad Media europea, cuando se servía un roscón de Reyes el día de la Epifanía, el 6 de enero. Se escondía un haba o una moneda de oro y el afortunado que la encontraba debía hacer un donativo a la caridad. Posteriormente, en América Latina, el haba se sustituyó por una figura de porcelana representando al Niño Jesús, que se cocía dentro del pastel. Traía suerte a quien la encontraba.

En Nueva Orleans, se adoptó el pastel del Rey como medio para elegir al rey del Carnaval. La noche de Reyes, que marcaba el inicio de la época de Carnaval, enormes pasteles en forma de corona decorados con figuras y confites se transportaban en carretillas a medianoche a los bailes, donde se cortaban y se repartían. El hombre que hallaba el tesoro escondido era aclamado rey y elegía a la reina entre las mujeres que estaban presentes en el desfile. Si quien encontraba el tesoro era una mujer, ésta era nombrada reina y nominaba al rey dándole un ramo de violetas. Y así empezaba un periodo de fiestas que duraba toda una semana y el intercambio de lujosos regalos, todos pagados por el rey, por supuesto. Al final de la semana, se tomaba otro pastel del Rey y se repetía el proceso de elección, y así sucesivamente hasta la medianoche del Martes de Carnaval, cuando empezaba el Miércoles de Ceniza.

Hoy en día, los reyes y las reinas son elegidos por los miembros de sus *Krewes*, pero se mantiene la tradición del pastel del Rey. Todo el mundo

El pastel del Rey varía en sabor y forma. El más grande del mundo se elaboró en Eunice (Luisiana); medía 27 metros de diámetro, suficiente para servir a 540 personas.

El rey y la reina del Martes de Carnaval

participa en el ritual del pastel durante la época del Carnaval. Quien encuentra la figura no sólo es afortunado, sino que también deberá traer el pastel a la próxima fiesta o incluso organizarla.

Durante las semanas anteriores al Martes de Carnaval, los panaderos de Nueva Orleans venden más de 250.000 pasteles del Rey y envían como mínimo 75.000 por todo el país. Es como enviar una "fiesta instantánea" por toda Norteamérica.

King's Cake
Pastel del Rey

Para el brioche:

1 sobre de levadura seca

1½ cucharadas de agua tibia

¾ cucharadita de sal

2 cucharadas de azúcar granulado

¼ taza de leche tibia

2 tazas de harina tamizada

1 cucharadita de canela

3 huevos (uno batido, para glasear antes de la cocción)

1 yema de huevo

1 cucharada de corteza de naranja picada

10 cucharadas de mantequilla fría cortada en dados muy pequeños

En un bol pequeño, disuelva la levadura en agua tibia. En otro, disuelva la sal y el azúcar en la leche.

Vierta la mezcla de leche en el cuenco mezclador de una batidora con escobilla para masas. Añada la harina y la canela y, seguidamente, la mezcla de levadura. Bata a velocidad lenta de 2 a 3 minutos. Agregue 2 huevos, la yema y la corteza de naranja. Bata la masa a velocidad media durante 10 minutos como mínimo, hasta que sea lisa y sedosa, pero elástica. Pase a velocidad lenta y añada la mantequilla, incorporándola rápidamente para que no se caliente en exceso y se derrita.

Vierta la masa en un cuenco engrasado, tápela con un paño húmedo y déjela reposar en un lugar cálido durante 1½ horas, o hasta que doble su volumen. Retire el paño y golpee la masa. Cúbrala y déjela leudar toda la noche en el frigorífico (o 5 horas como mínimo).

Para el relleno:

1 taza de pacanas picadas

⅔ taza de azúcar moreno claro

½ cucharadita de pimienta de Jamaica

¾ cucharadita de canela

una pizca de sal

4 cucharadas de jarabe de arce

una figurita de plástico

Mezcle bien todos los ingredientes y reserve.

Para el glaseado:

1 taza de azúcar glas tamizado

2½ cucharadas de agua caliente

1 cucharadita de ron negro

Bata bien todos los ingredientes y reserve.

Decoración:

azúcar de color dorado, verde y púrpura

un rosario del Martes de Carnaval

Para montar el pastel:

En una superficie bien enharinada, extienda la masa formando un rectángulo de 15 × 45 cm. Disponga el relleno formando una línea longitudinal en el centro del rectángulo y añada la figurita. Enrolle la masa en forma de tronco de 45 cm de largo. Humedezca la juntura y séllela presionando ligeramente.

Gire el tronco para que la juntura quede debajo. Una los dos extremos para formar un círculo, insertando uno dentro del otro. Humedézcalos para sellarlos. Precaliente el horno a 180°C. Pase el pastel a una bandeja de horno sin reborde y bien engrasada. Déjelo crecer unos 45 minutos. Píntelo con huevo batido. Hornéelo durante 30 minutos, o hasta que esté bien

dorado. Retírelo del horno y déjelo enfriar. Con un pincel de pastelería, pinte la superficie con el glaseado. Adorne el pastel con el tradicional azúcar de colores púrpura, verde y dorado y el mejor rosario del Martes de Carnaval que tenga. Al servir, advierta a los invitados que el pastel contiene una figurita para que el afortunado no se rompa un diente. Para 12 personas.

Sauce de la reine

Al final de un duro día festivo, la reina se toma un último trago de *sauce de la reine* en una taza de plata para relajarse de la excitación del día.

1 taza de leche entera

2 huevos

¼ taza de azúcar

½ cucharadita de extracto de vainilla

Mezcle todos los ingredientes. Cuele la salsa en un cazo y caliéntela, removiendo hasta que se espese. Sírvala a una reina en una taza de plata.

Preparación del pastel del Rey

1. Mezcla del relleno: ponga el azúcar moreno en un cuenco.

2. Añada las pacanas picadas y, luego, la pimienta de Jamaica, la canela y la sal.

3. Agregue el jarabe de arce y remueva para mezclar bien.

4. Extienda la masa formando un rectángulo de 15 × 45 cm.

5. Disponga el relleno longitudinalmente en el centro del rectángulo y añada la figurita.

6. Enrolle la masa en forma de tronco.

7. Junte los dos extremos y séllelos, insertando uno dentro del otro.

8. Adorne el pastel con azúcar de colores púrpura, verde y dorado.

DULCES

Caña de azúcar

La caña de azúcar *(Saccharum officinarum)* es la segunda cosecha comercial más importante de Luisiana. Los tallos de esta planta perenne gigante suelen alcanzar una altura de 1,8 m. La corteza leñosa de color verde oscuro de la caña de azúcar protege la dulce fibra interior. A mediados del siglo XVIII, los tallos de caña de azúcar llegaron de las Antillas por medio de los comerciantes y empezaron a cultivarse en Luisiana en las inmensas plantaciones.

La caña de azúcar se recolecta en otoño. Durante la época de la cosecha, es frecuente ver gente chupando un trocito de caña de azúcar. En Luisiana, la última semana de septiembre se celebra la Fiesta y la Feria de la Caña de Azúcar, en la cual se exponen los productos derivados de la caña, como los diferentes tipos de azúcar, el azúcar cande y los jarabes. El jarabe de caña es el derivado más importante. Se utiliza para endulzar el tradicional pastel de especias conocido como *gâteau de sirop,* que se elabora en toda Luisiana.

Derecha: tallos de caña de azúcar cruda. La plantación de caña de azúcar más antigua de Norteamérica, la Enterprise Plantation (1840), se encuentra en Patoutville (Luisiana).

Gâteau de sirop

Gâteau de sirop
Pastel de jarabe

½ taza de grasa líquida

½ taza de azúcar

½ taza de jarabe de caña puro 100%

⅓ taza + 1 cucharada de agua hirviendo

1 huevo

1 yema de huevo

1 cucharadita de levadura en polvo

1 cucharadita de bicarbonato de sosa

1 cucharadita de canela molida

½ cucharadita de pimienta de Jamaica

¾ cucharadita de nuez moscada molida

1 cucharadita de sal

2¼ tazas de harina blanca

Precaliente el horno a 180°C. Engrase un molde de 22,5 cm de diámetro y reserve.

Bata la grasa con el azúcar. Añada el jarabe, mezclando bien. Agregue el agua y luego los huevos. Mezcle bien. Tamice todos los ingredientes secos juntos e incorpórelos a la mezcla de jarabe. Bata hasta que resulte homogénea y viértala en el molde engrasado. Hornee el pastel de 30 a 35 minutos, o hasta que se despegue de las paredes del molde. Retírelo del horno y déjelo reposar 10 minutos. Mientras tanto, prepare el glaseado.

Glaseado:

⅓ taza de azúcar moreno

¼ taza de mantequilla

2 cucharadas de harina blanca

½ taza de pacanas en trozos

mitades de pacanas, para decorar

Bata el azúcar y la mantequilla. Añada la harina y las pacanas, mezclando bien. Extienda el glaseado uniformemente sobre la superficie del pastel. Introduzca éste en el horno hasta que el glaseado se derrita. Sirva el pastel caliente o a temperatura ambiente, adornado con las mitades de pacanas. Para 6–8 personas.

Pecan Pralines
Pralinés de pacanas

El Maréchal du Plessis Praslin (1598–1675) inventó la receta de los pralinés, conocidos como *"amandes rissolées dans le sucre"*, que originariamente se preparaban con almendras. Cuando los franceses llegaron a Luisiana, utilizaron el fruto seco nativo *(Carya illinoensis)* llamado "pacana" en francés canadiense.

1½ tazas de azúcar

1½ tazas de azúcar moreno

1 taza de leche evaporada o nata espesa

3 cucharadas de mantequilla

3½ tazas de mitades de pacanas

Forre 2 bandejas de horno grandes con papel encerado. Mezcle los tres primeros ingredientes en un cazo de fondo pesado. Remueva a fuego medio hasta que la mezcla hierva. Cueza sin dejar de remover hasta que el termómetro de azúcar marque de 110 a 115°C. Agregue rápidamente la mantequilla y las pacanas. Cueza hasta que el almíbar alcance la fase de bola blanda (cuando unas gotas de la mezcla formen una bola blanda al verterlas en agua fría). Bata durante 1 minuto. Vierta inmediatamente cucharadas colmadas de la mezcla en las bandejas preparadas. Deje reposar los pralinés hasta que se endurezcan, de 1 a 2 horas. Una vez fríos, retírelos del papel encerado. Envuelva cada praliné por separado en papel encerado y consérvelos en un recipiente hermético.

Los pralinés de pacanas se suelen servir después de las comidas con una elegante tacita de café.

Elaboración de los pralinés

1. Añada la nata a la mezcla de azúcar blanco y moreno en un cazo de fondo pesado.

2. Remueva a fuego medio para disolver el azúcar en la nata.

3. Cuando la mezcla hierva y alcance entre 110 y 115°C, agregue la mantequilla y las pacanas.

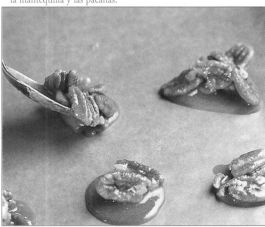

4. Vierta cucharadas colmadas de la mezcla en las bandejas preparadas.

Café, achicoria y buñuelos

Una pareja inseparable

El café es el despertador matinal para la mayoría de los habitantes de Nueva Orleans. Dos establecimientos memorables del French Quarter (barrio francés), el Café du Monde y el Morning Call Coffee, eran originariamente mercados al aire libre a mediados del siglo XIX. Se convirtieron entonces en cafés que servían *café au lait* (café con leche) y *beignets* (buñuelos), el desayuno tradicional de la Crescent City. La receta de los buñuelos proviene de Francia. El café con leche preparado con achicoria (una raíz algo amarga que se muele y se añade al café) se puso de moda durante la Guerra de Secesión y sigue siendo una especialidad de Luisiana. Actualmente, el Morning Call Coffee se halla en el viejo Metairie, un barrio periférico de Nueva Orleans, mientras que el Café du Monde prospera en el Vieux Carré, el antiguo barrio francés. Puesto que el café está abierto las 24 horas del día, se puede desayunar a cualquier hora del día o de la noche, para satisfacción de los juerguistas y los madrugadores.

El famoso Café du Monde, en el French Quarter (barrio francés) de Nueva Orleans

Raíz de achicoria

Achicoria

La achicoria *(Cichorium intybus),* la raíz de la endibia, se arranca cuando está madura; a continuación, se seca, se tuesta y finalmente se muele. Cuando se mezcla con granos de café, la achicoria le confiere un deje dulce y amargo a la vez con un ligero sabor a nueces. Los habitantes de Luisiana añaden achicoria molida a un vaso de leche tibia como sedante nocturno, así como a los jugos de carne, sopas y panes negros para oscurecerlos y realzar su sabor. La costumbre de mezclar café y achicoria molida se remonta a la época de la llegada de los colonos franceses a Norteamérica y, a su vez, de las tropas de Napoleón, que diluían su café con achicoria seca y molida para alargar la provisión de café, ya que era un producto muy escaso.

La sala de degustación

Nueva Orleans es uno de los mayores importadores de café del mundo desde hace dos siglos. Cuando los inmensos sacos de granos verdes de café llegan a los puertos del río Misisipí, empieza un importante proceso: la degustación. Ésta consiste en degustar y oler los granos de café para elegir los de mejor calidad.

La persona clave en este proceso es el catador, que efectúa el control de calidad. Utiliza su fino sentido del olfato y del gusto para probar y evaluar los granos verdes. En la sala de degustación, se colocan los granos en una mesa giratoria. A continuación, se tuestan de manera uniforme y se muelen en un molinillo en miniatura. Lo primordial para este proceso es obtener un poso y un color uniformes. El color tostado uniforme permite al catador descubrir cualquier sabor y aroma indeseables de los posos. Éstos se pasan entonces a boles. Se vierte agua caliente por encima y, de inmediato, el catador puede juzgar la calidad aromática de los granos. Seguidamente, sorbe un poco de café y lo conserva en la boca el tiempo suficiente para poder apreciar su sabor, distinguiendo su cuerpo, su acidez, su riqueza, su suavidad y su amargor. El catador hace girar la mesa hasta el siguiente bol y empieza de nuevo el proceso hasta catar todas las muestras. Este proceso de eliminación permite elegir los granos de calidad.

La sala de degustación de una compañía importadora de café. Los boles blancos de porcelana se alinean en una mesa giratoria y se llenan con café de diferentes muestras de granos para que el catador los pruebe.

Una vez examinados, los granos de café se ponen en tolvas o silos etiquetados. El catador especificará al tostador las variedades de granos necesarias y el color definitivo del torrefacto (en Luisiana, éste suele ser oscuro). El color indica el tiempo de tueste. Finalmente, el tostador secará las muestras y enviará los resultados al catador.

Superior: el desayuno típico de Nueva Orleans se compone de una taza de café con leche y un plato de buñuelos recién hechos. Inferior: resulta prácticamente imposible preparar un auténtico *Café brûlot* en casa. Se necesita cierta experiencia para encender y remover el café a la vez.

Café Brulôt diabolique

Antoine's, el restaurante más antiguo de Nueva Orleans, abrió en 1840 y pertenece a la misma familia desde hace cinco generaciones. Durante la época de la Ley Seca (la ley que prohibió la venta y la fabricación de alcohol en Estados Unidos entre 1920 y 1933), los clientes degustaban su café cargado (ilegalmente) de coñac, disimulado en tazas de pie especialmente diseñadas por el cocinero. El café tenía que ser "caliente como el infierno, fuerte como el demonio, negro como el pecado y dulce como el amor", como reza el refrán. El restaurante Antoine's sigue sirviendo esta especialidad tan apreciada. La preparación de la bebida es todo un espectáculo, seguido por todos los presentes: se reduce la intensidad de la luz, el camarero enciende el coñac y la llama azul ilumina momentáneamente las caras de los comensales con un resplandor misterioso.

Café Brulôt diabolique

8 clavos de especia enteros
1 trozo de canela en rama de 2,5 cm de largo
la corteza de 1 limón entero cortada fina
6 terrones de azúcar
4 vasitos (180 ml) de coñac de calidad
4 tacitas de café solo fuerte

Ponga todos los ingredientes, excepto el café (ya preparado y caliente), en un cuenco de *brulôt* (un braserillo de cobre redondo). A continuación, encienda el coñac en el cuenco y déjelo quemar de 1 a 2 minutos. Remueva la mezcla mientras el coñac se consume. Añada poco a poco el café hasta que lo haya vertido todo y se apague la llama. Remueva bien mientras vierte el café para que los sabores de todos los ingredientes se entremezclen. Sirva de inmediato.

Café au Lait New Orleans Style
Café con leche al estilo de Nueva Orleans

1 taza de leche entera
1 taza de una mezcla de café y achicoria
azúcar, si lo desea

En un cazo pequeño, caliente la leche sin que llegue a hervir. Retírela del fuego. Mézclela con el café a su gusto, añadiendo más o menos leche. Tómelo muy caliente.

Preparación de un café de Luisiana

A los habitantes de Luisiana les gusta el café fuerte de doble torrefacto y mezclado con achicoria. Siempre le añaden leche caliente, obteniendo un café con sabor a chocolate. Los criollos creían que beber café a primera hora del día aseguraba la longevidad y facilitaba la digestión. Un viejo truco criollo para evitar el café turbio consistía en poner un trozo de carbón de 2,5 cm de grosor en el fondo de la cafetera. Existen varias reglas para conseguir un café perfecto, sobre todo si se utiliza una cafetera de filtro, como hacen los criollos:

1. Utilice siempre agua fría limpia y una cafetera enjuagada.
2. Utilice el agua tan pronto como hierva.
3. Vierta un poco de agua sobre el poso y espere hasta que pase toda.
4. Siga vertiendo agua al gusto.
5. No hierva nunca el café una vez preparado.
6. Para mantener el café caliente, ponga la cafetera al baño María, es decir, en un recipiente plano con agua caliente colocado sobre el fuego, que sirve para mantener las cosas calientes sin ponerlas en contacto directo con el calor.

El Mercado Francés

El Mercado francés *(Les Halles)* de Nueva Orleans abrió sus puertas en 1791, en Jackson Square, como principal factoría y café. Era un bazar de delicias exóticas: flores tropicales, marisco, frutas, hortalizas, carnes y medicinas. En aquella época, el Mercado francés *(French Market,* en inglés) era el centro de los negocios y la vida social. Los indios chacta vendían hierbas y hortalizas, se comerciaba con esclavos, y las amas de casa criollas compraban los alimentos básicos. En la sala redonda del café, los hombres de negocios, los soldados, los caballeros y gente de toda condición se reunían para tomar café con leche por la mañana y café solo por la noche.

En 1812, un huracán destruyó el mercado original, pero fue reconstruido rápidamente con más puestos de carnicería y pollería. En la actualidad, la estructura de tres manzanas de largo con columnas alberga durante todo el año un mercado con productos agrícolas de la región. Las ristras de ajos cuelgan de los techos y montañas de pacanas llenan las mesas. Los habitantes del lugar acuden a comprar calabazas en otoño y los famosos higos de Luisiana. Durante la primavera y el verano, abundan las fresas y otras frutas de la región. Todos los puestos exponen un extenso surtido de productos de Luisiana.

Boniatos (o ñames de Luisiana)

A principios del siglo XVIII, Antoine Simon Le Page du Pratz, un explorador de origen holandés que representaba a Francia, descubrió el boniato *(Ipomea batatas)* en Luisiana. Lo describió así: "los boniatos son tubérculos más largos que gruesos; su forma es variada y su piel fina es como la de las aguaturmas. Por su consistencia y su sabor, se parecen a las castañas".

En Luisiana llaman "ñames" *(yams)* a los boniatos para diferenciarlos de las otras variedades. En realidad, no son ñames. Sin embargo, la palabra inglesa *yam* deriva de la palabra de origen senegalés *nyami*. Provienen de la familia de la maravilla, una planta trepadora con flores. Los ñames de Luisiana se cosechan desde principios de verano hasta otoño. La última semana del mes de octubre, en la ciudad de Opelousas se celebra la Louisiana Yambilee en honor a este tubérculo altamente nutritivo. Los boniatos no se deben refrigerar; se conservan hasta cuatro semanas en un lugar fresco y seco. Se consumen cocidos al horno, hervidos, salteados, fritos, secos o almibarados (la preparación favorita de los lugareños).

Tomates criollos

Los tomates criollos de piel fina son bastantes jugosos, poco ácidos, de textura fina y de olor dulce. El suelo fértil y la humedad de Luisiana contribuyen

El característico tomate criollo, ligeramente veteado de amarillo, es el único tomate que utilizan los habitantes de Luisiana, durante su temporada.

a su sabor dulce. La temporada de los tomates criollos dura desde principios de junio hasta finales de verano. Se han de conservar a temperatura ambiente (al refrigerarlos, pierden sabor). Se han de consumir localmente, ya que su fragilidad dificulta el transporte. Resultan deliciosos estofados, fritos (cuando son verdes), salteados, cocidos al horno o secos.

Chayotes

El chayote *(Sechium edule),* también llamado *mirliton* o *christophine,* pero más conocido localmente como "pera hortaliza", llegó a Luisiana desde las Antillas. Esta planta trepadora, disponible desde finales de verano hasta otoño, pertenece a la familia del pepino. El chayote tiene una piel verde y una pulpa blanca y crujiente de sabor suave. Se conserva hasta un mes en el frigorífico. Se puede servir hervida, cocida al horno, encurtida o rellena; la semilla es comestible.

Quingombós

El quingombó *(Abelmoschus esculentus),* también llamado okra, llegó a Luisiana de manos de los africanos y los antillanos. El nombre proviene de dos términos: *nkruman,* en la lengua twi hablada en Ghana, y *ochingombo,* en la lengua umbundu de los esclavos angoleños, que se quedó en *gombo.*

Se dice que los congoleños que fueron llevados como esclavos desde África hasta Luisiana trajeron semillas de quingombó escondidas en el pelo. Esta hortaliza acanalada de color verde tiene forma de bala con un final en punta. Las semillas blancas se vuelven gelatinosas al cocerlas; sirven para espesar el *Gumbo,* una especialidad de Luisiana. El quingombó se ha de cosechar joven (con menos de 7,5 cm), ya que las plantas más viejas son bastante fibrosas e indigestas. No se deben cocer nunca en una sartén de hierro fundido, ya que se volverían negros.

Una cesta de productos frescos del Mercado francés:
1. Boniatos 2. Quingombós 3. Fresas de Luisiana 4. Chayotes

Fried Okra
Quingombó frito

500 g de quingombós lavados
½ taza de harina
½ taza de harina de maíz
1 cucharadita de sal
1 cucharadita de pimienta
aceite de maíz para freír

Corte los quingombós en rodajas de 1,3 cm, aproximadamente. Resérvelos. A continuación, mezcle el resto de los ingredientes en un cuenco. Caliente el aceite (unos 2,5 cm) en una sartén a 190°C. Reboce los quingombós en la mezcla de harina. Fríalos en el aceite caliente hasta que se doren. Escúrralos sobre papel de cocina. Mantenga los quingombós calientes en el horno mientras fríe el resto. Sirva de inmediato. Para 4 personas.

Fresas de Luisiana

Las fresas de Luisiana son pequeñas y dulces, con un sabor delicado característico. Estas deliciosas bayas son tan frágiles que casi se deshacen antes de llegar a la boca. La mejor época para degustarlas es en abril, si bien se pueden encontrar antes. La ciudad de Ponchatoula (término indio chacta que significa "cabellos ondeantes", en referencia al musgo que cuelga de los árboles de la región) celebra en abril la Fiesta de la Fresa. Ponchatoula envía cada año cerca de 200 vagones de fresas maduras por todo el mundo. Las fresas son muy sabrosas al natural, pero también para preparar tartas, conservas, jaleas y mermeladas.

Macerated Strawberries
Fresas maceradas

500 g de fresas de Luisiana lavadas, sin el tallo y partidas por la mitad
3 cucharadas de azúcar extrafino
2 cucharadas de ron negro
1 naranja pelada, cortada en gajos y luego en trozos de 1,25 cm

Mezcle todos los ingredientes en un cuenco. Deje macerar en el frigorífico de 1 a 2 horas. Sirva con soletillas o sobre queso cremoso criollo. Adorne con menta fresca. Para 2–4 personas

Queso cremoso criollo

El queso cremoso criollo es una variante del *fromage blanc* que los franceses toman al final de las comidas. Para su elaboración, se cuaja leche desnatada (a veces mezclada con suero de leche), se escurre y se vierte una capa de nata sobre la mezcla. Cuando está listo para su consumo, se mezcla la nata con el resto del queso y se cubre con azúcar o fruta (sobre todo fresas), o sal y pimienta. Se toma para desayunar, comer, cenar o como aperitivo. El queso cremoso es prácticamente desconocido en el resto de Estados Unidos, porque no se puede elaborar en cualquier parte. Algunos creen que hay cierta bacteria beneficiosa en la leche o en el aire que sólo se encuentra en Luisiana. Los granjeros siguen elaborando el queso cremoso criollo para su propio consumo, mientras que algunas lecherías o supermercados producen su propia marca para venderla al por menor.

Una foto antigua del Mercado francés a finales del siglo XIX. En primer plano, se puede ver a una mujer india chacta vendiendo hojas de sasafrás (de las cuales se obtiene el polvo filé, utilizado para espesar el *gumbo).*

UN CLÁSICO MENÚ CRIOLLO DE SIETE PLATOS

A grandes rasgos, la palabra "criollo" significa "nativo de un lugar". Pero, ¿quiénes son en realidad los criollos? El término designa a las personas de ascendencia francesa o española nacidas en las colonias. En Luisiana, esta denominación ha sido reivindicada por dos grupos diferentes. Los criollos blancos sostienen su ascendencia aristócrata francesa o española. Los criollos negros, que tienen los mismos apellidos que sus antiguos amos, afirman proceder de las mismas familias. El color café con leche de la piel de los criollos negros dio origen a los términos "ochavón" (mulato claro), "mulato" y "cuarterón", en referencia a la mezcla racial entre personas blancas y negras.

Cuando los franceses llegaron a principios del siglo XVIII, los generosos indios chacta les mostraron los alimentos oriundos de la zona. Les enseñaron a hacer pan, preparar hortalizas y frutas (tales como el maíz, las judías, una variedad de invierno de la calabaza de cuello torcido y los caquis), elaborar jarabes con las bayas y las frutas de la región y moler las hojas de sasafrás para obtener polvo filé, utilizado para espesar las sopas.

Los criollos del siglo XIX mantenían los buenos modales y el servicio formal de las clases altas en el comedor. Algunas de estas costumbres perduran desde entonces, pero la mayoría de los rituales gastronómicos más elaborados permanece en los libros de historia. Una cena criolla formal podía incluir hasta siete platos, al estilo parisino. La sopa de tortuga era el entrante favorito, mientras que los platos intermedios (como ostras, pescado o incluso carne) terminaban con el *coup de milieu,* una copa de ponche que refrescaba el paladar y facilitaba la digestión. El *ponche romaine* era el favorito. En cada comida se servía ensalada. Antes de prepararla, se ponía un *chapon* (un trozo de pan frotado con ajo y sal) en el fondo de la ensaladera, que se removía con la ensalada pero se retiraba antes de servirla.

Cada comensal aliñaba la ensalada a su gusto en la mesa. La cena terminaba con el postre, seguido del café y las ratafías (licores caseros) y tal vez algunos dulces como, por ejemplo, pralinés.

Los franceses también aportaron la técnica del *roux,* utilizado para espesar sopas y preparar salsas, y los ingredientes de la "santísima trinidad", un *mirepoix* de cebolla, apio y pimiento dulce. El repertorio de la cocina francesa clásica se preparaba tanto en los restaurantes como en las casas señoriales.

La sopa de tortuga: un plato típico del menú de siete platos criollo

Los españoles trajeron a Luisiana su afición por los tomates, los pimientos y las salchichas. En los primeros años del siglo XIX, mientras que en Nueva Orleans los tomates se utilizaban para preparar *gumbos* y deliciosas salsas, en Francia y en Inglaterra esta fruta del Viejo Mundo era estrictamente ornamental. Su parecido con las bayas venenosas de la hierba mora hizo que los europeos lo descartaran como fruto comestible. Los españoles aportaron sus técnicas culinarias, creando salsas de cocción lenta y un plato de arroz criollo llamado *jambalaya,* similar a la paella.

Los cocineros esclavos antillanos y africanos implantaron el estilo *soul* en la cocina criolla. Sus métodos de cocción lenta solían seguir el ritmo de los himnos o cantos familiares. Su gusto cultural por las especias realzó la condimentación de la cocina local. Trajeron consigo los quingombós de África, el ingrediente principal del *gumbo.*

Los inmigrantes italianos (básicamente sicilianos) aportaron a la cocina criolla las salsas de tomate, un generoso uso del ajo y el relleno a base de pan rallado para las hortalizas (tales como alcachofas y calabacines), entre otras cosas.

El cocinero criollo utiliza un equipo muy básico. La sartén de hierro negro, que pasa de generación en generación, es la pieza más importante. "Es con la vieja cacerola que se hacen las buenas sopas", dijo Lafcadio Hearn en 1885. El recipiente de baño María (una cacerola grande llena de agua hirviendo en la cual se introduce un recipiente más pequeño con comida, para cocerla o mantenerla caliente) es otro utensilio esencial en la cocina criolla. En una olla grande de hierro llamada *cocido,* a la cual se añaden las sobras de carne, aves o pescado, siempre se preparan caldos que se dejan hervir lentamente en los fogones.

Hoy en día, esta cocina urbanizada sigue reflejando las tradiciones artesanales de la cultura de tiempos pasados. La sofisticada cocina criolla, con sus elaboradas salsas combinadas con sabores fuertes, es una de las cocinas regionales más interesantes y singulares de Estados Unidos.

Las ostras Bienville, u ostras Rockefeller, se sirven como segundo plato.

Oysters Bienville
Ostras Bienville

sal gema
2 docenas de ostras en media concha
¼ taza de pan rallado
¼ de queso parmesano rallado
¼ cucharadita de pimentón
una pizca de pimienta de Cayena
sal y pimienta al gusto
½ manojo de cebolletas
3 cucharadas de mantequilla
¾ taza de gambas peladas y picadas finas
100 g de champiñones botón frescos
1 yema de huevo
¼ taza de nata
¼ taza de vino blanco
1 cucharada de zumo de limón

Precaliente el horno a 200°C. Esparza la sal gema en una bandeja de horno, formando una capa de 2,5 cm, y disponga las ostras encima. Hornee durante 5 minutos o hasta que los bordes de las ostras empiecen a rizarse. Retire del horno y reserve.

En un cuenco pequeño, mezcle el pan rallado, el parmesano, el pimentón, la pimienta de Cayena, la sal y la pimienta. Rectifique la condimentación al gusto.

En una sartén de hierro fundido, dore las cebolletas en la mantequilla a fuego medio durante 3 minutos. Seguidamente, añada los champiñones y saltee 2 minutos. Agregue las gambas y saltee durante 3 minutos más. Retire del fuego y reserve.

Bata la yema de huevo con la nata en un cuenco pequeño. Añada el vino y el zumo de limón. Incorpore poco a poco la mezcla de champiñones y gambas. Bata bien, sin dejar que el huevo cuaje. Vuelva a poner la preparación a fuego medio-bajo durante unos 10 minutos aproximadamente. Cuando la salsa esté bastante espesa y nape la cuchara, retire la sartén del fuego y cubra las ostras con la salsa. A continuación, espolvoree la mezcla de pan rallado por encima. Hornee de 3 a 5 minutos o hasta que se dore. Para 4 personas.

La ensalada verde sería el quinto plato, después del pescado y de la carne.

Green Salad with French Dressing
Ensalada verde con vinagreta

1 cogollo de lechuga Boston
1 tomate

Vinagreta:

4 cucharadas de aceite de oliva
1 cucharadita de mostaza
1 cucharada de vinagre de vino tinto
¼ cucharadita de sal
pimienta al gusto
1 yema de huevo cocida y chafada

Lave la lechuga, séquela y pártala en trocitos. Lave el tomate y córtelo en gajos. Mézclelos. Reserve.

Bata la mostaza y el aceite, vertiendo éste en un chorro fino. Añada el vinagre, la sal y la pimienta. Mezcle bien. Añada la yema de huevo chafada. Vierta la salsa sobre la ensalada. Para 4 personas.

Pompano en Papillote
Pámpano en papillote

6 filetes de pámpano (1,5 kg aprox.)
1½ cucharaditas de sal
⅛ cucharadita de pimienta negra
½ taza, o más, de mantequilla reblandecida
2 escalonias picadas
250 g de champiñones
½ taza de vino blanco
3 cucharadas de zumo de lima o limón
1 cucharada de perejil picado

Enjuague los filetes y séquelos bien. Espolvoréelos por dentro con sal y pimienta. Corte 6 trozos de papel pergamino o papel de aluminio resistente de 45 × 45 cm cada uno. Úntelos ligeramente con unas 2 cucharadas de mantequilla y disponga el pescado encima.

Caliente la mantequilla restante en una sartén mediana y saltee las escalonias hasta que estén tiernas y crujientes. Añada los champiñones y cueza hasta que estén tiernos. Vierta el vino y el zumo de limón y lleve a ebullición. Baje el fuego y deje hervir de 2 a 3 minutos. A continuación, agregue el perejil, retire la mezcla de la sartén y repártala uniformemente entre los 6 filetes. Doble el papel sobre el pescado y cierre los bordes mediante pliegues, formando 6 paquetes. Por último, hornee a 180°C de 45 a 50 minutos o hasta que el pescado se desmenuce fácilmente. Para 6 personas. Véase fotografía superior.

ARROZ EN CAJÚN Y CRIOLLO

Platos de arroz Cajún y Criollos

Los habitantes de Luisiana consumen más arroz que el resto de los norteamericanos: unos 35 kg anuales por persona. El arroz, un alimento básico en la cocina cajún y criolla, se toma una vez al día como mínimo, a menudo dos. Luisiana es el tercer productor de arroz de Estados Unidos (después de California y Arkansas) y lo cultiva desde hace más de 250 años. El historiador M. Le Page du Pratz describió el cultivo de arroz en las marismas cercanas a Nueva Orleans ya en 1718. El grano llegó a Luisiana por medio de los colonos ingleses de Carolina del Sur. En 1880, los arrozales abundaban a lo largo del río Misisipí y en el sudoeste de Luisiana. La tierra húmeda de esta zona contenía una gran cantidad de arcilla, que retiene el agua y crea unas condiciones perfectas para el cultivo del arroz. La gente incluso lo cultivaba en sus casas, en los estanques o las ciénagas del jardín, y lo denominaban "arroz de providencia". De hecho, el éxito de la cosecha de arroz se debía a la Providencia.

En el sudoeste de Luisiana, donde se cultiva el 80% del arroz de todo el estado, prefieren el arroz blanco de grano medio, ya que es más glutinoso. En el resto del estado prefieren el de grano largo o extra largo. También es muy popular la variedad "popcorn" o "pacana silvestre", un arroz de grano largo que al molerlo pierde gran parte de la capa de salvado. Sólo se cultiva en los alredededores de New Iberia y no contiene ni pacanas ni arroz silvestre. Al cocerlo, adquiere un característico sabor a nueces.

Dirty Rice
Arroz sucio

375 g de mollejas de pollo	
2 cucharadas de aceite vegetal	
500 g de carne picada de cerdo	
1 taza de cebolla troceada	
½ taza de apio troceado	
½ taza de pimiento dulce troceado	
2 cucharaditas de ajo picado	
2 cucharaditas de sal	
½ cucharadita de pimienta negra	
1 cucharadita de pimienta de Cayena	
½ cucharadita de tomillo seco	
4 tazas de arroz de grano medio, cocido	
½ taza de cebolletas troceadas	
½ taza de perejil picado	

En un cazo mediano, cubra las mollejas con abundante agua y lleve a ebullición. Pase a fuego medio y cueza las mollejas durante 1 hora aproximadamente o hasta que estén tiernas. Escúrralas, reservando el líquido, y píquelas finas. Reserve.

Vierta el aceite vegetal en una sartén grande de hierro a fuego medio-alto. Añada la carne picada y cuézala durante 5 minutos. Agregue la cebolla, el apio y el pimiento. Deje cocer hasta que las verduras estén tiernas, de 5 a 6 minutos aproximadamente. Añada el ajo y cueza durante 2 minutos más. Incorpore las mollejas, la sal, la pimienta negra, la Cayena y el tomillo. Remueva. Añada el caldo reservado (1¼ tazas aproximadamente) de las mollejas, rascando el fondo de la sartén para despegar cualquier resto de la mezcla. Agregue el arroz, incorporándolo a la mezcla. Añada las cebolletas y el perejil. Asegúrese de calentarlo todo bien. Sirva de inmediato. Para 6–8 personas.

Creole Jambalaya
Jambalaya criolla

⅓ taza de aceite vegetal
1 cebolla grande troceada
½ taza de apio troceado
1 pimiento dulce troceado
3 ramitas de tomillo
2 dientes de ajo picados
250 g de jamón cortado en daditos
250 g de salchichas de cerdo ahumadas, en rodajas de unos 0,5 cm
470 g de tomates enteros en lata
½ cucharadita de clavos de especia molidos
1 hoja de laurel
2 cucharaditas de perejil picado
2 cucharaditas de sal
6 gotas de Tabasco
1 cucharadita de pimienta de Cayena
750 g de gambas peladas
1½ tazas de arroz crudo
3 tazas de caldo de pollo

Caliente el aceite en una sartén grande de hierro fundido a fuego medio. Añada la cebolla, el apio, el pimiento y el tomillo. Sofría de 8 a 10 minutos aproximadamente hasta que esté casi dorado. Añada el ajo y sofría la preparación durante 2 minutos más. Agregue el jamón y la salchicha, y dórelos. Sofría durante 10 minutos, rascando el fondo para despegar cualquier resto de carne o verduras. Incorpore los tomates, los clavos, el laurel, el perejil, la sal, el Tabasco, la pimienta de Cayena y el arroz. Mezcle bien, removiendo y sofriendo durante 3 minutos. Vierta el caldo. Mezcle bien y tape la sartén. Pase a fuego lento y cueza durante 30 minutos aproximadamente o hasta que el arroz esté tierno y haya absorbido el líquido. Añada las gambas, tape y cueza de 5 a 8 minutos más hasta que las gambas estén cocidas. Retire del fuego y deje reposar durante unos minutos. Sirva la *jambalaya* muy caliente. Para 6–8 personas.

Judías rojas con arroz

El plato de Judías rojas con arroz, una receta sencilla con mucho folclore, siempre se sirve los lunes. Para las amas de casa, el lunes era el día de la colada y podían dejar una olla de judías al fuego durante varias horas. Cuando terminaban la colada, las judías ya estaban cocidas. Según otra versión, este plato se prepara el lunes para aprovechar el hueso de jamón que sobraba de la cena del domingo. Los bebedores aseguran que el "rojo y blanco", tal como se suele llamar a este plato, se sirve el lunes porque el arroz absorbe el alcohol tomado durante el fin de semana. En Luisiana, cuando la gente tenía poco dinero, decía "Sólo nos queda un picayune (moneda de cinco centavos)" o "Estamos en el rojo y blanco". El maestro Longhair, el legendario músico de Nueva Orleans, idolatraba tanto este plato que le dedicó una canción: "I've Got My Red Beans Cooking" ("Tengo las judías rojas en el fuego").

Red Beans and Rice
Judías rojas con arroz

500 g de judías rojas
2 l de agua
4 cucharadas de aceite vegetal
1 cebolla grande troceada
1 pimiento dulce grande troceado
3 tallos de apio troceados
2 dientes de ajo grandes picados
1 hueso de jamón grande o 2 jarretes de cerdo magros
375 g de salchichas *andouille*, en rodajas de 1,25 cm (opcional)
2 hojas de laurel
sal y pimienta al gusto
arroz al vapor para 8 personas
1 manojo de escalonias picadas (para adornar)

Deje las judías en remojo durante toda la noche. Ponga las judías y el agua en una olla grande y lleve a ebullición. Entretanto, saltee las hortalizas, el jamón y las salchichas *andouille* en el aceite en una sartén grande. Sofríalo todo. Añada las verduras y la carne a la olla con las judías cuando rompa el hervor. Agregue las hojas de laurel. Pase a fuego lento y cueza las judías hasta que estén tiernas, entre 2 y 3 horas. Sazone con sal y pimienta. Sirva sobre el arroz y espolvoree con las escalonias picadas. Para 8 personas.

Jambalaya criolla. La palabra *"jambalaya"* proviene supuestamente del término francés *jambon* o de su equivalente en español, jamón (uno de los principales ingredientes del plato). Puesto que tanto los franceses como los españoles tuvieron una gran influencia en Nueva Orleans, las dos teorías son posibles.
El Conrad Rice Mill, fundado en 1912 en New Iberia (Luisiana), es el molino arrocero en funcionamiento más antiguo de Estados Unidos. Está catalogado como Monumento histórico nacional.

SOPAS Y GUMBO

En Luisiana, las sopas y los *gumbos* se preparan con un extenso surtido de ingredientes, incluidos caimán, alcachofas y ostras, pollo y salchichas, cangrejos de río, pato y salchichas *andouille,* gambas y tortugas. El *Court Bouillon* designa a la vez un plato criollo (gallineta cocida con tomates, pimientos y cebollas en un caldo de pescado) y un plato cajún (pescado o marisco cocido en un caldo espeso).

La palabra *gumbo* proviene supuestamente de los términos de origen africano *quingombo, kingombo* y *ocingombo,* que designan la hortaliza llamada quingombó. Algunos creen que este plato es una variante del guiso francés de pescado llamado *bouillabaisse,* improvisada por los colonos franceses con pescado y marisco de la región. Los españoles aportaron el pimentón, los africanos el quingombó y los indígenas norteamericanos el polvo filé, convirtiendo el guiso en una mezcolanza tan diversa como la herencia del estado de Luisiana. Se puede utilizar cualquier combinación de carnes, aves o marisco para preparar el *gumbo,* que normalmente se sirve sobre arroz dentro de un cuenco. En el siglo XIX, cuando no siempre había arroz, éste se solía sustituir por *moussa,* unas gachas de harina de maíz. Mucha gente prefería la *moussa* al arroz y había quienes enriquecían el *gumbo* con huevos, ya sea escalfados o hervidos.

Los ingredientes del *gumbo* varían de una región de Luisiana a otra. Se dice que los tomates se añaden únicamente en Nueva Orleans y en el sudeste de Luisiana. En la región sudoeste se decantan por el *Gumbo* de pollo y salchichas, también conocido como *Gumbo Ya Ya,* que se espesa sólo con un *roux* (no se añaden ni quingombós ni tomates). Y, cuanto más oscuro sea el *roux,* más sabroso será el *gumbo.* De todas maneras, el *gumbo* refleja la personalidad del cocinero en cuanto a la elección de los ingredientes y depende de la disponibilidad de éstos.

El *Gumbo Z'Herbes* es un plato criollo que se sirve tradicionalmente el Jueves Santo, durante la época de la Cuaresma. La única carne utilizada como ingrediente es el jarrete de jamón. Un viejo dicho recalca la afición de los sureños por las verduras: "Por cada verdura que se añade a la olla, se gana una amistad".

Court Bouillon

Court Bouillon
Olla de pescado

1,25 kg de filetes de gallineta o cubera cortados en trozos de 5 cm
⅓ taza de aceite vegetal
⅓ taza de harina
1½ tazas de cebolla troceada
1 taza de apio troceado
¾ taza de pimiento dulce troceado
2 dientes de ajo picados
3 hojas de laurel
3 tazas de tomates de lata o frescos picados
2½ tazas de caldo de pescado
1 cucharadita de sal
½ cucharadita de pimienta
una pizca de pimienta de Cayena
½ taza de perejil fresco picado
¼ taza de albahaca fresca picada

Salpimiente ligeramente los filetes. Cúbralos y refrigérelos.

En una sartén grande de hierro fundido, prepare un *roux* oscuro con el aceite y la harina a fuego medio-alto, sin dejar de remover con una cuchara de madera durante 15 minutos. Añada la cebolla, el apio y el pimiento, y cueza durante 6 minutos, removiendo constantemente. Agregue el ajo y el laurel. Cueza 2 ó 3 minutos más. Incorpore los tomates, el caldo de pescado, la sal, la pimienta y la Cayena. Baje el fuego y deje hervir durante 1 hora, destapado, removiendo de vez en cuando. Sazone con el perejil y la albahaca. Añada el pescado y cueza durante 10 minutos o hasta que el pescado se pueda desmenuzar con un tenedor. Retire del fuego. Sirva caliente. Para 6 personas.

Polvo filé

Los indios chacta fueron los primeros en descubrir las propiedades espesantes de las hojas de sasafrás *(Sassafras albidum)* y las introdujeron en los platos que elaboraban los franceses. Las indias norteamericanas cosechaban las hojas jóvenes y tiernas de sasafrás, las extendían para secarlas y las molían para obtener un polvo fino. Para lograr un polvo extrafino, lo pasaban por un tamiz.

El polvo filé se utiliza para espesar el *gumbo* cuando se ha retirado del fuego. Se vierte en el guiso caliente y se remueve bien. Una vez se ha añadido el polvo filé, el *gumbo* no se puede volver a calentar, ya que la mezcla se volvería fibrosa o se solidificaría en el fondo de la olla.

Crawfish Bisque
Bisque de cangrejos de río
Para las cabezas de cangrejo rellenas:

¼ taza de mantequilla
2 cebollas troceadas
1 taza de apio troceado
1 taza de pimiento dulce rojo troceado
1 cucharadita de sal
½ cucharadita de ralladura de limón
1 cucharadita de pimienta de Cayena
3 dientes de ajo
1 kg de colas de cangrejo de río crudas picadas finas
el zumo de 1 limón
1½ tazas de pan rallado fino
¼ taza de perejil picado
2 cucharadas de aceite de oliva
80–100 cabezas de cangrejo de río
harina

Derrita la mantequilla a fuego medio-alto en una sartén grande de hierro fundido. Añada las cebollas, el apio, el pimiento, la sal, la ralladura de limón y la pimienta de Cayena. Saltéelo todo de 7 a 8 minutos hasta que las hortalizas estén blandas y doradas. Añada el ajo y cueza durante 2 minutos más. Agregue las colas de cangrejo y el zumo de limón. Cueza, removiendo durante 8 minutos, hasta que se dore ligeramente. Retire del fuego. Incorpore el pan rallado, el perejil y el aceite de oliva. Deje enfriar. Rellene las cabezas. Rebócelas con harina y páselas a una bandeja de horno. Hornéelas a 190°C durante 15 minutos. Véase fotografía inferior.

Bisque:

1 taza de aceite vegetal
1 taza de harina
2 tazas de cebollas troceadas
1 taza de pimientos dulces rojos troceados
1 taza de apio troceado
1 cucharadita de sal
½ cucharadita de pimienta de Cayena
1 kg de colas de cangrejo de río crudas
80–100 cabezas de cangrejo rellenas
¼ taza de zumo de limón
2½ tazas de caldo de cangrejo de río o agua
1 manojo de cebolletas troceadas
⅓ taza de perejil picado
salsa picante, opcional

En una sartén grande de hierro fundido o en una olla a fuego medio, prepare un *roux* con el aceite vegetal y la harina. Remueva constantemente hasta que el *roux* adquiera el color de la manteca de cacahuete. Si el *roux* se quema, deberá desecharlo y elaborarlo de nuevo. A continuación, añada las cebollas, los pimientos, el apio, la sal y la pimienta de Cayena. Cueza, removiendo, durante 6 minutos aproximadamente o hasta que las hortalizas estén blandas. Vierta el zumo de limón y el caldo de cangrejo. Lleve todo a ebullición. Agregue las colas de cangrejo. Baje el fuego y deje hervir durante 1 hora. Finalmente, incorpore las cabezas de cangrejo rellenas, las cebolletas y el perejil. Sirva de inmediato. Si lo desea, puede añadir unas gotas de salsa picante. Para 8 o más personas.

Gumbo Ya Ya
Gumbo de pollo y salchichas

1¼ tazas de harina
1½ cucharaditas de pimienta de Cayena
1 cucharadita de pimienta negra
2 cucharaditas de sal
1 pollo de 1,5–2 kg cortado en trocitos
1 taza de aceite
2 cebollas troceadas
1 taza de apio troceado
¾ taza de pimiento dulce verde troceado
2 cucharaditas de ajo picado
9 tazas de caldo de pollo
500 g de salchichas *andouille* cortadas en rodajas de 1,25 cm
sal y pimienta adicional
1 cucharadita de tomillo seco
2 hojas de laurel
⅓ taza de perejil picado
polvo filé, para aderezar

En un cuenco mediano, mezcle ½ taza de harina, ½ cucharadita de pimienta de Cayena, la pimienta negra y 1 cucharadita de sal. Reboce ligeramente el pollo con la mezcla de harina. Retire el exceso.

En una sartén grande a fuego medio-alto, dore el pollo en ¼ taza de aceite por ambos lados y resérvelo. Baje el fuego. Rasque el fondo de la sartén con un batidor para despegar los trocitos de pollo que hayan quedado adheridos. Añada el aceite restante a la sartén fuera del fuego y bata gradualmente la harina hasta incorporarla toda para elaborar un *roux*. Devuelva la sartén al fuego y remueva constantemente hasta que el *roux* adquiera un tono muy oscuro (color chocolate oscuro), durante unos 20 minutos. Vigile que el *roux* no se queme. Añada las verduras (excepto el ajo) y cueza durante 5 minutos más. Agregue el ajo y cueza de 1 a 2 minutos aproximadamente hasta que esté blando. Pase la mezcla a una olla grande para preparar el *gumbo*. Vierta el caldo de pollo. Mezcle bien y lleve a ebullición. Baje el fuego. Añada el pollo, las salchichas *andouille,* la pimienta, la sal, el tomillo y el laurel. Cueza la preparación de 1½ a 2 horas aproximadamente hasta que el pollo esté tierno. Incorpore el perejil. Sirva en platos hondos sobre arroz cocido al vapor. Si lo desea, aderece el plato con polvo filé. Para 6 personas.

Beber en Nueva Orleans

Cócteles

Cuando llegaron los colonos franceses y españoles, trajeron consigo excelentes vinos y coñacs. Era corriente tomarse un trago a primera hora de la mañana. Para los comerciantes, que desayunaban al alba, era una práctica habitual. El día podía empezar con un vino blanco, continuar con un clarete y finalizar con un café solo. Los comerciantes antillanos introdujeron el *taffia* o ron, elaborado con caña de azúcar, que pasó a ser una bebida popular.

En 1793, un joven boticario de Nueva Orleans, Antoine-Amadé Peychaud, abrió una tienda en Royal Street donde vendía bebidas y pócimas especiales preparadas según una receta familiar. Con el tiempo, añadió ron a la receta original de agua tónica y bitters. Peychaud servía siempre sus bebidas en *coquetiers* (hueveras), un término francés que se abrevió como *cocktay*, probablemente el origen de la palabra *cocktail* (cóctel).

Las ratafías se sirven en finas copas de licor.

Ratafías

Las ratafías son los licores elaborados con flores, frutos secos, bayas u otras frutas bañados en coñac. Los primeros colonos franceses elaboraron las ratafías con coñac francés de calidad. Las bayas o frutas han de estar muy maduras, casi pasadas. Si usa flores, déjelas marchitar durante un par de días. El tiempo de maceración depende de la fruta o flor utilizada, pero no debe ser inferior a un mes. Durante este tiempo, la ratafía debe conservarse en una botella sellada herméticamente en un lugar fresco y oscuro.

500 g de fresas muy maduras
¼ taza de azúcar
500 ml de coñac

Lave y limpie las fresas. Cháfelas junto con el azúcar. Añada el coñac. Vierta la mezcla en un tarro y ciérrelo bien con una tapadera ajustada. Deje reposar durante 1 mes en un lugar fresco. Cuando haya transcurrido este tiempo, decante y cuele la mezcla, utilizando un filtro de papel o de vino. Deje reposar la ratafía durante 24 horas antes de utilizarla. Mantenga siempre la botella bien cerrada. Cuando la bebida esté lista, cuélela y sírvala. Adórnela con fresas.

Go-Cups

Un *go-cup* es un vaso de plástico o de papel que se da a los clientes de los bares para que echen el resto del cóctel que no se han terminado y así podérselo llevar. En el French Quarter, es frecuente ver a la gente paseando con un *go-cup* en la mano.

Los picantes Martinis cajún son tan rústicos como refinadas son las ratafías. Se pueden preparar en grandes cantidades para una fiesta y guardar en un tarro grande y limpio.

Absinth

La absenta (absinth), también conocida como "duende verde", es originaria de Suiza y se puso de moda en la ciudad de París. A los hombres les gustaba tanto esta bebida que llevaban un frasco y un vasito en la parte superior de sus bastones. En los bares, se preparaba un *"absinthe drip"* (goteo de absenta) con una bandeja agujereada colocada sobre un vaso ancho de boca estrecha. Se ponía hielo picado en la bandeja y luego se vertía almíbar sobre el hielo. Finalmente, se vertían de 45 a 90 ml de absenta sobre el hielo y se hacía gotear sobre el vaso.

La absenta contenía ajenjo, una hierba aromática y narcótica que más tarde fue prohibida en Estados Unidos. En la actualidad, se puede encontrar un vestigio de la época en que se bebía absenta en el Old Absinthe Bar de Nueva Orleans, supuestamente el más antiguo del estado de Luisiana.

Absinthe Suissesse
Absenta a la suiza

45 ml de absenta, Pernod o Herbsainte	
1 clara de huevo	
30 ml de nata espesa	
15 ml de jarabe de horchata	
125 g de hielo picado	

Mezcle los ingredientes en una batidora durante unos segundos, a continuación, vierta la bebida en vasos bajos.

Cajun Martini

El picante Martini cajún se puso de moda durante los años ochenta, cuando la comida cajún se hizo popular.

4 chiles jalapeños partidos por la mitad y sin semillas
750 ml de vodka
45 ml de vermut seco

Vierta los ingredientes en un recipiente hermético de vidrio. Refrigere durante 48 horas. Vierta en copas de martini bien frías. Adorne con chiles jalapeños o quingombós encurtidos.

Milk Punch

El ponche de leche es una bebida muy apreciada a la hora del *brunch*.

45 ml de bourbon o coñac
15 ml de almíbar (una mezcla a partes iguales de azúcar y agua, reducida a almíbar por ebullición)
60 ml de *half-and-half* (mezcla de leche y nata líquida)
60 ml de leche entera
una pizca de extracto de vainilla
nuez moscada recién rallada

Llene una coctelera hasta la mitad con cubitos de hielo. Añada todos los ingredientes, salvo la nuez moscada. Agite enérgicamente. Cuele la mezcla en un vaso bajo. Espolvoree con nuez moscada.

Sazerac

En el año 1852, Aaron Bird inauguró su taberna, la Sazerac House en Exchange Alley, dándole el nombre del coñac de importación Sazerac. Este club de hombres libres, el único de la ciudad, con sus salas de juego y de billar llenas de humo, fue un éxito inmediato gracias a una bebida muy fuerte conocida como Sazerac. Era una mezcla de bitters, azúcar, esencia de limón y absenta, que creaba hábito. Cuando, a finales de siglo, se prohibió la absenta, ésta fue sustituida por Herbsainte (conocida como "el licor de Nueva Orleans"). En la actualidad, el bar y el restaurante Sazerac se han reencarnado en el Fairmont Hotel, donde los barman profesionales hacen demostraciones de sus técnicas mientras hacen girar vasos llenos de Herbsainte helada para preparar un cóctel Sazerac perfecto.

2 terrones de azúcar
2 chorritos de bitter Angostura
3 chorritos de bitter Peychaud
45 ml de whisky puro de centeno
4 chorritos de absenta, Herbsainte o Pernod
1 espiral de corteza de limón

Tome dos vasos bajos de 270 ml de capacidad. Llene uno de ellos con hielo y refrigérelo. En el otro, triture los terrones de azúcar con unas gotas de agua, la suficiente para humedecerlo. Añada los bitters, el whisky y cubitos de hielo. Mezcle y refrigere. Retire el hielo del primer vaso y vierta la absenta (o sustituto), haciendo girar el vaso para cubrir el interior; deseche el exceso. Cuele la mezcla de bitters y whisky en este vaso. Añada la espiral de limón y sirva.

El *Ponche romaine* se sirve en tazas de ponche.

Ponche romaine
Ponche romano

El *coup de milieu* (bebida para refrescar el paladar) que se servía en medio de una cena criolla de siete platos.

2 tazas de whisky de centeno
2 tazas de ron dorado
½ taza de zumo natural de limón
½ taza de almíbar

Mezcle los ingredientes y refrigere hasta que la mezcla esté fría. Agite cada ración individualmente con hielo. Cuélelas, viértalas en tazas de ponche y sírvalas.

MÚSICA Y COMIDA

Festivales y fiestas

Luisiana acoge cerca de 400 ferias al año, de las cuales más de 141 son de música o comida. Muchos de estos eventos están dedicados a un tipo de comida o a un plato concreto. Por ejemplo, el boniato en el *Yambilee* de Luisiana y las pacanas en la Fiesta de la Pacana de Luisiana. El festival más importante de todos es el Jazz & Heritage Festival de Nueva Orleans, que se celebra durante diez intensos días en abril y mayo, en los cuales cientos de aficionados se reúnen para escuchar música y comer al compás. Los participantes prueban comida de todo el estado. Cada día se hacen demostraciones culinarias sobre cómo preparar el *pone* de boniatos (boniatos rallados cocidos al horno), cómo elaborar pan francés o cómo despellejar y cocinar el caimán, mientras el *rock and roll*, el *rhythm and blues*, el jazz, el *gospel*, la música indígena y el *zydeco* inundan el ambiente. El festival de jazz ofrece a los visitantes una introducción a la cocina de Nueva Orleans y Luisiana, que permite entender por qué la combinación de música y comida forma parte de la vida de la región.

Fais Do Do, música cajún y zydeco

En Luisiana, a ninguna fiesta le pueden faltar dos elementos esenciales: la buena comida y la buena música. Las dos se encuentran estrechamente unidas. Nueva Orleans y la región cajún constituyen el lugar de origen de algunas formas de música norteamericana clásica.

La música cajún, el *zydeco* y el *swamp boogie* (boogie de pantano) tienen los mismos componentes: el *patois* (dialecto) cajún, las baladas populares, los instrumentos de percusión, las guitarras, el saxofón y el acordeón, introducido por los granjeros alemanes. Todos estos sonidos crean un ritmo extraordinario que levanta el ánimo. La música cajún se centra básicamente en el compás a dos tiempos del vals. Las letras suelen ser baladas populares francesas acompañadas del violín y el triángulo. En comparación, el *zydeco* es como una inyección de adrenalina. Estos ritmos tentadores son una mezcla de ingredientes fogosos; en este caso, *rhythm and blues* norteamericano, música de baile cajún y *blues* africanos y caribeños. Los instrumentos utilizados son el acordeón y el *rub board* (una tabla metálica de superficie ondulada que se toca sobre el pecho). El ritmo irresistible del *zydeco* anima a gente de todas las edades a levantarse y bailar. El *swamp boogie*, por su parte, es un *rock and roll* campestre con alma cajún. Tiene mucho en común con las baladas pop de los años cincuenta.

Música cajún llamada *stomping* (zapateo), ya que tanto los músicos como el público zapatean mientras la escuchan.

Músicos de *blues* en el French Quarter

La mezcla de estos tres estilos produce el *fais do do*, el baile cajún. La frase *"fais do do"* significa "duérmete"; las familias francesas y cajún la dicen a sus hijos a la hora de acostarse. Se dice que los niños se duermen enseguida, mientras que los mayores bailan durante toda la noche.

La música cajún suele formar parte de una velada con cena y baile. Muchos clubes nocturnos ofrecen deliciosos platos, tales como el *catahoula* de siluro (filete de siluro relleno de marisco con *tasso* de cangrejo de río), el *tout quelque chose* ("todo": ancas de rana fritas, colas de cangrejo de río, caimán, gambas, queso y albóndigas de *boudin*) y el *pirogue* de berenjena (berenjena rellena en forma de piragua). Todos se acompañan de alegre música *zydeco*. Los bailarines con coloridos trajes dan vueltas como peonzas sobre la pista de baile. Es una diversión que embriaga el espíritu.

Para sazonar los crustáceos hervidos, se añade a la olla una bolsa de *crab boil* (condimento en polvo para marisco) o una versión líquida concentrada. Las bolsas se retiran antes de disponer el marisco sobre papeles de diario para consumirlo. En la foto, una familia degustando una olla de cangrejos.

Ollas de marisco

Las ollas de cangrejos, gambas y cangrejos de río son habituales por toda Luisiana y en la costa del golfo del Misisipí. Suelen ser el centro de atención de una fiesta con música. Las ollas de marisco son tan fáciles de preparar para un grupo de diez personas como para uno de cien, ya sea para un *fais do do,* un mitin político, una reunión religiosa o una simple fiesta en el jardín trasero. Se suelen servir al aire libre, en mesas forradas con periódicos viejos en las cuales se apilan montones de cangrejos, gambas y cangrejos de río cocidos, para pelarlos, chuparlos y comerlos. Al final de la comida, se envuelvan los periódicos, con los caparazones incluidos, y se desechan.

Una de las maneras más fáciles de hervir el marisco es verterlo en una olla honda llena de agua con sal hirviendo, aderezada con una bolsita de hierbas y especias (tales como hojas de laurel, pimienta de Jamaica, clavos, semillas de mostaza y de cilantro, chiles y semillas de eneldo). Utilice una bolsita por cada docena de cangrejos o una por cada 2,5 kg de gambas o cangrejos de río. Algunos cocineros añaden maíz fresco, cebollas y patatas a la olla durante los primeros 5 minutos antes de agregar el marisco.

Alligator Sauce Piquante Mix
Caimán en salsa picante

2 kg de carne de cola de caimán, sin nada de grasa ni tendones
2 cucharadas de aceite vegetal
2 cucharadas de harina
2 tazas de cebollas troceadas
¾ taza de apio troceado
¾ taza de pimiento dulce verde troceado
3 dientes de ajo
3 latas pequeñas de tomates enteros
5 hojas de laurel
½ cucharadita de guindilla seca picada
¼ cucharadita de pimienta de Cayena
1 cucharadita de romero seco
1 manojo de cebolletas
⅓ taza de perejil picado
5 gotas de salsa picante Crystal o Tabasco
4 cucharadas de mantequilla fría en trozos
sal y pimienta, al gusto

Sancoche la carne de caimán durante 5 minutos. Resérvela. En una sartén grande de hierro fundido, elabore un *roux* oscuro con el aceite y la harina. Añada las cebollas, el apio y el pimiento. Cueza a fuego medio-alto hasta que las hortalizas se marchiten, unos 5 ó 6 minutos. Agregue el ajo y cueza de 1 a 2 minutos. Añada los tomates y pártalos en trocitos con una cuchara de madera. Vierta el laurel, la guindilla, la Cayena y el romero. Añada la carne de caimán. Baje el fuego y deje hervir a fuego lento durante 1 hora o hasta que la carne esté tierna. Agregue las cebolletas, el perejil y la salsa picante. Vierta la mantequilla. Salpimiente al gusto. Sirva sobre arroz cocido. Para 6 personas.

Caimán en salsa picante

BRUNCH CON JAZZ

Los criollos aristocráticos eran conocidos por holgazanear en sus patios toda la mañana, sorbiendo informalmente ponches o *frappés* con alcohol para desayunar. Más tarde, aparecía el plato principal: parrilladas con *grits* (medallones de ternera con sémola de maíz hervida o cocida al horno), o *calas* (buñuelos de arroz) para acompañar una gran taza de café con leche. Hoy en día, en Nueva Orleans, el *brunch* es una tradición especial de los sábados y los domingos. El jazz nació en Crescent City y el *brunch* sólo está completo si se acompaña con sus ritmos. El *brunch* con jazz también puede incluir *blues, rhythm and blues* y música *gospel*. Sean cuales sean los sones, en Luisiana la música y la comida son tan inseparables como el café con leche y los buñuelos.

Músicos de jazz de Nueva Orleans tocando en un *brunch* con jazz, en una casa del Garden District de la ciudad. Llevan bandas con los colores del Martes de Carnaval.

Huevos Hussarde

Eggs Hussarde
Huevos Hussarde

2 cucharadas de mantequilla
8 rodajas finas de tocino de lomo ahumado
3 tomates partidos por la mitad
8 tostadas holandesas o 4 bollos ingleses *(muffins)* tostados y partidos por la mitad
1¾ tazas de salsa *Marchand de vin*
8 huevos escalfados blandos
2 tazas de salsa holandesa con Cayena

Derrita la mantequilla en una sartén grande y cueza el tocino de lomo a fuego lento. Ase a la parrilla o al horno las mitades de tomate hasta que estén bien calientes, de 5 a 7 minutos. Reserve los tomates y el tocino y manténgalos calientes. Para cada ración, ponga en un plato dos tostadas cubiertas con el tocino y napadas con la salsa *Marchand de vin*. Disponga un huevo escalfado sobre cada una. Cubra con salsa holandesa, adorne el plato con los tomates asados y sirva. Para 4 personas.

Salsa holandesa con Cayena

500 g de mantequilla
4 yemas de huevo a temperatura ambiente
1½ cucharaditas de vinagre de vino tinto
una pizca de pimienta de Cayena
1 cucharadita de sal
1½ cucharaditas de agua

Derrita la mantequilla en un cazo mediano; espume y deseche los sólidos lácteos de la superficie. Mantenga la mantequilla clarificada a fuego muy bajo mientras prepara las yemas de huevo.

Ponga las yemas de huevo, el vinagre, la Cayena y la sal en un cuenco de acero inoxidable y bata brevemente. Llene un cazo o una olla, lo bastante grande para contener el cuenco, con 2,5 cm de agua. Caliente el agua sin que rompa el hervor. Coloque el cuenco sobre el cazo, sin dejar que el fondo del cuenco toque el agua. Bata la mezcla de yema hasta que se espese un poco. Vierta la mantequilla clarificada en un chorro fino, batiendo constantemente. Si el fondo del cuenco se vuelve demasiado caliente al tacto, retire el cuenco del cazo durante unos segundos y déjelo enfriar. Cuando haya incorporado toda la mantequilla y la salsa esté espesa, vierta el agua y bata. Sirva la salsa de inmediato o manténgala caliente a temperatura ambiente hasta su uso.

Salsa Marchand de vin

6 cucharadas de mantequilla
½ taza de cebolla picada
1½ cucharaditas de ajo picado
½ taza de escalonias picadas
½ taza de jamón cocido picado
½ taza de champiñones frescos picados
⅓ taza de harina blanca
2 cucharadas de salsa Worcestershire
2 tazas de caldo de buey
½ taza de vino tinto
1½ cucharaditas de hojas de tomillo
1 hoja de laurel
½ taza de perejil fresco picado
sal y pimienta negra

Derrita la mantequilla en un cazo u olla de fondo pesado y saltee la cebolla, el ajo, las escalonias y el jamón durante 5 minutos.

Añada los champiñones. Pase a fuego medio y cueza durante 2 minutos. Incorpore la harina y cueza, removiendo, durante 4 minutos. A continuación, agregue la salsa Worcestershire, el caldo de buey, el vino, el tomillo y, por último, el laurel. Cueza a fuego lento hasta que la salsa se espese, 1 hora aproximadamente. Antes de servir, retire la hoja de laurel y añada el perejil. Salpimiente al gusto.

Desayuno en Brennan's

Owen Brennan fundó su establecimiento tras un desafío, cuando el conde Arnaud defendió su propio restaurante, Arnaud's, retando al irlandés a abrir un restaurante si lo sabía hacer mejor. Durante más de medio siglo, la familia Brennan ha demostrado con creces en qué consiste un buen desayuno. Los huevos Hussarde, un plato creado en Brennan's, estaban inspirados originariamente en la receta de los huevos Benedict. Es una combinación de salsa *Marchand de vin,* salsa holandesa y huevos escalfados. El postre más popular, los plátanos Foster, fue creado para aprovechar los plátanos que llegaban al puerto de Nueva Orleans desde América Central y del Sur. Cada año se flamean 1,75 toneladas de plátanos en Brennan's. El jazz no se incluye en el menú del desayuno, pero sus especialidades bastan para satisfacer a los clientes.

Bananas Foster
Plátanos Foster

¼ taza de mantequilla
1 taza de azúcar moreno
½ cucharadita de canela
¼ taza de licor de plátano
4 plátanos cortados por la mitad a lo largo y otra vez por la mitad
¼ taza de ron negro
4 bolas de helado de vainilla

Mezcle la mantequilla y el azúcar en una sartén para flambear. Ponga la sartén a fuego bajo y cueza, removiendo, hasta que el azúcar se disuelva. Añada la canela y mezcle bien. Agregue el licor e incorpore los plátanos. Cuando los trozos de plátano se ablanden y empiecen a dorarse, vierta el ron con cuidado. Siga cociendo hasta calentarlo. Incline ligeramente la sartén para encender el ron. Cuando se apaguen las llamas, retire los plátanos de la sartén y disponga 4 trozos sobre cada bola de helado. Rocíe con abundante salsa y sirva de inmediato. Para 4 personas.

Plátanos Foster

1. Mezcle la mantequilla y el azúcar en una sartén para flambear. Remueva hasta que el azúcar se disuelva.

2. Añada la canela, removiendo para mezclarla con la mantequilla y el azúcar.

3. Agregue el licor y luego los plátanos.

4. Vierta el ron, caliéntelo y enciéndalo.

5. Decore los plátanos Foster con ramitas de menta fresca.

El Po Boy y la Muffuletta

El *po boy* es, de lejos, el bocadillo más popular de Luisiana. Está emparentado con el *grinder,* el submarino y el *hoagie,* sus equivalentes del norte. Se aderaza con lechuga, tomates y mayonesa y se aplana, una especialidad de la cercana Biloxi (Misisipí). Para aplanar un *po boy,* se coloca en una prensa especial o en una parrilla caliente y se cubre con un hierro.

El *po boy* fue creado a finales del siglo XIX. Esta delicia de Nueva Orleans fue inventada por Madame Begue, célebre por los desayunos que servía en el Mercado francés. Partía barras de pan francés por la mitad y a lo largo, untaba ambos lados con mantequilla y los rellenaba con carne o marisco. Vendía estos bocadillos en su puesto del mercado. Supuestamente, los bautizó inspirándose en los hombres que acudían al mercado en busca de trabajo. A menudo solía oír: *"Please give a sandwich to a po boy!"* (¡Por favor, déle un bocadillo a un chico pobre!). De ahí el nombre.

Soft-Shell Crab Po Boy
Po Boy de cangrejo de caparazón blando

2 barras de pan francés, de más de 5 cm de ancho, cortadas por la mitad a lo largo y luego a lo ancho
aceite vegetal para freír
8 cangrejos de caparazón blando medianos lavados y secos
1 taza de suero de leche
1 taza de fécula de maíz sazonada (Zatarain's)
mayonesa, ketchup o mostaza criolla
2 tomates maduros cortados en rodajas finas
1 cebolla dulce (tipo Vidalia)
pepinillos al eneldo cortados en rodajas finas
lechuga cortada en juliana

Vacíe una mitad de la barra de pan y póngala en el horno caliente. A continuación, en una sartén honda, caliente 1,25 cm de aceite vegetal entre 180 y 185°C. Disponga dos capas de papel de cocina sobre una fuente refractaria, lo bastante grande para contener los cangrejos. Mientras tanto, sumerja los cangrejos en el suero de leche de 5 a 10 minutos aproximadamente. Cuando el aceite haya alcanzado la temperatura adecuada, reboce rápidamente los cangrejos, de uno en uno, con la fécula de maíz; retire el exceso.

Con unas pinzas, vierta 4 cangrejos en el aceite caliente; fríalos de 2 a 3 minutos por cada lado o hasta que estén medianamente dorados. Tenga cuidado con las salpicaduras de aceite. Retire los cangrejos, escúrralos sobre papel de cocina y manténgalos calientes a horno bajo. Repita la operación con los cangrejos restantes.

Retire el pan del horno y unte ambas mitades con su condimento preferido (mayonesa, ketchup o mostaza criolla). Disponga los tomates, dos cangrejos, unas rodajas de cebolla y los pepinillos, y salpimiente al gusto. Cubra con lechuga y tape con la otra mitad de pan. Corte por la mitad en diagonal. Sirva de inmediato. Para 4 personas.

La Muffuletta

Dos tiendas de comestibles de origen italiano de Nueva Orleans, Progress y Central, ofrecían el bocadillo *muffuletta.* Se trata de un pan redondo italiano, abierto horizontalmente y relleno con un surtido de fiambres o marisco. A continuación, se aderaza con una sabrosa ensalada de aceitunas verdes y negras. El enorme bocadillo redondo se parte en cuartos y se envuelve con el mismo papel del pan.

La *muffuletta* nació a principios del siglo XX, cuando los comerciantes italianos vendían comidas en bandejas, compuestas de todo tipo de fiambres, queso, pan y ensalada de aceitunas encurtidas. Un día, a uno de los trabajadores se le ocurrió abrir el pan por la mitad y apilar toda la comida en su interior. Así es como se creó este bocadillo de gran tamaño. Su nombre es de origen siciliano y designa un pan redondo con la corteza espolvoreada de semillas de sésamo. La panadería distribuía los panes envueltos en un papel marcado con el nombre "Muffuletta" y, como que los bocadillos se envolvían con este mismo papel, adoptaron este nombre.

Muffuletta con pan de la panadería Leidenheimer

Preparación de una muffuletta

1. Parta un pan redondo plano a lo largo.

2. Unte las dos mitades con aceite de oliva y añada fiambres en lonchas, queso y ensalada de aceitunas.

3. Tape el bocadillo, aplánelo un poco y córtelo en cuartos.

Pan francés de Leidenheimer

Los alemanes trajeron a Luisiana las semillas del trigo de grano duro, llamado *"blé tendre"* (trigo tierno). Como excelentes agricultores que eran, cultivaron la tierra en una zona de unos 40 km a lo largo del río Misisipí llamada *"Côte des Allemands"*. Allí también elaboraron salchichas y produjeron leche y nata. Su mayor contribución a la comida regional de Luisiana la constituye el pan francés para elaborar *po boys, muffuletas, baguettes, ficelles* (barra muy delgada), *pistolets* (bollos) y *gigitt*.

La G. H. Leidenheimer Baking Company, Ltd. es la panadería de pan francés más grande y antigua de Luisiana. La familia Whann, de origen alemán, posee y dirige la panadería desde hace más de un siglo (ahora ya en su quinta generación). En 1896, George H. Leidenheimer abrió su panadería en Nueva Orleans, trayendo su receta de pan desde Alemania.

La variedad de pan francés de Nueva Orleans destaca por su corteza fina y escamosa, que al enfriarse se encrespa como si fuera piel de caimán, y por su miga ligera como el aire. Esta panadería elabora *pistolets* de 5 cm, *po boys* de 80 cm de largo y pan para *muffuletta* de 25 cm de diámetro, que exporta a todo el mundo. Además, se mantiene firme en su lema, "¡Bueno hasta la última miga!".

Barq's Root Beer

En 1898, Ed Barq padre creó la *root beer* (cerveza a base de raíces) Barq's en el sótano de su casa en Biloxi (Misisipí), a unos 145 km de Nueva Orleans. Había trabajado en Francia como químico y usó su experiencia en la creación de sabores para elaborar esta bebida no alcohólica que se asoció a la región de la Costa del Golfo. Combina perfectamente con los *po boys,* las judías rojas con arroz o el marisco frito. También se toma con cacahuetes, pero únicamente en el Sur. La Barq's Burpers ("eructora Barq's), tal como se denominaba a veces debido a su abundante gas, se vendía por cinco centavos la botella hasta mediados del siglo XX. El eslogan de la botella siempre ha sido cierto: "Beba Barq's. Es buena". Hoy en día, los habitantes de Nueva Orleans beben dos veces más *root beer* que el resto de los norteamericanos. Barq's ha sido recientemente adquirida por The Coca-Cola Company.

Barq's and Salted Peanuts
Barq's con cacahuetes salados

1 botella de cerveza Barq's
1 bolsa pequeña de cacahuetes salados

Ponga la botella de Barq's en el frigorífico. Retírela cuando esté muy fría. Abra la botella e introduzca con cuidado los cacahuetes salados. Beba y coma directamente de la botella.

Según otra leyenda, el origen del *po boy* se debe a Bennie y Clovis Martin. Cuando, en 1929, 10.000 trabajadores de los servicios públicos de Nueva Orleans iniciaron una huelga porque los tranvías se iban a sustituir por autobuses, los hermanos Martin anunciaron que repartirían comida gratis a cualquier chico pobre *(poor boy,* pronunciado *"po boy")* o miembro del sindicato que fuese al café o al restaurante del Mercado francés. Los hermanos Martin pusieron más tarde un letrero en St-Claude que rezaba: "Origen de los bocadillos de chico pobre *(po boy)".*

277

CANGREJO DE RÍO

Los cangrejos de río *(Cambarus stacus)* quizás sean el alimento más famoso de Luisiana. Los *crawdads* o *mudbugs* (tal como se los apoda allí) son pequeños crustáceos de agua dulce parecidos a los bogavantes, pero sus pinzas no son ni grandes ni carnosas. Al igual que las gambas, los cangrejos y los bogavantes, el cangrejo de río tiene un caparazón duro denominado dermatoesqueleto. Toda la carne de este crustáceo se encuentra en la cola. Periódicamente, el cangrejo de río muda su caparazón y se vuelve blando. Es entonces cuando se puede cocer y comer todo el cangrejo, caparazón incluido.

Los cangrejos de río medran en las ciénagas, las acequias, los canalizos, los lagos y los estanques. Su época de apareamiento se extiende desde el mes de abril hasta el mes de junio. Recorriendo la región cajún, uno puede ver "chimeneas" o "castillos" de cangrejos de río, los hábitats que construyen en los prados o a lo largo del borde de la carretera, dondequiera que haya agua. Durante esta época, las hembras depositan los huevos e incuban hasta 400 a la vez. Una cría tarda 90 días en desarrollarse.

La pesca del cangrejo de río empieza en el mes de diciembre y dura hasta los meses de mayo o junio, según el clima. Los ejemplares capturados durante los dos primeros meses siempre son los más caros, pero el precio baja a medida que avanza la temporada. Un saco de cangrejos de río pesa de 20 a 25 kg, del cual se obtiene unos 3,5 kg de carne de cola. Cuando compre cangrejos de río a granel, cuente de 2 a 2,5 kg por persona. Con 3,5 kg obtendrá 500 g de carne de cola. La manera más común de cocerlos es hervirlos en agua con sal y condimentos, en una proporción de 20 l de agua y 500 g de sal por 5 kg de cangrejos de río. El agua se puede sazonar con limón, pimienta, ajo, cebolla y hojas de laurel o con *crab boil* (una mezcla ya preparada de condimentos para marisco que se vende en los supermercados). Una vez cocidos, se ha de saber pelarlos para disfrutar plenamente de esta exquisitez.

El bogavante encogido

Según una leyenda popular, cuando los refugiados de Acadia se marcharon de Nueva Escocia hacia Luisiana, un banco de bogavantes los siguió. El largo viaje permitió a los bogavantes mudar varias veces de caparazón. Durante cada muda, los bogavantes cambiaban su coraza crustácea por otra de tamaño más pequeño. Cuando llegaron a Luisiana, se habían convertido en los pequeños crustáceos llamados cangrejos de río. Sin embargo, su tamaño encogido no fue una desventaja, ya que su sabor era más intenso y gustoso. Desde entonces, los cajún y los cangrejos de río son inseparables. Como agradecimiento, la ciudad de Bre-

Superior: el caparazón de los cangrejos de río se vuelve rojo al cocerlos. Inferior derecha: cangrejos de río crudos. Reciben varios apodos: *mudbugs* (bichos de lodo), *crawdads, yabbies, chevaux du diable* (caballos del diablo) y *creekcrabs* (cangrejos de riachuelo).

aux Bridge celebra cada primer fin de semana del mes de mayo el Crawfish Festival en honor a los cangrejos de río.

El restaurante Rosier de New Iberia (Luisiana), en el corazón de la región cajún, ofrece estos platos en honor al sabroso cangrejo de río: *boulettes* de cangrejo de río, *bouchées* de cangrejo de río y berenjenas, colas ahumadas, rollos de primavera de cangrejo de río, tortitas de cangrejo de río, cangrejo de río marinado con mostaza criolla y cangrejo de río en pasta filo con *étouffée au beurre blanc.*

Cómo pelar y comer cangrejos de río

1. Aguante el cangrejo cocido con ambas manos y tuerza la articulación entre la cabeza y la cola. Estire firmemente. Chupe la cabeza y deséchela (o guarde todos los trozos de caparazón para preparar caldo).

2. Presione la cola entre el pulgar y el índice hasta que el caparazón cruja.

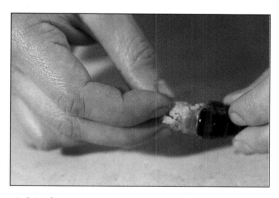

3. Sujete la carne con una mano y estire toda la cola, poniendo el pulgar sobre los tres primeros trozos.

4. Aguante la parte inferior de la cola y sujete la carne. Estire ésta ligeramente mientras presiona la cola. Retire el hilo intestinal.

El cangrejo de río se parece a un diminuto bogavante del Atlántico Norte.

Cajun Popcorn
"Palomitas" cajún

2 huevos batidos
1 taza de leche entera
4 gotas de salsa picante
½ taza de harina de maíz
½ taza de harina blanca
1 cucharadita de ajo en polvo
½ cucharadita de pimienta negra
½ cucharadita de guindilla en polvo
1 l de aceite de maíz
1 cucharadita de sal
1 kg de colas de cangrejo de río peladas

Bata los huevos, la leche y la salsa picante. Mezcle los ingredientes secos. Incorpore gradualmente los ingredientes líquidos a los secos para elaborar una masa. Déjela reposar durante 30 minutos.

Caliente el aceite a 180–185°C en una sartén de hierro fundido a fuego medio. Bañe las colas de cangrejo en la masa y, con una espumadera, introdúzcalas con cuidado en el aceite. No llene demasiado la sartén. Fríalas 2 minutos como máximo o hasta que se doren bien. No las cueza en exceso. Escúrralas sobre papel de cocina y sírvalas de inmediato. Repita la operación hasta freír todas las colas.

Crawfish Étouffée
Estofado de cangrejo de río

3 cucharadas de mantequilla
1 cucharada de aceite vegetal
2 tazas de cebollas troceadas
1 taza de apio troceado
1 taza de pimiento dulce rojo troceado
3 dientes de ajo picados
2 cucharaditas de sal
½ cucharadita de pimienta negra
½ cucharadita de pimienta de Cayena
una pizca de azúcar
1 hoja de laurel
2 latas pequeñas de tomates enteros
1 taza de agua o caldo de cangrejos de río
0,75–1 kg de colas de cangrejo de río limpias
1 manojo de cebolletas troceadas
½ taza de perejil picado
4–6 gotas de salsa picante

Derrita la mantequilla en una cacerola grande a fuego medio-alto. Añada el aceite y luego las cebollas, el apio y el pimiento rojo. Sofría, removiendo, de 6 a 8 minutos. Agregue el ajo y sofría 2 minutos más. Vierta la sal, la pimienta negra, la Cayena, el azúcar, el laurel, los tomates, el caldo y la mitad de las colas de cangrejo. Deje cocer a fuego lento de 20 a 25 minutos. Incorpore las colas restantes, las cebolletas y el perejil. Cueza durante 10 minutos y añada la salsa picante. Sirva sobre arroz cocido. Para 6 personas.

LA HISTORIA DEL TABASCO

Rojo y picante

Existen más de 150 marcas de salsa de chiles en el mercado norteamericano, pero sólo predomina una: el Tabasco. Producido desde hace 130 años, el Tabasco se vende en más de 100 países y se etiqueta en 15 lenguas diferentes. Unas gotas de Tabasco pueden realzar la comida insulsa, aportando picante a cualquier plato.

Todo empezó a mediados del siglo XIX, cuando Edward McIlhenny, un banquero de Nueva Orleans, recibió unas semillas de un tipo de chile, *Capsicum frutescens,* de un amigo que regresaba de un viaje a México. McIlhenny, un amante de las hortalizas exóticas y de la buena comida, plantó las semillas alrededor del huerto de la finca propiedad de la familia de su mujer. Estaba casado con la hija del juez Avery, un célebre abogado de Baton Rouge que poseía una plantación de caña de azúcar en una isla frente a la costa de Luisiana, llamada *Isle Petite Anse,* una gran extensión de tierra en lo alto de una montaña de sal sólida. Esta mina de sal fue utilizada durante la Guerra de Secesión para ayudar a los confederados y, cuando las tropas de la Unión la descubrieron, fue destruida. Los Avery huyeron de su querida isla cuando fue invadida por las tropas de la Unión. Cuando regresaron, encontraron su propiedad totalmente desaliñada. Todo estaba destruido, salvo unas pocas plantas de *Capsicum frutescens* que Edward McIlhenny había plantado antes de la guerra.

En 1868, McIlhenny, intrigado por sus robustas plantas de chiles, empezó a experimentar. Elaboró una salsa chafando los chiles con un poco de sal y conservó la mezcla en una olla de barro durante 30 días. Luego, añadió vinagre de vino francés a la mezcla y la guardó 30 días más, removiendo la salsa con frecuencia. Finalmente, vertió la salsa de color rojo intenso en botellas de colonia, les puso tapones de corcho y las selló con cera verde. Fijó un pico vertedor a cada botella para poder servir la salsa fácilmente.

El sabor de la salsa de chiles fue todo un éxito. McIlhenny fue incitado a vender su salsa embotellada a un reducido grupo de mayoristas y envió 350 botellas por todo Estados Unidos. El año siguiente, le llegaron a su despacho miles de pedidos de botellas de esta salsa a un dólar la unidad.

El nombre de la salsa procedía originariamente de la isla Petite Anse, la tierra ancestral de los Avery/McIlhenny. Luego se cambió por Tabasco, un topónimo del sur de México que significa "tierra de suelo húmedo". Hoy en día, el Tabasco es la marca de salsa picante más famosa.

El Tabasco sigue teniendo sólo tres ingredientes: chiles, sal y vinagre. Los chiles se chafan, se mezclan con sal y se dejan macerar durante tres años en barricas de roble blanco. Cada barrica es inspeccionada por un miembro de la familia para comprobar

Los chiles se recolectan a mano. Los de buena calidad crecen derechos.

El Tabasco sólo contiene tres ingredientes: chiles, sal y vinagre.

el sabor y el aroma. Luego, el puré se mezcla con vinagre blanco y se deja añejar durante cuatro semanas. Entonces, se filtra la mezcla, se embotella y se etiqueta para su distribución.

Cada botella de 60 ml contiene 720 gotas de salsa ardiente. Para obtener mejores resultados, se debe añadir el Tabasco a la comida una vez retirada del fuego.

Docenas de tipos diferentes de salsa picante llenan los estantes de una tienda de Luisiana.

En la empresa McIlhenny, se comprueba el sabor y el aroma del puré de chiles.

COCINA CAJÚN

Abajo en el Bayou

La región cajún, o acadiana, ocupa 483 km a lo largo del litoral pantanoso del Golfo, hasta Tejas, y se extiende al norte hacia las praderas del centro de Luisiana, cubriendo un tercio del estado. La región cajún conserva las tradiciones culinarias y los estilos de vida del Viejo Mundo. Como los cajún estuvieron aislados de Nueva Orleans, se desarrolló un nuevo dialecto, el francés cajún. Hoy en día, las generaciones de más edad siguen hablando un dialecto acadiano de Luisiana (una mezcla de francés, francés canadiense y varias lenguas indígenas y africanas). La cocina cajún es como este pueblo robusto y mundano: nutritiva, picante y sin pretensiones.

A principios del siglo XVII, cuando Nueva Escocia era conocida como *Acadie,* los católicos franceses huyeron hacia la colonia francesa de Canadá a causa de las diferencias religiosas en su país natal, Francia. Los acadianos prosperaron en su nueva patria durante más de un siglo hasta que, en 1754, los británicos les exigieron que prometieran lealtad a Inglaterra y rehusaran a su religión católica. Manteniéndose firmes en sus creencias, los acadianos rechazaron esta exigencia y fueron exiliados. Algunos regresaron a Francia, otros emigraron a Norteamérica a los dos estados de Carolina y a Georgia, y otros viajaron hasta Luisiana (la Nueva Francia), donde se establecieron. Cuando los acadianos llegaron a Luisiana con sus escasas pertenencias, tuvieron que afrontar el duro trabajo de empezar desde cero una nueva vida en una región completamente desconocida para ellos. Siendo gente de muchos recursos, consiguieron sobrevivir en esta región de marismas, praderas, canalizos y ciénagas. Los cajún, tal como se les llamaba entonces, sobresalieron en la caza con trampas, la caza convencional, la pesca y la cocina, y recibieron mucha ayuda de los indígenas norteamericanos que habitaban la región. Los colonos esculpieron *pirogues* (piraguas) en troncos de ciprés para navegar por los canalizos y las ciénagas y, de esta manera, poder cazar caimanes y tortugas y pescar las especies acuáticas oriundas. Cultivaron caña de azúcar, hortalizas y arroz para elaborar platos sencillos como el *macque choux,* el *gumbo* y el *gâteau de sirop.* Aprendieron los secretos de la fabricación del polvo filé y dominaron la elaboración de platos en una olla: *étouffée* de cangrejos de río, *gumbo* de polvo filé y caimán en salsa picante.

Especialidades cajún del "Bayou Country". En el sentido de las agujas del reloj, desde la izquierda: un plato de *croquignoles* (un pastelito frito servido para desayunar), pato con arroz y guarnición de maíz, y una fuente de salchichas cajún a la parrilla.

Macque Choux (o Mocque Chou)

El término *macque choux* deriva de la palabra *maigrichan,* que significa "niño delgado". Los acadianos adoptaron este plato de los indios. El maíz fresco se corta de la mazorca y se mezcla con tomates y cebollas. Luego se cuece a fuego lento en mantequilla y agua o leche. Cada familia cajún tiene su propia versión de la receta del *macque choux.*

Macque Choux

6 mazorcas de maíz frescas
4 cucharadas de mantequilla
1 cucharada de aceite vegetal
1 taza de cebolla troceada
2 cucharadas de azúcar
1 cucharadita de sal
½ cucharadita de pimienta blanca
¼ cucharadita de pimienta de Cayena
½ taza de leche o nata
1 lata de tomates enteros (o 1 taza de tomates frescos pelados, sin semillas y troceados)

Con un cuchillo de mondar, separe los granos de maíz de la mazorca. Sobre un cuenco, rasque la mazorca con el dorso de un cuchillo para extraer la leche de ésta.

Ponga el maíz en dicho cuenco y resérvelo. A continuación, en una sartén grande a fuego medio-alto, vierta 2 cucharadas de mantequilla y el aceite. Añada la cebolla, el azúcar, la sal, la pimienta y la Cayena. Refría de 6 a 8 minutos aproximadamente hasta que la cebolla se reblandezca. Pase a fuego medio. Agregue el maíz, la leche de maíz y los tomates. Cuézalo todo hasta que el maíz esté tierno, durante unos 15 minutos. Añada la mantequilla restante y la leche, sin dejar de remover. Sirva de inmediato. Para 6 personas.

Blackened Redfish
Pescado negro

375 g de mantequilla derretida

6 filetes de gallineta (u otro pescado de carne firme) de 250 a 315 g y 1,25 cm de grosor

3 cucharadas de Blackened Redfish Magic (condimento para "pescado negro") del Chef Paul Prudhomme (o un sustituto)

Los filetes deben estar a temperatura ambiente. Caliente una sartén de hierro fundido a fuego muy fuerte hasta que humee y aparezca ceniza blanca en el fondo de la misma, unos 10 minutos.

Mientras tanto, tome 6 cazoletas y vierta 2 cucharadas de mantequilla derretida en cada una; reserve y mantenga caliente. Reserve la mantequilla restante.

Caliente los platos de servir en el horno a 120°C. Bañe los filetes de pescado en la mantequilla derretida reservada, cubriendo bien ambos lados, y espolvoréelos uniformemente con abundante condimento. Ponga uno o dos filetes en la sartén y fríalos a fuego muy fuerte y sin tapar hasta que estén muy dorados por debajo, casi negros pero no quemados, unos 2 minutos (el tiempo dependerá del grosor de los filetes y de la temperatura de la sartén). Déle la vuelta a los filetes y vierta una cucharadita de mantequilla sobre cada uno. Fría hasta que el pescado esté hecho, unos 2 minutos más. Repita la operación con los filetes restantes. Sirva los filetes mientras aún estén calientes. Para servir, ponga un filete y una cazoleta con mantequilla en cada plato. Para 6 personas.

Sustituto del condimento "Blackened Redfish Magic"

1 cucharada de pimentón dulce

2¼ cucharaditas de sal

1 cucharadita de cebolla en polvo

1 cucharadita de ajo en polvo

1 cucharadita de guindilla en polvo

¾ cucharadita de pimienta blanca

¾ cucharadita de pimienta negra

½ cucharadita de hojas de tomillo seco

½ cucharadita de hojas de orégano seco

Mezcle todos los ingredientes.

Blackened Redfish

El "pescado negro" *(blackened redfish)* es un plato que se convirtió en un símbolo de la cocina cajún durante los años ochenta. Lo inventó el cocinero Paul Prudhomme que, en 1979, abrió un restaurante en Nueva Orleans llamado K-Paul's Louisiana Kitchen. Casi inmediatamente, los clientes hacían cola frente al nuevo restaurante que servía platos cajún picantes. Este cocinero creó un método para guisar el pescado fresco sazonado con su típica mezcla de especias cajún a fuego muy fuerte, recreando el sabor de la cocción en un fuego al aire libre. Su "pescado negro" se hizo tan popular que puso en peligro la provisión de gallineta en las aguas de la región, mientras que desde Nueva York hasta Los Ángeles la gente se exponía al riesgo de incendiar la cocina intentando recrear este plato.

Nota importante:

Se recomienda preparar este plato al aire libre si no se dispone de una campana sobre los fogones. En este caso, las brasas han de estar muy calientes. Un fuego de carbón habitual no produce suficiente calor para ennegrecer el pescado correctamente. Mientras tanto, caliente al máximo una sartén de hierro fundido sobre el fogón, durante 10 minutos como mínimo. Cuando las brasas estén incandescentes, pase con cuidado la sartén caliente a la parrilla, utilizando unos agarradores muy gruesos. También se puede asar el pescado directamente sobre las llamas en una parrilla de carbón o gas. Cuando las brasas estén ardientes, añada algunos trozos de nogal americano u otra madera dura para obtener llamas; éstas han de sobrepasar la parrilla antes de añadir el pescado. A medida que la madera se consuma, incorpore más trozos.

Especias cajún

Mezcla de especias cajún — Pimienta de Cayena — Semillas de apio — Comino — Chile molido

Semillas de mostaza — Pimentón — Mostaza en polvo — Salvia — Tomillo

La batería de cocina cajún

Las sartenes de hierro fundido, las ollas, los "microondas" cajún (ahumaderos exteriores), los quemadores y las bombonas de butano son los utensilios necesarios para hervir el marisco, ahumar las salchichas *andouille* y cocer el *roux* oscuro de color chocolate.

En la región cajún, las novias reciben tradicionalmente como parte de la dote una sartén antigua de hierro fundido, que representa años de amor, cocina y condimentación. Para templar una sartén nueva de hierro fundido, lávela bien y séquela con un paño limpio. Póngala sobre el quemador a fuego fuerte hasta que esté muy caliente. Retírela del fuego con cuidado y frótela bien con un paño de cocina empapado de aceite para cocinar o grasa. Ponga de nuevo la sartén a fuego fuerte hasta que humee.

Repita el proceso con el paño engrasado. Retire la sartén del fuego y déjela enfriar. Elimine cualquier exceso de aceite de la sartén con un paño limpio.

La sartén de hierro fundido es un utensilio indispensable en la cocina cajún.

MATANZA DEL CERDO

La matanza del cerdo es un evento familiar que dura todo un día. Consiste en sacrificar un cerdo y preparar todas las partes comestibles del animal para su posterior uso. La cuchillada inicial es importante, ya que la sangre se utiliza para elaborar *boudin rouge,* una salchicha a base de una mezcla de carne picada y vísceras de cerdo, sangre de cerdo, especias y arroz, que se embute en una tripa de cerdo. Hoy en día, la venta de *boudin rouge* está prohibida por razones sanitarias, pero se elabora para el propio consumo. El *boudin blanc,* que no contiene sangre, se vende comercialmente. Es un aperitivo muy apreciado y se conoce como "comida rápida cajún". Caliente y envuelto en una servilleta de papel, el *boudin* se aspira fácilmente con la boca y luego se desecha la tripa.

Para preparar el *boudin blanc* cajún, se mezcla carne de cerdo, arroz, hierbas, especias y hortalizas y se introduce en tripa de cerdo.

El *boudin* cajún se sazona con pimienta negra, pimienta de Cayena, ajo en polvo y pimentón.

A lo largo de todo el día de la matanza, se cuecen y se degustan *in situ* chicharrones *(grattons),* trocitos de piel de cerdo sazonada y frita. El queso de cabeza de cerdo *(Fromage de tête de cochon)* requiere una cocción lenta, de todo un día. Se compone de cabeza, pies y codillos de cerdo. Al final de la cocción, la carne se pica, se sazona con hierbas y especias y se deja solidificar en el frigorífico antes de servirla. El estómago del cerdo se reserva para elaborar *chaudin.* Se prepara una mezcla de carne picada de cerdo (y, a veces, de ternera), hortalizas y arroz sazonado, con la cual se rellena el estómago y luego se cose. El *chaudin* se

Un cocinero cajún introduce con cuidado el *boudin* crudo en una cazuela con agua hirviendo para cocerlo de 6 a 7 minutos. El *boudin* precocido sólo se ha de calentar 1 minuto en agua hirviendo.

hornea o se cuece al vapor durante varias horas. Durante la cocción, el estómago se encoge y comprime el relleno. El *chaudin* se corta en rodajas y se sirve caliente o frío.

Para preparar el estofado de cuello *(Reintier de cochon)*, se corta el cuello en trozos de 5 cm, que se doran y se cuecen con hortalizas sazonadas con un *roux* marrón rojizo. Se sirve con arroz. Durante todo el día se elaboran abundantes salchichas. La *andouille*, una salchicha de cerdo ahumada picante y firme, es la más apreciada para preparar sopas, *gumbos* y *jambalayas*. La carne de cerdo se corta en trozos y se ahuma. El *chaurice*, parecido al chorizo de México, es otro tipo de salchicha. Al final de un duro día de trabajo cocinando y cantando, todos los restos de carne se llevan a casa y se curan para elaborar *tasso*, un trozo de carne de cerdo que se sazona con abundante polvo filé, ajo, chile rojo y otros ingredientes y se ahuma durante varios días. Se utiliza para sazonar una gran variedad de platos. Los cajún aprecian tanto las salchichas caseras que, en Navidad, siguen la antigua costumbre de Luisiana de regalar una cesta llena de *andouille, chaurice* y *tasso* a los amigos.

Para razones sanitarias, el *boudin rouge* ya no se vende al público, ya que contiene sangre de cerdo. Pero las familias cajún que hacen la matanza del cerdo suelen elaborar *boudin rouge* para su consumo.

El *boudin blanc,* muy apreciado por los cajún, se elabora con carne de cerdo, arroz, especias y hortalizas. Tradicionalmente, se sirve en las bodas cajún.

Otras especialidades cajún

Caimán: antaño, los cajún llamaban "cocodrilo" al caimán. La carne de caimán, tierna como el pollo y sabrosa como la ternera, es rica en proteínas pero tiene un bajo contenido en grasas, colesterol y calorías. Antes de cocer o congelar la carne, se debe retirar toda la grasa y los tendones. Los mejores cortes son la cola y la mandíbula, mientras que las patas y el cuerpo se pueden reblandecer fácilmente. La carne de caimán congelada se conserva hasta 9 meses. Antiguamente, los cazadores desechaban la carne y conservaban la piel, la cabeza y las patas. Hoy en día, la carne también es muy apreciada. Los platos típicos a base de este reptil son el caimán en salsa picante y la salchicha de caimán.

Ranas: en Luisiana, se encuentran en todas partes, pero la capital de las ranas es Rayne, en el corazón de la región cajún. La rana criolla, conocida como rana toro, es la más apreciada para su consumo. De hecho, se comen todas las especies, excepto la rana

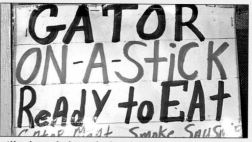

silbadora de los árboles, la cual es venenosa para los humanos. Las partes favoritas para comer son las ancas, que saben mejor asadas, fritas o salteadas.

Tortugas: en Luisiana existen muchas variedades de tortuga. A mediados del siglo XX, aún se vendía abundante carne de tortuga en el Mercado francés de Nueva Orleans. La carne era tan fresca que las pilas de carne ondulaban. En la actualidad, se crían tortugas en granjas para satisfacer la gran demanda que genera la elaboración de la popular sopa de tortuga. Ésta puede ser cremosa, caldosa o espesa como el lodo. Para ciertas personas, la grasa de la tortuga hembra es la parte más sabrosa. Cuando no se dispone de tortugas, éstas se sustituyen por carne de buey o de ternera para preparar una *mock turtle soup* (sopa de carne sazonada para que tenga sabor a tortuga).

En la matanza del cerdo se utilizan y se consumen todas las partes del animal. En la foto, un estofado de cuello, la versión cajún del estofado de rabo de buey.

HALLOWEEN

Los colores naranja calabaza y negro fúnebre representan Halloween, cuyo origen es la *All Hallows Eve* (víspera de Todos los Santos) de la antigua Gran Bretaña, una noche en la cual los espíritus de los muertos vuelven supuestamente a la tierra. En Estados Unidos, es una fiesta para los niños y la tradición gastronómica comprende básicamente confites. La noche del 31 de octubre, los niños se disfrazan para ir de casa en casa a pedir caramelos bajo la amenaza de *"trick or treat"* (o una jugarreta o un regalo). Recorren el barrio sintiendo miedo y deleite a la vez, con cierto pavor de llamar a la puerta de desconocidos mitigado por la esperanza de recoger el mayor botín de dulces posible en sus bolsas. Al final de la noche, sus bolsas de Halloween están llenas de *candy corn* (caramelos naranjas, blancos y amarillos en forma de granos de maíz), miniaturas de chocolate, calabazas de caramelo y otros dulces.

Para los niños norteamericanos, los disfraces son uno de los aspectos más emocionantes de Halloween y los adultos también se disfrazan cada vez más de fantasmas u otro tipo de criaturas. Es una ocasión para hacer realidad la fantasía de ser otra persona por una noche (un superhéroe, un espía, una mujer del harén, un león, etc), una diversión de la cual también pueden disfrutar los adultos. Tanto los niños como los mayores asisten a fiestas en casa de los amigos, cuyos porches están decorados con esqueletos, telas de araña, sombreros

Niños con sus disfraces de Halloween.

de bruja, escobas y gatos negros. Uno de los símbolos más típicos de Halloween es la *jack o'lantern*, una calabaza vaciada y tallada imitando una cara humana e iluminada por dentro con una vela. No se come; preside la mesa de la cena de Acción de Gracias, que se celebra unas semanas más tarde.

En las fiestas de Halloween se sirven manzanas acarameladas, sidra de manzana y bolas de palomitas de maíz. Los cuencos con ponche se enfrían con un bloque de hielo seco, una substancia que al fundirse despide vapor, imitando un brebaje diabólico. Entre los juegos tradicionales figuran la "pesca de

El tallado de las *jack o'lantern* se ha convertido en todo un arte; tanto los adultos como los niños compran cuchillos y plantillas especiales para hacer complejos dibujos en las calabazas.

Confites de Halloween: brujas de chocolate y piruletas en forma de calabaza con envoltorios decorativos, bolas de leche malteada, *candy corn*, caramelos en forma de calabaza y manzanas acarameladas.

manzanas" (los participantes tratan de pescar con los dientes las manzanas que flotan en barriles llenos de agua) y un juego para adivinar cuántos caramelos contiene un recipiente o una calabaza. Pero el acto principal de la fiesta será probablemente la admiración mutua de los disfraces y la entrega de los premios al "mejor disfraz", al "más pavoroso", al "más realista", etc.

Actualmente, las viejas supersticiones de la víspera de Todos los Santos se han transformado en la preocupación de los padres por los dientes de sus hijos después de haber tomado tantos caramelos. No tendrán que volver a preocuparse de la factura del dentista hasta dos meses más tarde, en Navidad, la siguiente fiesta cargada de dulces.

Un patio lleno de enormes *jack o'lanters*. La parte superior de las calabazas se corta a modo de tapadera para así poder introducir las velas que las iluminan.

Tejas

por Madge Griswold
y Renie Steves

Esta inmensa región de espacios vastos y tierras diversas, donde la pasión por los bistecs, la barbacoa en hoyos y la comida Tex-Mex no tiene límites, incluye cinco zonas con distintas tradiciones culinarias.

El nordeste de Tejas tiene elementos de la herencia y la hospitalidad del Viejo Sur. La agricultura es la principal actividad y los alimentos tradicionales preferidos son el cerdo, el pollo y las hortalizas cultivadas en casa. En el este y el sudeste de Tejas, los platos de Luisiana tales como los *gumbos* y los estofados a base de cangrejos de río, gambas y ostras son muy apreciados. En el centro de Tejas y el Hill Country, la comida local es la misma que la de los colonos ingleses y los alemanes que fundaron New Braunfels y Fredericksburg. También introdujeron la elaboración de las salchichas, el ahumado de la carne y la preparación del *wiener schnitzel* (escalopes), considerado el origen del *chicken-fried steak* (bistec de buey rebozado) tan preciado para los tejanos de hoy en día. Los cocineros del sur de Tejas han adaptado los platos y los ingredientes de sus vecinos mexicanos al sur de la frontera para desarrollar la cocina llamada Tex-Mex. Las gambas del Golfo de México son una especialidad del sur de Tejas. Los habitantes del oeste de Tejas adoran los bistecs y la carne de buey asada a la barbacoa.

Hoy en día, estas divisiones ya no están tan definidas, puesto que cada región ha adoptado la comida de las otras. Además, los inmigrantes recién llegados de Vietnam y Tailandia han traído sus propios estilos culinarios al estado de la "Estrella solitaria", añadiendo a la comida tejana un toque asiático, nuevos condimentos y métodos de cocción.

Puesta de sol sobre la ciudad de El Paso (Tejas)

288

El rancho

La imagen más típica de Tejas es la de una manada de vacas Longhorn conducidas por vaqueros a caballo a través de la pradera. Si bien los ranchos ganaderos son sólo un aspecto de la vida tejana, desempeñan un papel significativo en la actual economía de Tejas, además de constituir una buena parte de su historia.

Los ranchos de Tejas se establecieron para criar ganado bovino en tierras cedidas originariamente a familias mexicanas por el entonces rey de España (Tejas no formó parte de Estados Unidos hasta que el territorio se independizó de México en 1845). Se descubrió que la resistente hierba de Tejas (y de otros estados del oeste), conocida como mezquite o "hierba de búfalo", era un forraje nutritivo para el ganado salvaje de la región, el cual descendía de los animales abandonados por los españoles durante el siglo XVI. Los ganaderos se apropiaron de estos animales salvajes y los domesticaron, convirtiéndolos en las famosas vacas Longhorn de Tejas, muy adaptadas a las condiciones extremas del desierto. A pesar de su adaptación, estas vacas no producen carne sabrosa y, a la larga, fueron eliminadas. Hoy en día, en los ranchos se crían vacas Angus, Brahma y Hereford por su carne.

Cocción sobre una hoguera de campamento en el rancho. Se suelen utilizar cafeteras de estaño, ollas de hierro fundido o cazuelas y sartenes de aluminio ligero.

Antaño, los animales se llevaban al mercado tras realizar largos viajes desde las tierras del rancho hasta las estaciones del ferrocarril. Luego se cargaban en vagones y se enviaban a los corrales de ganado de Chicago, Kansas City y Fort Worth. Gracias a la invención de la alambrada en 1875, se pudo recluir y controlar fácilmente el ganado en el rancho. Los ganaderos de Tejas empezaron a criar ganado para mejorar las razas y para satisfacer el voraz apetito de los norteamericanos por la carne de buey.

La cría de ganado ha cambiado espectacularmente en los últimos años, con la implantación de la alimentación automática, los mataderos y las plantas de envasado locales. Los rodeos, que implicaban permanecer varios días a caballo lejos de casa, no son más que un recuerdo; actualmente, se hacen tanto con caballos como con helicópteros.

Vaqueros en un rodeo de ganado

Hoy en día, los grandes ranchos se dedican a producir carne de buey, pero al mismo tiempo crían ovejas, tanto por su carne como por su lana. En los últimos años, algunos ranchos de Tejas se han decantado por otras fuentes alternativas de carne, de animales tales como emús, avestruces, bisontes y nilgós (llamados, a veces, antílopes del sur de Tejas). La cría de avestruces se ha expandido tanto en Tejas que estas aves ya no se consideran exóticas.

Bufé de almuerzo después de toda una mañana enlazando y marcando reses

Las largas distancias entre las ciudades y las tiendas influenciaron la comida que se preparaba tanto en los ranchos como en sus tierras. Los cocineros contaban con los alimentos secos o en conserva, así como con la caza salvaje y los pollos, los cerdos y los bueyes de granja. Incluso hoy en día, a pesar de los excelentes medios de transporte, los ganaderos y sus trabajadores cocinan con ingredientes fáciles de conservar, tales como judías y macarrones. Los platos típicos del rancho reflejan esta tradición.

El equipo de un vaquero apenas ha cambiado desde antaño. El uniforme se compone de botas, zamarros sobre los pantalones vaqueros y un sombrero. Las monturas al estilo del Oeste disponen de una perilla alta para poder colgar una cuerda.

Un manta para montura con la marca del rancho King

El rancho King

El rancho King, que ocupa 333.873 hectáreas en el litoral del Golfo de México, es una leyenda viva que continúa creciendo y desarrollándose. Es más grande que el estado de Rhode Island y ocupa grandes áreas de cinco condados de Tejas. El rancho sigue siendo propiedad de los descendientes de Richard King, que compró la extensión original de tierra en 1845.

En la actualidad, el rancho cuenta con 60.000 vacas Santa Gertrudis, una raza que fue desarrollada en el rancho King a partir de las razas Brahman y British Shorthorn para soportar el clima húmedo y cálido y el terreno abrupto del sur de Tejas. La Santa Gertrudis fue la primera raza bovina nueva desarrollada en Estados Unidos. Los entendidos de todo el mundo consideran que su carne es de primera calidad. Hoy en día, el rancho King continúa siendo el pionero en la cría de ganado con una nueva raza, la Santa Cruz. Esta raza es el resultado del cruce entre tres tipos distintos de vacas (mitad Santa Gertrudis, una cuarta parte de Angus marrón y otra cuarta parte de Gelbvieh).

Las familias que viven en el rancho King forman parte de su historia, al igual que los propios herederos de Richard King, que todavía ostentan la propiedad. Muchas de estas familias son descendientes directos de los colonos mexicanos de la zona que se convirtieron en trabajadores del rancho. King diseñó su explotación ganadera tomando como modelo las haciendas y los ranchos de México, con vaqueros que dirigían los rebaños de ganado y las actividades domésticas centradas en una casa grande, la hacienda.

La comida del rancho King proviene de la tradición de los vaqueros; los guisos y las especialidades de *tortilla* del norte rural de México son los platos más apreciados. Las familias del rancho King suelen incluir en sus menús carne de buey, de venado, de tórtola y de codorniz. Los chiles verdes frescos y los rojos secos realzan muchos platos. Es frecuente que los platos se aderezen con guacamole (un puré de aguacates sazonado con tomates, cebollas y cilantro), judías y arroz. La pastelería se compone de empanadas (fritas u horneadas), pan dulce (pan ligero con una cobertura dulce) y buñuelos, que se sirven con un variado surtido de jarabes dulces.

291

COCINA DEL CARROMATO DE PROVISIONES

Comidas en marcha

En la pradera, el carromato de provisiones *(chuckwagon)* contenía toda la comida de los vaqueros para que éstos no tuviesen que cargar con sus víveres. Se utilizaba tanto en las largas batidas de ganado, cuando los animales eran arreados a través de miles de kilómetros hasta el ferrocarril, como localmente, alrededor de los pastos de los ranchos. Algunas de las propiedades eran tan grandes que los vaqueros permanecían fuera durante varios días en vez de volver al rancho cada noche. El carromato de provisiones, originariamente un vagón de víveres militares o un carro del rancho, constituía una cocina sobre ruedas, cuya parte trasera estaba equipada con compartimientos verticales a modo de alacena, en los cuales se guardaban los víveres y los utensilios. Fue diseñado por un ganadero de Tejas llamado Charles Goodnight para que resultase eficaz.

Un grabado antiguo mostrando los diferentes compartimientos del carromato de provisiones y el práctico mostrador plegable.

Cociendo una olla de Judías rancheras.

El cocinero, apodado *Coosie* o *Cookie,* dirigía su dominio con mano de hierro y también ejercía de médico, barbero y contratista. Algunos afirman que la palabra *"coosie"* proviene de "cocinero". Otros atribuyen el término a una piel de vaca sin curtir que se colgaba debajo del carromato para transportar provisiones. También recibía el nombre de *possum belly* o *caboose.*

Los alimentos básicos que se solían transportar en el carromato de provisiones eran judías, cerdo salado seco, beicon, harina de trigo y de maíz, melaza, vinagre, sal y masa fermentada para elaborar pan. También podía haber fruta seca (normalmente manzanas), cebollas, patatas, leche en conserva, tomates en lata y especias. Huelga decir que la carne de buey fresca no faltaba nunca en las largas batidas de ganado; la caza salvaje complementaba la dieta. Las comidas consistían en guisos nutritivos a base de judías, carne y tomates cocidos en una caldera de hierro fundido sobre una hoguera o bien dispuestos entre las brasas

ardientes. Las galletas de masa fermentada y el café solo acompañaban esta comida y, si el cocinero se encontraba de buen humor, preparaba algunos pasteles de manzana seca o un *cobbler* de fruta.

Los vaqueros cansados de los largos días a caballo, enlazando y marcando los terneros y vigilando cientos de animales, agradecían casi todo lo que les servían, pero estaban forzados a ello. La destreza de los cocineros del campamento variaba mucho. Algunas veces, los vaqueros se vengaban del cocinero sin talento, quien respondía con platos aún peores. Era una profesión ardua. Hoy en día, los carromatos de provisiones son reliquias del pasado, pero aún se ven algunos en Tejas y por todo el Oeste en los festivales donde equipos de cocineros disputan alegres concursos de cocina. Algunos comercios de comida preparada suelen ofrecer comida al estilo del carromato de provisiones a los clientes que quieren celebrar una fiesta al aire libre.

Jerga del carromato de provisiones

En el siglo XVII, en Inglaterra los profesionales de la carnicería denominaban *chuck* a la parte inferior de la carcasa de buey. El término llegó a Estados Unidos, donde se empezaban a criar bueyes en los ranchos. Muy pronto, los trabajadores del rancho usaron este término para referirse a toda la comida, no sólo a algunos cortes de buey. Más tarde, aparecieron los términos *chuckwagon* (el carromato de provisiones para los trabajadores del rancho) y *chuck box* (la especie de alacena situada en la parte trasera del carromato). La jerga de los vaqueros también incluía los siguientes términos:

Concepto:	Término de jerga:
Judías pintas	*West Texas strawberries* (fresas del oeste de Tejas)
Comida en conserva	*Air tights* (herméticos)
Camarera	*Biscuit shooter* (lanzadora de galletas)
Galletas	*Dough gods* (dioses de pasta)
Cocinero	*Dough wrangler* (vaquero de pasta)
Mesa para comer	*Feed trough* (comedero)
Artículos de lujo	*Fluff duffs* (puddings de pelusa)
Cebolla	*Skunk egg* (huevo de mofeta)

Judías picantes

Macarrones del carromato de provisiones

Ranch Beans
Judías rancheras

500 g de judías pintas secas

8 tiras de beicon cortadas en trozos
de 2,5 cm

1 cebolla grande picada

3 dientes de ajo picados

1 cucharadita de sal

Seleccione con cuidado las judías secas, desechando cualquier cuerpo extraño y las judías descoloridas o rotas. Las judías deben dejarse en remojo durante 8 horas o toda la noche para reducir el tiempo de cocción.

Mezcle las judías, el beicon, la cebolla y el ajo en una cacerola de fondo pesado con una capacidad 2½ veces mayor que su volumen. Cubra todo con agua fría y lleve a ebullición. Baje el fuego y deje hervir lentamente hasta que las judías estén tiernas, pero no blandas (de 1 a 2 horas aproximadamente). Compruebe que las judías están completamente cubiertas con agua durante la cocción. Añada sal al gusto, al final de la cocción. Para 6 personas.

Spicy Beans
Judías picantes

500 g de judías pintas secas lavadas

250 g de beicon cortado en trozos
de 2,5 cm

1½ tazas de cebolla troceada

½ taza de pimiento verde

3 dientes de ajo picados

¼ taza de salsa Worcestershire

1 cucharada de azúcar moreno

2 cucharaditas de comino molido

3 chiles jalapeños, sin semillas ni nervadura,
picados

2 cucharaditas de salsa de guindilla

1 cucharadita de sal

450 g de tomates troceados en lata
con el líquido

Ponga las judías en una olla de fondo pesado de un tamaño lo bastante grande para contener tres veces su peso. Cúbralas con agua fría limpia, lleve a ebullición, baje el fuego y deje hervir hasta que las judías estén tiernas. Escurra las judías y deseche el líquido.

Precaliente el horno a 180°C. Devuelva las judías a la olla y añada los ingredientes restantes. Hornee las judías, tapadas, durante 1 hora y 15 minutos aproximadamente. Sírvalas calientes o tibias. Para 6 personas.

Chuckwagon Macaroni
Macarrones del carromato de provisiones

6 lonchas de beicon cortado grueso, preferiblemente
ahumado con mezquite

1 taza de cebolla troceada

900 g de tomates en lata triturados

2 tazas de macarrones secos tipo coditos

En una sartén esmaltada de fondo pesado y de superficie refractaria, cueza el beicon a fuego medio-bajo para derretir la mayor cantidad de grasa posible. Cuando el beicon esté crujiente, retire los trozos y escúrralos sobre papel de cocina. Añada la cebolla troceada a la grasa y cuézala a fuego lento, removiendo de vez en cuando hasta que esté transparente y ligeramente dorada. Agregue los tomates, tape y cueza a fuego lento durante 10 minutos. Desmenuce el beicon en trocitos. Añada los macarrones y el beicon a la mezcla de tomate y cueza 10 minutos más. Para 6 personas.

Nota: este método no es el recomendado para cocer pasta, pero es el que se utiliza tradicionalmente para obtener la consistencia adecuada de este plato.

Fajitas y bistec rebozado

Fajitas

A principios de los años ochenta, las *fajitas* aromáticas, recién asadas y servidas aún muy calientes en la sartén de hierro fundido, se convirtieron en un plato popular en Estados Unidos. Se pusieron de moda en los puestos de la Feria Estatal de Tejas y en un célebre restaurante de Houston. Muy pronto, los comensales clamaron por estas tiras de carne de buey o pollo asadas a la parrilla,

El guacamole se puede untar sobre la *tortilla,* junto con la carne de la *fajita,* o bien servir como guarnición.

envueltas en *tortillas* de trigo calientes y aderezadas con salsa *pico de gallo,* salsa picante, guacamole y nata agria.

Las *fajitas* tuvieron unos comienzos modestos. Originariamente, estos bistecs de buey del músculo del diafragma eran desechos que se daban a los vaqueros tras el sacrificio del ganado. Los vaqueros guardaban un gran secreto: estos bistecs eran uno de los cortes más sabrosos del buey. Al ser fibrosos, se cocían a fuego lento a varios centímetros de las brasas, para que las vetas de grasa se fundiesen gradualmente y reblandeciesen la carne. Estas primeras *fajitas* se asaban a la parrilla durante bastante rato (15 minutos por cada lado), mientras los vaqueros se relajaban bebiendo una o dos cervezas y comentando la jornada de trabajo. Este tipo de *fajitas* todavía se encuentran en algunas zonas del sur de Tejas, a ambos lados de la frontera mexicana, acompañadas de cebollas asadas a la parrilla y de tiras calientes y humeantes de chiles verdes pelados y asados (llamadas "rajas").

En casa, los tejanos degustan las *fajitas* al estilo tradicional, asadas lentamente o bien marinadas y asadas rápidamente a fuego fuerte. En invierno, asan las *fajitas* a la parrilla en la cocina, tal y como las prepara la mayoría de los restaurantes.

Fajitas de pollo con cebolla roja a la parrilla, salsa fresca y guacamole en dados.

Preparación de las fajitas de pollo

1. Pique el cilantro fresco.

2. Deje marinar el pollo durante 4 horas como mínimo en un cuenco de vidrio o de cerámica.

3. Corte las pechugas asadas a la parrilla en tiras.

4. Envuelva el pollo en *tortillas* calientes.

Chicken Fajitas
Fajitas de pollo

1 kg de pechugas de pollo grandes sin piel,
deshuesadas y partidas por la mitad

½ taza de aceite vegetal

¼ taza de zumo de lima recién exprimido,
preferiblemente de limas Key

1 cebolla pequeña cortada en rodajas finas

4 dientes de ajo majados con un cuchillo
y luego picados finos

2–3 chiles jalapeños frescos sin semillas
y picados finos

1 cucharadita de orégano fresco picado

3 cucharadas de cilantro fresco picado

½ cucharadita de sal

tortillas de trigo

Mezcle todos los ingredientes en un cuenco de
vidrio o cerámica. Deje marinar el pollo en el
frigorífico durante 4 horas o toda la noche.

Prepare un fuego de leña o carbón. Cuando las
brasas estén cubiertas de ceniza blanca, ase las
pechugas de pollo hasta que, al pincharlas con un
cuchillo, suelten un jugo claro. Córtelas finas al
sesgo o en tiras. Disponga el pollo sobre *tortillas* de
trigo calientes, añada *salsa* fresca o guacamole si lo
desea y enrolle las *tortillas*. Sírvalas acompañadas de
gajos de cebolla roja a la parrilla, tiras de chiles verdes asados, salsa fresca, guacamole, salsa picante
y nata agria. Para 4–6 personas.

Collard Greens with Serrano Chile
Hojas de berza con chile serrano

3 rodajas de cerdo salado

1 cebolla pequeña troceada

1 chile serrano picado

2 manojos de hojas de berza o de mostaza,
bien lavadas y sin los tallos duros

suficiente agua para cubrir la preparación

1 cucharadita de vinagre a las hierbas

sal y pimienta recién molida, al gusto

Saltee el cerdo salado hasta que se vuelva crujiente.
Añada la cebolla y el chile serrano y cueza de
2 a 3 minutos. Agregue las hojas de berza. Remueva bien y vierta agua caliente hasta cubrirlas. Lleve
a ebullición y cueza a fuego medio de 25 a 30 minutos, añadiendo agua según sea necesario. Vierta
el vinagre y sazone al gusto con sal y pimienta.
Sirva como guarnición de un bistec rebozado.

Chicken-fried Steak with Cream Gravy
Bistec rebozado con jugo cremoso

4 bistecs de babilla de buey de 250 g
y de 1,3 cm de grosor

aceite vegetal para freír

2 huevos batidos con ⅛ cucharadita
de pimienta de Cayena

harina sazonada con sal y pimienta
para espolvorear

3 cucharadas de harina

1½ tazas de leche

sal y pimienta recién molida, al gusto

Machaque los bistecs hasta dejarlos de 0,5 cm de
grosor. Caliente 0,3 cm de aceite en una sartén sin
que llegue a humear. Bañe los bistecs en el huevo
batido, rebócelos con abundante harina sazonada
y vuelva a bañarlos en el huevo. Introduzca con
cuidado los bistecs en el aceite caliente. Fríalos en 2
tandas si es necesario. Deje suficiente espacio entre
los bistecs para que se doren por los lados. Déles la
vuelta al cabo de 1 minuto. Pase a fuego medio y
tape. Fría 7 u 8 minutos, destape y fría 5 minutos
más, dando la vuelta a los bistecs una vez. Esto permite obtener una corteza crujiente. Retire la carne
de la sartén y manténgala caliente.

Para preparar el jugo cremoso, deje sólo 3 cucharadas de aceite en la sartén. Añada 3 cucharadas
de harina, remueva y deje que la mezcla adquiera un
color amarronado. Agregue poco a poco la leche sin
dejar de batir y cueza hasta que la salsa se espese. Salpimiente al gusto. Sirva los bistecs rociados con el
jugo cremoso. Para 4 personas.

Chicken-fried Steak

Los tejanos tienen muchas especialidades típicas: galletas (con o sin jugo), platos Tex-Mex,
barbacoa, bistecs al estilo vaquero, pero el
plato rey en Tejas es el *chicken-fried steak (bistec rebozado)* que, a pesar de su nombre, no
incluye pollo entre sus ingredientes. El nombre
se refiere al método de cocción, que es el que
se utiliza para preparar pollo rebozado (salvo
que se le añade huevo batido). La receta proviene del *Wiener schnitzel,* un plato alemán
que consiste en un bistec de lomo de buey de
1,25 cm de grosor, que se aplana para reblan-
decerlo, se espolvorea con harina sazonada, se
baña en huevo batido y se espolvorea de nuevo
con harina sazonada. Finalmente, se fríe en
grasa vegetal y se sirve napado con abundante
jugo cremoso a la pimienta.

El bistec rebozado, conocido familiarmente
como "CFS", se suele servir con las guarniciones
tradicionales: puré de patatas, jugo de carne,
verduras, judías de careta y pan de maíz.

Bistec rebozado con jugo y conserva de maíz. Este plato también
se suele servir con hojas de berza, puré de patatas, pan de maíz
y judías de careta.

BARBACOA DE CARNE DE BUEY

En Tejas, la barbacoa es una pasión. Parece como si en todas las poblaciones hubiese un garito con un letrero proclamando que sirven la mejor barbacoa del mundo. Los tejanos no están acostumbrados a ser modestos. Preparar una "Q" o *cue* (barbacoa) al aire libre implica normalmente buscar un lugar recóndito si se encuentran en el campo o improvisarla en un callejón si están en la ciudad. La comida se sirve en mesas de picnic con utensilios de cartón y plástico. El confort es básico. Las barbacoas también se preparan en casa en las reuniones familiares, las recaudaciones de fondos políticas y las celebraciones del Cuatro de Julio. Es un proceso laborioso que precisa de un experto para dirigir la construcción del hoyo y la preparación de la carne, aunque muchas familias tejanas ya tienen un maestro en barbacoas asignado que se responsabiliza de todo.

El término "barbacoa" designa comida preparada sobre o junto a un fuego al aire libre. Aunque el término se suele usar para todo tipo de cocción sobre un fuego al aire libre, la auténtica barbacoa se refiere en Tejas a un método de cocer la carne en un recipiente cerrado o enterrada en el suelo con un fuego bajo que despide un humo fragante y delicioso. En Tejas, la barbacoa suele ser de carne de buey. Es una tradición de más de cien años que empezó cuando, en los mercados, los sábados se cocían y se ahumaban los restos de carne (normalmente los cortes más duros, como el pecho de buey) para su posterior venta. Muchos de estos puestos estaban regentados por inmigrantes checos y alemanes que trajeron al centro de Tejas su experiencia en la cocción de las carnes, la elaboración de salchichas, y otras especialidades de carne de buey y de cerdo.

Tejas es célebre por la barbacoa de pecho de buey, que se frota con hierbas y especias antes de ahumarlo. Durante la cocción, se baña de vez en cuando la carne con una salsa o pringue (llamadas "mopping sauces" en referencia al "mop" o brocha que se utiliza para untar). Normalmente, se trata de una salsa a base de ketchup aderezada con condimentos (tales como vinagre y especias) e ingredientes "secretos". Para realzar el sabor de la carne, algunos cocineros añaden al fuego astillas húmedas de nogal americano o nogal pacanero al final de la cocción.

La auténtica barbacoa tejana se prepara en un hoyo largo y estrecho. El fuego está en un extremo y la carne a unos centímetros de distancia. La cocción se hace lentamente a fuego muy bajo y puede durar hasta 6 horas, durante las cuales se baña de vez en cuando la carne con salsa. Algunos cocineros domésticos han inventado sus propios artilugios para poder preparar este tipo de barbacoa,

Barbacoa de buey de Tejas: 1. Salchicha de buey (con un poco de carne de cerdo) 2. Pecho de buey 3. Espalda magra de buey 4. Costillar de buey 5. Un recipiente de cartón para llevar, ideal para servir la barbacoa

pero otros utilizan parrillas de carbón, hornos de leña o ahumaderos de agua para obtener la cocción y el ahumado adecuados. Los troncos de combustión lenta de maderas duras como el nogal pacanero y el roble (ambos utilizados en el centro de Tejas), así como el nogal americano (utilizado en el este de Tejas) son los mejores combustibles para la barbacoa. El aromático mezquite, excelente para asar a la parrilla, produce temperaturas demasiado altas para la barbacoa y además aporta un sabor oleoso a la carne. No obstante, se utiliza en el oeste de Tejas.

Las guarniciones son esenciales para distinguir un buen restaurante de barbacoa. En el sur de Tejas, el pecho y las costillas ahumadas se sirven con judías negras. En el este de Tejas, la gente pide judías en salsa de tomate para acompañar la barbacoa. Las judías pintas aparecen en todas partes. En la zona de los alrededores de Houston, las guarniciones típicas son ensalada de macarrones al estilo sureño, judías verdes y ensalada de guisantes. Entre otras guarniciones figuran el *coleslaw* (ensalada de col), la ensalada de patatas, el pan de maíz, los panecillos tiernos de pan blanco, los quingombós estofados, las espinacas aderezadas con chiles jalapeños, los aros de cebolla fritos y las mazorcas de maíz.

Izquierda: un cocinero cortando la carne ahumada recién sacada del hoyo de la barbacoa sobre un fuego de madera de roble.

Inferior: especialidades del menú de barbacoa.

Barbecued Beef Brisket
Pecho de buey a la barbacoa

1 pecho de buey de 4 a 6 kg (bien veteado con grasa
y cubierto con 6 mm de grasa como mínimo)

Marinada seca:

½ taza de pimentón

¼ taza de guindilla en polvo con especias
(tipo Gebhardt's)

3 cucharadas de pimienta negra molida

3 dientes de ajo picados finos o 2 cucharaditas
de ajo en polvo

3 cucharadas de cebolla rallada o 2 cucharadas
de cebolla en polvo

3 cucharadas de azúcar

Salsa para untar:

375 ml de cerveza clara

½ taza de vinagre blanco o de sidra

⅓ taza de aceite de oliva o de colza

¼ taza de salsa Worcestershire

1 cucharada de guindilla en polvo con especias
(tipo Gebhardt's)

1 cucharadita de salsa picante embotellada

2 cucharaditas de mostaza seca

2 cucharaditas de sal

½ taza de whisky bourbon

¼ taza de cebolla picada

3 dientes de ajo picados

Bistecs de pecho de buey ahumados con aromática madera de mezquite. La carne se deja en el ahumadero cerrado de 6 a 8 horas.

Mezcle todos los ingredientes de la marinada seca. Frote la marinada seca sobre la carne la noche anterior a su cocción. Envuelva la carne con film transparente y refrigérela.

Precaliente el horno a 110°C. Envuelva holgadamente la carne con papel de aluminio e introdúzcala en el horno. Mezcle los ingredientes de la salsa en un cazo no reactivo (de acero inoxidable, por ejemplo) y de fondo pesado. Lleve a ebullición y deje cocer a fuego lento durante 10 minutos. Enfríe la mezcla y utilícela para untar la carne cada media hora, dándole la vuelta cada hora. Ase durante 1–1¼ horas por cada 500 g.

Inferior: en todas las mesas de los restaurantes de barbacoa se ofrece sal y pimienta negra, palillos, salsa picante de la casa (se ha de agitar bien antes de servir) y chiles encurtidos.

Cocina Tex-Mex

El término "Tex-Mex" se utiliza para describir los platos populares, como los *tacos* y los *burritos,* que muchos norteamericanos consideran "mexicanos". En realidad, los mexicanos no reconocerían la mayoría de estos platos, que sólo tienen un parecido casual con la comida de su país. El ingrediente más importante tanto de la cocina Tex-Mex como de la mexicana son los chiles, cuyas numerosas variedades se utilizan, ya sea frescas o secas, en la cocina del Sudoeste norteamericano. Célebres por su sabor picante, los chiles varían en gusto e intensidad según la variedad. Los platos Tex-Mex incluyen otros ingredientes (como las judías, las *salsas* y las *tortillas)* que también aparecen en las recetas mexicanas pero que, aderezados con salsas a base de tomate y queso amarillo fundido, se han convertido en platos norteamericanos.

Los típicos platos Tex-Mex figuran entre los más apreciados de Norteamérica. La mayoría se puede comer fácilmente con los dedos y se sirve como tentempié o en fiestas. Los *tacos,* hechos con *tortillas* de maíz, se rellenan de carne picada de buey sazonada u otras preparaciones. Las *quesadillas* (grandes *tortillas* de trigo dobladas, rellenas de queso y asadas a la parrilla) constituyen un delicioso aperitivo. Los *nachos* (los populares triángulos de *tortilla* de maíz cubiertos con queso y chiles verdes), las *tostadas* y las *fajitas* (tiras de falda de buey marinadas y asadas a la parrilla envueltas en *tortillas* de trigo) son otros populares aperitivos Tex-Mex

que también se comen con los dedos. Sin embargo, los aficionados a la comida Tex-Mex utilizan el tenedor para tomar *enchiladas* y *burritos.* Ambos platos se preparan con *tortillas* enrolladas o dobladas sobre un relleno, napadas con salsa y cubiertas con queso fundido.

Cuencos llenos de chiles, salsa picante de chiles y hortalizas troceadas en un mercado fronterizo.

Cheese Crisp Tostada with Carne Seca
Tostada crujiente de queso con Carne seca

4 *tortillas* de trigo
2 tazas de queso cheddar Longhorn rallado
1 taza de *carne seca* (carne de buey secada al aire y cocida con especias y condimentos)
1 taza de tiras de chiles verdes asados
1 taza de tomates frescos cortados en dados

Cubra la *carne seca* con agua caliente y déjela en remojo hasta que se ablande. Escúrrala y píquela fina. Coloque las *tortillas* directamente sobre la rejilla del horno, precalentado a 120°C, y cuézalas hasta que estén secas y crujientes. Retírelas del horno y suba la temperatura a 180°C o precaliente la parrilla.

Reparta el queso entre las *tortillas* de manera uniforme. Añada los ingredientes restantes, dividiéndolos en cantidades iguales. Caliente las *tortillas* en el horno o en la parrilla hasta que el queso burbujee y los ingredientes se calienten. Para 4 personas.

Tostada crujiente de queso con *Carne seca*

Quesadillas

Tex-Mex Tacos

1 cucharada de aceite de maíz o de colza

¼ taza de cebolla picada fina

1 diente de ajo picado

500 g de carne de buey cortada en dados

1 cucharada (o al gusto) de guindilla
en polvo especiada

1 cucharadita de concentrado de tomate

sal al gusto

8 *tacos* de *tortilla* de maíz crujientes

queso y cebolla para aderezar

Caliente el aceite en una sartén de fondo pesado y
dore ligeramente la cebolla. Añada el ajo y remueva brevemente. Agregue la carne y dórela un poco.
Incorpore la guindilla en polvo y el concentrado de
tomate. Sale al gusto.

Rellene los *tacos* con la mezcla. Aderécelos con
queso y cebolla. Sírvalos con una salsa de su elección, a un lado. Para 4 personas.

Quesadillas
Tortillas a la parrilla con queso

6 lonchas gruesas de beicon ahumado
(preferiblemente ahumado con mezquite)

4 *tortillas* de trigo de 20–25 cm de diámetro

2 tazas de queso cheddar Longhorn rallado u otro
cheddar suave

4 chiles verdes largos asados, sin semillas ni
nervaduras, cortados en tiras

Corte el beicon en trozos de 1,3 × 2,5 cm. Fríalos
en una sartén a fuego medio-bajo hasta que estén
crujientes. Escúrralos y resérvelos. Disponga una
tortilla de trigo en una superficie plana. Cubra la
mitad de la *tortilla* con una cuarta parte del queso,
del beicon y de los chiles. Doble la otra mitad de la
tortilla sobre el relleno. Repita la operación con las
tortillas y los ingredientes restantes.

Ase las *quesadillas* de una en una por ambos
lados en una parrilla abierta o con tapa, o en el
horno precalentado a 230°C, hasta que la *tortilla*
se dore ligeramente y el queso se funda. Para 4 personas.

Tex-Mex Enchilada Sauce
Salsa Tex-Mex para enchiladas

110 g de chiles secos (unos 15: 5 chiles rojos largos
y 10 chiles ancho) partidos por la mitad
y sin semillas

4 tazas de agua

2 tazas de caldo de buey

1 cucharada de manteca de cerdo

2 cucharadas de harina

½ cucharadita de comino molido

1 cucharadita de hojas de orégano fresco picadas
finas o ½ cucharadita de hojas de orégano
seco machacadas

4 dientes de ajo con piel

1 cucharada de concentrado de tomate

sal al gusto

½ cucharadita de vinagre blanco (o al gusto)

Parta los chiles y retire las semillas. Caliente moderamente una sartén de hierro fundido y de fondo
pesado. Tueste un poco los chiles por ambos lados,
en tandas. Retire los chiles en cuanto estén cocidos.
Cuando estén lo bastante fríos para poder manipularlos, pártalos en trozos de 5 cm.

Ponga los chiles y el agua en un cuenco y rehidrátelos durante ½ hora. Escúrralos, desechando el
agua. En una batidora o un robot de cocina, licúe
los chiles con el caldo de buey por tandas. Triture
la mezcla resultante en un pasapurés con disco
mediano. Reserve el puré obtenido.

Caliente la manteca en una sartén de fondo
pesado. Añada la harina y remueva suavemente
durante varios minutos para elaborar un *roux*
marrón claro. Agregue el puré de chiles y cueza
unos minutos a fuego lento, añadiendo agua si es
necesario para obtener una salsa espesa. Incorpore el comino, el orégano y el ajo. Mezcle el
concentrado de tomate con la misma cantidad de
agua y viértalo en la salsa. Sazone al gusto con sal
y vinagre.

Cueza la salsa a fuego lento de 30 a 45 minutos
o hasta que el ajo esté blando. Retire los dientes de
ajo, separe la pulpa de las pieles y cháfela en
la salsa.

Beef Enchiladas
Enchiladas de carne de buey

1 cucharada de aceite de maíz o de colza

½ taza de cebolla picada fina

1 diente de ajo picado

500 g de carne picada de buey

2 chiles verdes asados, pelados, sin semillas
y cortados en dados

½ cucharadita de hojas de orégano seco

½ cucharadita de semillas de comino molidas

1 cucharada de guindilla en polvo sazonada

2 cucharaditas de concentrado de tomate

½ taza de caldo de buey

sal al gusto

8 *tortillas* de maíz frescas

aceite de maíz o de colza

Salsa Tex-Mex para enchiladas

queso cheddar Longhorn u otro cheddar
suave, rallado

Caliente el aceite en una sartén de fondo pesado y
sofría la cebolla. Añada el ajo y remueva brevemente. Agregue la carne y dórela un poco. Vierta los
chiles verdes, el orégano, el comino, la guindilla en
polvo, el concentrado de tomate y el caldo. Hierva
brevemente a fuego lento para entremezclar los
sabores. Rectifique de sal si es necesario y mantenga la mezcla caliente.

Precaliente el horno a 180°C. Caliente el aceite
de maíz o de colza en una sartén pequeña. Bañe
brevemente las *tortillas* primero en el aceite para
ablandarlas y, luego, en la Salsa Tex-Mex para enchiladas. Extienda cada *tortilla* sobre una superficie
plana. Ponga 2 cucharadas de la mezcla de carne en
el lado de la *tortilla* más cercano a usted y enrolle la
tortilla en forma de puro. Dispóngala, con la juntura hacia abajo, en un plato caliente y cúbrala
con Salsa Tex-Mex para enchiladas y queso rallado.
Para 4 personas.

Enchilada de
carne de buey

COCINA FRONTERIZA

La zona de Tejas situada al sur de la ciudad de San Antonio alberga la mayor parte de la cultura hispana del estado. Fue la primera en ser colonizada y muchos de sus habitantes siguen las tradiciones culinarias de sus antepasados mexicanos. La cocina de las ciudades fronterizas de El Paso, Laredo, McAllen y Brownsville es más parecida a la mexicana que a la llamada Tex-Mex.

La cocina fronteriza abarca una zona de unos 320 km al norte y al sur del Río Grande, que divide Estados Unidos y México. Es una región desierta y montañosa. Los platos fronterizos se basan en los ingredientes disponibles; incluyen pocos productos lácteos, si bien el queso se utiliza ocasionalmente. Las tradiciones culinarias hispanas son más evidentes en esta cocina que en los platos Tex-Mex, con recetas cuidadosamente aderezadas a base de carnes a la parrilla (cabra y pecho de buey), *tortillas* de trigo, chiles asados, *nopalitos* y zumo de lima.

Entre las especialidades de la zona fronteriza figuran el salpicón (una ensalada de tiras de carne de buey, a la barbacoa o braseada, frías y mezcladas con hortalizas crujientes) y la carne picada (trocitos de carne de buey salteados rápidamente y luego cocidos a fuego lento con cebolla y chiles verdes). Para desayunar, la carne picada se envuelve en una *tortilla* de trigo formando un *burrito* o simplemente se mezcla con huevos revueltos. También se sirven huevos rancheros, huevos napados con una salsa ranchera picante y caliente.

Tacos en un café fronterizo

Carne picada en el Car Wash Diner de El Paso (Tejas)

El Paso/Juárez:
una ciudad, dos países, tres estados

A lo largo de la frontera entre Tejas y México, la mayoría de las grandes poblaciones tiene dos barrios separados geográficamente por el Río Grande y políticamente por dos gobiernos. A pesar de que algunas de estas ciudades tienen nombres diferentes según se encuentren a un lado u otro de la frontera, conservan la esencia de una sola ciudad. Es especialmente cierto en el caso de las poblaciones de El Paso (Tejas) y Juárez (México), que se suele describir como "una ciudad, dos países, tres estados". Esta población no sólo es una gran ciudad situada entre dos países, sino que además abarca tres estados: Tejas, Nuevo México y el estado mexicano de Chihuahua.

La población de Juárez alberga el mercado de Cuauhtemoc, también conocido como "el viejo mercado", que es uno de los mejores de la zona para comprar los ingredientes sabrosos y picantes de la cocina hispana. Los puestos rebosan en chiles, hierbas, especias, pilas de chicharrones, *nopalitos* (palas de chumbera recién cortadas en tiras) y delicioso queso menonita. Los habitantes de ambos lados de la ciudad se mueven con mucha facilidad entre las dos zonas para ir a comprar al mercado. Juárez también dispone de alegres bares y restaurantes, uno de los cuales reivindica la invención del cóctel Margarita.

Carne picada
Carne de buey picante

2 cucharadas de aceite vegetal
½ taza de cebolla blanca pelada y cortada en dados
5 chiles jalapeños, sin semillas ni nervaduras, picados finos
500 g de carne de buey cortada en dados de 2,5 cm
2 tomates medianos o grandes pelados, sin semillas y cortados en dados
2 dientes de ajo pelados y picados finos
2 cucharaditas de caldo de buey en polvo
sal y pimienta recién molida, al gusto

Precaliente el horno a 190°C.

Caliente el aceite vegetal en una cazuela refractaria de fondo pesado. Añada la cebolla y refríala a fuego suave hasta que se vuelva transparente, 15 minutos. Agregue los chiles y refría 10 minutos más. Pase la cebolla y los chiles a un plato y reserve. Suba el fuego y dore rápidamente la carne de manera uniforme, en pequeñas tandas. Devuelva la cebolla y los chiles a la cacerola. Añada los tomates, el ajo, el caldo concentrado, la sal y la pimienta. Hornee durante 1 hora o hasta que la carne esté tierna. Sirva como relleno de *tortillas* de trigo calientes. Para unas 4 personas.

Escabeche of Vegetables
Escabeche de hortalizas

¾ taza de aceite de oliva virgen extra
3 cabezas de ajo sin las puntas
1 cebolla amarilla mediana, pelada y cortada
4 zanahorias peladas y cortadas en diagonal
1 cucharadita de pimienta negra en grano
1 cucharadita de tomillo seco
1 cucharadita de orégano seco
1 cucharadita de mejorana seca
8 hojas de laurel
1 coliflor cortada en ramilletes
4 jalapeños frescos sin semillas y picados
1½ tazas de vinagre blanco
1 taza de agua
3 calabacines medianos cortados en diagonal
1 jícama de 500 g pelada y cortada en rodajas

En una cacerola grande de superficie no reactiva, caliente el aceite a fuego medio-alto. Añada las cabezas de ajo y la cebolla. Saltee durante 3 minutos, removiendo de vez en cuando. Pase a fuego medio y añada las zanahorias, la pimienta, el tomillo, el orégano, la mejorana y el laurel. Tape y cueza durante 2 minutos. Agregue la coliflor, los jalapeños, el vinagre y 1 taza de agua. Remueva bien, tape y cueza 5 minutos más a fuego medio. Añada los calabacines y la jícama. Tape y cueza otros 5 minutos. Las hortalizas deben quedar crujientes. No las cueza en exceso. Retire las hortalizas del fuego y deseche las hojas de laurel. Sale al gusto. Cubra el escabeche y refrigérelo, preferiblemente toda la noche, antes de servirlo a temperatura ambiente. Para 4 personas.

Salpicon
Ensalada de tiras de carne de buey con hortalizas

1 pecho de buey de 2–2,5 kg
2 dientes de ajo picados finos
2 cebollas blancas peladas y en rodajas
4 tazas de caldo de buey casero o de lata
3 chiles poblano o 5 chiles verdes largos asados, pelados y sin semillas
3 chiles chipotle en adobo cortados en dados de lata

En una bolsa para cocinar al horno, mezcle la carne y los otros ingredientes. Pinche la parte superior de la bolsa por varios sitios. Introdúzcala en el horno precalentado a 180°C y ase durante 2½ horas o hasta que la carne esté muy tierna. O bien, cueza los ingredientes a fuego lento en una olla de hierro fundido esmaltada y, a continuación, áselos en el horno, precalentado a 160°C, durante 2½ horas o hasta que la carne esté muy tierna.

Retire la carne y déjela enfriar. Reserve ¼ taza del caldo para utilizarlo en el aliño.

Aliño:

⅓ taza de zumo natural de lima mexicana (lima Key) o ¼ taza de zumo natural de lima
¼ taza del caldo reservado de la cocción de la carne
2 cucharadas de vinagre blanco
2 dientes de ajo picados finos
1 cucharadita o más de sal
⅔ taza de aceite de oliva

Mezcle los 5 primeros ingredientes e incorpore batiendo el aceite. Reserve.

Salpicon:

el pecho de buey cortado en rodajas de 0,3 cm
1 taza de cebolla dulce o roja cortada en dados gruesos
½ taza de cilantro picado fino
1 cogollo de lechuga de hoja rizada
4 tomates medianos cortados en cuartos
3 aguacates maduros pelados y cortados en rodajas
4 huevos duros cortados en cuartos

Mezcle la carne con la cebolla y el cilantro. Añada el aliño y remueva para mezclar bien.

Disponga la mezcla de carne y cebolla en un cuenco grande. Aderece con las hojas de lechuga, los tomates, los aguacates y los huevos duros. Para 10–12 personas.

San Antonio

Como muchas ciudades antiguas del Sudoeste hispano, San Antonio fue al principio un asentamiento de los indígenas norteamericanos. Durante la época en la cual Tejas todavía era una provincia española, San Antonio era entonces su capital. La zona que se encontraba alrededor de San Antonio pasó a formar parte de México en 1821 y, más adelante, de Estados Unidos hacia 1840. En la actualidad, los habitantes de San Antonio alimentan y fomentan su tradición hispana con eventos culturales, fiestas y una comida que refleja su herencia mexicana.

La ciudad de San Antonio, con más de un 50% de población hispana, es el lugar de origen de numerosos platos Tex-Mex pero también ofrece recetas que provienen, casi intactas, de los platos mexicanos. Entre ellos, el cabrito asado o cocido al vapor y servido de diversas maneras.

Hoy en día, los visitantes de San Antonio descubren muchos barrios y edificios antiguos que se han conservado a pesar del rápido crecimiento de la metrópolis. El río San Antonio atraviesa la ciudad, serpenteando unos 9,6 km a través del centro comercial de San Antonio, bordeado por el Riverwalk, un precioso paseo atractivamente iluminado de noche. A lo largo del paseo, los senderos y los puentes se encuentran rodeados de tiendas y restaurantes de todo tipo que tientan a los paseantes a detenerse y degustar la comida tradicional en un escenario fascinante.

Escabeche de hortalizas

CHILE

Un bol de "rojo"

El *chile,* tal vez el plato más conocido de la cocina Tex-Mex, es una adaptación de un plato de carne tradicional del Sudoeste (normalmente, de buey o cerdo) que se cuece a fuego lento en una salsa a base de chiles secos y especias. No se debe confundir el nombre de este plato, *chile (chili,* en inglés) con el término "chile", que se refiere al condimento. En San Antonio, a finales del siglo XIX, unas mujeres apodadas "reinas del *chile"* vendían unos estofados que llamaban *"chile"* en el mercado de la Plaza de Armas. Los elaboraban con chiles rojos secos y carne de buey. Esta denominación se convirtió progresivamente en el término corriente para un estofado que no sólo incluía los ingredientes originales, sino también otros condimentos e, incluso, tomates y judías secas cocidas. Sin embargo, la mayoría de los tejanos se horroriza sólo de pensar en la idea de añadir judías a la receta ya que para ellos un auténtico *chile* no debe contener nada que pueda atenuar el sabor de la carne y los chiles.

En la actualidad, se ha convertido en un símbolo gastronómico. Es uno de los platos nacionales de Estados Unidos y el plato oficial de Tejas. A muchos ciudadanos norteamericanos, sean del estado que sean, les apetece alguna vez un bol de "rojo" y a los aficionados a este plato les gusta comentar sus propias recetas del mejor *chile* del mundo. Las variantes regionales son tan numerosas como las creaciones de audaces cocineros que elaboran *chiles* deliciosos y únicos. Existe incluso una receta con carne de ardilla. Pero los tejanos afirman que son los únicos que saben prepararlo como es debido, respetando las proporciones de condimentos e ingredientes para elaborarlo con el perfecto equilibrio de sabor y picante.

Cazuela grande de *chile* con carne picada de buey, listo para servir en un puesto del mercado de Juárez, justo al otro lado de la frontera de El Paso.

Concursos de chile

Los amantes del *chile* celebran concursos locales e internacionales. La Chili Apreciation Society International, que cuenta con unos 50 clubes en Estados Unidos y Canadá, se encarga de organizar cada año más de 400 concursos de *chile* que consiguen atraer a miles de participantes entusiastas. Si bien es cierto que se producen algunas peleas amistosas y los asistentes lo consideran un pasatiempo, los concursantes se lo toman bastante en serio.

Los concursos se organizan a modo de circuito anual, como los campeonatos de tenis y golf. Los cocineros consiguen puntos en cada concurso y los que obtienen más pueden participar en la final que se celebra en Terlingua (Tejas) el primer fin de semana de noviembre.

Reglamento del concurso

• Todos los chiles se deben preparar *in situ* y en público.

• No se puede llevar nada preparado con anterioridad.

• Se pueden utilizar tomates y chiles en lata, así como chile en polvo.

• Está prohibido usar carne marinada, ingredientes ya cortados, judías, arroz, macarrones y *hominy.*

• Los cocineros deben preparar una cacerola de *chile* y presentar un solo bol al jurado.

• Los cocineros deben preparar y cocer el *chile* respetando unas normas de higiene. Deben cocer debajo de una marquesina. El procedimiento de limpieza debe incluir un lavado con agua y lejía de absolutamente todos los recipientes y utensilios de cocina que se vayan a utilizar en la elaboración del *chile.*

• Cualquier cocinero que incumpla el reglamento será descalificado.

• El *chile* debe oler bien y su color debe variar del rojo al marrón rojizo. Debe haber un buen equilibrio entre carne y salsa; la carne debe estar tierna pero no blanda. El *chile* debe saber bien. Se debe evitar el uso de ingredientes exóticos. Tampoco se puede utilizar azúcar. El comino debe usarse con moderación; la clave es un equilibrio perfecto. Los expertos indican que los jueces suelen otorgar el 60% de los puntos al sabor, el 30% a la textura y el 10% a la consistencia.

Chili with Beef
Chile con carne de buey

2 cucharadas de aceite de maíz o de colza

500 g de carne de buey cortada en dados
de 1,8 cm

1 cebolla (mediana o grande) pelada y cortada
en dados gruesos

4 dientes de ajo sin pelar

2 tazas de tomates de lata

3 chiles verdes largos, sin semillas ni nervaduras,
picados finos

375 ml de cerveza clara

¼ taza de chile puro en polvo

2 cucharadas de guindilla en polvo sazonada
(una mezcla comercial sazonada con especias
adicionales)

2 cucharaditas de comino molido

1 cucharadita de orégano seco

1 cucharadita de caldo de buey en polvo

sal y pimienta recién molida, al gusto

azúcar moreno al gusto

salsa picante envasada, al gusto

Caliente el aceite en una olla de fondo pesado
y dore la carne por tandas. Retire la carne y resérvela. Añada más aceite a la olla si es necesario y
cueza la cebolla a fuego lento durante 5 minutos.
Devuelva la carne a la olla junto con los dientes de
ajo, los tomates, los chiles verdes, la cerveza, el
chile y la guindilla en polvo, el comino, el orégano y el caldo en polvo. Remueva para mezclar
bien. Cueza el *chile,* tapado, a fuego lento hasta
que la carne esté tierna pero no blanda (unas 1½
horas). Retire los dientes de ajo. Corte una punta
de cada diente de ajo y retire la pulpa presionando la piel. Chafe la pulpa en el *chile.* Añada sal,
pimienta, azúcar moreno y salsa picante al gusto.
Para 8–10 personas.

Un participante de un concurso de *chile* disfrutando de su trabajo.

Chili with Pork
Chile con carne de cerdo

3 chiles rojos largos secos, sin semillas ni nervaduras

½ taza de agua

3 cucharadas de aceite de maíz o de colza

500 g de carne magra de cerdo deshuesada y cortada
en dados de 1,3 cm

1 cebolla grande cortada en dados

1 pimiento dulce verde grande, sin semillas ni
nervaduras, troceado

450 g de tomates de pera italianos en lata

400 g de tomatillos en lata escurridos

125 g de chiles Anaheim en lata en dados

½ taza de caldo de pollo bajo en sal y grasas

2 dientes de ajo sin pelar

3 tazas de judías pintas cocidas

sal al gusto

Ponga los chiles y el agua en un cuenco y rehidrate
los chiles durante ½ hora.

En una olla de fondo pesado, dore la carne de
cerdo en el aceite por tandas. Pásela a un cuenco y
resérvela. Dore ligeramente la cebolla y el pimiento
verde. Añádalos al cuenco con la carne. Desglase la
olla con el líquido de los tomates o con agua.
Devuelva la carne y las verduras a la olla. Chafe los
tomates y los tomatillos en el líquido. Escurra el
líquido de los chiles. Tritúrelos en un pasapurés con
disco mediano. Agregue los chiles Anaheim, el puré
de chiles y los ajos a la mezcla de la olla. Deje que
rompa el hervor y cueza a fuego lento hasta que la
carne esté tierna (1 hora como mínimo). Justo
antes de servir, añada las judías y recaliente el *chile.*
Sale al gusto y sirva. Para 4–6 personas.

Chile con carne de buey

POMELO ROJO DE TEJAS

Cítrico del Magic Valley

El pomelo rojo es la fruta estatal de Tejas. La historia de su evolución narra cómo un accidente de la naturaleza produjo un híbrido que, tras manipularlo y nutrirlo, resultó en una fruta de calidad superior. Antes del desarrollo de la variedad roja en Tejas, en Estados Unidos sólo había pomelos blancos y rosas. Tienen un sabor ácido y astringente apreciado por muchos consumidores. Pero las variedades rojas se cultivan por ser mucho más dulces y son apreciadas por su bonito color rosado.

El origen del pomelo *(Citrus paradisi)* es incierto. Sin embargo, su antecesor, la toronja, fue descubierto en las Antillas en el siglo VIII, donde se conocía como "fruta prohibida" por su aspecto poco atractivo. En el siglo XIX, los agricultores jamaicanos lo bautizaron como *grapefruit* ("fruta de uva") por los racimos similares a las uvas que se formaban en el árbol.

Hacia 1820, los colonos franceses introdujeron las semillas de pomelo en Estados Unidos. A principios del siglo XX, los agricultores, al observar que el clima y el suelo del sur de Tejas eran idóneos para el cultivo de cítricos, plantaron centenares y, después, miles de plántulas de naranjos y pomelos. Los árboles de los cítricos son especialmente propensos a las mutaciones y los cambios que empezaron a producirse en los cultivos de pomelos se debieron probablemente a los rayos infrarrojos del intenso sol de Tejas. En 1929, se descubrió que un pomelo rojo estaba creciendo en un pomelo rosa que pertenecía a la variedad Thompson; de esta manera nació una nueva variedad. Fue bautizada como "Henninger Ruby Red", siendo esta fruta el primer pomelo que consiguió una patente agrícola en Estados Unidos. Durante los años posteriores, se fueron produciendo más mutaciones espontáneas en otros árboles de la región, dando origen a varios tipos de pomelo

La piel del pomelo rojo es de color amarillo dorado con un tono rojizo. Arriba, la variedad Rio Star y abajo, la Ruby-Sweet.

Fruto y flores de pomelo rojo

rojo. La nueva fruta fue acogida con gran entusiasmo por los consumidores, seducidos por su precioso color y su sabor dulce.

La industria del pomelo rojo de Tejas se desarrolló en torno a esta primera serie de mutaciones. Los agricultores pudieron cultivar la cepa utilizando el rizoma de los naranjos amargos y difundieron el pomelo rojo.

Durante los años 1949 y 1951, las regiones cultivadoras de cítricos de Tejas sufrieron fuertes heladas que destruyeron grandes cantidades de pomelos blancos y rosas. Los agricultores aprovecharon la ocasión para hacer de los pomelos rojos (que soportan mejor el frío) su principal cultivo. Desde los años cincuenta hasta 1966, la variedad más roja de todas, la "Star Ruby", fue elaborada por el Dr. Richard Hensz, un científico que trabajaba en el A & M University Citrus Center de Tejas. Esta variedad,

que fue el resultado de una mutación producida por radiación, es el primer pomelo comercial creado de manera artificial. En el año 1976, apareció la variedad "Rio Red". Ambos pomelos pertenecen a la categoría conocida como "Rio Star" y son los pomelos rojos de Tejas más rojos y dulces.

La zona de los alrededores de la parte inferior del Río Grande, en el sur de Tejas, es conocida como "Magic Valley" (Valle mágico), ya que proporciona unas condiciones perfectas para el cultivo del pomelo. La región tiene un clima húmedo subtropical y un suelo rico y arcilloso. En la zona soplan vientos cálidos y cargados de humedad procedentes de la Costa del Golfo, que mantienen los árboles bien hidratados y las noches casi tan cálidas como los días, proporcionando al pomelo una piel fina. El calor del verano favorece el desarrollo de los azúcares del pomelo.

Grapefruit Compote with Ginger and Mint
Ensalada de pomelo con jengibre y menta

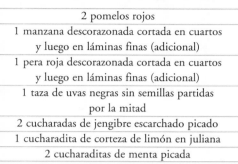

2 pomelos rojos
1 manzana descorazonada cortada en cuartos y luego en láminas finas (adicional)
1 pera roja descorazonada cortada en cuartos y luego en láminas finas (adicional)
1 taza de uvas negras sin semillas partidas por la mitad
2 cucharadas de jengibre escarchado picado
1 cucharadita de corteza de limón en juliana
2 cucharaditas de menta picada

Almíbar:

Derrita ½ taza de azúcar en ¼ taza de agua a fuego medio-alto. Lleve a ebullición y cueza, removiendo, hasta que el almíbar se reduzca un poco y se espese. Deje enfriar.

Pele el pomelo, retire la membrana blanca y córtelo en gajos sobre un cuenco para conservar el jugo. Pase el jugo y los gajos a otro cuenco y refrigere. Añada las láminas de manzana y de pera, removiendo para cubrirlas con el jugo del pomelo y así evitar que ennegrezcan. Agregue las mitades de uva, el jengibre, la corteza de limón, la menta y 2 cucharadas de almíbar. Revuelva suavemente para mezclar todos los ingredientes y refrigere. Para 2 personas.

El pomelo rojo de Tejas es famoso en todo Estados Unidos y en el extranjero por su dulzor natural y su bonito color. Tiene múltiples usos debido a su atractivo y a su adaptabilidad. Se toma al natural para desayunar, pero también se puede mezclar con otros ingredientes en ensaladas (tanto dulces como saladas) y todo tipo de postres. Se utiliza en salsas para realzar el sabor del pescado o el marisco. Se dice que el Magic Valley del Río Grande es al pomelo lo que Cuba al tabaco, una región que da un producto excepcional muy apreciado por los entendidos.

Vino

Tejas es una región vitícola desde hace mucho tiempo, pero su importancia no ha sido reconocida hasta hace muy poco tiempo. El primer viñedo de Tejas fue establecido en 1662 por los españoles en la misión de Ysleta, cerca de la que es hoy en día la ciudad de El Paso. En la actualidad, el estado de Tejas es el quinto productor de vino de Estados Unidos, después de los estados de California, Nueva York, Washington y Oregon. Las variedades de uva que se suelen plantar en grandes cantidades en Tejas son: Barbera, Cabernet Franc, Cabernet Sauvignon, Chardonnay, Chenin Blanc, French Colombard, Gewurztztraminer, Merlot, Muscat, Canelli y Pinot Noir. También se cultivan uvas Riesling, Ruby Cabernet, Sauvignon Blanc, Semillon y Zinfandel. La historia de la viticultura y la elaboración de vino en Tejas incluye el relato sobre cómo un solo hombre tejano pudo salvar las viñas en algunas de las grandes fincas de Europa.

Un vino blanco de Fall Creek

Los viñedos de Fall Creek con el lago Buchanan al fondo. La zona es conocida por su suelo de piedra caliza y granito.

En 1876, el experto en vinos Thomas Volney Munson visitó la región cercana a Denison, en el norte de Tejas. Más tarde escribió: "He encontrado el paraíso de las uvas". Allí descubrió las variedades Mustang, Sour Winter Grape, Sweet Winter Grape y Bush Grape, que sobrevivían en zonas donde otras uvas estaban expuestas a enfermedades. Durante esa época, la filoxera, una enfermedad de la raíz de la vid, devastaba un gran número de importantes viñedos en Europa. Munson envió a Europa esquejes de viñas tejanas sanas para injertarlos y consiguió así salvar las cepas dañadas. En 1888, Munson fue galardonado por el gobierno francés con el título honorífico de Chevalier du Mérit Agricole, debido a su investigación y su contribución a la viticultura.

En el año 1900, había más de 25 industrias vinateras en funcionamiento en Tejas. Pero, al igual que en el resto de Estados Unidos, la promulgación de la Ley Seca eliminó por completo esta industria a partir de 1919. La industria vinatera Val Verde de Del Río, fundada en 1883, fue la única que sobrevivió tras la abolición de la Ley Seca.

A partir de los años setenta, el negocio vinícola volvió a florecer en Tejas cuando los norteamericanos tomaron un mayor interés por el vino y la cocina de sus regiones. Actualmente, en Tejas, hay 26 industrias vinateras en funcionamiento, con miles de hectáreas dedicadas al cultivo de uvas de la variedad vinífera. El hecho de que un agricultor de

California haya comprado tierras en Tejas para cultivar uvas demuestra que el clima tejano favorece este cultivo.

Hoy en día, en Tejas hay seis zonas vitícolas determinadas. La primera es la región de las High Plains, alrededor de Lubbock, que incluye los viñedos Llano Estacado, Cap-Rock y Pheasant Ridge. En los años setenta, se descubrió que esta región proporcionaba unas condiciones ideales para el cultivo de las uvas, similares a las de las regiones vitícolas de Francia. Tenía un suelo arenoso y bien drenado, días soleados y cálidos, noches frescas, poca humedad y un movimiento de aire continuo. Esta región produce uvas de las variedades Riesling

Un viticultor de Hill Country

y Chardonnay firmes y afrutadas, así como Cabernet Sauvignon secas y muy aromáticas.

El Hill Country de Tejas, cerca de Austin, alberga tres de las zonas vitícolas: Bell Mountain, Fredericksburg y Hill Country. Una de las mejores industrias vinateras son los viñedos de Fall Creek.

La quinta zona vitícola es el Valle Escondido, que se halla en la región de los Trans-Pecos del oeste de Tejas. Alberga la galardonada industria vinatera Ste-Geneviève, una empresa colectiva de la Universidad de Tejas y la empresa Cordier de Burdeos. El valle de Mesilla, alrededor de El Paso, es la zona vitícola más reciente.

Unos de los vinos blancos de edición limitada de Llano, en la región vitícola de las High Plains de Tejas

...aérea de los viñedos de Fall Creek en el Hill Country de Tejas, la mayor denominación ...gen en el estado y la región con la mayor concentración de industrias vinateras.

El vino en la universidad

En la industria vinícola, un fabricante de vino que produzca cosechas premiadas y no las ponga a la venta es una excepción. Es exactamente lo que hace la Universidad de Tejas en sus tierras, situadas al este de Fort Stockton y en otras zonas del estado. En Fort Stockton, los fabricantes de vino se dedican a desarrollar cepas resistentes a las enfermedades y a estudiar los clones. En los años noventa, sus vinos han ganado los mejores premios de los certámenes de Tejas.

Originariamente, la República de Tejas había reservado la tierra de estos viñedos para establecer una institución de enseñanza superior. Estas tierras de la Universidad de Tejas proporcionan varios tipos de ingresos a la enseñanza superior pública, procedentes del petróleo, del gas natural

y de la ganadería. Suelen complementar el fondo permanente de la universidad, dos tercios del cual se asignan a la Universidad de Tejas y el resto a la Texas A & M University. En 1974, la Universidad de Tejas decidió probar nuevos tipos de explotación de estas tierras y eligió el cultivo de uvas para vino por su viabilidad agrícola y económica.

En 1978, como parte del programa de diversificación, la Universidad de Tejas empezó un programa experimental de enología, construyendo una industria vinatera experimental en Midland. En 1981, empezó un viñedo comercial en el condado de Pecos. Este viñedo, actualmente conocido como Ste-Geneviève, está alquilado al productor de vinos francés del Domaine Cordier,

que comercializa el vino bajo la marca Ste-Geneviève. En 1991, se estableció un vivero comercial de uvas en el mismo lugar.

Si bien los vinos experimentales no se venden al público, los vinateros de la universidad los presentan a los concursos para determinar parámetros y poder comparar sus vinos con los otros producidos en Tejas. Entre sus últimos logros se encuentra un Merlot y una mezcla de Sauvignon Blanc y Semillon. En su vivero, la Universidad de Tejas cultiva entre 150 y 200 variedades diferentes de uvas, corriendo parejo con los últimos desarrollos en vides, suelo y elaboración de vinos para de esta manera proporcionar una fuente continua de información a la industria vinícola de Tejas.

GAMBAS DEL GOLFO

Las gambas, el segundo marisco preferido de los norteamericanos después del atún en lata, abundan en el Golfo de México. El crustáceo más importante de Tejas desova en las aguas cálidas del golfo; cada hembra deposita hasta un millón de huevas. Las diminutas crías de gamba se establecen entonces en las calas y las lagunas protegidas del litoral para crecer lo suficiente antes de volver a mar abierto.

La pesca de la gamba es una actividad comercial de larga tradición en el Golfo, a lo largo de las 375 millas de litoral tejano. Miles de barcas de pesca salen cada día de Galveston, Port Aransas, Port Isabel y otras ciudades, y regresan con su captura para satisfacer a los amantes de las gambas de Tejas y de otras zonas. A veces, las barcas se marchan durante varios días, arrastrando grandes redes y pescando incluso en las aguas cercanas a la costa mexicana.

Capturan varios tipos de gambas, cuyo nombre varía según su color. La gamba blanca *(Penaeus duorarum)* se pesca de día, mientras que la gamba marrón *(Penaeus azteca)* se pesca de noche. Los colores dependen de la alimentación de los crustáceos; todas las gambas se vuelven de color rosa una vez cocidas. Aransas Pass, situada entre la barrera de islas de la costa del Golfo, recibe el nombre de "Capital mundial de las gambas". Cada mes de septiembre, la ciudad celebra el Shrimporee Festival en honor a la industria de la gamba, con un concurso de degustación de estos crustáceos y otras pruebas.

La gran provisión de gambas del Golfo ha inspirado a los cocineros tejanos. A lo largo del litoral cerca de Luisiana, se degustan *gumbos, rémoulades, étouffées* y *jambalayas* de gambas, reflejando las mismas influencias francesas presentes en los platos de marisco de Luisiana. Más al oeste, las gambas se bañan en una mezcla de harina de trigo y de maíz y se fríen hasta que están crujientes y doradas. En todo Tejas, las gambas encurtidas y las mezclas de arroz y gambas son muy apreciadas. A los tejanos les gusta la comida picante, por eso suelen aderezar las recetas de gambas con gran abundancia de chiles picados y salsa picante.

Los habitantes del Golfo de México hacen una comida de los bollos de gambas recién hechos, vendidos en los puestos a lo largo de las carreteras de acceso a la barrera de islas. Los amantes de las gambas también acuden a los restaurantes rústicos de los muelles, donde atracan las barcas de pesca, para atiborrarse de estos crustáceos frescos.

Las barcas de pesca de gambas del Golfo llevan a los lados enormes redes suspendidas de los traveses.

Pickled Shrimps
Gambas encurtidas

1 taza de puntas de apio

1 cucharada colmada de sal

¼ taza de *crab boil* (condimento en polvo
para marisco)

1 limón grande cortado en rodajas finas

2 granos de pimienta

1,5 kg de gambas crudas peladas
y sin el hilo intestinal

2 cebollas medianas cortadas en aros finos

14 hojas de laurel

1¾ tazas de aceite vegetal

2 tazas de vinagre de vino blanco

1 cucharada de sal

2 cucharaditas de condimento griego Cavender's

2 cucharaditas de granos de pimienta rosa
remojados en vino blanco

6 cucharadas de alcaparras en su jugo

5 cucharaditas de semillas de apio

12 dientes de ajo pelados y partidos por la mitad

10 gotas de Tabasco

pimienta negra machacada al gusto
(unas 2 cucharaditas)

En una olla de 8 l de capacidad, ponga las puntas de apio, la sal, el *crab boil,* las rodajas de limón y los granos de pimienta. Llene la olla de agua hasta la mitad. Lleve la mezcla a ebullición fuerte. Añada las gambas, remueva bien y apague el fuego. Deje las gambas en el agua durante 10 minutos. Páselas por agua fría para detener la cocción y escúrralas bien.

En un cuenco grande, alterne capas de gambas, aros de cebolla y hojas de laurel. Mezcle bien el aceite, el vinagre y la sal en una batidora. Vierta este aliño en otro cuenco y agregue los ingredientes restantes. Mézclelo todo bien y viértalo sobre las capas de gambas, cebolla y laurel.

Tape y refrigere de 24 a 48 horas antes de servir. Remueva de vez en cuando mientras se marina. Para 12 personas, a modo de aperitivo.

Red Shrimp Rémoulade
Rémoulade roja de gambas

6 escalonias enteras picadas finas

2 tallos de apio picados finos

¼ taza de hojas de perejil picadas

2 dientes de ajo picados

3 cucharadas de mostaza criolla

2½ cucharadas de pimentón

3 cucharadas de vinagre de vino blanco

5 cucharaditas de zumo de limón

5 gotas de Tabasco

una pizca de azúcar

½ cucharadita de sal

⅛ cucharadita de pimienta

1 taza de aceite de oliva virgen extra

500 g de gambas peladas, sin el hilo intestinal
y cocidas

hojas de lechuga iceberg en juliana para adornar

Ponga las escalonias, el apio, el perejil y el ajo en un cuenco. En una batidora, mezcle la mostaza, el pimentón, el vinagre, el zumo de limón, el Tabasco, el azúcar, la sal y la pimienta. Con la batidora en marcha, vierta el aceite en un chorro fino. Rocíe las hortalizas con este aliño y rectifique la condimentación si es necesario. Refrigere durante 3 horas como mínimo antes de servir. Disponga las gambas sobre la lechuga en juliana y vierta la salsa *rémoulade* por encima. Para 4 personas.

Nota: La *rémoulade* blanca, más suave, es tan apreciada como la roja. Se prepara con mayonesa (preferiblemente casera), nata agria, pepinillos picados, ajo, cebolla, alcaparras, huevo duro, perejil, sal, pimienta y, a veces, pasta de anchoas.

Nota: No es necesario retirar el hilo intestinal de las gambas, pero es preferible hacerlo por razones estéticas. Haga un corte en el dorso de la gamba y retire el intestino negro.

Gambas encurtidas

TEQUILA

El elixir del agave azul

El licor fuerte y afrutado llamado tequila es una bebida impregnada de leyenda y folclore. Beber tequila es todo un ritual, solemnizado por la literatura y asociado desde hace tiempo con la mística. La razón tal vez sea el hecho de que el agave, la planta de la cual se destila el licor, contiene un ápice de un alucinógeno, la mescalina. El mescal, un licor parecido al tequila pero elaborado con otro tipo de agave cultivado en Oaxaca (México), se utiliza en algunas ceremonias religiosas indias. El mercado norteamericano del tequila es importante y muchos consideran que una comida de especialidades del Sudoeste está incompleta sin un Margarita, el cóctel a base de tequila más famoso.

El tequila se destila a partir de la savia del agave azul *(Agave tequilana)* que crece en el rojizo suelo volcánico del estado mexicano de Jalisco, cerca de la ciudad de Tequila. El agave, una planta de la familia del amarilis también conocida como pita o maguey, tarda ocho años en desarrollarse. La savia dulce se extrae del bulbo de la planta y se fermenta. El resultado es una especie de cerveza llamada *pulque* que los indios de la zona ya bebían en el siglo XVI, en la época de la invasión de los españoles. Más tarde, los conquistadores destilaron el *pulque* y así nació el tequila. Hoy en día, es la bebida típica del Sudoeste norteamericano y, como no es de extrañar, presenta cierta afinidad natural con la comida picante de la región.

El tequila tiene una esencia que algunos describen como ahumada y afrutada a la vez. Tiene una cualidad que lo distingue de los otros licores: al igual que las uvas para vino, la savia del agave se ve afectada por las condiciones del suelo y del clima donde crece la planta. El sabor a fruta se mantiene hasta el producto final, a diferencia del bourbon o del vodka, que no conservan el sabor del maíz o de las patatas utilizados en el proceso de destilación. El mejor tequila se fermenta con levadura natural, mientras que en los de calidad inferior se utiliza levadura química para iniciar la transformación de la savia dulce en un elixir de complejos aromas.

En México, la ley establece cuatro categorías de tequila. En los últimos años, los norteamericanos han tomado interés por las mejores versiones, las añejas, así como por las variedades dorada *(Gold)* y blanca *(Silver)* utilizadas para elaborar Margaritas. El tequila Blanco *(White* o *Silver)* es un tequila embotellado justo después de destilarlo. El tequila Joven Abocado *(Gold)* es un tequila cuyo color y sabor se realzan para obtener un licor más doncel. El tequila Reposado *(Rested)* se añeja de dos meses a un año en barricas de roble o en tanques. El tequila Añejo *(Aged)* se añeja durante un año como mínimo en barricas de roble selladas por el gobierno. A veces se le añaden aromas o colorantes. Esta última clase de tequila tiene suficiente carácter como para merecer ser servido en una copa ancha de boca estrecha y ser apreciado como un buen coñac.

Para beber tequila, los mexicanos siguen un ritual limpio, natural y sencillo. Unos norteamericanos que hacían turismo en México adoptaron esta costumbre, que sólo requiere una botella de tequila, un gajo de lima, una pizca de sal y una mano limpia.

1. Lama el pulgar o la piel situada entre el pulgar y el índice.
2. Espolvoree la piel húmeda con sal.
3. Exprima un poco de zumo de lima en la boca.
4. Lama la sal.
5. Beba un trago de tequila directamente de la botella.

A los norteamericanos les gustan los combinados. Por eso aprecian tanto el Margarita, un cóctel a base de tequila, azúcar, zumo de lima y licor de naranja. Se puede congelar para obtener una especie de sorbete, en el cual se disimula el sabor del tequila. Esta bebida se ha adaptado a varias modas a lo largo de los años. En los años ochenta, en los restaurantes que estaban de moda se solían preparar Margaritas azules con Curaçao azul. También hay Margaritas con fresa, frambuesa o frutas exóticas que son otras variantes. Los *"shooters"* (tragos) son otra manera típica de tomar tequila. Se vierte 30 ml o más de tequila en un vaso pequeño y se bebe de un trago. Los *oyster shooters,* también servidos en un vaso pequeño, se componen de una ostra cruda, unas gotas de Tabasco y de zumo de lima, y un trago de tequila.

Un Tequila Sunrise es un cóctel a base de tequila, zumo de naranja, zumo de lima y granadina. Ésta se añade al final y simplemente se vierte en la bebida, sin mezclarla, para simular la salida del sol.

Una botella de buen tequila Reposado y en los vasos, de izquierda a derecha, tequila Blanco, tequila Reposado, tequila Joven Abocado y un buen tequila Añejo servido en una copa ancha de boca estrecha.

Preparación de un Margarita

1. Vierta el tequila, el licor de naranja y el zumo de lima en una coctelera con ¾ partes de hielo picado.

2. Frote el borde de la copa con un gajo de lima.

El Margarita

Este cóctel típico de la zona fronteriza aparece en muchos relatos. De hecho, se han escrito libros enteros sobre el tequila.

El Margarita contiene tequila, zumo de lima y licor de naranja en proporciones variables. Estos ingredientes se agitan con hielo y se sirven en una copa de martini, una copa especial de margarita o sobre hielo en un vaso bajo. En todas sus modalidades, se humedece el borde de la copa o vaso con zumo de lima y se espolvorea con sal.

Más de una ciudad de la frontera afirma haber inventado el Margarita, y cada uno lo prepara según sus propias proporciones.

En muchos restaurantes de Tejas y del Sudoeste, se pueden pedir jarras enteras de este cóctel, proporcionando abundante bebida para las celebraciones.

Si bien existen mezclas de Margarita ya hechas, los mejores son los que se prepara uno mismo. Los habitantes de la zona fronteriza insisten en que el Margarita no debe ser demasiado dulce.

3. Moje el borde de las copas en la sal.

4. Una vez agitada la mezcla, sirva el Margarita vertiéndolo a través de un colador de cóctel.

Margarita

3 partes de tequila blanco
2 partes de licor de naranja (Cointreau, Triple seco o licor mexicano Controy)
1 parte de zumo natural de lima Key o lima común, o zumo de lima envasado

Vierta los ingredientes en una coctelera con ¾ partes de hielo picado. Agite para enfriar la mezcla y cuélela en vasos (con los bordes escarchados con sal, si lo desea). Adorne con rodajas de lima.

APERITIVOS DULCES Y SALADOS

La costumbre norteamericana de picar entre las comidas ha permitido el desarrollo de la industria de los aperitivos, con unos ingresos anuales mayores que el PNB de algunos países. La simple definición de "aperitivo", alguna cosa que se toma fuera de las horas de comer, no implica que la comida sea de mala calidad o nociva. Un aperitivo puede consistir en una manzana o una tostada de pan integral. Pero la mayoría de los aperitivos de Estados Unidos ha sido calificada de *"junk food"* (comida basura). Ricos en grasas, azúcar o sal, los aperitivos tienen textura y sabor y crujen, pero no contienen nutrientes. El insaciable apetito de los norteamericanos por las cosas crujientes, saladas, dulces y cremosas ha creado una demanda de alimentos rápidos y fáciles de comer.

Estados Unidos es el líder mundial de los aperitivos por su diversidad. Fritos de maíz, *chips* de queso, frutos secos salados, pastelitos glaseados, bombones, confites, patatas paja, helado, pizza, refrescos, palomitas de maíz al caramelo y al queso, *pretzels*, patatas chips, salsas para mojar, perritos calientes y galletas. Todos tienen nombres divertidos y están respaldados por grandes campañas publicitarias destinadas a fomentar el antojo nacional. Chee-tos, Ding Dongs, Twinkies, Cracker Jack, Screaming Yellow Zonkers, etc…, la lista parece el menú de una fiesta de cumpleaños infantil. Las patatas chips han sido durante mucho tiempo el típico aperitivo norteamericano. Inventadas en 1853 por un cocinero de un centro turístico de Saratoga Springs (Nueva York), son saladas, crujientes e irresistibles, pero su demanda está siendo sobrepasada por los fritos de maíz. Los fritos con *salsa* son un aperitivo tan común en Estados Unidos que ya no se consideran una comida étnica.

Los aperitivos no sólo sirven para calmar el hambre, sino también como satisfacción y sosiego, además de resultar una forma de entretenimiento. Ciertas tradiciones unen incluso determinados aperitivos a situaciones y eventos concretos. Los principales requisitos son que los aperitivos se puedan comer fácilmente sin cubiertos y que no requieran toda la atención del consumidor, que puede estar andando, mirando la televisión, conduciendo, leyendo o haciendo ejercicio. Los norteamericanos comen palomitas en el cine, perritos calientes y frutos secos salados en los partidos de béisbol, algodón de azúcar y buñuelos en las ferias del condado y helado a cualquier hora y en cualquier parte. La pizza y la cerveza son los aperitivos preferidos de los aficionados al fútbol americano mientras miran un partido por televisión.

Se puede decir que la comida rápida y los aperitivos son lo mismo; los restaurantes *drive-in* han contribuido a esta afición. Los refrescos también se consideran aperitivos; la invención de la pajita ha facilitado el consumo de las bebidas directamente de la botella, la lata o el vaso sin que se derramen. Los aperitivos "gastronómicos" son versiones más sofisticadas de los clásicos, elaborados con ingredientes caros y sabores exóticos. Los fritos de maíz morado, las tabletas de chocolate importadas, los *pretzels* bañados en chocolate blanco o con leche, las selectas mezclas de frutos secos y los helados de primera calidad forman parte de los aperitivos destinados a los consumidores jóvenes y ricos que sostienen la gama alta del mercado.

Existen aperitivos naturales para los que deseen tomar alimentos nutritivos, como los pastelitos de arroz inflado (con sabor a queso, canela o manzana), las patatas *chips* de taro o cereales integrales horneadas, las sodas "naturales" y los postres helados de tofu. Otros se comercializan por buenas causas o como productos ecológicos. Paul Newman produce una línea de alimentos cuyos beneficios destina a organizaciones benéficas. Los fabricantes de una marca de frutos secos y palomitas de maíz se comprometen a destinar sus ingresos a la conservación de la selva tropical.

La verdad es que hay aperitivos para todos los gustos. Y, mientras desaparecen las divisiones entre las categorías de alimentos, a veces resulta difícil distinguir entre un aperitivo y una auténtica comida.

Patatas *chips*

Pececitos de aperitivo

Bugles

Pringles

Cheez-its

Jelly Worms

Doritos

Palitos salados

Galletas Ritz

Palomitas y cacahuetes al caramelo Cracker Jack

Semillas de calabaza

Pretzels cubiertos de chocolate blanco y negro

Niños haciendo globos con el chicle.

La última novedad: puros de chicle

Chicle perfumado, un producto antiguo que aún se comercializa.

Chicles con cromos de jugadores de béisbol

Bolas de chicle multicolores, que se venden en máquinas automáticas.

Un producto relativamente nuevo: el chicle en forma de cinta

El chicle

La mayoría de los aperitivos preferidos de los norteamericanos están asociados a la infancia, sobre todo el chicle. La costumbre de mascar chicle, una práctica originaria de los indios mayas, se remonta como mínimo a 800 años atrás. En el Nordeste de Norteamérica, los indígenas mascaban ramitas de sasafrás y resina de picea. Hoy en día, el chicle existe en muchas formas y sabores distintos y, además de ser un caramelo (aunque no se deba tragar), también sirve para refrescar el aliento y calmar el apetito. La gente que quiere dejar de fumar consume chicles especiales que contienen nicotina. A los niños les encanta hacer globos con él y, entre los adultos, los sabores preferidos son la hierbabuena y la menta verde.

El Black Jack, un chicle de sabor a regaliz comercializado desde hace más de un siglo, fue uno de los primeros productos fabricados por Thomas Adams que, en 1871, patentó el proceso de elaboración del chicle a partir de gomorresina (la savia blanca gomosa del zapotillo, un árbol tropical). Representó una notable mejora respecto a la parafina, la cera de abeja y la savia de pino que se habían utilizado hasta entonces para fabricar chicles. Hoy en día, se elaboran con ingredientes sintéticos, aunque una empresa como mínimo vuelve a utilizar los *zapotillos (Manilkara zapota)* de la selva tropical de Belice para fabricar chicles con productos naturales.

Hitos de la historia del chicle

Año 200 d. C.: los mayas mascaban gomorresina, la savia pegajosa del zapotillo (o níspero americano).

1848: John Curtis, un habitante de la ciudad de Maine, comercializa un chicle elaborado con la savia de la picea.

1871: Thomas Adams patenta el proceso de elaboración del chicle a partir de gomorresina, que hasta entonces sólo se importaba de América del Sur para fabricar llantas de caucho.

1891: William Wrigley hijo empieza a producir chicle de menta verde y de frutas.

Principios del siglo XX: se introducen nuevas formas, incluidas las bolas de chicle de colores y los *Chiclets,* diminutos cuadraditos con una cobertura blanca.

1928: aparece el chicle rosa.

Años treinta: en los paquetes de chicle se incluyen cromos de los jugadores de béisbol, que se convierten en un popular coleccionable.

Años cuarenta: tras agotar la provisión de gomorresina de América del Sur, los fabricantes de chicle norteamericanos empiezan a utilizar ingredientes sintéticos.

Años cincuenta: aparece el chicle sin azúcar.

1954: en los envoltorios de chicles individuales se incluyen pequeñas tiras cómicas del personaje Bazooka Joe.

Años noventa: en Estados Unidos, se comercializa un chicle elaborado a base de gomorresina con sabor a jengibre, canela y clavos de especia, del cual se alaba su fabricación ecológica y sus sabores naturales.

1994: un globo de chicle de 58 cm de diámetro se inscribe en el *Libro Guinness de los récords.*

EL SUDOESTE

por Madge Griswold

Arizona
Nuevo México

El corazón del Sudoeste norteamericano (Arizona y Nuevo México) es una región de desiertos, altiplanicies y abruptas montañas. Es inhóspita y está en gran parte deshabitada, pero en las zonas con agua florecen hoy en día granjas, ranchos y ciudades. Los españoles que llegaron a esta región en el siglo XVI se sorprendieron al encontrar tribus indígenas viviendo en una sociedad muy desarrollada. Resultaba impresionante que estas tribus hubiesen conseguido irrigar suficientemente la tierra como para producir cosechas.

Muchos de los alimentos considerados típicos del Sudoeste tienen sus orígenes en el México prehispano. Estos ingredientes (chiles, maíz, calabacines y judías) se extendieron hacia el norte gracias a la gente que emigró hacia la zona del Río Grande, en Nuevo México, y del río Colorado, en Arizona. Si bien muchos de ellos tienen nombres españoles *(tortillas, tacos, enchiladas)*, su herencia está mucho más influenciada por los pueblos indígenas que por los colonos españoles.

La mayoría de los platos tradicionales de Nuevo México y Arizona refleja las preferencias sobre condimentación de los cocineros de los estados mexicanos de Chihuahua y Sonora, justo al sur de la frontera. En una palabra, son picantes. Pero los platos realmente bien elaborados del Sudoeste no se caracterizan simplemente por ser "picantes". Sus sabores son ricos, complejos, cálidos y substanciosos, mezclando condimentos tales como el comino, el cilantro, la canela, las cebollas y el ajo, así como chiles más o menos abrasadores.

Derecha: un típico paisaje árido de Arizona, con las siluetas de altos cactus saguaro en el horizonte

La misión San Xavier del Bac en la reserva de los indios Tohono O'Odham, justo al sur de Tuscon (Arizona)

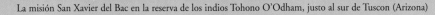

314

CHILES

Preciados símbolos del Sudoeste

Hace siglos, los indios aztecas de México sazonaban su comida con chiles *(Capsicum annuum)*, que denominaban *"chilli"*. A finales del siglo XV, Cristóbal Colón los introdujo en Europa tras su viaje al Nuevo Mundo. En el siglo XVI, los primeros colonos del Sudoeste empezaron a cultivar, e incluso a comerciar, chiles y, en Nuevo México, los colonizadores españoles y los indios Pueblo nativos compartían la pasión culinaria por estos frutos.

Los picantes chiles constituyen un elemento vital de la robusta cocina del Sudoeste. Son simplemente el ingrediente más revelador de la región, formando un sabor picante característico que define las salsas y los platos. Las vainas rojas y verdes son reconocidas universalmente como el símbolo de la cultura y la cocina únicas del Sudoeste. También son veneradas en todo el mundo; existen obras de arte, libros de cocina e incluso boletines de noticias dedicados a los chiles.

Los chiles jalapeños son los más populares en Estados Unidos. Se pueden picar para preparar salsas, encurtir e, incluso, rellenar con manteca de cacahuete.

Chiles habaneros (amarillos), serranos (rojos) y jalapeños (verdes) en un cuenco de barro tradicional de los indígenas norteamericanos

Los chiles son frutos en forma de vaina que pertenecen al género *Capsicum*. Al igual que su pariente lejano, el tomate, son de la familia de la hierba mora. Son originarios de México y existen docenas de variedades que presentan distintos grados de picante. El color de los frutos no tiene nada que ver con su intensidad; los chiles de color verde son los frutos más jóvenes que, con el paso del tiempo, maduran y se vuelven rojos. Algunos chiles son de color amarillo.

La capsaicina es la substancia que hace que sean picantes; la mayor concentración se encuentra en las semillas y las nervaduras interiores de las vainas. Los cocineros que desean reducir el picante de los chiles las retiran antes de cocerlos. Mucha gente busca, e incluso ansía, el efecto abrasador. Los amantes de la cocina del Sudoeste consideran que la comida a base de chiles produce una sensación de bienestar y satisfacción, unas reacciones corroboradas por estudios científicos.

Los chiles figuran en casi todos los platos de la región, excepto en los postres. El clima caluroso y seco del desierto parece avivar el apetito por la comida picante, incluso para desayunar. Se añade gran abundancia de chiles a los huevos del desayuno y a las patatas salteadas caseras. Los chiles verdes frescos aportan un sabor picante y una textura crujiente a las salsas y las ensaladas; también sirven de aderezo para muchos platos. Los chiles rojos secos rehidratados añaden sabores suculentos y un color rojo intenso a la comida. Cuando no existían los sistemas de refrigeración de alimentos estas salsas verdes y rojas servían tanto para conservar como para condimentar los platos de carne.

Los chiles habaneros *(Capsicum chinese)* figuran entre los más picantes del mundo.

Chiles frescos

Los chiles frescos, verdes y rojos, se suelen asar, pelar y rellenar con queso u otras sabrosas mezclas, para luego rebozarlos y freírlos. Los chiles rellenos se suelen preparar con chiles grandes tales como los Anaheim y los poblano. En Arizona y algunas zonas de Nuevo México, el rebozado se elabora con harina de trigo y huevos, mientras que en Nuevo México se prepara con harina de maíz morado o amarillo.

Los chiles más pequeños, como los serranos y los jalapeños, se pican y se añaden a las recetas con o sin semillas y nervaduras, según su grado de picante y las preferencias del cocinero. Los chiles frescos se han de manipular con sumo cuidado; si usa guantes finos de látex evitará que los fuertes aceites le irriten la piel.

El chile Anaheim verde es suave.

El chile jalapeño rojo es muy picante.

El chile poblano verde es un poco picante.

El chile serrano rojo es muy picante.

Chiles poblano verdes asados, listos para preparar Chiles rellenos.

Introduzca un poco de queso en cada uno y cierre el corte con un palillo.

Mezcle la harina, la levadura y la sal. Bata las yemas de huevo con el agua, viértalas en los ingredientes secos y mezcle bien. Bata las claras de huevo a punto de nieve e incorpórelas a la pasta.

En un cazo hondo de fondo pesado, caliente 5 cm de aceite a 190°C.

Bañe los chiles rellenos en la pasta y fríalos, de dos en dos. Escúrralos sobre papel de cocina y manténgalos calientes mientras fríe el resto.

Sírvalos de inmediato con salsa de tomate natural casera. Para 4 personas.

Chiles rellenos

8 chiles Anaheim o 4 chiles poblano
250 g de queso cheddar Longhorn cortado en palitos finos de 7,5 cm de largo
2 cucharadas de harina
½ cucharadita de levadura en polvo
¼ cucharadita de sal
2 yemas de huevo
1 cucharada de agua
2 claras de huevo

Salsa de tomate

2 dientes de ajo
¼ taza de cebolla picada fina
2 tazas de tomates frescos pelados y sin semillas (o la misma cantidad de tomates en lata)
½ cucharadita de sal
pimienta negra recién molida
¼–½ cucharadita de vinagre de sidra

Tueste los chiles directamente sobre la llama del fuego hasta que la piel se ennegrezca, girándolos de vez en cuando para levantar ampollas en toda la superficie. Póngalos en una bolsa de papel de estraza y ciérrela. Al cabo de 10 minutos, pele los chiles.

Haga un corte longitudinal en cada chile. A continuación, retire las semillas con cuidado.

Para empezar, mezcle el ajo, la cebolla y los tomates en un cazo pequeño de fondo pesado. A continuación, tape y cueza a fuego lento durante ½ hora o hasta que los dientes de ajo estén tiernos. Triture la mezcla en un pasapurés con disco mediano. Por último, devuelva la salsa al cazo, recaliéntela y sazónela con sal, pimienta y vinagre.

CHILES SECOS

Moliendo chiles rojos para obtener una pasta en un *molcajete* (un mortero hecho de basalto, una piedra volcánica). La textura rugosa y hoyosa del basalto constituye una superficie abrasiva excelente para esta labor. El *molcajete* y el *tejolete* (la mano de mortero) se utilizan desde hace siglos en México.

Los brillantes chiles secos atados en largas ristras son una imagen habitual del Sudoeste justo después de su cosecha, en septiembre y octubre. Estos chiles maduros, rojos y frescos se utilizan de inmediato o se dejan secar para usarlos durante todo el año. En otoño, los amantes de los chiles encuentran sus variedades preferidas en los mercados especializados y en los puestos de carretera. Durante esta época, los indígenas de Nuevo México y de otras zonas del Sudoeste almacenan ristras de chiles, de la altura de cada miembro de la familia, para conservarlas hasta la temporada siguiente.

Mientras que muchos cocineros del Sudoeste utilizan chiles secados al aire libre, otros prefieren usarlos en una forma más práctica, es decir en polvo o en pasta. Los cocineros de Arizona y Nuevo México emplean a veces el chile rojo en polvo sazonado con hierbas y especias, aunque los puristas siempre añaden los condimentos aparte para poder orquestar meticulosamente el equilibrio final de sabores.

Clasificación del "ardor" de los chiles
La escala de Scoville

El grado de picante de los chiles varía mucho, no sólo según la variedad, sino también según el lugar de origen. Un tipo de chile cultivado en México puede ser suave, mientras que la misma variedad cultivada en Nuevo México puede ser bastante picante. Los chiles de una misma planta también pueden tener diferentes grados de picante. Las variaciones dependen del tipo de suelo, del clima y de las cantidades de sol y de lluvia que reciben las plantas. Los cultivadores de chile miden el "ardor" mediante un sistema desarrollado por un farmacéutico a principios del siglo XX: la escala de Scoville. Originariamente, esta prueba dependía de una cata. Hoy en día, la utilización de catadores se considera demasiado subjetiva y la clasificación se realiza en un laboratorio. La escala de Scoville guía a los amantes del chile del Sudoeste para elegir el grado de "ardor" deseado. Cuanto más alto es el número de unidades Scoville, más picante es el chile. Otras escalas clasifican los chiles del uno al diez, de manera similar a la escala para medir los terremotos.

Los expertos afirman que el "ardor" no es el único factor para clasificar los chiles. Cada variedad dispersa su picante de modo diferente y los cocineros suelen elegir chiles, o mezclas de diversos chiles, para aprovechar las exquisitas sutilezas y las variaciones de sabores.

Las clasificaciones de Scoville varían sensiblemente según las fuentes. He aquí una muestra de la clasificación de varios chiles muy conocidos:

Variedad de chile	Unidades de Scoville
Habanero	100.000-300.000
Tabasco, chile piquín	30.000-50.000
Árbol	15.000-30.000
Serrano	7.000-25.000
Jalapeño/chipotle	2.500-5.000
Poblano/ancho	1.000-1.500

Salsa para enchiladas al estilo de Arizona
(Salsa Colorado)

110 g de chiles rojos largos secos (unos 15) partidos por la mitad y sin semillas
4 dientes de ajo sin pelar
3 tazas de agua
3 tazas de caldo de pollo bajo en sal
1 cucharada de manteca de cerdo
2 cucharadas de harina
1 cucharadita de sal
½ cucharadita de vinagre blanco (o al gusto)

Caliente una sartén de hierro fundido y de fondo pesado a temperatura media y tueste los chiles ligeramente por ambos lados, en tandas. Tenga cuidado de no chamuscarlos. Retírelos en cuanto estén hechos y, cuando estén suficientemente fríos para poder manipularlos, pártalos en trozos de 5 cm.

Ponga los chiles y el agua en un cuenco y déjelos ½ hora en remojo. Déjelos cocer a fuego medio durante 1 hora. Escúrralos y póngalos en una batidora o robot de cocina con el caldo de pollo. Triture hasta licuarlo bien. Pase la mezcla por un pasapurés con disco mediano y reserve el puré.

Caliente la manteca en una sartén pesada. Añada la harina y remueva suavemente durante unos minutos para elaborar un *roux* oscuro. Agregue el puré de chile y cueza a fuego lento durante unos minutos, añadiendo agua si es necesario para elaborar una salsa espesa. Sazone con sal y vinagre.

Ristras de chiles secos a la venta en Hatch (Nuevo México), una ciudad famosa por su fiesta anual del chile.

Burros de chile verde con carne

4 *tortillas* de trigo frescas de 25 a 30 cm de diámetro
4 tazas de chile verde con carne caliente
2 tazas de Salsa para enchiladas caliente
1 taza de queso cheddar Longhorn o queso Monterey Jack rallado
4 tazas de lechuga iceberg en juliana o de col en tiras finas

Precaliente el horno a 230°C. Extienda una tortilla en un plato refractario y esparza el chile verde con carne en la mitad de la *tortilla* más cercana a usted. Doble el borde más próximo y, luego, los bordes laterales. Continúe enrollando la *tortilla.* Disponga el *burro* preparado, con la juntura hacia abajo, en el plato refractario. Repita la operación con las *tortillas* y el relleno restantes. Vierta la salsa sobre los *burros* y espolvoréelos con queso. Caliéntelos en el horno hasta que el queso se funda. Sírvalos adornados con la lechuga o la col. Para 4 personas.

Green Chili con Carne
Chile verde con carne

500 g de pecho de buey
3 cucharadas de aceite
½ taza de cebolla cortada en trozos gruesos
½ taza de chiles verdes frescos sin semillas y troceados
1 tomate pelado, sin semillas y troceado
1–2 dientes de ajo aplastados con la hoja de un cuchillo pesado
1 cucharadita de sal

Corte la carne en trozos de 5 cm. Caliente el aceite en un cazo de fondo pesado. Añada la carne, la cebolla, los chiles, el tomate y el ajo. Cueza a fuego medio hasta que la carne esté muy tierna. Sazone la mezcla con sal y deshile la carne con dos tenedores o en un robot de cocina con la hoja de acero.

El chile chipotle es un jalapeño seco y ahumado. Es muy picante y se usa para hacer salsas.

El pasilla, un chile chilaca seco, se usa para preparar *mole* (una salsa para aves a base de chiles, chocolate y semillas de calabaza).

El chile ancho es una versión seca del chile poblano fresco.

Maíz

El regalo dorado

El maíz *(Zea mays)* es mucho más que el ingrediente principal de las *tortillas:* constituye el pan diario de la región. Para muchos este cereal es el símbolo de la vida en sí, un regalo que otorga la madre tierra. Se considera un alimento sagrado en los pueblos cercanos a Santa Fe y Taos, en Nuevo México y es venerado tanto por razones religiosas como por sus cualidades nutritivas. Antaño, se representaban las danzas del maíz para asegurar una buena cosecha de este cereal tan esencial. Las calabazas, las judías y el maíz forman la tríada de los alimentos del Nuevo Mundo, llamada "las tres hermanas", que permitió sobrevivir a los primeros habitantes del Sudoeste. Estas tres cosechas eran fáciles de secar y conservar durante largos períodos de tiempo y, si se consumían juntas, cubrían por completo las necesidades proteicas. Las tribus del Sudoeste también desarrollaron la molienda y la posterior cocción del maíz para su consumo; molían los duros granos con rodillos de piedra y cocían los panes en hornos elaborados con adobe. La tradición del Sudoeste de utilizar recipientes de barro decorados para cocinar es muy antigua; los indígenas ya los utilizaban antes de la llegada de los españoles en el siglo XVI.

De todos los alimentos básicos del Sudoeste, el maíz es el que se sitúa en primer plano en las creencias religiosas y las leyendas de los pueblos para quien tenía un gran significado. Los Zuni creían que los granos de este cereal esparcidos en el camino de los conquistadores españoles los protegerían de los invasores. Los seis colores del maíz (rojo, blanco, abigarrado, morado, negro y amarillo) representan supuestamente las seis direcciones (los cuatro puntos cardinales, así como arriba y abajo). Los Hopi asaban las mazorcas de maíz amarillo para consumirlas y, con el blanco, elaboraban harina. Utilizaban el maíz rojo y el morado para preparar pan *piki* y para las ceremonias. Este cereal también adquiría una forma antropomórfica; los indígenas del Sudoeste creían que una joven virgen o una diosa del maíz repartía los granos vivificantes entre la gente.

El maíz aparece en la cocina del Sudoeste en muy diversas formas: fresco y seco, molido en harina y prensado en *tortillas*. Las mazorcas frescas se asan sobre un fuego al aire libre. Los granos se cuecen en una serie de platos y se muelen para elaborar los *tamales* de maíz verde del sur de Arizona. El término "verde" no se refiere al color de los granos de la mazorca, sino al maíz tierno que se cosecha del tallo. El maíz seco tiene múltiples usos durante todo el año. Los *chicos* (granos secos) se rehidratan y se hornean o se guisan, o bien se tratan con cal muerta para elaborar masa para *tortillas* y *tamales, posole* y *hominy*.

Un agricultor Hopi entresaca sus plantas de maíz.

Existe toda una variedad de colores del maíz, con un significado especial para los indígenas del Sudoeste: cada color representa una dirección.

Glosario del maíz del Sudoeste

Chicos: granos de maíz secos, utilizados en la cocina de los indígenas y del Sudoeste. También se conocen como maíz seco.

Hominy: maíz fresco tratado con lejía o cal muerta para obtener unos granos menos indigestos (al retirar el hollejo duro). El *hominy* se vende en lata. Se puede utilizar como sustituto del *nixtamal* o del *posole*, pero tiene un sabor más suave.

Nixtamal: granos de maíz parcialmente tratados con cal muerta. El *nixtamal* se muele para elaborar la pasta de *masa* para *tamales* y *tortillas,* o se usa entero en sopas y guisos. Se vende en bolsas de plástico en la sección de refrigerados de los supermercados hispanos del Sudoeste.

Masa: *nixtamal* molido, utilizado para elaborar *tortillas* y *tamales.* Se vende fresco en muchos mercados hispanos y en las fabricas de *tortillas*.

Masa harina: *masa* seca, ya preparada, que se rehidrata con agua para elaborar *tortillas* y *tamales*.

Posole: es la forma seca del *nixtamal.* Resulta más práctico y seguro para una conservación larga del maíz, destinado a *tortillas, tamales* y otros platos del Sudoeste. El *posole* existe en varios colores: blanco, amarillo, rojo y azul. *"Posole"* también es el nombre de una sopa, o guiso, hecha con granos de *posole* rehidratados.

Nixtamal

Posole rojo

Posole azul

Posole blanco

Chicos

Preparación de los tamales

1. *Masa* (arriba) y mezcla de carne (abajo) listas para rellenar *tamales*.

2. Extienda la *masa* sobre la farfolla de maíz.

3. Añada el relleno de carne y media aceituna.

4. Doble y enrolle la farfolla para cerrar el *tamal* y envolver la *masa* sobre la carne.

5. Doble el extremo inferior de la farfolla de maíz para cerrar la punta del *tamal*.

6. Coloque los *tamales* en un recipiente de cocción al vapor.

7. Los *tamales* cocidos al vapor.

8. Un *tamal* desenvuelto, listo para comer.

Red (Meat-filled) Tamales
Tamales rojos (rellenos de carne)

2 kg de espalda de buey deshuesada (o 1 kg de carne de buey y 1 kg de carne magra de espalda de cerdo)

2 cucharaditas de sal

4 dientes de ajo sin pelar

36 o más aceitunas verdes rellenas de pimiento y partidas por la mitad

6 tazas de Salsa Colorado (vea nota inferior)

2 cucharadas de manteca de cerdo (derretida) o aceite

2 cucharadas de harina

2,5 kg de *masa* recién molida (no *masa* harina rehidratada)

1 taza de manteca de cerdo

1 cucharada de sal

2–3 tazas de caldo a base del líquido de cocción de la carne

750 g de farfollas de maíz frescas o 6 paquetes de farfollas de maíz secas

Nota: Utilice la receta de la Salsa Colorado del capítulo "Chiles secos", añadiendo ½ cucharadita de semillas de comino molidas y ½ cucharadita de hojas de orégano mexicano fresco picadas (o ¼ cucharadita de orégano seco) al final de la cocción.

Si utiliza farfollas de maíz secas, reblandézcalas en agua durante 3 horas. Ponga la carne en una olla de fondo pesado y cúbrala con agua fría. Añada la sal y los dientes de ajo. Lleve a ebullición y baje enseguida el fuego para que el líquido hierva suavemente. Tape y cueza de 3 a 3½ horas o hasta que la carne esté muy tierna. Retire la carne y déjela enfriar. Reserve el líquido de cocción.

Retire toda la grasa de la carne y corte ésta en trozos de unos 2 cm.

Caliente la manteca o el aceite en una olla de hierro fundido. Añada la harina y remueva hasta que se dore ligeramente. Agregue la Salsa Colorado y remueva para mezclar. Incorpore los trozos de carne y cueza a fuego lento unos 15 minutos. Enfríe la mezcla y refrigérela hasta el momento de preparar los *tamales*.

Mezcle la *masa* con la manteca en un cuenco grande y bata hasta que resulte ligera y esponjosa, añadiendo el caldo de carne frío hasta que la mezcla parezca una masa blanda para galletas.

Reúna los ingredientes para los *tamales:* las farfollas de maíz, la *masa,* la carne y las aceitunas. Si las farfollas son bastante grandes, utilice una por *tamal.* Si no, use dos, colocándolas superpuestas una al lado de otra. Extienda ¼ taza de mezcla de *masa* sobre la(s) farfolla(s). Disponga 2 cucharadas de carne en el centro y coloque encima media aceituna. Empezando por un lado largo, enrolle el *tamal* como un brazo de gitano, para que todo el relleno quede envuelto en la farfolla.

Doble el extremo inferior, dejando abierto el superior. Repita la operación con las farfollas restantes.

Lleve agua a ebullición en la parte inferior de un recipiente de cocción al vapor. Coloque los *tamales* en la parte superior y cuézalos al vapor de 45 a 60 minutos. Sírvalos de inmediato, dejando que cada comensal desenvuelva su *tamal.* Las farfollas no son comestibles. Para unas 6 docenas de *tamales*.

Puede congelar los *tamales,* una vez estén completamente fríos. Descongélelos primero en el frigorífico y luego recaliéntelos al vapor durante 10 minutos.

Tamales

En el Sudoeste, los días de fiesta siempre se celebran con comida y uno de los platos más festivos de la región son los *tamales* (de la antigua palabra azteca *"tamalli"*). Consisten en sabrosas mezclas de carne, chiles, queso y maíz molido, envueltas en farfollas de maíz y cocidas al vapor. Su presencia siempre indica una ocasión especial. Los *tamales* de *chile* rojo rellenos de carne de buey o cerdo son el desayuno tradicional del día de Navidad de las familias de descendencia hispana, mientras que los *tamales* de maíz verde hechos de maíz blanco fresco se consumen en verano en el sur de Arizona. Si bien algunos cocineros del Sudoeste congelan los *tamales* de maíz verde para utilizarlos durante el resto del año, los mejores *tamales* son los recién hechos; son uno de los platos de verano más apreciados.

La preparación de los *tamales* es tan laboriosa que requiere el trabajo de toda una familia. Los habitantes del Sudoeste son muy aficionados a organizar *tamaleros (fiestas de tamales),* en los cuales un grupo de amigos o miembros de la familia se reúne para elaborar docenas de tamales. Se establece una cadena de fabricación para despinochar el maíz, preparar los rellenos y rellenar, envolver y atar los *tamales* para su cocción. El trabajo queda recompensado con el posterior festín de *tamales.* Si el grupo ha sido muy activo, sobrarán tamales para que cada participante se lleve unos cuantos a su propia casa. La forma singular del término es *"tamal".*

Maíz morado

La hermana sagrada

Según una leyenda de los Navajo, el maíz morado cayó del cielo cuando un pavo gigante que sobrevolaba la tierra dejó caer mazorcas moradas de debajo de sus alas. Es el maíz más sagrado para los pueblos. Pueblo del norte de Nuevo México. Era prácticamente desconocido fuera de su región de origen hasta que, en los años ochenta, la comida del Sudoeste se hizo popular a nivel nacional. Los indios Pueblo elaboran pan de maíz morado y los Hopi utilizan la harina de maíz morado para preparar el tradicional pan *piki*. Tiene un sabor rico e intenso, debido en parte al secado de los granos sobre un fuego de madera de pino piñonero. Su sabor característico ha contribuido a la popularidad de los fritos de maíz morado en todo Estados Unidos. Contiene más proteínas que el amarillo.

Actualmente la harina de maíz morado se encuentra fácilmente. Se puede utilizar para elaborar pan de maíz o para rebozar las frituras. Puesto que tiende a ser muy desmenuzable, se suele mezclar con harina de trigo para preparar crêpes o tortitas de maíz morado. Las *tortillas* se elaboran con maíz morado previamente tratado con cal muerta y molido.

Niños moliendo maíz morado sobre *metates*, las piedras de amolar tradicionales.

Mazorcas y harina de maíz morado

322

Blue Corn and Cheese Pudding
Pudding de maíz morado y queso

2½ tazas de granos de maíz fresco desgranados de la
mazorca (o maíz en grano congelado)

¾ taza de leche

1½ tazas de harina de maíz morado

⅓ taza de manteca de cerdo derretida
o aceite de maíz

1 cucharadita de levadura en polvo

1 cucharadita de azúcar

½ cucharadita de sal

2 huevos bien batidos

3 chiles verdes largos asados, pelados, sin semillas
y troceados

¾ taza de queso cheddar Longhorn o queso Monterey Jack rallado

Precaliente el horno a 190°C.

Mezcle los granos de maíz y la leche en un cuenco grande. Añada la harina de maíz y la manteca o
el aceite, y remueva bien. Mezcle la levadura en
polvo, el azúcar y la sal, y agréguelos a la mezcla de
maíz. Añada los huevos batidos, los chiles verdes y
el queso. Pase la preparación a una fuente de horno
sin engrasar y cuézala en la rejilla central del horno
durante 45 minutos o hasta que, al insertar un palillo en el centro, éste salga limpio.

Una mujer Navajo preparando las tradicionales tortitas de maíz
morado.

Jarabe de albaricoque

630 g de néctar de albaricoque en lata

2 cucharadas de azúcar granulado

Mezcle el néctar de albaricoque y el azúcar en un
cazo no reactivo y de fondo pesado. Remueva para
disolver el azúcar. Lleve a ebullición y cueza a fuego
lento hasta que se reduzca en dos tercios. Sirva
caliente con Tortitas de maíz morado.

Blue Corn Pancakes
Tortitas de maíz morado

¾ taza de harina sin blanquear

¾ taza de harina de maíz morado

1 cucharadita de sal

1 cucharada de azúcar (opcional)

2 cucharaditas de levadura en polvo

2 huevos ligeramente batidos

3 cucharadas de grasa de tocino, aceite
o mantequilla derretida

1 taza de leche

4 cucharadas de piñones tostados en una sartén seca

1 cucharada de mantequilla clarificada o aceite

Mezcle los ingredientes secos. Bata los huevos, la
grasa, la leche y los piñones. Revuelva el líquido de
manera rápida y homogénea con los ingredientes
secos. Caliente una plancha pesada o una sartén de
hierro fundido. Añada la mantequilla o el aceite.
Cuando la plancha esté caliente, vierta la masa
tomando como medida ¼ taza. Cueza las tortitas
por un lado hasta que se formen burbujas en la
superficie. Déles la vuelta y cuézalas de ½ a 1 minuto más. Sirva con Jarabe de albaricoque.

Los fritos de maíz morado con *salsa* constituyen un delicioso
aperitivo.

TORTILLAS DE MAÍZ Y DE TRIGO

Tortillas de maíz

El aroma único de las *tortillas* de maíz recién cocidas evoca una oleada de recuerdos nostálgicos en quienquiera que haya vivido en el Sudoeste. Antes de que los colonos europeos introdujeran la harina de trigo en la región, las *tortillas* se elaboraban únicamente con el maíz de los indios. Estos discos planos eran el versátil alimento básico de toda la población. Su nombre, que le fue dado por los conquistadores españoles, se refiere a su forma circular y plana.

Prensa de *tortillas*

Hoy en día, las *tortillas* de maíz hacen las veces de pan en las comidas o sirven para envolver toda una serie de ingredientes, limitada sólo por la imaginación del cocinero. Las *tortillas* de maíz son más pequeñas que las de trigo (de 12,5 a 15 cm de diámetro). Se preparan con una prensa de *tortillas* (compuesta por dos discos metálicos con un mango), que da el tamaño adecuado a la masa de harina de maíz. Tradicionalmente se aplanaban con las manos, una técnica que los cocineros expertos del Sudoeste dominan, obteniendo una *tortilla* tierna y deliciosa. Luego, se cuecen en una sartén o una plancha (llamada *"comal")* muy caliente hasta que están ligeramente crujientes o bien blandas, según los requisitos de la receta.

Las *tortillas* de maíz se doblan en forma de media luna para contener los rellenos de los *tacos*. Se enrollan y se fríen hasta dejarlas crujientes para preparar *flautas*. Se enrollan con cuidado alrededor de un relleno para hacer *enchiladas* y, como tostadas, forman la base de las judías refritas y de todo un surtido de rellenos. Incluso las *tortillas* duras tienen una utilidad. Se cortan en tiras o triángulos y se utilizan como aderezo de las sopas, como fritos de maíz para acompañar la salsa o el guacamole, o como ingredientes de toda una serie de platos.

Corn Tortillas (Tortillas de maíz)

1¾ tazas de *masa harina* (se vende en comercios especializados en cocina mexico-americana)
1 taza + 2 cucharadas de agua caliente

Mezcle bien la *masa harina* y el agua en un cuenco mediano. Pase la pasta a una superficie plana y amásela hasta obtener una pasta lisa y flexible. Si la pasta resulta pegajosa, añada un poco más de *masa harina*. Si parece seca, agregue unas gotas de agua. Deje reposar la pasta, cubierta con film transparente o un paño de cocina, durante 30 minutos.

Divida la pasta en 15 bolas. Corte 2 láminas de film transparente grueso en rectángulos algo más grandes que el diámetro de la prensa para *tortillas*.

Caliente 2 sartenes: una a fuego medio-alto y otra a fuego medio-bajo.

Coloque una lámina de film transparente sobre la prensa para *tortillas*. Ponga una bola de pasta en el centro. Extienda la segunda lámina de film transparente sobre la bola de pasta. Presione firmemente sobre la palanca para cerrar la prensa y formar una *tortilla* de unos 15 mm de grosor. Retire con cuidado la lámina de film superior y déle la vuelta a la *tortilla* sobre la palma de su mano. Retire la otra lámina de film.

Preparación de tortillas de maíz a mano

1. Forme bolas de masa del mismo tamaño. Aplaste una bola en forma de disco.

2. Aplane el disco para hacerlo más grande y fino, presionando y apoyando la masa con los dedos de una mano sobre la palma de la otra.

3. Dé palmetazos al disco de masa con las palmas de las manos, para agrandar el diámetro del mismo.

4. La *tortilla* acabada debe medir unos 15 cm de diámetro.

5. Déle la vuelta a la *tortilla* y cuézala sobre una plancha engrasada y caliente.

6. La *tortilla* cocida es ligeramente crujiente y fibrosa, bastante diferente de la versión comercial.

Deslice la *tortilla* en la sartén con la temperatura más baja y cuézala unos 30 segundos. Retírela con una espátula ancha, déle la vuelta y cuézala por el otro lado en la sartén más caliente durante 30 segundos. Vuelva a girarla sobre el primer lado para cocerlo unos 30 segundos más. Pase la *tortilla* a un plato y cúbrala con un paño. Repita la operación con las bolas de pasta restantes. Deje reposar las *tortillas,* tapadas, en un lugar cálido durante unos 15 minutos antes de usarlas, para que se reblandezcan.

Platos a base de tortillas de maíz

Enchiladas: las *enchiladas* se preparan con *tortillas* de maíz, que se reblandecen con un poco de aceite y se enrollan o se disponen en capas sobre rellenos. En Nuevo México, las *enchiladas* se sirven planas, apiladas en pisos, con rellenos y salsa y cortadas en porciones.

Flautas: firmes y crujientes, las *flautas* son una variante de los tacos. Se preparan con dos *tortillas* de maíz superpuestas, que se enrollan alrededor de un relleno y se fríen en grasa caliente. Se aderezan con lechuga en juliana, queso y salsas.

Gorditas: estas variantes de las tostadas existen en dos formas. Una es una *tortilla* de maíz gruesa elaborada a mano, que se cuece en una plancha o una sartén y luego se parte longitudinalmente y se rellena. La otra es una torta frita de *masa* que se sirve con diversas coberturas y salsas.

Tacos: las *tortillas* para los *tacos* pueden ser cortezas crujientes o envolturas blandas, y se pueden enrollar o doblar. En los restaurantes del Sudoeste, los comensales las piden en una de estas formas y luego especifican el relleno (judías, guacamole, tiras de pollo cocido, *chile* rojo o verde con carne, chorizo o *carne seca*). Los tacos se cubren con lechuga iceberg o col en juliana y queso rallado. Las salsas se sirven aparte.

Taquitos: estos *tacos* pequeños se preparan con *tortillas* pequeñas, de "tamaño cóctel". Se pueden enrollar y freír o servir blandos.

Tostadas: estas *tortillas* de maíz, de forma plana, fritas y crujientes sirven de base para las judías refritas y otros ingredientes que se apilan encima a modo de aderezo. Como las cortezas de *tortilla* crujientes, las *tostadas* se venden ya preparadas en los mercados. En Nuevo México, una *tostada* es a veces un pequeño cesto formado por una *tortilla* de maíz que se fríe en un utensilio especial hasta que está crujiente y bien dorada; se conoce como *tostado* (los términos *tostado* y *tostaditos* también se refieren a los fritos de maíz en forma de triángulo).

Tortillas de trigo

Las *tortillas* de trigo se pueden hacer más grandes que las de maíz gracias al gluten de la harina, que permite extenderlas. Son comunes en Arizona, donde muchas de las tradiciones gastronómicas provienen del estado de Sonora (norte de México), que delimita con Arizona, donde se cultiva el trigo.

Las familias aprecian mucho las *tortillas* de trigo caseras. No todo el mundo tiene un miembro de la familia (la tía o la abuela preferida) que domine el arte de elaborarlas. Por suerte, las *tortillas* de trigo se venden en todos los mercados del Sudoeste; pero las mejores son las que preparan a mano las mujeres para sus familias o para pequeñas fábricas locales. Pueden alcanzar hasta 60 cm. de diámetro. Su masa tiene una consistencia aterciopelada y flexible, y un grosor casi transparente.

En el norte de Nuevo México, algunas personas elaboran las *tortillas* con harina de trigo entero que, al ser más oleosa y menos maleable, se ha de mezclar con harina blanca.

Las *tortillas* de trigo se sirven a modo de pan o se utilizan como envolturas y como base para otros alimentos. Si se enrollan alrededor de un relleno, se obtienen *burros* o *burritos*. Los *burros* fritos en abundante aceite se convierten en *chimichangas*. Las *tortillas* de trigo planas y crujientes, secadas en el horno o la parrilla, sirven de base para las tostadas de trigo o *cheese crisps* (tostadas de queso).

Platos a base de tortillas de trigo

Burritos: *tortillas* de trigo envueltas sobre un relleno caliente y dobladas. Los *burritos* y su versión más grande, los *burros,* se pueden servir al natural o "al estilo enchilada", aderezados con salsa para *enchiladas* y queso. Los rellenos incluyen chile rojo o verde con carne (carne estofada con chiles rojos o verdes), tiras de pollo o chile con queso (queso fundido aderezado con chiles verdes).

Chimichangas: las *chimichangas (burritos* o *burros* fritos en abundante aceite) son originarias de Arizona. Son como rollos de primavera de tamaño gigante. Los aficionados a las *"chimi"* las piden al natural (con un poco de queso fundido por encima) o "al estilo enchilada", napadas con salsa para *enchiladas* y queso fundido. El plato se puede aderezar con guacamole y nata agria.

Quesadillas: los entrantes favoritos de muchos habitantes del Sudoeste. Hoy en día, se pueden encontrar en todo Estados Unidos. Estas enormes empanadas elaboradas con *tortillas* de trigo se suelen rellenar simplemente con queso rallado y chiles verdes, pero también se pueden añadir otros ingredientes como tomates, huevos, carne o marisco. El queso y otros rellenos se añaden a la *tortilla* plana en una sartén; luego, se dobla ésta sobre el relleno y se tuesta brevemente sin aceite hasta que el queso se funde. Se sirven cortadas en cuarto

Tostadas de queso: *tortillas* de trigo que se hornean hasta que están secas y crujientes y se cubren con queso y otro ingrediente a elegir entre chiles verdes, cebolla, tomate o carne de buey condimentada. A continuación, se calientan brevemente en el horno para fundir el queso.

Preparación de tortillas de trigo a mano

1. Aplaste y extienda las bolas de masa en forma de discos.

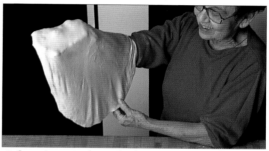

2. Se requieren años de experiencia para conseguir *tortillas* de trigo casi translúcidas.

3. Presione ligeramente las ampollas que se forman en la superficie de la *tortilla* de trigo para que ésta se cueza uniformemente.

4. La *tortilla* acabada es tan grande que se debe retirar con los dedos, con cuidado de no quemarse con la sartén caliente.

Una *tostada* de queso elaborada con una *tortilla* de trigo.

JUDÍAS

Si el maíz es el ingrediente más importante de la cocina tradicional del Sudoeste, las judías *(Phaseolus spp.)* ocupan el segundo lugar. Las diferentes variedades de judías de que disponen los cocineros no son solamente bonitas, sino también muy nutritivas y sabrosas. La mayoría son originarias del Nuevo Mundo. En el siglo XV, los europeos sólo conocían unas pocas variedades de judías, tales como el haba *(Vicia faba)*. Han alimentado a los habitantes del continente durante miles de años y, si se mezclan con frutos secos, semillas, cereales o carne, proporcionan todos los aminoácidos esenciales de las proteínas. Antes de la llegada de los europeos, los indígenas de América ya comían judías silvestres desde 7.000 años atrás como mínimo y, con el paso del tiempo, aprendieron los secretos de su cultivo. Los Hopi, esos genios de la agricultura antigua, desarrollaron numerosas variedades y las cultivaron desde el siglo V d.C. como mínimo.

La variedad de judía más utilizada en el Sudoeste es la pinta, de color rojizo abigarrado. También es muy común el *pinquito*, una versión de tamaño más pequeño, completamente rosa. Las plantas medran en el clima del desierto, desarrollando largas raíces que pueden llegar hasta profundas fuentes de agua subterráneas, necesarias para sobrevivir en un entorno extremadamente seco. Los fríjoles y las judías negras también se cultivan extensamente en el Sudoeste, si bien se suelen asociar con platos elaborados en otras regiones de Estados Unidos; en el Medio Oeste, por ejemplo, los fríjoles son el principal ingrediente del *chile* y, en las comunidades caribeñas del sur de Florida y de la ciudad de Nueva York, las judías negras se suelen combinar con arroz. Las variedades antiguas como las Anasazi y las Tepary se conocen como judías "nativas", variedades que, hoy en día, han sido recuperadas y cultivadas por agricultores especializados que sustentan la agricultura de conservación.

Tal vez el plato elaborado a base de judías más famoso del Sudoeste sean las judías refritas, preparadas con judías que, a pesar del nombre de la receta, en realidad no se fríen dos veces. El término "refritas" significa que están bien fritas. Para elaborar la receta es necesario utilizar judías "de olla", que deben su nombre a las ollas de barro en las cuales se cocían originariamente y que les aportan su sabor rico y ahumado. Las judías se cuecen, se escurren y se chafan con grasa de tocino, manteca o aceite (la cantidad varía), chiles verdes, tomates, cebollas y ajo para obtener un puré "refrito". Las judías refritas son la guarnición de muchos platos, servidas acompañadas de arroz o como sustituto de éste. También se usan como relleno para *tacos, burritos y burros,* y untadas sobre tostadas. Otras recetas a base de judías con-

Variedades de judías nativas

dimentadas son las judías charro (vaquero) y las judías "borrachas" (reciben este nombre porque se cuecen con cerveza), dos platos muy apreciados por los habitantes del Sudoeste, que adoran su sabor obtenido gracias a un largo proceso de cocción.

Judías nativas

Las judías que se encuentran hoy en día en el Sudoeste componen un sorprendente surtido de colores y sabores que permite a los cocineros crear recetas más allá de la ubicua judía pinta. Gracias a unas pocas organizaciones conservacionistas que han tratado de salvar las judías nativas, cultivándolas y vendiendo sus semillas, podemos hacernos una idea de las numerosas legumbres que cultivaban los indígenas norteamericanos.

Una de estas organizaciones tiene su centro en Abiquiu (Nuevo México). Otra, sin ánimo de lucro, en Tucson (Arizona). Las judías que producen son las nativas de Nuevo México, Arizona y

México. De este modo, los consumidores que sólo conocían las judías pintas, el *pinquito* y los fríjoles tienen la oportunidad de disfrutar de otros sabores y texturas distintos. Algunas de las variedades nativas son las Anasazi, Appaloosa, Bollito, Jacob's Cattle, Snowcap y Tepary.

Judías del Sudoeste

Anasazi: deben su nombre a los antepasados del siglo V d.C. de las tribus Pueblo de Nuevo México y Arizona, que las cultivaban. Son de color rojo tinto oscuro con manchas blancas.

Appaloosa: judía negra y blanca, o roja y blanca, originaria de la región. Es de cocción rápida y puede sustituir a las judías pintas.

Bollito: es un antepasado de la judía pinta, pero de tamaño más pequeño.

Garbanzo: esta legumbre *(Cicer arietinum)* es a la vez un guisante y una judía. Muy utilizada en la región del Mediterráneo, también es un ingrediente de la cocina del Sudoeste. Tiene una forma redonda irregular y su color varía del beige dorado al blanquecino.

Jacob's Cattle: esta judía algo dulce es originaria de Alemania. También se conoce como "judía trucha" o "dálmata".

Fríjol: esta judía de tamaño grande se puede encontrar en el Sudoeste, pero se utiliza menos que otras variedades.

Negra: también llamada "tortuga negra", la judía negra es en realidad de color púrpura oscuro. Es más común en América Central y del Sur, así como en el Caribe.

Painted Pony: judía marrón y pequeña con un "ojo" blanco.

Pinta: esta judía, una variante del fríjol nativo del Sudoeste, es la más común en la región. De color beige rosado ligeramente jaspeado, su abigarramiento desaparece al cocerlas.

Snow Cap: las marcas de esta judía se conservan después de la cocción.

Swedish Brown: muy común hoy en día en el Sudoeste, se utiliza también en el Medio Oeste. Tiene un color marrón claro con un "ojo" blanco.

Tepary: tienen un significado ceremonial para algunos indígenas, sobre todo para los Pima y los Zuni. Con un sabor rico y terroso, forman parte de la dieta del Sudoeste desde la Prehistoria.

Judías Appaloosa

Brothy Beans (Olla Beans)
Judías caldosas

500 g de judías secas (pintas, rosas u otra variedad)
3 cucharadas de manteca, pringue de cerdo o grasa de tocino
½ taza de cebolla blanca cortada en dados
una hoja pequeña de laurel
5 dientes de ajo sin pelar
1½ cucharaditas de sal o al gusto

Seleccione las judías secas, retirando cualquier cuerpo extraño y las judías descoloridas o rotas.

Mezcle las judías, la manteca, la cebolla, el ajo y el laurel en un cazo pesado. Cubra con agua fría y lleve a ebullición. Baje el fuego y hierva lentamente hasta que las judías estén tiernas pero no blandas (de 1 a 2 horas). Asegúrese de que las judías están completamente cubiertas con agua durante la cocción.

Retire la hoja de laurel y los dientes de ajo. Corte las puntas de los dientes de ajo, extraiga la pulpa blanda, cháfela y añádala a las judías. Rectifique de sal al gusto. Para 4–6 personas.

Refried Beans
Judías refritas (Refritos)

3 cucharadas de manteca derretida casera, pringue de cerdo o grasa de tocino
¼ taza de cebolla blanca cortada en dados
1 diente de ajo grande pelado y picado fino
3 tazas de judías caldosas (véase "judías de olla") y su líquido
2 cucharadas de crema mexicana, *crème fraîche* o nata agria de lechería
sal al gusto
¼ taza de queso asadero o queso cheddar Longhorn rallado

Derrita la manteca en una sartén pesada a fuego lento. Añada la cebolla y saltéela hasta que se vuelva transparente. Agregue el ajo y saltéelo brevemente. No debe dorarse. Chafe las judías, en pequeñas cantidades junto con su líquido, en la mezcla de la sartén. La mezcla debe parecer un puré grumoso. Vierta la crema. Mantenga la mezcla caliente, pero sin dejar que hierva. Rectifique de sal si es necesario. Sírvala caliente, aderezada con el queso rallado. Para 6–8 personas.

Judías Swedish Brown

Judías Anasazi

Judías Appaloosa

Judías negras

Judías pintas

Garbanzos

Fríjoles

Judías Jacob's Cattle

CACTUS
Y CALABACINES

Los cactus y los calabacines forman parte de los
ingredientes más típicos del Sudoeste. Son tan
inherentes a la tradición culinaria hispana de la
región que se suelen designar por sus nombres
mexicanos: *nopales* y *calabacitas*. El alto cactus
saguaro, tan típico del paisaje del Sudoeste, no es
comestible, pero otras especies de cactus ofrecen
sus deliciosos frutos y hojas a quien quiera retirar
sus pinchos. Las flores de calabacín inspiran tanto
a los artesanos indígenas, que las recrean en preciosas joyas de plata, como a los cocineros del
Sudoeste, que rellenan estas delicadas flores con
queso y chiles.

Un vendedor de hortalizas de un mercado fronterizo del Sudoeste
retirando los pinchos de las palas de chumbera.

Los higos chumbos, los frutos de la chumbera o tuna *(Opuntia
ficus-indica)*, tienen una deliciosa pulpa roja o naranja, de sabor
agridulce. Las semillas son comestibles si la fruta se consume
cruda.

Derecha: las palas de chumbera también se conocen como *nopales*.
Se venden frescas en el mercado, sin los pinchos y cortadas en
tiras *(nopalitos)*, listas para preparar ensaladas. Su sabor es similar
al de los pimientos verdes o las judías verdes.

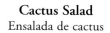

Flor de *calabacita*
(calabacín)

Zucchini with Corn
Calabacines con maíz

4 cucharadas de mantequilla o aceite vegetal neutro
½ taza de cebolla blanca picada fina
2 calabacines medianos o 4 pequeños sin las puntas y cortados en trozos de 2,5 cm
2 tazas de granos de maíz frescos desgranados de la mazorca o granos de maíz congelados (descongelados)
1 chile verde asado, pelado y cortado en dados
2 dientes de ajo picados finos
1 cucharadita de orégano fresco o ½ cucharadita de orégano seco
sal y pimienta negra recién molida, al gusto
½ taza de queso Chihuahua o Monterey Jack rallado

Caliente la mantequilla o el aceite en un cazo pesado. Añada la cebolla, tape el cazo y cueza a fuego lento hasta que la cebolla esté tierna. Pase a fuego medio, agregue el calabacín y cueza durante 2 minutos, removiendo de vez en cuando. Incorpore el maíz, el chile, el ajo y el orégano. Tape y cueza a fuego lento hasta que las hortalizas estén tiernas. Salpimiente al gusto. Sirva caliente, aderezado con el queso rallado. Para 2–4 personas.

Stuffed Squash Blossoms
Flores de calabacín rellenas

12 flores de calabacín
1 taza de queso Chihuahua o Monterey Jack rallado
4 cucharadas de crema mexicana o nata agria
2 chiles Anaheim asados, pelados (o chiles verdes en lata) y cortados en dados
1 diente de ajo picado fino
½ cucharadita de comino molido
una pizca de canela
¼ taza de cebolla blanca picada
sal y pimienta blanca recién molida, al gusto

Precaliente el horno a 180°C. Si las flores llevan unidos pequeños calabacines, córtelos y cuézalos por separado. Mezcle los ingredientes restantes y rellene las flores. Disponga las flores rellenas en una fuente de horno engrasada y hornéelas hasta que estén tiernas (unos 15 minutos).

Como alternativa, bañe las flores rellenas en un rebozado ligero y fríalas en 7,5 cm de aceite calentado a 190°C. Para 4 personas.

Cactus Salad
Ensalada de cactus

2 tazas de *nopalitos* (palas de chumbera sin los pinchos, cortadas en tiras)
2 cucharadas de cilantro picado fino
½ chile verde fresco picado
1 cebolla roja mediana cortada en aros finos
una pizca de orégano fresco o ¼ cucharadita de orégano seco
¼ taza de crema mexicana o nata agria
3 cucharadas de aceite de oliva
1 cucharada de zumo de naranja de Sevilla o zumo de lima
sal y pimienta recién molida, al gusto
2 huevos duros cortados en rodajas
queso blando desmenuzado, tal como queso fresco o feta

Revuelva los *nopalitos* con el cilantro, el chile verde, la cebolla y el orégano. Mezcle la crema mexicana con el aceite de oliva y el zumo de naranja o lima, vierta este aliño sobre la mezcla de *nopalitos* y remueva. Salpimiente al gusto. Aderece con los huevos duros y el queso. Para 4 personas.

Ensalada preparada y bolsas de nopalitos a la venta en un mercado fronterizo

FRUTAS Y HORTALIZAS

Aguacate *(Persea americana):* fruto aceitoso y blando que se chafa para elaborar guacamole, se corta en rodajas para ensaladas, se utiliza como aderezo y se rellena.

Chayote *(Sechium edule):* esta hortaliza tiene un sabor suave a calabaza de verano y una semilla grande en el centro, que se retira antes de la cocción. Resulta deliciosa cortada en dados y mezclada con un surtido de condimentos, o bien rellena y cocida al horno.

Cilantro *(Coriandrum sativum):* esta hierba aromática fresca, de la familia del perejil, también se conoce como perejil chino.

Lima *(Citrus aurantifolia):* la lima mexicana es pequeña, redonda y sabrosa. También se conoce como lima Key y se encuentra en Florida.

Orégano mexicano *(Lippia palmeria):* muchas plantas con un sabor parecido al orégano llevan este nombre en México y a lo largo de la frontera. El más común pertenece a la familia de la verbena y tiene un sabor más fuerte que el orégano del Mediterráneo *(Origanum vulgare)* utilizado en las cocinas italiana y española. Se usa para aromatizar salsas.

Pepitas: estas semillas de varias calabazas *(Cucurbita pepo)* se utilizan en salsas, como aderezo y como aperitivo.

Epazote *(Chenopodium ambrosioides):* esta hierba acre con hojas aserradas y dentadas se suele cocer con judías negras, ya que supuestamente facilita la digestión. También se utiliza para condimentar platos con queso. Algunos mercados mexicanos la venden seca, pero es preferible usarla fresca. Su sabor no se puede sustituir, pero algunos cocineros del lado norte de la frontera utilizan hojas de laurel en su lugar. También se conoce como pazote o paico macho.

Flores de calabacitas: se trata de las flores del calabacín *(Cucurbita pepo).* Se pueden rellenar y freír en abundante aceite o cocer al horno. Se deben utilizar inmediatamente después de comprarlas o cosecharlas, ya que se marchitan rápidamente.

Jícama *(Pachyrhizus erosus):* hortaliza de raíz firme y crujiente que sirve para realzar los sabores del Sudoeste. Tiene un sabor parecido a una manzana muy suave. La jícama se utiliza como un simple aperitivo con limas, sal y chile en polvo, o bien en ensaladas más elaboradas. Algunos cocineros la usan como sustituto de las castañas de agua.

Piñones *(Pinus pinea):* se recolectan de las piñas de los pinos piñoneros (Pinus edulis) que crecen a gran altitud en el Sudoeste. Los indios Pueblo elaboran una sopa con estos frutos secos diminutos y aceitosos. Hoy en día, siguen siendo un elemento distintivo de la cocina del norte de Nuevo México.

Tunas *(Opuntia ficus-indica):* los frutos de la chumbera, también conocidos como higos chumbos, se pueden encontrar en Europa. En algunos mercados de la frontera entre México y Estados Unidos, se pueden comprar tunas sin pinchos y peladas.

Tomatillos *(Physalis ixocarpa):* a menudo llamados tomates verdes mexicanos, estos pequeños frutos son, en realidad, un pariente del alquequenje *(Physalis edulis).* Tienen un sabor ácido característico, que no se consigue con los tomates comunes. El hollejo se retira antes de la cocción.

POSTRES

Finales dulces

Quienquiera que haya entrado en una pastelería mexicana tradicional del Sudoeste conoce el irresistible aroma que atrae al posible cliente. Galletas de boda dulces y mantecosas, *bizcochitos* (la galleta estatal de Nuevo México), pastelitos, pastas y panes dulces y salados tientan el apetito. Los habitantes del Sudoeste degustan estos dulces con café o chocolate caliente en invierno y con una bebida fría durante el caluroso verano.

Los dulces del Sudoeste no se limitan a las galletas y los pasteles. Los postres incluyen el flan tradicional (cocido al horno y cubierto de caramelo) y el *almendrado,* preparación con sabor a almendras a base de claras de huevo batidas mezcladas con gelatina que, a veces, se tiñe con los colores de la bandera mexicana, y se sirve con crema inglesa. Los redondos y crujientes buñuelos, que suelen ser caseros, se rocían con jarabe de miel o de fruta. En México, son un dulce tradicional de Navidad y, en el Sudoeste norteamericano, se toman a modo de tentempié al igual que los donuts. Las *sopaipillas* (rectángulos o triángulos de pasta de harina de trigo fritos), que en Nuevo México se sirven a modo de sabroso pan, en otras zonas se rellenan con miel o fruta. A diferencia de los buñuelos, la pasta no contiene huevos. Las empanadas dulces, rellenas de una mezcla de frutas y fritas u horneadas, constituyen un delicioso final para una comida. La *capirotada* es un pudding de pan elaborado con salsa de caramelo y queso, a diferencia de la versión europea, que incluye leche y huevos. Se sirve durante la Cuaresma y también figura en el menú de muchos restaurantes de la región en otras épocas del año. A los habitantes del Sudoeste también les encantan los *tamales* dulces y los cítricos cultivados en Arizona, que aportan un sabor ácido y un toque alegre a los postres.

Uno de los dulces más antiguos del Sudoeste es un pudding llamado *panocha.* Antes de que los colonos dispusieran de azúcar blanco y si no había miel, no tenían ninguna substancia edulcorante para cocinar. Descubrieron que los granos de trigo brotaban si se humedecían y se colocaban en un lugar cálido y, durante el proceso, parte del almidón se convertía en azúcar. La harina de estos granos germinados *(harina enraizada)* endulzaba los puddings. Esta harina todavía se produce para utilizarla en este postre rústico, que además contiene azúcar moreno o melaza, vainilla, canela y nata cuando los cocineros modernos lo elaboran durante la Cuaresma y las celebraciones de Pascua.

El flan al caramelo es un postre típico del Sudoeste, de tradición española.

Fritters
(Buñuelos)

1 taza de harina
½ cucharadita de levadura en polvo
1 cucharadita de azúcar
¼ cucharadita de sal
1 huevo
3 cucharadas de leche
abundante aceite para freír
azúcar glas o jarabe de miel para adornar

Mezcle la harina, la levadura en polvo, el azúcar y la sal. En otro cuenco, bata ligeramente el huevo y la leche. Agregue la mezcla de huevo a la mezcla de harina. Deje reposar 10 minutos antes de freír los buñuelos.

Caliente el aceite a 185°C. Vierta separadamente 3 ó 4 cucharadas de pasta en el aceite caliente. Déle la vuelta a los buñuelos de vez en cuando y retírelos del aceite cuando estén cocidos y algo dorados. Espolvoréelos con azúcar glas o rocíelos con jarabe de miel y sírvalos. Para 8 buñuelos. Puede doblar las cantidades de los ingredientes.

Honey Syrup for Buñuelos
Jarabe de miel para buñuelos

2 cucharadas de miel
2 tazas de agua
1 rama de canela

Disuelva la miel en el agua a fuego medio. Añada la rama de canela, lleve a ebullición y cueza hasta que se reduzca y se espese.

Anise Cookies (Bizcochitos)
Galletas de anís

½ taza de grasa sólida, manteca o mantequilla (calentada a temperatura ambiente)
½ taza de azúcar granulado
1 huevo
1 cucharada de licor de anís o coñac
½ cucharadita de semillas de anís molidas finas
1¼ cucharaditas de levadura en polvo
½ cucharadita de sal
1½ tazas de harina sin blanquear

Cobertura:

¼ taza de azúcar
¼ cucharadita de canela

Precaliente el horno a 190°C. Bata la grasa o mantequilla y el azúcar hasta obtener una mezcla esponjosa. Añada el huevo y el licor de anís o el coñac, y bata. Mezcle los ingredientes secos, removiendo bien, e incorpórelos poco a poco a la mezcla anterior, tomando como medida ½ taza. Debe obtener una pasta unida. Refrigere la pasta durante 30 minutos antes de utilizarla.

Extienda la pasta hasta dejarla de unos 0,5 cm de grosor y córtela en formas de fantasía (tipo flor de lis, por ejemplo) o en rombos. Mezcle el azúcar y la canela en un plato y espolvoree las galletas con esta mezcla. Dispóngalas en una bandeja para galletas sin engrasar y hornéelas de 10 a 12 minutos. Déjelas enfriar sobre una rejilla.

Flan

Cobertura de caramelo:

½ taza de azúcar granulado
¼ taza de agua

Ponga el azúcar en un cazo de fondo pesado o una cacerola de cobre especial para cocer azúcar. A fuego medio-bajo, disuelva el azúcar en el agua. Lleve el líquido a ebullición, cepillando las paredes del cazo con un pincel limpio mojado en agua fría. Remueva el líquido a medida que empiece a tomar color. Cuando el almíbar adquiera un color dorado, retire el cazo del fuego y vierta el caramelo en un molde de 6 tazas de capacidad. Incline el molde en varias direcciones para extender el caramelo por toda la superficie.

Flan:

4 tazas de nata ligera
½ taza de azúcar granulado
¼ cucharadita de clavos de especia molidos
¼ cucharadita de canela
¼ cucharadita de pimienta de Jamaica
⅛ cucharadita de nuez moscada
4 huevos
4 yemas de huevo
½ cucharadita de extracto de vainilla
2 cucharadas de azúcar moreno

Precaliente el horno a 150°C.

Caliente la nata sin dejar de remover. Añada el azúcar, los clavos, la canela, la pimienta de Jamaica y la nuez moscada. En otro cuenco, bata los huevos y las yemas hasta que adquieran un color amarillo pálido. Agregue ¼ taza de la mezcla de nata para calentar los huevos batidos, vierta entonces la mezcla de huevo en la mezcla de nata restante y remueva. Añada la vainilla. Remueva a fuego lento hasta que la mezcla nape el dorso de la cuchara. Vierta la mezcla en el molde cubierto de caramelo.

Coloque el molde en una fuente de horno lo bastante grande para contenerlo, dejando unos 5 cm alrededor como mínimo, y llene la fuente con agua hirviendo. Cueza el flan al baño María en la rejilla inferior del horno hasta que, al insertar un cuchillo, éste salga limpio (unos 30 minutos). Deje enfriar el flan y refrigérelo.

Para servir, desmolde el flan. Es preferible prepararlo con un día de antelación para poder cortarlo fácilmente. Para 4–6 personas.

SALSAS

Notas aromáticas para una cocina picante

En la cocina del Sudoeste, el término "salsa" se refiere a una conserva o condimento, una mezcla de hortalizas y frutas (generalmente tomates) picadas y aderezadas, crudas o cocidas, que no se suele hacer puré y se sirve como guarnición de un plato. Las salsas, antaño limitadas a las regiones con cocina mexicana y del Sudoeste, se encuentran hoy en día en todo Estados Unidos. De hecho, la salsa se ha convertido en el condimento más vendido del país, alcanzando recientemente al ketchup de tomate.

Las salsas pueden ser frescas, cocidas o envasadas. Los amantes de la cocina del Sudoeste las utilizan a modo de aderezo, salsa para mojar, condimento e incluso guarnición. Las salsas unen el sabor y la textura del queso suave de una *quesadilla* con su base de *tortilla* de trigo y el de la carne de buey picante de un *taco* con su envoltura de maíz. Añaden sabor, picante y color a una cocina ya rica en contrastes.

En los restaurantes del Sudoeste, la salsa y los fritos de maíz se sirven en cuanto los comensales se sientan en la mesa. A veces, se ofrecen tres tipos diferentes de salsa: *chile* rojo, tomatillo verde y guacamole. Las salsas caseras siempre llevan el toque personal del cocinero, que rara vez sigue una receta. Cuando éste sabe equilibrar los ingredientes, la salsa puede ser picante, suave, fuerte (con ajo), ácida (con zumo de lima) o suculenta (con aguacate).

1. Salsa de chiles "Saguaro Chipotle" 2. "Salsa Divino" suave
3. "Salsa Diablo" picante 4. Salsa de aceitunas y ajo asado
5. Salsa de chiles habaneros "Hellfire and Damnation"
6. Salsa "Gourmet" 7. Salsa de cactus 8. Salsa *mole* 9. "Salsa Primera" suave 10. Salsa de chiles chipotle 11. Salsa de chiles habaneros "Twist and Shout" 12. Salsa picante "Cholula"

1. Salsa de mango y cebolla roja 2. Salsa cruda 3. Salsa de judías negras y maíz

①   ②   ③   ④   ⑤   ⑥

Ingredientes para preparar salsa fresca: tomates, chiles, cebollas y ajo

Salsa Chiltepin
Salsa de chile y tomate

1 cucharadita de chiles chiltepin majados
900 g de tomates en lata cortados en trozos
3 dientes de ajo pelados y picados a mano
1 cebolla blanca mediana troceada
1 cucharadita de hojas de orégano frescas picadas finas o ½ cucharadita de hojas de orégano secas machacadas
½ cucharadita de sal (o al gusto)
1 cucharadita de azúcar
1 cucharadita de vinagre destilado blanco o vinagre de sidra

Mezcle todos los ingredientes en una batidora o un robot de cocina y bata a intermitencias; lo suficiente para mezclar los ingredientes y partir un poco los tomates. Sirva la salsa fría o a temperatura ambiente.

Black Bean and Corn Salsa
Salsa de judías negras y maíz

470 g de judías negras en lata escurridas
3 mazorcas de maíz frescas
2 tomates medianos
½ taza de cebolla roja cortada en daditos
2 chiles jalapeños sin semillas
2 cucharadas de cilantro picado
2 cucharadas de zumo natural de lima
¼ taza de aceite de oliva
sal

Ase las mazorcas de maíz a la parrilla durante unos 5 minutos, o hasta que los granos estén tiernos. Separe los granos de la mazorca. Corte los tomates en dados de 1,25 cm y los jalapeños transversalmente en tiras muy finas. Mezcle todos los ingredientes, revolviendo bien. Sale al gusto. Refrigere hasta el momento de servir.

Tomatillo Salsa
Salsa de tomatillos

315 g de tomatillos mexicanos en lata o 1 taza de tomatillos frescos, sin el tallo, cocidos, escurridos y hechos puré
1 cebolla blanca pequeña picada fina
1 diente de ajo grande pelado y cortado fino
1 cucharadita de cilantro fresco picado fino
2 chiles jalapeños o 3 chiles serranos pelados y troceados
sal al gusto
pimienta negra recién molida, al gusto

Mezcle todos los ingredientes, chafando los tomatillos para eliminar los trozos gruesos. Esta salsa sabe mejor si se prepara con la menor antelación posible.

Salsa cruda
Salsa de tomate natural

1 tomate muy grande o 2 medianos pelados sin semillas y troceados
¼ taza de escalonias picadas finas
6 ramitas de cilantro fresco picadas (o al gusto)
2 chiles jalapeños frescos o 3 chiles serranos frescos sin semillas y picados finos
sal al gusto
una pizca de azúcar
½ cucharadita de vinagre destilado blanco o vinagre de sidra

Mezcle todos los ingredientes y sirva la salsa fría o a temperatura ambiente. Esta salsa queda mejor si se pican bien todos los ingredientes con un buen cuchillo afilado.

Mango and Red Onion Salsa
Salsa de mango y cebolla roja

2 mangos pelados
½ taza de cebolla roja cortada en tiras finas
1 pimiento rojo grande sin semillas y cortado en cuartos
3 chiles jalapeños
3 cucharadas de zumo natural de naranja o piña
2 cucharadas de aceite de oliva virgen extra
sal

Corte los mangos en dados de 1,25 cm. Corte el pimiento transversalmente en dados. Corte los jalapeños en rodajas, dejando algunas semillas en la mezcla. Revuelva todos los ingredientes y sale al gusto. Refrigere hasta el momento de servir.

Salsa con fritos de maíz es un aperitivo muy popular en Norteamérica.

⑦

⑧

⑨

⑩

⑪

⑫

BEBIDAS

Tragos refrescantes

El clima árido propio de la región del Sudoeste norteamericano requiere un consumo frecuente de bebidas refrescantes. En general, la comida se acompaña de té helado, agua helada, refrescos, café, cerveza, vino y Margaritas. En los *barrios* (los viejos barrios hispanos) y en los hogares, también se sirven bebidas tradicionales menos conocidas, pero muy apreciadas. En el Sudoeste norteamericano, las bebidas reúnen las tradiciones españolas e indígenas.

La cerveza mexicana es la bebida ideal para acompañar la comida de la región. Algunas fábricas de cerveza mexicanas fueron fundadas por inmigrantes alemanes, que aportaron al Nuevo Mundo su experiencia en la elaboración de cerveza al estilo alemán y checo. Las cervezas negras combinan especialmente con los platos a base de chiles. Algunos bebedores de cerveza del Sudoeste han adoptado la costumbre de tomar las *lagers* con un gajo de lima, una práctica similar a la de beber *weizen bier* alemana con una rodaja de limón.

El cóctel Margarita, el más famoso del Sudoeste, se prepara con tequila y zumo de lima.

Las *aguas frescas* son bebidas a base de puré de frutas frescas, azúcar y agua con gas. De izquierda a derecha: *aguas frescas* de naranja, de mango y fresas, y de lima.

Es posible que el tequila, un licor destilado a partir del agave azul, tal vez sea la bebida alcohólica más famosa asociada con la comida de esta zona. Se elabora en México, aunque tiene una mayor demanda en Estados Unidos. El tequila se toma solo o en combinados, el más famoso de los cuales es el Margarita. También se mezcla con zumo de naranja y granadina para preparar un cóctel denominado Tequila Sunrise y se sirve acompañado de Sangrita o mezclado con éste, un cóctel picante de tomate y zumo de frutas elaborado con chiles frescos.

Unos de los primeros habitantes europeos del Sudoeste fueron los misioneros españoles que introdujeron rápidamente las uvas en el sur de Nuevo México y empezaron a producir vino. La Sangría, un legado de los colonos españoles cuyo nombre deriva de la palabra "sangre", es un ponche de vino tinto servido a menudo en el Sudoeste. Su sabor afrutado y refrescante combina perfectamente con la comida picante. A veces se le añade una medida de tequila.

El chocolate caliente mexicano se suele tomar a la hora del desayuno, si bien los niños lo beben a cualquier hora del día. Esta bebida se caracteriza por la espuma producida con un utensilio especial de madera llamado *molinillo*. La bebida tiene una tradición venerada: para los aztecas, las habas de la planta del cacao *(Theobroma cacao),* que son originarias de América Central, eran la "comida de los dioses". Los sacerdotes y los gobernantes tomaban el chocolate elaborado con habas de cacao como una bebida ritual que, originariamente, no se endulzaba. En la actualidad, se sirve con abundante azúcar. El *egg-nog,* llamado *rompope* en el Sudoeste, es un delicioso cóctel que se degusta en los días de fiesta. Se elabora con una base de huevos cocidos en una crema fina, con leche, vainilla y canela, que se mezcla con coñac y se sirve fría en vasos pequeños.

Las bebidas a base de frutas frescas, heredadas de las llamadas *aguas frescas* de México, se preparan con puré de frutas, azúcar y agua con gas. Se utilizan principalmente tamarindos (vainas con una pulpa marrón ácida), sandías, plátanos, fresas y mangos. También se puede añadir menta y limas. Las *aguas frescas* se venden en los mercados, cuyos puestos exponen enormes jarras de estos deliciosos refrescos formando una hilera multicolor. La horchata que se prepara en el Sudoeste es una bebida dulce a base de arroz crudo molido y almendras, aromatizada con canela. Su sabor sedante e insípido calma el "ardor" que producen los chiles.

Sangria
Ponche de vino tinto

1 botella (750 ml) de vino tinto seco y de mucho cuerpo (o vino blanco para una Sangría blanca)
¼ taza de zumo de naranja, preferiblemente recién exprimido
1 cucharadita de azúcar
rodajas de naranja y de lima
láminas de manzana y de pera
1 taza de agua de seltz o agua con gas

Mezcle todos los ingredientes y refrigere durante varias horas antes de servir. Ajuste al gusto las cantidades de zumo de naranja, agua de seltz y azúcar, y sirva con o sin hielo en copas de vino. Para unas 4 personas.

Sangrita
Cóctel picante de tomate y cítricos

2 tazas de zumo de tomate
1 taza de zumo de naranja recién exprimido
¼ taza de zumo de lima recién exprimido
60 ml de granadina
1 cebolla blanca pequeña rallada (el jugo incluido)
10 chorritos de salsa picante envasada o al gusto
3 chiles jalapeños frescos sin semillas y cortados finos
4 chiles serranos frescos sin semillas y cortados finos
½ cucharadita de sal o al gusto
pimienta negra recién molida, al gusto
tequila

Mezcle todos los ingredientes, excepto el tequila, y bátalos en 2 tandas en una batidora eléctrica. Mezcle bien y refrigere toda la noche. Sirva en vasos bajos con chupitos de tequila aparte. Para unos 6 cócteles de 125 ml.

Mexican Hot Chocolate
Chocolate caliente a la mexicana

1½ tazas de leche o agua
45 g de chocolate mexicano picado
1 trozo de 5 cm de canela en rama
Kahlua (licor de café), opcional
nata montada y canela, opcional

En un cazo mediano de fondo pesado, lleve la leche a ebullición con el chocolate y la canela en rama, removiendo la mezcla hasta que el chocolate se funda. No deje hervir la mezcla si utiliza leche. Cuando el chocolate se haya fundido, vierta la mezcla en un cuenco hondo o una jarra alta y estrecha y bata enérgicamente con un batidor convencional o de chocolate hasta que la mezcla resulte muy espumosa. Añada 60 ml de Kahlua, si lo desea. Cubra con nata montada y espolvoree con canela. Sirva de inmediato. Para 2 personas.

Bebidas con una tradición antigua

Atole: *("atolli"* en Nahuatl, la lengua de los indios mesoamericanos). Una antigua bebida de maíz elaborada con *masa harina* (harina de maíz preparada) o maíz molido seco. Los indios precolombinos la endulzaban con miel. Espesa, se toma a modo de sopa y, si se diluye con agua, a modo de bebida. A veces, se fermenta para obtener una bebida nutritiva fácil de digerir. Hoy en día, se puede encontrar en las zonas más remotas de Nuevo México, donde se suele preparar con harina de maíz azul. Se puede sazonar con canela, vainilla, chocolate, frutas e, incluso, chiles.

Champurrado: un tipo de *atole* elaborado con harina de maíz azul tostado y chocolate. Esta bebida tradicional reúne las culturas española e india que se unieron en el Nuevo Mundo en el siglo XVI.

Teswin: ponche de fiesta preparado con maíz seco y trigo tostado y molido fino. Se puede sazonar con anís, clavos de especia y canela.

Preparación del chocolate caliente a la mexicana

1. Las tabletas de chocolate mexicano y la canela en rama son la base de este chocolate caliente rico y aromático.

2. Pique el chocolate en trozos pequeños para que se funda rápidamente.

3. Añada el chocolate y la canela en rama a la leche.

4. Vierta la mezcla en un cuenco hondo para batirla.

5. Con un *molinillo* (batidor mexicano de madera) o un batidor metálico, bata la mezcla hasta que resulte espumosa.

6. Aderece el chocolate caliente con nata montada o (para los adultos) 30 ml de Kahlua.

LOS INDÍGENAS DEL SUDOESTE

Arizona y Nuevo México tienen las mayores poblaciones indígenas de Estados Unidos. Las tribus más conocidas de la zona son los Hopi y los Navajo, en Arizona, y los Pueblo (un grupo de 19 pueblos diferentes) y los Zuni, en Nuevo México. Los Tohono O'Odham de Arizona son descendientes de los Hohokam, que son dignos de mención por haber creado el primer sistema de irrigación de la región. Las tradiciones culinarias de estas tribus tienen numerosas similitudes; ciertos alimentos desempeñan un papel significativo en la vida diaria, más allá de la simple necesidad de sustento.

Hoy en día, la comida está presente en todas las celebraciones de los indígenas del Sudoeste, tanto si se trata de fiestas cristianas como de ceremonias importantes para sus creencias religiosas tradicionales. Los *powwows* (ceremonias hechiceras) se llevan a cabo en toda la región; son grandes reuniones en las cuales los indígenas participan en eventos sociales y culturales. Los cocineros elaboran *tacos* indios, pan frito y pan *piki,* así como rollos de *chile* y frito de cecina verde. En estos festivales, los indígenas modernos reviven el estilo de vida de sus antepasados, preparando y comiendo sus platos. Por lo general, su comida no difiere mucho de la que comen los norteamericanos.

Históricamente, para los pueblos indígenas del Sudoeste, la caza, la recolección y el cultivo de alimentos han estado impregnados de significado religioso. La caza estaba reservada básicamente al hombre, ya que la habilidad para conseguir comida y recursos era el equivalente del alumbramiento de las mujeres. Los cazadores rezaban para conseguir una buena caza y, después, daban gracias tanto al animal que habían matado, como a su deidad. Los agricultores también suplicaban a los dioses, en forma de danzas del maíz y de las judías, pidiendo unas condiciones favorables para obtener una cosecha abundante. En una región donde apenas llueve (a veces tan sólo 250 mm al año), la sequía era una auténtica preocupación y las hambrunas resultantes devastadoras. Cada temporada, cuando los agricultores sembraban, reproducían el mito de la creación, creando vida desde las profundidades de la tierra en forma de abundantes cosechas. En todas estas prácticas alimentarias, los pueblos indígenas experimentaban una unidad espiritual con sus antepasados.

Es simplemente imposible exagerar la importancia del maíz en la vida de los indios del Sudoeste. Esencialmente, el maíz representa la vida en sí. Este cereal, un híbrido de una hierba silvestre originaria de México de más de 4.500 años de antigüedad, es incapaz de producir sus propias semillas y debe ser plantado, tal como hacían los Hopi y los Pueblo con respeto y veneración. A cambio, recibían granos con los cuales elaboraban nutritivos panes, estofados y gachas, platos que sustentaban a toda la población.

A pesar de ser tan venerado, el maíz por sí solo no aporta una dieta equilibrada. En algún momento, los indios descubrieron los beneficios de cocer sus panes de maíz con cenizas (normalmente de madera de cedro, enebro o *chamisa,* un arbusto del desierto). Éstas añadían las sales minerales alcalinas necesarias para completar las proteínas del maíz. Las cenizas de madera servían como levadura (más o menos como el bicarbonato de sosa) y como condimento. Si se mezclaban con harina de maíz morado, fijaban el color. El proceso de nixtamalización, en el cual se añade cal muerta a los granos de maíz para retirar el hollejo duro, también hace el maíz más nutritivo.

Los indios del Sudoeste practicaban un método muy eficaz para cultivar sus tres principales cosechas (maíz, calabazas y judías), conocidas como la "tríada india" o las "tres hermanas". No sólo aportaban una nutritiva combinación de proteínas complementarias si se tomaban en una misma comida, sino que también eran un modelo perfecto de cooperación en los campos. Las cosechas se plantaban juntas, así los tallos de maíz proporcionaban un soporte vertical para las plantas trepadoras de las judías y las sinuosas matas de calabaza evitaban el desarrollo de las malas hierbas al formar una capa vegetativa en el suelo.

Además de ser un alimento básico de la dieta, el maíz tenía propiedades ceremoniales y curativas. Los Hopi esparcían la harina de maíz por el suelo de la *kiva* (una sala de ceremonias sagrada) para purificarla y santificarla, una práctica que recuerda el uso de agua bendita en la religión cristiana. La deidad del maíz era una figura femenina que, en forma de una joven virgen, repartía el alimento básico entre los habitantes de la Tierra. Los Zuni cultivaban seis colores de maíz (morado, blanco, rojo, abigarrado, negro y amarillo), que denominaban las "Vírgenes del maíz", las seis hermanas que repartían el cereal al pueblo. Los Pueblo creían que las gachas de harina de maíz morado tenían poderes curativos y las parejas Navajo recibían cestos de harina de maíz en su boda.

Los Navajo

En el siglo XIII, los Navajo, originariamente una tribu nómada, emigraron al Sudoeste desde la región ártica del norte. Eran cazadores y recolectores, pero con el tiempo adoptaron algunas de las prácticas agrarias de los Pueblo y se convirtieron en ganaderos cuando los europeos introdujeron las ovejas, los caballos y las vacas en la región. Hoy en día, la nación Navajo de Arizona es la confederación india más grande de Estados Unidos, con unos 250.000 habitantes y una reserva del tamaño de Virginia Occidental.

Como casi todas las civilizaciones del mundo, los indígenas norteamericanos elaboran un pan plano

Elaboración del pan frito navajo

1. Extienda la masa con los dedos para formar un disco delgado.

2. Forme pequeños agujeros en la masa para evitar que se formen ampollas durante la cocción.

3. Debe haber una separación de varios centímetros entre cada agujero.

4. Disponga el gran disco de masa en una caldera con aceite hirviendo.

5. Retire el pan frito del aceite con un palito largo.

6. Disponga los aderezos sobre el pan frito, que se ha hinchado gracias a la levadura en polvo.

de usos múltiples. Cuando llegaron los españoles, trajeron consigo el trigo, ofreciendo a los cocineros indígenas una alternativa a la harina de maíz. El pan frito navajo, también conocido como pan frito indio, es ubicuo en los *powwows* y los días festivos. Puede ser dulce o salado y forma la base del taco indio, otro plato a menudo presente en las fiestas y las reuniones. El uso de carne de cordero en el estofado navajo evoca el hecho de que los Navajo se convirtieron en perfectos pastores. El nombre de otra receta de los Navajo, el "pan de rodillas", describe la manera tradicional en que las mujeres elaboraban el pan, moliendo los granos de maíz con una *mano* (piedra pulida) sobre un *metate* (piedra de amolar).

Pan frito navajo aderezado con judías pintas, salsa de chiles rojos, queso, lechuga, cebolla y tomate.

Navaho Fry Bread
Pan frito navajo

2 tazas de harina blanca
1 cucharadita de levadura en polvo
½ cucharadita de sal
⅔ taza de leche
abundante grasa para freír

Mezcle la harina, la levadura en polvo y la sal. Agregue la leche. Forme bolas del tamaño de un huevo y aplánelas en forma de discos. Forme agujeros en la masa a intervalos.

Caliente la grasa a 190°C en una olla. Disponga los discos en el aceite caliente, de uno en uno, y fríalos por cada lado. Escúrralos y sírvalos. Para preparar *tacos* navajos, aderece cada torta de pan con lechuga en juliana, una cobertura tal como Estofado navajo de *chile* verde, cebolla picada y queso cheddar en tiras.

Navaho Green Chile Stew
Estofado navajo de chile verde

4 lonchas de beicon
1 cebolla grande cortada en dados grandes
5 dientes de ajo pelados y picados
1 kg de carne magra de buey o cordero cortada en dados de unos 0,5 cm
1½ tazas de caldo de buey o agua
315 g de tomates con chiles verdes en lata
1 taza de chiles verdes asados, pelados y troceados, o chiles de lata en dados
½ cucharadita de orégano
½ cucharadita de comino
1 taza de judías pintas, rosas o Anasazi cocidas
el líquido de cocción de las judías
sal y pimienta

Introduzca el beicon en una olla de fondo pesado fría. Ponga a fuego medio y fría el beicon hasta que esté crujiente. Retírelo, escúrralo, desmenúcelo y resérvelo.

Añada la cebolla a la grasa del beicon y cuézala a fuego lento hasta que se vuelva transparente. Justo antes finalizar la cocción de la cebolla, agregue el ajo.

Añada los dados de carne y refríalos con la cebolla hasta que la carne pierda su color rojo. Agregue los tomates con chiles verdes, los chiles asados, el orégano y el comino. Cueza 1 hora a fuego lento o hasta que todo esté tierno. Incorpore el beicon y las

Panes navajo cocidos en el horno.

Los Tohono O'Odham

Esta tribu del sur de Arizona (también conocida como los Pima o los Papago, o "pueblo de judías") desciende de los Hohokam ("los desaparecidos"). Esta tribu de los Pueblos consiguió establecer sistemas de irrigación en el desierto de Sonora ya en el año 300 d. C. Las condiciones de extrema sequía de esta zona desértica alta eran un reto para la agricultura. Sin embargo, a lo largo de los siglos, estos agricultores han desarrollado con éxito variedades de maíz, judías, calabaza y melones que soportan el inhóspito clima del desierto. Las judías tienen un significado especial para la tribu de los O'Odham y su receta de judías Tepary refritas (una variedad que se cultiva desde hace unos 5.000 años) mezcla las tradiciones de los hispanos y de los indígenas norteamericanos.

Estofado navajo de *chile* verde

judías cocidas, añadiendo el líquido únicamente si el estofado parece seco. Salpimiente y sirva sobre lechuga en juliana en un pan frito navajo. Cubra con cebolla picada y queso cheddar Longhorn rallado. Añada salsa picante, si lo desea.

Pima Refried Tepary Beans
Judías Tepary refritas de los Pima

2 tazas de judías Tepary marrones o blancas
6 lonchas de beicon cortado grueso (preferiblemente ahumado con mezquite)
1 taza de cebolla blanca cortada en dados
2 tomates grandes pelados, sin semillas y troceados
queso cheddar Longhorn rallado

Seleccione las judías para retirar cualquier piedra o cuerpo extraño. Enjuáguelas, póngalas en una olla pesada y cúbralas con agua fría. Lleve a ebullición y cueza a fuego lento hasta que estén tiernas, de 1 a 2 horas. Escúrralas, reservando 2 tazas del líquido.

Ponga el beicon una sartén pesada a fuego medio-bajo y saltéelo lentamente hasta que esté crujiente. Retire el beicon, escúrralo, desmenúcelo y resérvelo.

Cueza lentamente la cebolla en la grasa del beicon hasta que se vuelva transparente. Añada los tomates y cueza 5 minutos a fuego lento. Chafe gradualmente ½ taza de judías cada vez en la mezcla de cebolla y tomate hasta incorporar todas las judías, obteniendo un puré grumoso. Agregue el beicon desmenuzado. Espolvoree con queso rallado y sirva. Para 6 personas.

Izquierda: una mujer Navajo elaborando pan en un horno de adobe al aire libre.

LOS HOPI

Una mujer Hopi preparando el tradicional pan de harina de maíz morado sobre una piedra caliente y engrasada.

De todas las tribus indias del actual territorio de Estados Unidos, los Hopi y los Pueblo se consideran las más avanzadas, tanto por lo que respecta a la agricultura como a las técnicas culinarias. Cuando llegaron los europeos en el siglo XVI, encontraron una población indígena experta en horticultura, para la cual la agricultura también era una actividad religiosa.

Los indios Hopi son los descendientes de los Anasazi (los "antiguos"), el pueblo que construyó grandes viviendas en los riscos del desierto de Nuevo México. (Hoy en día, los Hopi viven en el norte de Arizona, en una zona totalmente rodeada por la nación Navajo.) Un pueblo Hopi llamado Old Oraibi, fundado en 1150, es una de las ciudades más antiguas de Estados Unidos todavía habitada.

Los Hopi cultivaban muchas variedades de calabazas y judías, plantas anteriores al cultivo del maíz en Estados Unidos. Cocían los alimentos en hornos de adobe en forma de colmena y sus recipientes de cocina eran de barro cocido y estaban decorados con dibujos geométricos. La dieta de los indios Hopi era variada y nutritiva, pero para la tribu el alimento más importante era el maíz morado. De hecho, en su mito de la creación, los Hopi elegían la mazorca de maíz morado como alimento principal. Puesto que es difícil de cultivar pero también es más nutritivo que el maíz blanco, para ellos simbolizaba una vida difícil pero provechosa.

Uno de los ritos Hopi más importantes, la ceremonia Soyal, se celebra en diciembre para observar el solsticio de invierno. Este pueblo agrario necesitaba un profundo conocimiento de los ritmos de la naturaleza para planificar exactamente la plantación del maíz. En esta ceremonia, los sacerdotes Hopi esparcían harina de maíz en la *kiva* y llevaban a cabo otros rituales. Toda la comunidad pasaba por la *kiva* durante el solsticio para implorar al sol que empezara su ciclo de invierno a verano, haciendo crecer de nuevo las cosechas.

Izquierda: granos de maíz indio de colores vivos.

Un niña Hopi con un peinado tradicional

Pan piki de los Hopi

El pan *piki* es un pan ácimo delgado como el papel y formado de varias capas, elaborado con harina de maíz morado. Es un pan tradicional preparado por las mujeres Hopi y, antaño, las jóvenes que deseaban encontrar un marido debían aprender a prepararlo. Los Hopi todavía practican esta laboriosa técnica (que consiste en cocer una pasta fina sobre una piedra engrasada y caliente) para las ocasiones especiales. Estrechamente unida a la herencia culinaria de sus antepasados, la técnica de alisar una pequeña cantidad de pasta sobre una piedra muy caliente y obtener una lámina cocida tan delgada como papel de fumar requiere mucha habilidad. Las piedras *piki,* perfectamente templadas tras años de uso, desarrollan una pátina al igual que las sartenes de hierro fundido o los *woks* chinos. Se suelen frotar con tuétano o sesos de oveja cocidos; ambos contienen suficiente grasa como para conseguir una superficie lisa y grasienta para cocer.

Hopi Chili Rolls
Bollos de chile de los Hopi

Relleno:

1 cucharada de aceite de maíz
½ taza de cebolla picada fina
500 g de carne magra picada de buey o cordero
2 dientes de ajo picados finos
2½ cucharadas de chile rojo puro en polvo
½ taza de agua
½ cucharadita de sal

Cubra el fondo de una sartén de hierro fundido y de fondo pesado con aceite de maíz y póngala a fuego lento. Añada la cebolla y cuézala hasta que se vuelva transparente, unos 10 minutos. Agregue la carne desmenuzándola en trocitos. Refría hasta que la carne pierda su color rojo. Agregue el ajo, el chile en polvo, el agua y la sal, y deje cocer ½ hora a fuego lento, añadiendo más agua si es necesario.

Masa:

2 tazas de harina
4 cucharaditas de levadura en polvo
½ cucharadita de sal
¼ taza de grasa
⅔ taza de leche

Precaliente el horno a 220°C.

Tamice los ingredientes secos en un cuenco. Corte la grasa en los ingredientes secos hasta que la mezcla parezca harina de maíz gruesa. Añada la leche para elaborar una masa blanda.

Pase la masa a una superficie plana y amásela dándole unos golpes, hasta que quede unida. Aplánela hasta dejarla de 1,25 cm de grosor y córtela en círculos de 7,5 cm. Cubra una mitad de cada círculo con 1 cucharada de relleno. Doble la masa para formar una empanada. Presione los bordes para sellarlos. Ponga los bollos en una bandeja para galletas engrasada. Hornéelos de 12 a 15 minutos o hasta que se doren.

Pilas de panes *piki* de los Hopi, ya cocidos y enrollados en forma de cilindros delgados como el papel.

LOS PUEBLO

Cuando los españoles llegaron al este de Nuevo México en el siglo XVI, encontraron tribus indias que vivían en 98 asentamientos a lo largo del Río Grande, en los llamados *pueblos*. Los Pueblo hablaban cuatro lenguas diferentes; cada *pueblo* era autónomo, pero todos compartían una misma cultura. Los españoles, en su esfuerzo por convertir los indígenas al catolicismo, designaron un santo guardián para cada *pueblo*. Hoy en día, muchos de ellos celebran el patrón de su pueblo, siguiendo las costumbres cristianas junto con las ceremonias indígenas tradicionales. Por ejemplo, los Pueblo de Jemez conmemoran Nuestra Señora de Guadalupe, mientras que en la fiesta del Día de San Ildefonso se representan las danzas del búfalo, los Pueblo de San Felipe celebran las danzas del maíz en primavera y muchos *pueblos* organizan ceremonias de "bendición de los campos".

Las fiestas conmemoran la caza o el cultivo de maíz y se caracterizan por ciertos alimentos asociados a cada ocasión. El *posole* es una sopa para los días festivos, cuyo nombre proviene del término Nahuatl *posolli*. Esta mezcla de maíz seco y agua puede ser una bebida o una sopa espesa. Se puede servir como una bebida endulzada con miel o chocolate, o como un estofado de carne espeso. Otros alimentos servidos en las celebraciones no tienen un significado especial, son simplemente platos tradicionales muy apreciados.

Una niña del *pueblo* de Picuris vestida con ropa tradicional.

Los sacerdotes hispanos del Sudoeste establecieron iglesias católicas como ésta. Los indígenas norteamericanos acudían a misa pero mantenían sus propias creencias religiosas.

Pueblo Green Jerky Fry
Frito de cecina verde de los Pueblo

12 rodajas de cecina de buey o
carne seca (carne de buey seca)
partidas en trocitos

2 cucharadas de manteca o aceite de maíz

3 chiles verdes recién asados, sin semillas,
pelados y cortados en dados

¼ taza de cebolla blanca cortada
en dados

2 tomates medianos pelados, sin semillas
y troceados

Ponga la cecina en un cuenco y cúbrala con agua hirviendo para reblandecerla. Déjela en remojo hasta que esté blanda, escúrrala y séquela bien con paños de cocina.

Caliente la manteca o el aceite en una sartén pesada. Añada la cebolla y cuézala a fuego lento hasta que se dore ligeramente. Agregue la cecina y los chiles y refría brevemente a fuego lento. Añada los tomates y deje cocer durante 10 minutos más. (No es necesario añadir sal, ya que la carne se sala para conservarla. Parte de esta sal permanece incluso después de remojar la cecina.) Sirva con pan frito o como relleno de *tortillas*.

Indios Pueblo representando una danza en un día festivo en el *pueblo* de Picuris.

Izquierda: las cuevas del risco Puye, que fueron
habitadas por los indios Pueblo entre los años 1250
y 1577, están situadas cerca del actual *pueblo* de
Santa Clara.

343

PASCUA

Esta fiesta cristiana que celebra la Resurrección de Jesucristo también incluye elementos paganos. El término *"easter"* (Pascua, en inglés) deriva del nombre de una diosa teutónica, Eostre o Eastre (una forma de la diosa fenicia de la fertilidad, Astarté), en honor de la cual se celebraba una fiesta en primavera. Del mismo modo que la Navidad coincide con la celebración del solsticio de invierno, la Pascua está relacionada con el equinoccio de primavera. Cada año, se celebra la Pascua el domingo siguiente a la primera luna llena posterior al 21 de marzo, el inicio de la primavera.

La fiesta de Pascua aporta una sensación de renacimiento, de frescor y de comienzo. En el campo, los signos de vida nueva y renacimiento son visibles en todas partes. Los árboles empiezan a brotar y los arroyos vuelven a fluir. En los campos y los bosques se vuelve a oír el canto de los pájaros, y los huevos recién puestos reposan en nidos de ramitas. En las granjas nacen corderillos, cochinillos y potros. Hace un siglo, la mayor parte de la población habitaba en zonas rurales mientras que, hoy en día, la mayoría de los norteamericanos vive en entornos urbanos y suburbanos. Su experiencia directa con los cambios estacionales que se producen en la granja y el campo se suele limitar a lo que ven por televisión o lo que leen en los libros. No obstante, algunos de los encantos de la primavera son visibles en los pueblos y las ciudades de Estados Unidos. Los parques urbanos se vuelven verdes y los jardines empiezan a florecer de nuevo. La gente celebra la Pascua con flores y ropa nueva; los pollitos, conejillos y corderillos vivos que se regalaban a los niños han sido sustituidos por animales de chocolate y huevos de azúcar.

El Domingo de Pascua, los habitantes de los pueblos norteamericanos tenían la costumbre de desfilar por las calles principales con su ropa nueva de camino a la iglesia. Las niñas llevaban vestidos de colores pastel y zapatos negros de vestir con tirillas. Los niños iban vestidos con traje y pajarita, y sus madres llevaban un sombrero nuevo de Pascua. Hoy en día, ya no es una costumbre habitual, pero mucha gente continúa celebrando con trajes nuevos lo que considera el primer acontecimiento de primavera; algunas mujeres se compran incluso un sombrero para la ocasión.

En Estados Unidos, las flores también son una parte importante de Pascua. El magnífico lirio blanco es, desde hace tiempo, un símbolo de Pascua. Otras flores asociadas a este día son las que brotan prematuramente en primavera, ya sea las que se hace florecer temprano bajo techo como los narcisos, o el azafrán amarillo o púrpura y los narcisos trompón, cuyos brotes verdes son los primeros en salir. Las fresias y los tulipanes cultivados en invernadero también son flores de Pascua; sus pétalos de color lavanda, amarillo pálido o blanco aportan una nota de frescor a las mesas.

Tanto la costumbre de los huevos decorados como la tradición del Conejo de Pascua son de origen ale-

La mañana de Pascua, los niños buscan los huevos decorados y los caramelos que el Conejo de Pascua ha escondido para ellos.

mán. Incluso antes del nacimiento de Cristo, la gente solía intercambiar huevos, símbolo de renacimiento, en las fiestas de primavera. Los días anteriores a Pascua, la actividad favorita de las familias y los escolares es teñir huevos duros de colores vivos; el olor acre del vinagre que se utiliza para fijar el color de los huevos es un inolvidable recuerdo de la infancia para mucha gente. Otro recuerdo memorable es la gran cantidad de bocadillos de ensalada de huevo duro que consumen los escolares en esta época del año, ya que los padres intentan aprovechar su exceso.

En Estados Unidos, la mañana del Domingo de Pascua, los niños encuentran cestas forradas de celofán verde repletas de huevos y conejos de chocolate, pollitos hechos de nubes de azúcar amarillas, caramelos de goma y otros confites dejados por el Conejo de Pascua, que también ha escondido huevos de azúcar para ellos. Predominan los colores pastel como el amarillo, el lavanda, el rosa, el verde pálido y el azul. Después de ir a misa, las familias se reúnen para disfrutar de una gran comida que incluye jamón al horno y cordero asado.

La Cuaresma también forma parte de la historia gastronómica de la Pascua norteamericana. Originariamente era un periodo de 40 días de ayuno. Hoy en día, los católicos devotos eligen un alimento simbólico (tal como postres, carne o alcohol) que se abstienen de consumir durante esta época. La Cuaresma empieza el Miércoles de Ceniza, el día siguiente del Martes de Carnaval, y termina el Sábado Santo, la víspera de Pascua. Una práctica habitual consistía en renunciar a los alimentos ricos en grasas, que motivó la costumbre del Martes de Carnaval de freír panes y tortitas para usar todo el aceite disponible en el hogar.

Superior: los cestos de Pascua suelen contener huevos y conejos de chocolate, caramelos de goma de colores pastel y huevos duros pintados a mano.

Derecha: las semanas anteriores al Domingo de Pascua, las familias se dedican a decorar los huevos. Primero, se hierven y se dejan enfriar. A continuación, se sumergen en tintes de colores vivos.

En Estados Unidos, se han mezclado las costumbres de la Pascua cristiana de todo el mundo. Los norteamericanos de diversos orígenes han conservado especialmente las tradiciones culinarias festivas, sobre todo las referentes a panes y postres. El Martes de Carnaval los pensilvanos de origen alemán elaboran *fastnachts* (rosquillas de patata fritas en abundante aceite). En Hawai, los norteamericanos de origen portugués preparan *malassadas,* su propia versión de los donuts azucarados. También hornean un pan dulce rico en huevos llamado *fulares,* en cuya masa se clavan huevos duros con cáscara al igual que en el *tsoureki* griego, en el cual los huevos se tiñen de rojo para simbolizar la Resurrección. Las familias grecoamericanas, basándose en el calendario ortodoxo oriental, celebran la Pascua dos semanas más tarde con cordero asado como plato principal. Para romper el ayuno cuaresmal, toman una sopa de cordero espesada con huevos llamada *mageiritsa.* Durante las celebraciones de la Pascua ortodoxa griega, los comensales entrechocan las cáscaras de huevo rojas unas contra las otras, siguiendo una costumbre que simboliza el renacimiento. Quien consigue que su huevo no se rompa, se dice que tendrá buena suerte durante todo el año.

En Nueva Orleans y en toda Luisiana, los norteamericanos de origen francés, español y africano celebran la víspera de la Cuaresma con la exuberante fiesta del Martes de Carnaval. Los jaraneros disfrazados desfilan y organizan fiestas, cuya atracción principal es el pastel del Rey (derivado del *pithiviers* francés) decorado con azúcar de colores púrpura, dorado y verde.

Los habitantes del Sudoeste norteamericano, una región con venerables tradiciones culinarias, celebran la Pascua con *panocha* y *capirotada.* La *panocha* es un pudding elaborado con harina germinada, según una técnica utilizada por los primeros colonizadores de la región. Éstos, al no disponer siempre de azúcar, debían recurrir al dulzor resultante de la conversión natural del almidón de la harina en azúcar. La *capirotada,* un pudding dulce de pan a base de queso, uvas pasas y azúcar caramelizado, también la preparan en Navidad los habitantes de Nuevo México, pero en Tejas y otras zonas del Sudoeste está asociada a la Pascua.

Los norteamericanos, tanto si celebran la Pascua con *fastnachts, malassadas, fulares, tsoureki, capirotada* o simplemente con jamón al horno y huevos de chocolate después de ir a misa, comparten el placer universal de celebrar la fe espiritual y los vínculos familiares. Las diferentes tradiciones se entretejen formando un tapiz que representa la actual festividad de Pascua en Estados Unidos.

Los cerezos en flor anuncian la llegada de la primavera.

Las montañas

por John Kessler

**Colorado
Idaho
Montana
Nevada
Utah
Wyoming**

Las praderas del este de Colorado y Wyoming terminan de manera abrupta en la cordillera frontal de las montañas Rocosas. Tras recorrer unos 26 km en dirección oeste desde Denver (Colorado), una ciudad tan plana y ordenada como cualquier otra del Medio Oeste, aparece un extraordinario paisaje de profundos desfiladeros cortados por arroyos de montaña y picos escarpados coronados de nieve durante todo el año.

Los estados montañosos de Colorado, Wyoming, Utah, Montana, Idaho y Nevada son la región de "la carne con patatas". Los alimentos sencillos y sanos de los colonizadores siguen presentes en los nutritivos estofados, los asados y los bistecs tan apreciados hoy en día por los habitantes del Oeste.

Pero la región es, ante todo, variada, tanto desde el punto de vista del cambiante paisaje como de los grupos culturales que han convertido las Rocosas en su hogar. El pueblo vasco de los Pirineos estableció prósperas comunidades por todo el Oeste, adonde vinieron originariamente para pastorear ovejas. Su deliciosa cocina perdura en los hogares y los restaurantes populares. La cultura hispanoamericana penetra en la región con su pasión por el maíz y los chiles picantes.

Las tierras vírgenes de las montañas ofrecen abundantes alimentos a quienes gustan de cazar, pescar o recolectar. Los alces y los ciervos vagan por las montañas; numerosas especies de peces de agua dulce habitan en los arroyos y los lagos. La célebre trucha arco iris de Idaho recorre cerca de 1.600 km a través de arroyos y ríos de montaña hasta el océano Pacífico y regresa a su lugar de desove para morir. Las laderas montañosas densamente arboladas y los prados cubiertos de hierba ofrecen a la mirada experta un terreno rico en bayas y setas silvestres.

La diversidad climática del Oeste favorece todo tipo de agricultura. La quinoa, el cereal tradicional de los Andes, medra en el clima frío y árido del valle de San Luis (Colorado). Las judías pintas y otras legumbres medran en las altiplanicies semiáridas que dibujan el paisaje. Un aflujo de alta montaña (la nieve que se derrite en primavera y fluye por las laderas) irriga los extensos campos de patatas de Idaho, que producen las mejores patatas para hornear del mundo.

El estilo de vida del Oeste resulta irresistible y las ciudades de montaña figuran entre las de crecimiento más rápido de Estados Unidos. Ninguna abunda en tanta vitalidad idiosincrásica como Las Vegas, la capital del juego y las convenciones, que cada año atrae mayor cantidad de nuevos residentes que cualquier otra ciudad norteamericana. Allí, en el presuntuoso nuevo oeste, los inmensos bufés de los casinos se extienden hasta donde alcanza la vista.

Sin embargo, la auténtica cocina del Oeste no se encuentra en estas nuevas ciudades cosmopolitas, sino en los numerosos pueblos esparcidos por los valles y las colinas al pie de las montañas. En estas comunidades rurales, las tradiciones culinarias de los colonizadores norteamericanos y los colonos inmigrantes no cesan de prosperar.

LA RUTA DE OREGON

La rápida colonización del Oeste norteamericano a mediados del siglo XIX empezó varios años antes de la construcción del ferrocarril transcontinental. La migración se llevó a cabo por dos rutas muy transitadas: por un lado, la Ruta de Oregon, que trajo cientos de miles de inmigrantes y buscadores de oro a través de las montañas Rocosas hasta la región de Oregon y, por el otro, la Ruta de Santa Fe, por la cual llegaron comerciantes de pieles, hombres de negocios y ferroviarios hasta el Sudoeste.

A lo largo de estas rutas, emergieron dos estilos culinarios diferentes, cada uno de los cuales dejó su legado a la actual cocina de las montañas Rocosas. De la época de la Ruta de Oregon, queda la afición por las judías cocidas a fuego lento, las salsas de jugo, los nutritivos estofados, las galletas y los panes rápidos. De la Ruta de Santa Fe proviene el gusto multicultural por las *tortillas* de maíz mexicanas, la cecina de los indígenas norteamericanos y la rica cocina de la región fronteriza.

La nutritiva cocina de los colonizadores de la Ruta de Oregon se caracterizaba por los panes rápidos y los de masa fermentada, el cerdo salado preparado de distintas formas, la caza salvaje y el pescado de las montañas. Se cocinaba en la caldera de hierro, un utensilio que todavía se utiliza en el Oeste. Se trata de una olla de hierro fundido con tres patas y una tapa pesada con reborde. Las brasas se colocaban debajo de la olla y sobre la tapa para crear unas condiciones igual de efectivas tanto para la cocina con calor seco como con calor húmedo. En ruta, la caldera de hierro se utilizaba para todo tipo de cocción: para hornear panes, hervir agua, guisar, asar carnes y cocer judías a fuego lento.

Tanto la Ruta de Santa Fe como la de Oregon empezaban en la frontera de Misuri. Allí, los colonizadores que se dirigían a la Ruta de Oregon canjeaban sus pequeñas fortunas por un carromato cubierto tirado por bueyes y suficientes provisiones para soportar el arduo viaje de cuatro a seis meses. La primera partida hacia el Oeste fue la del convoy Bidwell-Bartleson, que salió de Independence (Misuri) en 1841.

Durante los veinte años posteriores, cerca de 300.000 inmigrantes hicieron el mismo recorrido. Entre ellos figuraban los mormones, que siguieron la Ruta de Oregon antes de dirigirse hacia el sur, hasta la Great Basin (Gran Cuenca) de Utah. Entre 1849 y 1850, época de la Fiebre del Oro de California, los buscadores de oro incrementaron el tránsito de la ruta.

Siguiendo el consejo ofrecido en las guías de viaje de la época, los colonizadores cargaban sus carromatos con cerdo salado, harina, bicarbonato de sosa (una especie de levadura en polvo para elaborar panes rápidos), judías secas, azúcar y café. Algunos llevaban latas de estaño llenas de mantequilla clarificada. Los que tenían vacas lecheras disponían de leche fresca durante todo el trayecto. La leche agria se utilizaba para activar la fermentación del bicarbonato de sosa en los panes rápidos, las bolas de masa hervida y las tortitas.

Los historiadores afirman que el popular plato norteamericano de galletas con salsa de jugo es originario de la Ruta de Oregon, donde el jugo de beicon frito era un acompañamiento habitual de las carnes. Para aliviar la monotonía de las comidas, se capturaban antílopes, aves de caza, peces y conejos. La búsqueda de frutas y hortalizas silvestres, tales como guisantes de pradera y verduras silvestres, también aportaba ciertas variaciones a la dieta.

Cuando los colonizadores llegaban a Fort Laramie, situado en la frontera este del actual estado de Wyoming, habían completado un tercio del viaje y aún debían atravesar las montañas. Fort Laramie (una base militar y una factoría) ofrecía a los colonizadores una de las últimas oportunidades de hacerse con nuevas provisiones. Muchos sustituían su excesivo cargamento de cerdo salado por alimentos más adecuados, como judías secas y harina. Un diario de un colonizador narra que algunos inmigrantes arrojaban el exceso de cerdo salado en una pila frente al fuerte.

Muchos soldados norteamericanos también viajaron hacia el oeste por la Ruta de Oregon. Entre sus provisiones figura la "harina fría" (maíz tostado y molido en una harina gruesa similar a la polenta, a la cual se añadía azúcar y canela). Se podía comer tal cual o bien cocerla con agua para elaborar gachas. Las "hortalizas desecadas" eran hortalizas cortadas en rodajas finas y prensadas en forma de pasteles. Según parece, no eran demasiado sabrosas, ya que los soldados las apodaban "hortalizas profanadas".

Los comerciantes de pieles también enviaban a los tramperos a lo largo de la Ruta de Oregon.

Dos carromatos Conestoga similares a los que usaban los colonizadores para recorrer Estados Unidos por la Ruta de Oregon.

Pan horneado en una caldera de hierro fundido sobre una hoguera, tal como lo preparaban los colonos. La caldera de hierro era una parte fundamental de la cocina portátil de los colonizadores.

Uno de los elementos habituales de su dieta era el *pemmican,* un plato energético de los indígenas norteamericanos. Se preparaba con carne de bisonte cortada en tiras finas, que se secaban al sol o cerca del fuego y luego se trituraban entre dos piedras hasta reducirlas a polvo; a veces se mezclaba con zumo de cerezas silvestres norteamericanas. A continuación, se introducía en una bolsa de piel de bisonte, se cubría con grasa fundida y se cosía para sellarla. Todas las recetas históricas de *pemmican* sugieren amablemente que la bolsa debe hacerse dejando el pelo en la parte exterior.

Rocky Mountain Oysters
Ostras de las montañas Rocosas

3 testículos de carnero frescos
sal y pimienta blanca, al gusto
2 cucharaditas de vinagre de vino blanco
1 cucharada de aceite de oliva
¼ cucharadita de tomillo en rama
1 hoja de laurel
3 ramitas de perejil
1 cebolla cortada en rodajas
harina sazonada con sal y pimienta para espolvorear
1 huevo batido con 1 cucharada de agua
pan rallado
aceite vegetal para freír
gajos de limón o una salsa para mojar de su elección para aderezar

Escalde los testículos en agua hirviendo y sumérjalos en agua helada. Déjelos 2 horas en remojo. Retire la membrana que los envuelve. Córtelos en rodajas de unos 0,5 cm de grosor.

Mezcle la sal, la pimienta, el vinagre, el aceite, las hierbas y la cebolla en un cuenco no reactivo (de acero inoxidable, por ejemplo). Añada los testículos en rodajas y déjelos marinar durante 1 hora. Escúrralos y séquelos bien.

Espolvoréelos con la harina sazonada, retirando el exceso. Báñelos en el huevo batido y escúrralos. Rebócelos con pan rallado. Fríalos en una sartén grande de fondo pesado a fuego medio-alto con 1,25 cm de aceite caliente hasta que se doren por ambos lados. Escúrralos sobre papel de cocina y sírvalos de inmediato. Para 8 personas.

Rocky Mountain Oysters

Aparte de un fortificante filete de hígado o un plato de riñones de vez en cuando, los norteamericanos son muy poco aficionados a consumir las vísceras. Sin embargo, todavía perduran algunas tradiciones culinarias del Viejo Oeste; una de ellas es el plato llamado *Rocky Mountain Oysters*. A veces también llamadas "ostras de la pradera", en realidad son testículos de carnero o de toro joven. Se sirven en toda la región, en los restaurantes especializados en cocina del Oeste. Habitualmente se ofrecen a los visitantes foráneos y, en broma, se les dice que se trata de una variedad de ostra originaria de las montañas. Una vez que las han probado, se les dice en qué consiste este plato en realidad.

Históricamente, los vaqueros echaban las "ostras" de las montañas Rocosas en una cacerola sobre un fuego al aire libre y las asaban enteras. Hoy en día, se suelen preparar cortadas en rodajas, rebozadas con una capa gruesa de pan rallado crujiente y cubiertas con una salsa picante. De esta manera, resultan más suaves y de textura fibrosa. Para algunos norteamericanos remilgados es la forma más apetitosa de degustarlas. Los verdaderos aficionados a las "ostras" acuden a la comida popular Rocky Mountain Oyster Feed, que se celebra cada mes de junio en Charlo (Montana) en honor a este plato de montaña.

LA RUTA DE SANTA FE

La Ruta de Santa Fe se abrió en 1821, tras la primera expedición comercial exitosa de William Becknell a Santa Fe, la capital del actual estado de Nuevo México. Los vagones salían del oeste de Misuri con un conjunto internacional y multicultural de comerciantes, empresarios y buscadores de fortunas, ansiosos por hacer negocios con los mexicanos y los pacíficos indios Pueblo en los territorios del Oeste.

Después de atravesar la región de Kansas hacia el sudoeste, los viajeros llegaban al río Arkansas, que ejercía de frontera entre Estados Unidos y México. Tras vadear el río, proseguían el camino hasta Santa Fe.

A lo largo de la Ruta de Santa Fe, se degustaba la comida sencilla de los colonizadores, a pesar de que empezaba a emerger una cocina más sofisticada. Esta ruta comercial trajo hombres de negocios del Sur de Estados Unidos, comerciantes de pieles franco-canadienses, refugiados políticos alemanes, mexicanos recién independizados e indígenas norteamericanos, todos ellos ansiosos por comerciar con sus productos. Los vagones cargados de champán francés, de dulces antillanos, de tarros de porcelana con jengibre chino en conserva y de aceitunas atravesaban el río Arkansas para entrar en la región de los chiles y el maíz. En 1835, unos empresarios privados construyeron una factoría llamada Bent's Fort a orillas del río Arkansas, cerca de la actual ciudad de La Junta (Colorado). Esta inmensa ciudadela de adobe debía de ser un lugar espectacular y acogedor para los cansados viajeros. Todos los días, en el rebosante patio interior se comía cecina de bisonte y tortitas de maíz, todo regado con buenos vinos tintos de Burdeos.

En el Bent's Fort, uno podía beber julepes de menta y vinos franceses y sentarse a tomar una comida auténtica. Aquí fue donde, en la reunión anual con los indios Pueblo y de las Llanuras, los viajeros probaron por primera vez la cocina de los indígenas norteamericanos, con platos como la cecina de bisonte y el guiso de maíz seco llamado *washtunkala*. Aprendieron a degustar *tortillas* mexicanas y otros platos de maíz seco y se aficionaron a los piñones que los indígenas recolectaban y tostaban.

Los viajeros de la Ruta de Santa Fe con recursos se llevaban consigo exquisitos platos. Las ostras frescas de la Costa Este se enviaban por tren a la terminal de Iowa City. Allí, se empaquetaban en hielo, con la abertura hacia arriba. Seguidamente, en cada parada, se las alimentaba espolvoreándolas con harina de maíz y se las volvía a empaquetar con hielo. Al parecer estas ostras llegaban más gordas y tiernas de lo que estaban al principio.

Los carromatos de los colonizadores iban cubiertos con lonas extendidas sobre aros de hierro. Si hacía buen tiempo, se podían retirar las lonas.

A finales del siglo XIX, los elaborados *petits fours* y bombones formaban parte de los suntuosos banquetes de millonarios en el Brown Palace de Denver (Colorado).

Una comida de calidad

Denver (Colorado), fundada a finales del siglo XIX, no tardó en adoptar aires de gran ciudad. Un menú de la época del hotel Brown Palace (que sigue siendo el mejor de la ciudad) muestra la rapidez con la cual la sofisticación gastronómica surtió efecto en el Oeste. Aquellos que habían ganado inmensas fortunas con las minas de plata o el ferrocarril solían ofrecer banquetes tan lujosos que rivalizaban con los del Este. He aquí el menú de una cena que tuvo lugar en el Brown Palace el 7 de junio de 1896:

Mineros de plata en Nevada

Almejas jóvenes
Consomé Montmorency o Sopa de tortuga verde a la inglesa
Bouchées Montglas
Trucha de arroyo a la parrilla con croquetas de patata
Tartare de cangrejos de caparazón blando fritos o Chuletas de cordero a la Nelson
Rosbif con patatas nuevas o Pato asado con compota de manzana y espárragos
Ponche de Curaçao
Codorniz asada con beicon y ensalada verde
Pudding diplomático con salsa de granadina
Surtido de pasteles, *pies, petits fours, éclairs* de chocolate y jalea de kirsch con fresas
Fruta, frutos secos, quesos, galletas saladas y café
Agua servida de un pozo artesiano

En los banquetes del Brown Palace se servían platos como el costillar de cordero, demostrando que la cocina fronteriza no se limitaba al cerdo salado y la cecina de buey.

COCINA VASCA

Casi la totalidad de los 50.000 norteamericanos de origen vasco vive en la región montañosa del Oeste. La mayoría de los primeros inmigrantes vino a trabajar como pastores de ovejas en los ranchos de Idaho, Wyoming y Nevada. Los hombres solteros emigraron del País Vasco español y francés y, una vez en Norteamérica, encontraron trabajo para los miembros de su familia que vinieron más tarde. Los inmigrantes vascos se establecieron en remotas regiones de cría de ovejas y desarrollaron prósperas comunidades.

De los numerosos ingredientes y preparaciones que distinguen la cocina tradicional vasca europea, las sopas y los estofados nutritivos constituyen el mejor ejemplo de la presencia de esta cocina en Norteamérica. Los populares platos de cordero y pollo se condimentan con cebolla, ajo y hierbas aromáticas, así como con tomates y pimientos dulces.

Si bien los inmigrantes vascos de Norteamérica cocinan menos pescado que sus antepasados, aprecian el bacalao salado. Este pescado, que durante mucho tiempo ha sido un alimento básico en el Mediterráneo, se transporta fácilmente y permite gozar del sabor del océano en las aisladas zonas interiores.

La mayor comunidad vasca asentada fuera de Europa es la de Boise (Idaho), donde el Museo y el Centro Cultural vascos constituyen el punto de apoyo de esta cultura en Norteamérica. Winnemucca, cerca de Reno, es el centro tradicional de la sociedad vasca en el estado de Nevada y la cercana Universidad de Nevada imparte cursos de cultura y lengua vascas.

La mayoría de las familias vascas que viven en Buffalo (Wyoming), cerca de Casper, sitúa sus antepasados en dos pequeños pueblos de Europa. Esta comunidad organiza cada año el Festival de los Pastores Vascos a finales del mes de julio. Miles de visitantes acuden a este pequeño pueblo para ver el desfile de carros de ovejas, escuchar música vasca y, por supuesto, probar la comida típica que elabora esta comunidad.

Tradicionalmente, los restaurantes vascos de Norteamérica sirven comidas al estilo familiar, en las cuales los clientes se sirven ellos mismos de cuencos y fuentes de comida comunes. Las cenas se componen de muchos platos y, generalmente, incluyen sopa, ensalada, judías y patatas fritas. A menudo, los clientes sólo eligen el entrante. Algunos de los restaurantes vascos históricos de Nevada hacen sentar a los comensales en largas mesas junto a desconocidos para crear un ambiente sociable.

Un pastor de ovejas vasco de la región de las montañas con sus perros y su rebaño.

Basque Lamb Stew
Estofado vasco de cordero

2 kg de espalda de cordero cortada en trozos
aceite o manteca para freír
3 cebollas cortadas en dados
2 dientes de ajo picados
3 zanahorias peladas y cortadas en trozos de 2,5 cm
¾ taza de vino blanco
suficiente caldo de cordero para cubrir (unas 6 tazas)
sal al gusto
6 patatas medianas peladas y cortadas en dados grandes
perejil picado para aderezar

Dore la carne, la cebolla, el ajo y la zanahoria en el aceite o la manteca en una olla a fuego medioalto. Cuando las hortalizas estén blandas y la carne empiece a dorarse, añada sal al gusto, el perejil, el vino y el caldo hasta cubrir los ingredientes. Deje que hierva suavemente de 1 a 1½ horas, destapado.

Mientras tanto, fría los dados de patata en el aceite o la manteca hasta se doren bien. Agregue las patatas al estofado.

Cueza, medio tapado, hasta que la carne esté muy tierna y la salsa se haya reducido y espesado, unas 2 horas más. Para 6–8 personas.

Estofado vasco de cordero

Basque Chicken
Pollo a la vasca

1 cucharada de aceite vegetal
sal y pimienta, al gusto
1 pollo cortado a octavos
2 cebollas medianas cortadas en dados
1 pimiento dulce verde sin semillas y cortado en rodajas
1 pimiento dulce rojo sin semillas y cortado en rodajas
2 dientes de ajo picados
1 taza de caldo de pollo
3 tomates maduros troceados
1 taza de vino blanco
¼ taza de coñac

Caliente el aceite en una sartén de fondo pesado a fuego medio-alto. Salpimiente el pollo y dórelo de manera uniforme, unos 7 minutos. Retírelo y resérvelo.

En el aceite restante, fría las cebollas y los pimientos dulces justo hasta que estén blandos. Añada el ajo y remueva hasta que la mezcla sea aromática, unos 30 segundos. Vierta el caldo de pollo y desglase la sartén, rascando los restos dorados del fondo. Agregue los tomates, el vino y el coñac, y remueva. Incorpore el pollo. Cubra parcialmente y deje cocer lentamente a fuego medio-bajo hasta que el pollo esté tierno, unos 35 minutos. Para 4 personas.

Red Bean Soup
Sopa de judías rojas

250 g de judías rojas, toda la noche en remojo
6 tazas de agua
60 g de cerdo salado frito y enjuagado con sal purgante
2 huesos de cuello de ternera salteados
1 chorizo vasco
sal al gusto
trozos de pan seco fritos en aceite

Cueza las judías, parcialmente tapadas, en agua hasta que estén tiernas. Añada la carne y cueza 1 hora más. Separe la carne de ternera de los huesos y desmenúcela; deseche los huesos. Agregue el pan y sirva. Para 4 personas.

Platos vascos típicos

Marmitako: guiso de pescado con patatas

Porrusalda: sopa de puerros

Bacalao al pil-pil: bacalao en salsa verde con tomates y pimientos rojos

Txistorra: salchicha de cerdo muy condimentada

Txitxili: carne picada de cerdo cocida y marinada con pimentón y sal

Mamia: sueros de leche de oveja, servidos a modo de postre

Bacalao

1 kg de bacalao salado
¼ taza de aceite de oliva
2 cebollas medianas
2 dientes de ajo
125 g de pimientos en lata cortados en tiras
1 lata pequeña de salsa de tomate
½ taza de perejil picado
½ taza de vino blanco seco

Lave el bacalao, cambiando el agua tres o cuatro veces. Déjelo en remojo toda la noche cubierto con agua. Escúrralo y córtelo en trozos de 5 cm. Cubra los trozos con agua fría, lleve ésta a ebullición y escurra bien el pescado. Pique las cebollas y el ajo y fríalos, junto con los pimientos escurridos, en aceite de oliva. Cuando las hortalizas estén tiernas, añada la salsa de tomate, el perejil y el vino. Tape y cueza a fuego muy bajo durante 30 minutos. Agregue el bacalao a la salsa y deje cocer, sin tapar, de 30 a 45 minutos, o hasta que el pescado se desmenuce fácilmente. Para 4 personas.

Una granja de ovejas en 1887. Las familias de origen vasco que se establecieron en el Oeste norteamericano conservaban un fuerte sentido de identidad nacional. Muy independientes, también mantenían estrechos vínculos familiares.

CAZA

Los estados de las montañas Rocosas, con sus extensiones de tierras vírgenes y sus numerosas especies de fauna salvaje, ofrecen algunas de las mejores zonas de caza de Estados Unidos. Los animales de caza mayor de las Rocosas atraen a cazadores de todo el país. La presa más apreciada es el ciervo de Virginia *(Odocoileus virginianus)*, tanto por su preciosa cornamenta como por su carne excepcionalmente sabrosa. El majestuoso alce de las montañas Rocosas *(Cervus elaphus)*, o uapití *(Cervidae)*, también ofrece una excelente carne. Los bistecs y los asados de alce son a la vez tiernos y suaves, sin el sabor manido de otros tipos de venado.

En todos los estados de Norteamérica, la caza constituye una actividad estrictamente controlada para proteger las poblaciones animales. Sólo se permite cazar cuando se abre la veda y únicamente a los cazadores que tengan una licencia. El número de cazadores autorizados está limitado, al igual que la cantidad de piezas que pueden capturar o matar; si los cazadores exceden el límite permitido reciben fuertes sanciones.

El pato silvestre es la presa favorita de los cazadores de Idaho.

La caza de aves también es muy popular en todas las Rocosas. Entre las aves acuáticas, las ocas proporcionan la caza deportiva más fascinante y, en el Oeste, son las más apreciadas para las comidas festivas. Tanto el ánsar nival *(Anser caerulescens)* como el ganso silvestre de Norteamérica, de mayor tamaño, atraviesan las Rocosas durante su migración anual.

En las tierras altas de Montana se realizan algunas de las mejores batidas de aves de Estados Unidos. Los faisanes se crían en criaderos estatales y se sueltan en populares zonas de caza de todo el estado.

La temporada de la grulla *(Tetraonidae)* empieza a principios de septiembre. Los cazadores también capturan numerosas especies menores, principalmente la bonasa americana *(Bonasa umbellus)* y la perdiz oscura *(Dendragapus obscurus)*.

Cazadores siguiendo la pista del uapití en lo alto de las montañas.

En el vecino estado de Idaho, en los cañones escarpados y rocosos de los ríos Snake, Salmon y Owyhees, se cazan abundantes perdices *chukar (Alectoris chukar)*, así como gansos silvestres de Norteamérica *(Anatidae)* y patos silvestres *(Anas platyrhynchos)*.

La caza es tan popular en las Rocosas que muchos restaurantes de toda la región están especializados en carne de caza. Pero, irónicamente, sólo

una pequeña parte de la carne servida es de origen nacional. Puesto que el departamento de agricultura del gobierno de EE.UU. no inspecciona la caza salvaje destinada al consumo comercial, tampoco autoriza su consumo en los establecimientos de restauración. El exquisito costillar de venado que se sirve a los clientes en los buenos restaurantes de las montañas proviene probablemente de un ciervo de cola roja criado en granjas de Nueva Zelanda.

Marinade for Elk Steaks
Marinada para bistecs de alce

1 taza de vinagre

1 botella de vino blanco seco

½ taza de aceite de oliva

1 cebolla grande cortada en rodajas

2 zanahorias grandes cortadas en rodajas

4 escalonias cortadas en rodajas

3 ramitas de perejil

1 cucharadita de sal

6 granos de pimienta machacados

6 bayas de enebro enteras

2 ramitas de tomillo fresco

Mezcle todos los ingredientes. Marine bistecs de tapa o entrecots de alce en esta mezcla durante 6 horas o toda la noche. Ase la carne a la barbacoa al punto de cocción deseado. Para 1 litro de marinada aproximadamente.

Estofado de ciervo

Montana es famosa por la buena caza de faisanes. El faisán vulgar *(Phasianus colchicus)* abunda en esta zona.

Venison Stew
Estofado de ciervo

1–1½ kg de carne de ciervo para estofar

8 cucharadas de pringue de tocino

agua

2 cucharaditas de sal de ajo

2–3 cucharadas de salsa Worcestershire

2 cucharaditas de sal

1–2 cucharaditas de pimienta negra

1 cebolla grande troceada

6 patatas medianas cortadas en trozos

500 g de zanahorias enanas frescas cortadas por la mitad

½ taza de apio cortado en rodajas finas

4 cucharadas de harina blanca

¾ taza de agua fría

Dore el ciervo en el pringue caliente en una cacerola grande. Añada agua hasta 2,5 cm por debajo del borde de la cacerola. Agregue los condimentos y la cebolla. Tape y cueza a fuego medio-bajo durante 2 horas. Al cabo de 2 horas o cuando la carne esté tierna, vierta las patatas, las zanahorias y el apio (quizás deba añadir más agua en este punto). Cueza unos 30 minutos o hasta que las hortalizas estén tiernas. Pruebe y rectifique la condimentación. Mezcle la harina y ¾ taza de agua fría hasta que toda la harina se haya disuelto y no queden grumos. Vierta la mezcla en el estofado y cueza 5 minutos más. Para 8–10 personas.

Inferior: el uapití *(Cervus canadensis)* o alce de Norteamérica debe su nombre a la palabra *"wapiti"*, que en la lengua *shawnee* de los indios algonquinos significa "rabadilla blanca".

TRUCHA ARCO IRIS

La tornasolada trucha arco iris *(Oncorhynchus mykiss)* de Idaho nace en los tranquilos arroyos de agua dulce en lo alto de las montañas. Los deshielos de primavera crean torrentes que arrastran los jóvenes peces a través de unos 1.450 km de arroyos y ríos hasta el Pacífico. Después de alimentarse en el océano de uno a cuatro años, los peces adultos, ahora llamados truchas arco iris, repiten el viaje en sentido inverso, luchando contra la corriente de los grandes ríos Columbia y Snake y cruzando ocho enormes presas antes de llegar a sus arroyos de origen para desovar y morir. Estos peces, que viajan hasta el mar y luego regresan a las zonas de desove de agua dulce, se denominan anadromos.

De las numerosas especies de trucha oriundas de la región de las montañas Rocosas, la trucha arco iris es la más apreciada por los pescadores de caña porque no es una presa fácil. Sin embargo, las que permanecen exclusivamente en agua dulce también son deliciosas. La trucha de arroyo común *(Salvelinus fontinalis)* se encuentra en todos los estados del Oeste, al igual que las 15 subespecies reconocidas de trucha *cutthroat (Salmo clarki)*, que debe su nombre a las marcas de su pescuezo. La trucha *cutthroat* de Bonneville se pesca extensamente en Utah y, en 1997, suplantó a la trucha arco iris como pez emblemático del estado.

Los cocineros del Oeste suelen preparar la trucha entera, ya sea en una sartén con una salsa de mantequilla dorada o en una parrilla. Si bien, en general, los norteamericanos prefieren el pescado en filetes, hacen una excepción con la trucha fresca de montaña.

Recientemente, la pesca con moscas ha adquirido un estatus de culto como pasatiempo favorito de los pescadores de trucha de montaña. En el extremo del sedal se coloca una "mosca" artificial muy ligera, hecha de plumas o material sintético, que se parece a un insecto o un cebo. Los pescadores de caña lanzan repetidamente el sedal para atraer al pez. Para los profanos, esta actividad puede parecer monótona, pero los aficionados afirman que no hay nada más excitante que la pesca con moscas. De hecho, muchos aficionados a la pesca deportiva practican lo que se conoce como "capturar y soltar" (es decir, devuelven su presa viva al agua) para evitar la disminución de la población de truchas nativas a causa del exceso de pesca.

Trucha arco iris *(Oncorhynchus mykiss)* nadando en las claras aguas de un arroyo de montaña.

Trucha en salsa de piñones

Trout in Pine Nut Sauce
Trucha en salsa de piñones

2 truchas abiertas por la mitad en filetes
harina sazonada con sal y pimienta para espolvorear
⅓ taza de piñones
3 cucharadas de mantequilla
1 cucharada de aceite
½ limón
¼ taza de vermut seco
sal y pimienta recién molida, al gusto
2 cucharadas de perejil picado

Espolvoree los filetes de trucha, sólo por la parte interior, con la harina y retire el exceso. Reserve.

Caliente una sartén grande de fondo pesado a fuego medio-alto. Añada los piñones y agite la sartén hasta que formen una sola capa. Tuéstelos, agitando de vez en cuando, hasta que estén algo dorados. Retírelos y resérvelos.

Vierta 1 cucharada de mantequilla y el aceite en la sartén. Cuando espumen, disponga las truchas en la sartén, con la parte interior hacia abajo. Fría durante 3 minutos, o hasta que las truchas estén algo doradas. Déles la vuelta con cuidado y fríalas 2 minutos por el lado de la piel. Resérvelas en un lugar caliente. Añada la mantequilla restante a la sartén y dórela. Exprima el limón sobre la mantequilla para que no se dore más. Vierta el vermut y remueva para desglasar la sartén. Sazone al gusto. Agregue el perejil y los piñones reservados. Cueza hasta que la salsa se reduzca a la mitad, unos 2 minutos.

Pase las truchas a platos de servir y rocíelas con la salsa de la sartén. Para 2 personas.

La pesca con caña requiere habilidad, suerte, paciencia y una afición a las actividades que implican largas horas de soledad. Los pescadores sueltan la mayor parte de la captura o incluso toda, pero conservan una o dos truchas para su consumo.

Corégono de Montana

Desde la colonización del Oeste, el hombre ha alterado a menudo las diversas poblaciones de peces de los lagos y arroyos de las montañas, principalmente para intentar atraer a los aficionados a la pesca deportiva. En Montana se llevó a cabo una tentativa de este tipo que fracasó estrepitosamente, aunque las consecuencias no fueron tan nefastas como para cejar en el empeño.

A principios de los años ochenta, el departamento de pesca, fauna salvaje y parques de Montana introdujo crías de gambas *mysis* en el lago Flathead. El objetivo era atraer salmones *kokanee (Oncorhynchus kennerlyi)* al lago que, a su vez, atraerían a los pescadores a esta región.

Sin embargo, la población de *kokanee* disminuyó drásticamente en los años siguientes, mientras que la población de corégonos se desarrollaba rápidamente, con ejemplares enormes de más de 4,5 kg de peso.

Resultó que las gambas sólo estaban activas en la superficie del lago por la noche, cuando los salmones descansaban. De día, las gambas volvían al fondo del lago, donde los corégonos, que se alimentan de los fondos, las devoraban. Hoy en día, la población de corégonos del lago Flathead sobrepasa los seis millones de ejemplares.

Las pesqueras de Columbia Falls capturan estos corégonos tanto por su carne suave y agradable como por sus excelentes huevas doradas. Estas huevas, de sabor puro y salado, se han ganado una reputación como uno de los mejores caviares nacionales.

Golden Caviar Soup
Sopa de caviar dorado

250 g de col fermentada fresca
½ cebolla amarilla dulce pequeña, tipo Vidalia, cortada longitudinalmente en tiras
1 cucharadita de sal
2 l de suero de leche
1½ cucharadas de *aquavit*
½ cucharadita de semillas de alcaravea
1 cucharadita de zumo natural de limón
2 cucharadas de eneldo fresco picado + ramitas adicionales para adornar
1 pepino pelado, partido por la mitad, sin semillas y cortado en láminas muy finas
60 g de caviar dorado de corégono
1 taza aproximadamente de nata agria
sal y pimienta negra recién molida
hielo seco para adornar

Aclare la col fermentada en un colador bajo el chorro de agua fría. Exprímala a mano hasta que esté muy seca.

Revuelva la cebolla con 1 cucharadita de sal y póngala en un colador en el fregadero. Déjela reposar y "sudar" durante 15 minutos; aclárela bien para retirar la sal.

Mezcle la col fermentada con el suero de leche en un cuenco grande. Con el dorso de una cuchara, deshaga los grumos de col. A continuación, añada la cebolla, el *aquavit*, las semillas de alcaravea, el zumo de limón, el eneldo y el pepino. Pruebe y sazone; añada poca sal, ya que el caviar es salado de por sí. Vierta la sopa en una sopera decorativa que encaje en una fuente. Vierta cucharadas de nata agria en la sopa. Disponga cucharaditas de caviar sobre la nata agria. Adorne con ramitas de eneldo. Ponga hielo seco en la fuente y vierta agua sobre el hielo para que exhale vapor. Sirva de inmediato. Para 10 personas.

FRUTOS SILVESTRES

Bayas

El oeste de las montañas Rocosas es un paraíso para los buscadores de alimentos. Las colinas sombrías y cubiertas de pinos y los prados de hierba proporcionan una inmensa variedad de bayas y setas comestibles que deleitan a quienes saben dónde buscarlas y, además, tienen la suerte de encontrarlas.

Las bayas más apreciadas son las gaylusacias *(Gaylussacia resinosa)* que, en cierto modo, se parecen a los arándanos negros *(Vaccinium angustifolium* y *Vaccinium corymbosum)* en apariencia y sabor. A diferencia de los arándanos negros, tienen una piel algo gruesa de color azul turquí y contienen varias semillas pequeñas y duras en el centro. Tienen un sabor único marcado por una apetecible astringencia. Si bien las gaylusacias crecen en todo Estados Unidos, las mejores y más sabrosas se encuentran en las montañas Rocosas, principalmente en Montana e Idaho. Los habitantes de esta región preparan pasteles de gaylusacias en temporada y mermelada para el invierno.

Las cerezas silvestres norteamericanas *(Prunus virginiana)* son comunes en toda las Rocosas. Estas pequeñas bayas de color naranja o púrpura rojizo pertenecen a la familia de la ciruela. Son muy resistentes tanto a la sequía como a las bajas temperaturas. Se utilizan

Las cerezas silvestres norteamericanas eran antaño uno de los ingredientes del *pemmican.* Hoy en día, se utilizan en forma de jarabe como cobertura de helados y tortitas.

para elaborar jaleas, mermeladas y jarabes. Cuando están bien maduras, se pueden comer tal cual siempre que se desechen las hojas y los huesos, ya que son venenosos.

Las cerezas silvestres norteamericanas eran un componente importante de la dieta de los indígenas. Tradicionalmente, los indios de las Llanuras recolectaban las bayas a finales de agosto y luego las secaban o las congelaban parcialmente para consumirlas en invierno. Son un ingrediente fundamental del *pemmican,* un plato indígena a base del zumo de estas bayas triturado con sebo y mezclado con cecina de bisonte en polvo, que se conservaba en una bolsa de piel de bisonte. En la época de los colonizadores, los indígenas norteamericanos enseñaron a los colonos a preparar este plato, que consumían durante el largo viaje hacia el Oeste.

Las bayas búfalo *(Sheperdia canadensis)* también son bastante comunes en las montañas y las llanuras. De las dos variedades comunes, las plateadas y las bermejas, las primeras son más aptas para el consumo humano. Los frutos de color naranja o rojo maduran desde principios hasta finales de otoño y, aunque son algo amargos, sirven para elaborar mermeladas y jaleas. Se vuelven más dulces tras una helada, siendo entonces aptos para preparar pasteles.

Chokecherry Syrup
Jarabe de cerezas silvestres norteamericanas

4 tazas de zumo de cereza silvestre norteamericana con la pulpa
1 paquete de Sure-Jell (pectina en polvo)
¼ taza de zumo de limón
4 tazas de azúcar

Lleve el zumo de cereza silvestre, la pectina y el zumo de limón a ebullición fuerte; añada el azúcar y deje hervir 1 minuto más, justo hasta que se disuelva.

Pastel de gaylusacias

Puede envasar el jarabe en tarros esterilizados o conservarlo hasta 1 semana en el frigorífico. Utilícelo como cobertura de helado o con tortitas. Para 1,5 litros.

Huckleberry Pie
Pastel de gaylusacias

pasta para un pastel de doble corteza
1 taza de azúcar
¼ taza de azúcar moreno claro compacto
¼ taza de tapioca de cocción rápida
½ cucharadita de canela
5–6 tazas de gaylusacias frescas seleccionadas
1 cucharada de zumo de limón
2 cucharadas de mantequilla fría y cortada en trocitos

Precaliente el horno a 230°C. Extienda la mitad de la pasta para forrar holgadamente un plato de pastel de 22,5 cm. Refrigere. Mezcle bien los dos tipos de azúcar, la tapioca y la canela en un cuenco grande. Añada las bayas y el zumo de limón y deje reposar la mezcla durante 15 minutos. Vierta el relleno sobre la pasta, formando un montón en el centro. Esparza la mantequilla por encima. Extienda la pasta restante y dispóngala sobre el relleno. Doble los bordes para sellarlos.

Practique incisiones en la corteza superior, píntela con agua y espolvoréela con un poco de azúcar. Coloque el pastel en la rejilla central del horno, con una bandeja en la rejilla inferior para recoger el jugo. Cueza durante 15 minutos, reduzca la temperatura a 180°C y cueza de 45 a 50 minutos más, hasta que el jugo se espese y burbujee, y la corteza esté dorada. Deje enfriar el pastel antes de servirlo. Para 8 personas.

Las láminillas de dos tipos de rebozuelos, donde se producen las esporas de la seta.

Una buscadora de setas limpiando su recolección de champiñones silvestres.

Setas

Los incondicionales recolectores de las Rocosas recorren la región en busca de las espléndidas variedades de setas que crecen en casi todos los hábitats. Las asociaciones micológicas de la región son algunas de las más activas de Estados Unidos. A finales de verano, las colinas que rodean Telluri-de (Colorado) suelen estar cubiertas de rebozuelos *(Cantharellus cibarius)* y boletos calabaza *(Boletus edulis).* En la Fiesta de las Setas de Telluride, los participantes desfilan disfrazados de setas y se reúnen para degustar un festín compuesto únicamente de este alimento.

Entre las numerosas variedades comestibles que se encuentran en las Rocosas, figuran varias especies sumamente apreciadas. Un tenue olor a albaricoque indica la presencia de rebozuelos de color mostaza, que crecen a gran altitud a finales de agosto. Las fragantes setas *matsutake (Tricholoma magnivelare),* las más apreciadas en Japón, crecen bajo el mantillo (las hojas y ramas podridas que cubren el suelo de los bosques). Aparecen en septiembre. Los champiñones silvestres *(Agaricus campestris),* parecidos a las setas Portobello, tienen sombrerillos grandes y planos y tallos gruesos. Crecen entre la hierba de los prados en mayo y junio. Antes de madurar son de color rosa. A menor altitud, se encuentran racimos de setas de ostra bajo los chopos, a lo largo de las orillas de los ríos. Se recolectan dos veces al año, primero en mayo y junio y luego en septiembre y octubre. Los boletos calabaza (también llamados *cèpes* o setas *porcini)* se distinguen por un sombrerillo bermejo y un tallo bulboso y blanquecino. Crecen en las regiones montañosas desde julio hasta mediados de septiembre.

Las setas de ostra son de color nácar, ligeras y translúcidas. Se parecen al coral marino o a las valvas de las ostras.

QUINOA

La quinoa *(Chenopodium quinoa)*, un cereal anti-guo cultivado desde hace siglos en los Andes, ha encontrado sus condiciones de crecimiento ideales en el valle de San Luis (Colorado): un suelo pobre, un clima seco, temperaturas bajas todo el año y una altitud elevada.

Desde principios de los años ochenta, cuando los horticultores trajeron por primera vez plántulas de quinoa de América del Sur, los agricultores han intentado cultivarla por todo el oeste y las altas llanuras de las montañas Rocosas, pero el mínimo estallido de calor veraniego impedía que estos tallos largos y hojosos floreciesen y diesen sus característi-cos racimos de granos, una mezcolanza de intensos colores rojo, amarillo, blanco y negro.

La quinoa tenía tal importancia en la dieta de los incas que éstos se referían a estas plántulas del tama-ño del mijo como el "cereal madre". Los vegetaria-nos y los nutricionistas expresan la misma devoción: unos estudios han demostrado que la quinoa con-tiene los ocho aminoácidos necesarios para el desa-rrollo de los tejidos humanos. Un plato de quinoa también aporta muchas vitaminas y minerales esen-ciales. Los cocineros están intrigados por la textura inusual de la quinoa cocida: ligera y esponjosa, pero sutilmente crujiente gracias al germen en forma de espiral.

La quinoa negra, aún más crujiente, es un híbri-do desarrollado por la White Mountain Farm de Mosca y comercializado desde 1994. Con su textu-ra agradable y su sabor rústico, la quinoa negra es a la quinoa común lo que el arroz silvestre al arroz común.

Una vez molidos, los granos de quinoa se pulen para retirar la capa de saponina amarga y jabonosa, pero en los granos siempre queda un poco de polvo de saponina, por eso es importante enjuagarlos bien bajo el chorro de agua fría. Si se tuestan ligeramen-te, adquieren un sabor a nueces.

La quinoa se cuece en tan sólo diez minutos, por lo cual a la mayoría de los novatos se les queman los granos la primera vez que los preparan. Cuadripli-can su volumen y se pueden utilizar en cualquier receta que requiera arroz, mijo, trigo partido o cual-quier otro cereal.

La capa exterior de los granos de quinoa puede ser negra, rosa, naranja, roja o púrpura.

Aunque se considera un cereal, la quinoa es, en realidad, el fruto de una planta de la familia de las remolachas y las espinacas. Las hojas de quinoa también son comesti-bles y se pueden cocer como las espinacas.

Black Quinoa Croquettes
Croquetas de quinoa negra

1 taza de quinoa negra bien lavada
¼ taza de queso parmesano
¼ taza de cebolla troceada
1–2 dientes de ajo picados
¼ taza de perejil picado
1 cucharadita de tomillo picado
2 cucharadas de harina
2 huevos grandes
aceite vegetal para freír

Mezcle la quinoa con 1¾ tazas de agua en un cazo pequeño y lleve a ebullición. Tape, baje el fuego y cueza 12 minutos a fuego lento. Retire del fuego y deje reposar durante 10 minutos. Pase a un cuenco y añada el resto de los ingredientes, excepto el aceite. Mezcle bien y forme croquetas pequeñas.

Caliente 2,5 cm de aceite en una sartén a fuego medio-alto. Fría las croquetas hasta que se doren uniformemente. Retírelas y escúrralas sobre papel de cocina. Para unas 15 croquetas.

La planta de la quinoa alcanza de 1 a 3 m de alto.

Quinoa con queso

1 taza de quinoa bien lavada
2 cucharadas de mantequilla
½ cucharada de ajo picado
1 cebolla cortada en dados
1 tomate grande troceado
1 cucharada de salsa de tomate
¼ cucharadita de pimienta negra molida
½ cucharadita de orégano en rama
1 queso fresco de granja redondo (de unos 125 g)
cortado en dados
1 taza de leche
500 g de patatas amarillas hervidas y cortadas
en dados grandes

Mezcle la quinoa con 2 tazas de agua en un cazo pequeño y lleve a ebullición. Tape, baje el fuego y deje hervir durante 12 minutos. Retire del fuego y deje reposar durante 10 minutos.

En una sartén, saltee el ajo, la cebolla, el tomate, la salsa de tomate, la pimienta y el orégano en la mantequilla hasta que la cebolla esté bien dorada. Añada el queso.

Vierta la leche en la quinoa cocida y agregue los dados de patata. Pase a una fuente de servir y disponga las hortalizas y el queso por encima. Para 4 personas.

Quinoa con queso

361

CHILE VERDE

Aunque Colorado no compite con Nuevo México desde el punto de vista de la producción total de chiles verdes, la cosecha es, con todo, vital para la cultura y la economía del valle de San Luis y las llanuras de cultivo situadas al este de Pueblo. Los picantes chiles Pueblo y Big Jim crecen junto a la variedad Anaheim, más suave.

Cuando llega la cosecha del chile a finales de agosto, vendedores de todo el estado llenan sus camionetas y se dirigen a las zonas más pobladas, donde establecen puestos para asarlos y venderlos al borde de la carretera. Para muchos habitantes de Colorado, el olor penetrante de los chiles asándose en la calle indica la llegada del otoño. Los vendedores cuecen los chiles en unos asadores cuyo tambor accionan girando una manivela; la piel forma ampollas y se ennegrece. Los chiles calientes se pasan a bolsas de plástico resistente, en las cuales el vapor separa la piel chamuscada del fruto carnoso. Los consumidores suelen comprar varios quilos de chiles, que luego congelan para utilizarlos durante todo el año.

La mayoría de estos chiles asados se usa para preparar el plato típico del valle de San Luis: el *chile* verde de carne de cerdo. Para los profanos, este plato es difícil de describir. Es a la vez un estofado, una sopa y una salsa, según el espesor del líquido y el tipo de recipiente en el cual se sirve.

Pero para los expertos, es un sabor esencial del Oeste: el sabor rústico y ahumado y el picante persistente de los chiles evocan el abrasador sol del Sudoeste y las características del suelo en el cual se han cultivado. Al igual que las uvas, el chile es muy sensible a los microclimas (las condiciones específicas del suelo en el cual se cultiva); los entendidos debaten sobre el sabor que un chile cultivado en diferentes regiones aporta a un cuenco de *chile* verde.

Mientras que los diferentes cocineros discuten sobre minucias, la receta del *chile* verde con carne de cerdo es un modelo de simplicidad. Primero se hierve la carne en agua, sin ningún condimento, hasta que está tierna. El ajo se dora ligeramente en aceite o manteca y, a continuación, se añade la carne, su caldo de cocción, los chiles asados y troceados y el tomate rallado. El único condimento es la sal. Si bien muchos cocineros añaden cebolla picada, los latinoamericanos afirman que ésta es el sello de identidad del *chile* verde que preparan los gringos (los norteamericanos).

Después de varias horas de cocción lenta, durante las cuales se desarrollan los sabores, se añade un poco de fécula de maíz o harina para espesar. Los chiles suaves dan un sabor dulce a la preparación y los chiles fuertes le aportan un sabor picante. La proporción habitual de chiles suaves y fuertes es del 50%.

El *chile* se toma en un cuenco con pan de maíz, en un plato con arroz, judías refritas y *tortillas* de

Chiles verdes asados saliendo del tambor del asador. Se introducen directamente en bolsas de plástico resistente, que luego se sellan. Dentro de la bolsa, el calor de los chiles produce vapor, que a su vez desprende las pieles. Una vez pelados, los chiles están listos para venderlos.

trigo recién hechas, o bien extendido sobre un *burrito*. Por supuesto, una parte se come directamente de la cacerola. Cuando el cocinero anuncia que el plato está listo, nadie puede resistirse a no probarlo de inmediato.

En Colorado también se cultivan chiles jalapeños, del tamaño de una fresa. Estos chiles extrema-

damente picantes no se suelen asar. Se sirven encurtidos o se comen crudos a modo de acompañamiento. El restaurante The Fort de Morrison (Colorado) ha puesto de moda una receta ingeniosa, que consiste en jalapeños encurtidos rellenos de manteca de cacahuete. Ésta atenúa el picante de los chiles.

Pork Green Chile
Chile verde de carne de cerdo

500 g de carne magra de la espalda del cerdo cortada en dados grandes
500 g de chiles verdes asados, pelados, sin semillas y troceados
2 tomates maduros
2 cucharadas de aceite vegetal
1 cucharada de ajo picado
3 cucharadas de harina
sal al gusto

Ponga la carne en una olla y cúbrala completamente con 2 l de agua como mínimo, pero no más de 3. Lleve a ebullición y baje entonces el fuego hasta que el agua hierva enérgicamente. Espume la superficie. Tape la olla y deje cocer hasta que la carne esté lo bastante tierna como para poder pincharla fácilmente con un tenedor, unas 2 horas.

Triture los chiles en una batidora con suficiente líquido de cocción de la carne para obtener una consistencia fina. Reserve.

Corte los tomates por la mitad a lo largo. Retire las semillas y deséchelas. Coloque un rallador múltiple sobre un cuenco o plato y ralle los tomates, con la parte cortada hacia los agujeros grandes del rallador.

Al terminar, habrá obtenido una pulpa fina de tomate y solo le quedaran las pieles en la mano. Deseche las pieles y reserve la pulpa.

Caliente el aceite vegetal en una olla de 5 l de capacidad a fuego medio. Añada el ajo y la harina y fría, sin dejar de remover, hasta que la mezcla adquiera un color marrón pálido uniforme. (Retire la olla del fuego si la mezcla empieza a dorarse demasiado rápido.)

Agregue la carne y todo el líquido de cocción, los chiles triturados y la pulpa de tomate, y remueva para disolver la harina. La mezcla debe cubrir hasta 2,5 cm por debajo del borde de la olla. De lo contrario, añada agua hasta alcanzar este nivel.

Lleve a ebullición y baje el fuego hasta que la mezcla hierva enérgicamente. Deje cocer durante 3 horas, removiendo de vez en cuando. Sale al gusto. Para 4–6 personas.

Cestos con chiles Anaheim listos para asar.

Peanut Butter-Stuffed Jalapeños
Jalapeños rellenos de manteca de cacahuete

10 chiles jalapeños enteros encurtidos
1 taza aproximadamente de manteca de cacahuete

Corte los chiles a lo largo por un lado. Retire las semillas y la membrana. Rellene los chiles con manteca de cacahuete. Estos jalapeños rellenos deben comerse enteros de un solo bocado para disfrutar plenamente la mezcla de sabores picante y suave. Para 10 unidades.

Jalapeños rellenos de manteca de cacahuete

PATATAS

Los norteamericanos comen más patatas *(Solanum tuberosum)* que ninguna otra hortaliza. En el resto del mundo, la mayoría de comensales prefiere las patatas pequeñas y con un alto contenido en humedad, aptas para hervir y estofar. Pero en Norteamérica, la patata más apreciada es la bermeja. Estos tubérculos oblongos tienen una piel reticulada ligeramente rugosa.

Las patatas bermejas tienen un bajo contenido en humedad, una textura ligera y escamosa y un sabor delicioso. La mayoría de los norteamericanos considera que no hay nada más apetitoso que una patata al horno partida por la mitad y cubierta con un poco de mantequilla o nata agria.

Las patatas se cultivan en toda la zona oeste de las montañas Rocosas, pero Idaho está especialmente asociado a este importante cultivo. De hecho, el término "patata de Idaho" es una denominación de origen. El suelo volcánico del estado y el aflujo constante de agua procedente de las montañas ofrecen unas condiciones de crecimiento ideales.

La principal variedad producida en Idaho es la Burbank, una patata bermeja de pulpa firme y con un bajo contenido en humedad. Tras la cosecha, las patatas se almacenan en inmensas instalaciones, con unas condiciones ambientales controladas, que permiten conservarlas frescas todo el año.

Las patatas que se asan al horno y se consumen en el hogar pesan entre 150 y 250 g, mientras que los asadores sirven patatas enormes, de 500 g o más de peso. Los aderezos tradicionales incluyen mantequilla, nata agria, cebollino troceado y beicon desmenuzado. A mediodía, los bares ofrecen un entrante rápido a base de patatas al horno y aderezos al gusto que incluyen salsa de queso, *chile* de carne de buey y salsa de tomate.

La patata bermeja también es la variedad preferida para preparar uno de los platos típicos norteamericanos: las patatas fritas. Aparte de las *french fries* o *shoestring potatoes* (patatas paja finas y crujientes) que sirven los establecimientos de comida rápida, los norteamericanos consumen *cottage fries*

(patatas con piel cortadas en gajos y fritas) y las recientemente populares *curly fries* (espirales de patata bañadas en un rebozado sazonado que se vuelve crujiente al freírlas).

La pasión de los norteamericanos por las patatas bermejas ha disminuido en los últimos años, por obra de los cocineros que piden variedades más

Patatas fritas dorándose en una freidora.

sabrosas y con un mayor contenido en humedad, ideales para cocer al vapor y preparar purés y guisos. Las variedades Yellow Finn y Yukon Gold, ambas de pulpa amarilla, son muy apreciadas por su sabor a mantequilla. Su cultivo va en aumento en toda la región de las Rocosas. Las pequeñas patatas Red Bliss, de piel rojiza y pulpa blanca y cremosa, son cada vez más apreciadas.

Pero no hay nada como una perfecta patata bermeja al horno.

Baked Potatoes with Traditional Garnishes
Patatas al horno con aderezo tradicional

4 patatas gigantes para asar de unos 375 g cada una
4 tiras de beicon
1 manojo de cebollino
nata agria
mantequilla batida
sal y pimienta

Precaliente el horno a 230°C. Pinche las patatas con un tenedor. Áselas sobre la rejilla del horno durante 45 minutos.

Mientras tanto, fría el beicon en una sartén hasta que esté crujiente. Escúrralo bien sobre papel de cocina, desmenúcelo fino con los dedos y páselo a un plato de servir.

Pique finamente el cebollino y páselo a otro plato de servir. Igualmente ponga la nata agria y la mantequilla batida en sendos platos de servir.

Con un tenedor, practique una incisión a lo largo en forma de zigzag en la parte superior de las patatas, y luego presione los bordes con los dedos para abrirlas. Sirva las patatas acompañadas de los aderezos, sal y pimienta. Para 4 personas.

Patata al horno con nata agria y cebollino

Incluso la pulpa de las patatas Purple Peruvian presenta un color magnífico.

French Fries

Al parecer, las *french fries* (patatas fritas), uno de los tentempiés favoritos de los norteamericanos, se inventaron en las calles de París en el siglo XIX, donde se vendían en cucuruchos de papel. La idea llegó a Norteamérica, donde las patatas fritas pasaron a formar parte del menú de todos los restaurantes de comida rápida.

De los más de 2.250 millones de patatas fritas que se venden anualmente en Estados Unidos, la mayor parte se produce en inmensas industrias alimentarias de Idaho y otros estados del Oeste.

Una vez seleccionadas por tamaño, las patatas se pelan mediante presión de vapor. Después los trabajadores retiran los defectos a mano, antes de hacer pasar las patatas por una serie de cuchillas automáticas que las cortan en discos y las lavan al mismo tiempo. Transportadas a más de 50 km/h, las patatas se cortan en tiras y se seleccionan. A continuación, se blanquean dos veces, primero en agua tibia para retirar los azúcares naturales y luego en agua caliente para precocerlas. Seguidamente, se bañan en una solución azucarada que unifica su color. Finalmente, se secan al aire, se fríen rápidamente para completar el proceso de cocción y se congelan. Una vez clasificadas según el tamaño y envasadas, las patatas fritas están listas para su comercialización.

Desde la izquierda: espirales de patata, patatas paja y rizadas.

Patatas especiales

El valle de San Luis (Colorado) produce una variedad cada vez mayor de patatas especiales, destinadas a los gastrónomos. Su tamaño pequeño, su pulpa húmeda y sus colores llamativos atraen tanto a los cocineros profesionales como a los cocineros caseros sofisticados. Estas variedades atractivas, pero poco comunes, se encuentran cada vez más en los mercados especializados del Oeste.

Red Sangre: patata de piel roja y pulpa blanca, desarrollada en Colorado. Debe su nombre a la cordillera Sangre de Cristo, situada en el sur del estado. Se puede chafar en puré, asar al horno o hervir.

Alaskan Sweetheart: patata de piel roja y pulpa rosada. Resulta excelente asada al horno o preparada en ensalada.

Yellow Finn: patata de piel y pulpa amarillas, desarrollada en Finlandia. Tiene una textura cremosa y un delicioso sabor a mantequilla. Apta para todo tipo de preparación.

Baby All Blue: patata de pulpa azul lavanda, con la cual se prepara una llamativa sopa cremosa. Esta patata alargada, delgada y de tamaño pequeño se debe preparar entera, ya sea hervida, cocida al vapor o asada.

Ozette: esta patata de piel y pulpa amarillas es una variedad nativa desarrollada por los indígenas norteamericanos. Se puede asar o cocer al horno.

Purple Peruvian: esta patata pequeña, originaria de América del Sur, es de color púrpura intenso. Resulta excelente para cocer al horno o hervir.

Garlic Mashed Potatoes
Puré de patatas al ajo

2 cabezas de ajo
aceite de oliva
2 tazas de leche entera
1,5–2 kg de patatas bermejas
(6–8 patatas medianas)
leche adicional, si es necesario
6 cucharadas de mantequilla
½ taza de queso parmesano en tiras (o ¼ taza
de queso rallado envasado)
sal y pimienta recién molida
una pizca de nuez moscada recién molida

Precaliente el horno a 140°C. Retire el extremo en flor de las cabezas de ajo y envuélvalas una al lado de la otra en papel de aluminio, dejando la parte cortada hacia arriba y sin tapar. Rocíelas con aceite de oliva. Colóquelas en una bandeja pequeña y hornéelas 1½ horas, hasta que se doren ligeramente por encima.

Prense los ajos asados sin la piel en un robot de cocina o una batidora. Con el motor en marcha, añada gradualmente la leche. Pele las patatas y córtelas en dados grandes. Póngalas en una olla grande con agua y una buena pizca de sal. Lleve a ebullición y cuézalas unos 20–25 minutos, hasta que estén muy tiernas.

Escúrralas y cháfelas, dejando grumos si lo desea. Añada la mitad de la mezcla de leche y ajo, y pruebe el puré. Agregue más leche al gusto. Incorpore la mantequilla y el queso, y sazone con la sal, la pimienta y la nuez moscada. Mezcle bien y añada más leche y mantequilla, si lo desea, para obtener una textura más blanda. Para 4–6 personas.

LEGUMBRES

La región de las montañas produce prácticamente la totalidad de las dos legumbres más populares de Norteamérica: la lenteja *(Lens culinaris)* y la judía pinta *(Phaseolus vulgaris).*

Cerca del 100% de las lentejas norteamericanas proviene de una preciosa zona llamada Palousa, que se extiende desde el este de Washington hasta los valles del norte de Idaho. A diferencia de los áridos y espectaculares paisajes de montaña que dominan la región, se trata de una zona de ondulantes colinas y pintorescos terrenos de cultivo.

Las judías pintas, que constituyen un ingrediente indispensable del *chile* con carne, crecen en un

Judías pintas

clima muy diferente, el de Dove Creek (Colorado), situado en el extremo sudoeste del estado. Allí, las judías se plantan en una altiplanicie semiárida a unos 2.100 m de altitud. Muy cerca se hallan las espectaculares cuevas del Parque Nacional de Mesa Verde, donde los antiguos pueblos Anasazi vivían en ciudades excavadas en las laderas de los escarpados riscos.

Estos pueblos, que desaparecieron misteriosamente hace 500 años, cultivaban una legumbre llamada "judía Anasazi", que destaca por su atractiva piel moteada de color marrón y negro. Hasta hace poco, la única forma de probar estas judías era recolectarlas de los brotes silvestres que crecían cerca de las ruinas.

Sin embargo, en la actualidad las judías Anasazi se cultivan comercialmente en la cercana Adobe Milling Company. Estas legumbres son muy populares entre los gastrónomos y los mercados especializados por su sabor intenso y dulce y su atractiva piel. Aún más atractiva resulta su composición bioquímica, puesto que contiene un 75% menos de los hidratos de carbono que producen gases digestivos.

Estas judías se dejan secar en las vainas en el campo hasta que su contenido en humedad disminuye hasta un nivel aceptable. Después de desvainarlas, continúan secándose naturalmente sin enmohecerse.

Tres variedades de lentejas. Desde arriba: pardina, *masoor* y verdes francesas.

Judías Anasazi

Anasazi Bean Salad
Ensalada de judías Anasazi

250 g de judías Anasazi o judías pintas secas
1 cebolla mediana partida por la mitad
½ cucharadita de orégano seco
sal
¼ taza de aceite de oliva extra virgen
2–3 cucharadas de vinagre de vino tinto
2 escalonias medianas picadas
2 dientes de ajo picados
2 anchoas picadas finas
½ taza de apio picado
½ taza de zanahoria picada
1 chile jalapeño fresco sin semillas y picado
¼ taza de hojas de perejil atadas firmemente y picadas
¼ taza de hojas de albahaca fresca atadas firmemente y picadas
sal y pimienta negra, al gusto
2 tomates maduros troceados

Seleccione las judías y enjuáguelas. Póngalas en un cazo con la cebolla partida y el orégano y cúbralas con abundante agua. Lleve ésta a ebullición, tape el cazo y apague el fuego.

Escurra las judías, cúbralas con agua fría y cuézalas a fuego lento, parcialmente tapadas, de 45 a 60 minutos, o hasta que estén algo tiernas. Apague el fuego, destape el cazo, añada 1½ cucharaditas de sal aproximadamente y deje reposar las judías durante 1 hora, o hasta que estén tiernas pero no blandas. Escúrralas.

Páselas a un cuenco grande y agregue el resto de los ingredientes. Remueva bien y sirva. Para 6 personas, como guarnición.

Ensalada de judías Anasazi

Mezclando o cosechando lentejas.

Planta de lenteja justo antes de la cosecha

Las Vegas

La mesa se extiende hasta el infinito, repleta de comida norteamericana sencilla. Unos junto a los otros, las bandejas y los braserillos calentadores están llenos de pollo frito, rollos de carne picada, puré de patatas y salsa de jugo. Más lejos, hay bistecs, chuletas, costillas, salchichas ahumadas, *coleslaw* y patatas fritas.

Pero, al otro lado de la sala, la mesa de *sushi* es tentadora. Tiras de atún y salmón crudos dispuestas sobre montoncitos de arroz al vinagre. Hojas de algas marinas que envuelven rellenos de cangrejo y aguacate o de anguila glaseada y pepino.

Más adelante, la mesa de platos italianos es realmente atractiva, al igual que la zona donde se cocina en un wok chino sobre fuego de leña. Y el mostrador con *chile* de Tejas, el puesto de *fish-and-chips* (pescado y patatas fritas) inglés, la barbacoa mongola, y la gran cantidad de pasteles y dulces. Y, cuando uno cree haberlo visto todo, aparece un asador del tamaño de un autocar, donde un cuarto de buey entero da vueltas sobre las llamas.

¡Bienvenidos al mundo de los bufés de Las Vegas!. Los hoteles y los casinos a lo largo del *Strip* ofrecen habitualmente estos espectaculares manjares a precios bajísimos para atraer a sus mesas a los jugadores potenciales. Los clientes pagan tan sólo 5 dólares por comer hasta saciarse y luego se retiran a las salas de juego donde se gastan realmente el dinero.

Los bufés de Las Vegas ofrecen un asombroso surtido de platos para desayunar, almorzar y cenar. Éste de Circus Circus se extiende hasta donde alcanza la vista.

En general, estos bufés permanecen abiertos todo el día sirviendo desayunos, almuerzos y cenas. Ilustran perfectamente la pasión de los norteamericanos por las raciones enormes y una variedad infinita. Al principio, los europeos pueden sorprenderse ante las excesivas pilas de comida que puede llegar a consumir un solo norteamericano en un bufé, pero esto forma parte del ambiente extravagante y hedonista de Las Vegas.

Esta meca del juego situada en pleno desierto también es la ciudad más inspirada de Estados Unidos en cuanto a comidas temáticas y ocio. Los alegres restaurantes y clubes nocturnos ofrecen un ambiente *kitsch*, con todo lujo de detalles en

decoración y servicio. En el Big Dog's Bar & Grill, la cerveza a presión se sirve en jarras en forma de boca de incendio. El exterior del local imita una caseta para perro y las paredes interiores están cubiertas de representaciones de estos animales.

En el bar Holy Cow! predominan las vacas. Los clientes beben en tres niveles cuya decoración imita el interior de una cuadra. En The Drink, los clientes pueden elegir entre una variedad de ambientes para bailar y comer, y las bebidas se sirven en todo tipo de recipientes, desde un biberón hasta un frasco para conservas. El Dive, propiedad de magnates del cine de Hollywood, está dedicado al tema náutico, con un edificio en forma de submarino amarillo.

Uno de los ambientes más suntuosos es el hotel NewYork-NewYork, recientemente construido. La decoración incluye la Estatua de la Libertad, un puente de Brooklyn sobre el cual se puede andar, Central Park y calles enteras, con bocas de alcantarilla que emanan vapor y buzones cubiertos de pintadas. Los restaurantes ofrecen, por supuesto, especialidades neoyorquinas como el *egg cream* y el bocadillo de *pastrami*.

Si bien Las Vegas tiene la reputación de ciudad en la cual se sirve comida sencilla, recientemente ha hecho grandes progresos en el ámbito de la gastronomía. Siendo la ciudad con el crecimiento más rápido de Estados Unidos, Las Vegas ofrece miles de oportunidades comerciales. Muchos célebres cocineros de otras ciudades han abierto aquí sucursales de sus restaurantes para que la ciudad pueda disfrutar de lo mejor de la gastronomía. Hoy en día, en Las Vegas el *foie gras* y el buen vino forman parte del decorado tanto como el juego, los imitadores de Elvis y las bodas rápidas.

El Luxor es uno de los hoteles y casinos más nuevos, con una imitación casi a tamaño real de la esfinge egipcia y un hotel en forma de pirámide.

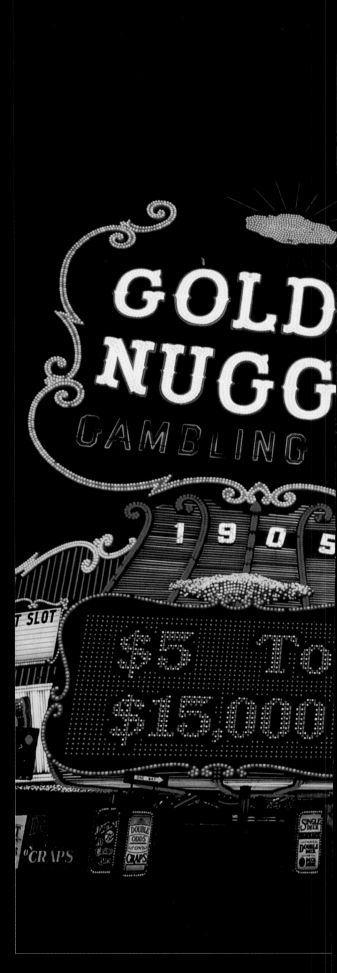

SUPERMERCADOS

El supermercado norteamericano ideal posee los valores que todos los norteamericanos admiran: es limpio, práctico, bien gestionado, ofrece una selección casi infinita de alimentos de primera calidad y dispone de un parking inmenso. Es un establecimiento de autoservicio donde los ciudadanos pueden ejercer su libertad de elección y de opinión (sin percatarse, no obstante, de que sus hábitos de compra han sido cuidadosamente estudiados en todo momento). Está instalado en una planta espaciosa. En el curso de sus correrías alimentarias, los compradores eligen entre los paquetes de cereales, las pilas de frutas y hortalizas frescas, las hileras de

Hileras e hileras de deliciosos productos frescos atraen a los clientes.

botellas de ketchup, las latas de sopa, los confites, los cartones de leche y las bolsas gigantes de patatas *chips* y palomitas de maíz. El supermercado ideal funciona como el mejor ejemplo de eficiencia moderna, inodora y aséptica; las secciones de carnicería y pescadería no desprenden malos olores y los quesos, perfectamente envueltos en plástico, no muestran signos de madurez aromática.

Pero los gestores de los almacenes conocen los beneficios de dejar flotar en el local los deliciosos aromas de los pasteles y el pan recién horneado, que incitan a los clientes a comprar en la panadería interior. Los dependientes que ofrecen degustaciones gratuitas de productos nuevos se sitúan en posiciones estratégicas por todo el establecimiento. Las compras son en parte un entretenimiento y los clientes se dejan llevar por la excitación creada por la actividad y los estímulos sensoriales. La música que suena por los altavoces del establecimiento proporciona un ruido de fondo que relaja o vigoriza, mientras los clientes recorren los pasillos. Éstos han sido cuidadosamente diseñados por especialistas que saben que los artículos colocados a la altura de los ojos se venden más rápido y que las latas de sopa se venden mejor si no están ordenadas alfabéticamente.

Antes de la aparición del supermercado moderno, los clientes compraban los alimentos producidos en serie tales como las galletas saladas

El tamaño de la mayoría de los supermercados norteamericanos es único en el mundo. Algunos ofrecen guías electrónicas para orientar a los consumidores dentro del establecimiento.

o la harina en comercios donde el tendero pesaba los productos de arcones a granel y entregaba los pedidos más tarde. La gente esperaba entonces una atención individual y personal. Cuando, en 1916, Clarence Saunders abrió la primera tienda de autoservicio en Memphis (Tennessee), fue una idea tan innovadora que su creador la patentó. No tuvo demasiado éxito hasta 1930, cuando se inauguró el primer supermercado King Kullen en Long Island (Nueva York). Era el primero de una cadena de tiendas que ofrecía precios bajos a sus clientes gracias al volumen de artículos vendidos. Este hecho atrajo a una multitud de gente a quien, aparentemente, no le importaba renunciar al trato personal a cambio de productos más baratos. Los artículos se envasaban por tamaños estándar, por lo cual se requería un diseño de embalaje. Los fabricantes lo

utilizaban para incluir mensajes, información e ilustraciones llamativas para incitar al comprador a elegir una marca antes que otra. Así comenzó la era de la publicidad moderna.

En los años cincuenta, el supermercado norteamericano tomó un nuevo rumbo gracias al uso universal del automóvil y al crecimiento de los suburbios, que proliferaron en la economía de postguerra. Los grandes supermercados se ubicaban en centros comerciales, sustituyendo al centro de la ciudad como principal zona de venta al por menor. Una vez a la semana, la gente acudía en coche para hacer una gran compra, que se llevaban a casa en sus coches familiares y almacenaban en frigoríficos o congeladores espaciosos. Los alimentos prácticos (como los preparados para pastel y el café instantáneo), los alimentos congelados o deshidratados, los

concreta y crecen todo el año. Pero también se venden frutas y hortalizas procedentes de países del hemisferio sur cuyas temporadas de cultivo son opuestas a las del norte; estas cosechas permiten abastecer de productos frescos a Estados Unidos durante el invierno.

La manera de comprar de los norteamericanos ha cambiado radicalmente desde antaño. Hoy en día, el dinero efectivo se utiliza con menor frecuencia que los talones, las tarjetas de crédito y las tarjetas de cobro automático. En las cajas, los escáneres electrónicos suman los precios leyendo el código de barras de la etiqueta de cada artículo. Los supermercados también utilizan estos aparatos de grabación electrónica para establecer las tendencias de compra de los consumidores y hacer el inventario.

La utilización de cupones de descuento es una costumbre que muchos norteamericanos adoptan con gran entusiasmo para tratar de reducir sus gastos de alimentación. Los cupones, promociones ofrecidas por los fabricantes para incentivar las ventas de determinados productos, son bonos marcados con valores monetarios que representan la cantidad que se descontará del precio de cada artículo. Los compradores los recortan de las revistas y los diarios y los presentan en las cajas de los supermercados para obtener un descuento.

Aunque el supermercado funciona a modo de autoservicio, la gerencia de las grandes cadenas trata de estar atenta a las necesidades del cliente para no perder competitividad en un campo muy concurrido. Los supermercados ofrecen etiquetas con el precio unitario (que detalla el coste por quilo para poder comparar el precio de artículos similares), información nutricional (tal como el contenido en vitaminas y minerales) frente a los productos frescos, demostraciones culinarias en vídeo y fichas de recetas. Las carros de compra están equipados con asientos para los niños y, en las cajas, el personal auxiliar introduce los artículos

comprados en bolsas. Los proveedores serviciales envasan los productos poco comunes como la calabaza espagueti con instrucciones de cocción en una etiqueta adhesiva pegada en la hortaliza y venden ensalada verde prelavada en bolsas de plástico. Los clientes se sienten atraídos por las marcas especiales de alimentos naturales y orgánicos, por las mermeladas, los jarabes y las salsas de producción local y apariencia casera, por los productos en cuyas etiquetas aparece la foto de un cocinero o un famoso y por los alimentos bajos en grasas envasados con sofisticados gráficos e ingredientes de moda.

Hoy en día, con sólo echar un vistazo al contenido de un típico carro de compra, uno puede deducir las tendencias alimentarias y entender la verdadera relación de los norteamericanos con la comida. La comida preparada que se puede calentar en el microondas es omnipresente. Las sopas, los tomates y las judías son las conservas alimenticias más populares. Los panes frescos, los refrescos y el agua embotellada son los artículos más vendidos. También destacan las cremas para untar en bocadillos, la pasta, las patatas *chips,* las salsas y el pollo (mucho más que la carne de buey).

Mientras que mucha gente considera las compras como una rutina, una actividad necesaria que se sobrelleva más que se disfruta, para otros es una oportunidad para relacionarse socialmente y descubrir cosas. En un supermercado moderno, los norteamericanos pueden hacer casi todos sus recados de una sola vez: alquilar vídeos, dejar la ropa en la tintorería, comprar flores y un pastel de cumpleaños, encontrar setas exóticas y aceite de sésamo para preparar un salteado chino y descansar tomándose un café exprés después de hacer toda la compra. En San Francisco, incluso hay un supermercado famoso por las aventuras sentimentales (al parecer, los clientes deben visitar la sección de productos frescos). El supermercado se ha convertido en la arteria principal de la vida de los norteamericanos.

Los diseñadores de los establecimientos incluyen zonas especiales, como este mostrador de quesos situado a la izquierda, que ofrecen un surtido de alimentos específicos, servicios especiales y restauración.

"TV dinners" (comidas preparadas congeladas en bandejas metálicas con compartimientos, que se recalentaban en el horno) y otros productos típicamente norteamericanos fueron desarrollados para satisfacer la demanda de preparaciones rápidas y sencillas.

El enorme volumen de ventas de los supermercados ha dado origen a la industria agropecuaria, la fusión de la agricultura y la ciencia. Con una complaciente aprobación a la satisfacción inmediata que exigen los norteamericanos, los científicos agrónomos han desarrollado una variedad de tomate no tanto para que sea sabrosa sino para que sea resistente al transporte. Estos ejemplares de piel dura, descoloridos e insípidos se comercializan durante los meses de invierno, haciendo creer a la gente que los tomates no tienen una temporada

CALIFORNIA

por James Badham

Puesta de sol sobre el puente Golden Gate de San Francisco

Vivir en California es tener a mano todas las cocinas del mundo y descubrir algunos de los platos más imaginativos del planeta. California es un estado joven con una historia breve y sin tradiciones apremiantes donde se fomenta la experimentación.

Situada en el extremo oeste del Nuevo Mundo, California mira a través del Pacífico hacia el Viejo Mundo. No es de extrañar que los cocineros californianos hayan marcado el camino de la cocina "mestiza" que combina los sabores, las técnicas y los ingredientes de dos o más cocinas diferentes.

California es un lugar de una extrema diversidad geológica, geográfica y climática, que incluye brumosos bosques de secuoyas, desiertos de maleza resistente, volcanes dormidos, fallas sísmicas activas, el punto más alto del país a excepción de Alaska (monte Whitney, de 4.828 m) y el más bajo (valle de la Muerte, a 86 m bajo el nivel del mar). Entre los desiertos (donde las temperaturas pueden alcanzar los 60°C) y las cumbres de la cordillera de Sierra Nevada (donde las temperaturas pueden bajar hasta –10°C), se encuentran los ondulantes pastos, junto con los fértiles valles de la costa y del interior. Los mayores proyectos de irrigación jamás acometidos han permitido a los granjeros de California aprovechar al máximo el extraordinario potencial productivo natural del estado.

A esta tierra de oportunidades ha venido gente de todo el mundo, trayendo consigo su gastronomía. Los españoles importaron su cocina, que ha sido transformada por 200 años de interacción con los alimentos de los indios del América Central y del Sur. La Fiebre del Oro trajo inmigrantes de todas partes, matizando la diversidad culinaria del estado. Durante el siglo XX, se ha mantenido la afluencia constante de recién llegados procedentes de todo el mundo, inclusive del este de Estados Unidos.

Teniendo en cuenta todo esto, no es de extrañar que en California se puedan comer tantos tipos de comida diferentes. Se encuentran (y se presentan en la mesa) frutas y hortalizas frescas todo el año. Aquí empezó la afición de los norteamericanos por la comida asiática. A los californianos no les importa comer comida mexicana un día, marroquí o tunecina el día siguiente y pasta o una hamburguesa el tercer día. Los alimentos del Viejo Mundo, tales como aceitunas, higos, almendras y granadas se mezclan con los del Nuevo Mundo, como por ejemplo chiles, tomates, maíz, naranjas y limas. La herencia de los ranchos (enormes fincas ganaderas creadas en el siglo XIX, cuando las tierras de las misiones españolas fueron secularizadas) y sus opulentas comidas campestres se repite en los restaurantes y el jardín trasero de las casas, donde la madera de mezquite perfuma los bistecs, el pollo, el pescado y las hamburguesas durante todo el año. La comida es informal y se evita el ceremonial al máximo. A la gente no le importa reunirse para disfrutar de un *"pot luck"* (comer lo que haya), que consiste en que cada uno traiga un plato para crear una gran cena en común. Todo esto forma parte de la extensa cultura culinaria de California, donde, cuando se trata de comida, la única constante es el cambio.

NARANJAS

Despertarse en uno de esos escasos días de invierno de California, cuando los vientos calientes y ligeros del desierto soplan y las montañas coronadas de nieve resplandecen en la claridad del día, es experimentar los mejores encantos del Estado dorado. Pasearse por el propio jardín, recoger unas cuantas naranjas del árbol y exprimirlas para obtener zumo es gozar de un intervalo de perfección.

El primer naranjal se plantó en 1804 en la misión de San Gabriel, una comunidad religiosa de monjes franciscanos situada justo al este de Los Angeles. Las plántulas de esta misión se utilizaron posteriormente para establecer vastas extensiones de naranjales. Entre ellos figuraba el primer naranjal comercial, plantado en 1841 cerca de Los Angeles por William Wolfskill, un inmigrante alemán instalado en Kentucky que se dedicaba al comercio de pieles.

El verdadero nacimiento de la industria se produjo después del descubrimiento del oro en el norte de California en 1849. La Fiebre del Oro, que aumentó la población del entonces flamante estado, creó una demanda inmediata de todos los productos agrícolas que se podían cultivar en la región. En 1873, se podían encontrar naranjales desde San Diego hasta Sacramento, e incluso en la nueva población de Riverside, al este de Los Angeles. Ésta se hizo famosa por las naranjas *navel* que se plantaron poco después de su fundación en 1873. Tres años antes, un misionero presbiteriano norteamericano que había estado trabajando en Bahía (Brasil), envió 12 plántulas de naranjo de la variedad *navel* al departamento de agricultura de Estados Unidos. Éste multiplicó los árboles y los hizo llegar a cualquier persona que quisiese probar su cultivo.

Jornalero recolectando naranjas *navel* dulces y jugosas.

En 1873, la señora Luther C. Tibbets de Riverside plantó un par de ellos en su jardín. De estos dos naranjos desciende gran parte de las naranjas *navel* que se cultivan hoy en día en todo el mundo.

Grandes, dulces, jugosas, sin pepitas y fáciles de pelar, estas primeras naranjas *navel* se convirtieron en el tema de campañas publicitarias que promocionaban su valor nutricional y el clima soleado que

hacía posible su exitoso cultivo. Así nació la reputación de California como tierra de salud y vitalidad. Con la finalización del sistema ferroviario transcontinental, que permitía transportar las naranjas de California hacia el este, esta fruta se convirtió pronto en un símbolo de la tierra prometida que pasó a conocerse como "Estado dorado".

Otra naranja que arraigó bien en California es la variedad española de Valencia. Las primeras plántulas se importaron de un vivero británico, cuyos cultivadores no recordaban de dónde procedían los pequeños naranjos. Su origen fue un misterio hasta que un español las identificó. Hoy en día, las naranjas de Valencia (para zumo) y las *navel* (para comer) representan casi toda la cosecha de naranjas de California, que se centra en varias zonas clave: los condados de Riverside y San Bernardino al este de Los Angeles, el condado de Orange en el sur, Ventura en el norte y el condado de Tulare, la segunda zona agrícola del estado, situada al sudeste del valle de San Joaquín.

Derecha: un surtido de naranjas y otros cítricos
Inferior: una antigua etiqueta de zumo de naranja
Fondo: naranjales en el valle de San Joaquín

VARIEDADES DE CÍTRICOS

Durante décadas, los cultivadores de cítricos e investigadores de California han desarrollado centenares de variedades. El centro de investigación de la Universidad de California en Riverside, en el valle de San Joaquín, posee las plántulas de más de 160 variedades de cítricos que se cultivan en California. Entre ellas figuran 18 tipos de naranjas *navel,* 11 tipos de naranjas de Valencia, 5 tipos de naranjas sanguinas, 29 tipos de mandarinas, 11 tipos de tangelos y *tangors,* 16 tipos de pomelos y toronjas, 16 variedades de limón, además de limas, *limequats,* kumquats y otros híbridos de nombre curioso como las *mandarinquats* y las *citranges.* El *Buddah's Hand* (mano de Buda) es un tipo de cidro que, al igual que el propio cidro, no es lo bastante dulce para comerlo. La piel de cidro se confita y se usa en pastelería. La *citrange* tampoco es comestible y se usa como pie para injertar los árboles.

Pomelos *(Citrus paradisi)*

Limones *(Citrus limon)*

Un surtido de variedades de cítricos junto a un vaso de zumo de naranja recién exprimido. 1. Kumquats 2. Limas 3. *Mandarinquat* 4. *Citrange (Poncirus × Citrus sinensis)* 5. *Tangor (Citrus nobilis)* 6. Naranja de Valencia 7. Toronja 8. Naranja sanguina *(Citrus sinensis,* variedad *Morro)* 9. *Tangelo minneola*

Kumquat *(Fortunella japonica)*

Mandarinquat (Fortunella margarita)

Naranjas *navel (Citrus sinensis)*

Mano de Buda
(Citrus medica, variedad *sarcodactylis)*

Pomelo rojo *(Citrus paradisi)*

Cidro *(Citrus medica)*

Limequat
(Citrus aurantifolia × Fortunella japonica)

Naranja de Valencia *(Citrus sinensis)*

Ajo

La ciudad de Gilroy, situada en el valle de San Joaquín, fue muchas cosas antes de convertirse en la capital nacional del ajo. En distintas épocas, fue el centro de la producción de cereales, de las carreras de caballos y del cultivo del tabaco. Hacia 1880, los inmigrantes italianos y suizos hicieron de Gilroy la capital estatal de la leche y el queso. Más tarde, la ciudad fue la capital nacional de las ciruelas, y los italianos empezaron el cultivo del ajo *(Allium sativum)* que perdura hoy en día, pero produciendo sólo pequeñas cantidades para su propio consumo.

En 1920, Gilroy albergaba la mayor fábrica de deshidratación de productos agrícolas del mundo, y Gilroy Foods sigue ostentando este honor. Los inmigrantes japoneses expandieron el cultivo del ajo y, en 1940, los mayores productores eran un japonés llamado Kiyoshi Hirasaki y Joseph Gubser, un italiano procedente del valle del río Po, la capital europea del ajo. Después de la Segunda Guerra Mundial, llegaron más japoneses y, en las décadas posteriores, se incrementó la superficie dedicada al cultivo del ajo. Hoy en día, Gilroy Foods trata cerca de 500 toneladas de ajos al día.

La Fiesta del Ajo de Gilroy

Los automovilistas que circulan por la autopista 101 siempre saben cuándo se acercan a Gilroy: el olor de ajo crudo flota en el aire. No es de extrañar teniendo en cuenta que esta pequeña ciudad, situada a unos 160 km al sur de San Francisco sobre una extensa y fértil llanura costera, proporciona el 90% de todos los ajos de Estados Unidos. Durante la Fiesta del Ajo que se celebra cada mes de julio, el aire de la ciudad está saturado con una invitación olorosa (en forma de ajos cociéndose) a la cual resulta prácticamente imposible resistirse.

Durante los tres días que dura el evento, más de 100.000 personas acuden a disfrutar de conciertos, espectáculos de marionetas, muestras de artesanía, bailes, rutas en bicicleta, carreras y concursos de trenzar ajos. Pero, principalmente, van a degustar comida.

A lo largo de Gourmet Alley, docenas de cocineros preparan toneladas de sabrosos platos condimentados con ajo. Carnes a la parrilla con marinada de ajo, hortalizas salteadas, gambas "negras", *linguini pescatore, tamales,* caracoles, calamares, langostinos, setas, *fajitas,* pizza, *jambalaya, gumbo* de marisco, pan de ajo... Hay de todo, y todo exuda olor y sabor a "rosa pestilente".

Garlic Mushroom Soup
Sopa de ajo y champiñones

20 dientes de ajo frescos pelados
750 g de champiñones frescos
4 cucharadas de aceite de oliva
2 tazas de migas de pan tostado
1 manojo de perejil fresco, sin los tallos, picado
10 tazas de caldo de pollo o concentrado de pollo bajo en sal de lata
salsa Tabasco
jerez seco

En un robot de cocina, pique finamente el ajo y 500 g de champiñones. Corte los champiñones restantes en láminas finas.

En una cacerola, caliente 2 cucharadas de aceite de oliva y saltee el ajo y los champiñones durante unos 3 minutos. Retire de la cacerola y reserve.

Saltee las migas de pan en el aceite restante. Añada la mezcla de ajo y champiñones. Agregue el perejil y saltee durante 5 minutos. Vierta el caldo y deje hervir a fuego lento, removiendo con frecuencia, durante 15 minutos. Salpimiente al gusto. Sazone con Tabasco y jerez, si lo desea. Para 8–10 personas.

ACEITUNAS

Las aceitunas, uno de los alimentos más antiguos que se conocen, figuran entre los primeros alimentos que los misioneros introdujeron en California. Los padres, tal y como se les llamaba entonces, se comían el fruto y usaban el aceite de muchas maneras: para cocinar, encender lámparas, alejar los insectos voladores e, incluso, lubrificar la maquinaria. Pero, en California, este alimento del Viejo Mundo fue tratado y curado de tal manera que adquirió un sabor, una textura y una apariencia totalmente diferentes de las tradicionales aceitunas en salmuera al estilo mediterráneo.

Recientemente, el aceite de oliva ha suscitado más interés en California. La cocina mediterránea, en especial la italiana, se ha hecho tan popular que las ventas de aceite de oliva importado han aumentado espectacularmente. Productores de la región están

Mezcla de aceitunas Baroni y Manzanillo, tras la cosecha

Aceitunas Baroni en el árbol

Una botella de aceite de oliva orgánico

Aceitunas Manzanillo

Aceitunas Baroni

elaborando aceite de oliva de primerísima calidad, prensado en frío según la tradición mediterránea.

Uno de estos productores se halla en la ciudad norteamericana de Palermo, un viejo centro cultivador de aceitunas contiguo a la región dorada del norte de Sacramento. Estas tierras se benefician de inviernos sin heladas, veranos extremadamente cálidos y un suelo idóneo para los robustos olivos *(Olea europaea)*, que podrían crecer hasta en una roca sólida. Aquí se produce aceite de oliva orgánico certificado a partir de aceitunas Manzanillo, *Oscolano* y *Mission*.

Tras la floración en abril, el fruto crece todo el verano y se vuelve de color amarillo pajizo en septiembre. La cosecha de las aceitunas para envasar empieza en octubre, mientras que las aceitunas para aceite se dejan en el árbol para que maduren y se oscurezcan con el clima otoñal. Como las aceitunas para aceite se dejan madurar tanto tiempo, se recolectan a mano. En este proceso los jornaleros vacían por completo un árbol antes de pasar a otro. Una vez recolectadas, se prensan y, luego, el aceite se decanta en barriles metálicos y se filtra de nuevo antes de embotellarlo.

La elaboración del aceite de oliva

1. Las aceitunas se sacuden del árbol y se recogen en una tela.

2. Las aceitunas se introducen en el tanque para prensarlas.

3. Las aceitunas se trituran.

4. La pasta de aceitunas se extiende sobre esteras redondas y pesadas.

5. Las esteras se apilan y se prensan para extraer el aceite.

6. El primer prensado produce el aceite de oliva virgen extra de color verde claro.

AGUACATES

"Existen literalmente centenares de maneras de combinar los aguacates con los diferentes sabores de las cocinas del mundo." El escritor gastronómico John Willoughby estaba en lo cierto cuando escribió estas palabras, que explican por qué el aguacate de forma ovalada, voluptuosa y elegante, es el perfecto símbolo culinario de California. Este estado, en el cual medra tan bien (California produce el 95% de la cosecha nacional), ha acogido gente de todo el mundo. El aguacate, de sabor a nueces y ligeramente dulce, se adapta fácilmente a todo tipo de preparaciones culinarias.

Al igual que muchos otros alimentos que han pasado a formar parte de la dieta de los californianos, el aguacate *(Persea americana)* es originario de México. Se han encontrado huesos de aguacate silvestre que datan del año 8000 al 7000 a. C. Alrededor del año 300 a. C., la familia real maya ya comía aguacates. Los aztecas y los incas consideraban este fruto curvilíneo como un afrodisiaco y utilizaban el mismo término, *ahuacatl,* para designar los aguacates y los testículos. Tal vez sea a causa del aspecto lascivo de la etimología del fruto por lo que los misioneros españoles, que introdujeron tantas otras frutas y hortalizas en California, no importaron el delicioso aguacate.

Los aguacates se introdujeron en California en 1848, cerca de Los Angeles, pero el rizoma que dio origen a la industria californiana del aguacate se plantó en 1871 en Santa Barbara, una ciudad costera situada 145 km al norte de Los Angeles. Desde allí, los frondosos árboles se extendieron por toda la mitad sur del estado, por medio de viveros, granjas y jardines donde, hoy en día, aún se encuentran muchos de los mejores aguacates colgando de los grandes y exuberantes árboles. Cada aguacate puede producir hasta 400 frutos al año, que pueden dejarse en el árbol hasta 180 días.

Existen centenares de variedades de aguacate pero, en California, predomina la variedad Haas, que madura todo el año. La variedad Fuerte también se cultiva extensamente y fue la primera clase de aguacate adoptada por los agricultores californianos. Ambas se preparan de innumerables maneras. Las variedades menos cultivadas son la Pinkerton, en forma de calabaza, las gruesas Bacon, Gwen y Reed, y la Zutano, de color verde amarillento. Los aguacates se pueden añadir a un batido de leche, transformar en una sopa fría, picar para elaborar *sushi,* utilizar como relleno de *tacos,* revolver en una tortilla o mezclar con pavo, queso Muenster (o Münster), brotes de alfalfa y pan para preparar un bocadillo. Pero la manera más popular de comerlos es como parte de una ensalada o como el ingredien-

Aguacates Bacon

te principal del *guacamole.* Miles de cocineros aficionados de California están tan orgullosos de sus recetas de *guacamole* como los cajún de Luisiana lo están de su *gumbo* y los tejanos de su *chile.* Las variantes parecen infinitas; el guacamole puede ser picante o suave, sazonarse con limón o con cebollas rojas, prepararse crujiente (en dados) o cremoso, con o sin salsa Worcestershire, tomates o beicon desmenuzado. En general, en lo único que coincide la gente es en que el *guacamole* es delicioso. Hoy en día, este plato adoptado es tan norteamericano como las patatas *chips.* Los aguacates deben consumirse bien maduros. El fruto maduro es blando al tacto y, en el interior, su hueso empieza a separarse de la pulpa.

Fiesta del Aguacate en Carpinteria (California)

La industria californiana del aguacate empezó en la zona situada entre esta ciudad costera y Santa Barbara, unos kilómetros más al norte. Hoy en día, sigue centrada en este área, pero padece la competencia de la zona del este de San Diego. El último fin de semana de septiembre se celebra la Fiesta del Aguacate, de dos días de duración. En ella, se puede comprobar que el aguacate figura entre los alimentos más versátiles del mundo. Se puede preparar de mil maneras: desde *tamales, tacos* y *guacamole* hasta helado, *brownies* y tarta de crema. Después de la diversión, un baño rápido en las tranquilas aguas del Pacífico frente a las atractivas playas de Carpinteria es el final perfecto para concluir una jornada festiva en California.

Avocado and Vegetable Tacos
Tacos con aguacate y hortalizas

tortillas de trigo
1¼ tazas de cebolla cortada en rodajas finas
1½ tazas de pimiento dulce verde cortado en rodajas finas
1½ tazas de pimiento dulce rojo cortado en rodajas finas
1 aguacate mediano partido por la mitad y sin el hueso, cada mitad cortada en 6 rodajas
cilantro picado
salsa de tomate fresca

Precaliente el horno a 120°C. Envuelva las *tortillas* de trigo en papel de aluminio. Introdúzcalas en el horno.

Caliente una sartén grande antiadherente a fuego medio. Añada la cebolla y los pimientos y saltéelos hasta que estén tiernos. Retire una *tortilla* y rellénela con los pimientos y la cebolla salteados, las rodajas de aguacate, el cilantro y la salsa. Doble la *tortilla* y sirva. Para 12 *tacos*.

Fresh Tomato Salsa
Salsa de tomate fresca

1 taza de tomates frescos cortados en dados
⅓ taza de cebolla cortada en dados
½ diente de ajo picado
⅓ cucharadita de chile jalapeño picado
una pizca de comino
1½ cucharaditas de zumo natural de lima

Mezcle todos los ingredientes en un cuenco mediano. Para unas 1½ tazas.

Tacos con aguacate y hortalizas, con salsa de tomate fresca

La pulpa del aguacate se ennegrece rápidamente en contacto con el aire. Para evitarlo, no retire el hueso hasta el momento de cortar el aguacate en rodajas. El zumo de limón que se añade al *guacamole* también permite conservar el color.

Guacamole

2 aguacates medianos partidos por la mitad a lo largo y sin el hueso
3 cucharadas de zumo natural de limón
2 cucharadas de salsa Worcestershire
½ taza de cebolla cortada en dados
⅓ taza de tomate troceado
cilantro picado

Con una cuchara, retire la pulpa de los aguacates y pásela a un cuenco. Rocíela con el zumo de limón y cháfela con un tenedor. Añada el resto de los ingredientes y remueva. Salpimiente al gusto. Sirva de inmediato. Para unas 1½ tazas.

Aguacate Haas

Aguacate Fuerte

Aguacate Reed

Uvas de mesa

Las vides que producen uvas de mesa ocupan más de 250.000 hectáreas, desde el valle de Coachella, cerca de la frontera mexicana, hasta grandes extensiones del valle de San Joaquín.

Las uvas representan casi un tercio de los ingresos de la producción californiana de frutas y frutos secos. La variedad más popular es la Thompson sin pepitas, originaria de Irán, donde se la conoce como Oval Kishmish. Debe su nombre del Nuevo Mundo al británico William Thompson, que la plantó en el valle de Sacramento hacia 1860. Entre las otras variedades de mesa figura la Ribier negra azulada, procedente de Orleans (Francia), y las variedades desarrolladas por los agricultores de California, tales como la Flame sin pepitas, la Emperor, la Red Globe y la Calmeria.

Las vides que proporcionan uvas al mercado de frutas frescas reciben muchos cuidados. En invierno se podan y, a principios de primavera, se practica

Uvas blancas Thompson sin pepitas cargadas en cajas para su posterior envío.

una incisión en la base de la vid para canalizar de nuevo los nutrientes desde las raíces hacia los frutos. A medida que se desarrollan los frutos y las hojas, se entresaca la vid para no exigirle demasiado. Otro proceso laborioso consiste en entresacar la vid retirando las hojas manualmente. De este modo, la vid recibe más sol y el aire circula mejor, lo que, a su vez, permite limitar las plagas y mejorar el crecimiento del fruto. A continuación, se recolectan las uvas a mano. Los racimos se empaquetan, con el tallo hacia arriba, en cajas de madera, de cartón o de plástico. Para evitar que los racimos se sequen antes de enviarlos, las uvas se transportan rápidamente del campo a cámaras frigoríficas, con un índice de humedad del 90% y una temperatura aproximada de 0°C. Finalmente, las uvas se distribuyen por todo Estados Unidos, en camiones o vagones de tren frigoríficos.

Uvas de mesa de California

Variedades rojas

Criolla (Mission)
Flame sin pepitas
Red Globe
Ruby sin pepitas
Christmas Rose
Emperatriz sin pepitas
Rouge
Crimson sin pepitas
Emperor

Variedades blancas

Perlette sin pepitas
Superior sin pepitas
Thompson sin pepitas
Calmeria

Variedades negro azuladas

Exotic
Fantasy sin pepitas
Ribier

Las uvas pasas

Teniendo en cuenta que las uvas pasas ya se mencionaban en el Antiguo Testamento, es poco probable que, a pesar de la leyenda, las primeras uvas pasas de California se inventaran por casualidad cuando una ola de calor secó las uvas de un agricultor antes de que pudiese cosecharlas. Pero lo que sí es cierto es que la industria californiana de las uvas es un sector enorme, que ocupa unas 135.000 hectáreas, principalmente en la parte este del valle de San Joaquín. Cada año en un solo mes, desde la tercera semana de agosto hasta la tercera de septiembre, en esta región se cosechan cerca de 2 millones de toneladas de uvas. Dispuestos sobre papel, entre los pies de las vides, los racimos de uvas se dejan secar al aire libre y al sol para convertirlos en uvas pasas. Es igualmente cierto que la aparición de la bomba de agua de pozos profundos ha hecho posible esta industria, al permitir la irrigación de las uvas Thompson sin pepitas, la variedad a la que pertenece la totalidad de la cosecha de uvas pasas. Este nuevo tipo de bomba, utilizada desde finales del siglo XIX, ha permitido a los agricultores acceder a las extensas reservas de agua subterráneas del valle de San Joaquín.

Muchos de los pioneros en esta industria eran inmigrantes armenios que ya habían producido frutas secas en Europa del Este. Al constatar que el valle de San Joaquín y su país tenían una geografía y un clima comparables, decidieron plantar uvas en California. Hoy en día, varias generaciones más tarde, muchas empresas de embalaje de alrededor de la ciudad de Fresno, centro industrial de las uvas pasas, conservan nombres armenios.

En 1986, una campaña de promoción captó la atención de Estados Unidos. Representaba personajes animados en forma de uvas pasas que cantaban la canción *"I heard It Through The Grapevine"* de Motown. Estos personajes dieron paso al mayor éxito publicitario de la historia norteamericana. Muy pronto, aparecieron en camisetas, llaveros y otros objetos. Antes de esta campaña, mucha gente pensaba que las uvas pasas no tenían ningún interés. Después, todo el mundo tenía una imagen positiva de ellas.

Uvas de mesa, de izquierda a derecha: variedades Thompson sin pepitas, Flame sin pepitas y Ribier

ALCACHOFAS

Un automovilista que se acerca a Castroville por el tramo, a menudo cubierto de niebla, de la autopista costera (Highway 1), donde está situado (a unos 160 km al sur de San Francisco, en la bahía de Monterey), se encuentra de repente frente a innumerables hileras de erizadas plantas de alcachofas. Estas plantas perennes pueden medir hasta 15 cm de diámetro y de 90 cm a 1,5 m de alto. Pertenecen al grupo de los cardos de la familia de los girasoles.

Las alcachofas *(Cynara scolymus)* medran perfectamente en California, donde nunca hace demasiado calor ni demasiado frío. En marzo, abril o mayo, se doblan bajo el peso de sus capullos, del tamaño de un puño. Se cosechan prácticamente todo el año, con una época punta en octubre. Si se cuecen correctamente, la gruesa base de las hojas de la alcachofa y el carnoso y exquisito corazón ofrecen una combinación única de sabor y de textura.

Desconocidas en muchos países, las alcachofas son muy apreciadas en esta ciudad agrícola costera, al igual que lo eran en los pueblos del Viejo Mundo de los dos inmigrantes italianos, Angelo del Chiaro y su primo Dan, que plantaron aquí las primeras alcachofas en 1922. La alcachofa Green Globe representa la práctica totalidad de la cosecha de alcachofas de Castroville. Las variedades Desert Globe se cultivan más al sur, en Ventura y Riverside, y la alcachofa Big Heart sin espinas medra en San Luis Obispo, en Santa Barbara y en el valle Imperial.

La alcachofa pertenece a la misma familia que el cardo. Las únicas partes comestibles son la base de las hojas y el corazón. La planta mide de 90 cm a 1,5 m de alto.

Artichoke and roasted Red Pepper Salad
Ensalada de alcachofas y pimientos rojos asados

8 alcachofas medianas (sin los tallos y con el tercio superior de las hojas recortado) hervidas
4 pimientos dulces rojos
16 hojas de lechuga romana
½ taza de cebolla roja cortada en rodajas
1 taza de aceitunas en salmuera al estilo mediterráneo (tipo Kalamata) deshuesadas

Aliño:

1 pimiento dulce rojo asado (reservado de la ensalada)
3 cucharadas de vinagre balsámico
3 cucharadas de vinagre de vino blanco o vinagre de sidra
4 dientes de ajo pelados y picados
1½ cucharadas de albahaca fresca picada
2 cucharaditas de romero fresco picado
1 cucharadita de azúcar
¾ taza de aceite de oliva

Precaliente la parrilla. Corte las alcachofas cocidas por la mitad a lo largo; retire los pétalos y la pelusa del centro. Retire las hojas externas duras y resérvelas para adornar la ensalada. Con un cuchillo pequeño y afilado, retire los corazones de las alcachofas y córtelos en rodajas finas. Cubra y reserve.

Ponga los pimientos en la parrilla; áselos, dándoles la vuelta de vez en cuando, hasta que toda la piel se haya ennegrecido. Retírelos del horno y déjelos 15 minutos en una bolsa de plástico. Recorte los tallos de los pimientos, retire las semillas y la membrana interior y corte los pimientos en juliana. Reserve una cuarta parte de las tiras de pimiento para el aliño.

Disponga 2 hojas de lechuga en cada uno de los 8 platos. Reparta los corazones de alcachofa, las tiras de pimiento, la cebolla roja y las aceitunas. Vierta el aliño por encima, adorne con las hojas de alcachofa reservadas y sirva. Para 8 personas.

Para el aliño: En una batidora o un robot de cocina, mezcle las tiras de pimiento reservadas, los dos tipos de vinagre, el ajo, la albahaca, el romero y el azúcar. Triture hasta que sea homogéneo. Mientras tritura, añada poco a poco el aceite de oliva.

Cómo preparar una alcachofa

1. Corte la parte superior de las hojas.

2. Retire las hojas y recorte el troncho.

3. Frote las partes cortadas con limón para evitar que ennegrezcan.

4. Monde la parte fibrosa, dejando el corazón.

Artichokes with Roasted Garlic Dip
Alcachofas con salsa de ajo asado

1–6 dientes de ajo
1 taza de yogur natural desnatado
1 cucharada de perejil
1 cucharada de cebollino
2 cucharaditas de salsa de chile
4 alcachofas medianas cocidas y frías

Precaliente el horno a 180°C. Envuelva los dientes de ajo con papel de aluminio. Póngalos en una bandeja en el horno y áselos hasta que estén blandos, unos 20 minutos. Déjelos enfriar. Sobre un cuenco mediano, exprima los dientes de ajo para extraer la pulpa de la piel. Añada el yogur, el perejil, el cebollino y la salsa de chile y remueva para mezclar bien. Salpimiente al gusto. Refrigere la salsa y sírvala fría con las alcachofas. Para 4 personas.

ESPÁRRAGOS

Para los agricultores californianos, la abundancia nunca ha supuesto un obstáculo para cultivar más alimentos. La pasión por la novedad ha hecho de California una especie de paraíso para los horticultores, un crisol para todo tipo de experimentos e invenciones en el ámbito agrícola. Luther Burbank (1849–1926), que emigró a California desde Nueva Inglaterra, fue uno de los primeros agrónomos que trabajó en este estado. Entre sus numerosas creaciones destacan la margarita Shasta y la patata Burbank. Gracias a las investigaciones innovadoras de los horticultores californianos, se han obtenido nuevas variedades de productos frescos, cuidadosamente seleccionados por sus características de tamaño, sabor, color, resistencia al transporte, a las enfermedades, a los insectos y a los extremos climáticos. Para bien o para mal, en algunos campos del valle Central, crece hoy una variedad de tomate obtenida mediante selección, que resulta más fácil de cosechar mecánicamente.

California produce el 70% de los espárragos *(Asparagus officialis)* de Estados Unidos. La mayoría proviene de Stockton, una ciudad situada en el extremo norte del fértil valle de San Joaquín, que define la mitad sur de lo que se conoce como Great Central Valley (Gran Valle Central) de California. Algunas variedades de espárragos que requieren mucha agua (tales como la Atlas, la Grande y la Apollo) se cultivan en la región del delta del río Sacramento, en el valle extremadamente irrigado de Coachella y en el valle costero y húmedo de Salinas. La historia sobre el origen del espárrago violeta ilustra perfectamente el espíritu innovador y la vitalidad de los agricultores californianos.

Un investigador de la Universidad de California, ubicada en Davis (donde se llevan a cabo la mayoría de las investigaciones agrónomas del estado), encontró un día una variedad especial de espárragos violetas en un pequeño valle fluvial de Italia, cerca de la frontera con Francia. Descubrió que esta peculiar especie crecía allí desde hacía 400 años, pero que nunca se había extendido más allá de un radio de 10 hectáreas. Y no todas las puntas de los espárragos eran violetas; algunas eran verdes y otras moteadas. Se llevó algunas semillas a California y las cultivó de manera selectiva, sabiendo que su experimento tenía muchas posibilidades de fracasar. Tardó seis años en conseguir las semillas deseadas y las utilizó para establecer un vivero. Hoy en día, las puntas comestibles de estas plantas perennes se recolectan durante un periodo de 80 a 90 días, en primavera. La cosecha violeta se vende a los restaurantes de lujo bajo el evocador nombre de *"Purple Passion"* (pasión púrpura). Al final de la cosecha, se deja desarrollar las plantas. Adquieren la apariencia de los helechos en un proceso que revitaliza las raíces y produce nuevos capullos, que se cosecharán la primavera siguiente. Esta variedad de espárragos coloreados se cultiva actualmente en Sudáfrica, América del Sur y Australia.

Pasta with Asparagus and Mushrooms
Pasta con espárragos y champiñones

| 2 cucharadas de aceite de oliva (y aceite adicional para la pasta) |
| ½ taza de champiñones en láminas |
| 3 dientes de ajo cortados en dados |
| 2 tazas de nata espesa |
| 500 g de espárragos sin los tallos duros y cortados en trozos de unos 4 cm |
| 2 cucharadas de mostaza de Dijon |
| 2 cucharadas de mantequilla |
| ¾ taza de queso parmesano recién rallado |
| 500 g de pasta tipo *linguine* o *fettucine* |
| perejil picado para adornar |

Caliente 2 cucharadas de aceite de oliva en una sartén grande. Añada los champiñones y saltéelos hasta que se doren, unos 7 minutos. Agregue el ajo y cueza 2 minutos más, removiendo de vez en cuando.

Vierta la nata y deje hervir durante 4 minutos. Añada los espárragos y cueza hasta que empiecen a estar tiernos, unos 4 minutos más. Agregue la mostaza, la mantequilla y el queso, y cueza hasta que el líquido se reduzca a la consistencia de una salsa.

Mientras tanto, cueza la pasta en una olla con agua hirviendo hasta que esté *al dente*. Escúrrala y rocíela con aceite de oliva. Añada la salsa a la pasta y remueva para naparla. Reparta la pasta entre 4 cuencos. Espolvoréela con perejil y sírvala. Para 4 personas.

Superior: el espárrago verde mide entre 15 y 20 cm de alto en el momento de la cosecha. Si se deja crecer demasiado, el tallo se vuelve leñoso, las puntas se llenan de hojas y la yema resulta incomible. Inferior: Pasta con espárragos y champiñones

DÁTILES

Desde hace mucho tiempo, California atrae a todo tipo de soñadores. Algunos eran visionarios y otros iluminados. Oliver M. Wozencraft pertenecía a la primera categoría. En 1849, decidió irrigar y transformar en tierras de cultivo una parcela de más de 3.000 km² en una de las regiones más cálidas, secas y yermas de California: el desierto de Colorado.

En 1902, los hechos le dieron la razón. Ese año, 7.500 hectáreas del valle Imperial y del valle de Coachella se cubrían de zanahorias, lechugas, tomates, cebollas, calabacines y calabazas gracias a canales de irrigación que traían el agua de la presa Hoover, construida sobre el río Colorado.

Los colonizadores llegaron en tropel a esta región que se beneficiaba de inviernos suaves, una insolación casi constante, agua barata y un rico suelo de limo. Se podía cultivar antes que en cualquier otro lugar, lo que permitía a los agricultores de la región llevar ventaja a sus competidores del norte del estado. Se había transformado el desierto.

Hoy en día, en este antiguo erial, se alzan magníficos palmerales, centrados alrededor de la ciudad de Indio, en el valle de Coachella. California es el único lugar del hemisferio norte donde los dátiles se cultivan comercialmente. Prácticamente todos los dátiles que se consumen en Estados Unidos provienen de Indio.

Según un proverbio árabe, a los dátiles *(Phoenix dactylifera)* les gusta crecer "con los pies en el agua y la cabeza en los fuegos del cielo". Esto explica por qué medran en los oasis de los desiertos de Oriente Próximo y del Norte de África. Los primeros dátiles fueron introducidos en California a principios del siglo XX por un hombre que se percató de la similitud de los climas de ambas zonas. Hoy en día, se cultivan cinco variedades: Halawi (originaria de Irán e Irak), Black Abbada (originaria de Egipto), Zahidi (originaria de Irán), Medjool (originaria de Marruecos) y Deglet Noor (originaria de Túnez y Argelia).

Para cultivar dátiles se requiere paciencia: una palmera datilera empieza a dar frutos diez años después de su plantación. Además, a medida que los árboles jóvenes crecen, salen brotes del suelo, en la base de los árboles. Estos brotes deben ser cortados por trabajadores especializados que realizan esta delicada tarea mediante grandes martillos y pesadas tijeras de 35 kg. Un solo movimiento en falso puede ocasionar graves daños al árbol.

En enero, se forman grandes espinas (de hasta 10 cm de largo) en la base de las hojas nuevas, que crecen hasta la cima de los árboles. Se eliminan con la ayuda de machetes fabricados en las poblaciones mexicanas donde vive la mayoría de los trabajadores de los palmerales. En febrero, los árboles machos y hembras empiezan a sacar flores, que miden entre 30 y 90 cm de largo. Para que se produzca la polinización, se precisa la intervención del hombre, ya que estas plantas no atraen a las abejas. Los ejemplares macho de las palmeras datileras producen una enorme cantidad de polen, que se recoge, se deja secar a la sombra durante un día y se introduce en una botella con pico. Las flores hembras se recortan para facilitar la fecundación y se ata un cordel con un nudo corredizo alrededor de varios racimos de flores para estabilizarlas. Los trabajadores, subidos en escaleras o elevadores mecánicos, aprietan las botellas para proyectar el polen macho sobre las flores hembras. En general, crecen 50 árboles hembra alrededor de un solo árbol macho.

En los meses de abril y mayo, aparecen frutos en los 45 tallos que han crecido en cada flor. Muchos de estos tallos se eliminan para asegurar el buen crecimiento de los otros frutos. Una vez entresacados los racimos, los tallos se estabilizan atándolos a las hojas para que el viento no estropee los frutos. En julio, se coloca sobre cada racimo de dátiles un collarín hecho de una especie de estopilla para proteger los frutos de la lluvia, del viento, de los pájaros y de los insectos. En este punto, los dátiles han alcanzado su tamaño máximo, pero todavía están verdes o apenas empiezan a volverse amarillos. A principios del mes de agosto, su extremidad adquiere un tono miel y luego este color se extiende a todo el fruto. La primera cosecha la realizan a mediados de agosto un grupo de palmeros, que bajan los dátiles del árbol en una especie de cestos de tela y los cargan en un remolque tirado por un tractor. Los dátiles se ponen en cajas, se envían en camión hasta el lugar de embalaje y se congelan (la congelación no estropea los frutos).

Muchos cultivadores dejan secar los dátiles en el árbol, con lo cual pierden sabor y textura. Pero de esta manera se pueden recolectar en tan sólo dos veces. A continuación, se ablanda el fruto mediante vapor. Este proceso destruye los enzimas y elimina el sabor.

Los mejores dátiles se cosechan tiernos, cuando tienen el máximo contenido en humedad, y se congelan (este proceso no destruye los enzimas que contiene el fruto). Esto implica hacer más cosechas en cada árbol, pero los dátiles son de mejor calidad.

Esculturales palmeras datileras en el mes de marzo, justo antes de que el fruto empiece a desarrollarse.

Trabajadores cargando los dátiles recolectados en remolques.

Date Shake
Batido de dátil

3 bolas de helado de vainilla
½ taza de leche
½ taza de dátiles deshuesados

Ponga todos los ingredientes en una batidora y bátalos hasta que estén mezclados. Vierta el batido en vasos y sírvalo.

Pan de nueces y dátiles

1 taza de dátiles troceados
¾ taza de nueces troceadas
1½ cucharaditas de bicarbonato de sosa
1 taza de agua hirviendo
1 cucharadita de mantequilla
2 huevos
1 taza de azúcar
1½ tazas de harina
½ cucharadita de sal

Precaliente el horno a 180°C. Mezcle los 5 primeros ingredientes en un cuenco grande; deje reposar 10 minutos. Bata los huevos, el azúcar, la harina y la sal en un cuenco mediano. Una ambas mezclas. Vierta la masa en un molde alargado engrasado. Hornee de 50 a 60 minutos.

Dátiles Medjool

Izquierda: dátiles Zahidi en el árbol. Inferior: dátiles Medjool y Deglet Noor en venta en el mercado de granjeros de Santa Monica.

La Fiesta Nacional de los Dátiles del condado de Riverside

Uno no espera encontrar a la reina Sheherazade y su corte, caravanas de camellos y unidades ecuestres con jinetes vestidos como soldados árabes a tan sólo 160 km de Hollywood. No obstante, es todo un espectáculo, al cual los californianos han podido asistir varias veces, en el desierto más árido del estado. En 1930, Cecil B. DeMille rodó aquí sus películas épicas sobre el desierto. Actualmente se celebra la Fiesta Nacional de los Dátiles del condado de Riverside en Indio. Situado a 6 m por debajo del nivel del mar, en el valle de Coachella, Indio acoge anualmente, desde 1946, una celebración en honor de los dátiles. Es uno de los festivales más importantes del estado, organizado en el lugar de origen de casi toda la cosecha de dátiles del Estados Unidos.

Durante esta fiesta de 10 días de duración, cada día se representa una escena de las *Mil y una noches* en el Arabian Nights Village, un inmenso patio donde pernoctan las caravanas. Entre los espectáculos, se organizan carreras de camellos y de avestruces, unas orquestas tocan música y un desfile callejero ambientado en las *Mil y una noches* recorre la ciudad. Se organizan numerosas exposiciones de dátiles y degustaciones de platos a base de estos frutos, tales como los dulcísimos batidos de dátil. Una feria juvenil y un concurso de ganado sirven para destacar hasta qué punto esta acogedora ciudad del desierto está marcada por la agricultura.

Dátiles Deglet Noor ("dátil de la luz", en árabe). Más de las tres cuartas partes de los dátiles cultivados en Estados Unidos son de esta variedad.

QUESO

California es el estado agrícola más grande de Estados Unidos y la industria lechera es el sector agrícola que produce más beneficios. Las granjas lecheras y las lecherías que tratan la leche de vaca, de cabra y de oveja se encuentran por todo el estado. En total, esta gigantesca red de productores genera unos 3 mil millones de dólares de leche y productos lácteos al año: mantequilla, nata, helado, leche en polvo, yogur y queso.

El queso es un aperitivo ubicuo en todas las reuniones o fiestas. Se extiende sobre las hamburguesas (dando lugar a las famosas *cheeseburgers),* se espolvorea sobre la pasta, se hornea en los gratinados, se utiliza en todo tipo de bocadillos y se añade a las tortillas, los bollos, los panes y las galletas saladas. A veces, se incluye en los *tacos* (algo que no ocurre nunca en México, el país de origen de este plato) y es el ingrediente principal de las *enchiladas* y los *burritos.* Se mezcla en salsas, se funde sobre bistecs, se sirve con vino, se usa en ensaladas y para aderezar los platos de *chile.* Es tan indispensable en un perrito caliente al *chile* como lo son las cebollas. Se apila sobre triángulos de *tortilla* de maíz fritos u horneados y se funde (a menudo, junto con aceitunas, chiles y cebolletas) para preparar *nachos.* Éstos son un aperitivo tan apreciado en California que se venden en los estadios de béisbol y en los cines de todo el estado. Las *tortillas* de trigo más blandas y el queso se combinan para preparar otro aperitivo, las *quesadillas.* Pueden consistir en unos simples trozos de queso cheddar o Jack fundidos dentro de una *tortilla* doblada; pero muchos restaurantes ofrecen

Ovejas en la Bellwether Farms del condado de Sonoma, que elabora queso de cabra y de vaca.

variantes más refinadas, utilizando brie u otras variedades de queso y añadiendo pera, mango o papaya.

La industria quesera de California refleja la diversidad y los extremos del propio estado. Hay pequeños productores que elaboran artesanalmente quesos refinados, comparables con las mejores variedades europeas. Pero también hay fábricas de alta tecnología que pueden producir más de 75 millones de quilos al año.

Queso Jack

Queso Jack con chiles jalapeños

Monterey Jack

El queso más célebre de California proviene de un queso que se elaboraba en las misiones y que era conocido simplemente como "queso blanco" o "queso del país". Se hizo popular rápidamente, ya que era un producto económico que se podía elaborar con poco material, incluso cuando se disponía de poca leche. Como en el caso de muchos otros famosos alimentos de California, no se sabe a ciencia cierta quién produjo el primer Monterey Jack. Pero se sabe que se creó hacia 1880 en Monterey, más de 100 años después de que esta ciudad costera acogiese la segunda misión de California.

David Jacks, un hombre de negocios de Monterey, poseía lecherías que elaboraban un queso blanco cremoso, semidulce y semiblando, que se enviaba a San Francisco etiquetado con su nombre. Con el tiempo, la "s" de Jacks desapareció y el queso conservó su nombre. Hoy en día, uno de cada diez quesos producidos en California es un Jack, y la mayoría se condimenta con *pesto,* cebolla, ajo, alcaravea o chiles jalapeños. En la mayoría de las cocinas californianas se puede encontrar un trozo de Jack. Resulta especialmente delicioso como parte de un bocadillo de aguacate, fundido sobre una hamburguesa o rallado sobre una tortilla.

Un tipo menos conocido de Jack se descubrió, al parecer, por casualidad. Durante la Primera Guerra Mundial, D. F. DeBernardi, un mayorista de quesos de la ciudad de San Francisco, guardó un pedido de Monterey Jack durante demasiado tiempo. Cuando la guerra interrumpió los envíos de quesos parmesano y romano desde Italia (de gran demanda entre los italianos de North Beach, de San Francisco), DeBernadi encontró y probó el queso madurado, que se había endurecido y había desarrollado un dulce sabor a nueces. Los italianos de North Beach lo adoptaron de inmediato como sustituto del parmesano, muy apreciado pero no disponible por aquel entonces. Muy pronto, el "Jack seco" se envió por todo Estados Unidos. Cuando, tras la guerra, se restablecieron los cargamentos de parmesano, el Jack seco perdió sus partidarios. Pero, actualmente, vuelve a tener una gran demanda gracias a la creciente afición por los productos y la comida locales con historia.

Un surtido de quesos californianos en la Cheese Board de Berkeley. Sobre el mostrador, de izquierda a derecha: 1. Ricotta de Jersey 2. Queso de cabra de Humboldt 3. Tronco de queso azul de la Westfield Farms 4. Capriol banon, un queso de cabra 5. *Crottin* de cabra al estilo francés

TIPOS DE QUESO

Quesos frescos
(Tiernos, sin madurar)

Mozzarella fresca: refinada, blanca y con una textura algo firme; deliciosa en ensaladas y platos de pasta.

Mascarpone: queso italiano, similar a la *ricotta*; se utiliza en postres.

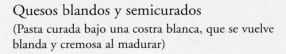

Cottage cheese: blando y húmedo, con grumos grandes o pequeños.

Quesos blandos y semicurados
(Pasta curada bajo una costra blanca, que se vuelve blanda y cremosa al madurar)

Ricotta: de sabor suave, ligeramente dulce, y de textura similar al *cottage cheese*.

Teleme: queso muy blando, similar al Jack; los trozos grandes pueden tener una costra harinosa; excelente con pan o fruta.

Brie: rico, graso y cremoso; se elabora en ruedas blandas y blancas; excelente con fruta o paté.

Camembert: similar al Brie en sabor, textura y apariencia.

Quesos semiduros y duros
(Bajo contenido en humedad; de semifirmes a firmes; tiernos o madurados)

Cheddar: el queso más típico de California; de color amarillo pálido; varía desde las versiones suaves y blandas hasta las firmes y maduradas.

Edam: queso madurado de sabor fuerte, similar al Gouda; también tiene una envoltura de cera.

Monterey Jack: originario de California; suave, cremoso y blanco

Quesos semiduros y duros (continuación)
(Bajo contenido en humedad; de semifirmes a firmes; tiernos o madurados)

String: queso blanco, cremoso y suave que se moldea en forma de cuerda.

Gouda: de color crema, de suave a madurado, cubierto con una capa de cera.

Manchego: antes se importaba de España, pero ahora se fabrica en California; de semifirme a firme, sabor a nueces; delicioso con vino.

Chihuahua: queso excelente para fundir. Se utiliza en pizzas y bocadillos.

Queso blanco: suave, blanco, semifirme y gomoso; delicioso solo o en *fondue*.

Feta: salado y picante, desmenuzable; muy bueno en ensaladas y platos de pasta.

Quesos muy duros
(Quesos para rallar; duros y bastante secos)

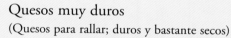

Pecorino: queso salado de leche de oveja; ideal para rallar.

Parmesano: queso italiano muy duro, que se ralla sobre pasta, patatas u otros platos.

Cotija: queso hispano duro, madurado y fuerte; delicioso con ensalada y fruta.

PLATOS FAMOSOS CREADOS EN CALIFORNIA

California es el lugar de origen de muchas creaciones culinarias. He aquí algunas de las más famosas.

Ensalada César

En 1924, la Ley Seca estaba en vigor. Esta ley que prohibía la producción, la venta y el consumo de bebidas alcohólicas en todo Estados Unidos provocó que un gran número de californianos (incluidas algunas estrellas de Hollywood) viajara desde Los Angeles hasta San Diego y cruzara la frontera con Tijuana para conseguir una bebida legal en México. A menudo, acudían a un restaurante propiedad de Caesar Cardini, el Caesar's Place.

Según la leyenda, un fin de semana especialmente bullicioso del Cuatro de Julio, las cocinas de Cardini se quedaron sin diversos ingredientes. El cocinero, que tuvo que improvisar con lo que tenía a mano, creó la primera ensalada César. Posteriormente, la Sociedad Nacional de Gastrónomos de París describió esta ensalada como "la mejor receta elaborada por los norteamericanos en 50 años". Uno de los elementos característicos de este entrante es el huevo escalfado. Hoy en día, este ingrediente no se incluye por los riesgos sanitarios que conlleva; los huevos pueden producir salmonelosis.

Caesar Salad
Ensalada César

3 tazas de costrones de pan de masa fermentada frescos
3 cucharadas + 1 taza de aceite de oliva
4 dientes de ajo pelados
3 cucharadas de zumo de limón
6 filetes de anchoa majados o 2 cucharaditas de pasta de anchoas
2 cucharadas de mostaza de Dijon
2 cucharaditas de salsa Worcestershire
2 ó 3 cogollos de lechuga romana sin las hojas exteriores duras
1½ tazas de queso parmesano recién rallado

Precaliente el horno a 150°C. Ponga los costrones en una bandeja de horno. Rocíelos con 3 cucharadas de aceite de oliva y remueva para empaparlos. Hornee los costrones destapados hasta que se tuesten ligeramente, unos 15 minutos. Reserve.

Ponga el ajo, el zumo de limón, las anchoas, la mostaza y la salsa Worcestershire en la batidora y mezcle bien. Con el motor en marcha, añada gradualmente 1 taza de aceite de oliva.

Parta las hojas de lechuga en trocitos; dispóngalas en un cuenco grande de servir. Rocíelas con el aliño y remueva bien. Esparza el queso y los costrones por encima. Salpimiente y revuelva un poco; sirva. Para unas 12 personas.

Ensalada César

Aliño "Green Goddess"

El hotel Palace, construido en 1875, fue el primer gran hotel de San Francisco. El establecimiento, caracterizado por su grandiosidad nueva para la ciudad, atraía a presidentes, reyes, divas de la ópera y nuevos millonarios surgidos del descubrimiento del oro.

Con sus cenas de 11 platos, sus bebidas singulares y sus grandes bailes, este palacio era el lugar para dejarse ver. A pesar de todo este lujo, la receta más famosa de este establecimiento es un sencillo, pero delicioso, aliño para ensalada a base de mayonesa. Fue inventado en honor del actor George Arliss, que se hospedó en el hotel durante el rodaje de la película de William Archer *The Green Goddess* (La diosa verde).

Green Goddess Dressing
Aliño "Green Goddess" (Diosa verde)

3 ó 4 filetes de anchoa
1 cebolleta picada fina
2 cucharadas de perejil picado
1 cucharada de estragón picado
1 taza de mayonesa
2 cucharadas de vinagre de vino blanco o vinagre al estragón
2 cucharadas de cebollino picado

Chafe las anchoas y la cebolleta en un cuenco pequeño con el dorso de un tenedor. Añada el perejil, el estragón y la mayonesa, y remueva para mezclar. Agregue el vinagre y el cebollino, y remueva. Sazone al gusto con sal y pimienta. Cubra y refrigere hasta su uso.

Chop suey

A mediados del siglo XIX, durante la Fiebre del Oro, los inmigrantes introdujeron en San Francisco muchas recetas nuevas. Uno de estos platos, el *chop suey*, refleja perfectamente la identidad dudosa de la cocina californiana de la época. Contrariamente a lo que se cree, no se trata de un plato chino, sino más bien de un plato norteamericano híbrido.

Por aquel entonces, muchos obreros chinos trabajaban en las minas de oro y otros tantos fueron contratados para terminar el último tramo del Western Pacific Railroad, la línea férrea que unía la costa Oeste y Utah, y luego se dirigía hacia el Este. El plato favorito de estos obreros era el *chow mein*, una receta sencilla a base de tallarines, hortalizas, carne y salsa suave. Muchos restaurantes chinos de San Francisco lo incluían en su menú. La palabra *chow* se convirtió en un término de jerga para designar la comida. Puesto que los cocineros no asiáticos no sabían preparar el auténtico *chow mein*, utilizaron los ingredientes que encontraron y los pocos conocimientos de cocina china que tenían para crear un plato híbrido parecido al *chow mein*, que pasó a llamarse *chop suey*. A los obreros les gustó la receta, ésta perduró y, hoy en día, forma parte del menú de muchos restaurantes chinos de California.

Chop suey

1 cucharada de aceite de sésamo
2 pechugas de pollo cortadas en tiras finas
1 taza de champiñones cortados en láminas
1 taza de pimiento dulce verde troceado
½ taza de castañas de agua troceadas
1 lata de hortalizas chinas
1 tallo de apio troceado
3 cucharadas de salsa de soja
½ taza de caldo de pollo
1 cucharada de fécula de maíz
arroz blanco cocido
cebolletas troceadas

Caliente el aceite en una sartén grande a fuego medio-alto. Añada el pollo y refríalo hasta que se dore uniformemente, dándole la vuelta una vez, unos 7 minutos. Retire el pollo con una espumadera; tápelo con papel de aluminio y resérvelo. Ponga los champiñones, el pimiento, las castañas de agua, las hortalizas chinas y el apio en la misma sartén. Refría hasta que los champiñones estén dorados y el pimiento esté tierno, unos 8 minutos. Agregue la salsa de soja y el caldo. Lleve a ebullición y cueza a fuego lento durante 3 minutos.

En un cuenco pequeño, disuelva la fécula en 3 cucharadas de agua. Añada la mezcla a la sartén y remueva. Cueza hasta que el líquido se espese y adquiera la consistencia de una salsa, 1 minuto aproximadamente. Retire del fuego, vierta las hortalizas sobre un lecho de arroz blanco, adorne con las cebolletas y sirva. Para 4–6 personas.

Martini

Según la leyenda, en plena Fiebre del Oro, un buscador que se dirigía de San Francisco a Martinez, una ciudad vecina, se detuvo en el hotel Occidental de San Francisco. Dejó caer una pepita de oro sobre la barra del bar y le pidió al célebre barman del hotel, Jerry Thomas, que le preparase una bebida única. Thomas mezcló ginebra, bitter, marrasquino y vermut con hielo, vertió el cóctel en una copa de pie y lo bautizó como Martinez. Según otra versión, el individuo de la pepita de oro era un francés, Julien Richilieu, que vivía en Martinez. A cambio de su oro recibió una botella de whisky. Como no quedó satisfecho, Richilieu reclamó y el barman le sirvió una bebida llamada "cóctel Martinez".

La palabra Martinez se mantuvo y, posteriormente, evolucionó para convertirse, en 1890, en "martini".

Classic Martini
Martini clásico

125 ml de ginebra inglesa seca
15 ml de vermut seco

Vierta la ginebra y el vermut sobre hielo en una coctelera. Agite o remueva para mezclar. Cuele en copas de Martini. Adorne con una espiral de corteza de limón o una aceituna.

Creaciones culinarias de California

1. El polo de helado con dos palitos; Frank Epperson, Oakland, 1905.

Polos de helado

2. El *sundae* de *fudge* caliente (helado de vainilla cubierto de salsa caliente de caramelo, cacahuetes picados y guinda al marrasquino); C.C. Brown's, Hollywood, 1906.
3. Galletas de la suerte; Los Angeles, 1916.
4. Parrilladas aromatizadas con madera de mezquite; San Francisco, años veinte.
5. Primer *cheeseburger* (hamburguesa con queso), restaurante Rite Spot, Pasadena, años veinte.
6. El *chili size,* una hamburguesa cubierta con *chile;* restaurante Ptomaine Tommy's, Los Angeles, años veinte.
7. La hamburguesa de dos pisos; Bob's Pantry (rebautizado Bob's Big Boy), Glendale, 1937.
8. Las *doggy bags,* bolsas para llevarse los restos de comida; restaurante Lawry's the Prime Rib, 1938.

9. El Shirley Temple, un cóctel para niños elaborado con soda de lima-limón, *ginger ale* y granadina, adornado con una guinda al marrasquino; Brown Derby, Hollywood, años treinta.

Shirley Temple

10. Walter Knott crea las moras Boysen (un híbrido a base de mora, frambuesa Logan y frambuesa roja) en Buena Park. Su granja se convirtió en el primer parque de atracciones de California, el Knott's Berry Farm.
11. Comida *surf and turf* (bistec y bogavante), años sesenta.
12. Invención del *california roll* (un rollo de algas marinas con relleno de verduras y arroz) por parte de cocineros japoneses especialistas en *sushi,* años setenta.

California roll

13. Cóctel Mai Tai (mezcla de ron, Cointreau, zumo de lima y granadina), creado por el fundador de la cadena de restaurantes polinesios Trader Vic.
14. El *screwdriver* (cóctel a base de vodka y zumo de naranja), Bakersfield. Fecha desconocida.

HOLLYWOOD SALE A CENAR

El actor Dick Powell (derecha) atendiendo una llamada telefónica en su mesa del Brown Derby, en 1948. © *1978 David Sutton/MPTV.*

Hollywood siempre ha marcado las pautas de la restauración de Los Ángeles. En 1921, el Coconut Grove fue el primer restaurante de Los Ángeles que sacó provecho de las estrellas de cine. Situado cerca de los estudios, The Grove, tal y como se conocía, estaba orientado a la clientela de Hollywood. La decoración de su club nocturno incluía monos artificiales y cocos de papel maché colgados de palmeras falsas (todo provenía del decorado de una película de Rodolfo Valentino). El establecimiento atraía a estrellas tales como Charlie Chaplin, Carole Lombard, Judy Garland y W.C. Fields, entre otras. Estas estrellas acudían al local para tomar un trago, firmar contratos, vivir idilios y bailar.

El restaurante se jactaba de tener un cocinero francés que creaba platos a partir de los ingredientes locales, tales como aguacates, naranjas, pomelos, espárragos, abalones, lenguados de arena, ostras e higos.

Otro célebre restaurante de la época era el Brown Derby (bombín marrón). También estaba muy relacionado con Hollywood. Las estrellas acudían por la calidad del servicio, por la comida buena pero sin extravagancias y por el placer de cenar en un restaurante en forma de sombrero.

Cuatro años después de la apertura del primer Brown Derby, se inauguró un segundo establecimiento, más formal, en el célebre cruce de Hollywood Boulevard y Vine Street, en el mismo centro de Hollywood. Tuvo un éxito inmediato. Una afluencia constante de realizadores, productores, actores y actrices, muchas veces con el vestuario y el maquillaje de las películas, iba a tomar un almuerzo rápido entre secuencia y secuencia. La contribución gastronómica más famosa de este restaurante es la ensalada Cobb, creada por Robert H. Cobb que, en 1934, se convirtió en el propietario del restaurante.

En 1937, una camarera, Cora Irene Sund, conoció a un creativo barman llamado Ernest Raymond Beaumont-Grantt. Apasionado por el Trópico, este barman se autoapodaba "Don the Beachcomber" (Don el vago). El resultado de su asociación fue el primer restaurante temático de Hollywood. Don se hizo famoso por sus comedores bautizados como "El agujero negro de Calcuta" o "La sala de los caníbales" y por sus potentes bebidas, con nombres tan evocadores como intrigantes, tales como "Zombie" o "Colmillo de cobra". La decoración incluía antorchas *tiki*, mandíbulas de tiburón y otros objetos tropicales. El restaurante prosperó hasta que, unos años más tarde, sus propietarios se divorciaron. Uno de sus aperitivos más apreciados, el *rumaki* (hígados de pollo envueltos con beicon), se convirtió en un clásico de la cocina de California.

Entre otros grandes restaurantes figuraba el Romanoff's, dirigido por un encantador pero falso príncipe que, en realidad, era el hijo huérfano de un sastre de Cincinnati; el Perino's, que desde 1932 hasta su cierre en 1985 fue tal vez el restaurante más elegante de la ciudad (entre el personal había incluso un pulidor de plata); el Schwab's Pharmacy que, según una supuesta leyenda, fue el lugar en el cual un productor de Hollywood "descubrió" a Lana Turner cuando ésta estaba sentada en la barra, y Ma Maison, donde el defensor de la cocina californiana Wolfgang Puck tuvo un gran éxito gracias a una estratagema de relaciones públicas sin precedentes: el número de teléfono del restaurante no figuraba en la guía telefónica (instantáneamente, todas las celebridades quisieron tenerlo; Orson Welles comía aquí casi cada día).

Por último, estaba el Chasen's, el resultado de la clásica historia de un inmigrante en Hollywood. Su fundador, Dave Chasen, nació en Odessa (Rusia). Se convirtió en el socio mudo de un exitoso grupo de variedades de Nueva York y, con el tiempo, se ganó una reputación por preparar un exquisito *chile* para todo el personal de los espectáculos en los cuales compartía la mención estelar. Hizo una película en Hollywood y, más tarde, su compañero murió. Comprendiendo que los días de su espectáculo estaban contados, Chasen decidió dar a conocer su *chile* a la gente. En 1936, abrió un diminuto restaurante de seis mesas en las afueras de Beverly Hills. Durante los 59 años posteriores, su pequeño garito creció y se convirtió en un enorme restaurante. Durante más de cuatro décadas fue el local preferido de los promotores y los agitadores de Hollywood y de la alta sociedad del mundo entero.

Jimmy Stewart, Bob Hope, Ronald y Nancy Reagan, Joan Crawford, Frank Sinatra, Clark Gable, Alfred Hitchcock, Groucho Marx, Katherine Hepburn, Cary Grant, la reina Isabel II..., si uno formaba parte de aquellos que el viejo Hollywood solía llamar "alguien", había comido alguna vez en Chasen's o se hacía traer la comida de Chasen's a casa.

Elizabeth Taylor pidió que le trajeran *chile* de Chasen's en avión mientras estaba rodando en Roma la película *Cleopatra;* Richard Nixon encargó el *chile* para una cena con Henry Kissinger y Bebe Rebozo celebrada en la Casa Blanca del Oeste, en San Clemente; Howard Hughes sirvió *chile* de Chasen's en la fiesta que dio para conmemorar el primero y único vuelo de su enorme avión, el Spruce Goose.

Chasen's cerró sus puertas en 1995, víctima del paso del tiempo y de los nuevos gustos. Durante los años ochenta, establecimientos como el Morton's (famoso por sus espectáculos hollywoodienses de los lunes por la noche), el Spago de Wolfgang Puck y otros locales de moda, recargados arquitectónicamente, empezaron a atraer a los nuevos y jóvenes promotores y agitadores de Hollywood, lejos de esos viejos restaurantes como el Chasen's.

Izquierda: Marlene Dietrich en el Coconut Grove, en 1953. © *1978 David Sutton/MPTV.*
Inferior: Robert Wagner y Elizabeth Taylor, en el mismo club nocturno, en 1960. © *1978 David Sutton/MPTV.*

Zombie

30 ml de ron blanco
30 ml de ron añejo
30 ml de ron negro
15 ml de aguardiente de albaricoque
60 ml de zumo de naranja
30 ml de zumo de piña
30 ml de zumo de lima
1 cucharadita de azúcar extrafino
1 taza de hielo machacado
2 cucharaditas de ron de 151ºC

Mezcle los 9 primeros ingredientes en una batidora a velocidad rápida. Vierta en vasos *collins.* Vierta el ron de 151ºC por encima. Adorne el cóctel con una rodaja de piña, una cereza y una ramita de menta, y sirva.

Cobb Salad
Ensalada Cobb

½ cogollo de lechuga iceberg picada fina
½ manojo de berros picados finos
1 manojo pequeño de achicoria picada fina
½ cogollo de lechuga romana picada fina
2 tomates medianos pelados, sin semillas y picados finos
2 pechugas de pollo cocidas o hervidas picadas finas
6 tiras de beicon cocido crujiente picadas finas
1 aguacate cortado en trozos de 1,25 cm
3 huevos duros picados
2 cucharadas de cebollino picado
½ taza de queso Roquefort o queso azul desmenuzado
1 taza de vinagreta

Mezcle los 6 primeros ingredientes en una ensaladera grande. Esparza el beicon por encima. Disponga el aguacate en círculo alrededor de la ensalada. Esparza los huevos duros, el cebollino y el queso azul sobre la ensalada de manera decorativa. Añada la vinagreta en la mesa; revuelva para empapar la ensalada y sirva. Para 4–6 personas.

COMIDA SANA

Verduras y cereales

En un estado con tantas playas y un clima tan agradable como California, tiene sentido que la gente preocupada por su cuerpo se dedique a cultivarlo. Si a esto se le suma Hollywood y su tendencia a promover imágenes de perfección física, sólo es cuestión de tiempo para que se establezca el nexo: quienes buscan un cuerpo perfecto necesitan alimentarse bien.

Ya en los años cincuenta, los habitantes de Los Angeles estaban obsesionados con la salud. En un programa de televisión que empezó a retransmitirse en esa época desde Hollywood, el entusiasta del *fitness* Jack LaLanne recomendaba a todas las amas de casa de Norteamérica que se levantasen de la silla y la usasen como parte de los ejercicios de entrenamiento. En los años sesenta, las películas de las playas de California mostraban a jóvenes bronceados, en forma y alegres.

En los años cincuenta y sesenta, solapándose a estas imágenes, aparecieron el movimiento de Berkeley en favor de la libertad de expresión, así como los movimientos en pro del amor libre y del regreso a la naturaleza centrados en la zona de la bahía de San Francisco. Fueron cruciales para los experimentos en materia de vegetarianismo, mezclas medicinales, curas alimentarias y otros regímenes dietéticos. Los restaurantes vegetarianos consiguieron clientes fieles con sus menús de hamburguesas de soja, arroz integral, tofu, panes integrales, brotes de soja y de alfalfa, hortalizas cocidas al vapor, "cafés" de algarroba, entrantes a base de cereales y helados sin productos lácteos. Debido a la preocupación por los efectos del DDT y otros pesticidas químicos que se usaban en los extensos campos de California, la industria agropecuaria originó los alimentos orgánicos cultivados sin pesticidas, ni herbicidas, fungicidas o abonos químicos.

Se abrieron restaurantes que únicamente servían menús vegetarianos. Los infusiones de hierbas se volvieron inmensamente populares. Los bares de zumos servían zumo de zanahoria, zumo natural de naranja y *smoothies* (batidos de yogur y frutas) de plátano y moras. Los zumos de hierba y trigo hicieron furor. La hierba de color verde intenso, rica en vitaminas, se cortaba al momento, se trituraba y se servía en una taza diminuta. A finales de los años setenta, la gente empezó a asistir a clases de yoga y de aeróbic, popularizadas por las estrellas de cine. Las caras aguas minerales de importación pasaron a ser la bebida favorita. La espírula (un alga de color verde azulado, recolectada en los lagos) se presentaba como un alimento perfecto de la naturaleza.

Incluso el gobierno de Estados Unidos se unió a este movimiento a favor de la comida sana, introduciendo el concepto nutricional de la "pirámide alimentaria". Es un modelo que ilustra los principios de una dieta saludable, destacando la importancia de las frutas, las hortalizas y los cereales en contra de la carne y las grasas animales.

Derecha: una aficionada al footing haciendo estiramientos de yoga antes de la puesta de sol sobre la playa de Santa Monica.

Granizado de albaricoque y frambuesa

1 taza de néctar de albaricoque en lata
½ taza de frambuesas enteras congeladas
½ taza de zumo de naranja

Ponga todos los ingredientes en una batidora. Bata hasta obtener una mezcla homogénea. Vierta en vasos y sirva. Para dos granizados de 250 ml.

Superior: desayuno californiano a base de granizado de albaricoque y frambuesa, *granola* y fruta fresca

Inferior: manojos de zanahorias frescas en el mercado de los granjeros de Santa Monica, que se celebra dos veces a la semana.

Almuerzos y desayunos energéticos

En los años ochenta, todo el mundo se hizo socio de un gimnasio, y los ejecutivos y los magnates de Hollywood cambiaron su almuerzo regado con tres martinis por un "almuerzo energético". Se trataba de un nuevo tipo de comida, en la cual las botellas de litro de agua mineral importada sustituían a los cócteles y las indulgencias de tres horas de platos ricos en grasas eran sustituidas por comidas prácticas a base de pescado a la parrilla, pasta y ensaladas vegetales bajas en calorías.

Los madrugadores, es decir, toda la jerarquía de los estudios cinematográficos, donde al que madruga Dios le ayuda, hablaban de negocios durante el "desayuno energético". Normalmente, se componía de zumo de naranja recién exprimido, café descafeinado, frutas tropicales y tostadas de pan integral, sin mantequilla. Ni un gramo de grasa a primera vista.

Desayuno en el hotel Bel-Air: café descafeinado, cereales, fruta fresca, yogur a la vainilla, los periódicos y un teléfono portátil.

COCINA DE CALIFORNIA

Hace 30 años, tanto en California como en cualquier otro lugar de Estados Unidos, "ir al restaurante" implicaba vestirse bien, sentarse en una sala austera, hablar en voz baja con una iluminación tenue, pedir platos entre un extenso menú escrito a mano y con algunas palabras en francés y, finalmente, cenar un plato de carne con demasiada salsa y verduras demasiado cocidas. Hasta que apareció Alice Waters.

Durante el año que estuvo estudiando en Francia, esta mujer joven, desconocida y apasionada por la comida, aprendió mucho de los franceses en materia de cocina, así como la importancia de utilizar ingredientes frescos producidos localmente. Cuando regresó a Estados Unidos, se instaló en el norte de California y, en 1971, abrió su restaurante, Chez Panisse.

Aplicando las técnicas de la cocina francesa en recetas a base de ingredientes de California, respe-

El cocinero de Chez Panisse, Christopher Lee, con *prosciutto* curado por el mismo

Alice Waters

tando la integridad no sólo de los ingredientes sino también de la gente que los producía, adoptando un punto de vista informal y simple de la buena comida (antaño, los clientes se quedaban a veces desconcertados cuando se les presentaba una fuente de comida que se tenía que pasar por toda la mesa) y aportando su delicadeza característica a la cocina que elaboraba, Alice Waters creó lo que pasó a conocerse como "cocina de California".

Con los años, Alice Waters ha formado a un gran número de cocineros y ha inspirado a miles de cocineros aficionados, que disfrutan de la frescura, la simplicidad y los deliciosos sabores tan emblemáticos de la cocina de Waters. Una de sus creaciones más famosas es la ensalada a base de queso de cabra caliente y lechuga fresca. Gracias en parte a esta mujer y a sus discípulos, los norteamericanos han aprendido a apreciar la comida a la parrilla, el queso de cabra, el pan con corteza, el aceite de oliva y las

setas silvestres. Hoy en día, la denominada "cocina de California" es apreciada incluso fuera de Estados Unidos, en lugares tales como Londres, donde algunos restaurantes ofrecen este estilo de cocina.

Un aperitivo del menú de Chez Panisse: *pizzeta* con salsa de tomate, anchoas y huevo

Diez años más tarde, Wolfgang Puck emprendió una tarea similar en el sur de California. Este célebre cocinero de la Costa Oeste de Estados Unidos se distinguió primero en Los Angeles con su restaurante Ma Maison, un establecimiento muy elegante, con el suelo cubierto de césped artificial, estrellas de Hollywood como comensales habituales y una cocina excelente y muy imaginativa. En el año 1982, Puck decidió obrar por cuenta propia y abrió el restaurante Spago, uno de los establecimientos más famosos de California. Este cocinero de origen austríaco se hizo famoso gracias a sus "pizzas de diseño" (que, en realidad, fueron inventadas por Alice Waters): pizzas de corteza fina, aderezadas con ingredientes tales como tomates secados al sol, pato ahumado o, incluso, caviar. El restaurante Spago ofrecía algo completamente nuevo: era un restaurante divertido, nada formal y que satisfacía simultáneamente las necesidades tanto de los cineastas de Hollywood, que se sentían como en casa, y de los habitantes de la ciudad de Los Angeles, como de los turistas obsesionados por poder comer junto a las estrellas.

Baked Goat Cheese With Garden Lettuce
Queso de cabra al horno con lechugas variadas

1 tronco pequeño (250 g) de queso de cabra fresco
2 cucharadas de perejil picado
1 cucharadita de tomillo fresco picado
½ cucharadita de romero fresco picado fino
½ taza de aceite de oliva extra virgen
6 puñados pequeños de lechugas variadas (oruga, hierba de los canónigos, lechuga hoja de roble pequeña y hoja de roble roja, perifollo, etc.)
2 cucharadas de vinagre de vino tinto
sal y pimienta
1 taza de pan rallado ligeramente tostado

Corte el queso de cabra en 6 rodajas. Mezcle las hierbas picadas y ¼ taza de aceite de oliva en una cacerola que pueda contener el queso en una sola capa. Marine el queso en la mezcla de aceite durante 1 ó 2 días, tapado y en el frigorífico. Déle la vuelta a las rodajas de queso una o dos veces mientras se marinan.

Lave y seque las hojas de lechuga. Bata el vinagre y el aceite de oliva restante. Añada más vinagre o aceite si es necesario para equilibrar el sabor; sazone con sal y pimienta.

Retire el queso del frigorífico; déjelo reposar durante 1 hora a temperatura ambiente. Precaliente el horno a 200°C. Retire las rodajas de queso de la marinada y rebócelas con el pan rallado. Páselas a una bandeja de horno y áselas de 5 a 6 minutos, o hasta que estén blandas al tacto.

Mientras se asa el queso, remueva las hojas de lechuga con la vinagreta para naparlas ligeramente. Reparta la ensalada entre 6 platos y disponga una rodaja de queso en el centro de cada uno. Espolvoree el queso con una pizca de pimienta negra y sirva. Para 6 personas.

Wild Mushroom Risotto
Risotto de setas silvestres

30 g de setas *porcini* (boletos calabaza) secas
500 g de setas silvestres (rebozuelos, trompetas negras, colmenillas, etc.)
4 cucharadas de mantequilla
2 dientes de ajo picados finos
1½ cucharadas de perejil picado
¼ cucharadita de romero fresco picado
sal y pimienta
3 cucharadas de aceite de oliva
½ taza de cebolla cortada en dados
1½ tazas de arroz arborio
½ taza de vino blanco seco
6 ó 7 tazas de caldo de pollo
queso parmesano recién rallado

Remoje las setas *porcini* en un cuenco pequeño con suficiente agua caliente para cubrirlas. Limpie las setas silvestres, retirando con un cepillo cualquier resto de suciedad o tierra, y recorte la punta de los tallos. Corte las setas frescas en trozos de unos 0,5 cm. Reserve.

Retire las setas *porcini* del líquido y trocéelas. Pase el líquido a otro cuenco, dejando cualquier resto de tierra en el primero, y resérvelo. Caliente 3 cucharadas de mantequilla en una sartén, añada las setas secas y las frescas y refríalas a fuego medioalto hasta que se doren ligeramente. Agregue el ajo, 1 cucharada de perejil y el romero; sazone con sal y pimienta. Retire la sartén del fuego y reserve las setas.

Caliente la mantequilla restante y el aceite de oliva en un cazo mediano de fondo pesado. Añada la cebolla y refríala a fuego medio hasta que se vuelva transparente pero sin dorarse. Agregue el arroz y deje refreír, removiendo con frecuencia hasta que esté empapado de aceite y algo translúcido. Vierta el vino y una pizca de sal y siga removiendo hasta que el vino se haya evaporado casi por completo. Añada suficiente caldo para cubrir el arroz; cueza a fuego lento, removiendo a menudo. A medida que el arroz absorba el caldo, siga removiendo y añadiendo caldo y el líquido de remojar las setas reservado, para justo cubrir el arroz.

Al cabo de unos 14 minutos, el arroz debería estar espeso y casi tierno. Incorpore las setas reservadas y cueza 3 ó 4 minutos más, hasta que se calienten bien y el arroz esté en su punto. Si lo desea, agregue 1 ó 2 cucharadas de mantequilla. Reparta el *risotto* en cuencos precalentados. Esparza por encima el perejil picado restante y el queso parmesano recién rallado, y sirva. Para 4–6 personas.

Las repercusiones de Alice Waters: proveedores de tiendas pequeñas y artesanales

Alice Waters favoreció la expansión de los pequeños proveedores y las tiendas de comestibles especializadas dándoles la clientela de su restaurante. En Berkeley, en el lado este de la bahía de San Francisco (donde está Chez Panisse), florecieron tiendas que elaboraban y vendían bombones, panes, charcutería y quesos. Hoy en día, en el campo alrededor de Berkeley y en los condados vinícolas de Sonoma y Napa, los agricultores crían patos Muscovy y cabras lecheras para hacer *foie gras* y queso de cabra respectivamente. También cultivan setas y cada vez más cantidades, y variedades, de hortalizas orgánicas, que cosechan cuando son pequeñas y tiernas. Estos productores de alimentos artesanales se hicieron más populares cuando los norteamericanos se volvieron más sofisticados en materia de cocina, leyendo y elaborando las recetas de las revistas de gastronomía, ampliando sus horizontes culinarios y pidiendo los mejores ingredientes en el supermercado. Hoy en día, en casi todo Estados Unidos, se puede encontrar aceite de oliva virgen extra, queso de cabra e, incluso, pizza de pato.

Charlene Reis, jefa de pastelería de Chez Panisse, con una tarta de manzanas Gala y limón Meyer confitado

Vino

Los misioneros españoles fueron los primeros en elaborar vino en California. Cultivaban vides de la especie *Vitis vinifera* y producían vino de misa con uva de la variedad Criolla, actualmente llamada Mission y que todavía se cultiva en California como uva de mesa. Pero hasta que no llegaron variedades de cepas más nobles, no se establecieron las bases de la actual industria en el seno del estado. Los primeros resultados duraderos no se obtuvieron hasta después de la Fiebre del Oro de 1849.

En 1833, Jean-Louis Vignes, nacido en Burdeos, importó más de 100 variedades de cepas francesas a California. Pero el hombre considerado como el padre de la viticultura californiana es un inmigrante húngaro, Agoston Haraszthy, que llegó a California en plena Fiebre del Oro en 1849. Había sido sheriff en San Diego, se había convertido en legislador y había llegado a Sonoma donde, con la ayuda de las variedades europeas de *vinifera,* fundó la cava vinícola de Buena Vista, que todavía existe actualmente.

Posteriormente, Haraszthy volvió a Europa y regresó con 100.000 esquejes de las mejores vides francesas, españolas, alemanas y suizas. Estos esquejes representaban unas 300 variedades de uva. La elaboración de vino californiano se desarrolló entonces hasta 1916, cuando la industria inexperta fue devastada por la filoxera (un parásito de la vid) y por la Ley Seca, que prohibió las bebidas alcohólicas en Estados Unidos hasta su abolición en 1933.

En los años cuarenta, los productores californianos habían iniciado una lenta recuperación, pero los

La niebla envuelve los viñedos del valle de Napa.

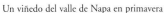

Un viñedo del valle de Napa en primavera

vinos de postre, elaborados a gran escala y faltos de fineza, representaban aún la mayor parte del mercado. Durante los años setenta, si bien la mayoría de los consumidores seguía comprando vinos industriales bautizados como Chablis o Borgoña (que, a pesar del nombre, no tenían nada que ver con los nobles vinos procedentes de estas dos famosas denominaciones de origen francesas), pequeños productores preocupados por la calidad empezaron a hacer incursiones tras descubrir que California podía producir excelentes uvas. Las regiones vinícolas atrajeron más capital, sobre todo el valle de Napa, y varios productores de vino más experimentados, muchos de ellos europeos, se establecieron en California.

Careciendo de la rigidez de las tradiciones centenarias europeas en materia de elaboración de vinos, los productores de vino de California no estaban obligados a seguir ninguna pauta concreta. Por consiguiente, durante los años setenta y ochenta, muchos viticultores del estado, jóvenes y audaces, exploraron todas las posibilidades de manipulación del vino tras la fermentación. Los resultados fueron a veces excelentes y, otras veces, desastrosos.

Hoy en día, en California, la elaboración de vinos ha alcanzado cierta madurez. Por un lado, hay

enormes industrias vinateras, tales como Gallo, Inglenook y Almaden, que producen básicamente vino a gran escala y algunos vinos, más caros, embotellados en la propiedad, destinados a un sector de mercado superior. (Aunque Gallo ha empezado recientemente a producir excelentes vinos de primera calidad en pequeñas cantidades.) Por otro lado, hay grandes productores como Fetzer, Buena Vista o Joseph Phelps, que producen cientos de miles de cajas de vino de gama media y pequeñas cantidades de vino superior de primera calidad, embotellado en la propiedad. También están las marcas exclusivas, como McCrosky y Kistler, pequeños vinateros especializados en uno o dos vinos de cepa y cuyas cajas son compradas por unos pocos restaurantes y particulares exclusivos. Y, finalmente, están los elaboradores de espumosos: Domaine Chandon, Schramsberg y Mumm (en el valle de Napa), Codorniu (en Carneros), Château Saint Jean, Iron Horse y Piper Sonoma (en el condado de Sonoma), entre muchos otros.

Hoy en día, en vez de intentar personalizar el vino, la mayoría de los productores californianos reconocidos se centra en el viñedo. Descubren cuál de los numerosos microclimas de determinadas zonas de cultivo es el más idóneo para cada variedad de uva. Elaboran excelentes híbridos (uvas de cepa adaptadas a su medio de crecimiento específico). Utilizan técnicas de poda europeas para controlar las cosechas y producir la mejor uva posible. Durante la vinificación, intervienen poco sobre las mejores uvas.

La industria californiana del vino ha llegado a la mayoría de edad, pero está claro que en las grandes zonas vitivinícolas, lo mejor está por llegar.

La niebla y la influencia del océano en el interior

Aparte de las influencias habituales (el sol, el suelo, la temperatura y las precipitaciones), una gran parte de la industria vinícola californiana de calidad debe su existencia a un solo factor: el océano Pacífico. El océano es el origen de las características climáticas de las regiones costeras, que hacen de California una zona ideal para el cultivo de uvas para vino.

En California, el elemento fundamental del clima es la niebla. En verano, durante el día, una espesa nube de niebla suele flotar a lo largo de varios kilómetros, a una altitud de 30 m sobre el nivel del mar. Esta nube es el resultado de la condensación, debida a la unión de aguas frías y aire caliente sobre la superficie del océano. De día, la niebla se forma y permanece más allá de las aguas calientes cercanas a la orilla.

También influyen otros elementos. Las mejores regiones de uvas para vino de California, como por ejemplo Sonoma, se hallan cerca del litoral, en la vertiente este de las cordilleras costeras. A medida que el sol veraniego calienta el fondo de los valles, el aire caliente de la superficie empieza a subir. Crea un vacío, que se llena con el aire del océano, más fresco. Finalmente, al caer la tarde, el movimiento de aire (favorecido por los vientos del oeste predominantes) tiene suficiente fuerza para hacer desaparecer la nube de niebla. Esta niebla se desliza por los pasos y por encima de las montañas bajas hasta los valles, donde permanece suspendida sobre los viñedos, como una manta aislante que refresca las uvas y evita que maduren demasiado rápido bajo el cálido sol de la tarde. La niebla se mantiene toda la noche y se disipa al día siguiente cuando el valle se recalienta, iniciando de nuevo el ciclo. Las uvas de estas regiones se desarrollan con mayor lentitud y el resultado es un mejor equilibrio entre el azúcar y los ácidos, un factor que todos los productores de vino consideran esencial para elaborar un buen vino.

Superior: barricas de vino de la industria vinatera Opus One, situada en el valle de Napa.
Inferior: cosechas de California. De izquierda a derecha: Cabernet Sauvignon, Chardonnay y vino espumoso

VARIEDADES DE UVAS PARA VINO

En California hay unas 650 industrias vinateras, que cosechan más de 20 variedades de uvas plantadas en más de 175.000 hectáreas. Estos viñedos se concentran en varias regiones. Las más importantes están situadas en la Costa Norte (al norte y al nordeste de San Francisco, en el valle de Napa, en el condado de Sonoma, a lo largo de la costa Mendocino y alrededor del lago Clear), así como en algunas zonas a lo largo de la Costa Central (que engloba las montañas Santa Cruz, el condado de Monterey, el valle de Santa Clara, el valle de Livermore, Paso Robles y San Luis Obispo, y los valles de Santa Ynez y Santa Clara, cerca de Santa Barbara).

Entre las variedades de uvas blancas, la más plantada es la Chardonnay, seguida de la French Colombard, que cubre grandes zonas en el valle de San Joaquín. Las uvas Colombard son cultivadas por agricultores contratados por Gallo o los otros grandes productores, que consideran que esta variedad es una base fiable para sus vinos producidos a gran escala. La variedad Chenin Blanc ocupa la tercera posición, seguida por una gran cantidad de Sauvignon Blanc. Se dedican menos hectáreas a las variedades Riesling, Gewurztraminer, Pinot Blanc, Saint Émilion, Pinot Gris y Viognier.

En cuanto a las uvas rojas, destacan las Zinfandel y Cabernet Sauvignon, seguidas de las variedades Merlot (a la cual se consagran cada vez más hectáreas), Barbera, Carignanne (las uvas rojas más eficaces de los grandes vinateros del valle de San Joaquín), Pinot Noir, Garnacha y, por último, Cabernet Franc, Petite Syrah, Sangiovese, Nebbiolo y Syrah.

Al igual que las otras regiones vitícolas del mundo entero, las de California (sobre todo, las de la Costa Norte y la Costa Central) son lugares especialmente bellos. A principios de primavera, las plantas de mostaza silvestre que crecen entre

Un catador de vinos analizando el aroma de un vino tinto de mucho cuerpo en una sala de cata de la industria vinatera Sebastiani, en Sonoma.

las cercanas hileras de vides negras explotan en una profusión de amarillo intenso. En verano, los gordos racimos de uvas cuelgan como piedras preciosas entre las hojas de color verde subido de las robustas vides, que contrastan con las colinas de color pajizo que las rodean.

Derecha: estos dos vinos tintos de cepa, elaborados con uvas Sangiovese y Shiraz respectivamente, son muy famosos. "Shiraz" es el término australiano para las uvas que, en California, se conocen como Syrah. Superior derecha: el propietario de las bodegas Per Sempre del valle de Napa.

Uvas Gewurztraminer

Uvas Cabernet Sauvignon

Uvas Zinfandel

PER SEMPRE

Davide

NAPA VALLEY
SANGIOVESE

1996

PRODUCED & BOTTLED BY
DI LORETO CELLARS
NAPA, CALIFORNIA

ALCOHOL 13.5% BY VOLUME

PER SEMPRE

Lisa

NAPA VALLEY
SHIRAZ

1996

PRODUCED & BOTTLED BY
DI LORETO CELLARS
NAPA, CALIFORNIA

ALCOHOL 14.1% BY VOLUME

REGIONES VINÍCOLAS DE CALIFORNIA

Valle de Napa

La región vitícola más grande, más famosa y más desarrollada de California es el valle de Napa, situado en el extremo norte de la bahía de San Francisco. Esta depresión escarpada, de más de 55 km de largo, irrigada por el río Napa, alberga las ciudades de St. Helena, Napa, Calistoga y Yountville. Las primeras vides fueron plantadas hacia 1830 por George Yount. Desde entonces, Napa se ha convertido en el centro de la cultura vinícola de California. Rodeado por las montañas Mayacama al oeste y la cordillera de Vaca al este, el valle engloba las "American Viticultural Areas" (AVA), el equivalente norteamericano de la denominación de origen controlada española (DOC). Incluye las denominaciones de Calistoga, Carneros, Rutherford, St. Helena, Stag's Leap y Yountville, entre otras. Un gran número de empresas vinícolas se han instalado en el valle de Napa.

El valle creció sobre todo después de la Segunda Guerra Mundial, si bien desde los años treinta ya se habían instalado algunos propietarios tales como Louis M. Martini, Charles Krug, Beaulieu, Beringer, Christian Brothers e Inglenook. Entre las grandes marcas del valle de Napa cabe destacar Cakebread, Niebaum, Heitz, Opus One, Far Niente, Groth, Grgich Hills, Raymond, Silverado, Stag's Leap y Trefethen.

Condado de Sonoma

"Creo firmemente que, desde el punto de vista de la naturaleza, este lugar es un paraíso sobre la Tierra."

Esto es lo que pensaba Luther Burbank, un pionero de la agricultura que vivió 50 años en Santa Clara. Las primeras vides de Sonoma se plantaron en las tierras de una misión (la situada más al norte de las 21 misiones españolas, que se convirtió en la ciudad de Sonoma). Fue aquí donde el húngaro Agoston Haraszthy se hizo célebre plantando centenares de variedades de *vinifera* (antes de irse de California sin dinero, viajar a América Central y ser devorado por un cocodrilo al cruzar un río en Nicaragua).

El Opus One Winery en Napa Valley es una empresa conjunta de Robert Mondavi y el Barón Philippe de Rothschild.

El condado que engloba el valle de Sonoma es una región extensa, con aspectos vinícolas diversos. Esta tierra, a menudo ruda y montañosa, es el lugar de origen de la viticultura californiana. En los años sesenta y setenta, el valle de Napa tomó el relevo y Sonoma cayó prácticamente en el olvido. La situación convino a los vinateros de Sonoma, que consideraban que su región era la mejor de California para el cultivo de uvas para vino. De hecho, cuando los hermanos Gallo, propietarios del viñedo más grande del mundo, decidieron cultivar su propia uva para elaborar vino de calidad superior en cantidades limitadas, eligieron la región de Sonoma.

El condado de Sonoma es más tranquilo que el valle de Napa, menos turístico y menos urbanizado. Las principales ciudades son Sonoma, Cloverdale, Geyserville, Healdsburg y Santa Rosa. Es una región vinícola impresionante, con una gran variedad de suelos y microclimas, que ha acogido algunos de los mejores productores de California: entre ellos, Simi (fundada en 1876), Château Souverain, Geyser Peak y Jordan, todos ellos en el valle Alexander. Sonoma Cutrer, Chalk Hill, De Loach e Iron Horse están situadas en el precioso valle de Russian River. Arrowood, Château Saint-Jean y Gundlach Bunschu (fundado en 1858) se hallan en las AVA de las montañas Sonoma. Hay otras notables industrias vinateras en las diferentes AVA y sub-AVA del condado.

Carneros

La niebla y el viento procedentes de la bahía de San Pablo, al norte de la bahía de San Francisco, predominan en esta región vitícola característica, separada de la famosa región de Napa, pero situada entre ésta y la parte baja del condado de Sonoma, al oeste. Un clima fresco y suelos de bajo rendimiento caracterizan las colinas de Carneros, que están sembradas de robles y albergan un gran número de bodegas vinícolas. Predomina la uva Chardonnay, con las denominaciones Acacia, Clos du Val, Cuvaison, MacRostie y Saintsbury; se utiliza para elaborar, entre otros, vinos comparables a los de Borgoña, la región de origen de estas nobles uvas blancas.

Costa Central

Con más de 400 km de largo, está constituida por cuatro regiones. La primera, el valle de Livermore, situado al este de Oakland, es una región relativamente pequeña, donde las poblaciones en desarrollo llegan hasta las hectáreas dedicadas al cultivo de uvas. El mayor productor de vinos de Livermore es Wente Brothers.

La segunda región, en dirección sur, es el condado de Monterey, formado principalmente por un valle que tiene 140 km de largo, el valle de Salinas. A finales de los años cincuenta, se empezó a plantar la vid vinífera. Desde entonces, los cultivadores tratan de dominar los complejos vínculos que unen la tierra, el clima, el agua y las cepas, para aprovechar el potencial de esta región fértil, descrita por John Steinbeck en sus novelas. La niebla desempeña un papel importante. Se canaliza por el extremo norte del valle, donde se halla el San Bernabe Vineyard. Con 18 km de largo y 8 km de ancho, es uno de los viñedos de un solo propietario más grandes del mundo. Los productores de vino célebres del valle son Chalone Vineyards, Ventana Vineyards y Morgan.

Más al sur, está el condado de San Luis Obispo, que engloba la ciudad del mismo nombre, la fresca franja costera en la cual está la ciudad, así como el AVA de Paso Robles, en un valle bajo del interior, alrededor de la ciudad del mismo nombre. Se producen básicamente vinos espumosos y Chardonnay. Esta región tiene días cálidos y noches frescas. Las vides crecen desde el nivel del mar hasta más de 455 m de altitud. El condado posee una gran diversidad geográfica y geológica que se adapta a toda una gama de uvas y estilos vinícolas. El Cabernet Sauvignon, el Cabernet Franc y el Zinfandel están muy representados. Los productores más importantes son J. Lohr, Wild Horse, Justin, Meridian, Edna Valley, Ridge, Arciero y Maison Deutz (un productor de espumosos).

La última región, situada 160 km al norte de Los Angeles, en la Costa Central, es el condado de Santa Barbara, que engloba los valles de Santa Ynez y de Santa María. Aquí hay productores como Sanford (célebre por sus Pinot Noir y sus robustos Chardonnay), Firestone y Zaca Mesa, otro maestro del Pinot Noir.

Mapa

Mendocino

SONOMA **NAPA**
CARNEROS
Napa

San Francisco

Modesto

VALLE CENTRAL

COSTA CENTRAL

Monterey

CONDADO DE MONTEREY

CALIFORNIA

CONDADO DE SANTA BARBARA
Santa Barbara

Los Angeles · Palm Springs

San Diego

0   100 km

Gallo

Ernest y Julio Gallo, hijos de inmigrantes italianos, crecieron en un viñedo: su padre cultivaba uva cerca de Modesto durante la crisis del año 1929. En 1933, después de la abolición de la Ley Seca, los dos hermanos empezaron a elaborar vino, con los conocimientos que habían adquirido en la biblioteca de Modesto. Ernest se ocupaba de los negocios y Julio de la elaboración del vino (hasta que falleció en un accidente de coche, en 1933). Con los años, su empresa se convirtió en la bodega vinícola más grande del mundo. Una de cada tres botellas de vino consumidas en Estados Unidos lleva la etiqueta Gallo, o la de una de sus filiales. Esta empresa privada vende vino por un valor superior a los mil millones de dólares estadounidenses al año. Tiene más de 2.000 empleados y produce la mitad del vino de California.

Gallo es, ante todo, un productor de vino, y no un cultivador de uva. Se dice que hubo una época en la cual la empresa compraba el 40% de las uvas que se cultivaban en Sonoma y el 20% de la cosecha de Napa. Gallo tiene igualmente contratos directos con el valle de San Joaquín, cerca de sus oficinas centrales en Modesto.

Si bien la mayoría de los vinos que elabora Gallo se destina a la distribución a gran escala, la empresa se ha dedicado recientemente a mejorar sus productos. Gallo posee actualmente cinco viñedos diferentes y unas 1.500 hectáreas ubicadas en el condado de Sonoma. Recientemente, la empresa ha conseguido convertirse en la propiedad más grande de toda la región. Antes de plantar vides, los hermanos Gallo remodelaron el paisaje con sus sistemas de terrazas para optimizar las características favorables a los distintos microclimas de la región. Los primeros vinos de Gallo procedentes de una sola cepa fueron un Chardonnay de 1991 de 30 dólares y un Cabernet Sauvignon de 1990 de 60 dólares, ambos embotellados en la propiedad. Julio Gallo siempre creyó que Sonoma era la mejor zona vinícola del estado; parte de su legado perdurará en sus esfuerzos por demostrar que tenía razón.

ABALONE Y CIOPPINO

Cuando la bahía de Monterey era el centro de la pesca de California, abundaban en sus aguas los crustáceos, entre ellos el abalone *(Haliotis)*. Es el molusco más grande de California y puede alcanzar los 35 cm de ancho. Una vez reblandecida con un martillo, su carne fibrosa resulta deliciosa preparada de un sinfín de maneras. Es especialmente apreciada salteada en mantequilla con limón, perejil y vino. Algunas de las variedades de abalone que se encuentran en el Pacífico son los abalones rojos, rosas, verdes y negros. A mediados del siglo XIX, cuando abundaban todas las variedades, sólo los consumían los chinos y los japoneses; la mayor parte de la captura se envasaba y se exportaba a Japón a precios bajísimos. Hoy en día, los abalones escasean (el hombre debe competir con las nutrias marinas para conseguir esta delicia) y su pesca está estrictamente regulada. Se requiere una licencia y los buceadores a pulmón libre (no está permitido el uso de escafandras) sólo pueden capturar dos abalones rojos al día durante la temporada, un periodo de seis meses desde el mes de marzo. Los abalones negros y rosas están protegidos porque su población se ha reducido.

Un buceador mostrando su captura. A la izquierda, la irisada valva del abalone, en forma de oreja; a la derecha, la carne del interior.

Buey de mar californiano *(Cancer magister)*

Cioppino

En San Francisco, la receta de marisco más famosa es el *Cioppino*. El nombre tal vez sea una italianización de la expresión *"chip in, chip in"* (contribuya, contribuya) que se solía oír en los muelles cuando los pescadores se disponían a preparar una comida colectiva tras un día en alta mar. Según otra explicación, es una italianización del término inglés *"chop up"* (desmenuzar). De todos modos, es un nombre atractivo para una simple *bouillabaisse* de la Costa Oeste. Este plato, inventado por los pescadores italianos de San Francisco, es un guiso de marisco a base de tomate, *Dungeness crab* (buey de mar californiano) fresco y trozos de pescado.

Abalone verde *(Haliotis tuberculata)*

Abalone negro *(Haliotis cracherodii)*

Abalone rojo *(Haliotis rufescens)*

Cioppino

2 cangrejos vivos (2–2½ kg en total)
60 ml de aceite de oliva virgen
¼ cebolla cortada en dados
2 dientes de ajo majados
la "grasa" de los cangrejos reservada
100–125 ml de vino blanco seco
3 tomates grandes troceados o 1 lata de tomates triturados con el jugo
1 taza de caldo de pescado
¼ cucharadita de guindilla seca machacada
8 almejas de Manila
8 gambas peladas y sin el hilo intestinal
8 mejillones
¼ taza de perejil picado

Sacrifique los cangrejos clavándoles un cuchillo en la cabeza, entre los ojos. Pártalos, dejando las patas y los cuerpos intactos. Retire la grasa del interior del caparazón del cangrejo y resérvela. En una olla de 4 l de capacidad, caliente el aceite de oliva. Añada la cebolla y el ajo y refríalos hasta que se vuelvan transparentes, removiendo con frecuencia, unos 2 minutos. Agregue la grasa de cangrejo y deje cocer 1 minuto. Vierta el vino blanco y cueza hasta que se reduzca un poco, unos 2 minutos. Incorpore los tomates, un poco de caldo, la guindilla y los cangrejos partidos; tape y cueza unos 8 minutos a fuego lento. Añada las almejas y las gambas y deje cocer 2 minutos. Agregue los mejillones y cueza 2 minutos más. Incorpore el perejil. Reparta el *cioppino* entre 2 cuencos grandes y sirva. Para 2 personas.

Cioppino

NORTH BEACH, SAN FRANCISCO

Para un norteamericano, el barrio de North Beach de San Francisco es tan famoso como el de Little Italy de Nueva York. North Beach debe su nombre a la playa que había en el barrio antes de que la bahía de San Francisco retrocediese y el terreno fuese terraplenado. Gracias al alojamiento económico y a la proximidad de los muelles, North Beach atrajo a los pescadores italianos, que se instalaron allí durante y después de la Fiebre del Oro, sobre todo a finales del siglo XIX. Los pescadores salían a alta mar a bordo de sus barcas llamadas *feluccas,* en busca de salmones, caballas, arenques y eperlanos. Por el camino, descubrieron el *Dungeness crab (Cancer magister),* una variedad de buey de mar de California. Se encuentra desde México hasta las islas Aleutianas (cerca de Alaska) y debe su nombre a la bahía Dungeness, situada en la península de Olympic del estado de Washington. Estos bueyes de mar son más grandes, deliciosos y tiernos que cualquier otra variedad de cangrejo que se encuentra a lo largo de la costa de California.

Antiguamente, un "restaurante" de North Beach podía constar tan sólo de un fuego y una olla con

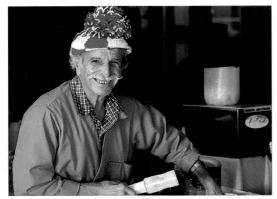

En San Francisco, Tony Cresci parte cangrejos para el *cioppino* desde hace 60 años en el comercio de marisco de su familia.

Tres tipos de bocadillos de *focaccia* en el Mario's Bohemian Cigar Store Cafe. En el sentido de las agujas del reloj, de izquierda a derecha: *focaccia* de albóndigas de carne, de pollo y de berenjena.

agua hirviendo en la esquina de una calle. El proveedor cocía al aire libre los cangrejos recién capturados y los servía acompañados de pan de masa fermentada y un vaso de vino. En esa época, el vino se elaboraba en casa. De hecho, durante el gran incendio de 1906, que destruyó la mayor parte de la ciudad tras un gran terremoto, muchos italianos salvaron sus bienes con la ayuda de sábanas impregnadas de vino. Estos mismos italianos trabajaron en los equipos de obreros que reconstruyeron la ciudad. A lo largo de los años, se abrieron cafés y otros comercios, se inauguraron restaurantes auténticos y, a principios del siglo XX, se había establecido un barrio floreciente.

El primer restaurante italiano auténtico de San Francisco fue el Fior d'Italia. Abrió sus puertas en 1886, empezando así una tradición de sabrosa cocina italiana que ha perdurado hasta hoy. Incluso hoy en día, pasear por las calles de North Beach implica oler a comida, tanto si se trata de los famosos basto-

nes de pan de la Danilo Bakery, de la *focaccia* de la Liguria Bakery (sólo elaboran este tipo de pan), de la cocina ligur del restaurante Rose Pistola (debe su nombre a un buen cocinero que vivió durante mucho tiempo en el barrio), de la salsa roja al ajo, del *pesto,* del ossobuco, de las carnes y hortalizas a la parrilla, de los calamares fritos o del pescado a la parrilla que se cuece a fuego lento. El *Cioppino,* el famoso guiso de marisco y tomate de San Francisco, se inventó aquí. Las tiendas de comestibles venden bacalao salado, panecillos recién horneados, *tortellini* caseros, salchichas, *prosciutto, ravioli* (en la Florence Ravioli Factory), salchicha al ajo (en Iacopi's)

y pasteles *Saint Honoré* con crema pastelera y nata montada (en Victoria Pastries), entre otros muchos productos.

El café es desde hace tiempo un producto característico de San Francisco. Las tres empresas de torrefacción más importantes de Estados Unidos (J. A. Folger & Co., Hills Bros. y M. J. B.) se fundaron aquí. Por todas partes, el aroma del café tostándose impregna el aire. Graffeo, el torrefactor más antiguo de la ciudad, es uno de los mejores de Norteamérica. Los habitantes de North Beach acuden a tomar un café exprés a este establecimiento, pero también al Cafe Trieste, al Caffe Roma o al Mario's

Superior: *focaccia* de cebolla y pizza de *focaccia*. Inferior: pesando palitos de pan en la Danilo Bakery.

Bohemian Cigar Store Cafe. Para tomar un trago, van al Gino & Carlo, al Moose's y al Tosca, un célebre bar de San Francisco fundado en 1919.

El barrio de North Beach es igualmente uno de los pocos lugares donde se encuentran aficionados al teleme, un queso de pasta blanda que se sirve fundido entre dos rebanadas de *focaccia* rociadas con aceite de oliva a la salvia y al ajo y con pimientos dulces amarillos picados finos. Otra especialidad del barrio es el calamar, que abunda en las aguas de California. Los cocineros de North Beach lo preparan de manera sencilla: cortan los tentáculos y el cuerpo en trocitos pequeños, los saltean con ajo en aceite de oliva, añaden salsa de tomate y, a continuación, lo mezclan todo con *fettucine*.

Con los años, North Beach y su deliciosa y sencilla cocina italiana han inspirado a otros cocineros de San Francisco y, hoy en día, gran parte de la mejor comida italiana de Estados Unidos se elabora en esta ciudad.

PAN DE MASA FERMENTADA

La masa fermentada es una masa leudante a base de harina y agua que se activa con levadura (natural o seca y envasada). Es una tradición en muchas regiones de EE.UU. porque constituye un agente leudante fiable y natural para elaborar pan incluso cuando los productos frescos (incluida la levadura) escasean. Los incondicionales del pan de masa fermentada de San Francisco afirman que no sabe igual en cualquier otra parte. Los puristas dicen que, incluso si el panadero utiliza la misma masa madre (la porción de masa sobrante de la anterior hornada, que se mezcla con agua y un poco de sal y se añade a una nueva hornada para que leude) y el mismo procedimiento en otra localidad, el pan tendrá un sabor diferente.

Dicen que tiene que ver con el aire y la niebla de la ciudad o la bahía que la rodea. También se oye decir que se debe a la naturaleza única de la levadura silvestre local que, según creen algunos, proviene de las uvas de los viñedos del otro lado de la bahía, en los condados de Napa y Sonoma. Sea cual sea la razón de este sabor especial, el misterio de la masa fermentada empezó en 1849.

A medida que la Fiebre del Oro atrajo a nuevos inmigrantes, aparecieron en San Francisco muchas panaderías francesas. Una de ellas era de Louis Boudin y su esposa. Éstos se distinguieron por usar la técnica de la masa fermentada (utilizada durante siglos y, probablemente, introducida en California por panaderos franceses o vascos llegados de México) para elaborar pan francés tradicional. El resultado era un pan único con una textura gomosa, una corteza crujiente y un sabor "rancio" característico. Pronto, los lugareños hacían cola para comprar este pan o se lo hacían llevar a casa, donde cada barra se colgaba de un clavo fijado en la puerta de la casa del cliente.

Para los mineros que trabajaban al aire libre con piquetas y dinamita, este pan era un excelente com-

plemento para una dieta de subsistencia a base de galletas de munición (galletas de harina sin levadura muy duras), cecina de buey, oso gris, venado, pescado, conejo, serpiente de cascabel y cualquier otra cosa que pudiesen recoger del abrupto terreno. La masa madre fermentada era tan valiosa que algunos mineros la llevaban en una bolsa colgada del cuello (un truco que aprendieron de los mineros que vinieron cuando el oro de Yukon, Alaska, se agotó). Este pan fue un alimento tan importante para los buscadores de oro de Alaska que los llamaban *"sourdoughs"* (masa fermentada, en inglés). Este término se sigue usando para designar a cualquier viejo habitante de Alaska.

En San Francisco (y, hoy en día, en todo Estados Unidos), el pan de masa fermentada se consume tostado con mantequilla; como acompañamiento del *cioppino*, del *chowder* de almejas y del buey de mar californiano partido; se preparan costrones para la ensalada César y sirve de base para deliciosos bocadillos. Cerca de 150 años después de haber cocido su primer pan de masa fermentada, la panadería Boudin sigue utilizando una masa madre que desciende directamente de la primera hornada de 1849.

Diferentes panes de masa fermentada, en venta en Boudin. De izquierda a derecha: *boules* (panes redondos), *bâtards* (barras) y *baguettes*.

Una clienta compra el pan del día en Boudin, al igual que hace el resto de los habitantes de San Francisco desde el siglo XIX.

La masa madre fermentada se conserva indefinidamente ya que, cada vez que se utiliza, se devuelve una porción de masa a la olla de barro donde permanece activa (con un mantenimiento mínimo) hasta el siguiente uso. Se puede preparar en casa con levadura envasada; se obtiene un eficaz agente leudante al cabo de uno o dos días, aunque el sabor agrio característico puede tardar un mes o más en desarrollarse. Para preparar la masa madre, se debe usar un cuenco de cerámica o de vidrio y una cuchara de madera, ya que el metal reaccionaría con la masa madre, perdiendo el brillo y aportando un sabor desagradable.

Derecha: la panadería Boudin en la actualidad

Sourdough Starter
Masa madre fermentada

| 3 tazas de harina blanca |
| 1 paquete (o 1 cucharada) de levadura |
| 2½ tazas de agua templada |

Ponga la harina en un cuenco grande de vidrio o de cerámica y forme un hueco en el centro. Vierta la levadura y el agua en el hueco y remueva gradualmente para mezclarlas; incorpore poco a poco la harina. Continúe removiendo hasta que se mezcle bien y bata hasta obtener una masa homogénea. Cubra el cuenco con un paño y déjelo en un lugar cálido y sin corrientes de aire durante 24 horas.

Ponga la masa en una olla de barro, cúbrala bien y refrigérela. Debe usar la masa madre regularmente (cada semana o cada dos) para mantenerla activa. O bien nutrirla a menudo, añadiéndole un poco más de harina y agua, removiéndola, dejándola leudar en un lugar cálido toda la noche y refrigerándola. Utilícela a medida que la necesite, elaborando masa madre adicional con más harina y agua.

Para activar la masa madre antes de usarla, póngala en un cuenco grande, añada 1 taza de agua y 1 de harina, y déjela reposar en un lugar cálido hasta que esté espumosa, de 6 a 8 horas, tapada con un paño. Retire la cantidad que necesite y devuelva el resto a la olla de barro para refrigerarla hasta su próximo uso.

Sourdough Bread
Pan de masa fermentada

| 1 taza de masa madre fermentada |
| 1 paquete de levadura seca |
| ¼ taza de agua caliente (58°C) |
| 1 cucharada de sal |
| 2 cucharaditas de azúcar |
| ½ cucharadita de bicarbonato de sosa |
| 3 tazas de harina panificable |

Disuelva la levadura en el agua caliente y déjela reposar en un lugar sin corrientes de aire 10 minutos, o hasta que se formen burbujas en la superficie. Añada la masa madre, la sal, el azúcar, el bicarbonato de sosa y la harina, media taza cada vez, removiendo hasta mezclarlo todo. Si la mezcla es demasiado seca, añada un poco de agua y mezcle bien hasta obtener una masa homogénea y espesa. Si es demasiado húmeda, añada pequeñas cantidades de harina, mezclando bien después de cada adición. Trabaje la masa en una superficie enharinada de 7 a 10 minutos, hasta que deje de ser pegajosa, pero sea brillante y elástica.

Pase la masa a un cuenco engrasado, cúbrala y déjela crecer hasta que doble su volumen. Golpéela, divídala en 2 partes iguales y forme dos barras largas. Páselas a una bandeja de horno engrasada espolvoreada con harina de maíz, cúbralas y déjelas en un lugar cálido para que suban hasta que doblen su volumen. Precaliente el horno a 200°C. Cuando las barras estén hinchadas, haga una línea de cortes diagonales en la corteza con un cuchillo muy afilado. Pinte las barras con agua salada y hornéelas 30 minutos, o hasta que estén bien doradas. Para 2 barras de pan.

CLÁSICOS DE SAN FRANCISCO

En San Francisco, el primer auge de restaurantes tuvo lugar durante y después de la Fiebre del Oro. Centenares de establecimientos de restauración abrieron sus puertas cuando el tranquilo puesto fronterizo del Pacífico se transformó, prácticamente de la noche a la mañana, en una reluciente ciudad sobre la colina. Algunos locales eran sumamente lujosos, como el restaurante del suntuoso hotel Palace. Su construcción se financió con los beneficios de un enorme yacimiento de plata descubierto en Nevada. Uno de los más famosos banquetes que se celebraron en dicho local incluía cartas de menú hechas de plata maciza. También había un gran número de restaurantes más modestos que servían a las decenas de miles de hombres solteros que habían venido a hacer fortuna a la ciudad.

La cocina elaborada en muchos de estos establecimientos se caracterizaba por grandes raciones de comida sencilla y sin pretensiones a base de ingredientes típicos de California.

Tadich Grill La mayoría de la gente desconoce el nombre completo de este restaurante (Original Cold Day Restaurant), pero sabe que se trata del más antiguo de la ciudad. Fundado en 1849 por tres inmigrantes croatas, empezó como la cafetería del Nuevo Mundo, que servía a los navegantes y los comerciantes que frecuentaban el Long Wharf (Muelle largo). En 1906, el restaurante fue destruido por un terremoto. Después de su reconstrucción y de varias mudanzas, el restaurante se estableció en

California Street, donde continúa siendo un lugar destacado del Financial District (barrio financiero). La comida del Tadich es tradicional y el marisco sigue siendo su especialidad. Al igual que en muchos otros restaurantes antiguos de San Francisco, *"grilling"* (asar a la parrilla) significa en realidad "saltear", según un viejo uso de la palabra; además, el término *"charcoal broiled"* (asado sobre carbón de leña) indica que la barbada, el pez espada, el halibut, la cubera, la trucha o el salmón se han asado sobre un fuego de leña. Por supuesto, el Tadich sirve *cioppino,* el famoso guiso de marisco de San Francisco.

Sam's Grill and Seafood Restaurant El irlandés Michael Moraghan comprendió pronto que el marisco era un buen negocio en San Francisco. En 1867, inauguró una taberna de ostras que, con el tiempo, pasó a ser el principal establecimiento de marisco de la ciudad. Abastecía a los restaurantes y los comercios locales con cangrejos, ostras y pescado fresco. Moraghan, que había empezado cultivando ostras, se ganó el título de "Rey de las ostras de California". Posteriormente, un nuevo propietario rebautizó el local como Sam's Grill and Seafood Restaurant, nombre que aún conserva. Ofrece un menú compuesto por los eternos platos clásicos, como el *chowder* de almejas, una ensalada de cogollos de lechuga romana con aguacate y marisco, el *crab Louie,* el *Hangtown fry* y barbadas de arena *à la Sam.*

Sears Fine Foods Para desayunar, muchos habitantes de San Francisco siguen tomando las famo-

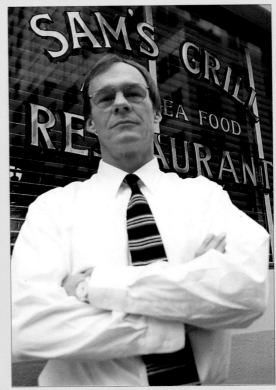

El propietario del Sam's Grill

sas tortitas suecas que sirven en Sears Fine Foods. Es un establecimiento de desayunos y almuerzos, fundado en 1938 por Hilbur y Ben Sears, un payaso de circo retirado. Los clientes que hacían cola frente al popular restaurante eran invitados a relajarse en dos Cadillac de color rosa (con la radio y la calefacción encendidas) aparcados delante del restaurante.

Inferior: *Hangtown Fry* con beicon y patatas. Inferior izquierda: algunas de las especialidades del Sam's Grill and Seafood Restaurant. En el sentido de las agujas del reloj, desde inferior derecha: ensalada especial de marisco, halibut y polenta a la parrilla, una fuente con pescado fresco y barbada a la plancha

Joe's Special

El exterior del Original Joe's, en el barrio de North Beach

El plato preferido de los buscadores de oro: el Hangtown fry

Placerville, antiguo centro de extracción de oro, está situado en las regiones auríferas de Sierra Nevada. Es una mezcla un tanto desagradable de tabernas, burdeles, pensiones, salas de baile y casas de juego. Era el arquetipo de la ciudad de los buscadores de oro. Se dice que su apodo, Hangtown (ciudad de los ahorcados), se lo pusieron cuando tres asesinos fueron colgados de un roble, al final de la única calle del pueblo. Según la leyenda, un buscador de oro de la zona fue a comer a una taberna y pidió una comida diciendo: "Quiero lo más caro". Le sirvieron huevos, beicon y ostras. El cocinero frió los tres ingredientes juntos en una sartén y así nació el *Hangtown Fry*.

Hangtown fry

12 ostras
harina
9 huevos
galletas de soda molidas finas
3 cucharadas de mantequilla

Casque 1 huevo en un cuenco y bátalo bien. Escurra las ostras sobre papel de cocina. Reboce las ostras en la harina sazonada con sal y pimienta, páselas por el huevo y luego por la galleta molida. Derrita la mantequilla en una sartén. Añada las ostras y saltéelas hasta que se doren por ambos lados, unos 5 minutos.

Bata los 8 huevos restantes. Viértalos sobre las ostras y cuézalos, recogiendo el reborde de los huevos con una espátula y dejando que el huevo crudo rebose por el borde de huevo cocido, hasta que estén cuajados, unos 4 minutos. Con una espátula, déle la vuelta a los huevos y cuézalos hasta que cuajen, durante 1 ó 2 minutos aproximadamente. Sazone con sal y pimienta y sirva. Para 4 personas.

La gran atracción de la mañana son los enormes desayunos al estilo norteamericano a base de picadillo de *corned beef*, salchichas o bistec con huevos, así como pasteles recién horneados y las famosas tortitas cuya receta es un secreto bien guardado. Para el almuerzo, sirven hamburguesas sobre pan de masa fermentada, ensaladas de cangrejo, ensalada César y una larga lista de platos clásicos.

Original Joe's Este restaurante, uno de los más conocidos de San Francisco, abrió sus puertas en North Beach en 1937. Por aquel entonces era un bar equipado con una parrilla. Su especialidad era un plato sencillo a base de carne picada, huevo, cebolla, espinacas y champiñones fritos en la sartén. Se dice que la receta se creó una noche cuando un músico quiso cenar después de haber tocado durante toda la velada. En la cocina sólo quedaban algunos ingredientes. El músico dijo: "Mezcladlo todo". Y así nació la especialidad del cocinero.

Crab Louie

Aliño:

1 taza de mayonesa
¼ taza de nata espesa
¼ taza de salsa de guindilla
¼ taza de pimiento verde troceado
¼ taza de cebolleta troceada
2 cucharadas de aceitunas verdes troceadas
2 cucharaditas de zumo natural de limón

Ensalada:

6 hojas de lechuga romana fresca y crujiente
250 g de carne de cangrejo desmigada
2 tomates medianos cortados en cuartos
2 huevos duros partidos por la mitad

Para el aliño: Mezcle los ingredientes en un cuenco pequeño y bata para mezclarlos. Sazone al gusto con sal y pimienta.

Para la ensalada: Reparta la lechuga entre 2 cuencos, de modo que sirva de recipiente a la carne de cangrejo. Reparta ésta entre los cuencos, formando un montoncito en el centro de cada uno. Vierta el aliño por encima, adorne con los tomates y los huevos duros y sirva. Para 2 personas.

CLÁSICOS DE LOS ANGELES

Desde su fundación en 1781, Los Angeles ha sido una ciudad en la cual las fluctuaciones demográficas y el culto obsesivo por la imagen se han unido para hacer del cambio un elemento permanente del paisaje. Parece como si los habitantes de Los Angeles llevasen la agitación en la sangre.

Por suerte, no todo lo bueno del pasado se ha abandonado a los caprichos del momento. Algunos restaurantes clásicos han resistido al paso del tiempo.

Philippes the Original

Este restaurante informal ha sido una gran atracción del centro comercial de Los Angeles desde 1908. La decoración de este antiguo establo reconvertido es sencilla: serrín en el suelo y largas mesas comunales con taburetes colocados alrededor sin orden ni concierto. Su especialidad es el bocadillo *"french dip"*, un panecillo de pan francés crujiente mojado en los jugos de la sartén, cubierto con lonchas de carne de buey, cordero o cerdo con mostaza muy picante. Según la leyenda, el primer *"dip"* se preparó cuando un cliente encontró el pan demasiado duro y pidió que lo bañaran en los jugos de la carne para ablandarlo. Los otros clientes que hacían cola ese día pidieron lo mismo y el bocadillo se convirtió en todo un clásico. Al igual que el restaurante, el bocadillo no ha cambiado desde entonces, y nadie desea lo contrario. La longevidad es uno de sus lemas; pregunte a cualquier cliente de pelo canoso desde cuándo acude al establecimiento y la respuesta será sin duda "desde que era un niño".

Los reyes del chile

Otro elemento permanente del paisaje de Los Angeles es el Original Tommy's. Este puesto de hamburguesas abierto toda la noche es el rey del *chili burger* (hamburguesa con *chile*) de la ciudad. Es un enorme bocadillo cuya hamburguesa se cubre con un cucharón de *chile* humeante. El menú de Tommy's sólo incluye tres platos principales: hamburguesas, perritos calientes y *tamales,* todos servidos con el famoso *chile.* Con tan pocas opciones, además de las patatas fritas y un dispensador automático de refrescos en latas antiguas, el tiempo medio que se tarda en servir un pedi-

Una camarera del Bob's Big Boy llevando una bandeja con la típica hamburguesa, acompañada de patatas fritas y un batido de chocolate.

do es de 15 segundos en un momento de máxima afluencia, es decir, alrededor de las 23.00h del sábado.

Pink's, que compite con Tommy's en materia de *chile,* es el as de los perritos calientes. Está en la transitada esquina entre La Brea y Melrose desde que se fundó en 1939, cuando era una simple carretilla de mano con grandes ruedas. El *chili dog,* el equivalente del *chili burger* en el campo de los perritos calientes, fue supuestamente inventado en 1935 por Art Elkinal, quien vendía perritos calientes en una carretilla de mano en la comunidad de Inglewood de Los Angeles. En 1948, se construyó un edificio. Hoy, al igual que Tommy's, Pink's atrae a todo el mundo, pero el menú es más variado. Ofrece 14 tipos de perritos calientes, incluidos el clásico *chili dog* (mostaza, cebolla y *chile*), el *chili dog* con col fermentada y el picante *polish dog* (perrito caliente a la polaca). También sirve nueve tipos de hamburguesas, así como *tamales* y

burritos con pollo al estilo de las *fajitas (tortilla* de trigo envuelta sobre dos pechugas de pollo a la parrilla y cortadas en tiras, nata agria y guacamole).

Bob's Big Boy

Este símbolo de la arquitectura de las cafeterías de los años cincuenta, declarado lugar de interés histórico por el estado de California, se construyó en Burbank en 1949. Los camareros servían entonces a los clientes en sus automóviles. El local sigue siendo célebre por sus hamburguesas de dos pisos.

Derecha: la figurilla del Bob's Big Boy que aparece delante del restaurante. Izquierda: el cocinero de Musso & Frank's con *chicken pot pies* caseros.

Perritos calientes de Pink's con col fermentada, nata agria y *chile*

El exterior del Pink's, en el La Brea Boulevard

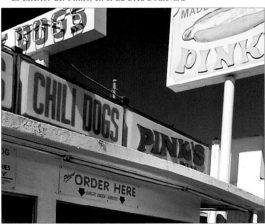

Fotografía antigua del Musso & Frank's

Musso & Frank's

Este restaurante-bar de techos altos, que sobrevive y prospera desde el momento de su inauguración, más de 75 años atrás, está situado en el corazón de Hollywood. Es uno de los establecimientos gastronómicos más apreciados de la ciudad de Los Angeles. En la época gloriosa de los estudios cinematográficos, Musso & Frank's estaba muy de moda. Desde entonces, el establecimiento ha adquirido un estatus legendario ofreciendo siempre una cocina sencilla en un ambiente confortable y sociable. La ensalada crujiente con salsa Mil Islas (mayonesa condimentada con ketchup) todavía forma parte del menú. Los bistecs son de primera calidad, los martinis son excelentes y generosos (la coctelera se deja en la barra al lado de la copa para que el cliente se sirva al gusto) y la ensalada César es una de las mejores de la ciudad.

Tostadas y tortillas latinas

Cocina mexicana

Los primeros alimentos que llegaron a California traídos por inmigrantes reflejaban a la vez la cocina española y la mexicana, ya que la cocina de origen español se había mezclado durante dos siglos con los ingredientes y las recetas de América del Sur y México.

En la actualidad, un gran número de ingredientes procedentes de América del Sur, vía México, forman parte de la cocina que se prepara en California y en todos los estados que limitan con México: Arizona, Nuevo México y Tejas. Los tomates, el chocolate, los chiles, las judías, las patatas, el arroz (los españoles lo introdujeron en América del Sur), los aguacates y el maíz son algunos de los ingredientes más importantes.

Delante de El Cholo, una camarera lleva una bandeja con una jarra de margarita.

El maíz es la base para elaborar las *tortillas* mexicanas. Estos discos de pan sin levadura, delgados y tiernos, que miden entre 7,5 y 20 cm de diámetro,

se elaboran con una harina de maíz cocida: la *masa harina*. Para prepararla, se hierve el maíz seco con cal alimentaria hasta que el hollejo de los granos se desprende y se cuece. A continuación, los granos se secan y se muelen. Para confeccionar *tortillas,* se mezcla la *masa harina* con agua y se extiende con un rodillo.

Las *tortillas* constituyen el alimento básico (junto con el arroz y las judías) en México y en numerosos países de América Latina, y permiten elaborar una gran variedad de platos mexicanos muy populares en Estados Unidos. Los *tacos* son *tortillas* de maíz que se recalientan con un poco de aceite sobre una sartén de hierro fundido. Cuando están reblandecidas, estas *tortillas* se doblan sobre un picadillo, asado a la parrilla o frito, de carne de buey, pollo, cerdo, pescado o incluso cangrejo. Se le añade cilantro, salsa picante (una mezcla de cebollas, tomates y chiles picados, zumo de limón o lima

Un camarero con una fuente de *mojarra frita* (perca frita) y *salsa*

y cilantro), un chorro de lima o limón y, si se desea, salsa Tabasco.

Los *burritos,* parecidos a los *tacos,* son grandes *tortillas* de trigo dobladas sobre un relleno a base de judías fritas, arroz y carne. Éste suele acompañarse de queso y, a veces, cebolleta y nata agria.

Las *enchiladas* también son muy apreciadas. Para prepararlas, se bañan *tortillas* de trigo en una salsa picante y, a continuación, se aderezan con queso o carne antes de cocerlas al horno. Las *quesadillas* también se elaboran con *tortillas*. En México, las *quesadillas* se parecen a unas empanadillas rellenas hechas con *masa harina*. En California, se suelen confeccionar con *tortillas* de trigo envasadas. Se cubren con queso y chiles (u otros ingredientes) y se fríen antes de doblarlas en semicírculo. Las *tortillas* también sirven para preparar *tostadas*. En este caso, se fríen y, en su variante californiana, se aderezan con judías, carne de buey (o bien pollo, cerdo, pescado o cangrejo), lechuga,

Una cocinera con *tacos* mexicanos

queso, tomates, aguacates, aceitunas y salsa.

Otra versión californiana de este plato es la llamada ensalada *tostada:* se trata de una *tortilla*

Relleno de *tacos* de carne: carne picada y chiles, aderezados con aguacate.

Salsa a base de zanahoria, cebolla, pimiento rojo, chiles jalapeños y vinagre

Ensalada *tostada* en una *tortilla* de trigo

grande frita, en forma de ensaladera, en la cual se dispone lechuga y los ingredientes habituales de la *tostada.*

Los *taquitos,* similares a las *tostadas,* se preparan enrollando una *tortilla* de maíz alrededor de un relleno de carne de pollo, cerdo o buey. Se fríe la *tortilla* y se sirve con *guacamole* condimentado (salsa espesa a base de puré de aguacates, tomates y cebolla). Finalmente, también se pueden cortar las *tortillas* en tiras o en triángulos y freírlas o cocerlas al horno. Estos fritos de maíz se mojan en *guacamole* o en salsa condimentada con hortalizas.

Los *tamales,* preparados también con *masa harina,* son muy diferentes de los platos a base de *tortillas.* En México, los *tamales* son platos de fiesta. Ya eran populares antes de que se constituyera el estado de California. Los *tamales* salados se rellenan de carne y, los dulces, con maíz, azúcar, cerezas secas y canela.

Para prepararlos, se coloca un poco de pasta de maíz húmeda sobre una farfolla de maíz. A continuación, se dispone el relleno sobre la pasta y se enrolla la farfolla. Los extremos de la farfolla se atan con hilo y los *tamales* se cuecen al vapor.

El Cholo

En la ciudad de Los Angeles, los restaurantes mexicanos tienen una gran tradición. El establecimiento más antiguo, El Cholo, se fundó en 1927 y todavía está regentado por los primeros propietarios. Está situado en Western Avenue. El local acoge todas las noches una muestra representativa de los habitantes de Los Angeles. El ambiente es el de una fiesta mexicana y las camareras llevan trajes de colores. Mientras esperan una mesa, los clientes van al bar a degustar uno de los mejores cócteles margarita de la ciudad. Una vez sentados en la mesa, piden *fajitas,* unas láminas finas de carne y hortalizas condimentadas que se sirven humeantes en una sartén de hierro fundido acompañadas de *tortillas* recién hechas. El Cholo es célebre por su receta de chiles rellenos y, todavía más, por sus tamales de maíz verde, que sólo se sirven en la temporada del maíz tierno, durante los meses de junio a septiembre.

Otros platos hispanos

Cuando las tierras de las misiones fueron divididas en enormes propiedades (llamadas ranchos) y vendidas a las familias ricas mexicanas, la industria ganadera prosperó en California. Durante esa época, antes de que los vagones de tren frigoríficos permitiesen el transporte de la carne a grandes distancias, los ingresos producidos por el ganado correspondían más a la venta de pieles y sebo (para fabricar velas), materias primas de gran demanda en el Este, que al comercio de la carne.

Tradicionalmente, la cocina de México, Argentina, Brasil y otros países de América Latina ha concedido una gran importancia a las parrilladas. En California, se disponía de grandes cantidades de carne y las influencias latinoamericanas habían marcado la cultura alimentaria. Por ello, no es de extrañar que la cocina a la parrilla, es decir, la cocción a la barbacoa, se implantara con tanta rapidez en el estado.

Hoy en día, en toda California, sobre todo en Los Angeles, donde viven cientos de miles de inmigrantes latinoamericanos, los gastrónomos pueden degustar la cocina de Guatemala, Nicaragua, Chile, Brasil, Argentina y otros países de América Central y del Sur. Muchos restaurantes también ofrecen platos de El Salvador. El más célebre es el plato nacional: la *pupusa,* una tortita de maíz molido rellena de queso y carne, y asada a la parrilla. Las *pupusas* siempre se sirven con un condimento muy picante a base de *chile* y col. En El Salvador, las empanadas se preparan con plátano chafado mezclado con nata y luego se fríen.

Abajo izquierda: Chorizos picantes
Abajo centro: *Tamales* abiertos mostrando su relleno
Abajo derecha: *Pupusas* de queso y *pupusa revuelta* (con cerdo)

SUSHI Y SAKE DE JAPÓN

Muchos japoneses llegaron a California durante la época de la Fiebre del Oro. Este flujo migratorio se interrumpió durante la Segunda Guerra Mundial, cuando miles de inmigrantes japoneses, ya bien integrados, fueron enviados a campos de prisioneros durante toda la guerra y sus bienes fueron confiscados o destruidos. Durante la década posterior al fin de las hostilidades, con el restablecimiento y el posterior desarrollo de las relaciones políticas entre Japón y Estados Unidos, la influencia japonesa en California no hizo sino aumentar.

En Japón, la cocina se basa en la misma estética que apuntala toda la sociedad. La función de la cocina japonesa no consiste simplemente en llenar el estómago, sino que es una forma de expresión artística, poética y filosófica. Esta cocina no sólo debe ser sabrosa, sino que también debe ser bonita y aromática: debe encarnar la delicadeza, el matiz y el equilibrio de los colores, las texturas y los sabores. Debe utilizar los mejores ingredientes y ser preparada por un maestro. Debe hacer honor a los ingredientes utilizados y satisfacer los sentidos de quienes la degustan.

El cocinero de un bar de *sushi*

Los bares de sushi

El bar de *sushi*, la institución que dio a conocer la cocina japonesa en California, refleja a la perfección la estética atemporal de Japón.

En 1960, aparte de los norteamericanos que pertenecían al cuerpo diplomático, nadie conocía el *sushi* y, aún menos, los bares de *sushi*. En esa época, para los norteamericanos la cocina japonesa se limitaba al *teriyaki* (marinadas dulces a base de salsa de soja) y al *sukiyaki* (mezcla de láminas de carne de buey, hortalizas, *tofu* y salsa de soja, salteadas a fuego vivo). Actualmente, los aficionados hacen cola frente a su bar de *sushi* favorito. A veces, disponen de una taza de madera propia, colgada en la pared, para beber sake (el vino de arroz japonés). Saben pedir los platos en japonés e, incluso, hacer bromas en esta lengua. Este tipo de establecimientos tienen mesas y sillas, pero los auténticos aficionados se sientan en la barra delante de la vitrina de cristal, en la cual hay todos los ingredientes necesarios: pescado, marisco, moluscos, crustáceos, huevas de pescado, hortalizas, jengibre, etc. Los cocineros especializados en la preparación de *sushi* son muy competentes. Manejan cuchillos muy afilados para cortar los alimentos, dándoles formas asombrosas, y preparan todo tipo de especialidades japonesas fascinantes.

¿Qué es el *sushi*? El término japonés designa diversas preparaciones de tamaño pequeño, a base de pescado, moluscos, marisco, crustáceos, hortalizas, legumbres, setas y huevas de pescado. Todas estas preparaciones se disponen sobre una bola de arroz avinagrado. El arroz glutinoso se puede moldear en formas rectangulares del tamaño de un dedo y cubrir con productos del mar frescos; las gambas, el atún, el pulpo, la anguila ahumada y el caviar son muy apreciados. El arroz también se puede rellenar con una mezcla de mariscos u hortalizas, y enrollar en una lámina de *nori* (alga seca). A continuación, este rollo se corta en porciones cilíndricas. Otra variante de *sushi* incluye setas, aguacate, carne de cangrejo y brotes de rábano, envueltos en una lámina de *nori* enrollada en

forma de cono. El *California roll*, una especialidad inventada en esta ciudad, es un cono de *nori* que incluye aguacate, arroz y *surimi* (pescado hidratado que se parece a la carne de cangrejo). Se toma en forma de cono o de cilindro. A veces, la lámina de alga seca se sustituye por piel de salmón salada y crujiente. En general, el *sushi* se sirve acompañado de *sashimi*, simples láminas de pescado crudo. Con el *sushi*, o el *sashimi*, se sirve salsa de soja y *wasabi*, una especie de mostaza verde hecha de rábano picante. Se suele mezclar esta mostaza con salsa de soja y bañar el *sushi* en esta salsa. A cada comensal se le sirven unas láminas finas de jengibre fresco para que pueda refrescarse el paladar entre bocado y bocado.

Un menú *sushi* puede incluir hasta 50 combinaciones distintas. En un bar de *sushi*, cada cocinero se ocupa de varios clientes, tomando nota de su pedido progresivamente. Mirar cómo trabajan los cocineros forma parte del deleite.

Sopa de *miso*

Un surtido de *sushi donburi* o *nigiri* (pescado crudo sobre cilindros de arroz). Izquierda, de arriba abajo: langostino, pez limón, calamar, atún. Derecha, de arriba abajo: huevo, caballa, perca rayada.

Preparación de un California roll (invertido)

Tempura de hortalizas y langostinos

Yakitori de pollo

Pequeños platos japoneses

La cocina japonesa que se encuentra en California no se limita al *sushi*. En todo el estado, tiendas de tallarines sirven todo tipo de sopas, la mayoría a base de caldo y uno o dos de los ingredientes siguientes: tallarines (de harina al huevo o de harina de alforfón), *miso* (una pasta de soja fermentada), carne de cerdo ahumada, carne de buey, marisco y hortalizas. También hay locales de *teppan-yaki*, que la cadena de restaurantes Benihana, de Tokio, ha hecho célebres. Los cocineros trocean, cortan en dados y pican a una velocidad y con una habilidad extraordinarias. Seguidamente, preparan una comida con los ingredientes picados sobre placas calientes alrededor de las cuales se sientan los clientes. El *tempura* es otra faceta de la cocina japonesa. Se prepara rebozando hortalizas, gambas y pescado con una pasta delicada y friéndolo todo. El *ipin-ryori* es una serie de pequeños platos, que van desde el *sushi* a la sopa de arroz, pasando por las bolas de arroz a la parrilla, la carne de buey braseada y las almejas braseadas al sake. Este tipo de comida también puede incluir *yakitori* (trozos de pollo asados a la parrilla ensartados en brochetas) o *kushi-yaki* (otros tipos de carne asadas en brochetas).

El sake, vino de arroz japonés, se puede beber tanto frío como caliente.

1. Una lámina de *nori* (algas secas) sobre una esterilla forrada con film transparente, frente a los ingredientes. De izquierda a derecha: *surimi* o carne de cangrejo, rodajas de aguacate y huevas de pez volador.

3. Disponga las huevas de pez volador sobre el arroz.

5. Con la ayuda de una esterilla de bambú, enrolle el *nori* de modo que el arroz quede en la parte exterior.

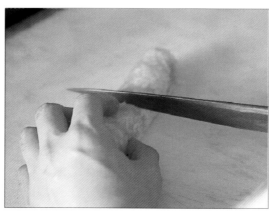

7. Con un cuchillo afilado, corte el rollo en seis trozos iguales.

2. Esparza el arroz de *sushi* sobre el *nori*.

4. Déle la vuelta al *nori* y al arroz de modo que éste quede debajo. Disponga la carne de cangrejo o *surimi* y las rodajas de aguacate sobre el *nori*.

6. Presione el rollo con el film transparente.

8. Los *California rolls* "invertidos".

KIM CHEE Y GINSENG DE COREA

La Guerra de Corea sumió la economía de Corea del Sur en el caos; también dejó una profunda huella norteamericana en esta avanzada asiática de la guerra fría. Habiendo recibido tabletas de chocolate y comida de los soldados norteamericanos, muchos coreanos que luchaban por sobrevivir en una época de penuria alimentaria y laboral, decidieron probar suerte en Estados Unidos. Durante los años cincuenta y sesenta, los inmigrantes coreanos empezaron a llegar a las costas norteamericanas; desde mediados de los años setenta hasta los años ochenta y noventa, el número de los que llegaron a California, y especialmente a Los Angeles, se multiplicó numerosas veces. Hoy en día, Los Angeles alberga la mayor población coreana del mundo fuera de Corea, y más de 500 restaurantes coreanos.

Los inviernos coreanos son muy fríos y su cocina, sobre todo la guarnición llamada *kim chee* (col encurtida picante que se añade o se sirve en casi todos los platos), parece estar pensada para proporcionar energía al cuerpo humano. La cocina se basa en varios alimentos básicos. Los coreanos comen mucho arroz, carne (principalmente de buey y de cerdo) y marisco (la península de Corea está flanqueada por el mar de Japón a un lado y el mar Amarillo al otro). Las judías también ocupan un lugar importante, especialmente las judías áureas (se cuecen enteras, en brotes, molidas en harina o transformadas en unas tortitas gruesas llamadas *pindaettuk),* las judías de soja (también se utilizan enteras, en brotes o transformadas en tofu) y las judías adzuki (sirven para preparar postres). El *daikon,* un rábano blanco grueso, se añade habitualmente a las sopas y las ensaladas. El ajo, las hortalizas, la salsa de soja, el aceite de sésamo y, sobre todo, el chile y la pasta de chile, constituyen la base de la dieta coreana.

Los cocineros coreanos son muy aficionados a asar la carne a la parrilla después de frotarla con chiles y ajo o embadurnarla con una salsa a base de chile y ajo. También marinan las carnes en azúcar, salsa de soja, ajo y aceite de sésamo, y asan a la barbacoa una especie de morcilla llamada *soon dae.* A veces, la carne se reboza y se asa a la parrilla, según un método de cocción llamado *jeon.* Los *mandu* son bolas de masa hervida coreanas, rellenas de carne y hortalizas, similares a las que se preparan en la cocina china. Se fríen, se cuecen al vapor, se hierven o se añaden a las sopas. Para preparar un guiso de pescado, se cubre un pescado entero con una mezcla de pasta de chile, escalonias, salsa de soja y ajo. A continuación, se colocan alrededor rábanos cortados en láminas, se añade agua a la fuente para asar y se cuece. La cocina coreana también utiliza pescado crudo, que se sirve sobre arroz junto con hortalizas cortadas en láminas, especialmente rábanos. Cada comensal utiliza una hoja de lechuga para envolver el pescado, los rábanos y, a veces, láminas de ajo crudo y chiles, y se lo come todo como un taco mexicano. La carne de buey a la barbacoa también sirve de relleno para los aperitivos envueltos en hojas de lechuga.

Para desayunar, una familia coreana puede comer arroz, un plato de verduras (como, por ejemplo, brotes de soja salteados en aceite de sésamo con chiles) o sopa de pescado y hortalizas. Otras sopas populares son la sopa de pepino o la sopa de buey a base de chiles (ambas se toman cuando hace calor, ya que para los coreanos, la comida picante es refrescante), y la deliciosa sopa a base de caldo picante, tofu blando y trocitos de carne y/o hortalizas. A diferencia de los chinos y los japoneses, los coreanos no suelen beber té al natural, pero les gusta el té perfumado con arroz quemado. También tienen un vino de arroz fermentado llamado *jungjong* (similar al sake japonés), una bebida a base de ginseng (una raíz medicinal muy utilizada en Asia) y el té hecho con cebada tostada.

Por lo general, el postre suele componerse de fruta, sobre todo melones, caquis y manzanas. La cocina coreana es una de las pocas que considera los tomates como una fruta. A los coreanos les gustan los tomates dulces madurados en la parra, que degustan al natural o espolvoreados con azúcar.

Inferior: Kim chee, uno de los platos coreanos más famosos. Es un condimento al ajo a base de col y rábanos avinagrados y salados. Recuadro inferior: el tónico de raíz de ginseng se vende en los mercados coreanos. La raíz se utiliza para fines tanto medicinales como culinarios.

En un restaurante de Los Ángeles, las camareras asan a la barbacoa pollo, langostinos y buey picante.

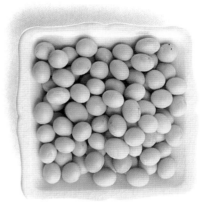

Arriba: judías adzuki o azuki *(Phaseolus* o *Vigna angularis)*
Abajo: semillas de soja *(Glycine max)*

Judías áureas *(Phaseolus aureus* o *Vigna radiata)*

Preparación de los rollos de buey picante

1. Ponga trozos de buey asado a la barbacoa sobre una hoja de lechuga.

2. Añada arroz y tofu.

3. Doble la hoja de lechuga en forma de paquete pequeño.

MEE KROB Y CURRYS DE TAILANDIA

Durante la Guerra de Vietnam, Tailandia era la aliada de Estados Unidos. Al final del conflicto, muchos tailandeses (junto con camboyanos y vietnamitas) emigraron allí y un buen número de ellos se instaló en California. Al igual que muchos otros inmigrantes anteriores, un gran número de los recién llegados de Tailandia abrieron restaurantes. Muy pronto, su fascinante cocina tuvo un gran éxito entre los californianos. La cocina tailandesa tiene mucho en común con la china (originalmente, Tailandia fue habitada por refugiados del Sur de China): el arroz y los tallarines son alimentos básicos; el salteado y la cocción al vapor son los métodos de cocción preferidos; el ajo es un condimento fundamental; el pescado, el pollo y la carne de buey son las principales fuentes de proteínas.

Pero Tailandia es única. Nunca ha sido colonizada y rara vez invadida. Por lo tanto, su cocina ha desarrollado una identidad propia, haciendo un uso peculiar de los ingredientes regionales compartidos por los otros países (y, antaño, los reinos) del Sudeste de Asia.

La cocina tailandesa ha hecho descubrir a los californianos ingredientes tropicales nuevos, tales como la hierba de limón, la pasta de gambas, la leche de coco, la salsa de pescado y la salsa de cacahuetes, que los cocineros tailandeses utilizan para preparar platos llenos de frescura y atractivos a la vista, espectaculares currys condimentados que reflejan la influencia antigua de la India sobre Tailandia cuando aún se llamaba Reino de Siam.

Hay tres tipos de currys tailandeses. Los currys amarillos, de pollo o carne de buey, se elaboran con chiles secos, salsa de pescado y azúcar de palma. En general, contienen una mezcla de cilantro, cardamomo, anís, hinojo, nuez moscada, canela y cúrcuma. Los chiles rojos frescos sirven para preparar los picantes currys rojos, que se suelen aromatizar con hojas de albahaca. Los currys más fuertes son los verdes, llamados *kaeng phed* (todos los currys se llaman *kaeng)*. Se preparan con chiles verdes frescos y hierbas aromáticas tales como albahaca, que se añade para atenuar el sabor picante del plato.

Los menús tailandeses también incluyen todo un surtido de ensaladas, como la de cangrejo con papaya y brotes de soja, que mezclan ingredientes frescos, firmes y crujientes, con el picante de los chiles. Las salsas para mojar tailandesas son similares a las preparaciones chinas, aunque mucho más complejas y picantes.

Derecha: *Mee krob*
Superior derecha: templo tailandés cerca de Los Angeles
Abajo: chiles tailandeses

Ingredientes tailandeses

Cardamomo

Salsa de chiles *(Prik)*

Salsa de chiles *(Prik)*

Leche de coco

Galanga

Hierba de limón

Nam pla

Salsa de cacahuetes

Pasta de gambas

Anís estrellado

Pasta de tamarindo

Albahaca tailandesa

Glosario de platos tailandeses

Khao neow: este plato básico de arroz glutinoso de Tailandia se prepara con una variedad de arroz rica en gluten, que se deja en remojo toda una noche y luego se cuece en una cesta de cocción al vapor colocada sobre agua hirviendo sin que entren en contacto.

Laab nuea: ensalada refrescante a base de carne picada de buey frita en la sartén y mezclada con arroz glutinoso asado y molido, salsa de pescado, galanga (una especie de jengibre), escalonias, cebolletas, chiles y hojas de menta.

Mee krob: plato a base de palitos de arroz crujientes (fritos en abundante aceite), cebolletas, pimientos dulces rojos, cebollino, tofu, cilantro y una salsa agridulce.

Nam jim satay: salsa picante para mojar a base de cacahuetes tostados y molidos, leche de coco, pasta de curry, salsa de pescado y azúcar. Se sirve con *satay.*

Nua pad prik: especie de *chile* de carne de buey que se prepara friendo lonchas de carne en una mezcla de ajo, chiles, salsa de pescado, azúcar y cilantro.

Pad thai: plato salteado a base de tallarines de arroz muy delgados mezclados con gambas secas y salsa de pescado.

Peak gai yang: alas de pollo asadas a la barbacoa; las alas se dejan reposar toda una noche en una marinada compuesta de hierba de limón, ajo, pimienta, cilantro y cúrcuma. Se sirve con arroz glutinoso.

Satay: brochetas de carne de pollo, buey o cerdo, que se asan a la parrilla y se sirven con salsa *Nam jim.*

Té o café helado tailandés: se prepara mezclando té o café fuerte con hielo y leche condensada azucarada, casi almibarada.

Glosario de ingredientes tailandeses

Agua de jazmín: agua en la cual se hace una infusión de jazmín. Se utiliza en postres.

Anís estrellado *(Illicium anisatum):* especia con sabor a anís, usada en la mayoría de las cocinas asiáticas.

Cardamomo *(Amomun kravanh):* especia de la familia del jengibre utilizada sobre todo en los currys, al igual que en la India.

Cúrcuma *(Curcuma longa):* otra especia india, de color amarillo intenso, perteneciente a la familia del jengibre. Se utiliza con frecuencia en los currys tailandeses.

Fideos de arroz: también llamados "palitos de arroz", se trata de tallarines secos muy delgados elaborados con harina de arroz.

Galanga *(Alpinia galanga):* también se utiliza en la cocina china. Pertenece a la familia del jengibre, pero tiene un sabor diferente y más suave.

Hierba de limón *(Cymbopogon citratus):* una hierba alta con una raíz bulbosa. Se pela y se pica para añadir su sabor característico a todo tipo de platos.

Leche de coco: se prepara poniendo coco rallado en agua hirviendo y colando luego el líquido resultante. Es un ingrediente fundamental en la cocina tailandesa. También se vende en lata.

Lima cafre: la piel, las hojas y el zumo de esta fruta, cultivada extensamente en Tailandia, se utilizan para añadir acidez a diversos platos.

Nam pla: salsa elaborada con gambas o pescado fermentados. Sirve para condimentar numerosos platos.

Prik: término tailandés que significa "chile". Los cocineros tailandeses utilizan muchas variedades.

Tamarindo *(Tamarindus indica):* fruto de sabor fuerte, con una piel verde y una pulpa marrón. Es menos ácido que el limón.

Curry amarillo de pollo

PHO Y SALSA DE PESCADO DE VIETNAM

Si bien los inmigrantes tailandeses impusieron su cocina rápidamente cuando finalizó el compromiso de Estados Unidos en la Guerra de Vietnam, no fue hasta una década más tarde que los vietnamitas adquirieron una importancia culinaria similar. Hoy en día, en Westminster, Garden Grove y Santa Ana, tres ciudades contiguas situadas a unos 64 km al sur de Los Angeles, en el condado de Orange, se ha establecido la comunidad vietnamita más importante de Estados Unidos. Allí, en el barrio de Little Saigon, los cocineros preparan sus platos favoritos para una clientela compuesta básicamente por vietnamitas, que se atienen a las tradiciones culinarias de su país natal.

Vietnam ha sido invadido repetidas veces por los chinos a lo largo de los siglos, fue socio comercial de la India durante mucho tiempo y una colonia francesa en la primera mitad del siglo XX. Tanto el país como su cocina han recibido influencias de estos países. De los chinos vinieron los palillos, la técnica del salteado y la costumbre de comer arroz por separado, como acompañamiento de otros platos en vez de mezclado. De los franceses heredaron la afición por la pastelería refinada y el café fuerte (tomarse un milhojas y una taza de café solo de tueste francés es muy natural para un vietnamita) y sofisticadas técnicas de cocina. Los indios les aportaron sus recetas de currys. Los vietnamitas también comen tallarines en casi todas las comidas, fríen muchos alimentos en abundante aceite y, al igual que los cocineros de toda la región, consideran el tofu un alimento básico.

Muchos de los sabores y los ingredientes son similares a los de la cocina tailandesa: arroz, hierba de limón, pasta de gambas, pasta de chiles, marisco, frutas y hortalizas que, en Vietnam, medran en los fértiles campos y arboledas irrigados por las abundantes lluvias tropicales y el caudal regular del río Mekong.

Quizás el más importante de todos los ingredientes esenciales de la cocina vietnamita sea una salsa de pescado, llamada *nuoc mam.* Se trata del líquido extraído de barriles de madera, en los cuales se han compactado capas alternas de pescado y sal y se han dejado fermentar. El *nuoc mam* se utiliza en prácticamente todos los platos cocidos vietnamitas. Además, es la base de la pasta de chiles vietnamita, *nuoc cham,* que contiene chiles triturados, vinagre, azúcar, ajo, zumo de limón y, a veces, otros ingredientes.

La cocina vietnamita es ligera y baja en grasas; si se usa carne, ésta debe ser magra. El plato nacional es el *pho,* una sopa de tallarines y carne de buey que se cuece durante muchas horas y se sirve en un cuenco con ensalada. Es corriente envolver los alimentos en papel de arroz y sazonarlos con hierbas frescas. Otro plato muy apreciado se compone de carne de buey cortada en lonchas finas, que se remojan en vinagre, se cuecen y luego se envuelven en papel de arroz junto con tiras finas de pepinillo y de carambola y salsa *nuoc mam.* Los vietnamitas aprecian tanto la cocción a la barbacoa como los platos tipo *fondue,* en los cuales cuecen

brochetas de carne o pescado en un caldo humeante. A menudo, disponen un pescado entero en una fuente, lo cubren con especias, hortalizas, tallarines y condimentos y lo cuecen al vapor. También consumen unas bolas de masa cocida al vapor, similares a los *dim sum* chinos, con salsas para mojar a base de cacahuete

y sazonadas con chiles, parecidas a las que hay en Tailandia. Otros platos populares son el pescado asado a la barbacoa, el pescado cocido al vapor con pasta de chiles, el pescado en salsa agridulce con hortalizas (el pescado es la principal fuente de proteínas en Vietnam) y estofados cocidos en una olla de barro.

Especialidades vietnamitas: 1. Tortilla vietnamita (huevo, brotes de soja, gambas y carne de cerdo) 2. Rollitos de setas y carne de cerdo con salsa de pescado para mojar 3. Salsa de pescado para mojar 4. Bebida a base de caña de azúcar (zumo de limón y azúcar mezclados con agua) 5. Postre de coco y plátano con gelatina de almendras.

Sopa agria de tomate (tomates, escalonias, brotes de soja, gambas y piña en caldo de pescado)

Raviolis de carne de cerdo

Superior: un mercado vietnamita del sur de California. Superior derecha: el *pho* (sopa de tallarines y carne de buey con hortalizas) es el plato vietnamita más famoso.
Inferior izquierda: Fideos de arroz con carne de cerdo y setas. Inferior centro: Fideos delgados de arroz con tofu, hortalizas y carne de cerdo. Inferior derecha: Chiles en vinagre, un condimento picante

NAVIDAD

Si bien los cristianos celebran el nacimiento de Jesucristo el 25 de diciembre, las tradiciones navideñas de los europeos tales como la decoración de árboles de hoja perenne, los regalos y el banquete provienen de las saturnales, unas fiestas paganas que se celebraban hace siglos en la época del solsticio de invierno, en diciembre. Los inmigrantes trajeron consigo estas tradiciones al Nuevo Mundo y, actualmente, forman parte de las celebraciones navideñas de Norteamérica. La mayoría de estas tradiciones festivas implica comida, especialmente todo tipo de dulces. Durante todo el mes de diciembre, los confites especiales, las galletas, las casas de pan de especias, los ponches y los pasteles de frutas y frutos secos abundan en todas partes.

En Estados Unidos, la Navidad tiene raíces europeas, pero actualmente se celebra de manera bien distinta al resto del mundo. Mientras que el Día de Acción de Gracias es la principal fiesta familiar, centrada en torno a una comida con un menú determinado, la Navidad está más orientada hacia los regalos, sobre todo para los niños. La fiesta de hoy en día presenta un gran contraste con la época de la América colonial, cuando las celebraciones (salvo los festines de Acción de Gracias, por supuesto) estaban prohibidas por los puritanos, ya que las consideraban frívolas e inmorales. Cuando, en el siglo XIX, las costumbres sociales se liberalizaron un poco y la gente empezó a celebrar la Navidad, los calcetines de los niños se llenaban de frutos secos, caramelos duros y una preciada naranja apiñada en la punta. Los regalos solían ser juguetes, muñecas o jerseys hechos a mano. Una situación bien distinta del abrumador diluvio de coches en miniatura de plástico accionados con pilas, videojuegos y muñecas Barbie que actualmente invaden el mercado.

Uno de los aspectos absolutamente únicos de la Navidad norteamericana es la manera de decorar las casas, los jardines delanteros, las zonas comerciales de la ciudad y las aulas de los colegios. De noche, luces blancas y de colores forman guirnaldas en las ramas de los árboles y las velas eléctricas iluminan las ventanas. El rojo y el verde son los colores de la Navidad. Los árboles de hoja perenne, el acebo y la flor de pascua (una planta tropical americana con hojas rojas, blancas o rosas) son las plantas decorativas típicas de esta época. Mucha gente perfila su casa con guirnaldas de luces de colores, mientras que otros no escatiman esfuerzos para crear paisajes iluminados en el césped o instalan sobre el tejado siluetas de Papá Noel con renos, elfos y trineos cargados de sacos repletos de juguetes. Parece que compitan con sus vecinos para ver quién realizará la decoración más espectacular y luminosa. En Los Ángeles, donde la nieve es tan escasa como los diamantes de 10 quilates, la nieve artificial hecha con algodón o espuma adorna estos

Papa Noel se presenta en un vivero de árboles de Navidad.

Foto superior: un árbol de Navidad decorado con todo tipo de adornos

sucedáneos de paisajes invernales evocando el Polo Norte, donde vive Papá Noel.

El elemento decorativo fundamental es el árbol de Navidad. La picea, el pino albar y el abeto son las especies más populares. Las familias compran este árbol unas semanas antes del 25 de diciembre, eligiendo entre hileras de árboles cónicos hacinadas en las gasolineras, los puestos navideños o los mercados al aire libre. La gente puede incluso ir a cortar su propio árbol de Navidad en un vivero típico de esta época. La elección final del árbol es muy personal y puede ser bastante emotiva, suscitando a veces discusiones acaloradas entre los miembros de

la familia que debaten los méritos de la forma contra la altura o de la simetría contra las peculiaridades de cada especie. Para mucha gente, el olor a pino recién cortado es uno de los recuerdos olfativos más marcados de la infancia. El perfume fuerte y astringente de la picea se une a los aromas frescos de las especias (canela, nuez moscada y jengibre) utilizadas en los pasteles y dulces de Navidad, recordando la expectación y la excitación que forman parte del espíritu de la Navidad.

La decoración del árbol de Navidad también es una experiencia fundamental, que proporciona a la gente una excusa excelente para reunirse. Los

Las galletas decoradas en forma de árbol, de estrella y de reno, los caramelos de menta en forma de bastón y las figuras de chocolate son algunos de los dulces de Navidad.

amigos traen adornos a modo de regalo a las fiestas de guarnición del árbol y ayudan a decorarlo. Se cantan villancicos y los anfitriones sirven canapés y cócteles de fiesta. Los niños hacen adornos con galletas, confeccionan guirnaldas de papel verdes y rojas, y ensartan palomitas de maíz y arándanos rojos en largos hilos para decorar el árbol. También se cuelgan caramelos en forma de bastones rayados e hilos de plata, junto a los adornos antiguos guardados en cajas en el desván.

La celebración de la Navidad en sí tiene lugar la víspera del día de Navidad. Algunas familias acuden a misas cantadas y a la Misa del Gallo y comparten una cena tarde, justo antes o después de ir a la iglesia. El principal acontecimiento es el momento de colgar los calcetines cerca de la chimenea. El jovial Papá Noel, que los norteamericanos llaman Santa Claus (originariamente, San Nicolás, un obispo de Asia Menor del siglo IV), es un personaje festivo fundamental para los niños que creen, más o menos, que les traerá regalos y dulces en Nochebuena. Después de colgar sobre la chimenea unos calcetines especiales enormes y decorados, los niños ponen un vaso de leche y un plato de galletas como tentempié para Papá Noel (y, a veces, una manzana y algunas zanahorias para los renos que tiran del trineo). Misteriosamente, a la mañana siguiente descubren que se han bebido parte de la leche, han mordisqueado las galletas, y las manzanas y las zanahorias han desaparecido.

La mañana del día de Navidad, algunas familias toman un desayuno informal a base de café y tortitas. Lo importante no es la comida, sino abrir los regalos. Por la tarde, muchos norteamericanos optan por ir al cine o tienen la casa "abierta" para todos sus amigos, que están invitados a tomar una copa y un aperitivo a cualquier hora de la tarde.

Como en muchas otras fiestas norteamericanas, en las tradiciones festivas de Navidad reina el azúcar. Los caramelos de menta en forma de bastones a rayas rojas y blancas son el dulce más típico. Antaño, sólo existían con sabor a menta, pero actualmente también se elaboran con sabor a pirola, canela o frutas. Las cintas de caramelo son otro confite navideño: son delicadas cintas de algodón de azúcar que se doblan en formas sueltas y onduladas y se envasan con cuidado en cajas forradas con plástico de burbujas.

Las galletas son una parte importante de las celebraciones navideñas. Los niños decoran las galletas de jengibre y de azúcar para comérselas o colgarlas del árbol de Navidad. Esta costumbre de Europa central y Escandinavia se origina en la historia romana y celta. Las formas humanas y animales comestibles simbolizan los sacrificios que antaño se ofrecían a las deidades paganas. Los norteamericanos de origen escandinavo celebran la Navidad con bufés de postres, compuestos de panes dulces, bollos al azafrán y un surtido de

galletas (siete clases diferentes). En Nochebuena, toman una cena a base de arenques y *lutefisk* (pescado seco). Los pensilvanos de origen alemán elaboran galletas de Navidad especiadas, como los *lebkuchen* aromatizados con miel, y panes de frutas. Los *fruitcake,* pasteles de frutas y frutos secos macerados con coñac y piel de limón, de tradición inglesa, son un regalo gastronómico que los norteamericanos ofrecen a menudo, pero que generalmente aborrecen. Las casas de pan de especias, suntuosamente decoradas con caramelos y glaseados, son una costumbre alemana muy apreciada en Norteamérica. La construcción de estas obras de arte arquitectónicas dulces constituye el pasatiempo festivo predilecto de algunos cocineros aficionados.

Las casas comestibles se elaboran con pan de especias, glaseados y caramelos pero, en realidad, no se comen nunca.

El Noroeste del Pacífico y Alaska

por Cynthia Nims

Alaska

Oregon

Washington

Una característica del Noroeste del Pacífico es la lluvia. De hecho, muchas otras regiones de Estados Unidos reciben más precipitaciones que el Noroeste. Pero aquí, la lluvia cae en forma de llovizna que parece no tener fin, dando la impresión de una humedad constante. Permite crear las condiciones húmedas y fértiles que benefician al cultivo de los productos más famosos de la región: bayas, frutas de hueso, setas silvestres, manzanas y peras. El clima templado es excelente para producir uvas para vino.

Desde hace mucho tiempo, el Noroeste del Pacífico ofrece una gran abundancia y diversidad de alimentos. Los indígenas norteamericanos de esta región, antaño descritos como la sociedad no agrícola más desarrollada del mundo, han disfrutado de estos ricos recursos durante siglos. *Potlatch,* un término de la lengua de los indios Chinook que significa "regalo", también es el nombre de las ceremonias festivas que acompañan los eventos y los rituales sumamente importantes en la vida de los indígenas. Antiguamente, la comida *potlatch* incluía invariablemente salmón, junto con almejas, mejillones, bayas, verduras silvestres y cualquier otro alimento que ofrecía la temporada. El festín de las tradiciones alimentarias del Noroeste aún se celebra hoy en día y es apreciado y venerado por los nuevos habitantes de la región.

El estado de Alaska, el 49º en unirse a Estados Unidos, no se considera una parte del Noroeste del Pacífico, pero comparte muchos alimentos (como el salmón y las bayas silvestres) y tradiciones culinarias con los estados de Oregon y Washington. Su nombre proviene de la palabra *alyeska* que, en la lengua de los indios Aleuta, significa "gran país". El estado fue colonizado por individuos audaces que siguieron un estilo de vida singular en esta región apartada y elevada de Norteamérica.

Línea del horizonte de Seattle (Washington)

HORTALIZAS GIGANTES DE ALASKA

Alaska tiene una superficie equivalente a una quinta parte del territorio total de los 48 "estados inferiores" (el resto de los Estados Unidos), pero está escasamente poblada. Si su población estuviese repartida uniformemente por todo el estado, habría menos de un habitante por kilómetro cuadrado. Por ello, muchos ciudadanos de Alaska viven lejos de la tienda de comestibles local. Los cocineros de este estado recurren a menudo a los alimentos en conserva para improvisar. Con el típico humor de Alaska, se refieren a la "vaca en lata" (leche evaporada) y al "limón embotellado" que utilizan cuando no disponen de leche fresca ni de limones. En invierno, la

Una col gigante en la Feria estatal de Alaska

gente depende a menudo de los alimentos secos o congelados cuando no se pueden conseguir productos frescos.

Pero, en verano, los alimentos frescos abundan en Alaska. Algunas de las frutas y las hortalizas que medran en el "país del sol de medianoche" de Norteamérica alcanzan dimensiones gigantescas. Se puede ver, por ejemplo, un girasol de casi 5 m de alto, un tallo de ruibarbo de más de 2 kg de peso o un repollo de coliflor de 13,5 kg. Y son reales. En verano, en Anchorage, los días duran hasta 20 horas durante el mes de julio, lo que favorece el crecimiento de las plantas a un ritmo aparentemente anormal. Un hecho que compensa en cierto modo la breve duración de la temporada, ya que las temperaturas frías aparecen rápidamente a principios de octubre.

Por todo Alaska se celebran ferias estatales durante los meses de julio y agosto, el punto culminante del verano. En estas ferias, los horticultores locales

exhiben su cosecha, pesando las frutas y las hortalizas para competir con sus vecinos por el récord del año. La competición más importante es la de las coles, una hortaliza que crece literalmente como una mala hierba durante los singulares veranos de Alaska. (Es tal vez por ello que la col se considera extraoficialmente la hortaliza del estado). El actual récord lo ostenta un impresionante ejemplar de 44,5 kg. En Alaska hay tal fervor por la horticultura que la oficina de la feria estatal sigue con atención los récords de casi todo lo que se cultiva, desde el guisante más grande (7,5 g) hasta la calabaza más pesada (98,4 kg) y el tallo de eneldo más largo (2,2 m).

El valle de Matanuska, que se extiende al noreste de Anchorage, reúne unas condiciones de cultivo óptimas. A raíz de la Gran Depresión de los años treinta, las familias granjeras de Michigan, Minnesota y Wisconsin que participaban en un programa federal de traslado se mudaron al valle de Matanuska para establecerse y cultivar esta fértil zona. A finales de agosto, en la localidad de Palmer, situada en el corazón del valle, se celebra la feria estatal más grande de Alaska y la última de la temporada estival.

Rhubard Upside-Down Cake
Pastel invertido de ruibarbo

¼ taza de mantequilla
½ taza de azúcar moreno
3 tazas de ruibarbo troceado
1 taza de frambuesas frescas (opcional)

Pasta:

1 taza de harina blanca
1½ cucharaditas de levadura en polvo
una pizca de sal
½ taza de mantequilla
1 taza de azúcar
2 huevos
½ taza de suero de leche
1 cucharadita de extracto de vainilla

Precaliente el horno a 180°C. Caliente la mantequilla en una sartén grande de fondo pesado, preferiblemente de hierro fundido. Añada el azúcar moreno y cueza a fuego medio, removiendo hasta que el azúcar se disuelva. Agregue el ruibarbo, removiendo bien para bañarlo con el azúcar. Retire del fuego y esparza las frambuesas por encima uniformemente, si las utiliza. Reserve.

Para la pasta: Tamice la harina junto con la levadura y la sal. En otro cuenco, bata la mantequilla y el azúcar hasta que estén espumosos. Añada los huevos, el suero de leche y la vainilla y continúe batiendo. Incorpore los ingredientes secos hasta que estén completamente mezclados. Vierta la pasta sobre el ruibarbo y hornee hasta que, al insertar un palillo en el centro, éste salga limpio (de 30 a 40 minutos). Vuelque la sartén con cuidado sobre una fuente de servir y deje reposar 1 minuto para que la mezcla de azúcar moreno rezume sobre el pastel. Retire la sartén y sirva el pastel caliente. Para 6–8 personas.

Manzanas

Las manzanas (género *Malus*) son, sin lugar a dudas, el principal producto agrícola del estado de Washington. Si los 10 a 12 mil millones de manzanas de una cosecha anual se colocasen unas al lado de las otras, ocuparían 65 veces la distancia entre Seattle y Nueva York (de 4.517 km).

Las primeras manzanas llegaron al estado de Washington en un barco de la Hudson's Bay Company, una compañía dedicada al comercio de pieles que estableció algunos de los primeros asentamientos europeos del Noroeste del Pacífico. En la primavera de 1826, se plantaron semillas de una "manzana de la suerte" en Fort Vancouver (Washington). El manzano vivo más viejo de la región todavía permanece allí; cada mes de octubre, se celebra la Fiesta del Viejo Manzano, con degustaciones de numerosos productos a base de manzanas, tales como sidra recién prensada, pastel de manzanas y manzanas acarameladas.

La producción comercial de manzanas no empezó hasta 1880, originalmente en el valle de Yakima (Washington). Fue en esta época aproximadamente cuando, gracias al progreso de las técnicas de irrigación, se pudieron canalizar las aguas de los ríos de la zona hacia las tierras secas pero fértiles. Ello supuso un gran beneficio tanto para los manzanares como para otras producciones agrícolas.

Hoy en día, en el estado de Washington, las regiones fluviales del Columbia, el Wenatchee y el Yakima constituyen el área de cultivo de manzanas más grande de Estados Unidos. Estas manzanas se venden por todo Norteamérica y se exportan a un mínimo de 30 países. Las manzanas constituyen una parte tan antigua y respetada de la historia de la región que el partido anual entre los equipos rivales de fútbol americano de la Universidad de Washington y la Universidad del Estado de Washington se llama Copa de la Manzana.

La Red Delicious, la manzana de Washington más conocida, representa más de la mitad de la cosecha de manzanas del estado. Pero los cultivadores están expandiendo la producción y ampliando continuamente el número de variedades. Los consumidores aprecian la selección disponible, ya que las diferentes variedades ofrecen un abanico de posibilidades en cuanto a color, dulzor, textura y cocción. Algunas variedades más antiguas, anteriormente abundantes, vuelven a ser muy apreciadas como, por ejemplo, la Jonathan. Sin embargo, se hacen continuos experimentos, mediante la fecundación por polinización cruzada o los injertos, para crear manzanas "nuevas" que conserven lo mejor de las diferentes clases.

Manzana al horno

Roasted Pork Loin with Apples and Brandy
Lomo de cerdo asado con manzanas y coñac

1 lomo de cerdo (unos 2 kg)
sal y pimienta
¼ taza de aceite vegetal
1 cebolla grande troceada
1 manzana ácida grande pelada, descorazonada y troceada
1 taza de vermut seco o vino blanco
2 hojas de laurel ligeramente machacadas
½ taza de aguardiente, preferiblemente de manzana
1 manzana ácida grande descorazonada y cortada en láminas finas (sin pelar)

Precaliente el horno a 180°C.

Sazone el lomo de cerdo con sal y pimienta.

Caliente el aceite en una cacerola grande de fondo pesado y dore uniformemente el lomo. Páselo a una fuente y resérvelo.

Añada la cebolla y la manzana troceada a la sartén y refríalas, removiendo, hasta que empiecen a dorarse y reblandecerse. Vuelva a poner el lomo en la sartén, rocíelo con el vermut y agregue el laurel. Introduzca la cacerola en el horno y ase la carne hasta que alcance una temperatura interior de 75°C, unas 1¼ horas.

Retire el lomo y resérvelo sobre una tabla de cortar. Deseche las hojas de laurel, añada el aguardiente y las láminas de manzana. Lleve a ebullición suave hasta que el alcohol se haya consumido por completo y las manzanas empiecen a estar tiernas. Rectifique la condimentación. Corte el lomo y sirva las manzanas y las cebollas a un lado del plato. Para 4–6 personas.

Baked Apples
Manzanas al horno

4 manzanas grandes para asar (tipo Rome Beauty o Newton Pippin) enteras y descorazonadas
¼ taza de azúcar moreno
¼ taza de avellanas o almendras picadas
2 cucharadas de arándanos rojos secos picados u otra fruta seca
1 cucharadita de canela molida
½ cucharadita de nuez moscada molida
2 cucharadas de mantequilla
nata montada

Precaliente el horno a 180°C. Disponga las manzanas boca arriba en una fuente de horno pequeña y cuadrada, untada con un poco de mantequilla. En un cuenco pequeño, mezcle el azúcar, las avellanas, los arándanos rojos, la canela y la nuez moscada. Vierta la mezcla a cucharadas en el hueco de las manzanas, presionándola un poco. Esparza la mantequilla sobre las manzanas rellenas. Vierta ½ taza de agua en el fondo de la fuente. Hornee las manzanas hasta que estén tiernas, de 30 a 45 minutos, según el tamaño y la variedad. Adórnelas con la nata montada y los frutos secos. Vierta la salsa por encima. Para 4 personas.

Braeburn

Granny Smith

Criterion

Newton Pippin

Fuji

Jonagold

Gala

Red Delicious

Golden Delicious

Rome Beauty

Principales variedades de manzana

Braeburn: piel verde con tonos rojos o, a veces, completamente roja; agridulce, crujiente y jugosa; excelente manzana apta para todo tipo de usos, se consume cruda y horneada.

Criterion: piel amarilla, a veces, con tonos rojos; muy dulce, firme y jugosa; sabe mejor cruda, en ensaladas.

Elstar: híbrido de la Golden Delicious. Piel amarilla con tonos rojos; sabor concentrado agridulce; excelente al natural y en pasteles; producción limitada.

Fuji: piel amarillo verdosa con vetas rojas; pulpa crujiente, sabor dulce y suave; sabe mejor cruda, pero es apta para todo tipo de cocción.

Gala: piel roja con algunos tonos amarillos; sabor rico y concentrado; sabe mejor al natural, deliciosa en ensaladas; originaria de Nueva Zelanda.

Golden Delicious: piel de color dorado a amarillo verdoso, con algunos tonos rosados; excelente manzana para todo tipo de usos; mantiene la forma al cocerla y es ideal para tartas.

Granny Smith: piel de color verde intenso, con algunos tonos rosados; la clásica manzana ácida y crujiente; resulta deliciosa cruda o cocida en compota o en platos salados.

Jonagold: piel de color amarillo verdoso con vetas rojas; sabor agridulce, pulpa crujiente y jugosa; deliciosa para comer cruda, excelente para cocinar; es un híbrido de las variedades Jonathan y Golden Delicious.

Jonathan: piel roja, a veces con rayas amarillas; pulpa crujiente, ligeramente ácida; deliciosa tanto cruda como cocida.

Newton Pippin: piel verde, a veces con vetas rojas; sabor ácido y dulce, pulpa firme; excelente para pasteles y otras preparaciones al horno.

Red Delicious: piel de color rojo oscuro; pulpa dulce y jugosa; sabe mejor cruda.

Rome Beauty: piel de color rojo intenso; forma muy redonda; sabor suave, ligeramente ácido; la mejor para hornear, sobre todo entera.

Winesap: piel de color rojo oscuro; ligeramente ácida y aromática; deliciosa para comer cruda y para cocinar.

Entre otras variedades experimentales o de producción limitada figuran las siguientes: Akane, Arlet, Cameo, Cox Orange Pippin, Earligold, Empress, Gala Supreme, Gravenstein, Honey Crisp, Macoun, Majestic, McIntosh, Melrose, Mutsu (Crispin), Sansa, Spartan, Tsugaru y William's Pride. Sin duda, la lista seguirá ampliándose.

BAYAS

En el Noroeste del Pacífico y en Alaska, la temporada alta de las bayas se sitúa en la época en que el sol del verano es fuerte y tórrido. Es una temporada de abundancia, no sólo para el horticultor casero y los recolectores de fin de semana, sino también para los cultivadores de bayas comerciales que hacen del Noroeste la principal región productora de bayas de Estados Unidos. Las regiones de cultivo más significativas, tanto para las bayas cultivadas como silvestres, están ubicadas en el clima templado de la costa y en las estribaciones de las montañas bajas de Alaska y del oeste de Oregon y en el estado de Washington. Se encuentran variedades comunes tales como zarzamoras, frambuesas rojas y fresas. Pero la región también produce otros tipos de bayas deliciosas.

Zarzamoras

Arándanos negros

Arándanos negros

En los estados de Washington y Oregon, se cultivan más de 160 variedades de arándanos negros: arándanos en mata *(Vaccinium angustifolium)* y arándanos arbustivos *(Vaccinium corymbosum);* y el número aumenta regularmente. Las diferentes variedades tienen sabores y grados de dulzor variables pero, en general, cuanto más pequeña es la baya, más sabrosa es.

En los exuberantes bosques de las regiones costeras y de las estribaciones montañosas del Noroeste y de Alaska, se encuentra un pariente silvestre del arándano negro, la gaylusacia *(Gaylussacia resinosa).* Estas bayas pequeñas y compactas, de color rojo intenso o púrpura oscuro, tienen un sabor concentrado. Las gaylusacias rara vez se venden en los comercios. Pero las recogen los recolectores de fin de semana para su propio uso.

Familia de la zarzamora

La zarzamora sempervirente es una variedad cultivada de la zarzamora silvestre, que es originaria y abundante en esta región. Sin embargo, la mayor parte de la cosecha comercial de zarzamoras la constituye la mora Marion, un híbrido entre la variedad silvestre y la cultivada. Esta baya se desarrolló en el condado de Marion (de ahí su nombre), situado en el corazón del valle de Willamette (Oregon) que es el principal condado productor de bayas.

Entre los otros híbridos de zarzamora figuran la mora Logan (un cruce entre frambuesa y zarzamora) y la mora Boysen (un cruce entre zarzamora, frambuesa y mora Logan). Ambas son jugosas, de color púrpura oscuro y aptas para hornear.

Los arbustos de zarzamora del Himalaya silvestre abundan por todos los climas templados y húmedos de los estados de Washington y Oregon. Durante los meses de julio y agosto, un pasatiempo habitual consiste en salir a buscar bayas a lo largo de la carretera y en los terrenos baldíos provistos de una cesta o una caja. Estas bayas resultan excelentes para preparar tartas, *cobblers* (pasteles de fruta) y mermelada. La zarzamora del Pacífico (también llamada zarzamora trepadora o *dewberry*) es una variedad silvestre similar pero menos común, que mucha gente considera más sabrosa que la zarzamora del Himalaya.

Batido de frambuesas

Raspberry Milkshake
Batido de frambuesas

½ taza de leche
1½ tazas de frambuesas maduras o muy maduras
½ taza de helado de vainilla
hojas de menta para adornar (opcional)

Vierta la leche en una batidora y añada las bayas. Bata hasta obtener una mezcla espesa. Añada el helado y bata hasta que la mezcla sea homogénea. Vierta el batido en vasos altos, adórnelo con una hoja de menta y sírvalo de inmediato. Para 1 batido.

Frambuesas

Frambuesas *(Rubus idaeus strigosus)*

Los estados de Washington y Oregon son el primero y el segundo productor de frambuesas de Estados Unidos, respectivamente. En la región también crecen frambuesas silvestres rojas y negras. Las frambuesas son muy delicadas y resultan deliciosas al natural.

Fresas

Fresas *(Fragaria ovalis)*

Las fresas proporcionan, con mucho, la mayor cosecha comercial de bayas de Oregon y una parte importante de la de Washington. Las diminutas y aromáticas fresas del bosque *(Fragaria virginiana)* se encuentran en las regiones costeras templadas. En verano, en toda la región se celebran numerosos festivales en honor de las fresas, en los cuales los asistentes pueden tomar tantas fresas como quieran cuando las bayas están en su mejor época.

Arándanos rojos

Arándanos rojos agrios *(Vaccinium macrocarpon)*

El arándano rojo del Noroeste crece en las ciénagas, en el clima frío y húmedo del litoral del Pacífico. Si bien la producción comercial no es muy abundante (representa sólo un pequeño porcentaje de la produc-

ción nacional), la calidad de los arándanos de color rojo oscuro del Noroeste es muy apreciada. En Ilwaco (Washington), cada mes de octubre celebran la cosecha anual con un festival de los arándanos en el museo del patrimonio de la región.

Estas bayas muy ácidas no suelen comerse crudas, pero cocidas acompañan numerosos mariscos y carnes del Noroeste. Los arándanos secos ligeramente azucarados son deliciosos en pasteles y dulces (tales como *scones* y panes rápidos), espolvoreados en una ensalada verde con queso azul y nueces, o a modo de aperitivo.

Arándanos encarnados

Arándanos encarnados *(Vaccinium vitis-idaea)*

El arándano encarnado es un pariente del arándano rojo y es originario de Alaska, donde se le conoce como "arándano en mata". Los escandinavos que se establecieron en Alaska a finales del siglo XIX probablemente se complacieron en encontrar este fruto en su nueva patria, ya que es un ingrediente significativo en las recetas escandinavas tradicionales. El arándano encarnado no es tan ácido como el arándano rojo, pero no se consume crudo.

Frambuesa salmón o zarzamora enana *(Rubus chamaemorus)*

El Noroeste y Alaska son célebres por los salmones, por lo tanto es lógico que estas regiones se jacten de una baya llamada *salmonberry* (frambuesa salmón). El nombre se lo pusieron los indígenas norteamericanos que observaron que estas bayas gordas de color rojo anaranjado se parecían a los racimos de huevos de salmón.

Las frambuesas salmón pertenecen a la familia de las frambuesas silvestres aunque son menos sabrosas. Rara vez, o nunca, se comercializan, pero son una baya muy apreciada por los recolectores y los excursionistas amantes de la montaña.

Marionberry Cobbler
Cobbler de moras Marion
Relleno:

6 tazas de moras Marion o moras negras cuidadosamente enjuagadas
1¼ tazas de azúcar
⅓ taza de fécula de maíz

Cobertura:

2 tazas de harina blanca
1 taza + 1 cucharada de azúcar
1 cucharada de levadura en polvo
1 cucharadita de sal
1 taza de leche
½ taza de mantequilla derretida
¼ cucharadita de nuez moscada

Precaliente el horno a 180°C. Revuelva suavemente las bayas con 1 taza de azúcar y déjelas reposar durante 1 hora. Escúrralas bien y reserve el jugo. Mezcle el azúcar restante con la fécula de maíz y el jugo de las bayas en un cazo pequeño. Cueza, removiendo, a fuego medio hasta que se espese, unos 4 minutos. Deje enfriar un poco y agregue las bayas. Vierta la mezcla en una fuente de horno cuadrada de 22,5 cm.

Para la cobertura, mezcle la harina, 1 taza de azúcar, la levadura en polvo y la sal. Añada la leche y la mantequilla derretida, y remueva hasta obtener una mezcla homogénea. Vierta el relleno a cucharadas sobre las bayas, extendiéndolo para cubrirlas bien. Espolvoree la cobertura con la nuez moscada y la cucharada de azúcar restante. Hornee de 35 a 40 minutos. Deje enfriar antes de servir. Cubra con nata espesa o montada. Para 8–10 personas.

Cranberry Catsup
Ketchup de arándonos rojos

1 kg de arándanos rojos frescos lavados
1 taza de cebolla troceada fina
1 taza de agua
1 taza de azúcar
1 taza de vinagre blanco destilado
2 cucharaditas de canela en polvo
1½ cucharaditas de clavos de especia molidos
1½ cucharaditas de pimienta de Jamaica molida
1½ cucharaditas de sal
1 cucharadita de semillas de apio
1 cucharadita de pimienta negra molida

Mezcle los arándanos rojos, la cebolla y el agua en un cazo mediano. Lleve a ebullición, baje el fuego y cueza a fuego lento hasta que las bayas estén blandas, de 10 a 12 minutos. Pase las bayas por un pasapurés o un tamiz fino para retirar las pieles, y devuelva el puré de bayas al cazo. Añada el azúcar, el vinagre y las especias. Lleve a ebullición, baje el fuego y deje cocer a fuego lento y sin tapar, hasta que casi todo el líquido se haya evaporado y la salsa se haya espesado, de 15 a 20 minutos. (Espume la superficie mientras la salsa cuece a fuego lento.) Deje enfriar; refrigere el ketchup o enváselo en tarros esterilizados para una mayor conservación. Sirva sobre carne de ave, de cerdo o de caza asada. Para unas 4 tazas.

QUESO

Quesos del Noroeste: 1. Queso de cabra envuelto en hojas de parra 2. Queso Sally Jackson jaspeado al eneldo y al ajo 3. Queso de leche de oveja espolvoreado con cacao 4. Cheddar de Tillamook 5. *Chèvres* (quesos de cabra) de Vashon Island con hierbas y flores 6. Manchego de Quillasascut 7. Queso de Quillasascut ahumado con chiles chipotle 8. Queso azul Rogue 9. *Crottin* de Quillasascut

El Noroeste del Pacífico es una región productora de quesos digna de mención, que se beneficia de la inseparable combinación de un clima suave, una lluvia abundante y un suelo fértil. Ésta crea un ambiente favorable a los ricos pastos en los cuales pacen numerosos rebaños de vacas, cabras y ovejas, que dan una leche de primera calidad. En manos de los queseros artesanos, el resultado es excelente. No es de extrañar que el Noroeste sea también una de las principales regiones consumidoras de queso del condado.

Queso de granja

"Queso de granja" es el término utilizado para los quesos artesanos elaborados por gente que cría sus propios animales productores de leche. En general, en estas explotaciones pequeñas y familiares, los queseros trabajan con cabras y ovejas, aunque algunos también tienen algunas vacas.

Las variedades de quesos elaboradas artesanalmente en el Noroeste del Pacífico son notables. Se pueden encontrar de todas clases, desde quesos de cabra frescos, blandos y de sabor puro hasta quesos de oveja curados de olor fuerte (algunos tienen la misma intensidad que el parmesano). Muchos queseros de la región reconocen el legado europeo en materia de elaboración de quesos fabricando imitaciones de Gouda, Manchego, *crottins* de queso de cabra y quesos azules veteados.

Dos quesos célebres de la región

Tillamook

El condado de Tillamook, en el noroeste del estado de Oregon, ostenta la tradición quesera más importante del Noroeste. El nombre indio de esta región significa "tierra con múltiples puntos de agua". Ríos y riachuelos riegan fértiles praderas donde pastan 25.000 vacas (Holstein, Jersey y Guernsey), con cuya leche se elaboran los famosos quesos de la Tillamook Creamery. El cheddar de Tillamook, que se presenta en bloques de quilo, es el queso artesanal más vendido en Estados Unidos.

Poco después de su establecimiento en la región, a mediados del siglo XIX, los colonos reconocieron que la leche de sus vacas era de calidad

Cheddar de Tillamook

excelente. Pero resultaba difícil transportar la leche fresca y la mantequilla hasta el mercado de Portland y más lejos sin que se estropeasen. El queso era, pues, la única solución natural para alargar la conservación de la buena leche. Peter McIntosh, un canadiense que llegó hacia finales del siglo XIX, aportó importantes mejoras al queso de Tillamook. Conocía bien los procesos de fabricación específicos de los quesos de Cheddar (Inglaterra) y promovió la elaboración de un queso de este tipo en Tillamook.

En 1909, se formó la Tillamook County Creamery Association. Actualmente, esta cooperativa comprende 196 lecherías, todas ellas situadas en un radio de unos 40 km alrededor de la lechería de Tillamook. Cada día, llegan a la lechería unos 660.000 litros de leche cruda, que se transforman en 25 millones de quilos de queso al año. El cheddar representa las tres cuartas partes de esta producción. Recientemente, se ha ampliado la oferta y también se fabrican yogures, mantequilla, nata agria y helados (los habitantes de la región elaboran todos estos productos desde los años cuarenta).

Cougar Gold

Lo que al principio no era más que una experiencia educativa se ha convertido en uno de los quesos más célebres de Estados Unidos. El Cougar Gold es un queso delicioso, con un sabor fuerte a nueces, fabricado en el campus de la Universidad del Estado de Washington (WSU), en Pullman. A principios del siglo XX, la leche que se proporcionaba a los estudiantes procedía de las vacas lecheras del programa agrícola de la universidad. Se creó una empresa de elaboración de queso para aprovechar el excedente de leche.

En los años treinta, la universidad dirigió un estudio de investigación sobre los quesos duros y el embalaje. El plástico todavía no se utilizaba

Cougar Gold

y las capas de cera que protegían el queso se rompían a menudo, exponiendo el queso a la contaminación. Los directores del proyecto, patrocinado por el gobierno norteamericano y por la American Can Company (una fábrica de latas de conserva), recurrieron al científico N. S. Golding, especializado en el estudio de los alimentos, para fabricar un queso que se pudiese envasar. A lo largo de la maduración, los quesos desprendían un gas que hacía explotar las latas de metal. Golding desarrolló la receta de un queso delicioso que no hacía inflar las latas. Se le bautizó como Cougar Gold (oro de puma) en honor al nombre de su inventor y de la mascota de la escuela, un puma. A pesar de los nuevos envases, el Cougar Gold se continúa vendiendo en pequeñas latas metálicas de 900 g. La WSU Creamery también vende otros quesos en lata, tales como el American Cheddar, el Smoky Cheddar (ahumado) y el Viking, un queso suave tipo Monterey Jack que se comercializa al natural o sazonado con chile o ajo.

Cougar Gold
en lata

Cheddar Soup with Ale
Sopa de cheddar con cerveza ale

4 cucharadas de mantequilla
1 cebolla grande troceada
1 patata grande para asar pelada y troceada
½ taza de harina
3 tazas de caldo de pollo
3 tazas de queso cheddar fuerte rallado
2 tazas de cerveza *ale*
1 taza de manzana ácida troceada

Caliente la mantequilla en un cazo grande a fuego medio. Añada la cebolla y la patata y refría, removiendo, hasta que las hortalizas empiecen a reblandecerse. Espolvoree la harina sobre las hortalizas y refría unos minutos más, removiendo bien para que la harina cubra uniformemente la verdura. Vierta el caldo poco a poco y cueza la sopa hasta que se espese ligeramente. (Si prefiere una sopa fina, triture la mezcla antes de proseguir.) Agregue el queso y la cerveza y cueza lentamente, removiendo de vez en cuando, hasta que el queso se haya fundido. Salpimiente al gusto. Vierta la sopa en cuencos individuales y, si lo desea, adórnela con la manzana troceada. Para 4–6 personas.

Oregon Blue Cheese Tart
Tarta de queso azul de Oregon

Fondo de tarta:

1¼ tazas de harina
⅓ taza de avellanas tostadas molidas finas
1 cucharadita de sal
6 cucharadas de mantequilla fría y cortada en trozos
1 yema de huevo
3 ó 4 cucharadas de agua fría

Relleno:

2 tazas de nata espesa
6 yemas de huevo
150 g de queso azul desmenuzado fino
2 cucharaditas de hojas de tomillo frescas
sal y pimienta negra

Para el fondo de tarta: Ponga la harina, las avellanas molidas y la sal en una batidora y bata hasta mezclarlas. Añada la mantequilla y bata hasta que la mezcla adquiera una textura desmigada. Agregue la yema de huevo y el agua a cucharadas, hasta que la pasta empiece a formar una bola. Envuelva bien la pasta y refrigérela durante 1 hora.

Precaliente el horno a 180°C. Extienda la pasta y forre con ella un molde de tarta de 22 a 25 cm de diámetro y de fondo extraíble. Refrigérela y hornéela en blanco hasta que esté ligeramente dorada. Déjela enfriar.

En un cuenco grande, bata los ingredientes del relleno hasta que estén completamente mezclados. Vierta el relleno en el fondo de tarta y cueza hasta que cuaje, de 20 a 30 minutos. Para 8 personas.

CAFÉ DE SEATTLE

La región de Seattle puede reivindicar cierto número de particularidades, reconocidas en Estados Unidos y en todo el mundo. La "Ciudad Esmeralda" es especialmente célebre por su pasión cafetera y su influencia a nivel nacional en materia de café. Si bien no olvida su deuda con Italia, que ha hecho del conocimiento de los cafés y de su preparación todo un arte, la ciudad ha creado su propio estilo a la americana.

Para los habitantes del Noroeste, el café no es sólo la bebida del desayuno que acompaña las tortitas y los huevos. Muchos empiezan el día comprando un bollo y un *latte* (café exprés con leche caliente) de camino al trabajo. Pero el café acompaña todo el día a los ciudadanos de Seattle. Los *coffee breaks* (pausas para el café) son una excusa para recorrer las pocas manzanas que separan el despacho de la tienda de café local o del puesto de café exprés. Por supuesto, ningún lugar de la ciudad está a más de un par de manzanas de una de estas "fuentes termales de cafeína". Afortunadamente, también se encuentra buen café exprés descafeinado.

Desde los cafés "artísticos" de las afueras de Seattle hasta las cadenas de tiendas de los aeropuertos y

Los diversos tonos de marrón de los granos de café muestran los diferentes grados de torrefacción. 1. Granos verdes sin tostar 2. Tueste de 4 minutos 3. Tueste de 8 minutos 4. Tueste de 12 minutos 5. Tueste de 13 minutos 6. Tueste al gusto del Norte de Europa 7. Tueste vienés 8. Tueste italiano 9. Tueste francés

Muestras de granos de varios cultivadores en la sala de degustación (donde se determinan los tuestes y las mezclas) de un torrefactor de Seattle.

centros comerciales, uno siempre tiene al alcance una dosis de café exprés o *latte*. Los puestos de café exprés son tan ubicuos que se pueden encontrar en las tiendas de bricolaje, las tintorerías, las tiendas de reparación de calzado y los supermercados. Existen incluso cafés tipo *drive-in,* para aquellos que no tienen ni siquiera tiempo de bajar del coche.

En Seattle se ha desarrollado un dialecto en torno al café. La expresión *"double tall skinny"* designa uno de los pedidos más populares de la ciudad: un *latte* mediano a base de un café exprés doble y leche desnatada, en vez de leche entera. Los foráneos parecen desconcertados y encantados con los

curiosos pedidos que hacen los lugareños. Parecen expresiones en clave, pero con sólo un poco de vocabulario cualquiera puede pedir un café como los habitantes de Seattle.

A quienes desean algo diferente de la clásica combinación de café exprés con leche caliente, se ofrecen varios "condimentos" con estas bebidas, como por ejemplo cacao, canela molida o nuez moscada para espolvorear por encima. También hay un extenso surtido de jarabes (con sabor a almendra, vainilla, avellana o, incluso, frambuesa) para perfumar un *latte*. Sin embargo, muchos puristas rehuyen cualquier

adorno y prefieren el sabor puro y fuerte del simple café exprés.

Existen numerosos torrefactores de café, pequeños y grandes, que proveen con abundante café a la región de Seattle. Y, casi cada año, aparece un nuevo tostador de café; a menudo, es un establecimiento de barrio que tuesta y vende pequeñas cantidades de café selecto para una clientela fiel.

En los cafés de Seattle se proporciona a los clientes cacao y canela para espolvorear sobre la espuma del *cappucino*.

La historia de Starbucks

La primera tienda Starbucks se abrió en 1971, en el mercado de Pike Place de Seattle. Lleva el nombre de Starbuck, el primer maestre de *Moby Dick*, la novela de Herman Melville. Originalmente, Starbucks se limitaba a tostar y vender granos de café enteros y molidos. En 1983, un director de la empresa hizo un viaje de negocios a Italia y se quedó impresionado por la cultura en torno al café que había en este país. A raíz de esto, decidió crear una "cultura del café" en Seattle. En 1984, Starbucks abrió una nueva tienda que servía café en un salón. Su éxito fue considerable y, el resto, forma parte de la historia de Norteamérica.

La marca Starbucks tiene centenares de establecimientos en el Noroeste y otros tantos en todo Estados Unidos y Canadá. La cadena comercial se ha extendido hasta Japón y Singapur. La política de la empresa, cuyo objetivo es la mejor calidad de granos y la popularización de excelentes cafés, ha contribuido a educar el paladar de los norteamericanos y les ha hecho descubrir los placeres de una buena taza de café.

Uno de los fundadores de Starbucks ha abandonado la empresa para fundar Redhook, la primera pequeña cervecería de la región. Uno de sus últimos inventos es una cerveza tostada que contiene café.

El catador prueba el café en la sala de degustación. Los boles contienen diferentes tipos de café.

Del grano a la taza: la torrefacción

El proceso básico de la torrefacción del café está bastante normalizado, pero la interpretación individual de los diferentes pasos permite crear cafés y mezclas específicos.

Los torrefactores empiezan con los granos de café verdes, el centro de la "cereza" del café que se seca y se ensaca en su lugar de origen. Estos granos provienen de regiones templadas, entre ellas, América Central, Hawai, Indonesia y el este de África. Los granos de café se tuestan en una gran máquina que los bate constantemente para tostarlos uniformemente. La temperatura de tueste es variable, pero puede alcanzar los 230°C. La mirada experta del torrefactor observa por una ventanilla de la máquina para vigilar el cambio de color, esperando el momento perfecto para detener el proceso (normalmente al cabo de 10 a 15 minutos) y retirar los granos para dejarlos enfriar. Puesto que los distintos tipos de café se tuestan a ritmos diferentes, el catador elabora las mezclas de granos una vez tostados.

Si los granos se muelen justo antes de preparar el café o el exprés, éste será más aromático y natural. La mejor molienda para las cafeteras exprés, que hacen pasar el agua hirviendo mediante presión, es la muy fina. Para las cafeteras de goteo o de filtro, es mejor utilizar una molienda "media" más gruesa.

Café en grano de Starbucks

Los diferentes tipos de cafés de Seattle

Espresso (café exprés): un trago puro de café fuerte de tueste oscuro; es la base, de todas las bebidas con café exprés, pero también se toma tal cual.

Cappuccino: café exprés cubierto de una gruesa capa de leche espumosa (leche ligeramente calentada al vapor).

Latte: café exprés con leche calentada al vapor y una ligera capa de espuma por encima (se puede pedir con más o menos espuma, al gusto).

Mocha: café exprés con leche al chocolate calentada al vapor, cubierto con nata montada.

Americano: café exprés diluido con agua caliente para simular la intensidad del café americano.

Macchiato: café exprés con una cucharada de espuma de leche por encima en lugar de leche líquida calentada al vapor.

Short (bajo): una taza pequeña de café, de 250 ml.
Tall (alto): una taza mediana de café, de 375 ml.
Grande: una taza grande de café, de unos 500 ml.
Single: una dosis de café exprés.
Double: dos dosis de café exprés.
Skinny: café con leche desnatada.

Cappucinos en vasos para llevar con *biscotti* (galletas italianas dulces y crujientes)

MERCADOS ASIÁTICOS

El Noroeste del Pacífico ha albergado siempre una mezcla de culturas. La región estaba habitada desde hace siglos por pueblos indígenas cuando empezaron a llegar extranjeros, de los estados vecinos y de más lejos, para explorar este gran territorio. Entre los primeros figuraban los británicos y los canadienses franceses que trabajaban en la Hudson's Bay Company, una empresa comerciante de pieles. Otros de los primeros colonos venían del Medio Oeste norteamericano; muchos de ellos eran la primera generación de

Un vendedor de hortalizas con cajas de *bok choy* en el barrio de Chinatown de Seattle

norteamericanos que, no obstante, se identificaban fervorosamente con sus raíces europeas.

Una significativa afluencia de inmigrantes llegó del Lejano Oriente, sobre todo de China y Japón. Los chinos entraron por la Costa Este a mediados del siglo XIX, originalmente para apropiarse de minas en las zonas de la Fiebre del Oro de Idaho y del este de Washington. Pero cuando sus esperanzas se desvanecieron (fueron víctimas de una hostilidad y una discriminación intransigentes), buscaron trabajos más modestos en los campos, por ejemplo, de la restauración, la lavandería y el ferrocarril. Como cocineros, los chinos tuvieron una notable influencia, haciendo descubrir a los colonos europeos nuevos modos de preparación de los ingredientes del Noroeste. Muchos se establecieron en la región de Portland, donde trabajaron en la construcción de la línea férrea del Pacífico Norte, instalando la estación terminal en Portland en 1882.

Los inmigrantes japoneses llegaron más tarde que los chinos, a finales del siglo XIX y principios del siglo XX. Muchos eran agricultores que huían de los problemas en Japón causados por las condiciones económicas y los desastres naturales que arruinaron las tierras de cultivo. En 1940, los japoneses constituían el grupo étnico más importante de Seattle y el segundo más grande de la Costa Este después del de Los Ángeles. Los japoneses establecieron un gran

Sashimi (pescado crudo japonés) en venta en Uwajimaya, un gran almacén de Seattle que ofrece una gran variedad de alimentos y utensilios asiáticos

Tallarines de huevo: se usan en sopas y platos de carne y marisco.

Tallarines *udon:* tallarines *somen* más gruesos

Tallarines *soba:* tallarines japoneses a base de harina de alforfón y de trigo. Se sirven fríos con salsas o se cuecen en sopas.

1. Pulpo *(tako)* (arriba, entero y, abajo, troceado) 2. Almeja geoduck *(mirugai)* 3. Calamar condimentado *(chinmi ika)* 4. Pez limón *(hamachi)* 5 y 6. *Sashimi* mixto 7. Caballa en vinagre 8. Atún *(maguro).* Inferior: jengibre fresco en la báscula de una tienda de Chinatown.

número de las granjas de bayas y hortalizas de la región de Puget Sound. También dieron a conocer el *teriyaki* (carnes marinadas, asadas a la parrilla y glaseadas), el *sukiyaki* (láminas finas de carne de buey y de hortalizas cocidas a fuego lento en un caldo) y el *yosenabe* (marisco con tallarines cocidos en caldo). Buscaron setas *matsutake,* muy apreciadas en Japón, en las colinas cercanas y recolectaron algas y otras delicias marinas para su propio consumo.

También trajeron consigo las ostras del Pacífico (esta variedad se "plantó" en las aguas locales y, ahora, es la más común del Noroeste), así como las ostras Kumamoto.

La mayoría de las principales ciudades del Noroeste contaban con prósperas comunidades asiáticas en la primera mitad del siglo XX. Cada semana, los mercados agrícolas de estos barrios ofrecían cilantro fresco, *bok choy,* melón amargo, hojas de mostaza, jengibre y otros alimentos procedentes de Asia. Por desgracia, muchos de estos mercados asiáticos cerraron sus puertas hace tiempo, aunque en Seattle todavía existe un floreciente barrio chino (Chinatown). Localmente lo denominan el International District (barrio internacional) debido a la variedad de influencias asiáticas representadas, incluidos vietnamitas, tailandeses, filipinos y coreanos.

Tallarines de celofán: conocidos también como *harusame,* fideos chinos o tallarines transparentes.

FRUTAS DE HUESO

En los estados de Oregon y Washington, las frutas con un solo hueso o semilla se cultivan desde hace más de un siglo. Muchos de los centenares de cultivadores siguen la tradición familiar transmitida de generación en generación. En la región hay docenas de variedades de albaricoques, cerezas, melocotones y nectarinas. El estado de Washington produce la segunda cosecha de albaricoques más importante de Estados Unidos. El verano es la mejor época para todas estas frutas dulces y jugosas.

Los consumidores de muchas zonas de Estados Unidos pueden disfrutar de las mejores frutas frescas de temporada (melocotones, cerezas y ciruelas) de los estados de Oregon y Washington. Los lugareños tienen la ventaja de poder ir directamente al huerto a comprar frutas recién arrancadas del árbol y disfrutar así de todo su sabor. En verano, muchos habitantes del Noroeste se dirigen al este de Washington a comprar cajas de melocotones gordos y jugosos para llevarse a casa y compartir con los amigos. Estas tradiciones alimentarias estacionales son una parte inherente de la cocina regional.

Cerezas

Las cerezas son una delicia estival. Cuando, en junio, las primeras cerezas Bing empiezan a llegar al mercado, anuncian el inicio de la breve temporada. Las cerezas frescas de la zona empiezan a desaparecer en agosto. Constituyen una de las frutas de temporada por excelencia, ya que son delicadas, no se conservan bien y no resisten bien el transporte.

La cereza Bing se desarrolló en el valle del río Hood, en Oregon, y debe su nombre a un chino que se ocupaba de un huerto de la zona. Es la variedad de cerezas más común en el oeste de Estados Unidos y una de las más sabrosas. El color de la piel y de la pulpa varía del rojo oscuro al negro. La cereza Lambert, un pariente próximo, con una notable forma de

Cerezas Bing *(Prunus avium)*

corazón, también forma parte de las grandes producciones regionales. La cereza Rainier, desarrollada en el estado de Washington, es una especialidad muy perecedera y de producción limitada. Esta cereza es grande, muy dulce y de color dorado con tonos rojizos.

Ciruelas

Las ciruelas también son una fruta significativa en la región. Las variedades sin hueso (a veces llamadas

ciruelas italianas) son excelentes para cocinar, y resultan deliciosas en compotas o tartas. Otras ciruelas son ideales para consumir al natural o en ensaladas de frutas. Los estados de Washington y Oregon cultivan un extenso surtido de ciruelas y forman parte de los cinco principales productores de ciruelas de Estados Unidos.

Cerezas Rainier *(Prunus avium)*

Cerezas agrias Meteor *(Prunus cerasus)*

Ciruelas Quetsche *(Prunus domestica)*

Cherry Sauce
Salsa de cerezas

500 g de cerezas rojas (tipo Bing) sin hueso
½ taza de vino tinto con cuerpo
⅓ taza de azúcar
1 rama de canela
½ taza de jalea de grosellas rojas

Mezcle los ingredientes en un cazo mediano de fondo pesado y lleve lentamente a ebullición, removiendo de vez en cuando. Baje el fuego y cueza a fuego lento hasta que las cerezas estén justo tiernas, pero sin que revienten, de 5 a 7 minutos. Retire la rama de canela antes de servir. Sirva la salsa caliente sobre helado de vainilla o *crêpes* rellenas de natillas. Omita el azúcar y sirva la salsa sobre carne de cerdo o de caza asada. Para unas 2½ tazas.

Plum Pie
Tarta de ciruelas

pasta para 2 fondos de tarta
4 ó 5 tazas de ciruelas partidas y sin el hueso (ciruelas italianas)
½ taza de azúcar
3 cucharadas de harina
1 cucharadita de canela en polvo
½ cucharadita de nuez moscada molida
2 cucharadas de mantequilla

Precaliente el horno a 220°C. Extienda la mitad de la pasta y forre con ella un molde de tarta de 22,5 cm de diámetro. En un cuenco grande, remueva suavemente las ciruelas con el azúcar, la harina, la canela y la nuez moscada hasta mezclarlo todo bien. Disponga la fruta en el fondo de tarta preparado. Extienda la pasta restante, córtela en tiras de 1,25 cm y elabore un cobertura para la tarta en forma de celosía o corte formas decorativas y dispóngalas sobre la tarta. Hornee la tarta hasta que el jugo burbujee alrededor de los bordes y la superficie se dore, unos 45 minutos. Para 8 personas.

Los melocotones *(Prunus persica)* son originarios de China.

Las nectarinas *(Prunus persica,* variedad *nectarina)* son un tipo de melocotón con una piel lisa y sin pelusa.

Aguardiente de pera

Destilación de las frutas de la región

La destilación no es una tradición muy arraigada en el Noroeste del Pacífico pero, recientemente, se ha empezado a utilizar este proceso para aprovechar la gran abundancia de frutas. La Clear Creek Distillery de Portland (Oregon) saca provecho de esta munificencia, elaborando aguardientes al estilo europeo (transparentes e incoloros) únicamente con frutas del Noroeste.

La fascinación de Stephen McCarthy por los aguardientes de frutas nació en el transcurso de uno de sus viajes a Europa, en el cual probó los excelentes licores que elaboraban allí. Su familia cultiva peras Bartlett en el valle del río Hood (Oregon) desde hace muchos años. Cuando descubrió que la famosa pera Williams que se utiliza en el aguardiente de pera francés era la misma que la variedad Bartlett que cultivaba su familia, McCarthy decidió elaborar aguardientes de frutas en Oregon. Tras estudiar los procesos de destilación en Suiza y Francia, trajo consigo un alambique de Europa y empezó a trabajar.

McCarthy empezó elaborando un aguardiente de pera, que desde entonces ha recibido elogios nacionales e internacionales. También fabrica licores destilados a partir de cerezas, manzanas, frambuesas y ciruelas, condensando lo mejor de las frutas de las región en exquisitos licores de máxima calidad. McCarthy también utiliza los restos de la uva de los vinateros de Oregon para destilar *grappa*. Los aguardientes de Clear Creek constituyen un maridaje de la tradición europea y las frutas del Noroeste del Pacífico con apenas rivales.

Tarta de ciruelas

443

PERAS

Regiones de cultivo

Casi un tercio del estado de Washington produce más del 95% de la cosecha estatal de frutas. Las regiones de los valles de Wenatchee y de Yakima, así como la cuenca del río Columbia, son tierras fértiles donde se cultivan principalmente árboles frutales. Esta zona, al este de la cordillera Cascade que divide el estado en dos, es mucho más seca que la que se extiende al oeste de las montañas, de clima marítimo. Pero se beneficia de una extensa red fluvial que proporciona aguas de glaciar para regar los campos. Gracias a las emisiones de los volcanes que coronan la cordillera Cascade, el suelo es rico en minerales y muy fértil. La erupción volcánica más reciente fue la del monte St. Helens en 1980. La nube de cenizas que expulsó sobre el este de Washington tiñó el cielo de negro.

En Oregon, la mayor concentración agrícola se halla en el valle de Willamette, que se extiende al sur de Portland, y en la región central de Columbia, que bordea una parte del río del mismo nombre al este de Portland. A diferencia del estado de Washington, la mayoría de las zonas de cultivo están situadas al este de la cordillera Cascade, que goza de un clima costero más templado. El este de Oregon, lejos de la exuberante región del río Columbia, es bastante más seco y árido que el este de Washington.

Las peras Bartlett *(Pyrus communis)* tanto verdes como rojas se cultivan en Oregon, mayoritariamente en el valle de Willamette y en el estado de Washington. Esta variedad es la pera tradicional con la clásica forma de campana y una pulpa tierna y dulce. Es ideal tanto para comer cruda como para cocinar. La cosecha de la pera Bartlett empieza en agosto, más pronto que la de las otras, que se consideran "peras de invierno". La variedad Bartlett es la misma que, en Francia y otras partes de Europa, se conoce como Williams.

Las peras de invierno incluyen la Anjou (sabe mejor cruda), la Bosc (buena para cocinar, sobre todo escalfada entera) y la Comice (menos común; excelente para comer cruda). Estas peras se cosechan en otoño y muchas se conservan bien todo el invierno.

En el Noroeste también se cultivan las peras asiáticas *(Pyrus ussuriensis y Pyrus pyrifolia),* aunque en menor cantidad que las otras. Llamadas también peras-manzanas, no corresponden a ninguna variedad occidental de manzana ni de pera, sino que son una clase de pera asiática única. Esta fruta pequeña y redonda, de pulpa jugosa y muy crujiente, sabe mejor cruda o en ensaladas. La temporada empieza a finales de verano y algunas variedades aún se pueden encontrar en primavera.

Peras cocidas en vino tinto

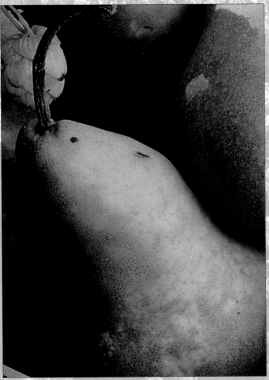

Las peras Bosc son de origen belga.

Red Wine Poached Pears
Peras cocidas en vino tinto

1 botella (750 ml) de vino tinto, tipo Pinot Noir

1 taza de azúcar

1 rama de canela partida en trozos

1 cucharada de clavos de especia enteros

una pizca de nuez moscada recién rallada

4 peras para cocinar (tipo Bosc o Bartlett) peladas

Mezcle el vino, el azúcar, la canela, los clavos y la nuez moscada en un cazo grande. Lleve a ebullición, removiendo, y cueza a fuego lento hasta que el azúcar se disuelva. Si el líquido no cubre las peras, déles vueltas con frecuencia durante la cocción. Cuézalas a fuego lento hasta que estén completamente tiernas. Retírelas y resérvelas. Hierva el líquido de cocción hasta que se reduzca a la mitad aproximadamente. Sirva las peras rociadas con el líquido de cocción frío. Si lo desea, puede acompañarlas de una bola de helado de vainilla. Para 4 personas.

Variedades de pera del Noroeste

Anjou

Asiática

Asiática de piel oscura

Bartlett

Bartlett roja

Bosc

Comice

Las peras asiáticas son probablemente los antepasados de todas las peras.

Pear Butter
Pasta de peras

2 kg de peras para cocinar maduras (tipo Bosc), peladas, descorazonadas y troceadas
3 tazas de agua y/o sidra de manzana (más si es necesario)
1 taza de azúcar granulado blanco o moreno
1 cucharadita de canela
½ cucharadita de clavos de especia molidos
una pizca de nuez moscada recién rallada

Ponga las peras en una olla grande de fondo pesado y añada suficiente agua o sidra para sobrepasar en un tercio el nivel de las peras. Tape la olla y cueza a fuego medio hasta que las peras estén muy tiernas. Retire la tapa y chafe las peras con un pasapurés, o tritúrelas en una batidora, y viértalas de nuevo en la olla. Agregue el azúcar y las especias y siga cociendo las peras, destapadas, hasta que estén muy espesas y doradas, removiendo y chafándolas a menudo. Para conservar la pasta de peras, es preferible que la envase en tarros o la congele. Úntela sobre pan o tostadas. Para 1 l aproximadamente.

Oregon Hazelnut Butter
Mantequilla de avellanas de Oregon

½ taza de mantequilla reblandecida a temperatura ambiente
⅓ taza de avellanas tostadas picadas finas
2 cucharaditas de zumo de limón
½ cucharadita de sal
una pizca de pimienta de Cayena

Remueva todos los ingredientes hasta mezclarlos bien. Moldee la mantequilla en forma de cilindro con papel de aluminio o film transparente y refrigérela hasta su uso. Córtela en discos y sírvala sobre pescado o pollo a la parrilla, o mézclela con hortalizas cocidas al vapor para sazonarlas. También puede untarla sobre pan o galletas de soda. Para ¾ taza aproximadamente.

Avellanas

Si uno visita el valle de Willamette en octubre, podrá presenciar la cosecha de la avellana y, quizás, comprar un saco de estos frutos directamente al cultivador. Oregon proporciona el 99% de las avellanas que se comercializan en Estados Unidos y el 5% de la producción mundial. En 1858, un marino inglés, retirado del comercio de pieles, plantó el primer avellano en el valle de Umpqua, en el sur de Oregon. Como recuerdo de este acontecimiento histórico, se conserva un pequeño mazo tallado de este avellano, que el presidente de la Nut Growers Society utiliza siempre durante las sesiones. Los avellanares del valle de Willamette se establecieron en 1876, cuando el francés David Gernot plantó 50 avellanos. Hoy en día, hay literalmente millones de avellanos por todo el valle.

La famosa avellana de Oregon se denomina a menudo Filbert, una palabra muy diferente pero que, no obstante, designa el mismo fruto. Para evitar confundir a los consumidores, en 1986 los industriales de la avellana de Oregon decidieron utilizar únicamente la denominación "avellana".

La avellana es una gran referencia en el mundo culinario y tiene múltiples usos. Se puede consumir al natural, tostada, condimentada, cubierta de chocolate, en tartas o en pasteles. Si se muelen, se obtiene una harina; se pueden preparar en pasta (como la manteca de cacahuetes); su aceite, caro, es apreciado por los gastrónomos para aromatizar las ensaladas y otros platos. Las avellanas se han convertido en un ingrediente omnipresente en la cocina del Noroeste del Pacífico; aparece en sopas, ensaladas, panes, platos de pescado y de carne, y postres. La receta que aparece en esta página es mantequilla mezclada con avellanas y no pasta de avellanas.

Avellanas *(Corylus americana)* pelada (arriba) y con cáscara rodeada del hollejo verde.

PEQUEÑAS CERVECERÍAS

No es de extrañar que el reciente auge de "pequeñas cervecerías" en Estados Unidos haya empezado en el Noroeste del Pacífico. La mayor parte de los lúpulos, un ingrediente esencial para la elaboración de cerveza que aporta un agradable sabor amargo, se cultiva en Oregon y Washington. Estos dos estados también son los mayores productores de cebada, el principal cereal utilizado en la elaboración de cerveza. Lo único que hace falta es añadirle agua fresca y limpia, la cual abunda en la región, y levadura. Ésta es la sencilla receta para elaborar cerveza. Al igual que cualquier buena receta, la calidad del producto final depende de los ingredientes utilizados. Y resulta difícil imaginar un lugar mejor que éste para fabricar cerveza.

La Portland Brewing Company de Portland elabora cerveza y regenta una taberna donde se pueden degustar cervezas de barril.

El Noroeste ha heredado, en realidad, una larga tradición en la elaboración de cerveza, que empezó en 1852 con la apertura de la Liberty Brewery de Portland (Oregon). Muy pronto se creó la primera cervecería del estado de Washington, que abrió en 1854 en Steilacoom, cerca de Tacoma. En el transcurso de los 50 a 60 años posteriores, se establecieron centenares de cervecerías en el Noroeste. Los inmigrantes alemanes avivaron el entusiasmo de la producción local de cerveza, ansiosos por recrear la bebida favorita de su país natal y alegrándose de encontrar en la región todos los recursos necesarios para fabricarla.

Pero estas cervecerías cayeron víctimas de la Ley Seca, en esa singular época durante la cual se prohibió la fabricación, el transporte y la venta de bebidas alcohólicas. Muy pocas cervecerías reaparecieron en 1933 tras la abolición de esta ley. Los estados de Washington y Oregon tenían enérgicos grupos antialcohol y ambos votaron a favor de la Ley Seca en 1916, cuatro años antes de que se impusiera la prohibición a nivel nacional, en 1920. Hoy en día, la industria cervecera prospera de nuevo en el Noroeste, donde las viejas tradiciones coexisten con las innovaciones modernas.

La elaboración de cerveza combina la ciencia y el arte. Los ingredientes se pueden transformar en una variedad infinita de cervezas, tan extensa como el

Una tienda de cervezas de Seattle que vende todo lo necesario para elaborar cerveza en casa: manuales, cereales (cebada, trigo y centeno), malta, lúpulos, levadura y botellas.

número de cerveceros. Para el consumidor, representa una degustación continua de los productos elaborados por estas expertas e innovadoras cervecerías.

Los fundadores de la Redhook Brewery de Seattle observaron a finales de los años setenta que la región ostentaba el mayor consumo de cerveza a presión de Estados Unidos. Junto con la multiplicación a nivel nacional de las ventas de cerveza de importación que se produjo en la misma época, reconocieron una nueva tendencia en desarrollo. Y esta tendencia se cumplió.

La Redhook Brewery se fundó en 1981 y, con ella, empezó un renacimiento de las pequeñas cervecerías en el Noroeste. Entre los pioneros "modernos" figuran también la Grant's Brewery de Yakima (Washington), abierta poco después de la Redhook, y la Bridgeport Brewing Company de Portland, abierta en 1984. Lo que empezó como un goteo se convirtió en una oleada de nuevas cervecerías abiertas por toda la región.

El término *microbrewery* ("pequeña cervecería") se acuñó en el Noroeste para designar originariamente una cervecería que producía menos de 10.000 barriles de cerveza al año. A medida que los niveles de producción aumentaron, el límite se fijó en 15.000 barriles. Ya no existe una definición tan estricta de lo que es una "pequeña cervecería". Numerosos cerveceros

Elaboración artesanal de cerveza

1. Los ingredientes esenciales para elaborar cerveza, de izquierda a derecha: agua, levadura, cebada malteada y lúpulos.

2. Se vierten los cereales en una gran cuba y se mezclan con agua caliente. La destilación suelta el azúcar de los cereales, creando lo que se conoce como "mosto de cerveza dulce".

han sobresalido en una creciente producción para satisfacer la demanda, manteniendo al mismo tiempo todo el sabor y la calidad de la cerveza. Estos cerveceros sin concesión se denominan actualmente "cerveceros artesanales", sea cual sea su producción de cerveza. Constituye una buena razón para que el experto en cervezas Michael Jackson, mundialmente célebre, haya calificado a Seattle de "crisol de la innovación en materia de elaboración de cerveza" y haya incluido a los bebedores de cerveza de Portland entre los más sofisticados de Estados Unidos.

En la actualidad, hay más de 100 fábricas de cerveza por todo Washington y Oregon. Sólo Portland cuenta con 35, que le han valido el apodo de "Múnich del valle de Willamette". En Oregon, se contabilizan más cervecerías artesanales y tabernas de cerveza (restaurantes que fabrican y sirven cerveza en el mismo local) por habitante que en cualquier otra parte de Estados Unidos. La cerveza es a Portland lo que el café a Seattle: una parte intrínseca de la región.

En Alaska también existe una tradición respecto de la elaboración de cerveza, aunque actualmente quedan muy pocos cerveceros. La más notable es la Alaska Brewing Company de Juneau, fundada en 1986 con el nombre de Chinook Alaskan Brewing & Bottling Co. Su primera cerveza, llamada Alaskan Amber, se elaboró según una receta de la Douglas City Brewing Co., una fábrica local de cerveza de la época de la Fiebre del Oro, que funcionó entre 1899 y 1907.

Principales tipos de cerveza

Altbier: significa "cerveza a la antigua", en alemán; en general, es una *ale* con un marcado sabor a malta y lúpulo.

Brown ale: con menos lúpulo que la *pale ale*

Pale ale   *India pale ale*   *Stout*   *Altbier*

Extra Special Bitter   *Hefeweizen*   *Rye*

y la *bitter ale;* de mucho cuerpo, suave y con un sabor de boca seco.

Extra special bitter (ESB): la mejor cerveza amarga de los cerveceros, una "especialidad de la casa"; en general, es malteada, de mucho cuerpo y de color intenso.

Hefeweizen: también llamada "cerveza de trigo"; para su elaboración se utiliza trigo y cebada. Estas cervezas son turbias y de color dorado oscuro, con un sabor suave y refrescante; se suelen servir con una rodaja de limón. El término *hefe* significa "levadura" en alemán y suele referirse a una cerveza no filtrada.

India pale ale (IPA): esta cerveza inglesa se desarrolló de modo que pudiese soportar el transporte hasta los puestos fronterizos del Imperio británico en la India. Contiene gran cantidad de lúpulo (para mitigar los agentes infectantes) y se elabora mediante fermentación lenta para que se mantenga en perfectas condiciones hasta su destino. Hoy en día, esta denominación se refiere a una cerveza *pale ale* con un marcado sabor a lúpulo.

Pale ale: refrescante y de color ambarino; nunca es tan pálida *(pale)* como una *lager* y es más oscura que la mayoría de las cervezas *ale*.

Porter: de color marrón oscuro a negro; con una cantidad moderada de lúpulo.

Rye: se elabora con una mezcla de centeno y cebada; cerveza *ale* algo turbia, de color dorado, aromática y con un sabor ligeramente especiado.

Stout: de mucho cuerpo, muy oscura y con un sabor y un aroma tostados, casi a quemado; la variedad Imperial Stout contiene más lúpulo.

Entre las cervezas especiales se incluyen las cervezas maceradas con frutas (más ligeras que las de trigo), la *smoked porter* (el grano se ahuma antes de fermentarlo) y muchas cervezas de temporada, que suelen ser más fuertes en invierno y más ligeras en verano.

3. El cervecero comprueba el volumen del mosto en la caldera con una varilla graduada.

4. El cervecero toma una muestra del mosto para determinar la densidad del líquido con un hidrómetro.

5. El cervecero comprueba una muestra de mosto de la caldera.

TABERNAS DE CERVEZA

Las tabernas de cerveza *(brewpubs)* son simplemente tabernas que elaboran su propia cerveza. Avivan la tradición regional en materia de elaboración ofreciendo un lugar informal (a veces íntimo, a veces bullicioso) para disfrutar de una bebida fresca y de primera calidad. También sirven comida sencilla, saciante y que combina bien con la cerveza.

Mejillones cocidos al vapor con cerveza

Mussels and Clams Steamed in Beer
Mejillones y almejas cocidos al vapor con cerveza

2 kg de mejillones limpios y sin las barbas y/o almejas de Manila limpias
1 taza de cerveza *ale* clara
1½ tazas de caldo de pescado
3 cucharaditas de orégano fresco picado
3 cucharaditas de perejil fresco picado
1 cucharada de ajo picado
2 cucharaditas de corteza de limón en juliana
2 cucharadas de escalonia picada
½ cucharadita de pimienta negra molida
1 limón cortado en gajos para adornar
tomate de pera cortado en dados para adornar
cebolleta cortada en rodajas finas para adornar

Mezcle todos los ingredientes, excepto el aderezo, en una olla grande de fondo pesado. Tape y cueza a fuego medio-alto, agitando la olla de vez en cuando, hasta que todos los mejillones y las almejas se abran (deseche los que no se hayan abierto). Pase los moluscos a platos de sopa, vierta el líquido de cocción por encima y adorne con los gajos de limón, el tomate y la cebolleta. Sirva con abundante pan para absorber el sabroso jugo. Para 4 personas.

Cervezas de barril de la región en una taberna de cerveza de Portland

Muchas tabernas de cerveza sirven sobre todo bocadillos, hamburguesas, pizzas y platos de pasta. Incluso estos platos corriente están preparados con estilo. Las hamburguesas son caseras y de gran tamaño y las pizzas se cuecen en hornos de leña. No obstante, algunas tabernas ofrecen varias especialidades elaboradas con cerveza, tales como los mejillones cocidos al vapor con cerveza, las sopas a base de cerveza e incluso ensaladas aliñadas con vinagreta a la cerveza. Algunas aprovechan el mosto de la cerveza (el grano que queda después de la primera infusión en agua caliente) para realzar el sabor de las masas de pan y de pizza. Algunas tabernas de cerveza del Noroeste sirven un postre insólito llamado *stout float* (cerveza *stout* con una bola de helado, normalmente de vainilla y, a veces, de chocolate).

Lamb Burgers with Blue Cheese
Hamburguesas de cordero con queso azul

750 g de carne picada de cordero
1 taza de cebolla picada
2 cucharadas de salsa Worcestershire
sal y pimienta negra recién molida
4 bollos para hamburguesas tostados
queso azul
tomates cortados en rodajas
hojas de lechuga
mostaza de grano entero

En un cuenco grande, mezcle la carne, la cebolla y la salsa Worcestershire con una buena pizca de sal y pimienta. Remueva hasta mezclarlo todo bien. Forme cuatro hamburguesas y áselas al gusto en una parrilla caliente o una sartén de fondo pesado.

Disponga las hamburguesas sobre los bollos y cúbralas con el queso azul, las rodajas de tomate y la lechuga. Unte las tapas de los bollos con abundante mostaza, cubra los bollos y sirva. Para 4 personas.

Oyster and Sirloin Pie
Pastel de solomillo y ostras

2 cucharaditas de aceite vegetal
500 g de puntas de solomillo de buey cortadas en dados
1 puerro grande cortado en rodajas finas (sólo la parte blanca)
1 cucharada de ajo picado
¾ taza de *stout* (cerveza fuerte de malta)
4 tazas de agua
¼ taza de cebolleta cortada en rodajas finas
2 cucharaditas de tomillo fresco
1 cucharadita de perejil fresco
½ cucharadita de pimienta de Cayena
500 g de ostras sin las valvas y partidas por la mitad si son grandes
¼ taza de nata espesa
330 g de champiñones cortados en láminas finas
1 lámina grande de pasta de hojaldre preparada (descongelada si no es fresca)
1 huevo ligeramente batido con 1 cucharada de agua

Para el pastel:
Patatas Pire

750 g de patatas rojas lavadas y cortadas en trozos
6 cucharadas de mantequilla
⅓ taza de nata espesa
1½ cucharaditas de ajo picado
⅓ taza de nata agria
½ cucharadita de sal *kasher*
75 g de queso parmesano rallado

Hierva las patatas en agua ligeramente salada. Escúrralas bien y cháfelas con los ingredientes restantes, mezclando y batiendo hasta que resulten ligeras y esponjosas. Reserve.

Caliente el aceite vegetal en una sartén grande de fondo pesado. Añada la carne y tuéstela bien a fuego fuerte. Pase a fuego medio, agregue el puerro y el ajo y siga cociendo hasta que el puerro se vuelva transparente. Vierta la cerveza y remueva bien; añada entonces el agua, la cebolleta, el tomillo, el perejil y la Cayena. Cueza a fuego lento 15 minutos aproximadamente. Agregue las ostras y la nata y deje cocer 15 minutos más. Incorpore los champiñones y sazone al gusto con sal y pimienta. Escurra el líquido y hiérvalo hasta que se reduzca y se espese; viértalo sobre la mezcla de carne y ostras. Precaliente el horno a 180°C.

Extienda la mitad de las patatas en el fondo de una fuente de horno de paredes altas. Cubra con la mezcla de carne y ostras y añada las patatas restantes, extendiéndolas uniformemente. Corte un círculo de pasta de hojaldre 2,5 cm más grande que la fuente de horno y dispóngalo sobre el relleno, doblando los bordes hacia dentro. Úntelo ligeramente con el huevo batido y hornee el pastel hasta que se hinche y esté bien dorado, unos 25 minutos. Para 4–6 personas.

Algunas especialidades del Pike Brewery and Pub de Seattle. En el sentido de las agujas del reloj, desde la izquierda: mejillones cocidos al vapor con cerveza, pastel de solomillo y ostras, *ploughman's lunch* (pan con queso) y una pinta de cerveza *ale* de Pike.

SETAS SILVESTRES

El otoño húmedo y fresco del Noroeste es ideal para las setas silvestres. Por lo general, en septiembre los recolectores de setas de la región empiezan a explorar los bosques y las estribaciones montañosas en busca de los preciados frutos. No utilizan un mapa para guiarse, sino que confían en las pistas ya trazadas y en la experiencia acumulada para abrirse camino entre la maleza y las hierbas, acechando las esquivas setas de temporada. Para practicar este deporte no hace falta más que una brújula, una cesta y un pequeño cuchillo para cortar el hallazgo, así como llevar ropa de abrigo.

En el Noroeste del Pacífico hay unas 2.500 variedades de setas silvestres conocidas, de las cuales entre 30 y 35 se consideran "buenas" (las otras especies son técnicamente "comestibles" pero insulsas). Las zonas donde crece una mayor abundancia de setas son las regiones occidentales de los estados de Oregon y Washington, en parte gracias a la cordillera Cascade que retiene mucha humedad en sus estribaciones inferiores. En Alaska, las estribaciones montañosas también abundan en ricos lechos de setas, con un gran número de las mismas variedades que se encuentran en Washington y Oregon.

Entre las setas comestibles más apreciadas de la región figuran el rebozuelo (amarillo y blanco), el boleto calabaza *(Boletus edulis;* pariente de la famosa seta *porcini* italiana), la seta *matsutake* (apreciada por las comunidades asiáticas), la seta de ostra, la colmenilla, la llamada "seta bogavante" (por su intenso color rojo anaranjado), la barbuda o matacandil, el bejín (o pedo de lobo), la clavaria rizada o seta coliflor y las alas de ángel (similares a las setas de ostra). Casi todas las variedades necesitan una capa espesa de musgo y mucha sombra, por lo tanto la maleza densa de los bosques constituye un suelo fértil e ideal. Sin embargo, algunas setas renegadas medran en condiciones más secas, como por ejemplo las colmenillas que aparecen en el paisaje calcinado durante la temporada posterior a un incendio forestal.

Los rebozuelos, especialmente la variedad amarilla, son las setas silvestres más abundantes del Noroeste. Se encuentran en los comercios locales a mediados de otoño durante unas semanas como mínimo. Según la temperatura y las precipitaciones, los rebozuelos pueden aparecer a finales de julio y crecer hasta el mes de diciembre. Incluso se han recolectado algunos el día de Nochebuena, proporcionando un manjar especial para la cena de fiesta.

En los estados de Washington y Oregon, el otoño es la mejor temporada para la mayoría de las setas silvestres, que dura desde principios de agosto hasta noviembre. En Alaska, debido al clima más frío, la temporada alta de las setas silvestres suele situarse entre agosto y septiembre. Por otra parte,

Setas *matsutake* (*Tricholoma ponderosum*)

Setas de ostra (*Pleurotus ostreatus*)

Colmenillas (*Morchella angusticeps*)

"Seta bogavante" (*Hypomyces lactifluorum*)

Políporo azufrado (*Laetiporus sulfureus*)

Bejín gigante (*Calvatia gigantea*)

Bejín perlado (*Lycoperdon perlatum*)

Clavaria rizada o seta coliflor (*Sparassis crispa*)

Alas de ángel (*Pleurocybella porrigens*)

Las trufas de Oregon

El Noroeste del Pacífico también se enorgullece de sus trufas. La más apreciada es la blanca de Oregon *(Tuber gibbosum)* que algunos comparan con la célebre trufa blanca de Italia *(Tuber magnatum)*. La región también tiene dos especies de trufa negra: *Leucangium carthusianum* y *Melanogaster*. Estas setas subterráneas se recolectan para el propio consumo y rara vez se venden en los mercados. Una pequeña cantidad se envía a los restaurantes de lujo, incluso hasta Nueva York. Pero son los buscadores de trufas de la región los que disfrutan del sabor rico y mohoso de estas setas. Los miembros de la Oregon Truffling Society, sita en Corvallis, buscan trufas desde principios de otoño hasta principios de primavera. No utilizan ni perros ni cerdos para la búsqueda, tal como se hace en Europa. Se atienen a las pistas proporcionadas por los árboles (básicamente el pino Oregon), la maleza y la actividad de los pequeños animales de la zona y cavan suavemente con un pequeño rastrillo de tres puntas para extraer las trufas. Corvallis también es la sede de la North American Truffling Society.

las colmenillas son unas setas de primavera que crecen de abril a mayo y, a veces, hasta junio.

Muchos de los platos más típicos reflejan elementos de la estación otoñal. Los nutritivos asados de carne de venado o de cerdo combinan perfectamente con una guarnición de setas salteadas. Un sencillo "estofado" de setas realzado con un poco de caldo y/o nata y espolvoreado con perejil constituye un primer plato o una guarnición ideal para el pollo asado. Para preparar un entrante especial, rápido pero refinado, se pueden disponer unas setas silvestres salteadas sobre una tostada untada con paté. Cabe recordar que las setas silvestres deben cocerse completamente, ya que algunas especies comestibles contienen toxinas que sólo se destruyen con la cocción.

Los puristas recomiendan que lo mejor para realzar el sabor de una seta exquisita es una preparación sencilla. Un poco de mantequilla o un chorro de aceite de oliva en la sartén y un poco de escalonia o cebolla picada bastan para cocinar las setas silvestres. Los micólogos que gustan de la cocina se llevan incluso un hornillo de campamento y una sartén para saltear al instante parte de la recolección. Con unos quesos de la región, pan con corteza y una botella de buen vino, se convertirá en un banquete en pleno bosque. No hay nada más típico en el Noroeste.

Herb and Morel Scrambled Eggs
Huevos revueltos con colmenillas y hierbas aromáticas

4 huevos
¼ taza de leche
una pizca de sal y otra de pimienta negra
250 g de colmenillas limpias y cortadas en láminas
1 cucharada de mantequilla
1 cucharadita de cebollino fresco picado
1 cucharadita de perejil fresco picado

Mezcle los huevos, la leche, la sal y la pimienta. Derrita la mantequilla en una sartén antiadherente y saltee las colmenillas a fuego medio hasta que el líquido se reduzca y las setas estén blandas. Añada el cebollino, remueva unos segundos y agregue la mezcla de huevo y el perejil. Cueza a fuego lento, removiendo suavemen-

te hasta que los huevos cuajen. Sirva de inmediato, espolvoreado con flores de cebollino. Para 2 personas.

Mushroom Stew
Estofado de setas silvestres

¼ taza de mantequilla
1 cebolla troceada
2 dientes de ajo picados
1 kg de setas silvestres lavadas y troceadas
½ taza de caldo de pollo
1 cucharadita de tomillo fresco
1 cucharadita de romero fresco picado
1 cucharadita de perejil fresco picado
½ taza de nata espesa
sal y pimienta

Caliente la mantequilla en una sartén pesada. Saltee la cebolla y el ajo hasta que empiecen a reblandecerse, añada las setas y continúe salteando hasta que las setas estén tiernas, de 5 a 10 minutos. Vierta el caldo y las hierbas, baje el fuego y deje cocer lentamente hasta que la mitad del líquido se haya evaporado. Agregue la nata y cueza 5 minutos más a fuego lento. Sazone al gusto con sal y pimienta. Para 4–6 personas.

EL MERCADO DE PIKE PLACE

El cartel que recibe a los visitantes a la entrada del mercado lo dice todo: "Diríjase al productor". Esta ha sido la filosofía del mercado de Pike Place de Seattle desde su apertura a principios del siglo XX, y sigue siendo cierta.

A principios del siglo XX, los precios de los alimentos en Seattle se vieron afectados por la inflación a causa de los intermediarios que compraban los productos a bajos precios a los granjeros, para luego volverlos a vender más caros a los consumidores. La ciudad decidió ayudar a los granjeros a acercarse a los consumidores y, el sábado 17 de agosto de 1907, construyó un mercado experimental en la esquina de Pike Street con First Avenue.

Todo lo que los agricultores traían por la mañana ya se había vendido al mediodía. La iniciativa tuvo mucho éxito: los granjeros vendían más caro y los consumidores compraban más barato. La tradición del mercado de granjeros se estableció y la plaza se convirtió en un lugar de reunión, donde se encontraba toda la producción regional, incluida la de las minorías étnicas establecidas en Seattle y sus alrededores.

La actividad del mercado de Pike Place tuvo su momento álgido en la década de 1930: más de 600 granjeros tenían licencias para vender (contra los 125 aproximadamente de hoy en día). Muchos japoneses tenían prósperas granjas en la región y contribuían de manera significativa a la oferta del mercado. Pero, en 1942, todos los norteamericanos de origen japonés fueron conducidos a campos de internamiento durante la Segunda Guerra Mundial, y el mercado perdió la mitad de sus granjeros con licencia, muchos de los cuales nunca regresaron. Esto fue sólo el principio de una reducción de la participación y de las ventas. En 1949, sólo 53 granjeros solicitaron una licencia. En los años cincuenta se agravó la decadencia, ya que las familias se mudaron a las afueras del centro urbano y sus hábitos de compra cambiaron.

A finales de los años sesenta, se trazó un proyecto para destruir el mercado en pro de una nueva urbanización. El fervor de los activistas ciudadanos permitió despertar la conciencia pública acerca de la contribución del mercado de Pike Place a la ciudad y, en 1971, un voto salvó al mercado convirtiéndolo en propiedad pública.

Hoy en día, además de los puestos que ofrecen productos agrícolas, hay tiendas permanentes que venden de todo, desde plantas ornamentales hasta jerseys de lana. El mercado de Pike Place también alberga un extenso surtido de establecimientos de comida étnica como, por ejemplo, de Oriente Próximo, México, Alemania, Rusia e Italia. Un panadero estonio vende *piroshky* y un carnicero bávaro elabora salchichas; paseando de una tienda a la otra, se puede oír la música peruana que tocan en la esquina de la calle. Parte del carácter singular del mercado lo constituye su extraordinaria variedad de alimentos, que representan las diferentes culturas que conviven en la ciudad.

Algunos de los mejores restaurantes de la ciudad están a unos pasos de los puestos de hortalizas y los pescaderos del mercado de Pike Place. Los cocineros sacan provecho de los productos que ofrece el mercado para confeccionar sus menús, que cambian no sólo según la temporada, sino a veces a diario. Además de las frutas y las hortalizas disponibles, los consumidores encuentran una infinita variedad de marisco apilado sobre hielo, carnes tales como cordero de la región y pollo de granja, tiendas de hierbas y especias, quesos y otros productos lácteos. Incluso el cocinero más exigente podrá encontrar de todo.

La cerdita Rachel, la mascota de bronce de 375 kg en forma de hucha de la Fundación del Mercado de Pike Place, da la bienvenida a los visitantes a la entrada principal, justo debajo del reloj que marca el centro del mercado. Con niños a horcajadas sobre ella y turistas apelotonados alrededor, Rachel es sin duda una de las atracciones más fotografiadas del mercado. Pero queda relegada a un segundo plano ante los entusiastas vendedores de marisco y pescado situados a tan sólo unos pasos, en la zona de pescadería del mercado de Pike Place. Los pescaderos no sólo disponen el marisco sobre hielo, sino que hacen juegos malabares con él. Con los puestos rebosando hasta el pasillo, cada vez que un cliente compra algo se celebra con gran pompa. El salmón es uno de los productos más apreciados. Mientras los vendedores repiten a gritos el pedido ("¡Dos cangrejos, para limpiar!"), lo lanzan con gran entusiasmo a sus colegas situados detrás del mostrador, que lo pesan, lo cortan en filetes o lo limpian a petición del cliente y lo cobran. Es un espectáculo entretenido, con el marisco como protagonista.

Un recorrido por el mercado intensifica todos los sentidos y nos recuerda nuestro vínculo con la tierra y con quienes la trabajan para que podamos comer. El eslogan "diríjase al productor" significa que quienes proporcionan cada día las frutas, las hortalizas, las flores, la miel y la mermelada son los mismos que cosechan o elaboran estos productos. Podrá hablar con los agricultores de Washington sobre los melocotones de Cachemira, las bayas de Marysville o los espárragos del valle de Yakima. Esto contribuye a que el mercado de Pike Place sea indudablemente uno de los rasgos distintivos más especiales de la gastronomía de Seattle.

El letrero de neón del mercado ilumina la noche.

Un vendedor de hortalizas en el mercado de Pike Place

Espárragos

El estado de Washington produce cada año una gran cantidad de espárragos (Asparagus officialis), la mayoría de los cuales proviene del fértil valle de Yakima y de la cuenca del río Columbia. Los días suaves y las noches frescas de primavera resultan unas condiciones ideales de cultivo para esta hortaliza tan apreciada. Se cosechan cerca de 40.000 toneladas de espárragos cada año. La temporada se extiende desde mayo hasta principios de junio. Mucha gente busca los espárragos delgados cuando, de hecho, los tallos más gordos son en general los más tiernos y sabrosos.

Rack of Lamb with Pinot Noir Thyme Sauce
Costillar de cordero con salsa de
Pinot Noir al tomillo

4 costillares de cordero (de 180 g cada uno) recortados
sal y pimienta
2 cucharadas de aceite de oliva
2 cucharadas de escalonia picada
⅓ taza de vino Pinot Noir u otro vino tinto seco
1 taza de caldo de pollo
mostaza de Dijon
migas de pan mezcladas con ajo picado
4 cucharadas de mantequilla
½ cucharadita de tomillo fresco picado

Precaliente el horno a 200°C. Sazone bien los costillares con sal y pimienta. Caliente el aceite en una sartén grande de fondo pesado a fuego fuerte. Añada los costillares y tuéstelos durante 1 minuto por cada lado hasta que estén bien dorados. Introduzca la sartén en el horno y ase la carne al gusto, unos 8 minutos si le gusta medio hecha, 10 minutos si la prefiere bien hecha. Pase la carne a una fuente y cúbrala para mantenerla caliente. Deje sólo unas 2 cucharadas de grasa en la sartén. Añada la escalonia y saltéela durante 1 minuto. Desglase la sartén con el vino y el caldo de pollo. Deje hervir hasta que se reduzca aproximadamente a la mitad. Mientras tanto, unte los costillares con mostaza y rebócelos ligeramente con las migas de pan. Para terminar la salsa, retire la sartén del fuego y añada batiendo la mantequilla y el tomillo. Salpimiente al gusto. Corte los costillares por la mitad y disponga dos mitades en cada plato, rociándolas con la salsa. Para 4 personas.

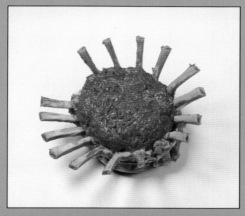

Costillar de cordero

Cordero del Noroeste

La carne más apreciada en esta región es, sin duda, la de cordero, que se cría en todo Oregon y Washington. El clima suave (ni demasiado caluroso ni demasiado frío) es perfecto para las ovejas. Los corderos del Noroeste se alimentan de abundante pasto y hierbas salvajes, raramente de grano. Por eso su carne alcanza un equilibrio superior: es sabrosa, tierna y magra, características que la convierten en el plato principal favorito de la región. La especie más conocida es el cordero de Ellensburg, que debe su nombre a una ciudad del este del estado de Washington, pero que también se cría en otras partes. Hay muchas granjas pequeñas que producen carne de cordero para distribuirla localmente. La misma oveja que da luz a los corderos también produce excelente lana.

Fresh Asparagus Soup
Sopa de espárragos frescos

500 g de espárragos frescos recortados
⅓ taza de mantequilla
⅓ taza de harina blanca
4 tazas de caldo de pollo
½ taza de nata espesa
sal y pimienta blanca

Cueza las puntas de los espárragos hasta que adquieran un color verde intenso y los tallos empiecen a estar tiernos. Corte el extremo superior y resérvelos para adornar la sopa. Trocee las puntas restantes y tritúrelas en un robot de cocina o una batidora.

Derrita la mantequilla en un cazo grande a fuego medio. Añada la harina y cueza hasta que la mezcla espume, sin dejar que la harina se tueste, de 2 a 3 minutos. Vierta el caldo de pollo y cueza, removiendo, hasta que la mezcla se espese un poco. Agregue el puré de espárragos y bátalo con sal y pimienta al gusto. Cueza 5 minutos más a fuego medio, removiendo de vez en cuando. Sirva la sopa en cuencos y adórnela con las puntas de espárrago reservadas. Para 4 personas.

SALMÓN

Alaska produce el 95% del salmón salvaje de Estados Unidos. Junto con los estados de Washington y Oregon, esta cifra aumenta hasta el 99% de toda la pesca de salmón salvaje. Este noble pez se ha convertido en una obsesión en la región. Cada año, a mediados de mayo, la apertura de la temporada de pesca del salmón real en el delta del río Copper, en Alaska, constituye un gran acontecimiento. Los pescadores y los cocineros profesionales y aficionados centran su atención hacia el norte, esperando el primer salmón de la temporada. Los restaurantes se disputan un lugar en la lista de los primeros a quienes se les ofrece el salmón "rey" y los mercados de pescado esperan con gran expectación poder vender su primer ejemplar a los clientes.

El salmón es a Alaska lo que la carne de buey es a gran parte de Norteamérica: aparece en numerosos platos, tales como pasteles de pescado, *chiles* y picados en salsas. Y todo lo que no se puede consumir fresco, se seca, se ahúma o se envasa para consumirlo en invierno. Pero, contrariamente a los consumidores de carne de buey de los "48 estados inferiores" (el apodo que los habitantes de Alaska ponen al continente norteamericano), la mayoría de los habitantes de Alaska no compra el salmón en una tienda de comestibles. Lo compran directamente a los pescadores en los muelles, lo consiguen por medio de un amigo que ha tenido un buen día de pesca o los pescan ellos mismos. En Alaska, los escolares terminan el curso unas semanas antes que todos los del resto de Estados Unidos, ya que muchos niños se unen a sus familias para la temporada de verano de pesca del salmón, que empieza a principios de junio.

Los indígenas de los estados de Alaska, Oregon y Washington veneran al salmón, que representa la fuerza vital de la naturaleza. Se dice que el salmón reconoce la época de desove (que difiere según las especies) al percibir los cambios en el número de horas de luz. Son capaces de regresar desde el océano hasta su lugar de nacimiento, el río, para desovar, gracias a un extraordinario sentido del olfato. Se considera al salmón una criatura extraordinaria e inspiradora.

Puesto que los salmones regresaban cada año en la misma época, las tribus indígenas de las zonas costeras del Noroeste del Pacífico siempre tenían asegurada una fuente de comida. A pesar de la abundancia del salmón, los pueblos indígenas nunca dieron por sentada la disponibilidad de este pescado, sino que le otorgaron cierto respeto. En algunas tribus, presentaban ceremoniosamente el primer salmón del año al jefe, quien agradecía al gran pescado por regresar una vez para alimentar a su pueblo.

Se disponía el pescado sobre una capa de helechos y se cortaba solemnemente en filetes, dejando la cabeza, la cola y la espina central intactas.

Fondo: un pescador sujetando un enorme salmón real, conocido también como salmón *chinook* o de primavera. Inferior: ejemplares macho y hembra de salmón de Alaska.

Las espinas se devolvían a las aguas donde se había capturado el pescado. Se creía que el pescado regresaba con los suyos para describirles el respeto y el honor con los cuales había sido tratado, asegurando así que el salmón volviera al mismo lugar cada año.

El salmón se pesca fundamentalmente de dos maneras: con anzuelo o con red. Los *trollers* son barcas que arrastran sedales con anzuelos, desde brazos que se extienden a cada lado de la embarcación. Un anzuelo equivale a un pescado (no se trata de una pesca en cantidad, sino de calidad). El salmón con un certificado de haber sido pescado con anzuelo resulta más caro, tanto en la pescadería como en el restaurante. Puesto que los salmones se capturan de uno en uno, hay menos posibilidades de que se estropeen antes de su comercialización. La pesca del salmón con redes permite capturar más ejemplares pero, según cómo queden atrapados en éstas, la carne del pescado sufrirá más o menos daños durante el transporte.

Las huevas de salmón son igualmente un producto muy apreciado, aunque los consumidores asiáticos son más aficionados que los lugareños. La mayor parte de las huevas de salmón recogidas se exportan a Japón, donde alcanzan precios muy altos en favor de los pescadores.

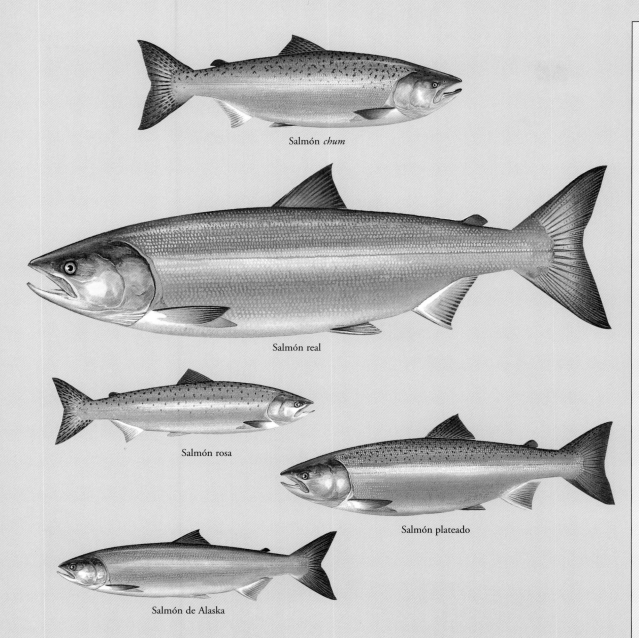

Salmón *chum*

Salmón real

Salmón rosa

Salmón plateado

Salmón de Alaska

Salmón ahumándose al estilo de los indígenas norteamericanos, sobre trozos de madera de aliso o de cedro.

Especies de salmón del Noroeste del Pacífico

Salmón real *(Oncorhynchus tshawytscha);* conocido también como salmón *chinook.*

Este salmón es la especie más grande, con un peso que oscila entre los 7,5 y los 12,5 kg. Tiene un alto contenido en aceite, que le aporta un característico sabor rico e intenso. Algunos salmones reales nunca desarrollan el color de su carne y se conocen como "salmón real blanco". Aunque tienen mucha demanda por su rareza, los salmones reales blancos tienen el mismo sabor y la misma textura que los rojos.

Salmón de Alaska *(Oncorhynchus nerka);* conocido también como salmón de dorso rojo o azul.

Este salmón tiene la carne roja más oscura de todas las especies. Japón, donde el rojo es un color de celebración, compra cada año la mayoría de la captura de salmón de Alaska. Este pescado pesa unos 3 kg de media y es una especie muy apreciada comercialmente.

Salmón plateado *(Oncorhynchus kisutch);* conocido también como salmón *coho.*

Este salmón pesa 3,5 kg aproximadamente. Su carne es de color rojo como la del salmón real; no es demasiado grasa, por lo tanto su sabor es menos intenso. Muchos de estos salmones se utilizan para hacer conservas.

Salmón rosa *(Oncorhynchus gorbuscha);* conocido también como salmón jorobado o giboso.

Es la especie más pequeña de todas, con un peso medio de 1,5 a 2,5 kg, pero son inmensamente abundantes en las aguas de Alaska. Su carne es ligera, húmeda y sabrosa, aunque delicada, por lo que no se mantiene tan bien como la de los otros salmones.

Chum *(Oncorhynchus keta);* conocido también como salmón *silverbrite* o calicó.

Aproximadamente del mismo tamaño que el salmón plateado, el salmón *chum* tiene una carne más pálida, menos grasa y menos sabrosa que la de los otros salmones.

Salmón ahumado

El salmón ahumado es uno de los productos culinarios más distinguidos de la región. Originariamente, la técnica de ahumar era una necesidad, un método para conservar parte de la munificencia estival de salmón para consumirlo durante los largos y fríos inviernos. Hoy en día, es una preparación selecta del pescado más preciado de la zona. Los cocineros locales utilizan a menudo sus ahumaderos instalados en el jardín para curar el salmón según las recetas favoritas creadas a lo largo de los años.

En el Noroeste, el principal método de ahumado es el ahumado en caliente, también empleado con los arenques. El salmón, por lo general cortado en filetes enteros, se cubre primero con salmuera seca o líquida para endurecer la carne y retirar el exceso de agua.

La salmuera puede componerse simplemente de sal, pero normalmente incluye azúcar, así como condimentos tales como ajo o bayas de enebro. Una vez salado, el pescado se enjuaga y se deja secar al aire para que se forme una piel elástica sobre la carne. A continuación, el salmón se cuelga o se coloca plano sobre un fuego lento humeante y sin llama, normalmente de madera de aliso. Gracias al fuego utilizado en este método de ahumado, el pescado se cuece lentamente, a diferencia del pescado ahumado en frío, que queda prácticamente crudo.

ESPECIALIDADES DE SALMÓN

Filetes de salmón abiertos en mariposa sobre una tabla, ahumándose lentamente cerca de un fuego.

Grilled Whole Salmon
Salmón entero a la parrilla

1 salmón entero (de 2,5 a 3,5 kg) sin escamas
ni tripas, bien limpio y seco
aceite de oliva
sal y pimienta
1 cebolla pequeña cortada en rodajas finas
1 limón y/o lima cortado en rodajas finas
un buen puñado de ramitas de perejil

Precaliente una parrilla al aire libre. Si utiliza astillas de madera, remójelas en agua fría durante 30 minutos como mínimo. Disponga el salmón sobre un trozo de papel de aluminio resistente untado con un poco de aceite, el doble de largo que el salmón. Salpimiente ligeramente el interior del salmón. Rellénelo con las rodajas de cebolla, las de limón y/o lima, y las ramitas de perejil. Doble el papel sobre el salmón, juntando levemente los bordes pero dejando una apertura para que salga el vapor. Coloque el salmón envuelto sobre la parrilla, esparciendo sobre las brasas las astillas de madera escurridas, si las utiliza. Tape la parrilla y ase el salmón hasta que empiece a estar opaco, de 20 a 30 minutos, según el tamaño del pescado. Como alternativa, puede asar el salmón en el horno, precalentado a 190°C, de 30 a 40 minutos. Para unas 8 personas.

Cómo cortar un salmón entero en filetes

1. Elija un salmón fresco entero.

2. Debe estar eviscerado, escamado y bien limpio.

3. Practique un corte justo detrás de las branquias y deslice el cuchillo a lo largo de toda la espina central.

4. Practique un corte poco profundo a lo largo del dorso, desde la cabeza hasta la cola. Con un cuchillo pequeño, separe la carne de las espinas a lo largo del dorso, estirando el filete.

5. A medida que corte, separe con cuidado el filete de la espina con la otra mano.

6. Déle la vuelta al pescado y repita la operación.

7. Pase los dedos sobre la carne del filete, desde la cola hacia la cabeza, para localizar las espinas y levantar las puntas.

8. Con unas pinzas pequeñas o unas tenacillas, sujete firmemente el extremo de cada espina y estire.

Cómo cortar el salmón ahumado en lonchas

1. Para cortar el salmón ahumado use un cuchillo muy afilado con hoja delgada. Retire todas las espinas y empiece a cortarlo por la parte de la cabeza.

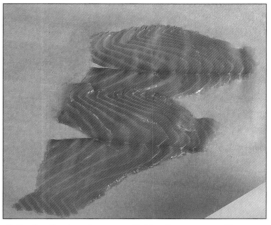

2. Corte el filete gradualmente hacia abajo, manteniendo el cuchillo en un mismo ángulo para obtener lonchas delgadas y uniformes. Sujete la parte cortada del filete con la otra mano.

3. Las primeras lonchas serán largas. A medida que corte, sólo quedará el extremo grueso del filete y las lonchas serán más cortas. Deben seguir siendo delgadas.

4. Las lonchas han de ser translúcidas. La muesca en forma de V de la izquierda es el lugar de donde se ha retirado la parte oscura y oleosa.

Salmón *chinook*

Gravlax (salmón marinado)

2 filetes de salmón (1,5 a 2,5 kg en total) con la piel y sin espinas
2 manojos grandes de eneldo fresco picados gruesos
1 taza de sal gema
½ taza de azúcar
¼ taza de *aquavit* o coñac
1 cucharada de granos de pimienta negra machacados

Disponga 1 filete de salmón, con la piel hacia abajo, en una bandeja con reborde. Mezcle el eneldo, la sal, el azúcar, el coñac y la pimienta. Unte la mezcla sobre el salmón, comprimiéndolo un poco y cúbralo con el segundo filete, con la piel hacia arriba. Envuelva el salmón con film transparente, coloque una bandeja encima del mismo y haga peso con latas de conservas. Refrigere el salmón durante 2 días. Retire los pesos y déle la vuelta al salmón envuelto tres o cuatro veces mientras se marina.

Justo antes de servir, retire la mezcla de eneldo del pescado y limpie frotando los restos de sal. Corte el salmón al sesgo en rodajas muy finas.

Disponga las rodajas de salmón en una fuente de servir o en platos individuales y sirva con pan de centeno y salsa de mostaza. Para unas 24 personas.

Gravlax

PESCADO

El pescado y el marisco dominan la alimentación en Alaska y el Noroeste del Pacífico. Algunos afirman que ninguna otra región de Estados Unidos ofrece tan asombrosa variedad y provisión, desde el halibut y el cangrejo hasta el erizo de mar y el cangrejo de río, que se pueden encontrar en aguas de Alaska, Oregon y Washington.

En la región se puede encontrar un extenso surtido de marisco durante todo el año. Durante los grises y fríos meses de invierno, los cangrejos, los mejillones, las almejas y las ostras son abundantes e inspiran a los cocineros del Noroeste. En esta época, las aguas están muy frías y la carne de los mariscos es rica y sabrosa. La temporada de pesca empieza en primavera, anunciada por el primer halibut fresco. El verano trae navajas y gran abundancia de salmón y, el otoño, vieiras.

Alaska tiene una inmensa variedad de pescados, algunos de los cuales se consumen "fuera" (sus habitantes utilizan este término para designar cualquier otra zona que no sea su estado), pero la mayoría son poco conocidos fuera de Alaska. Entre éstos figuran: el cazón, de la familia del tiburón *(Scyliorhinidae)*; el *eulachon (Thaleichthys pacificus)*; el *tímalo común (Thymallus thymallus)*, un pez de agua dulce muy apreciado por los aficionados a la pesca deportiva; el arenque *(Clupeidae)*, un pequeño pez migratorio de la familia de las sardinas; varios tipos de bacalao; la maruca *(Ophion elongatus)*, un pez parecido al bacalao; la trucha alpina del Ártico *(Salvelinus alpinus)*, de la familia del salmón; el corégono de agua dulce; la trucha Dolly Varden *(Salvelinus malma spectabilis)*, una especie de trucha alpina del Ártico; la trucha de lago *(Salmo trutta lacustris)*; la trucha de arroyo *(Salmo trutta fario)*; la trucha *cutthroat (Salmo clarki)*; la trucha arco iris *(Salmo gairdneri)*; el abalone *(Haliotis)* y los chitones, ambos moluscos univalvos; las lapas o "sombreros chinos" *(Patella)*, pequeños crustáceos de forma cónica; el erizo de mar *(Strongylocentrotus)*, un crustáceo con púas similar a un alfiletero; el pulpo *(Octopus vulgaris)*; el cohombro de mar *(Stichopus)*, un equinodermo de cuerpo cilíndrico y blando, con un músculo delgado; y el calamar *(Loligo vulgaris)*, un pariente más pequeño del pulpo. Muchos habitantes de Alaska también preparan conservas con las partes especiales del pescado, tales como la lecha, el hígado, las huevas y la cabeza.

Pulpo *(Octopus dolfleini o vulgaris)*

Barcas de pesca en la zona portuaria de Seattle

Carbonero

Trucha arco iris

Gallineta roja

Barbada

Raya

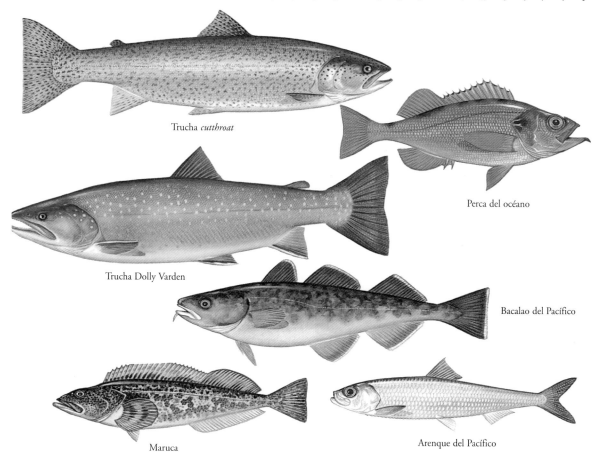

Trucha *cutthroat*

Perca del océano

Trucha Dolly Varden

Bacalao del Pacífico

Maruca

Arenque del Pacífico

Caviar del Noroeste

El corégono (*Ascipenser transmontanus*) no sólo proporciona una carne nívea y substanciosa, sino que además, a lo largo de los años, una cantidad limitada de sus huevas ha servido para elaborar el selecto caviar al estilo del Noroeste. Mediante técnicas similares a las que se utilizan en Rusia e Irán, los sacos de huevas se pasan a través de una malla de red para separar los diminutos granos. A continuación, el preparador de caviar determina según su criterio la cantidad y la duración de la salazón de las exquisitas huevas. El caviar de corégono del Noroeste se puede encontrar en muy pocos restaurantes del Noroeste del Pacífico y durante tan sólo unas semanas, básicamente en otoño. Las recientes regulaciones del departamento de pesca y caza han supuesto la interrupción (esperemos que temporal) de la recogida de huevas de los corégonos hembra del río Columbia, a pesar de las numerosas toneladas de corégono que se pescan cada año.

Halibut

El halibut o fletán (*Hippoglossus vulgaris*) es el más grande de los peces planos. Los ejemplares récord capturados en Alaska pueden sobrepasar los 250 kg. Las hembras crecen mucho más que los machos, que rara vez pesan más de 50 kg. La temporada de pesca comercial empieza en primavera y se extiende hasta el mes de noviembre. La pesca del halibut también es una popular actividad turística, sobre todo en Homer (Alaska).

Una de las delicias del Noroeste son las mejillas del halibut, que se parecen a una vieira de mar gigante. Si se trata de un ejemplar grande, cada mejilla puede pesar unos 500 g. Se encuentran esporádicamente, ya que pocas industrias pesqueras dedican el esfuerzo adicional que supone extraer las mejillas durante la preparación del pescado. Estos deliciosos trozos de carne saben mejor cocinados de manera sencilla, simplemente rebozados en harina y fritos. Para realzar el plato, se puede preparar una salsa a base de vino blanco y hierbas aromáticas.

Gallineta

La gallineta (*Sebastes*) se encuentra en toda la costa del Pacífico y en el Golfo de Alaska. Existen docenas de variedades, pero la más conocida es la escorpina de color naranja intenso y ojos amarillos. Entre las variedades que se pescan en aguas de la región figuran la escorpina negra, el *quillback*, la gallineta amarilla y la perca del océano Pacífico. Ésta última se conoce también como cubera del Pacífico, o cubera roja del Pacífico, si bien está remotamente relacionada con la cubera roja norteamericana de la Costa Este. La carne magra y escamosa de la escor-

pina tiene un sabor suave, por lo que es muy versátil y apreciada.

Manjares especiales

Además de la gran abundancia de salmón, halibut y ostras del Noroeste, también hay un gran número de deliciosos pescados y mariscos menos comunes, ya sea por su escasez o su poco frecuente comercialización. El pulpo, por ejemplo, abunda en las aguas de la región, pero rara vez se vende en los comercios. No obstante, se utiliza a menudo en la cocina asiática y se encuentra tanto en los mercados de pescado como en los restaurantes asiáticos. La raya (*Rajidae*) también abunda en todas las aguas del Pacífico Norte. A pesar de que se vende a un precio considerable en el Este, los consumidores del Oeste han ignorado este pescado magro y delicioso durante décadas. La raya se ha introducido progresivamente en los mercados de pescado de la región a medida que los consumidores han descubierto lo deliciosa que llega a ser.

En el caudaloso río Columbia, que forma parte de la frontera entre Washington y Oregon, habita el esturión (*Acipenseridae*), una criatura de aspecto prehistórico. Este pescado de carne blanca y substanciosa es un manjar exquisito de la zona, tanto fresco como ahumado. Aparece en el menú de los restaurantes selectos del Noroeste del Pacífico tan sólo durante unas pocas semanas de otoño.

La trucha alpina del Ártico (*Salvelinus alpinus*) también es muy apreciada. Este pescado, de la familia del salmón, tiene una piel moteada rosa y una carne cuyo color varía del rosa pálido al rojo oscuro. Su sabor, perfectamente equilibrado, es a la vez intenso y refinado.

Halibut with Fresh Cranberry-Orange Sauce
Halibut con salsa de naranja y arándanos rojos frescos

½ naranja *navel* troceada
½ taza de arándanos rojos frescos
1 cucharada de miel o azúcar
1 cucharada de mantequilla
4 filetes de halibut (de unos 250 g cada uno)
sal y pimienta

Mezcle los trozos de naranja, los arándanos rojos y la miel en un robot de cocina o una batidora y triture hasta que la fruta quede picada fina pero no hecha puré. Reserve.

Precaliente el horno a 190°C. Corte cuatro trozos de papel de aluminio de unos 38 cm de largo y doble cada uno por la mitad. Unte el centro de cada trozo con mantequilla. Coloque los filetes de halibut en la parte untada y salpiméntelos ligeramente. Vierta la mezcla de naranja y arándanos sobre los filetes de halibut. Doble la mitad superior de cada paquete sobre el pescado y pliegue los bordes hacia adentro para sellarlos. Coloque los paquetitos sobre una bandeja de horno y deje asar unos 15 minutos. Para 4 personas.

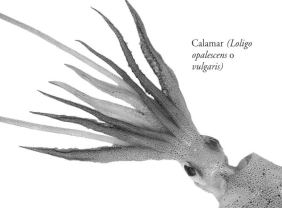

Calamar (*Loligo opalescens* o *vulgaris*)

CRUSTÁCEOS

Ostras

Antaño, las ostras *(Ostreidae)* eran tan abundantes en el Noroeste del Pacífico que se utilizaban como lastre en las calas de los barcos que recorrían la costa. Hoy en día, los cultivadores de ostras de Oregon, Washington y Alaska continúan abasteciendo la región, y gran parte de Estados Unidos, con este popular bivalvo. El estado de Washington es, con mucho, la región más prolífica, con una producción de casi el 90% de las 6 mil toneladas (peso sin valva) de ostras que se cultivan anualmente en Oregon, Washington y Alaska.

En el Noroeste del Pacífico se cultivan cuatro variedades principales de ostras. En los bares de la región, los nombres que llevan las docenas de clases diferentes no distinguen las diversas especies, sino las zonas de cultivo específicas, tales como Totten Inlet, Hama Hama, Shoalwater o Wescott Bay. Puesto que las ostras filtran cerca de 380 litros de agua al día, reciben las influencias de las condiciones externas y su sabor retiene las características del agua que ingieren.

Almejas

Aunque dista mucho de ser la más común de las almejas del Noroeste, la almeja *geoduck* es probablemente la más conocida. Esta almeja gigante es tan célebre en la región que los aficionados a este molusco de Washington trataron en vano de convertirlo en la mascota oficial del estado. Es una criatura que crece lentamente y vive durante mucho tiempo; algunos de los ejemplares más viejos tienen casi 150 años. La carne del cuello, una vez pelada y limpia, es bastante dura. Se suele picar para preparar un *chowder* o buñuelos, o bien se reblandece y se fríe en una sartén. La carne del cuerpo, más tierna, resulta deliciosa salteada o consumida cruda en *sashimi*. Esta almeja tiende a volverse dura si se cuece en exceso, por lo cual es mejor saltearla rápidamente en una sartén caliente.

Mejillones

Los mejillones azules *(Mytilus edulis)* oriundos proliferan por todo el Noroeste. Crecen en las rocas, las anclas y los pilotajes sumergidos frente a las playas, a los cuales se adhieren los mejillones jóvenes. Algunos cocineros intrépidos recogen sus propios mejillones, aunque la mayoría de los que se consumen en el Noroeste se cultiva en viveros de la región.

Los mejillones azules se conocen localmente como "Penn Cove", el nombre de una bahía situada frente a la isla Whidbey (Washington), donde se cultiva la mayoría de estos mejillones.

Cangrejos

Las especies de cangrejo son algunos de los mariscos comerciales más productivos, aunque su captura sea muy peligrosa. Las centollas y los cangrejos níveos

Ostras recién abiertas en su media valva en el Oyster Lounge de Seattle.

de Alaska se pescan en los bajos fondos de las aguas del Norte en pleno invierno, y cada año naufragan barcas de cangrejos en busca de estos exquisitos crustáceos.

Los cangrejos grandes merecen ser preparados de manera sencilla: basta con unas gotas de zumo de limón, un poco de mantequilla fundida y, tal vez, una buena salsa cóctel para mojar. Si se añaden demasiados condimentos, se enmascara el exquisito sabor de su refinada carne.

Patas de centolla en el mercado de Pike Place de Seattle

Cómo abrir una ostra

1. Utilice un cuchillo de ostras pesado y robusto. Inserte la punta del cuchillo entre las valvas de la ostra en la charnela o en el extremo redondeado.

2. Apoye el dorso de la mano en una toalla, sobre la superficie de trabajo, para poder sujetar bien la ostra.

3. Pase la hoja del cuchillo alrededor de la valva superior plana para cortar el músculo que une las dos valvas. Vigile de no perforar la carne de la ostra. Deseche la valva superior.

4. Pase la hoja del cuchillo por debajo de la ostra para cortar el músculo que la une a la valva inferior. Trate de no desperdiciar el agua del interior de la valva.

Ostra del Pacífico *(Crassostrea gigas)*. Es la ostra más grande de la región. Se importó de Japón hace un siglo. La valva es de forma ovalada y muy ahuecada, con una superficie acanalada.

Ostra Kumamoto *(Crassostrea sikamea)*. Esta pequeña ostra, originaria de Japón, tienen una valva estriada y muy ahuecada. Resulta deliciosa cruda. Tiene un sabor suave.

Ostra plana europea *(Ostrea edulis)*. Esta ostra, con una valva redonda y plana característica, es la más apreciada en toda Europa. Tiene un marcado sabor, bastante diferente de la ostra del Pacífico.

Ostra Olympia *(Ostrea lurida)*. Es el más selecto de todos los moluscos. Diminuta y exquisita, tiene una valva redonda que rara vez sobrepasa los 5 cm de diámetro. La carne es del tamaño de la uña de un pulgar. Es la única ostra nativa del Noroeste.

Almejas de Manila *(Tapes phillippinarum)*. Son la almeja más común del Noroeste. Saben mejor cocidas al vapor o en *chowder*. Las almejas de Manila, originarias de Asia, se introdujeron en el Noroeste del Pacífico y prosperaron tanto en estado natural como en viveros.

Navajas *(Siligua patula)*. No son fáciles de encontrar pero tienen una gran demanda. La cala Cook de Alaska produce una gran cantidad de ejemplares para la cosecha comercial, aunque muchos habitantes del Noroeste las recogen para su propio consumo cuando hay marea baja.

Vieiras rosas *(Chlamys herica)*. Son pequeñas y tienen una preciosa valva acanalada de color rosa. No se adhieren a las rocas o los pilotajes como hacen las otras variedades de vieiras. Debido al ruido que hacen al abrir y cerrar la concha mientras nadan por el agua, reciben el apodo de "vieiras cantoras". Se suelen vender mayoritariamente vivas en la concha. Resultan deliciosas cocidas simplemente al vapor, como las almejas o los mejillones.

Vieiras Weathervane. Son una variedad grande y carnosa que abunda en la costa del Pacífico, desde el sudeste de Alaska hasta Oregon. Rara vez se venden en la valva; el músculo entero se vende como "vieiras de mar".

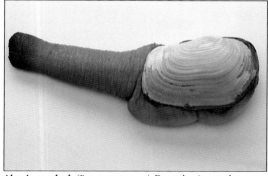

Almeja *geoduck* *(Panopea generosa)*. Estas almejas pueden pesar hasta 2,5 kg. Su nombre significa "cavar hondo" en la lengua de los indígenas norteamericanos, que describe su costumbre de excavar en la arena. El "cuello" que sobresale de la concha es, en realidad, un sifón.

Centollas *(Paralithodes camtschatica)*. Se encuentran en el mar de Bering, cerca de Rusia. Pesan unos 3 kg de media, pero se han capturado ejemplares de 12,5 kg y con patas de 1,8 m de largo. Los cangrejos níveos *(Chionectes opilio)* son unos parientes más pequeños de la centolla, a veces llamados "curtidores" en Alaska.

Buey de mar californiano *(Cancer magister)*. Abunda a lo largo de las costas de Oregon, Washington y Alaska. Es una importante especie comercial. Se capturan en ollas de cangrejo colgadas de las embarcaciones de recreo o de los muelles de pesca. En Washington y Oregon, la mejor temporada del cangrejo es en invierno, cuando las aguas están más frías.

Mejillones del Mediterráneo *(Mytilus trossulus)*. Estos mejillones, recientemente introducidos en el Noroeste, son una especie similar a los mejillones azules nativos, pero son más grandes y carnosos. Se han adaptado bien a su nuevo entorno y se han convertido en un molusco muy apreciado tanto por los cocineros como por los consumidores.

VINO

Cuando la región empezó a elaborar vino en los años setenta, el vino del Noroeste del Pacífico se limitaba a variedades de vino blanco dulce como el Riesling. Pero varias décadas más tarde, los vinateros de la región han hecho tales progresos que, botella a botella, la región ha recibido más medallas que la mayoría de las zonas vinícolas del mundo. Entre los vinos que reciben regularmente la aprobación general figuran

los que provienen sobre todo de cepas de Merlot, Pinot Noir, Pinot Gris, Chardonnay y Semillon.

En Oregon, la mayoría de los viñedos se hallan al oeste de la cordillera Cascade, en el valle de Willamette, al sudoeste de Portland. Allí, las exuberantes y ondulantes colinas que rodean los viñedos crean un pintoresco paisaje. Los vinateros de Oregon también tienen viñedos más al sur, en los valles de Umpqua y del río Rogue. Estas regiones, abiertas a las brisas húmedas procedentes del océano, producen vinos blancos aromáticos y complejos, así como vinos tintos elegantes y perfumados.

Por otro lado, la mayor parte de las uvas de Washington se cultiva al este de la cordillera Cascade, en el clima seco de los valles de Yakima y del río Columbia. Los días calurosos y las noches frescas producen vinos blancos que conservan gran parte de su acidez, con un intenso sabor afrutado. Los vinos tintos tienen un sabor intenso, una textura refinada y una agradable nota afrutada.

En conjunto, los vinos del Noroeste del Pacífico tienen abundantes características afrutadas, pero con un fuerte equilibrio de acidez. Y es justamente este equilibrio de la fruta y la acidez el que hace que

Maridaje de los vinos y la comida del Noroeste

La comida y los vinos del Noroeste parecen estar hechos el uno para el otro, en parte porque los ingredientes crudos se cultivan en el mismo suelo volcánico rico y se nutren de las mismas aguas abundantes y puras. En el valle de Yakima (estado de Washington), donde se cultivan algunos de los mejores espárragos del país, también hay viñedos que producen vino Sauvignon Blanc, que compagina magníficamente con esta hortaliza de primavera. El salmón y el Pinot Noir de Oregon se han convertido en una legendaria combinación de la región. De hecho, fue aquí donde empezó la reciente moda gastronómica de acompañar el pescado con vino tinto. El excelente Merlot del estado de Washington y el cordero de la zona constituyen otro delicioso maridaje.

las tradiciones vinícolas de la región sean dignas de mención y que los vinos del Noroeste del Pacífico sean merecedores de grandes elogios.

La uva Cabernet Sauvignon ha sido siempre el ingrediente principal utilizado en el Noroeste para elaborar vino tinto, pero los vinos tintos Merlot (en el estado de Washington) y Pinot Noir (en el estado de Oregon) han sobrepasado la producción del vino Cabernet Sauvignon. Se ha demostrado que los vinos Merlot y Pinot Noir son más substanciosos, de mejor calidad y se adaptan mejor al estilo del Noroeste, que es menos pesado pero más sofisticado.

En cuanto a los vinos blancos, el Chardonnay representa la mayor producción, si bien, cuando se trata de vinos blancos merecedores de grandes elogios, destaca el Semillon. El Pinot Gris ha ganado rápidamente terreno en Oregon, donde algunos productores utilizan el nombre italiano de las uvas, *pinot grigio*. Entre las uvas de vino blanco importantes, figuran las Sauvignon Blanc (conocidas también como Fumé Blanc), las Chenin Blanc, las Semillon, las Johannisburg Riesling (conocidas también como Riesling blanco) y las Gewürztraminer.

Viñedo del valle de Tualatin en Oregon

Botrytis cinera en uvas Riesling

Vinos de cosecha tardía

Los vinos Riesling de cosecha tardía del Noroeste del Pacífico se elaboran con uvas que se dejan en la vid y que quedan expuestas a la *Botrytis cinera,* un moho natural conocido también como "putrefacción noble". Concentra los componentes de la uva, sobre todo los azúcares, creando una complejidad de intensos sabores dulces que forman la base de estos vinos característicos. La principal uva utilizada para los vinos de cosecha tardía del Noroeste es la Johannisburg Riesling, aunque también se utilizan uvas Gewürztraminer, Semillon y Sauvignon. La región también produce algunos vinos dulces con uvas moscatel.

El vino helado es una nueva tendencia en la elaboración de vinos de cosecha tardía. Fue descubierto accidentalmente por el propietario de una de las industrias vinateras más importantes de la región (Château Sainte Michelle) pero, en realidad, se trata de un tipo de vino tradicional originario de Alemania. Un día de 1978, este vinatero fue a examinar sus uvas Riesling de cosecha tardía y descubrió que una inesperada helada nocturna había cubierto las uvas que aún colgaban de la parra. Decidió recolectarlas y producir el vino. El resultado fue un extraordinario vino helado de cosecha tardía que, hoy en día, es una excepcional pieza de coleccionista. Los vinateros no pueden predecir cuándo podrán elaborar vino helado; deben esperar pacientemente durante años hasta que las condiciones meteorológicas lo permitan. La helada debe producirse justo antes de la cosecha, a finales de octubre o principios de noviembre. Después de la cosecha de 1978, Château Sainte Michelle no produjo más vino helado hasta 1995. En efecto, sólo se puede producir un nuevo vino helado del Noroeste una vez cada diez años, por eso es un vino muy esperado.

LA COCINA NORTEAMERICANA

La cocina norteamericana siempre ha sido un lugar para preparar y servir comida, pero ha evolucionado conjuntamente con las tendencias y los cambios de estilo de vida. La cocina, tal vez la pieza más significativa de la casa, ha reflejado a lo largo de la historia las actitudes culturales, la ciencia, la tecnología y la industria.

La primitiva cocina de los hogares de los colonos norteamericanos constituía el centro de la vida familiar; en ella, la gente cocinaba, comía, dormía y trabajaba. La gran chimenea servía de caldera, de fogón, de horno y de fuente de luz. Durante el siglo XVIII, a medida que la casa abarcaba más actividades sociales y lúdicas, hizo falta más espacio. Las cocinas se ampliaron y se trasladaron a una zona alejada de la casa. En el Sur, la cocina se separó por completo de la casa y se instaló en un edificio unido a la casa principal mediante un pasaje cubierto.

La época victoriana, a mediados del siglo XIX, introdujo una serie de cambios en la cocina, así como en la manera de preparar la comida. Para mejorar las instalaciones y la higiene, se añadió a la pieza principal un fregadero con una pila para lavar las frutas y las hortalizas, junto con una despensa para guardar los alimentos secos y en conserva. Una cocina económica de hierro o un hornillo se convirtieron en elemento común de todas las cocinas y, a menudo, se colocaban delante de la antigua chimenea. El único medio de refrigeración era el depósito de hielo, en el cual los alimentos se mantenían fríos con bloques que se extraían en invierno de los estanques helados. Las comidas las servían los criados en un comedor separado.

A principios del siglo XX, las cocinas se diseñaban pensando en la eficacia y la comodidad. Se añadieron armarios y superficies de trabajo para tener los útiles a mano. Aparecieron los hornos de gas con termostatos. Los inventos tales como el pelador de hortalizas, el exprimidor y el cuchillo para cortar el hielo ahorraron tiempo y energía a las amas de casa. Así empezó la afición de los norteamericanos por los artilugios, que encontró su máxima expresión unas décadas más tarde en la era espacial, cuando se combinaron los materiales y la tecnología para fabricar utensilios capaces de hacerlo todo salvo cultivar los ingredientes crudos.

A principios de siglo, los hornos de gas no eran del todo perfectos: la llama requería una vigilancia constante y la cocción uniforme de un plato era todo un reto. La llegada de la electricidad a los hogares hacia 1930 cambió radicalmente las cosas. Las mujeres se liberaron de las constantes tareas de la cocina desde el momento en que pudieron dejar un asado cociéndose durante varias horas en el

La cocina norteamericana moderna está equipada con una buena iluminación y electrodomésticos de vanguardia.

horno sin peligro alguno. La electricidad en la cocina también automatizó varios de los inventos de principios de siglo. Apretando simplemente un botón, se podían batir los huevos, preparar café o tostar pan perfectamente, facilitando el manejo de la cocina. La aparición del frigorífico permitió conservar los alimentos durante más tiempo y eliminó la necesidad de reponer con frecuencia los productos frescos. La consecutiva invención del congelador introdujo la posibilidad de comprar grandes cantidades de alimentos y conservarlos durante meses.

El modelo de cocina moderna, en forma de L o de U, se estableció en los años cuarenta. En los años cincuenta, se introdujo la superficie de trabajo continua y, en los años sesenta, la gente empezó a disfrutar de las comidas en la cocina. Durante los años setenta, creció el interés por el arte culinario. A medida que la preparación de la comida se convirtió en una forma de entretenimiento, se amplió el espacio para dar cabida al cocinero y a los invitados. Se añadieron zonas para comer y se puso de moda sentarse en taburetes alrededor de la isla de la cocina (una zona de trabajo independiente situada en el centro o a un lado de la cocina).

La cocina ya no era una pieza separada del resto de la casa. En los años ochenta, el incremento del

Una cocina eficiente de los años cincuenta

número de mujeres que trabajaban fuera de casa favoreció la apertura de este espacio, permitiendo a las familias reunirse después de una larga jornada mientras se preparaba y se consumía la comida.

Las cocinas actuales son una amalgama de todas estas épocas, personalizadas según el estilo de vida de cada familia. La pieza se amplía para dar cabida a las funciones añadidas que se supone que debe cumplir: la cocina, el entretenimiento, la comida, las reuniones y el descanso. La decoración de la

El Tupperware del próximo milenio

¿Qué tienen en común Marlene Dietrich, Linda Evangelista, trece de los principales museos del mundo, 97 millones de personas de más de 100 países y el 90% de los hogares norteamericanos? La respuesta: el Tupperware. En 1946 salió al mercado el primer recipiente provisto de un sistema de cierre patentado que permitía guardar herméticamente su contenido y, por lo tanto, conservar cualquier alimento. Desde entonces, dejar restos de comida es casi una obligación.

Con cada nueva década y sus tendencias, los gustos y necesidades de los fans de este invento también evolucionaron. Si en los cincuenta dieron la vuelta al mundo las populares fuentes para celebraciones, en los sesenta este mercado adoptó, como muchos otros, una línea práctica. En los setenta, el Tupperware permitió a los norteamericanos descubrir la cocina de muchos países y así, de un día para otro, se disparó la demanda de modelos para conservar *tortillas* de maíz, *dips* o espaguetis. El microondas, electrodoméstico estrella de los años ochenta, pronto dispuso de una amplia variedad de recipientes específicos para él.

El año 1990 es el inicio de una nueva era en la historia del Tupperware. El diseñador vanguardista Morison Cousins se propuso renovar la línea estética del consabido recipiente y, al mismo tiempo, amplió la gama con productos nuevos. El cambio más trascendental fue introducir colores como el rojo chillón o el fucsia a la imagen ya anticuada de los primeros modelos. Desde entonces, muchos otros artistas se han apuntado a esta tendencia; sus diseños, en forma de lámpara o escultura, pueden resultar interesantes para el que quiera invertir varios miles de dólares en arte. Sin ir tan lejos, por menos de mil pesetas ya se puede adquirir un Tupperware –bastante pequeño, eso sí–, como el que aparece en el catálogo de muchas de las principales colecciones de objetos de diseño.

Para el cliente de a pie, sin embargo, la única manera de adquirir el auténtico Tupperware sigue siendo a través de las típicas reuniones. El éxito de las primeras presentaciones fue tal que, a partir de 1951, se dejó de vender el producto en la tienda para anteponer el trato personal.

Pero, ¿esto es todo?, ¿apunta la empresa a nuevos horizontes? Desde luego: aún hay muchos países que no conocen el tupper. El estadounidense Gaylin Olson, director de una empresa que prácticamente le ha visto nacer, ya ha tomado medidas al respecto: "Nuestro mayor reto hoy es adaptarnos a la diversidad cultural, tanto dentro de Estados Unidos como en el resto del mundo". Fiel a este objetivo, sus dos últimos lanzamientos son un enorme cuenco para arroz, pensado para los asiáticos, y un recipiente parecido al *bento* japonés.

Dondequiera que llegue el viajero más intrépido, es muy posible que algún tupper se le haya adelantado.

Los frigoríficos norteamericanos son enormes, con compartimientos diseñados para todo tipo de alimentos. A la izquierda está el congelador.

cocina es un medio de expresar el estilo y la personalidad de la casa. Los electrodomésticos se venden en todos los colores y formas y se pueden fabricar a medida. Los artilugios y los pequeños electrodomésticos, que realizan un sinfín de tareas, hacen furor en las tiendas de utensilios de uso doméstico: *"salad shooters"* (robots que cortan las hortalizas y las lanzan directamente a la ensaladera), molinillos de pimienta con luz incorporada (para los comedores oscuros), máquinas panificadoras, trituradoras de latas, compresores de basura, cafeteras con programador (para fijar el grosor de la molienda del café, filtrar el agua y preparar el café a una hora determinada), yogurteras, robots de cocina, microondas y asadores. Muchas familias instalan un ordenador, un vídeo y un televisor en la cocina para poder buscar una receta en Internet o ver un programa de cocina. Hoy en día, los auténticos cocineros aficionados pueden comprar hornos, frigoríficos y congeladores con características especiales, tales como dispensadores de hielo y sistemas de filtración del agua.

En muchos aspectos, la cocina actual ha vuelto a sus orígenes de la época colonial. Vuelve a ser una pieza con múltiples funciones, creada por necesidad y comodidad y situada en una posición dominante de la casa. Si bien se diferencia mucho de una casa a otra, la cocina norteamericana es un lugar para trabajar, descansar, divertirse y, por supuesto, cocinar.

Derecha: los accesorios de cocina típicamente norteamericanos: la batidora, las tazas medidoras de metal y un medidor de líquidos de pyrex.

Hawai

por Joan Clarke

**Las islas de:
Hawai
Kauai
Lanai
Maui
Molokai
Oahu**

Situado en el océano Pacífico, lejos del continente norteamericano, el archipiélago de Hawai representa una experiencia gastronómica única, un lugar donde las tradiciones de América, Asia, Europa y el Pacífico se fusionan en un maridaje Este-Oeste típico de este estado insular. Su paisaje es extraordinariamente diferente del de cualquier otra zona de Estados Unidos. En la Isla Grande de Hawai se alzan dos imponentes volcanes: el Mauna Loa y el Mauna Kea. A lo largo de los siglos, la actividad volcánica ha depositado sobre el terreno capas de cenizas ricas en nutrientes, proporcionando un suelo fértil y productivo. El clima también favorece las cosechas; la combinación de mucho sol y abundantes precipitaciones, junto con temperaturas moderadas, contribuye a una excelente época de cultivos.

En 1778, el capitán James Cook desembarcó en las costas de Hawai, descubriendo una civilización que prosperaba gracias a los productos de la tierra y del mar. Hawai, originariamente llamado Islas Sándwich, se convirtió en escala para muchos navegantes, un puerto donde podían descansar, cargar combustible y hacerse con provisiones en medio del océano Pacífico. Los marinos, los balleneros y los comerciantes introdujeron sus carnes y pescados salados, sus sequetes y su provisión limitada de hortalizas y frutas. Hacia 1820, llegaron los misioneros cristianos procedentes de la Costa Este de Estados Unidos, con la intención de expandir su evangelio entre los hawaianos. Aportaron los alimentos básicos de Nueva Inglaterra a la mezcla gastronómica: patatas, manzanas, bacalao salado, *corned-beef,* queso y mantequilla.

Cuando el azúcar se convirtió en una cosecha comercial a mediados del siglo XIX, la demanda de mano de obra barata provocó una afluencia de inmigrantes. Primero llegaron trabajadores del sur de China con el arroz, las hortalizas, los tallarines, el jengibre y las técnicas de saltear. Después vinieron los japoneses con la salsa de soja, el arroz glutinoso y el *tempura.* Los portugueses aportaron los platos de carne de cerdo picantes y los panes cocidos en un *forno* (un horno de piedra en forma de cúpula, alimentado con madera). Los coreanos añadieron el ajo y los chiles a esta gastronomía en continua evolución. Los filipinos importaron sus tradiciones culinarias inspiradas en Malasia y España. Mientras tanto, llegaron muchas otras personas, añadiendo un ingrediente o una técnica de cocción a la especialmente sabrosa cocina hawaiana.

La cocina de Hawai también es norteamericana. Las costillas de cerdo a la barbacoa, los bistecs, la pizza, las hamburguesas, los perritos calientes, el puré de patatas, la pasta y el pollo frito forman parte de la variada oferta culinaria de las islas. Como en el caso de la alimentación, el estilo de vida del archipiélago también es una combinación de las costumbres norteamericanas, asiáticas, europeas y hawaianas. Un renacimiento de la música y la danza hawaianas ha revitalizado la lengua, la cultura, el arte y la artesanía del viejo Hawai. Lejos del continente estadounidense, tal vez Hawai sea el estado más exótico; la mezcla de culturas es su característica más norteamericana.

Muchachas adornadas con flores y vestidas para una fiesta *luau.*

EL LUAU

El *luau* es el banquete tradicional de fiesta en Hawai. Se organiza para celebrar una boda, un cumpleaños, una graduación académica, la bendición de una casa nueva o, incluso, el éxito de un negocio. Los antiguos *luau* hawaianos eran básicamente de carácter religioso y acompañaban las ceremonias sagradas tales como un nacimiento, una boda o un fallecimiento. El banquete era una muestra de agradecimiento hacia los dioses y los espíritus guardianes por su ayuda permanente.

Lo esencial de esta fiesta es un banquete, cuyo plato principal es el *kalua pua'a,* un cerdo asado entero, que antaño constituía una ofrenda a los dioses. Cocido en un *imu* (horno enterrado) cubierto con piedras porosas calientes, el *pua'a* (cerdo) arde lentamente bajo hojas de plátano y de *ti,* unas hojas lisas en forma de pala. Al cabo de varias horas, se retira el cerdo jugoso, suculento y con sabor ahumado.

El *poi,* una pasta gris y espesa obtenida de la raíz de taro triturada, es la principal fécula de la dieta hawaiana. Los boniatos, segundo alimento básico de los antiguos hawaianos, se hierven y se sirven al natural junto con los frutos del árbol del pan cocidos al vapor u horneados.

El término *luau* también se refiere a las hojas de la planta del taro, similares a las espinacas, que se cuecen con calamar fresco o pollo y leche de coco en un guiso rico y cremoso. Los *laulau* (hatillos de hojas de *ti* rellenas de hojas de taro con pescado, cerdo o pollo) se cuecen al vapor a la perfección y constituyen una comida en sí.

El *Chicken long rice,* una especie de sopa a base de tallarines de arroz chinos y pollo sazonada con jengibre y cebolletas, es una adición más reciente al menú del *luau,* resultado de la mezcla étnica en continua evolución del archipiélago.

Cuando los balleneros rusos procedentes de Alaska visitaron Hawai, trajeron consigo el salmón salado. Desmenuzado, mezclado con tomates y cebolletas y amasado con las manos, el Salmón *lomi lomi* (que significa "masaje") añade una nota fresca pero salada al menú.

El plato de marisco del *luau* puede incluir cangrejo negro, *wana* (erizo de mar) y *opihi* (una lapa hawaiana), recién pescados en el litoral rocoso y consumidos crudos. El *poke,* bocados de pescado crudo sazonado con *limu* (un alga marina) e *inamona* (*kukui* o nueces del árbol de la cera molidas) es un plato muy popular. Como aperitivo, se mordisquea *aku* seco (bonito) y *pipi kaula* (cecina de buey secada al sol).

El *haupia* (pudding de coco) y el *kulolo* (pudding de taro y coco) son los postres ofrecidos en el *luau,* junto con piña, guayaba, manzanas de montaña, plátanos y otras frutas de temporada frescas.

En la mesa del *luau* siempre hay sal hawaiana, una sal marina gruesa que antaño se recogía en el litoral de todo el archipiélago. Hoy en día, la sal suele proceder de California y se mezcla con *alaea,* una arcilla roja de Kauai. Se baña en la sal una rodaja de cebolla Maui o un tallo de escalonia y se come. La comida del *luau* se puede condimentar con "agua de chile" (una mezcla picante de chiles, ajo, vinagre y sal) o *inamona* (*kukui* o nueces del árbol de la cera trituradas con chiles y sal).

El término "cena *poi*" se refiere a los platos del *luau* servidos en bandejas de madera en una cena elegante alrededor de una mesa. Las "cenas *poi*" suelen prepararse en una casa particular, en un ambiente más formal que el del *luau* al aire libre.

Cuando el banquete *luau* ha *pau* (terminado), la gente se sienta y disfruta de la *mele* (canción) y el *hula* (baile tradicional hawaiano), que constituyen una parte esencial de todas las fiestas. Los ukeleles (pequeños instrumentos de cuatro cuerdas), las guitarras de cuerdas sueltas, las de cuerdas de acero y un bajo forman el acompañamiento musical de las diversas canciones y danzas que explican historias del pasado y del presente de Hawai.

Asado de un cerdo en un imu para el luau

1. Se cava un gran agujero para preparar el *imu* (horno enterrado) para el *luau.*

2. Las piedras calientes se colocan en el fondo de la cavidad. A la derecha, cepas de plátano para el fuego y, a la izquierda, pilas de hojas de plátano.

3. El cerdo limpio y eviscerado está listo para asar.

Menú Luau

Cerdo Kalua
Salmón *lomi lomi*
Poi • Boniatos • Frutas del pan
Laulau
Luau de calamar
Chicken long rice
Pipi kaula • *Aku* seco
Poke • *Opihi* • Cangrejo negro • *Wana*
Haupia • *Kulolo*
Piña • Mango • Guayaba
Alaea • Cebolla Maui
"Agua de chile" • *Inamona*

El Luau para bebés

Globos de colores vivos atados a los postes de la carretera anuncian el acontecimiento festivo del día: un *luau* para bebés, la fiesta del primer cumpleaños de un niño. Es una costumbre adoptada de la cultura tradicional hawaiana, pero también está extendida en muchas culturas asiáticas. El *luau* para bebés es un evento significativo para todos los hawaianos.

Antiguamente, la celebración del primer año de vida del bebé primogénito, sobre todo si era un niño, era muy importante. Tradicionalmente, el primogénito era el responsable de la familia y de la preservación de los cánticos genealógicos que se transmitían oralmente de generación en generación. El alto índice de mortalidad infantil daba aún más relevancia al paso del primer año de vida.

El *Aha'aina piha makahiki,* la fiesta de la plenitud del año, celebra el cumpleaños del bebé, reuniendo a la *ohana* (la familia extendida). Las danzas y los cánticos creados en honor del niño conmemoran la ocasión, del mismo modo que lo hace la matanza de un *pua'a* (cerdo) a modo de ofrenda a los dioses.

El *luau* para bebés es, ante todo, una fiesta gastronómica, con comida abundante y deliciosa, preparada por la familia y los amigos unidos para la celebración. El cerdo asado entero es el elemento fundamental tanto para las familias hawaianas como para las familias samoanas, tonganas, chinas y filipinas de todas las islas del Pacífico. Los pasteles de arroz son el plato predominante de las celebraciones familiares coreanas y japonesas, mientras que los tallarines, símbolo de longevidad, están presentes en el primer cumpleaños de un niño chino. Tanto si se trata de una barbacoa en el jardín, un picnic en la playa o un almuerzo en el club campestre, la comida es el centro de la celebración familiar para este día de buen agüero.

La carne de cerdo cocida recién sacado del *imu* es transportada sobre una camilla de madera de *koa,* reservada para la ocasión. La carne, que se desmenuza fácilmente, se sirve con las manos para ofrecerla a los invitados.

4. Se colocan las piedras calientes en el interior del cerdo.

5. El cerdo se cubre con hojas de plátano y de *ti.*

6. Se coloca un trapo grande húmedo encima del horno para producir humedad durante la cocción.

COMIDA LUAU

Chicken or Squid Lu'au
Luau de pollo o calamar

1 kg de muslos de pollo o calamar cocido
1 ó 2 cucharaditas de sal
2 tazas de agua
1 kg de *luau* (hojas de taro)
2 tazas de leche de coco fresca, congelada o en lata

Caliente una sartén honda. Ponga el pollo, 1 taza de agua y una cucharadita de sal en la sartén y lleve a ebullición a fuego lento. Cueza hasta que el pollo esté tierno. Deje enfriar, separe la carne de los huesos y córtela en trozos pequeños.

Lave las hojas de taro, retirando los tallos duros y la nervadura. Ponga las hojas, 1 taza de agua y 1 cucharadita de sal en un cazo grande. Cueza las hojas a fuego lento, durante 1 hora aproximadamente.

Escurra las hojas de taro. Añada el pollo o el calamar y la leche de coco a las hojas de taro y lleve a ebullición. Sirva de inmediato. Para 4 personas.

De izquierda a derecha: *chicken long rice, laulau* y salmón *lomi lomi.*

Laulau

1 kg de asado de cerdo (carne magra de la espalda)
500 g de pámpano salado
2 docenas de hojas de taro
18 hojas de *ti*

Corte la carne y el pescado en 6 trozos respectivamente. Lave las hojas de taro y retire los tallos y la nervadura. Lave las hojas de *ti.*

Disponga 3 hojas de *ti* sobre la superficie de trabajo, cruzándolas. Coloque 4 hojas de taro sobre las hojas de *ti.* Disponga un trozo de carne y uno de pescado en el centro de la hoja de taro superior y envuélvalos bien con las hojas para formar un paquete. Ponga el paquete en el centro de la hoja de *ti* superior y junte las puntas de las 3 hojas de *ti* en el centro de modo que los tallos y las puntas queden hacia arriba. Ate el paquete con cordel para cerrarlo. Repita la operación con los ingredientes restantes, formando otros 5 paquetes envueltos en hojas de *ti.*

Coloque las bolsitas en una vaporera y cuézalas al vapor entre 3½ y 4 horas. Para 6 personas.

Hojas de ti

La planta del *ti (Cordyline terminalis)* de hojas verdes y tiernas, probablemente transportada a las islas por aves migratorias, es un elemento importante de la cultura y la comida de Hawai. Se utiliza para cubrir tejados, fabricar sandalias y como planta medicinal. Los antiguos hawaianos la llevaban alrededor de los tobillos, de la cintura o del cuello para protegerse del mal. Hoy en día, sigue siendo un símbolo de buena suerte.

El *ti* se cocía al vapor y se mascaba como la caña de azúcar por su sabor dulce. Los extranjeros descubrieron que se podía elaborar una cerveza excelente a partir del licor obtenido de la raíz hervida; si se destilaba, se obtenía el *okolehao,* una bebida alcohólica fuerte.

El uso del *ti* es especialmente importante en la cocina, para envolver comida en forma de hatillos, que se cuecen al vapor. El tradicional *laulau,* un paquetito de hojas de taro relleno de carne de cerdo y pescado, se envuelve en hojas de *ti* para protegerlo mientras se cuecen los ingredientes al vapor. El *ti* se utiliza para transportar y conservar alimentos y sirve de bandeja natural y coloreada para todo tipo de comida.

Preparación del *laulau*

1. Ponga 3 hojas de *ti* sobre la superficie de trabajo, cruzándolas.

2. Coloque 4 hojas de taro sobre las hojas de *ti.*

3. Ponga el cerdo y el pescado en la hoja de taro superior.

4. Envuelva bien los trozos con las hojas formando un paquete.

5. Póngalo en el centro de la hoja de *ti* superior y junte hacia arriba las puntas de las hojas de *ti* en el centro.

6. Ate el paquete con cordel para cerrarlo.

Comida *luau* (en el sentido de las agujas del reloj, desde abajo): trozos en forma de rombo de *haupia* (pudding de coco), sal hawaiana (sal marina mezclada con barro rojo de Kauai), escalonias para mojar en la sal y trozos de carne de buey cruda para el *pipi kaula* (cecina de buey secada al sol).

Preparación de la leche de coco

La leche de coco se extrae de la pulpa de coco tras remojar ésta en leche o agua caliente.

Oven Kalua Pork
Cerdo Kalua al horno

2–2,5 kg de asado de cerdo, preferiblemente carne magra de cerdo o asado de espaldilla
2 cucharadas de sal hawaiana u otra sal gema
2 ó 3 cucharadas de humo líquido
6–8 hojas de *ti*
papel de aluminio

Precaliente el horno a 160°C.

Frote el asado de cerdo con la sal gema. Espolvoréelo con el humo líquido y restriegue toda la superficie. Coloque un trozo grande de papel de aluminio en una fuente para asar. Disponga las hojas de *ti* sobre el papel. Ponga la carne sobre las hojas y dóblelas para envolverla. Envuelva el paquete con papel de aluminio.

Introduzca la fuente para asar en el horno y cueza la carne de 4 a 5 horas. Desenvuélvala y córtela en tiras finas para servirla. Para 8–10 personas.

Haupia

2 tazas de leche de coco
5 cucharadas de azúcar
3 cucharadas de arrurruz o 4 cucharadas de fécula de maíz

Mezcle el azúcar y el arrurruz; añada un poco de leche de coco a la pasta. Caliente la leche de coco restante en un cazo hasta que hierva y agregue poco a poco la pasta. Baje el fuego y cueza hasta que la mezcla se espese, sin dejar de remover. Vierta la mezcla en un molde de pastel de 20 cm de diámetro y refrigérela. Para servir, córtela en cuadrados.

1. Agujeree los "ojos" del coco y escúrralo sobre un cuenco. Parte el coco y retire la pulpa.

2. Retire la piel marrón con un cuchillo pequeño y afilado o con un pelador.

3. Ralle el coco y pase las virutas a un cuenco grande.

4. Por cada taza de coco rallado, caliente 1 taza de leche entera casi hasta el punto de ebullición. Vierta la leche caliente sobre el coco rallado y deje enfriar.

5. Cuele la mezcla en un cuenco a través de una estopilla o un tamiz muy fino.

6. Prense la mezcla con la estopilla hasta obtener el máximo de líquido posible (o exprima los trozos sobre un tamiz). Deseche la pulpa y use la leche. Para conservarla, refrigérela o congélela.

TARO

El taro *(Colocasia esculenta)* era el sustento de los antiguos hawaianos, su alimento principal. Creían que esta planta contenía la mayor fuerza vital.

El taro, uno de los alimentos más antiguos del mundo, proviene al parecer de alguna parte del Sur o el Sudeste de Asia. Se cree que esta planta llegó a Hawai con los primeros inmigrantes de Polinesia. Los agricultores hawaianos modificaron el curso de arroyos y ríos para irrigar los campos terraplenados y cultivar la variedad de taro de tierra húmeda. Las variedades de tierra seca o de altura se plantaban en los bosques bajos, donde las precipitaciones eran abundantes. Cuando el capitán James Cook llegó a las islas en 1778, los magníficos *loi* (campos en terrazas) de taro eran una característica predominante del paisaje. En esa época, unos 300.000 habitantes dependían del taro para subsistir. Entre las islas del Pacífico, sólo en Hawai se hacía un cultivo tan intensivo.

La raíz de taro se cuece y se tritura para obtener una pasta lisa llamada *poi,* que constituye la principal fécula de la dieta hawaiana. El *poi* continúa siendo un alimento muy apreciado en Hawai. Se consume fresco o se deja fermentar durante unos días.

Antiguamente, en Hawai, el taro también era la cosecha que imponía las relaciones sociales y la distribución del trabajo y la responsabilidad en una familia y en una comunidad. Sólo los hombres podían plantar, cosechar, cocer y preparar el taro; las mujeres únicamente podían comer determinadas variedades. Del tallo bulboso del taro, se retiraban los *oha* (brotes o chupones) y se replantaban. De *oha* proviene la palabra *ohana*, que designa la familia extendida sobre la cual se construyó la sociedad hawaiana.

Se consumen todas las partes de la planta del taro, que deben cocerse para disolver los cristales de oxalato de calcio. La raíz bulbosa de la variedad feculenta de tierra húmeda se transforma en *poi*, fécula de taro o harina. El *poi* suele ser el primer alimento sólido de los bebés, ya que es fácil de digerir y rico en vitaminas. Las variedades de taro de tierra seca se cuecen al vapor o al horno y se consumen como las patatas. Si se corta el taro en rodajas finas y se fríen en abundante aceite se obtienen unas deliciosas *chips* de taro. El *luau* (las hojas de taro de color verde oscuro en forma de corazón y los tallos delgados y largos) se puede cocer como una hortaliza, a menudo comparada con las espinacas o las acelgas. Las *huli* (matas) se reservan para la replantación, para nutrir el cultivo de nuevas plántulas de taro.

La leyenda del taro

Según el *Kumulipo,* el cántico hawaiano de la creación, Wakea (el padre cielo) y Papa (la madre tierra) tuvieron una hija muy hermosa, Hoohoku-ka-lani. Wakea quedó prendado de su hija y la dejó en estado. Su primer hijo, Haloa, nació prematuramente y tenía forma de raíz. El bebé murió y fue enterrado, y en ese lugar creció el *kalo* o taro. Más tarde, nació el segundo hijo, también llamado Haloa, que se convirtió en el antepasado del pueblo hawaiano. Pero puesto que *kalo* era el primogénito y el hombre el menor, el *kalo* o taro ha conservado su preeminencia en la cultura hawaiana.

Taro Puding (Kulolo)
Pudding de taro

2 tazas de taro rallado
½ taza de azúcar moreno
¼ taza de miel
½ taza de leche de coco
varias hojas de *ti*

Mezcle todos los ingredientes en un cuenco grande. Forre un molde alargado de 10 × 20 cm con papel de aluminio. Disponga las hojas de *ti* sobre el papel, cortándolas para encajarlas en el molde. Vierta la masa en el molde y cúbrala con papel de aluminio. Hornee a 180°C durante 2 horas o hasta que el pudding cuaje. Déjelo enfriar, córtelo en cuadrados y sírvalo.

Taro biscuits
Galletas de taro

2 tazas de puré de taro
½ taza de grasa
3 tazas de harina
2 cucharadas de levadura en polvo
2 cucharadas de azúcar
1 cucharadita de sal
2 huevos
½ taza de leche

Mezcle el puré de taro caliente y la grasa. Tamice la harina, la levadura en polvo, el azúcar y la sal juntos e incorpórelos a la mezcla de taro. Bata el huevo con la leche y añádalo a la mezcla. Pase la pasta a una superficie enharinada y amásela varias veces. Extiéndala hasta dejarla de unos 1,25 cm de grosor, córtela con un cortapastas y disponga las galletas en una bandeja de horno. Cuézalas de 15 a 20 minutos en el horno precalentado a 220°C.

En los campos en terrazas (taro *loi*) del lluvioso valle de Waipio, en la Isla Grande (el otro nombre de la isla de Hawai), se cultiva taro desde hace muchos años. Este verde valle también abunda en plantas comestibles tales como jengibre silvestre, frutas y hierbas medicinales.

1. Un agricultor con la característica hoja en forma de corazón *(luau)* de la planta de taro. Existen más de un centenar de variedades comestibles de este alimento básico.

2. La planta joven del taro tiene una raíz fina cuando aún no ha madurado.

3. El bulbo feculento de la planta de taro es la parte tuberosa de la raíz. Se cuece al vapor y se chafa para elaborar *poi,* uno de los platos más famosos de Hawai.

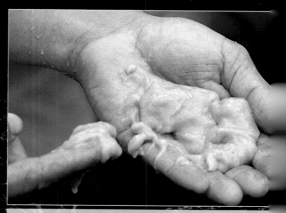

4. Muchos indígenas hawaianos consideran el *poi* como su plato nacional. Se come con los dedos, y es dulce cuando es fresco, pero se vuelve más amargo con el tiempo.

Galletas de taro

ALIMENTOS DEL VIEJO HAWAI

Hacia el siglo VIII, los navegantes procedentes de las islas Marquesas y de Tahití, en el Pacífico Sur, fueron unos de los primeros en llegar a las costas de Hawai. Guiándose por las estrellas y navegando en canoas hacia un territorio desconocido, trajeron consigo semillas, esquejes, plántulas y animales para establecer su nueva vida. Aparte del taro, los alimentos que se describen a continuación eran importantes para los primeros habitantes de Hawai y, hoy en día, aún se utilizan en numerosos platos.

Fruta del pan

Fruta del pan *(Artocarpus communis)* o *ulu:* esta hortaliza rica en hidratos de carbono llegó a Hawai con los primeros colonizadores procedentes de las islas Marquesas, donde era el alimento principal. Cocida al horno o al vapor, tiene un sabor suave, parecido al de la patata. Si se corta en rodajas finas y se fríe en mantequilla, se obtienen unas deliciosas *chips.*

Boniatos *(Ipomoea batatas)* o *uala:* este tubérculo, perteneciente a la familia de la maravilla, era el segundo alimento más importante de los primeros hawaianos. En cierta época se llegaron a cultivar hasta 200 variedades, que se cocían en un *imu* (un horno enterrado). Las enredaderas y las hojas se consumían como verduras.

Plátanos *(Musa sapienta)* o *maia:* eran el alimento principal en Tahití, de donde provienen los primeros

Arriba, los boniatos oblongos tienen una pulpa amarilla. Abajo, boniatos púrpuras o de Okinawa.

Una postal antigua reproduce frutas y hortalizas hawaianas (desde la izquierda): cocos, plátanos, fruta del pan, piña, papayas y guayabas.

hawaianos. En Hawai, se cultivan numerosas especies nativas, algunas de las cuales se han introducido mediante semillas. Hasta que el capitán James Cook descubrió el archipiélago, la mayoría de los plátanos isleños se consumían cocidos antes que crudos. Las variedades introducidas posteriormente, entre las cuales se encuentran la brasileña (conocida como plátano manzana) y la china o Cavendish, son muy apreciadas en la actualidad.

Coco *(Cocos nucifera)* o *niu:* esta fruta, originaria de Malasia e introducida más tarde en Hawai, no se utilizó tanto en la gastronomía hawaiana como en otras culturas de las islas del Pacífico. El coco medra cerca del ecuador y del océano, en un suelo arenoso y salobre. Antiguamente, en Hawai, se solía plantar un cocotero cuando nacía un bebé para simbolizar su arraigamiento a la tierra.

Azúcar *(Saccharum officinarum):* se cree que llegó a Hawai de manos de los primeros colonizadores procedentes del Pacífico Sur. Los primeros hawaianos lo utilizaban como medicina y como alimento. Cuando el capitán James Cook llegó a Hawai en 1778, ya se cultivaba la caña de azúcar.

Cuando, a mediados del siglo XIX, la demanda de azúcar creció a nivel mundial, se incrementaron

las plantaciones de azúcar en Hawai. La necesidad de mano de obra para cuidar los campos trajo casi un millón de inmigrantes a las islas entre los años 1852 y 1930.

La caña de azúcar se convirtió en el principal producto de exportación de Hawai. Con una producción media de once toneladas de azúcar puro por media hectárea y una etapa de desarrollo de dos años, Hawai era el primer estado norteamericano productor de caña de azúcar, por delante de Florida, Luisiana y Tejas. El cultivo de azúcar llegó a su cuota máxima alrededor de 1966, cuando la producción total sobrepasó 1 millón de toneladas de azúcar puro.

Recientemente, el valor económico de la cosecha ha disminuido regularmente a consecuencia de la baja de los precios de mercado del azúcar en todo el mundo. Hoy en día, se cultiva menos de medio millón de toneladas de azúcar puro al año en las islas de Maui y Kauai, donde los altos tallos (antaño identificados con el dios hawaiano Kane) se balancean con los vientos alisios y ofrecen un exuberante paisaje verde.

Piña *(Ananas comosus)* o *hala kahiki:* se considera la reina de las frutas por su parte superior en forma de

Trabajadores japoneses de las plantaciones de caña de azúcar alrededor de 1910

corona de hojas y su intenso dulzor, adquirido bajo el sol hawaiano. Fue plantada por primera vez en 1813 por el horticultor español Francisco de Paula y Marín, pero no se convirtió en una cosecha comercial importante hasta 1886, con la introducción de la variedad Smooth Cayenne.

James B. Dole estableció la primera plantación de piñas en 1901, en unas 5 hectáreas de Wahiawu (isla de Oahu). En 1940, Hawai era el mayor productor de piñas, con más del 80% de la cosecha mundial. La piña en conserva se convirtió en un popular símbolo del archipiélago gracias a la invención de una máquina con cuchillas cilíndricas para cortar la corteza de esta fruta de color amarillo dorado. En los años 50 y a principios de los años 60, las conservas de piña representaban la segunda industria más importante de Hawai.

Al igual que el azúcar, la producción de piña fresca y en conserva se vio afectada por los precios del mercado mundial y la disponibilidad de mano de obra más barata. Hoy en día, los campos de piñas siguen formando parte del paisaje verdoso de Maui y Oahu y la cantidad de piña en conserva es limitada. Pero la mayoría de las piñas, que se recogen maduras ya que el fruto no se endulza más una vez cosechado, se envían a los mercados mundiales para consumirse frescas.

Purple Sweet Potatoes and Caramelized Pineapple
Boniatos púrpuras y piña caramelizada

6 boniatos púrpuras grandes
½ taza de mantequilla
⅔ taza de leche entera
3 tazas de piña fresca cortada en dados
½ taza de azúcar moreno oscuro

Limpie los boniatos y cuézalos en una olla con agua hirviendo salada hasta que estén tiernos al pincharlos con un tenedor. Escúrralos y déjelos enfriar un poco. Pélelos y añádales la mantequilla y la leche. Sazone con sal y pimienta.

Disponga una capa de boniatos en una fuente refractaria bien untada con mantequilla. Cubra con una capa de piña; forme capas sucesivas. Hornee a 180°C de 20 a 30 minutos hasta que se caliente y la superficie se dore bien. Para 4–6 personas.

Recolectando cocos a la manera tradicional.

Derecha: boniatos púrpuras y piña caramelizada

Las mejores frutas tropicales de Hawai

EL MERCADO DE GRANJEROS DE HILO

Apartados en islas a miles de quilómetros del continente, los habitantes de Hawai dependen en gran parte de los alimentos importados desde lejos. Una o dos veces por semana, buques de carga llegan de la Costa Oeste de Estados Unidos para traer carnes, aves, frutas, hortalizas y productos básicos a más de un millón de hawaianos.

Sin embargo, no todos los alimentos se importan. Si bien las plantaciones de caña de azúcar y de piña han asegurado la vitalidad económica del archipiélago durante décadas, las cosechas de frutas y hortalizas no han bastado para sustentar a la población. Con la desaparición de las plantaciones de caña de azúcar y de piña y la disponibilidad de excelentes tierras de labranza, el esfuerzo de Hawai por diversificar sus cultivos se ha intensificado y muchos pequeños granjeros proporcionan mayores cantidades de hierbas aromáticas, hortalizas y frutas.

El Mercado de granjeros de Hilo, en la Isla Grande de Hawai, se ha convertido en un acontecimiento importante en esta ciudad adormecida rodeada de quilómetros de tierras de cultivo. Frutas y hortalizas tropicales, frutos secos, café, especias y pescado fresco llegan a este mercado, que se celebra dos veces por semana en la esquina de las calles Kamehameha y Mamo, a lo largo del Hilo Bay Front.

Fondo: cosechando un vasto campo de piñas.

Atemoya: este fruto de pulpa blanda y sabor a vainilla es similar a su pariente, la chirimoya *(Annona cherimola)*, y pertenece a la familia de la anona. Cuando está maduro, este fruto sabe mejor frío. Para comerlo, ábralo por la mitad y saque la pulpa con una cuchara.

Jengibre *(Zingiber officiale):* este rizoma muy aromático es una de las especias más utilizadas en la cocina asiática. Probablemente fue introducido en el archipiélago por los inmigrantes chinos. La Isla Grande de Hawai es una de las principales zonas productoras de jengibre del mundo, con una producción de cerca de 5.000 toneladas anuales. El jengibre maduro es fuerte, picante y ligeramente dulce. El jengibre joven es tierno, de color rosa y más suave que el maduro.

Lichi *(Litchi chinensis):* originario del Sur de China, el lichi llegó a Hawai a finales del siglo XIX. Tiene un sabor dulce ligeramente ácido y un aroma maravilloso. Los árboles del lichi se pueden encontrar en los jardines de las casas; también se venden en el mercado durante los meses de junio y julio. Esta fruta se consume fresca o en forma de helado o sorbete.

Mango *(Mangifera indica):* los mangos se importaron de Filipinas en 1824. En el archipiélago se encuentran numerosas variedades, apreciadas por su característica pulpa de color naranja amarillento, aromática, dulce y jugosa. Las variedades más sabrosas y populares son la Hadens, de piel amarilla y carmesí, y la Piries, de piel amarilla verdosa. Las variedades comunes y las chinas son las mejores para elaborar chutneys. Los mangos verdes también sirven para preparar chutneys y otras conservas. Los mangos maduros se comen frescos, en ensaladas, postres y condimentos, pero también se encurten, se secan y se envasan.

Un puesto de carretera vende fruta fresca y zumos naturales.

Toronja *(Citrus maxima):* este cítrico es originario de Malasia y se considera el antecesor del pomelo *(Citrus paradisi)*. Se conoce también como pomelo chino y tiene un sabor ácido y astringente. Las toronjas pueden ser tan pequeñas como un pomelo o bien medir hasta 30 cm de diámetro y pesar más de 6 kg.

Rambután *(Nephelium lappaceum):* este fruto, conocido también como lichi peludo, se cultiva a pequeña escala y se cosecha en enero y febrero. Su pulpa es más seca y menos aromática que la del lichi, pero igual de dulce y deliciosa. Sus brillantes pelos rojos lo convierten en una de las frutas de apariencia más exótica.

Guayaba *(Psidium guajava):* esta fruta, originaria de la América tropical, llegó a Hawai a principios del siglo XIX. A mediados del siglo XIX ya crecía en estado silvestre. El cultivo comercial de esta fruta mejoró su calidad. Dulce y ácida, la guayaba se consume cruda y es una excelente fuente de vitaminas A y C. La mayor parte de la producción se reduce a polvo y se utiliza para elaborar zumo, mermelada, jalea y otros condimentos.

Nanjea *(Artocarpus heterophyllus):* es originaria del Sudeste de Asia y está relacionada con la fruta del pan. Puede alcanzar un tamaño gigante y pesar hasta 50 kg. Cuando aún está verde, se consume como hortaliza. Una vez madura, su pulpa dulce y llena de semillas se utiliza en postres.

Naranja Kona *(Citrus sinensis):* esta naranja de aspecto poco atractivo es tan jugosa y dulce como su variedad rival, la naranja de Valencia. Cultivada en la Isla Grande de Hawai, se encuentra en los mercados de Kona entre los meses de diciembre y mayo.

Papaya *(Carica papaya):* es una fruta parecida a un melón que se cultiva comercialmente en Hawai. No se sabe cuándo llegó al archipiélago, si bien la variedad Solo se introdujo en 1919 y se ha mejorado desde entonces, convirtiéndose en un importante producto de importación. La papaya Solo tiene forma de pera y un color amarillo dorado. La variedad Sunrise de pulpa rosada se aprecia por su sabor agridulce. Las papayas verdes se utilizan en numerosos platos asiáticos, aunque no tienen el sabor dulce de la papaya madura. Se puede cultivar a partir de las semillas; en muchos jardines particulares de Hawai se pueden ver papayos.

Fruta de la pasión *(Passiflora quadrangularis):* en Hawai, esta fruta originaria de Brasil se conoce como *lilikoi,* el nombre de la región de Maui donde se plantaron las primeras semillas. El *lilikoi* es la variedad púrpura, más dulce que la variedad amarilla de mayor tamaño. La cáscara dura, que se arruga cuando la fruta está madura, encierra una pulpa jugosa de color naranja amarillento con muchas semillas pequeñas. Esta fruta se puede comer, semillas incluidas, directamente de la cáscara con una cuchara. El zumo colado de la fruta de la pasión es claro, ácido y de sabor intenso; se puede utilizar para elaborar helados y salsas.

Cebolla Maui

Esta cebolla dulce, que rivaliza con las variedades Vidalia de Georgia y Walla de Oregon, se cultiva en las laderas occidentales del monte Haleakala, en Maui. Los días cortos, el suelo fértil y las temperaturas frescas constituyen las condiciones óptimas para que la semilla se convierta en un bulbo dulce. Las cebollas Maui brotan en semilleros hasta que miden 5 cm de alto y, luego, se plantan en los campos. Dos meses después de la plantación, las cebollas se arrancan de la tierra y se almacenan en cobertizos, donde entran en una fase latente. Al cabo de varias semanas, se vuelven a plantar en el campo para que el bulbo se desarrolle. Una vez han madurado, las cebollas se arrancan y se dejan curar durante dos semanas en el campo, donde el cálido sol de Maui las seca y las endulza para una manipulación óptima. Todo el proceso dura unos seis meses. Las cebollas más dulces de todas son las Kula Maui, cultivadas en granjas familiares cerca de la ciudad de Kula.

Guanábana *(Annona muricata):* es otro miembro de la familia de la anona, relacionado con la chirimoya. Su pulpa es fibrosa y ligeramente ácida.

Sandía *(Citrullus lanatus):* en 1779, el capitán James Cook plantó semillas de sandía en Hawai, donde se siguen cultivando desde entonces. La sandía, originaria de África, se cultiva comercialmente en Molokai y Oahu. La variedad Crimson Sweet, que madura entre 80 y 100 días, es la más abundante. Su cultivo se programa para que la fruta esté crujiente y dulce durante los meses de verano.

ESPECIALIDADES A BASE DE FRUTAS TROPICALES

Passion Fruit Curd
Crema de fruta de la pasión

1 taza de zumo de fruta de la pasión no endulzado
1 ó 1½ tazas de azúcar
1 taza de mantequilla
8 huevos

Vierta el zumo, el azúcar y la mantequilla en la parte superior de una cacerola para baño María. Caliente, removiendo, hasta que el azúcar se disuelva. En un cuenco, bata los huevos con un batidor hasta que resulten espumosos. Añada un poco de la mezcla de zumo a los huevos mientras los bate y los calienta. Vierta la preparación en la mezcla de zumo restante y remueva. Prosiga la cocción sobre agua hirviendo, sin dejar de remover, hasta obtener una mezcla cremosa y espesa. Deje enfriar. Para unas 4 tazas. Utilice la crema para untarla, para rellenar fondos de tarta o como relleno de pasteles y pastas.

Fruit Sorbet
Sorbete de fruta

1¼ tazas de azúcar
1 taza de agua
3 tazas de puré de lichi, mango, guayaba o fruta de la pasión

Hierva el azúcar y el agua hasta que el azúcar se disuelva por completo. Deje enfriar y refrigere. Mezcle el almíbar frío con el puré de fruta igualmente frío. Vierta la mezcla en una heladora y congélela según las instrucciones del fabricante. Para unas 3 tazas.

Sorbete de fruta

Crema de fruta de la pasión

Mango Bread
Pan de mango

2 tazas de harina blanca

2 cucharaditas de bicarbonato de sosa

1 cucharada de canela

½ cucharadita de sal

1½ tazas de azúcar

2 tazas de mango maduro cortado en dados

3 huevos batidos

¾ taza de aceite vegetal

1 cucharadita de vainilla

¾ taza de uvas pasas

¾ taza de nueces de macadamia picadas

Tamice la harina, el bicarbonato de sosa, la canela y la sal. Vierta el azúcar, el mango, los huevos, el aceite y la vainilla en un cuenco grande. Mezcle bien. Añada los ingredientes secos e incorpórelos. Agregue las uvas pasas y las nueces de macadamia y distribúyalas en la masa de manera uniforme.

Vierta la mezcla en dos moldes alargados (10 × 20 cm) o en dos moldes para 12 magdalenas. Hornee a 180°C durante unos 40 ó 45 minutos para las barras, de 20 a 25 minutos para las magdalenas o hasta que, al insertar una brocheta metálica, ésta salga limpia. Deje enfriar antes de servir. Puede envolver bien el pan y congelarlo. Para 2 barras o 2 docenas de magdalenas.

Tropical Fruit Salsa
Salsa de fruta tropical

½ taza de mango cortado en dados

½ taza de piña cortada en dados

½ taza de papaya cortada en dados

¼ taza de pimiento dulce rojo cortado en dados

¼ taza de cebolla Maui cortada en dados

2 cucharadas de cilantro picado

1 chile hawaiano, sin semillas ni nervadura, picado fino

1 cucharada de salsa de soja

2 cucharaditas de jengibre fresco picado

1 cucharadita de ajo picado

2 cucharadas de aceite de nuez de macadamia

Mezcle todos los ingredientes en un cuenco. Deje reposar 1 hora en el frigorífico. Sirva con pollo o pescado a la parrilla. Para unas 2 tazas.

Mango Chutney
Chutney de mango

1 taza de vinagre

3 tazas de azúcar moreno

½ cucharadita de sal

8 tazas de mango verde cortado en dados grandes

4 clavos de especia

¼ cucharadita de pimienta de Jamaica

¼ taza de jengibre fresco picado fino

2 dientes de ajo picados finos

1 cebolla cortada en rodajas

3 chiles hawaianos picados

1 taza de pasas de Corinto o uvas pasas

Vierta el vinagre, el azúcar moreno y la sal en un cazo grande no reactivo y lleve la mezcla a ebullición. Añada los ingredientes restantes y cueza hasta que la mezcla se espese, 1 hora aproximadamente. Conserve el *chutney* en tarros limpios en el frigorífico. Para unas 9 tazas.

Pan de mango

CAFÉ KONA

El café Kona *(Coffea arabica)* es legendario. Antaño, era el único café que se cultivaba en las islas hawaianas y en el resto de Estados Unidos. Se aprecia por su sabor suave y robusto. El rico suelo volcánico del Mauna Loa y del monte Hualalai, en la Isla Grande de Hawai, unido al cálido sol y al aire fresco de las montañas, nutren perfectamente los cafetos *arabica* para producir un café lleno de sabor y muy aromático.

El café, introducido en Hawai como planta ornamental por don Francisco de Paula y Marín, se plantó en Kona en 1828. A medida que la demanda de café creció a nivel mundial entre mediados y finales del siglo XIX, los grandes cafetales de la región de Kona se extendieron. Los trabajadores de las plantaciones de azúcar que habían cumplido su contrato se convirtieron en la principal mano de obra de los cafetales. Pero cuando, en 1899, se hundió el mercado mundial del café, los propietarios de los grandes cafetales arrendaron pequeñas parcelas a los trabajadores. Así se crearon las pequeñas explotaciones familiares de café repartidas a lo largo del escarpado terreno, que siguen en funcionamiento hoy en día. Muchas representan la quinta generación de cafeteros.

Cada "cereza" (o "drupa") de café contiene uno o dos granos. Las cerezas que sólo contienen un grano se llaman *"peaberries"*. El café que se cultiva en Kona es de la variedad *arabica,* de sabor superior a la variedad *robusta.* El café *arabica* medra en los climas templados y sin heladas de todo el mundo.

"Cerezas" de café recién cosechadas

Toda la cosecha de café Kona se recolecta a mano. Cada "cereza" de café roja madura contiene un grano o, a veces, dos. Las "cerezas" se tratan para retirar las pieles rojas y los granos se dejan secar al sol hasta que se recubren de una fina piel blanca y dura. Ésta se muele y los granos verdes se tuestan por tandas, para que adquieran las mejores cualidades del café.

La clasificación certificada del café Kona verde mide el tamaño de los granos, su contenido en humedad y la cantidad de granos por quilo. La mayor parte de las mil toneladas producidas cada año se usa para preparar mezclas de café que, según la ley hawaiana, deben contener un 10% de granos de café Kona. El café Kona puro 100% debe proceder de los cafetales de esta región y haber sido tratado en la Isla Grande. Los cafés de variedad Kona, con denominación de origen como los vinos, son apreciados por la singula-

ridad de la plantación donde se cultivan y por los cuidados que reciben en el tratamiento y el tueste.

Si bien el café Kona sigue siendo el superior de Hawai, los de Kauai, Maui, Molokai y Oahu lo sobrepasan en producción. Las variedades *arabica* (caturra amarilla, moka, typica, catuai roja y guatemalteca) se cultivan en todo Hawai, desde principios de los noventa tras la desaparición de las plantaciones de caña de azúcar. Mientras que algunas se comercializan como cafés con denominación de origen, la mayoría se destina a las mezclas preparadas en todo el mundo.

Izquierda: las "cerezas" de café son recolectadas a mano en uno de los numerosos cafetales familiares de Kona (inferior). Si bien este método es más caro que la cosecha mecanizada, permite elegir sólo las "cerezas" maduras rojas. Las máquinas recogen todas las "cerezas" (incluidas las verdes sin madurar y las amarillas) de la planta, por lo tanto luego hace falta una persona para seleccionarlas.

Granos de café verdes una vez secados al sol. En esta etapa, se pueden conservar durante meses en bolsas de arpillera antes de ser tostados.

1. Un trabajador rastrilla los granos de café en capas delgadas para que puedan secarse bajo el tórrido sol hawaiano. Los granos de café tienen que rastrillarse cada día para evitar que fermenten.

2. Los granos verdes se tuestan para desarrollar y desprender los sabores y el aroma. A medida que las granos se calientan, el amargor aumenta y la acidez disminuye, haciendo que el café sea más sabroso.

3. Los granos Kona se tuestan hasta un tono marrón oscuro, dando un café rico y aromático. Como la durabilidad antes de la venta de los granos es sólo de unos meses, el tueste se debe hacer lo más cerca posible de donde serán envasados y vendidos.

Chocolate

Los primeros árboles de cacao *(Theobroma cacao)* de Hawai se plantaron en 1986 en Keaau (en la Isla Grande de Hawai). La variedad criolla de sabor intenso, un híbrido con sabor a nueces nada ácido ni amargo, es considerada un producto de primera calidad por pasteleros y confiteros de todo el mundo.

Los árboles del cacao crecen a la perfección en las regiones tropicales y subtropicales, hasta los 20° alrededor del ecuador. Viven a la sombra de otros árbo-

El chocolate tratado se vende a los pasteleros y confiteros en forma de discos o "doblones".

eliminar los ácidos y mejorar el sabor, las vainas se envían a California para continuar su tratamiento. La torrefacción realza el sabor inherente de los granos de cacao. Se trituran y se derriten para transformar el chocolate en una pasta lisa, con la que se forman pequeñas pastillas redondas llamadas "doblones", con más de un 64% de los sólidos del cacao. En todo el mundo se utilizan los "doblones" de la Hawaiian Vintage Chocolate (una cosecha característica de Hawai), en las variedades negro amargo, blanco y con leche, clasificadós por variedad, año y lugar de cultivo.

Derecha: vainas de cacao abiertas para mostrar los granos de cacao rodeados de una pulpa blanca rosada. Los granos se tuestan y se parten para extraer la parte comestible. A continuación, se extrae la grasa amarilla o manteca de cacao, que se mezcla con azúcar y se derrite para formar una pasta. Este producto es lo que se llama finalmente chocolate.

Vainas de cacao en el árbol, listas para su cosecha. Cuando han alcanzado su desarrollo completo, los árboles no sobrepasan los 8 m de altura. Las vainas miden unos 30 cm de largo. Pueden ser de color rojo, amarillo o verde, según la variedad.

les hasta 100 años. Pero crecen a pleno sol en Keaau y Kona, donde se plantan más árboles por hectárea que la media mundial. La ingeniería genética produce vainas que maduran en solo dos años, en vez de los cinco habituales, y árboles con unas 100 vainas, cinco veces más que el promedio mundial.

La variedad hawaiana, cultivada por agricultores independientes en el rico suelo volcánico de la Isla Grande de Hawai, es un híbrido de la variedad criolla. En las plantaciones de Kona situadas al sudoeste, con precipitaciones de entre 35 y 62 cm al año, se produce un chocolate más afrutado. En el suelo de Keaau, al este, con 550 cm de lluvia al año, se obtienen las vainas más grandes con un sabor terroso.

Las vainas de cacao se recolectan a mano, se parten por la mitad y se dejan fermentar durante varios días para que desarrollen todo el sabor de los granos. Una vez secadas y almacenadas durante un año para

El Hawaian Vintage Chocolate se envasa en elegantes paquetes.

NUECES DE MACADAMIA

Las doradas nueces de macadamia *(Macadamia integrifolia)*, consideradas como uno de los frutos secos más selectos, se cultivan en Hawai. Son originarias de Australia, donde adoptaron su nombre en honor a John Macadam. El árbol llegó a Hawai en el siglo XIX, como árbol ornamental, de la mano de William H. Purvis. Las nueces de macadamia no fueron consideradas como una cosecha comercial hasta los años veinte, cuando Ernest Shelton Van Tassell estableció una plantación en Oahu. Tras décadas de investigación y reproducción comercial, en la actualidad hay más de 10.000 hectáreas plantadas con árboles de macadamia, la mayoría situadas en la Isla Grande de Hawai, donde estos magníficos árboles medran gracias a un suelo volcánico fértil y bien irrigado y a un clima subtropical.

Con una duración de vida de 50 años, el árbol de macadamia tarda más de siete en alcanzar su nivel de producción máximo. La cosecha se realiza entre septiembre y febrero y requiere varias recolecciones con escobas mecánicas. Se retiran los hollejos de las nueces y éstas se dejan secar durante dos semanas como mínimo. La cáscara marrón, dura y leñosa se parte mediante rodillos metálicos y la pulpa de la nuez se separa de los trozos de cáscara. A continuación, las nueces se tuestan en aceite, se clasifican y se empaquetan. De una cosecha de 50 kg sólo se obtienen de 5 a 7,5 kg de pulpa de nuez comestible.

Las nueces de macadamia son ricas en aceites no saturados y no contienen colesterol. El aceite de las nueces se prensa, se embotella y se vende como aceite para cocinar, resistente a las altas temperaturas y con propiedades dietéticas.

Las nueces de macadamia son apreciadas simplemente por su sabor a mantequilla, rico, crujiente y deliciosamente cremoso. Son un producto caro debido al laborioso proceso de producción y a su limitada disponibilidad. Son especialmente indicadas para utilizar en pasteles y para rebozar filetes de pescado.

Selección de nueces en una cadena de montaje.

Las nueces se deben cocer antes de su consumo, ya sea tostándolas en seco (en el caso de las más oleosas) o sumergiéndolas en aceite caliente.

Las nueces de macadamia caen del árbol una vez maduras y se pueden recoger fácilmente del suelo. Las nueces con la cáscara marrón miden unos 2,5 cm de diámetro y crecen en racimos de hasta dos docenas de nueces cada uno. Los árboles medran en el clima cálido y húmedo de Hawai.

Nueces de macadamia recubiertas de chocolate

Las nueces de macadamia recién tostadas y saladas son una de las exquisiteces más famosas de Hawai. Puesto que las cáscaras son difíciles de partir, las nueces se suelen vender ya peladas. El alto contenido en grasas de las nueces de macadamia las convierte en un sabroso, aunque calórico, aperitivo. También sirven para elaborar una excelente "mantequilla" de nueces molidas.

Macadamia Nut Balls
Bolas de nueces de macadamia

250 g de mantequilla
3 tazas de azúcar glas
1 cucharadita de extracto de vainilla
2½ tazas de harina blanca
¼ cucharadita de sal
1 taza de nueces de macadamia sin sal picadas finas

Precaliente el horno a 190°C. Bata la mantequilla y 1 taza de azúcar glas. Añada la vainilla y mezcle bien. Agregue la harina, la sal y las nueces, y remueva bien.

Con la pasta, forme bolas de 2,5 cm de diámetro. Dispóngalas en una bandeja de horno sin engrasar y hornéelas de 12 a 15 minutos o hasta que se doren ligeramente por debajo.

Ponga el azúcar glas restante en una cacerola llana. Retire las galletas aún calientes de la bandeja de horno y rebócelas en el azúcar. Déjelas enfriar y rebócelas de nuevo en el azúcar. Guárdelas en un recipiente hermético. Para unas 4 docenas.

Macadamia Nut-crusted Mahimahi
Mahimahi con costra de nueces de macadamia

½ taza de pan rallado grueso
½ taza de nueces de macadamia picadas finas
500 g de filetes de lampuga cortados en 4 trozos
sal y pimienta recién molida, al gusto
3 ó 4 cucharadas de harina blanca
1 huevo grande batido
aceite vegetal para freír

Mezcle el pan rallado y las nueces de macadamia en un cuenco poco profundo. Salpimiente los filetes de pescado al gusto. Espolvoréelos con harina, páselos por el huevo y rebócelos con la mezcla de nueces.

Caliente aceite en una sartén a fuego medio. Fría los filetes de pescado de 2 a 3 minutos por cada lado o hasta que se doren. Sirva de inmediato. Para 4 personas.

Macadamia Nut Lava Rocks
Roquitas de nueces de macadamia

440 g de nueces de macadamia cortadas en dados y tostadas
½ taza de azúcar
2 cucharadas de agua
1 cucharada de mantequilla
285 g de perlas de chocolate negro

Cueza el azúcar y el agua en un cazo pequeño hasta que la mezcla alcance la fase de bola blanda, 110°C. Vierta las nueces de macadamia en el almíbar y mezcle bien. Cueza lentamente hasta que se forme un caramelo claro. Añada la mantequilla y mezcle bien. Deje enfriar las nueces sobre una bandeja metálica.

Derrita ⅔ de las perlas de chocolate en una cacerola para baño María a una temperatura de entre 56 y 60°C. Retire del fuego. Vierta el resto de las perlas en la parte superior de la cacerola, mezclando con una espátula hasta que se derritan por completo.

Agregue las nueces al chocolate fundido, removiendo bien con una espátula. Vierta la mezcla a cucharaditas sobre papel pergamino y deje enfriar. Sirva cuando el caramelo esté duro.

Mahimahi con costra de nueces de macadamia

PRODUCTOS DEL MAR

Los habitantes de Hawai siempre han dependido de la generosidad del mar. El pescado fresco del profundo océano o de los arrecifes que rodean las islas o el que se cría en las lagunas salobres a lo largo del litoral, así como las gambas, la langosta *(Palinurus interruptus)*, el pulpo *(Octopus vulgaris)*, el calamar *(Loligo vulgaris)*, el cangrejo, el *opihi* (lapa de Hawai), las algas marinas y los erizos de mar *(Strongylocentrotus)* sustentan a los hawaianos desde hace siglos.

La diversa composición étnica de la población de Hawai, cuya afición por el marisco es inherente, y la abundancia y la variedad de pescado de las aguas del archipiélago contribuyen al hecho de que los hawaianos coman dos veces más pescado que sus compatriotas del continente norteamericano. A menudo consumen el pescado en *sashimi* (crudo), una preferencia que se adapta perfectamente a la abundancia de pescado fresco disponible en las islas. Las preparaciones de pescado seco, salado y ahumado también son muy apreciadas, al igual que el pescado asado a la parrilla, cocido al vapor, escalfado, frito u horneado.

Alrededor de los arrecifes del archipiélago hawaiano, pequeños peces de colores nadan buscando refugio y alimento en la escarpada plataforma de coral

Uno de los espectaculares tramos de costa protegidos por un arrecife de coral que rebosa de fauna acuática.

Superior: a menudo se pesca en la orilla con un simple sedal provisto de un anzuelo, que se lanza a mano. Inferior derecha: unos chicos mostrando su presa colgada de un arpón.

que protege el litoral de las islas. En verano, cuando el cielo es más brillante, el océano Pacífico más plano y las aguas más claras, los pescadores prueban suerte con redes, anzuelos, arpones y trampas entre un equipo de pesca occidental más tradicional. Basta con encender una linterna en el agua para que aparezcan bancos de *akule (Selar crumenophthalmus)*, menpachi *(Holocentrinae, Myripristrinae)*, kumu *(Parupeneus porphyreus)*, uhu *(Chlorurus sordidus)*, taape *(Lutjanus kasmira)*, manini *(Acanthurus triostegus)*, palani *(Acanthurus dussumieri)*, moana *(Parupeneus multifasciatus)*, panuhunuhu *(Calotomus carolinus)*, awa *(Bodianus bilunulatus)*, oio y otros muchos peces. Los mercados de pescado rebosan de este surtido de peces de arrecife, que se aprecian por su carne tierna y sabrosa y su precio más económico en comparación con el pescado de aguas profundas.

Tanto la pesca comercial como la deportiva y la de recreo se practica en los arroyos y las lagunas, a lo largo de los arrecifes y en medio del océano. Los aficionados a la pesca deportiva acuden en tropel a las aguas frente a Kailua-Kona (Isla Grande de Hawai) para pescar la aguja, que puede pesar hasta una tonelada. Las barcas de pesca comercial se adentran hasta un máximo de 800 millas náuticas desde Oahu, utilizando aparejos de pesca con largos sedales para pescar el atún. Las cuberas y los meros se capturan a lo largo de las bajadas escarpadas entre los estrechos terraplenes y las laderas empinadas del fondo del océano que rodea las islas y los bancos de arena. El *ika-shibi* (la flota de pequeñas barcas de pesca con caña) obtiene una gran variedad de pescado, especialmente frente a la costa de la Isla Grande de Hawai, contribuyendo a la oferta diaria de pescado fresco.

En la subasta, el pescado se coloca de manera ordenada y se marca con una etiqueta que indica su peso y la embarcación de la cual proviene.

Los compradores de la subasta de pescado de Honolulu examinan el pescado fresco antes de pujar.

Subasta de pescado en Honolulu

Apenas rompe el alba en Honolulu, docenas de compradores rondan alrededor del pescado expuesto sobre paletas heladas en la fría lonja de pescado situada a una manzana del Pacífico. La subasta de pescado de Honolulu empieza a las 5.30 de la mañana. (La otra subasta de pescado hawaiana es la de Suisan, que se celebra en Hilo, en la Isla Grande de Hawai).

La United Fishing Agency es la empresa que organiza la subasta de pescado de Honolulu. Los pescados a la venta se exponen a la vista, se les pone una etiqueta con el nombre de la embarcación y se pesan. Los compradores inspeccionan los ejemplares cuidadosamente, comprueban el brillo de los ojos y la calidad de la carne.

El atún, el pescado más apreciado de las islas, se subasta en primer lugar, seguido de las agujas. El su-bastador anota las sumas de la puja, proponiendo un precio si los compradores están indecisos. Un movimiento de cejas, un gesto con la mano o una seña con la cabeza indican la subida de un precio, que suele aumentar 10 centavos por 500 g. La puja puede ser reñida, según la temporada, la captura, la demanda de una determinada especie y la calidad del pescado.

La subasta puede durar entre una hora y media y doce horas. En un día se pueden llegar a subastar hasta 80 toneladas de pescado. Una parte de la captura se envía al continente norteamericano, a Japón y a otros mercados internacionales. Pero la mayoría del pescado subastado cualquier día termina en los super-mercados, los mercados de pescado y las cocinas de los restaurantes de Hawai, donde el pescado fresco se saborea por su frescura, su calidad y su variedad.

VARIEDADES DE PECES

Atunes

Ahi – Atún de aleta amarilla o rabil
(Thunnus albacares)

Tamaño: de 1,5 a 100 kg
Temporada: todo el año
Este pescado de carne de color rosa a rojo oscuro se distingue por sus aletas dorsales y anales de color amarillo intenso. Cuanto más grande es, más graso, una cualidad idónea para elaborar *sashimi* (láminas de pescado crudo) y asar a la parrilla.

Ahi – Atún de ojos grandes o patudo
(Thunnus obesus)

Tamaño: de 10 a 100 kg
Temporada: de octubre a abril
Es más carnoso que el atún de aleta amarilla, con una cabeza más grande y unos ojos inmensos. Su carne es de color rojo oscuro, con un alto contenido en grasas. Es la especie preferida para el *sashimi* y resulta deliciosa a la parrilla.

Tombo – Albacora o atún blanco
(Thunnus alalunga)

Tamaño: de 20 a 40 kg
Temporada: de mayo a septiembre
Anteriormente se utilizaba para hacer conservas de atún de "carne blanca" de primera calidad, pero hoy en día se vende fresco o congelado. Su carne de color rosa oscuro es más tierna que la del *ahi* o el *aku*, por lo tanto es menos apto para preparar *sashimi*. La carne se vuelve firme al cocerla y resulta deliciosa a la parrilla.

Agujas

Aku – Listado
(Katsuwonus pelamis)

Tamaño: de 2 a 15 kg
Temporada: de abril a septiembre
Históricamente, el *aku* es el pescado comercial más importante de Hawai. Tiene una carne de color rojo oscuro y un marcado sabor. Se consume crudo en diversas preparaciones, sobre todo en *poke* (pescado crudo sazonado), y se puede cocer de muchas maneras.

Nairagi o Au – Aguja rayada
(Tetrapturus audax)

Tamaño: de 20 a 65 kg
Temporada: de noviembre a junio
Se considera la más exquisita de todas las especies de aguja. El *nairagi* tiene una carne tierna, de color rosa claro a rojo anaranjado. Se consume crudo y, a veces, asado a la parrilla. También es muy apreciado como pescado ahumado.

Shutome – Pez espada
(Xiphias gladius)

Tamaño: de 50 a 150 kg
Temporada: de abril a julio
La mayor parte de la captura de pez espada en aguas de Hawai se exporta fresco a la Costa Este de Estados Unidos. Su sabor característico y su alto contenido en grasas son comparables a los de la variedad del Atlántico. Resulta ideal para asar a la parrilla, así como para preparar *sashimi*.

Hebi – Pez vela
(Tetrapturus angustirostris)

Tamaño: de 10 a 20 kg
Temporada: de junio a octubre
Tiene un sabor suave y una carne de color ambarino, más tierna que la de las otras especies de aguja. Se utiliza principalmente cocido, sobre todo en sopas, *chowders* y guisos.

El cocinero hawaiano Sam Choy con un ejemplar de *mahimahi* (lampuga) recién capturado.

Peces de mar abierto

Opah – Pez luna real
(Lampris regius)

Tamaño: de 30 a 100 kg
Temporada: de abril a agosto
Los pescadores consideran que este pescado trae suerte. El *opah* comprende cuatro especies, cada una con una carne de diferente color, que varía del rosa al rojo oscuro, pasando por el anaranjado. La carne es fibrosa, suculenta y grasa. Conserva su consistencia en guisos y sopas.

Mahimahi – Lampuga
(Coryphaena hippurus)

Tamaño: de 4 a 12 kg
Temporada: de marzo a mayo y de septiembre a noviembre
Tal vez sea el pescado más conocido del estado. Sus brillantes listas amarillas y su color azul plateado desaparecen rápidamente una vez muerto. Este pescado de piel delgada tiene una carne firme de color rosa claro con un sabor exquisito. Se utiliza cocido y, algunas veces, crudo.

Monchong – Castañola
(Taractichthys steindachneri)

Tamaño: de 2 a 12 kg
Temporada: todo el año
Este pescado de aguas profundas tiene una carne blanca con tonos rosados. Es de textura firme y de sabor suave. Gracias a su alto contenido en grasas, resulta ideal para asar a la parrilla.

Peces de fondo

Ono – Peto o wahoo
(Acanthocybium solandri)

Tamaño: de 4 a 15 kg y hasta 50 kg
Temporada: de mayo a octubre
El *ono*, de la familia de la caballa real, tiene una carne blanca y escamosa, con una textura delicada. Este pescado magro resulta ideal para escalfar. También se conoce como *wahoo*, una variante del nombre de la isla Oahu utilizada por los primeros exploradores europeos que trazaron el mapa de las islas Hawai.

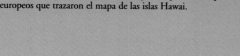

Onaga – Cubera roja
(Etelis coruscans)

Tamaño: de 0,5 a 9,5 kg
Temporada: de octubre a marzo
Por su carne de color rosa claro y su piel roja, es un pescado de gran importancia para las ceremonias, tales como bodas o la celebración de Año Nuevo. Tiene una textura blanda y húmeda; el *onaga* se suele cocer al vapor o servir crudo.

Hapu'upu'u – Mero o cherna
(Epinephelus quernus)

Tamaño: de 5 a 15 kg
Temporada: de octubre a diciembre y de febrero a abril
Este pescado de aguas profundas tiene una cabeza grande pero sólo unas pocas espinas pequeñas. Su carne blanca y pálida es de textura delicada. Preferentemente, se cuece al vapor.

El *ahi* (atún de ojos grandes) es muy apreciado para preparar *sashimi* (en la foto, servido sobre un lecho de *daikon*, o rábano japonés, cortado en juliana). El mejor corte proviene del vientre. Los pescadores saben que si lo manipulan con cuidado para evitar magullar la carne, su valor de mercado será más alto. Esto implica no lanzar el pescado contra los costados de la barca.

Opakapaka – Cubera rosa
(Pristipomoides filamentosus)

Tamaño: de 6 a 9,5 kg
Temporada: todo el año, pero sobre todo de octubre a febrero
La *opakapaka*, la cubera de primera calidad de Hawai, tiene una carne de color rosa claro y de textura firme. El pescado entero se cuece preferentemente al vapor o al horno.

Uku – Jobfish
(Aprion virescens)

Tamaño: de 2 a 9,5 kg y hasta 15 kg
Temporada: de mayo a julio
Al igual que las especies de cubera, el *uku* tiene una carne de color rosa pálido, húmeda, firme y de sabor exquisito. Se utiliza en diversas preparaciones. El *uku* pescado en verano en época de desove es apreciado por su grasa rica y natural, ideal para preparar *sashimi*.

EL MERCADO DE PESCADO DE TAMASHIRO

El edificio rosa intenso, situado en medio de una comunidad multiétnica, alberga un mercado de pescado único en Hawai. En el Mercado de Pescado de Tamashiro se pueden encontrar bogavantes de Maine vivos, buey de mar californiano, salmones de Alaska y del Atlántico, todo tipo de gambas, almejas, ostras y el pescado más exquisito y fresco de las aguas de Hawai. Tanto si se trata de los grandes ejemplares de la pesca deportiva o del pequeño y delicioso pescado de los arrecifes, en Tamashiro se encuentra todo lo que se pesca. Además, este mercado está especializado en la preparación del *poke*. Se preparan hasta dos docenas de variantes diferentes. Presente en el negocio del marisco y el pescado desde 1954, el mercado de Tamashiro ofrece lo mejor de los recursos acuáticos de Hawai, así como exquisiteces de las aguas del continente norteamericano, siendo una fuente de inspiración inagotable para los cocineros hawaianos.

Sashimi

El consumo del pescado más fresco crudo tal vez sea la manera más deliciosa de disfrutar de la munificencia de las aguas de Hawai. El atún es especialmente apreciado en *sashimi* (crudo). El atún fresco, de primera calidad y bien manipulado, alcanza los precios más altos entre los entendidos en pescado crudo por su textura, su color, su firmeza, su sabor, su contenido en humedad y, sobre todo, en grasas.

El *sashimi,* perfectamente cortado y bañado con salsa de soja condimentada con *wasabi* (rábano picante japonés), se prepara con el pescado fresco de primera calidad, tierno pero firme, suculento y sabroso. El *sushi* consiste en una lámina de *sashimi* sobre un pequeño rectángulo de arroz ligeramente sazonado.

En los supermercados, los isleños encuentran bloques de *ahi* o *aku* listos para cortar en láminas de *sashimi*. Sazone ligeramente un bloque de *ahi,* tuéstelo rápidamente en una sartén caliente, córtelo en láminas tipo *sashimi* y obtendrá *ahi* tostado. O bien, rebóce un bloque de *ahi* con *panko* (pan rallado japonés), fríalo en abundante aceite y obtendrá un plato muy apreciado llamado *ahi katsu.*

Ahi tostado con salsa de wasabi

500 g de *ahi* cortado en bloques de unos 4 cm
especias cajún o *shichimi**
aceite de cacahuete
Salsa para mojar:
1 cucharada de *wasabi* (rábano picante japonés)
½ taza de salsa de soja

Cubra el pescado con la mezcla de especias, presionando bien. Caliente un *wok* o una sartén de fondo pesado hasta que humee. Añada 1 ó 2 cucharadas de aceite. Tueste el pescado en la sartén caliente durante unos 15 segundos por cada lado, cociendo justo el exterior del bloque y dejando el interior crudo. Retire de la sartén y deje enfriar. Corte en rodajas de unos 0,3 cm. Mezcle el *wasabi* y la salsa de soja y sirva. Para 4 personas.

*El *shichimi* es un condimento japonés a base de chiles secos picados, pimienta de Sichuán, semillas de sésamo blanco, algas en copos, semillas de cáñamo negro, corteza de mandarina y semillas de amapola blanca. Las especias cajún son una mezcla preparada de sal, pimentón, cebolla y ajo en polvo, pimienta de Cayena, pimientas negra y blanca, tomillo y orégano.

Atún: *aku* (listado)

Aguja: *nairagi* (aguja rayada)

Pescado de fondo: *onaga* (cubera roja)

Pescado de mar abierto: *mahimahi* (lampuga)

Cuberas rojas y rosas (*onaga* y *opakapaka)* frescas dispuestas sobre hielo en el mercado de pescado

1. Corte el *ahi* en dados.

2. Mézclelos con el *limu* (algas marinas) y la cebolla.

3. Añada la salsa de soja y el aceite de sésamo.

4. Revuelva todos los ingredientes y sirva.

Poke

Hasta los años sesenta, el *sashimi* era el *pupu* (aperitivo) ideal para acompañar una cerveza fría. Entonces, alguien decidió cortar el pescado en dados o trozos pequeños y rebautizó el plato como *poke*. Los hawaianos solían sazonar el pescado cortado con sal, *limu* (algas marinas) e *inamona* (*kukui*, o nueces del árbol de la cera, picadas). Actualmente, los cocineros añaden más condimentos: un poco de soja, jengibre, ajo, aceite y semillas de sésamo, cebolletas y chiles. Este plato de pescado fresco bien sazonado llamado *poke* se convirtió en un acompañamiento aún mejor para la cerveza fría.

Hoy en día, se pueden encontrar unas dos docenas de variantes de *poke*, a base de atún, pez espada y aguja de las aguas de Hawai, cada de las cuales está sazonada de manera ligeramente diferente. El *poke* también se prepara con *tako* (pulpo) cocido, almejas, cangrejo o mejillones.

El *poke* no sólo es el aperitivo perfecto, sino que se ha convertido en un plato característico de las islas, que se prepara y se consume dondequiera que haya pescado fresco de primera calidad. Este plato sigue evolucionando: el *poke* frito, tostado rápidamente y servido con hojas de lechuga, es otra variante nueva de la cambiante gastronomía de Hawai.

Poke

500 g de *ahi* crudo u otro pescado de carne firme
1 taza de *limu* (algas marinas) troceadas
½ taza de cebolla en rodajas
2 cucharadas de salsa de soja
1 cucharadita de aceite de sésamo
1 chile hawaiano fresco o ½ guindilla roja machacada

Corte el *ahi* en dados de unos 2 cm. Mézclelos con todos los ingredientes y remueva bien. Para 6 personas.

Steamed Fish, Chinese Style
Pescado cocido al vapor al estilo chino

1 pescado entero (de 0,5 a 1 kg) o filetes de unos 125 a 185 g cada uno
2 cucharadas de jengibre fresco pelado y cortado en juliana fina
½ taza de salsa de soja
½ taza de aceite de cacahuete
4 cebolletas cortadas en juliana
½ taza de hojas de cilantro

Lave y escame el pescado. Practique 3 ó 4 incisiones en el filete, por ambos lados. Ponga las tiras de jengibre en las cavidades y por encima del pescado. Disponga éste sobre una rejilla para cocer al vapor y cuézalo, unos 10 minutos por cada 2,5 cm de grosor.

Caliente el aceite de cacahuete hasta que humee. Cuando el pescado esté cocido, páselo a una fuente de servir. Rocíelo con la salsa de soja y esparza la cebolleta por encima. Vierta el aceite caliente sobre el pescado, espolvoréelo con las hojas de cilantro y sírvalo de inmediato. Para 4–6 personas.

Ingredientes para el pescado cocido al vapor al estilo chino en un *wok* provisto de una rejilla.

COMIDA EN BANDEJA

La "comida en bandeja" es la esencia de la cocina local, servida en bandejas en una caravana aparcada frente a los edificios de oficinas o en la playa. La típica comida en bandeja se compone de dos bolas de arroz, una ensalada (de patatas y macarrones con mayonesa) y pollo *shoyu*. El entrante puede ser un estofado o un curry de carne de buey, pescado frito, buey *teriyaki,* rollo de carne picada, *katsu* (escalopes rebozados) de cerdo o pollo, *kal bi* (costillas a la barbacoa a la coreana), *hekka* de pollo (estofado de pollo y hortalizas) o *adobo* de cerdo (carne de cerdo sazonada con ajo y vinagre al estilo filipino). El *kim chee* (col encurtida picante al ajo al estilo coreano) se suele servir como acompañamiento de una comida en bandeja, cuya función es satisfacer los apetitos más voraces.

La "comida local" es la que la gente prepara y consume todos los días, basada en una población de diversas etnias y una mezcla de tradiciones culinarias. Es el resultado de los almuerzos que compartían los trabajadores chinos, japoneses, coreanos, filipinos y portugueses en las plantaciones; del trueque entre los escolares de una rebanada de pan recién horneado por un *musubi* (bola de arroz), o del intercambio de recetas entre las amas de casa a través de la valla del jardín trasero. Es la unión de hortalizas cultivadas en casa con condimentos y técnicas culinarias en un agradable maridaje de texturas y sabores procedentes básicamente de Asia y del Pacífico.

También es la influencia de los personajes del Oeste en la cocina de Hawai. Los misioneros de Nueva Inglaterra que llegaron a las islas hacia 1820, trajeron consigo vacas, ovejas, cabras, carnes y pescados salados, frutas, patatas y un sinnúmero de otros alimentos. Los balleneros se establecieron en Hawai durante décadas, mientras pescaban en las generosas aguas del Pacífico, y aportaron más tradiciones culinarias occidentales. La cocina nativa de Hawai, basada en el taro, empezó a fusionarse con las tradiciones occidentales. Esta mezcla de distintas tradiciones gastronómicas resultó en los platos y los sabores característicos de la cocina hawaiana.

A finales del siglo XX apareció una cocina local más sofisticada, basada en la noción de utilizar los productos más frescos y de mejor calidad. El énfasis de los cocineros de los restaurantes de Hawai ha permitido crear un estilo de cocina innovador y característico que reúne las técnicas culinarias de Europa y Asia con una creciente serie de ingredientes y condimentos procedentes de varios países del litoral del Pacífico. El resultado ha sido una nueva cocina hawaiana, sabrosa y muy condimentada, que atrae a millones de turistas que vienen en busca de playas y sol. Es una fusión contemporánea de las tradiciones culinarias étnicas, diferente de la cocina local del siglo pasado.

Marinada coreana
para *pul kogi* (carne a la barbacoa),
kal bi (costillas) o pollo

| 1 taza de salsa de soja |
| 3 cucharadas de miel o azúcar moreno |
| 3 dientes de ajo picados finos |
| 1 trozo de 1,25 cm de jengibre picado fino |
| 3 tallos de cebolleta picados finos |
| 2 cucharadas de aceite de sésamo |
| 2 cucharadas de semillas de sésamo tostadas y machacadas |

Mezcle todos los ingredientes. Vierta la preparación sobre costillas de buey cortadas o trozos de pollo. Deje marinar durante varias horas. Cueza sobre una parrilla al aire libre.

Kal bi (costillas a la coreana) con marinada

Una "comida en bandeja" tal y como se vende envuelta

La "comida en bandeja" abierta y lista para comer: estofado de buey, dos bolas de arroz y ensalada de macarrones

Helado granizado

El helado granizado, un *"snow cone"* refinado, es el postre perfecto para una comida en bandeja, muy apreciado en los cálidos días de Hawai. La suave textura del hielo cortado en virutas finas y cubierto con uno o varios jarabes de frutas es deliciosa, sobre todo si antes de añadir el helado granizado se pone helado en el fondo del cucurucho, que resultará una dulce sorpresa una vez consumido el primero. También se puede mezclar con *"an"*, una pasta dulce de judías azuki.

Izquierda: a los niños les encantan los cucuruchos de helado granizado, pero los adultos también los consumen. Uno puede aspirar el jarabe dulce con una pajita y luego comerse el hielo como si fuese un helado. Derecha: puesto de helados granizados con diferentes botellas de jarabe.

Filipino Pork Adobo
Adobo de cerdo filipino

Adobo de cerdo filipino con arroz

1,5 kg de carne de cerdo en trozos de 2,5 cm	
sal y pimienta al gusto	
½ taza de vinagre	
3 hojas de laurel machacadas	
2 dientes de ajo machacados	
2 cucharaditas de pimienta negra molida gruesa	

Mezcle todos los ingredientes en un cazo y lleve a ebullición. Baje el fuego y deje cocer lentamente, parcialmente tapado, durante 1 hora o hasta que el líquido se evapore y la carne esté tierna. Sirva con arroz. Para 8–10 personas.

Inferior: el *kim chee*, un condimento coreano que se sirve como guarnición de las "comidas en bandeja". Normalmente muy caliente y picante, se compone de col encurtida sazonada con ajo y chiles. Se puede preparar con col china, *daikon* (rábano picante japonés), cebollino, pepinillos o repollo verde. Las diversas variantes también se pueden encontrar en los supermercados.

COCINA LOCAL

Sushi: en Hawai se consume el arroz de grano medio o largo. Se sazona con vinagre mayoritariamente, azúcar y sal para preparar *sushi,* una preparación de arroz japonesa. Pero el *sushi* de Hawai es más sabroso que el original. Cabe destacar los

discos de *sushi* envueltos en algas marinas y rellenos de atún en conserva, láminas de gambas y otros ingredientes surtidos, así como el cucurucho de *sushi,* un cucurucho de *aburage* (tofu frito) relleno de arroz.

Aperitivos
See mui o *crack seed:* esta fruta de origen chino dulce, agria y salada a la vez y de sabor a anís se come a modo de caramelo.

El *arare* o *mochi crunch* (galletas de arroz, arriba), los cacahuetes *shoyu* y los hervidos se picotean como las patatas *chips.*

Cucurucho de *sushi*

Maki sushi en rollo

Galletas de timonel (arriba): son similares a las galletas de munición. Se sirven napadas con leche condensada azucarada.

Saimin: una combinación de tallarines chinos en un caldo japonés, cubiertos con una loncha de *kamaboko* (pastel de pescado) rosa y blanco, virutas de *char siu* (cerdo asado al estilo chino) y cebolletas picadas. Antes de comerlo, rocíelo con un poco de salsa de soja y espolvoréelo con pimienta negra o chile en polvo. Con la cuchara de *saimin* en la mano izquierda y los palillos en la derecha, sorba el caldo y los tallarines y mordisquee el buey *teriyaki* en brochetas de bambú. El *saimin* se sirve como desayuno, almuerzo, cena o tentempié de madrugada en los puestos de *saimin,* los clubes campestres, los locales de comida rápida o el hogar.

Salchicha portuguesa, huevos fritos y dos bolas de arroz.

Loco moco

Desayuno: El desayuno clásico se compone de salchicha portuguesa *(linguiça* al vinagre y al ajo) acompañada de arroz y huevos. En la mayoría de los restaurantes, incluidos los más lujosos, sirven este desayuno con ketchup, salsa de soja o Tabasco aparte. Otro desayuno muy popular incluye arroz frito con *char siu, kamaboko,* cebolletas y huevo, servido con un huevo frito. Los apetitos más voraces apreciarán el *loco moco:* dos bolas de arroz y una hamburguesa napados con jugo de carne espeso y cubiertos con un huevo frito.

Arroz frito y salchicha portuguesa

Sopas: la sopa portuguesa de judías incluye jarretes de cerdo, *linguiça,* hortalizas, judías y prácticamente nada más. La sopa de rabo de buey, muy apreciada en la región, se condimenta con jengibre y anís estrellado y se adereza con cacahuetes. La sopa *mandoo* (un aromático caldo coreano con raviolis rellenos de tofu y cerdo) es tan sabrosa como el popular *pho,* una sopa vietnamita a base de tallarines y carne de buey aderezada con albahaca fresca, brotes de soja y chiles.

Sopa *mandoo*

Portugese Bean Soup
Sopa portuguesa de judías

250 g de judías pintas o fríjoles
2 jarretes o morcillo de cerdo
500 g de salchicha portuguesa cortada en dados de 1,25 cm
2 cebollas cortadas en dados
2 tazas de zanahorias cortadas en dados
2 patatas cortadas en dados
3 tallos de apio cortados en dados
250 g de salsa de tomate en lata
2 dientes de ajo picados
½ col cortada en trozos de 2,5 cm
½ taza de macarrones crudos (opcional)
sal y pimienta al gusto

Deje las judías en remojo toda la noche. Escúrralas y páselas a una olla grande. Añada los jarretes de cerdo y cubra de agua. Deje cocer a fuego lento durante 2 horas o hasta que la carne y las judías estén tiernas. Fría la salchicha portuguesa y escurra la grasa. Reserve.

Retire los jarretes del agua y separe la carne de los huesos. Deseche los huesos, corte la carne en trocitos y devuélvalos a la olla. Agregue la salchicha portuguesa, las cebollas, las zanahorias, las patatas, el apio, la salsa de tomate y el ajo. Cueza a fuego lento hasta que las hortalizas estén tiernas. Incorpore la col y los macarrones; cueza 10 minutos a fuego lento hasta que los macarrones estén cocidos. Rectifique la condimentación y sirva. Para 6 personas.

Musubi de SPAM: un rectángulo de arroz glutinoso, cubierto con una loncha frita de SPAM (carne de cerdo en conserva) y envuelto con una lámina de alga marina seca. Los hawaianos todavía aprecian las carnes envasadas, tales como el *corned beef* y las salchichas de Viena, introducidas durante la Segunda Guerra Mundial.

Manapua: estos bollos chinos cocidos al vapor o al horno, rellenos de *char siu* (cerdo asado), son sabrosos y nutritivos. Si bien el término *"manapua"* se refiere a dichos bollos, los isleños también lo usan para designar una serie de bolas de masa hervida o raviolis cocidos al vapor: medialunas, *peipeiao* (en forma de oreja) y picadillo de cerdo. En los puestos de comida china para llevar de los centros comerciales y en los restaurantes chinos sirven toda una variedad de estos bocados.

Ingredientes de la Sopa portuguesa de judías

CELEBRACIONES

Chinatown

Patos laqueados, cerdo a la barbacoa roja, cuencos de humeante sopa de tallarines y carne de cerdo, pescado entero fresco, pollos y docenas de hortalizas y frutas exóticas forman el pintoresco paisaje gastronómico del barrio de Chinatown de Honolulu. Ya no es el dominio de los comerciantes chinos y sus productos. Hoy en día, Chinatown es un conjunto internacional de tiendas de comestibles, mercados, restaurantes y fondas que refleja la mezcla de población del 50º estado de Estados Unidos.

Antaño, los inmigrantes chinos se congregaron en esta zona que, a finales de siglo, se convirtió en

La vitrina de esta panadería china de Maunakea Street, en Chinatown, está repleta de dulces para Año Nuevo.

el centro económico y cultural de la comunidad china. A medida que la población china se trasladó a otras zonas de Honolulu, su dependencia de los comerciantes chinos disminuyó. Los empresarios vietnamitas, laosianos y filipinos abrieron sus mercados y restaurantes, en los cuales ofrecían un extenso surtido de ingredientes y especialidades a todos los habitantes del estado.

Yak bap: mezcla coreana de arroz glutinoso cocido al vapor, dátiles, castañas, piñones y miel. Un poco de salsa de soja añade un color marrón oscuro a este plato dulce a base de arroz, que tradicionalmente se sirve el quinceavo día del primer mes lunar.

Jóvenes coronados con cabezas de león engalanadas, bailando en las calles del barrio de Chinatown de Honolulu el día del Año Nuevo chino. Se cree que el león aleja los malos espíritus de las zonas comerciales y trae prosperidad y buena suerte a los propietarios de las tiendas.

Año Nuevo Asiático

En Hawai, ninguna otra festividad se celebra con tanta pompa como el Año Nuevo. La discordancia de los petardos culmina el 31 de diciembre a medianoche, dando la bienvenida al Año Nuevo según la antigua tradición china de alejar los malos espíritus con ruido. El ensordecedor estruendo es sólo una de las numerosas tradiciones culturales, de las cuales la comida que se sirve no es la menos importante.

Mientras que el resto de Norteamérica lo celebra con champán, caviar, judías de careta y otras especialidades regionales, la población multiétnica de Hawai recupera las tradiciones culinarias de sus distintos países natales para esta importante fiesta.

Las tradiciones culinarias japonesas incluyen el *toshikoshi soba* (tallarines de alforfón) o "*soba* para pasar el año", que se toma el día de Nochevieja a medianoche; un brindis con sake da la bienvenida al Año Nuevo junto con *ozoni,* una sopa con *mochi* (pasteles de arroz), muestra de salud y prosperidad.

El *sashimi* es un plato importante que se elabora normalmente con *ahi* (atún de aleta amarilla), ya que su carne de color rojo es un símbolo de buena suerte.

Las familias coreanas comen *duk kuk* (sopa de pasteles de arroz) y *yak bap,* un dulce de arroz cocido al vapor que se prepara en honor del Año Nuevo.

Aún más festiva es la celebración del año nuevo lunar o Año Nuevo chino, una tradición que se remonta a miles de años atrás y que las comunidades chinas y vietnamitas celebran con gran pompa en Hawai. En Nochevieja, las familias y los amigos se reúnen alrededor de inmensos banquetes. El *jai,* un plato vegetariano chino, se toma el día de Año Nuevo ya que, por tradición, no se puede sacrificar ningún animal este día. El *gau,* un pastel de arroz glutinoso con azúcar moreno, se degusta porque trae buena suerte, mientras que los cocineros vietnamitas preparan *bang chung,* una sabrosa mezcla de arroz envuelta en hojas de plátano.

Las *malassadas* son un tentempié muy apreciado en el Carnaval de la escuela Punahou, que se celebra en febrero en Honolulu.

Pascua portuguesa

Los cocineros portugueses siguen la tradición de acabar todos los productos animales de la despensa antes del inicio de la Cuaresma cristiana. El Martes de Carnaval, los panaderos preparan *malassadas,* unas rosquillas en forma de bola que tradicionalmente se freían en manteca. Estos dulces recubiertos de azúcar ya no se fríen en manteca, pero se continúan degustando este día y durante todo el año en las ferias y los eventos culturales de Hawai.

Casi todos los grupos étnicos tienen su propia versión de las rosquillas fritas. Las de los hawaianos de origen portugués se llaman malassadas.

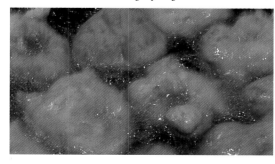

Malassadas

5 cucharaditas de levadura seca de acción rápida
1 cucharadita de azúcar
1 taza de agua caliente
6 tazas de harina
1 cucharadita de sal
⅔ taza de azúcar
6 huevos batidos
¼ taza de mantequilla derretida
1 taza de leche evaporada
abundante aceite para freír
azúcar granulado para rebozar

Disuelva la levadura y el azúcar en el agua caliente y reserve hasta que la mezcla sea espumosa. Mezcle la harina, la sal y el azúcar en un cuenco grande. Añada los huevos batidos, la preparación de levadura y la mantequilla fría. Agregue la leche evaporada; mezcle hasta obtener una pasta homogénea.

Pase la pasta a un cuenco grande engrasado y déjela reposar hasta que doble su volumen. Golpéela y déjela crecer otra vez. Golpéela de nuevo.

Caliente aceite en una cacerola grande o una freidora. Con las manos untadas con aceite, forme *malassadas* pellizcando un poco de masa para formar una bola. Viértalas en el aceite caliente. Fríalas hasta que se doren por ambos lados. Retírelas del aceite y escúrralas sobre papel de cocina. Rebócelas con el azúcar granulado mientras todavía estén calientes. Sirva de inmediato. Para 3 docenas aproximadamente.

Ozoni (New Year's Soup)
Sopa de Año Nuevo

500 g de pechuga de pollo
1 trozo de 2,5 cm de jengibre
1 l de agua
sal al gusto
2 tazas de *mizuna* u otra verdura
6 *mochi* (pasteles de arroz)
½ taza de brotes de bambú cortados en rodajas finas
4 setas *shiitake* secas remojadas en agua y cortadas en tiras
4 cucharaditas de salsa de soja

Retire la piel y los huesos de las pechugas. Ponga los huesos en un cazo, añada el jengibre y el agua, y lleve a ebullición, espumando la superficie. Cuele el caldo, viértalo de nuevo en el cazo y sálelo al gusto.

Corte el pollo en rodajas finas. Corte la verdura en trozos de 2,5 cm de largo, blanquéelos en agua hirviendo y escúrralos. Ponga los *mochi* en la parrilla hasta que se hinchen y se ablanden, pero sin dejar que se doren.

Lleve de nuevo el caldo a ebullición, baje el fuego y deje cocer lentamente. Añada el pollo de manera gradual. Cueza 10 minutos a fuego lento y espume. Agregue la salsa de soja.

Disponga la verdura, los *mochi,* el bambú y las setas en cuencos de sopa. Vierta la sopa y el pollo por encima. Sirva de inmediato. Para 6 personas.

DULCES A BASE DE ARROZ

El arroz glutinoso dulce, conocido también como *mochi gome,* "arroz dulce" o "arroz pegajoso", es un alimento destacado en las despensas de los hogares asiáticos de Hawai. Se trata de una variedad gredosa de arroz de grano medio o largo, que se vuelve translúcido y gomoso al cocerlo. Normalmente, se deja en remojo durante 8 horas como mínimo y luego se cuece al vapor. A continuación, se trituran los granos para formar una masa lisa y pegajosa, a la cual se le da forma. Los granos secos se pueden moler para obtener una harina llamada "harina de arroz glutinoso" o *mochiko,* en japonés. Se utiliza para rebozar las frituras o se mezcla con otros ingredientes para elaborar postres pegajosos.

Mochi: pasteles de arroz japoneses a base de arroz glutinoso que se cuece al vapor, se tritura en una pasta lisa y se moldea en forma de discos. Estos pastelitos, a veces rellenos de *an* (pasta de judías azuki endulzadas), son un símbolo de longevidad y de salud. Tradicionalmente, se comen en una sopa llamada *ozoni* durante la celebración del Año Nuevo.

En los hogares, siempre se exponen dos *mochi* apilados uno encima del otro y cubiertos con una mandarina con motivo del Año Nuevo, así como en las celebraciones del *yakudoshi,* la fiesta del 42º cumpleaños de un hombre. El *muniyage,* una ceremonia asociada a la finalización de una casa, se conmemora lanzando *mochi* desde el tejado a la gente que pide deseos desde abajo. Para celebrar el Día de las Niñas (el 3 de marzo) y el Día de los Niños (el 5 de mayo), se preparan *mochi* especiales.

Los cocineros hawaianos de Okinawa suelen envolver los *mochi* en hojas de plátano y los denominan *nantu.* Entre las otras variantes de *mochi* que se toman a diario figuran el *chichidango* (aromatizado con leche dulce) y el *mochi* de mantequilla (aromatizado con mantequilla y, a veces, coco).

Mochi de colores pastel rellenos de pasta dulce de judías azuki *("an")*

Pastelitos *song pyun duk* rellenos de semillas de sésamo

Mochi especial cubierto con una mandarina para las celebraciones de Año Nuevo y el *yakudoshi* (42º cumpleaños de un hombre)

Mochi

2 tazas de *mochiko* (harina de arroz dulce)
una pizca de sal
1 taza de agua
fécula de patata o de maíz

Mezcle la harina de arroz, la sal y el agua para elaborar una pasta homogénea. Amásela ligeramente. Extienda una capa de pasta de 2,5 cm de grosor sobre un trozo de estopilla húmeda. Colóquela sobre una vaporera, tape y deje cocer al vapor unos 30 minutos. Retire la bandeja de la vaporera, deje enfriar unos minutos y vierta el *mochi* sobre una superficie de trabajo limpia. Cuando esté lo bastante frío para poder manipularlo, corte o pellizque un trocito de pasta y amásela hasta que sea fina y brillante. Moldéela en forma de disco grueso, espolvoréelo con fécula de patata y dispóngalo en una bandeja. Sírvalo fresco el mismo día.

Chichidangos (pasteles *mochi* dulces)

Un trabajador de una fábrica de *mochi* elaborando *chichidango* rosa.

A los niños les encanta el *gau,* un pastelito viscoso a base de arroz y azúcar moreno.

Gau (Chinese New Year Pudding)
Pudding del Año Nuevo chino

5 tazas de agua
3½ tazas de azúcar moreno oscuro
1 kg de harina de arroz glutinoso
3 cucharadas de aceite
1 taza de coco fresco en tiras (opcional)
1 dátil rojo seco
semillas de sésamo

Mezcle el agua y el azúcar moreno en un cazo a fuego lento hasta que el azúcar se disuelva. Deje enfriar. Añada gradualmente la mezcla de azúcar a la harina y mezcle bien. Vierta el aceite y remueva. Agregue el coco, si lo utiliza.

Forre un molde de pastel de 20 × 7,5 cm o un plato de vidrio con hojas de *ti* untadas con aceite. Vierta la preparación en este plato. Colóquelo sobre una rejilla en una olla de cocción al vapor. Cueza el pudding durante 3 horas hasta que esté firme. Cuando esté cocido, disponga el dátil rojo en el centro y espolvoréelo con semillas de sésamo.

Bibinka

3 tazas de *mochiko* (harina de arroz dulce)
2 tazas de azúcar moreno
½ cucharadita de bicarbonato de sosa
¾ taza de agua
375 ml de leche de coco
hojas de plátano, marchitadas en agua hirviendo

Precaliente el horno a 180°C. Forre un molde de 22,5 × 32,5 cm con las hojas de plátano.

Mezcle la harina de arroz, el azúcar y el bicarbonato de sosa en un cuenco grande. Bata el agua y la leche de coco y añádalo a los ingredientes secos. Mezcle bien. Vierta la preparación en el molde y hornéela durante 1 hora. Déjela enfriar y córtela en cuadrados.

Duk: pasteles de arroz coreanos similares a los *mochi,* pero de consistencia más espesa. Para Año Nuevo, se moldean en forma de troncos, se cortan y se sirven en caldo con carne y hortalizas. Otras variantes de *duk* se rebozan con semillas de soja en polvo o se fríen y se bañan en miel. Los *song pyun,* un tipo de *duk* en forma de empanadillas pequeñas, se rellenan con semillas de sésamo y azúcar o judías amarillas dulces.

Gau: este pastel chino de arroz cocido al vapor, endulzado con azúcar moreno, se come tradicionalmente durante la celebración del Año Nuevo lunar, que tiene lugar en enero o febrero. *Nien gao,* que significa "pastel del año" o "buen año", simboliza que en el Año Nuevo se cumplirán todos los deseos y aspiraciones. El *gau,* cubierto con semillas de sésamo que simbolizan el deseo de tener muchos hijos, es pegajoso y dulce y se puede freír antes de comer. Encima de cada pastel se coloca un dátil rojo como símbolo de buena suerte.

Helado mochi: se trata de un pastel de arroz glutinoso con una bola de helado en su interior. Es una reciente invención de los fabricantes de helado de Hawai que ha encontrado una buena posición entre los dulces a base de arroz.

Bang chung

Bang Chung o Bang Tet: un sabroso pastel de arroz glutinoso preparado para el Tet, la celebración del año nuevo lunar vietnamita que tiene lugar en enero o febrero. Los *bang chung* se rellenan con cerdo sazonado y judías áureas molidas, se envuelven en hojas de plátano y se cuecen al vapor durante varias horas. Se conservan frescos durante varios días. Para servir, se cortan en trozos, se fríen y se comen con hortalizas encurtidas.

Bibinka: un dulce filipino elaborado con harina de arroz glutinoso, azúcar moreno, coco y leche. Se cuece al horno en un molde forrado con hojas de *ti* y se sirve tradicionalmente en Navidad, Año Nuevo y otras fiestas.

Bibinka

BIBLIOGRAFÍA

Obras por regiones

Nueva Inglaterra

Boehmer, Raquel: *A Foraging Vacation Edibles from Maine's Sea and Shore.* Down East Books, Camden, Maine 1982

Jones, Evan y Judith: *The L.L. Bean Book of New New England Cookery.* Random House, Nueva York 1987

Martin, Kenneth R. y Nathan R. Lipfert: *Lobstering and the Maine Coast.* Maine Maritime Museum Bath, Maine 1985

Neustadt, Kathy: *Clambake.* The Univ. of Massachusetts Press, Amherst, Massachusetts 1992

Stern, Lise: *The Boston Food Lover.* Addison Wesley, Reading, Massachusetts 1996

Todisco, Paula J.: *Boston's First Neighborhood: The North End.* Boston Public Library

White, Jasper: *Jasper White's Cooking from New England.* Harper & Row, Nueva York 1989

La ciudad de Nueva York

Chinese Cooking New York, Time Life Books, 1971

Knopf, Alfred A.: *New York, Knopf Guide.* (Nouveaux-Loisirs) Nueva York 1994

O'Neill, Molly: *New York Cookbook.* Workman Publishing, Nueva York 1992

Stern, Jane y Michael: *Goodfood.* Alfred A. Knopf, Nueva York 1986

Stern, Jane y Michael: *Roadfood.* Harper Perennial, Nueva York 1992

Atlántico Central

Heller, Edna Eby: *The Art of Pennsylvania Dutch Cooking.* Doubleday and Company, 1968

Malouf, Waldy: *The Hudson River Valley Cookbook.* Addison-Wesley Publishing Company 1995

Shields, John: *The Chesapeake Bay Cookbook.* Aris Books, 1990

Weaver, William Woys: *Pennsylvania Dutch Country Cooking.* Abbeville Press Publishers 1993

Weaver, William Woys: *Sauerkraut Yankees.* University of Pennsylvania Press 1983

El Medio Oeste

Hachten, Harva: *The Flavor of Wisconsin.* The State Historical Society of Wisconsin, 1981

Lindberg, Richard: *Ethnic Chicago.* Passport Books, 1993

Linsenmeyer, Helen Walker: *Cooking Plain.* Southern Illinois University Press, 1976

Patent, Greg: *New Cooking of the Old West.* Ten Speed Press, Berkeley CA 1996

El Sur

Booth, Letha y el equipo humano del Colonial Williamsburg: *The Williamsburg Cookbook.* Dietz Press, Richmond, Virginia 1938

Charleston Receipts, collected by the Junior League of Charleston. Charleston, Carolina del Sur 1950

Creen, Linette: *A Taste of Cuba.* Penguin Books USA Inc., Nueva York 1994

Egerton, John: *Southern Food.* Alfred A. Knopf, Nueva York 1987

Ferguson, Sheila: *Soul Food Classic Cuisine from the Deep South.* Grove Press, Nueva York 1989

Garland, Linda y Eliot Wigginton, editores: *The Foxfire Book of Appalachian*

Glenn, Camille: *The Heritage Of Southern Cooking.* Workman Publishing, Nueva York 1986

Gutierrez, Page: *Cajun Foodways.* Mississippi Press

Key West Woman's Club, The: *Key West Cook Book.* Farrar, Straus & Co. Nueva York 1949

Michael, John: Back of the Big House: *The Architecture of Plantation Slavery*

Neal, Bill: *Bill Neal's Southern Cooking.* University of South Carolina Press, Chapel Hill, Carolina del Norte 1985

Rutledge, Sarah: *The Carolina Housewife.* University of South Carolina Press, Columbia, Carolina del Sur 1979

Taylor, John Martin: *Hoppin John's Lowcountry Cooking.* Bantam Books, Nueva York 1992

Vlach, University of North Carolina Press, Chapel Hill, Carolina del Norte 1993

Nueva Orleans

Bienvenu, Marcelle: *Who's Your Mama, Are you Catholic & Can You Make A Roux?*

Bourg, Gene: *Saveur Magazine, Cajun.* Enero 1996

Bremer, Mary Ellen: *New Orleans Recipes.* New York Newsday

Brennan, Ella & Dick: *The Commander's Palace New Orleans Cookbook.* Clarkson N. Potter, Inc.

Bultman, Bethany Ewald: *American Guides - New Orleans,* Fodor's

Junior League of New Orleans, The: *The Plantation Cookbook.* Doubleday & Co. Garden City, Nueva York 1972

Kaufman, William I.: *The Art of Creole Cookery.* Sister Mary Ursula Cooper, C. P. / Doubleday

Lagasse, Emeril y Marcelle Bienvenue: *Louisiana Real & Rustic.*

Land, Mary: *Louisiana Cookery.* Cookbook Collectors Library

Land, Mary: *New Orleans Cuisine.* A.S. Barnes & Company

League, Junior of Louisiana: *Talk about Good*

New Orleans Jazz & Heritage Festival

Picayune Original Creole Cookbook, The, 13.ª edición

Prudhomme, Paul: *Chef Paul Prudhomme's Louisiana Kitchen*

Stanworth, Deidre: *New Orleans Restaurant Cookbook.* Doubleday

Thompson, Terry: *Cajun-Creole Cooking.* Ballantine Books, Nueva York 1986

Tejas

Burkett, Jalyn: *Chuck Wagon Cooking.* Texas Agricultural Extension Service and the Texas A & M University System, Fort Worth

Coe, Sophie D.: *America's First Cuisines.* University of Texas Press, Austin, Tejas 1994

Eckhardt, Linda West: *The Only Texas Cookbook:* Lone Star Books, Houston, Tejas 1981

Hayes, June y Patsy Swendson: *Texas The Beautiful Cookbook.* Collins Publishers, San Francisco 1995

Hughes, Stella: *Chuck Wagon Cookin'.* The University of Arizona Press, Tucson 1974

Jamison, Cheryl Alters y Bill: *Texas Home Cooking.* The Harvard Common Press, Cambridge 1993

Jamison, Cheryl Alters y Bill: *The Border Cookbook.* The Harvard Common Press, Boston 1995

Jamison, Cheryl Alters y Bill: *The Rancho de Chimayó Cookbook.* The Harvard Common Press, Boston 1991

Kerr, Park W. y Norma: *The El Paso Chile Company's Texas Border Cookbook.* William Morrow and Company, 1992

King Ranch Cookbook: *The King Ranch.* Kingsville, Tejas 1992

Linck, Ernestine Sewell y Roach, Joyce Gibson: *EATS: A Folk History of Texas Foods.* Texas Christian University Press, Fort Worth 1989

Mcguire, Patrick: *The German Texans.* The University of Texas Institute of Texan Cultures, San Antonio 1992

Pyles, Stephan, con la colaboración de John Harrison: *The New Texas Cuisine.* Doubleday, Nueva York 1993

Simons, Helen y Catherine Hoyt A.: A Guide to Hispanic Texas. The University of Texas Press, Austin 1992

Texas! Live the Legend. State Department of Highways and Public Transportation, Travel & Information

Williams, Jacqueline J.: *Wagon Wheel Kitchens: Food on the Oregon Trail.* University Press of Kansas 1993

El Sudoeste

Arnold, Sam'l P. *Eating Up the Santa Fe Trail.* University Press of Colorado, Niwot, CO, 1990.

Bayless, Rick y Deann Groen Bayless: *Authentic Mexican.* William Morrow and Company, Inc., Nueva York 1987

Bayless, Rick, Deann Groen y Jean Marie Brownson: *Rick Bayless's Mexican Kitchen.* Scribner, Nueva York 1996

Butel, Jane: *Jane Butel's Southwestern Kitchen.* HP Books, Nueva York 1994

Clark, Amalia Ruiz: *Amalia's Special Mexican Dishes.* Gila River Design, Oracle, Arizona 1977

De Wald, Louise: *Arizona Highways Heritage Cookbook.* Arizona Highways, Phoenix, Arizona 1988

Dent, Huntley: *The Feast of Santa Fe.* Simon and Schuster, Nueva York 1985

Dewitt, Dave y Mary Jane Wilan: *The Food Lover's Handbook to The Southwest.* Prima Publishing, Rocklin, California 1992

Eating Up the Santa Fe Trail, University Press of Colorado, Niwot, Colorado 1990

Voltz, Jeanne A.: *The Flavor of the South.* Wings Books for Random House, Avenel, Nueva Jersey 1977

Walter, Eugene y los editores de Time-Life Books: *American Cooking: Southern Style.* Time-Life Books, Nueva York 1971

Griswold, Madge: *To Begin With ...,* Bright Forest Publishers. Tucson, Arizona 1994

Kennedy, Diana: *The Tortilla Book.* Harper & Row Publishers, Nueva York 1975

Kerr, Park W.: *Tortillas.* William Morrow and Company, Nueva York 1996

Peyton, James W.: *El Norte.* Red Crane Books, Santa Fe, Nuevo Méjico 1990

Peyton, James W.: *La Cocina de la Frontera.* Red Crane Books, Santa Fe, Nuevo Méjico, 1994

Quintana, Patricia: *The Taste of Mexico.* Stewart, Tabori & Chang, Nueva York 1986

Las montañas

American Cooking: The Great West, Time-Life Books, Nueva York 1971

Burk, Dale: *Montana Hunting Guide.* Stoneydale Press Publishing, Stevensville Montana 1985

Leonard, Jonathan Norton: *American Cooking: The Great West.* Time-Life Books, Nueva York 1971

California

Brown, Philip: *Helen Brown's West Coast Cookbook.* Alfred Knopf, Nueva York 1991

Carroll, John Phillip y Virginia Rainey: *California: The Beautiful Cookbook.*

Goodwin, Betty: *Hollywood du Jour: Lost Recipes of Legendary Hollywood Haunts.* Angel City Press, Santa Monica 1993

Kagel, Katherine: *Cafe Pasqual's Cookbook.* Chronicle Books, San Francisco 1993

Morse, Kitty: *The California Farm Cookbook.* Pelican Publishing Company, Gretna, Luisiana 1994

Unterman, Patricia: *Patricia Unterman's Food Lover's Guide to San Francisco.* Chronicle Books 1995

El Noroeste del Pacífico y Alaska

Brown, Dale: *American Cooking, The Northwest.* Time-Life Books, New York, Nueva York 1970

Cooking Alaskan. *Alaska Northwest Books,* Seattle, Washington 1983

Good Food Guide to Washington and Oregon, The. Sasquatch Books, Seattle, Washington 1992

Meier, Gary y Gloria: *Brewed in the Pacific Northwest: A History of Beer Making in Oregon and Washington.* Fjord Press, Seattle, Washington 1991

Hawai

Clarke, Joan: *Family Traditions in Hawaii.* Honolulu, Namkoong Publishing 1994

Clarke, Joan: varios artículos en *The Honolulu Advertiser,* 8 febrero 1995, 17 enero 1996 y 11 octubre 1995

Corum, Ann Kondo: *Ethnic Foods of Hawaii.* The Bess Press, Honolulu 1983

Handy, E. S. Craighill y Elizabeth Green Handy: *Native Planters in Old Hawaii: Their Life, Lore and Environment.* Bishop Museum Press, Honolulu 1972

Hawaii Agricultural Experiment Station Bulletin 84, University of Hawaii, Honolulu, diciembre 1939

Hawaii's Crop Parade, Advertiser Publishing Co. Ltd., Honolulu 1937

Junior League of Honolulu: *Another Taste of Aloha.* Island Heritage Co., Honolulu 1993

Laudan, Rachel L: *The Food of Paradise.* University of Hawaii Press, Honolulu 1996

Leanard, Jonathan Norton y los editores de Time-Life-Books: *Legacy of the Japanese in Hawaii, The:* Cuisine, Japanese Cultural Center of Hawaii, 1989

Miller, Carey D., Katherine Bazore y Mary Bartow: *Fruits of Hawaii.* University of Hawaii Press, Honolulu 1965

Nagata, Kenneth M.: *The Story of Pineapple in Hawaii.* Island Heritage Publishing, Honolulu 1990

Schindler, Roana y Gene: *Hawaiian Cookbook.* Dover Publications, Inc., Nueva York 1970

Whitney, Leo David: Bowers, F.A.I. and Takahashi, M.: *Taro Varieties in Hawaii*

Wyman, Carolyn: *I'm a Spam Fan.* Longmeadow Press, 1993

Obras por temas

Generales

American Cooking-Time-Life Series
American Cooking: The Melting Pot. Time Life Books, Nueva York 1971
Badham, Dille, Folse *et al: American Food: A Celebration.* Collins Publishers, San Francisco 1993
Beard, James: *James Beard's American Cookery.* Little, Brown & Company, Boston, Massachusetts 1972
Bon Appétit Magazine, varios artículos, Knapp Publishing, Los Ángeles
Bon Appétit Magazine, varios artículos, The Condé Nast Publications, Inc. Nueva York
Brackett, Babette y Lash, Maryann: *The Wild Gourmet.* David R. Goudine, editor, Boston 1975
Claiborne, Craig: *New York Times International Cookbook.* Harper & Row, Nueva York 1971
Cookery. Foxfire Press / E.P. Dutton., Inc., Nueva York 1984
Cox, Beverly y Martin Jacobs: *Das Indianerkochbuch.* Christian Verlag, Múnich 1996
Donovan, Mary, Amy Hatrak, Frances Mills y Elizabeth Shull: *The Thirteen Colonies Cookbook.* Praeger Publishers, Nueva York 1975
Farmer, Fannie Merritt: *The Original Boston Cooking-School Cook Book,* 1986
First Ladies Cookbook, The. Parent's Magazine Press
Foo, Susanna: *Chinese Cuisine: The Fabulous Flavors & Innovative Recipes of North America's Finest Chinese Cook.* Chapters Publishing Ltd., Vermont 1995
Foods of the World American Cooking. Time-Life Books, 1970
Ford, Patricia: *The Africa News Cookbook.* Africa News Service, Inc., 1985
Fussell, Betty: *I Hear America Cooking.* Viking Penguin, Inc. Nueva York 1986
Geffen, Alice M. y Berglie, Carole: *Food Festival.* The Countryman Press, Woodstock, Vermont 1986
Hahn, Emily y editores de Time-Life Books: *The Cooking of China.* Time-Life Books, Nueva York 1968
Halberstam, David: *The Fifties.* Villard Books, Nueva York, 1993
Hewitt, Jean: *The New York Times Heritage Cook Book.* G.P. Putnam's Sons, 1972
Hopping, Jane Watson: *The Country Mothers Cookbook.* Villard Books, Nueva York 1991
Idone, Christopher: *Glorious American Food.* Random House 1985
Jones, Evan: *American Food: The Gastronomic Story.* 3.ª ed., Overlook Press, Woodstock, Nueva York 1990
Kavasch, Barrie E.: *Enduring Harvests.* The Globe Pequot Press, Old Saybrook, Connecticut 1995
Kennedy, Diana: *The Cuisines of Mexico.* Harper & Row, Publishers, Nueva York 1972
Kerr, Park W. y McLaughlin, Michael: *Burning Desires.* William Morrow and Company, Inc. Nueva York 1994
King, Shirley: *Fish: The Basics.* Ed. rev. Chapters, Shelburne, Vermont 1996
Kitching, Frances y Susan Stiles Dowell: *Mrs. Kitching's Smith island Cookbook.* Tidewater Publishers 1981
Langill, Ellen D.: *Sub-Zero at Fifty.* Ellen D. Langill, 1995
Lewis, Edna: *The Taste of Country Cooking.* Alfred A. Knopf, Nueva York 1976
Library, Boston, Massachusetts 1976
Marian, Tracy: *Favorite Regional Recipes of America.* Grosset and Dunlap, 1952
McBride, Mary Margaret: *Harvest of American Cooking.* G.P. Putnam's Sons 1956
McGee, Harold: *On Food and Cooking: The Science and Lore of the Kitchen.* Scribner's, Nueva York 1984
Meldrum, Douglas: *The Night 2000 Men Came to Dinner and Other Appetizing Anecdotes.* 1994
Mickler, Ernest Matthew: *White Trash Cooking.* The Jargon Society, Winston-Salem, Carolina del Norte 1986
Nichols, Nell B.: *Good Home Cooking Across the U.S.A.* The Iowa State College Press 1952
Paddleford, Clementine: *How America Eats.* Charles Scribner's Sons 1960
Passmore, Jacki: *Asien. Eine kulinarische Reise.* Christian Verlag, Múnich 1994
Perl, Lila: *Red Flannel Hash and Shoo-Fly Pie American Regional Foods and Festivals.* The World Publishing Company 1965
Poladitmontri, Panurat, Judy Lew y William Warren: *Thailand. Eine kulinarische Reise.* Christian Verlag, Múnich 1994

Proft, Melanie, editor: *The President' Own White House Cookbook.* Culinary Arts Institute 1968
Roberson, John y Marie: *The Famous American Recipes Cookbook.* Prentice-Hall, Inc. 1957
Rombauer, Irma S. y Marion Rombauer Becker: *Joy of Cooking.* Penguin Group, Nueva York 1964
Root, Waverley y Richard de Rochemont: *Eating in America.* The Ecco Press, 1981
Schlesinger, Chris y John Willoughby: *The Thrill of the Grill.* William Morrow, Nueva York 1990
Schremp, Gerry: *Celebration of American Food.* Fulcrum Publishers, Golden Colorado 1996
Schultz, Phillip Stephen: *As American as Apple Pie.* Simon and Schuster, 1990
Schulz, Phillip Stephen: *Amerika. Eine kulinarische Reise: Mit 250 authentischen Rezepten aus der Neuen Welt.* Christian Verlag, Múnich 1997
Schwartz, Oded: *In Search Of Plenty.* Kyle Cathie Limited, Gran Bretaña 1992
Shenton, Pellegrini, Brown *et al: American Cooking: The Melting Pot.* Time-Life Books, Nueva York 1971
Stallworth, Lyn y Rod Kennedy, Jr., Hyperion: *The County Fair Cookbook.* 1994
Steinberg, Rafael y los editores de Time-Life Books: *The Cooking of Japan.* Time-Life Books, Nueva York 1969
Szathmary, Louis: *American Gastronomy.* Henry Regnery Company 1974
Wolcott, Imogene: *The Yankee Cook Book.* Ed. rev., The Stephen Greene Press, Lexington, Massachusetts 1985

Históricas

American Heritage Cookbook: ed. de American Heritage American Heritage / Wings Books, 1980
Beebe, Amory: *American Heritage Cookbook e Illustrated History of American Eating & Drinking, et al.* American Heritage Publishing Company, 1964
Anderson, Jean: *Recipes from America's Restored Villages*
Better Homes & Gardens Heritage American Cookbook. B, H & G Books, Des Moines 1993
Carson, Dale: *New Native American Cooking.* Random House, Nueva York 1996
Champagne, Duane, ed.: *The Native North American Almanac.* Gale Research Inc. Detroit, Michigan 1994
Collins, Douglas: *America's Favorite Food.* The Story of the Campbell Soup Company, Harry N. Abrams, Inc. 1994
Dailey, Pat: *Favorite Old-Fashioned Desserts.* Contemporary Books, 1991
O'Connor, Hyla: *The Early American Cookbook.* Prentice Hall, Englewood Cliffs, N.J. 1974
Ojakangas, Beatrice: *Great Old Fashioned American Desserts.* E.P. Dutton, 1987
Plante, Ellen M: *The American Kitchen 1700 to the Present.* Facts on File, Inc. Nueva York 1995
Randolph, Mrs. Mary: *The Virginia Housewife.* Plaskitt & Cugle, Baltimore, Maryland 1824
Rothwell, Catherine: *Old Cornwall Recipes.* Hendon Publishing Co. Ltd., Hendon Mill, Gran Bretaña 1989
Schivelbusch, Wolfgang: *Das Paradies, der Geschmack und die Vernunft: Eine Geschichte der Genußmittel.* Fischer, Francfort del Meno 1990
Simmons, Amelia: *The First American Cookbook.* Facsimile ed., Dover Publications, Nueva York 1958
Tannahill, Ray: *Food in History.* Crown Publishers, Nueva York 1988

Obras de referencia

Ayto, John: *The Diner's Dictionary Food and Drink from A to Z.* Oxford University Press, Oxford 1993
Fortin, François, ed. *The Visual Food Encyclopedia,* Macmillan USA 1996
Hechtlinger, Adelaide: *The Seasonal Hearth.* The Overlook Press, 1977
Herbst, Sharon Tyler: *Food Lover's Companion.* Barrons, Nueva York 1995
Jackson, Kenneth T.: *Encyclopedia of New York City.* Yale University Press, Nueva York 1995
Lang, Jenifer Harvey: *Larousse Gastronomique* (ed.). Crown Publishers, Inc., Nueva York 1988
Mariani, John F.: *The Dictionary of American Food and Drink.* Rev. ed., Hearst Books, Nueva York 1994
Newman, Jacqueline M.: *Melting Pot: An Annotated Bilbliography and Guide to Food and Nutrition Information for Ethnic Groups in America.* Garland Publishing, Nueva York 1986

Niethammer, Carolyn J.: *The Tumbleweed Gourmet.* The University of Arizona Press, Tucson, Arizona 1987
Reavill, Gil: *Los Angeles,* Compass American Guides, Inc. Oakland 1992
Root, Waverley: *Das Mundbuch: Eine Enzyklopädie alles Eßbaren.* Eichborn 1994
Trager, James: *Food Lover's Chronology.* Henry Holt & Co. Inc., Nueva York 1995
Von Welantz, Diana y Von Welantz, Paul: *The Von Welantz Guide to Ethnic Ingredients.* Warner Books, Nueva York 1982
Wise Encyclopedia of Cookery, The. Wm. H. Wise & Co., Inc., 1948

Otros temas

Goldin, Barbara Diamond: *The Passover Journey: A Seder Companion.* Viking 1994
Grant, Rose: *Street Food.* The Crossing Press, 1988
Gutman, Richard J.S. y Kaufman, Elliott: *American Diner.* Harper & Row Publishers, Nueva York 1979
Kainen, Ruth Cole: *America's Christmas Heritage.* Funk & Wagnalls, Nueva York 1969
Sechrist y Janette Woolsey: *It's Time for Easter.* Macrae Smith Company, Filadelfia 1961
Sechrist, Elizabeth Hough: *Heigh-Ho for Halloween!* Macrae Smith Company, Filadelfia 1948

Técnicas de preparación

Breaux, Dottie: *Leidenheimer's Baking Company*
Cano, Tony y Ann Sochat: *Dutch Oven Cooking with Tony Cano.* Reata Publishing, El Paso, Tejas 1993
Chef John Folse, *Black Magic 100 Years of Cast Iron Cooking.*
Complete book of Soups and Stews, The. Simon and Schuster 1984
De Knight, Freda: *Date with a Dish: The Ebony Cookbook.* Hermitage Press, Nueva York 1948
Grosvenor, Vertamae: *Vibration Cooking.* Doubleday & Co., Garden City, Nueva York 1970
Jackson, Mary y Lelia Wishart: *The Integrated Cookbook.* Johnson Publishing Co., Chicago, Illinois 1971
Junior League of Tampa: *The Gasparilla Cookbook.* Tampa, Florida, 1973
League, Junior of Lake Charles: *Pirate's Pantry*
Miller, Richard L.: *The Official Fajita Cookbook.* Texas, Monthly Press, Austin 1988
Stoke, Gabriel A.: *Big Mama's Old Black Pot,* Ewt
Trillin, Calvin: *American Fried.* Vintage books, Nueva York 1979
Walters, Lon: *The Old West Baking Book.* Northland Publishing, Flagstaff, Arizona 1996

Vino

Gregutt, Paul, Dan McCarthy y Jeff Prather: *Northwest Wines.* Sasquatch Books, Seattle, Washington 1996
Halliday, James: *Wine Atlas of California.* Viking, Nueva York 1993
Halliday, James y Hugh Johnson: *Wie Wein entsteht: Von den Göttern geschenkt - von den Menschen gemacht.* Hallwag, Berna 1994
Kaplan, Steven; Smith, Brian H. y Weiss, Michael A.: *Exploring Wine.* Van Nostrand and Reinhold, Nueva York 1996
Thompson, Bob: *Atlas der kalifornischen Weine. Mit Oregon und Washington. Lagen, Produzenten, Weinstraßen.* Hallwag, Berna 1994.
Thompson, Bob: *Kaliforniens Weine. Über 700 Produzenten aus 26 Regionen.* Prólogo de Hugh Johnson (guía de bolsillo Hallwag) Hallwag, Berna 1991
Traveler's Guide to the Vineyards. Simon & Schuster, Nueva York 1993
Wine Country San Francisco Encore, Junior League of San Francisco, Doubleday & Co. Inc., Garden City, Nueva York 1986

Bebidas

Aidells, Bruce y Denis Kelly: *Real Beer and Good Eats.* Alfred A. Knopf, 1996
Hutson, Lucinda: *Tequila.* Ten-Speed Press, Berkeley 1995
Miller, Mark Charles: *Coyote Cafe.* 10 Speed Press, Berkeley, California 1989
Olsen, Dave: *Starbucks Passion for Coffee.* Sunset Books, Menlo Park, California 1994
Regan, Gary y Mardee Haidin Regan: *The Book of Bourbon and Other Fine American Whiskeys.* Chapters Publishing, Ltd., Shelburne, Vermont 1995
Rhodes, Christine P., editora, Henry Holt: *Encyclopedia of Beer.* 1995

Fruta / frutos secos

Buyers, Rebecca: *The Marvelous Macadamia Nut.* Irena Chalmers Cookbooks Inc., Nueva York 1982
McPhee, John: *Orangen.* Klett-Cotta, Stuttgart 1995
Micucci, Charles: *The Life and Times of the Peanut.* Houghton Mifflin Company, Boston 1997
Sunset Books y Sunset Magazine, editores: *How to Grow Fruits, Nuts & Berries.* Lane Publishing Company, Menlo Park 1984
Taylor, Demetria: *Apple Kitchen Cookbook.* Popular Library 1966
Walheim, Lance y Robert L. Stebbins: *Western Fruit, Berries & Nuts: How to Select, Grow and Enjoy.* H. P. Books, Tucson 1981
Webber, Herbert John and Leon Dexer Batchelor, editores: The *Citrus Industry (volumen 1): History, Botany and Breeding.* University of California Press 1943

Verdura

Fussell, Betty: *The Story of Corn.* Alfred A. Knopf, 1992
Gilroy Garlic Festival Garlic Lovers' Greatest Hits. Celestial Arts, Berkeley 1993
Grigson, Jane: *The Mushroom Feast.* Knopf, Nueva York 1975
Hendrickson, Robert: *The Great American Tomato Book.* Stein and Day, 1977
Hess, Karen: *The Carolina Rice Cook Book: The African Connection.* University of South Carolina Press 1992
Hutson, Lucinda: *The Herb Garden Cookbook.* Gulf Publishing Company, Houston 1992
Kerr, Park W.: *Beans.* William Morrow and Company, Nueva York 1996
Kerr, Park W.: *Chiles.* William Morrow and Company, Nueva York 1996
Leibenstein, Margaret: *The Edible Mushroom.* Fawcett Columbine, Nueva York 1986
Smith, Andrew F.: *The Tomato in America.* Univeristy of South Carolina Press 1994

Condimentos

Andrews, Jean: *Peppers.* The University of Texas Press, Austin, Tejas 1984
Berkley, Robert: *Peppers.* Vintage Books, Random House, Nueva York 1992
Dewitt, Dave, Mary Jane Wilan, y Melissa Stock T.L: *Hot & Spicy Chili.* Prima Publishing, Rocklin, California 1994
Dooley, Beth y Lucia Watson: *Savoring The Seasons of the Northern Heartlands.* Alfred A. Knopf, Nueva York 1995
Jamison, Cheryl Alters y Bill: *Smoke & Spice.* The Harvard Common Press, Cambridge (MA) 1994
Jamison, Cheryl Alters y Bill: *Sublime Smoke.* The Harvard Common Press, Cambridge (MA) 1995
Näg, Amal: *Peppers.* Fireside Books, Simon & Schuster, Inc., 1992
Smith, Andrew F.: *Pure Ketchup.* University of South Carolina Press 1996

Pescado y marisco

Adams, Joan y Doug: *Ode to the Oysters.* Cookbook Publishers, Inc. 1983
Bittman, Mark: Fish: *The Complete Guide to Buying and Cooking.* Macmillan, Nueva York 1994
Chandonnet, Ann: *The Alaska Heritage Seafood Cookbook.* Alaska Northwest Books, Seattle, Washington 1995
Davidson, Alan: *Mediterranean Seafood Rev.* ed. Penguin, Harmondsworth, Gran Bretaña 1981
Day, Glenn: *Crab Cookery Coast to Coast.* The Crossing Press 1982
Faria, Susan: *The Northeast Seafood Book.* Boston, Massachusetts Division of Marine Fisheries, 1984
Hawaii Seafood Buyers' Guide, Hawaii Department of Business Economic Development and Tourism. Honolulu, Hawai
Hibler, Janie: *Dungeness Crabs and Blackberry Cobblers.* Alfred A. Knopf, New York, Nueva York 1991
McClane, A. J.: *The Encyclopedia of Fish Cookery.* Henry Holt, Nueva York 1977
Oliver, Sandra O.: *Saltwater Foodways.* Mystic Seaport Museum, Mystic, Connecticut 1995
Williams, Lonnie y Karne Warner: *Oysters 1987.* Ten Speed Press

AGRADECIMIENTOS

La editorial desea dar las gracias a las siguientes personas e instituciones por el valioso apoyo prestado a lo largo de la realización de esta obra:

Estilistas: Susan Volland (Noroeste del Pacífico), Nina Pfaffenbach (Hawai), Kelly Kochendorfer (La ciudad de Nueva York), Jennifer Udell, Marie Baker Lee
Estilista ayudante: Leslie de Francesco
Accesorios por cortesía de: Caviarteria Inc., Solanee Inc., Galileo, Savannah Antiques, Tudor Rose Antiques, Acme Marble, The Small Furniture Store
Producción de exteriores: Kate Baldwin (Noroeste del Pacífico) Joan Moravek (Chicago), Stefan Kochs, Tom Fisk, Scott Kennedy
Editorial: Euan Bear (corrección), Kate Mueller (redacción), Jill Harder, Melinda Meyer, Darah Smoot, Steven West
Ayudantes de diseño: Steve Crafts, Nina Mazuzan, Josh Highter
Aportaciones: Jane Kirby (cerveza, queso / capítulo El Medio Oeste)
Colaboración general de valor inestimable: Robert y Claire Williams

Nueva Inglaterra

Alyson's Orchard, Ezekiel Goodband, Robert F. Jasse
The Vermont Country Store, Janice Izzi
Sand's, Taylor, and Wood Co., Joe Caron
The Wauwinet, Nantucket, Russ y Debbie Cleveland
Upland Hunt Club, Gordon Goodband, Clifford Goodband, Sari Abul Jubein
John Dewar Prime Meats, John Dewar, Fred Donovan, Harry Wedge, Ken O'Reilly, Mark Gallagher
New England Confectionery Co., Walter Marshall
Up Stairs at the Pudding, Deborah Hughes, Mary-Catherine Deibel
Charlie Hanson
New England Aquarium Lobster Rearing Facility, Jason Goldstein
Culinary Historians of Boston, Barbara Wheaton, Sarah Boardman, Jean Kressy
Generoso Musto
George Schenk at American Flatbread
Shelburne Farms, Hilary Sunderland

Nueva York

Lombardi's, John Brescio
Keens Chophouse
Rainbow Room
H & H Bagels
Sylvia Woods at Sylvia's
St. Regis Hotel y el King Cole Bar
Giorgio DeLuca y Dean & DeLuca
Scahaller and Weber
Orwasher's Bakery
Katz's Delicatessen
Russ and Daughters'
Mott Street Restaurant
Alleva's
Raffetto's
Brawta Caribbean Cafe
Lefko's Pirgos Cafe
Zito and Sons Bakery
Kalustyan's
Oyster Bar and Restaurant
Fraunces Tavern
Red Jacket Orchards
Bleecker Street Pastry and Cafe
Zula Restaurant

Atlántico Central

Purdue Farms
Chincoteague Oyster Festival
Chicoteague Chamber of Commerce
McClure Bean Soup Committee
National Hard Crab Derby
Delmarva Chicken Festival
Mushroom Festival and Philips Mushrooms
Birkett Mills
The Tomato Club Newsletter, Bob Ambrose
Regannas Candy Shop

Sturgis Pretzel House
Pat's Philly Cheese Steaks
Scwabl's
Anchor Bar
White House Sub Shop
NY State Agricultural Experiment Station
Lucinda Hampton
Hershey Foods Corporation
Dee Dee Meyers

El Medio Oeste

Alliance Bakery, Heidi Hedeker
The Berghoff Restaurant
Ingvar Wikstrom, Wikstrom's Gourmet Foods and Catering
Chicago Brauhaus
Orbit Restaurant
Lloyd Nichols and Family
Busy Bee Restaurant
Mareva's Continental Restaurant
Erickson's Deli and Fish Market
Swedish Bakery
Old World Market
Ann Sathers
Moti Mahal
Udupi Palace
Patel Bros.
Devon Foods and Groceries
Apna
Bangla
Home Bakery
Paulina Market
Roberts Fish Market

Las Grandes Llanuras

International Brangus Breeders Association, Terri L. Barber

El Sur

John Egerton
Kitty Green, K&G Enterprises, The Gullah Restaurant
John Martin Taylor
Jewel Norman
Afi-Odelia Scruggs
Minnie Millier
The Coca-Cola Company, Atlanta
Joe's Stone Crab, Miami, JoAnn Bass y Stephen Savitz
Marathon Fishery, Marathon, Gary Gray
Queen's Table Restaurant, Key West, Florida, Bill Hunt
Currry Mansion Inn, Key West, Florida, Edith Amsterdam
Flora & Ella's Restaurant, LaBelle, Florida, Alan e Irene Trask
Janice Groves, LaBelle, Florida
Floriday Sugar Cane Growers Cooperative of Florida, Barbara Miedema
Carol Sofley, Tobacco Specialist, US Department of Agriculture
Zeeke's Charter Fishing, Orange Beach, Florida, Judy Tatum
Orange Beach Chamber of Commerce, Colette E. Boehm
Carver Museum, Tuskegee, Alabama
Peanut Advisory Board
USA Rice Council
Riceland Foods
The Great Southern Sauce Company, Little Rock, Arkansas, Randy Ensminger
US Sugar Association, Denise Kessler
The Tea Council, Joe Simrany
Mrs Sassard's, Mt. Pleasant, Carolina del Sur, Gertrude Sassard
Gullah Festival of South Carolina, Inc., Rosalie Pazant
The Penn Center, St. Helena, Carolina del Sur
Olde Colony Bakery, Sheila Ricks
Charleston Restaurant Association, Kathy Britzius
George Washington's Mt. Vernon Estate and Gardens
Deacon Willie Elder
Monticello, Charlottesville, Virginia
Ash-Lawn Highland, Charlottesville, Virginia
Renfro Valley, Cindy Roberts
Maker's Mark Distillery, Donna S. Nally
Boulevard Distillers and Importers, Inc.
Ray Knotts, Buckhannon
Eleanor Mailloux
Jack Daniels Distillery, Roger Bashears
Kentucky Fried Chicken, Jeanie Litterst
Churchill Downs, Tony Terry
White Lily Flour, Brenda Ellis

Nueva Orleans

City of New Orleans Tourist Office, Beverly Gianna
Ginger Guice Clark
Mr y Mrs Jacob D. Guice, Sr.
John Folse
Minnie Fuller
Lodge Cast Iron
Louisiana Seafood Promotion & Marketing Board
Louisiana Department of Agriculture, Larry Michaud, Bob Odom
Louisiana Department of Culture, Recreation & Tourism, Bruce Morgan,
Louisiana Office of Tourism, Ivan J. Daigs, Charles Fisher
Kim Overstreet
New Orleans Jazz & Heritage Festival, Matthew Goldman
Barbara Patout
Patout Sugar Cane Plantation
Wm. B. Reily & Company, Inc.
Rushing & Guice
Susan Tucker
Tulane Women's Center Cookbook Library
Brennan's Restaurant, Bonnie Warren

Tejas

Rick Bayless, Chicago, Illinois
Linda Beebe, Texas Beef Industry Council
Edith Cohen, Tucson, Arizona
Susan Dunn, Texas Department of Agriculture
Luis Helio Estavillo, Casa del Sol, Juarez
Ralph Griswold, Tucson, Arizona
Susie Mae Henry, Fort Worth, Tejas
Lucinda Hutson, Austin, Tejas
Imelda Gonzalez, Fort Worth, Tejas
W. Park Kerr / El Paso Chile Company, El Paso, Tejas
Paula Lambert, The Mozzarella Company, Dallas, Tejas
Mark McLaughlin, Southwest Cattle Raiser's Association
Saveur Magazine
Sterling Steves, Fort Worth, Tejas
Janet Trefethen, Napa, California
Ed y Susan Auler, Fall Creek Vineyards

El Sudoeste

Carolina Arizpe, Tumacacori
Rick Bayless, Chicago
Amalia Ruiz Clark y Tom Clark, Oracle
Edith Cohen, Tucson
Barbara Colleary, Tempe
Vanda Gerhart / The Green Grocer, Tucson
Ralph Griswold, Tucson
Cheryl Alters Jamison, Santa Fe
W. Park Kerr / El Paso Chile Company, El Paso
Deborah Madison, Santa Fe
Catherine Millard / The Green Grocer, Tucson
Molina's Midway Restaurant, Tucson
Jean England Neubauer / Santa Cruz Chile and Spice Company, Amado
Daniel Sandoval, Las Cruces
Table Talk, Tucson
Virginia Selby, The Tasting Spoon, Tucson

Las montañas

Sam Arnold
Diane Eicher
Bill Gwaltney
Mary Ann Hogsett
Carol Kirby
Ken Klemm
Elaine Lipson
John McCammant
Ernie New
Greg Patent
Auggie Sena
Church of Jesus Christ of Latter-day Saints
Colorado Mycological Society
Colorado State University Cooperative Extension
Idaho Department of Agriculture
Idaho Potato Commission
National Park Service
Rocky Ford, Colorado, Chamber of Commerce
University of Idaho Agricultural Communications Center
University of Sasketchewan Native Fruit Development Program

California

Di Loreto Cellars, David Di Loreto
Polito Family Farms, Bob Polito
Greg Prussia
University of California Lindcove Research and Extension Center, Louis Whitendale
Apricot Producers of California
California Artichoke Advisory Board
California Avocado Commission
California Department of Fish and Game
California Milk Advisory Board
California Table Grape Association
Diamond Walnut Growers
Ecomar
Fresno City and County Convention and Visitors Bureau
William J. Garry
David Garza
Gilroy Garlic Festival
National Date Festival
Pismo Beach Conference and Visitors Bureau
Sunkist
Tomales Bay Foods
University of California at Davis
University of California at Riverside
Wine Institute
Wool Growers Restaurant
Wu Lae Oak Restaurant
Sushi A, Motoharu Kurata
El Cholo, Rosa Miguel
Los Reyes Mariachi and Trio
Sonsonate Restaurant
Musso & Frank Grill, Edith Carissimi Maston, Rose Mosso Keegel, Michel Bourger, Philip Cano
Original Joe's
Sam's Grill and Seafood Restaurant
Pink's Famous Chili Dogs, Gloria Pink
Liguria Bakery
Danilo Bkery, Lena Ferrando
Mario's bohemian Cigar Store Cafe
Hog Island Oyster Co.
Cresci Bros., Tony Cresci
Guardino's
Chez Panisse Cafe, Alan Tangrin
Acme Bread Co.
Beverly Hills Juice Club
Thogmartin Farm, Jon Thogmartin
Central Market
T&T Top Veg Farms
Schaner Farms, Peter & Kayne Schaner
Alana Organic Vegetables, Bornt Family Farms
DaVall Date Gardens
Hotel Bel Air
Bob's Big Boy
Tail O' the Pup, Dennis Blake
Bellwether farms, Liam y Diana Callahan
The Cheese Board
Sunset Marquis, Danny E. Justis
Phillips Bar-B-Que, Foster y Jarrod Phillips
Greg Sadeg

El Noroeste del Pacífico y Alaska

Kate Baldwin (ayudante de producción)
Patrice Benson
Jerilyn Brusseau
Kathy Casey
Ann Chandonnet
Kaspar's Restaurant, Kaspar Donier
Pike Brewing Company, Charles Finkel
Braiden-Rex Johnson
Oregon Hazelnuts
Jon Rowley
Starbuck's Coffee
Tom Stockley
Marilyn Tausend
Taylor United Seafood, Bill y Paul Taylor
John Van Amerongen
Susan Fowler Volland
Tillamook County Creamery Association
Washington State Apple Commission

Hawai

Howard Deese, Ocean Resources Branch, State of Hawaii
Sam Choy
Kaui Philpotts
Kay's Cracked Seed
Matsumoto Shave Ice
United Fishing Agency
Tamashiro Fish Market
Tsukenjo Lunch Wagon
Hawaiian Vintage Chocolate Co.
Mauna Loa Macadamia Nut Co.
John Vincent
Punahou School
Haili's Hawaiian Foods
Nisshodo Candy Store
Hawaii's Plantation Village
De Soto Brown, Bishop Museum

Recortes

Julie Wood
Brian Dowling, Von's / Pavilion's Store
Mary Shaefer

CRÉDITOS FOTOGRÁFICOS

Melanie Acevedo: 20 (dcha.), 21
American-International Charolais Association: 185 (toro Charolais)
American Belgian Blue Breeders: 184 (toro y vaca Belgian Blue)
American Blonde d'Aquitaine Association: 184 (toro Blonde d'Aquitaine)
Fotos de archivo: 250 (izq.), 464 (inf. / Tom Kelly)
Günter Beer: 61 (sup.), 89 (cardamomo, clavos, semillas de mostaza, azafrán), 143 (fábrica de cerveza), 177 (sup. dcha.), 217, 260 (izq.)
Bettmann Archive: 30 (dcha.), 31 (fondo), 108 (inf. izq.), 125 (dcha.), 182 (sup.), 351 (sup. dcha.), 375 (inf. dcha.)
Bird-in-Hand Farmer's Market: 102 (inf. dcha.)
Bishop Museum: 474, 475
Black Dog: 261 (centro izq.), 310 (sup. dcha.), 395 (centro)
Black Star / Doug Wilson: 23 (izq.)
Boston Globe / Mark Wilson: 14, 15, 17 (sup. dcha.)
Matt Bradley: 160, 161 (inf. izq.)
Braunvieh Association of America: 184 (beefalo), 185 (toro Brangus, vaca y ternero Brangus, vaca Braunvieh, toro Gelbvieh, vaca y ternero Gelbvieh)
Doris J. Brookes: 430 (dcha.), 431
Brown & Bigelow: 415
David Browne: 443 (dcha.)
D. Cavagnaro: 14 (inf. dcha.), 15 (sup. dcha.), 16 (dcha.), 17 (sup. izq.),158, 159, 320 (sup. dcha.), 326, 327 (inf., judías Swedish Brown, judías pintas, judías negras), 359, 360, 365 (sup.), 366 (dcha.), 442 (inf. centro), 450 (fondo)
Walter Chandoha: 24 (izq.)
Helmut Claus: 2-3, 8, 11 (inf.), 12, 13, 18, 22 (sup.), 24 (dcha.), 25 (izq.), 26, 27, 32 (superpuestas), 42, 43 (izq.), 46, 47, 49, 51, 71 (Mizuna), 172 (izq.), 173 (sup. izq.), 186, 187, 190 (inf. dcha., izq.), 191 (inf. dcha.), 225 (sup. dcha.), 260 (dcha.), 278 (sup.), 287, 288 (inf.), 294 (izq.), 298, 299, 300, 301, 302, 314, 315, 316 (izq.), 317 (dcha.), 318, 319 (centro, sup.), 320 (inf.), 321, 324, 325, 328, 329 (inf.), 330 (inf. izq., sup. dcha.), 331 (sup. izq., centro e inf. dcha.), 334 (izq.), 338 (inf.), 339, 407 (sup. izq.), 425 (sup., superpuesta), 428, 429, 433, 435 (inf. izq.), 436, 437, 438 (sup. e izq.), 439 (sup.), 440, 441 (izq.), 445 (izq.), 446, 447, 448 (dcha.), 449 (sup.), 452, 453 (izq.), 458, 459 (inf. dcha.), 460, 461 (excepto navajas y buey de mar californiano), 466, 467, 468, 469, 470, 471, 474, 475, 476, 477, 479, 480, 481, 484, 485, 486, 487, 488 (inf.), 489 (inf. dcha.), 490, 491, 492, 493, 494, 495, 496, 497, 498, 499
Coca-Cola: 246 (sup. izq., sup. dcha.), 247
Brandon Cole / Mo Young Productions: 454 (superpuesta)
Corbis-Bettmann: 94 (sup.), 164 (izq.), 170 (sup. dcha.), 171 (sup. izq.), 172 (inf.), 353 (inf.)
Rosalind Creasy: 322 (dcha.), 434 (sup.), 435 (centro izq.), 442 (sup.), 444 (inf.), 445 (sup. centro)
Culver Pictures Inc.: 73 (carretilla de mano), 77 (fondo), 108 (sup.), 136 (sup.), 164 (sup. dcha.), 292 (izq.), 293 (inf.)
Randi Danforth: 175 (superpuesta), 251 (superpuesta)
Heather R. Davidson: 110 (sup.), 112 (sup. izq.), 114, 115 (fondo)
Emu / OKAPIA: 173 (sup. izq.)
F / Stop Pictures: 27 (dcha. / John Lazenby), 28 (fondo), 29 (sup. dcha. / John Lazenby), 40 (dcha.), 41 (izq. / George A. Robinson), 124 (sup. / Peter Miller), 170 (inf. / Don & Pat Valenti), 346, 347(Peter Miller), 354 (dcha. / Hanson Carroll), 355 (centro / Hanson Carroll), 357 (inf. / Peter Miller), 402 (inf. izq.)
William B. Folsom: 110 (inf.), 112 (dcha.), 113
Food Foto Köln: Brigitte Krauth y Jürgen Holz: 75 (sup. izq.), 87 (superpuesta), 140 (inf.), 177 (centro dcha.), 329 (sup. dcha.), 331 (centro izq.), 351(sup.), 355 (sup.), 444 (sup.), 445 (inf. dcha.)
Lois Ellen Frank: 18 (superpuestas), 19 (superpuestas), 40 (sup.), 41 (centro), 75 (almeja joven), 238 (inf. izq.), 279 (sup. dcha.), 317 (chile jalapeño), 318 (superpuesta), 319 (Ancho, Parsilla), 320 (sup., fondo), 323 (sup.), 327 (Appaloosa, Jacob's Cattle), 340 (sup.), 341 (inf., sup.), 343 (inf.), 458 (inf. izq.), 461 (inf. izq. y navajas)
Tina Freeman: 203
D.B. Friedrichs: 273 (sup.), 281 (inf. izq.), 285 (sup. dcha.), 316 (sup. dcha. e inf.), 317 (fondo), 322 (izq.), 328 (izq.), 330 / 331(fondo), 331 (superpuesta piñones), 339 (inf. izq.), 340, 341
Susan Galtz: 306 (dcha.), 307 (izq.)
General Electric: 464 (sup.)
Jim Graham: 32-33 (fondo), 122, 123
Grant Heilman: 116 (sup. / John Colwell), 120 (Larry Lefever), 156 (sup. dcha.), 174 (sup.), 175 (sup.), 182 (inf.), 183 (fondo), 184 (sup.), 184 (toro Black Angus / Larry Lefever), 185 (sup. / Barry Runk, toro Hereford / John Colwell, vaca Hereford descornada / Larry Lefever, vaca del Limousin / Grant Heilman), 188 (Heilman / Runk / Schoenberger), 189 (fondo y sup. dcha. / Jim Strawser), 194, 195 (izq.), 216 (sup.), 237 (inf. izq. / Alan Pitcairn), 242 (sup. / Jane Grushow), 243 (sup.), 244 (sup.), 248 (sup. / Arthur C. Smith), 280 (sup.), 285 (sup. centro), 290 (sup. / Joel Sartore), 292 (sup. / George Harrison), 304 (inf.), 308, 313 (sup. / Joel Sartore), 345 (sup. dcha.), 349 (sup.), 355 (inf. / Arthur C. Smith), 361 (sup.), 367 (dcha.), 382 (izq.), 386 (sup. / Christi Carter), 387 (izq. / Alan Pitcairn),400 (sup. / Christi Carter)
Hershey Company: 126, 127
Image Bank: 196 (inf.)
Index Stock Photography Inc.: 249 (inf., pipa y tabaco de pipa), 260 (sup.) 282 (sup.), 462, 463
Luc Janssens / Opus One: 401 (sup.), 404 (sup.)
Jan & Al Jorolan / GeoIMAGERY: 290 (izq.), 291 (sup. dcha.)
Könemann Verlagsgesellschaft mbH / Fuis & Büschel / Foto: Christoph Büschel: 76 (izq.), 193
Lancaster County / Roger L. Berger: 98, 99, 102 (inf. izq.)
Brian Leatart: 274 (sup.)
The Maine Photographer / Voscar: 38 (dcha.), 39
Manos / Magnum / FOCUS: 85 (inf. dcha.)
Christopher Marona: 170 (izq.), 290 (inf.), 291 (izq.), 348-349 (fondo), 350
John Marshall: 352 (sup.), 442 (fondo e inf. izq.), 444 (fondo)
Curtis Martin: 368 (sup., inf.), 369
Rose McNulty: 338, 339 (sup. dcha.), 342, 343 (izq. y sup.), 363 (inf. izq.)
Wyatt McSpadden: 296, 297
Peter Medilik: 91 (hortalizas de Puerto Rico), 100, 101, 106, 107, 121 (sup. izq.), 166, 167 (izq.), 168, 169, 170, 171, 175 (inf. dcha.), 176, 180, 181,198, 199, 206 (inf. izq.), 207 (sup.), 209, 212, 213, 214, 215, 218, 223, 234, 235, 236 (sup.), 237 (izq., centro), 238 (sup. centro e inf.), 240, 241, 253, 254, 255, 256, 257, 284, 285, 330 (sup. izq.), 331 (sup. dcha.), 374, 375, 376, 377, 379, 380, 381, 476 (inf. centro y centro dcha.), 477 (centro izq.), 482, 483, 484, 485
Lawrence Migdale: 272 (sup.), 339 (inf. izq. y centro), 456 (izq.)
Peter Miller: 286 (centro)
Buzz Morrison: 362, 363 (sup. dcha)
Will Mosgrove: 96, 97
MPTV / David Sutton: 394, 395 (izq. y sup. dcha.)
National Bison Association / Bill Swartz: 183 (superpuesta)
NE Stock / Howard Karger: 35 (izq.)
Zeva Oelbaum: 10 (sup.), 16 (izq.), 17 (inf.), 19 (sup.), 20 (izq.), 22 (inf.), 29 (dcha.), 30, 33 (superpuesta), 35 (inf.), 36 (superpuesta), 38, 43 (dcha.), 44, 45, 47 (inf. izq.), 50, 61, 63 (inf.), 64, 65, 66 (bol de sopa), 69 (inf., dcha.) 71 (pasta de judías, col china, brotes de judías, salsa de ostras, cinco especias chinas, salsa de soja, Bok Soy, tallarines de celofán, raíz de loto), 75 (espaguetis), 77 (superpuesta, dcha.), 83 (Jello), 85 (inf.), 87, 91 (Arroz con pollo), 93 (Huevos Benedict), 102 (sup.), 103 (sup.), 104, 105, 108 (inf. dcha.), 109 (inf.), 111, 112 (inf. izq.), 116 (inf.),117 (centro, inf.), 118 (sup.), 119 (inf.), 121 (inf.), 124 (inf. dcha.), 128, 129, 131, 136 (inf., izq.), 139, 142 (inf.), 143 (inf.),144, 145, 146, 147, 149, 152, 155, 156 (inf.), 157, 161 (inf. dcha.), 163 (inf.), 164 (centro, inf. dcha.), 165 (inf. izq., centro dcha.), 171, 173 (inf. dcha.), 174 (inf.), 177 (inf.), 178, 179, 186 (pecho de buey, ossobuco, bistec de cadera de buey), 187 (falda de buey y sup. dcha.), 195 (centro), 196 (inf.), 197 (superpuestas), 205, 206 (sup., inf. dcha.), 207 (inf.), 208, 210, 211, 217 (inf. izq.), 218, 219, 220, 221, 222, 224, 227 (superpuestas), 229 (sup.), 231, 232, 236 (inf.), 237 (dcha.), 239 (sup. dcha.), 243, 244 (centro), 246 (inf.), 248, 249, 250 (centro, dcha.), 251, 258, 259, 261 (sup.), 262, 263, 264, 265, 266, 267, 268, 269, 270, 271, 273 (inf.), 275, 276, 277, 278 (inf.), 279 (izq.), 280 (inf.), 282 (inf.), 283, 286 (inf.), 293 (sup.), 294, 295, 303 (dcha.), 305 (dcha.), 309, 310, 311, 312, 313 (dcha.), 319 (inf. izq.), 323 (inf.), 324 (superpuesta, izq.), 327 (sup.), 330 (centro sup., inf. dcha.), 331, 332, 333, 334 (dcha.), 335, 338 (sup.), 344 (inf.), 352 (inf.), 353 (sup.), 356 (inf.), 357 (sup.), 358, 361 (inf.), 363 (inf. dcha.), 364 (inf.), 365 (dcha., inf.), 366 (izq.), 367 (izq.), 382, 383, 384 (sup.), 385 (inf.), 387 (centro), 388 (inf.), 390, 391, 392, 393, 396 (sup.), 400 (inf. dcha.), 401 (inf.), 404, 405, 407 (inf. dcha.), 413 (inf.), 418 (sup. dcha.), 419 (izq.), 420 (superpuesta), 421 (dcha.), 422 (izq.), 423 (sup.), 427, 434 (izq. e inf.), 435 (sup.), 438 (inf. dcha.), 439 (inf.), 441 (dcha.), 443 (izq.), 448 (izq.), 449 (inf.), 451 (centro), 453 (inf. dcha.), 456 (dcha.), 457 (dcha.), 462 (superpuestas), 463 (superpuestas), 465, 477 (Sup. izq. e inf. centro), 478, 479, 482 (dcha.), 484 (inf.), 485 (inf.)
Peddlar's Village: 427 (inf.)
Pennsylvania Convention and Visitor's Bureau: 103 (inf. izq.)
Plimoth Plantation / Ted Curtin: 36, 37
Dan Polin: 272 (inf.)
Positive Images: 24 (sup. / Harry Haralambou), 31 (superpuesta / Patricia J. Bruno), 41 (sup. dcha. / Lee Lockwood), 115 (superpuesta), 124 (inf. izq. / Patricia J. Bruno)
Puget Sound Mycological Society / Ben Woo: 450 (sup.), 451 (sup. izq.)
D. Putnam: 24, 25 (fondo)
Paul Rico: 244, 245, 262 (sup.), 281 (fondo)
Salton Housewares, Inc.: 177 (sup. izq.)
Scandinavian Fishing Year Book: 455 (centro)
Mae Scanlan: 202 (sup.)
Shelburne Farms: 48
L. Smith: 230, 233
Tom Stack & Associates: 189 (sup. izq. / John Shaw), 190 (sup. / Rod Planck),191 (izq. / John Cancalosi, Wendy Shattil, Rob Rozinski), 238 (sup. dcha. / Larry Lipsky), 239 (inf. / Brian Parker), 285 (centro / Joe McDonald), 354 (izq. / Thomas Kitchin), 386 (inf. / Inga Spence), 387 (inf. dcha. / Inga Spence), 402 (sup. e inf. dcha. / Robert Fried) (inf. dcha. y centro / Inga Spence), 406 (Greg Vaughn)
State of Hawai'i Seafood Promotion Department: 488-489 (pescado), 490 (filetes)
Ruprecht Stempell: 144 (sup.),145 (centro dcha.), 172 (centro), 173 (centro dcha. e inf. izq.), 195 (centro dcha.), 327 (garbanzos, fríjoles), 351 (inf.),384 (inf. y dcha.), 385 (sup.), 432, 445 (sup. dcha.), 463 (sup. dcha.)
William Strode: 200, 201, 202 (inf.), 204, 220 (superpuesta), 225 (sup. dcha.), 228, 229 (inf. y superpuesta), 303 (izq.)
Texasweet: 304 (dcha.), 305 (izq.)
Third Coast / Scott Witte: 142 (izq.), 143 (sup. y centro izq.), 163 (superpuestas)
University of Pennsylvania: 95 (fondo), 118 (inf.), 119 (inf. dcha. y fondo)
UPI / Corbis-Bettman: 242 (inf.), 263 (fondo)
U.S. Rice Federation: 216 (inf.)
Valparaiso Popcorn Festival:154
Viking Range Corporation: 465 (inf. izq.)
Waterfront Press: 162 (inf.)
George Wieser: 10 (inf.), 11 (sup.), 52, 53, 54, 55, 56, 57, 58, 59, 60, 62, 63 (sup.), 64 (superpuesta), 66, 67, 68, 69 (sup.), 70, 71 *(Choi Sim,* melón amargo, judías largas, castañas de agua, espinacas de agua), 72, 73, 74, 76, 77 (superpuesta, izq.), 78, 79, 80, 81, 82, 83, 84, 85 (sup. dcha.), 86, 88, 89 (amchoor, hojas de curry, dahl, Garam Masala, tamarindo, cúrcuma, pan *nan),* 90, 91 (cajas de bananos), 92, 93, 94, 95, 105 (superpuestas), 109 (sup.), 117 (sup.), 125 (izq.), 130, 131 (superpuesta), 132, 133, 134, 135, 136 (inf. dcha.), 137, 138, 140 (sup.), 141, 147 (sup.), 148, 149 (sup.), 150, 151, 153 (sup.), 225, 226, 227, 262 (inf.), 285 (centro dcha.), 310 (sup. dcha.) 317 (izq.), 364 (sup.), 368 (izq.), 369, 370, 371, 372, 373, 378, 387 (centro inf.), 388 (sup.), 389, 395 (Zombie), 396 (inf.), 397, 398, 399, 400 (inf. izq.), 403, 405 (centro, izq.), 408, 409, 410, 411, 412, 413 (sup.), 414, 416, 417, 418, 419 (dcha.), 420, 421 (izq., inf.), 422 (dcha.), 423 (inf.), 424, 425
West Stock / Doug Wilson: 23 (fondo)
Terry Wild: 29 (superpuesta, sup. izq.), 34, 148 (inf., centro), 153 (inf.), 286 (sup.), 344 (sup.), 345 (inf.), 426, 442 (inf. dcha.)
Doug Wilson: 162 (sup.), 454 (fondo), 455 (dcha.), 457 (izq.)
Scott J. Witte: 447 (inf. dcha.)
Ben Woo: 450 (sup.), 451 (sup. izq.)
Norbert Wu: 356 (sup.)
George Wuerthner: 430 (izq.)
Las ilustraciones de las páginas 96-97 han sido publicadas por gentileza de la revista *Bon Appétit.* Bon Appétit es una marca registrada perteneciente a Advanced Magazin Publishers, Inc., y es publicada por The Condé Nast Publications Inc. Copyright © 1994 by the Condé Nast Publications Inc.

ÍNDICE DE RECETAS

Americano y alfabético

Las fotografías están indicadas en negrita.

ÍNDICE DE RECETAS

Español y temático

DISTRIBUIDORES

Se citan a continuación los principales distribuidores
de comida estadounidense en España.

Kellogg´s España S.A.
Polígono ind. de Valls s/n
43800 Valls (Tarragona)
Telf.: 977 603 114
Fax: 977 612 029

Trade L.D.
Córcega 381, 4º
08037 Barcelona
Telf.: 934 761 700
Fax: 934 586 654

Gallina Blanca S.A.
Avda. Josep Tarradellas, 38
08029 Barcelona
Telf.: 934 101 509
Fax: 934 107 579

Pillsbury Ibérica S.A.U.
Avda. Burgos, 19
28036 Madrid
Telf.: 913 846 925

BIMBO España
Avda. Prat de la Riba s/n
08400 Granollers (Barcelona)
Telf.: 938 494 011